EL CUENTO ESPAÑOL EN EL SIGLO XIX

Consejo Superior de Investigaciones Científicas

Patronato «Menéndez Pelayo»   Instituto «Miguel de Cervantes»

REVISTA DE FILOLOGIA ESPAÑOLA — ANEJO L

EL CUENTO ESPAÑOL EN EL SIGLO XIX

PREMIO «MENENDEZ PELAYO» 1948

POR

MARIANO BAQUERO GOYANES

MADRID
1949

Talleres Gráficos ISELAN. — Aguas, 13. — Teléfono 27-13-45. — MADRID

A mis padres.

Esta obra fué presentada como Tesis Doctoral en la Facultad de Filosofía y Letras de la Universidad de Madrid, y obtuvo la calificación de Sobresaliente, al ser leída, el 27 de noviembre de 1948, ante el Tribunal formado por D. Francisco Maldonado de Guevara, D. Joaquín de Entrambasaguas y Peña, D. Santiago Montero Díaz, D. Rafael de Balbín Lucas y D. Fernando Lázaro Carreter.

Posteriormente, el Consejo Superior de Investigaciones Científicas otorgó a este trabajo uno de los Premios «Menéndez Pelayo» 1948, a propuesta del Tribunal formado por D. Manuel Gómez-Moreno, D. Juan Zaragüeta Bengoechea, D. José Vives Gatell, D. Mariano Bassols de Climent y D. Antonio de Luna García.

Quiero expresar aquí mi más profunda gratitud a ambos Tribunales, y muy especialmente a D. Rafael de Balbín Lucas, que dirigió la presente Tesis con todo interés y cariño, y a D. Joaquín de Entrambasaguas, a quien debo valiosas observaciones.

INTRODUCCION

En el presente trabajo intentamos estudiar un género literario a través de un siglo. Se trata, pues, de una investigación de crítica literaria realizada sobre el material bibliográfico proporcionado por una época en la que el género estudiado tuvo intenso cultivo.

Es fácil comprender que en un estudio del cuento como género literario, había que acudir no a las narraciones medievales y renacentistas, que sólo tienen un valor de precursoras, sino a las de los grandes cuentistas españoles: *Clarín,* Emilia Pardo Bazán, Palacio Valdés, etc. Siendo el cuento el más antiguo de los géneros literarios, es, no obstante, el más moderno en su forma actual, y así lo advertían algunos preceptistas decimonónicos observando lo mucho que tardó en cobrar forma escrita, literaria.

En nuestro estudio hemos procurado señalar las causas de esta paradoja, que tiene su origen en la convivencia y confusión de dos tan distintos géneros como son el cuento popular —bien mostrenco de todos los países, transmitido de generación en generación— y el literario, género esencialmente decimonónico —Dickens, Chejov, Maupassant, Allan Pöe, etc.—, que apareció en el momento oportuno, cuando todos los restantes géneros literarios habían alcanzado madurez y perfección. El cuento es un género nuevo, nacido para una sensibilidad nueva también, refinada, sólo dable en un siglo —en las postrimerías de un siglo— febrilmente entregado a la literatura. La revolución romántica revalorizó el cuento popular, el cual sufrió un lento proceso de literaturización, hasta sólo conservar la forma de narración breve, sirviendo ya para toda clase de asuntos y no únicamente para los fantásticos y legendarios, como era corriente en los años románticos y aun inmediatamente post-románticos. (En el primer capítulo de nuestro estudio podrá apreciarse cuán grande era la prevención de muchos narradores contra el término *cuento*, que sólo creían apto para relatos descabellados y fabulosos, e inadecuado totalmente para los de carácter realista.)

No insistiremos aquí sobre la filiación decimonónica del cuento literario español, ya que a ello dedicamos luego abundantes páginas, estimando, además, que es ésta opinión generalmente aceptada.

Era, pues, obligado acudir al siglo XIX para estudiar lo que el cuento es como género literario. El cultivado en nuestros días podría servir igualmente, pero aun así, nos ha parecido mejor acudir al momento mismo en que el cuento comenzó a adquirir jerarquía literaria, asistiendo a su evolución a lo largo del siglo XIX hasta su rotundo triunfo en los años finiseculares; pasando a nuestro siglo como el género más característico y adecuado para la sensibilidad actual, hasta el punto de que si bien se habla de crisis o decadencia de la novela, nadie piensa en decir lo mismo del cuento, género delicado y flexible con el que aún quedan muchas cosas por expresar.

Nos ha parecido que había llegado la hora de intentar estudiar lo que es un cuento y cuáles son sus características. Arrumbados o despreciados los estudios de lo que antes se llamaba *Preceptiva literaria*, el cuento ha quedado convertido en el género del que todos hablamos, que todos leemos y que, sin embargo, carece aún de exacta definición o, a lo menos, de encuadramiento convincente entre los restantes géneros literarios. Véase nuestro capítulo dedicado a las preceptivas decimonónicas, y se observará cuán grandes eran los errores cometidos al encuadrar el cuento dentro de los géneros épicos, o al considerarlo novela en miniatura o germen de ésta.

Un género que ha adquirido personalidad e independencia, que ha sido y sigue siendo cultivado por narradores de la máxima calidad, no puede continuar olvidado como cosa ínfima, segregación de la novela o esbozo de ésta, sin importancia ni valor artístico. Muchas cosas se han dicho y escrito sobre el drama, la tragedia, la poesía lírica o épica, y, especialmente en nuestros días, sobre la novela, género el más discutido, el que más ensayos y estudios sugiere y provoca. Y junto a esto, el cuento permanece olvidado, como si su estudio no entrañara una problemática literaria tan interesante o más que la de esos restantes géneros, con alguno de los cuales podrá guardar parentesco —es el caso de la novela, con la que está relacionado más cronológica que técnicamente—, pero de los que se diferencia sin duda alguna.

A nadie se le ocurriría repetir el grosero error de bulto que llevó a muchos preceptistas a no prestar atención al cuento literario por sus escasas dimensiones, como si en ellas no cupiese tanta o más belleza que en las de una novela extensa.

Pero no es propósito nuestro exaltar aquí la importancia y belleza de un género literario, ya que en el transcurso de nuestro trabajo tendremos ocasión para ello. Pretendíamos tan sólo hacer ver la injusticia que supone la desatención en que yace este género, en contraste con el cuidado e interés con que se estudian otros.

A remediar tal desatención va encaminado este trabajo sobre el cuento español del siglo XIX, en cuya realización hemos tropezado con no pocas dificultades, entre ellas la casi absoluta virginidad del tema y la increíble abundancia de narraciones editadas o publicadas en revistas en la pasada centuria; abundancia que nos ha obligado a hacer una selección de relatos expresivos, con los que ejemplificar e ilustrar nuestro estudio.

Es fácil comprender que no puede ser la nuestra una investigación de las llamadas exhaustivas, y que lo que aquí ofrecemos no es un estudio completo y crítico de los cuentistas decimonónicos, sino el análisis de un género literario a través de esos narradores, es decir, de sus más significativas narraciones.

Esta labor selectiva se hacía necesaria en el estudio de un tan complicado siglo como es el XIX, ya que en el caso contrario —dada la abundancia y variedad de cuentos— podría haber ocurrido que los árboles no hubiesen dejado ver el bosque. Con sólo pensar en las diferencias que en temas, mentalidad y estilo hay entre los narradores románticos, naturalistas y modernistas, podemos darnos idea de la complejidad del siglo utilizado para nuestro estudio.

Precisamente es esta variedad la que permite observar la muy curiosa evolución del cuento, género resucitado por los románticos —recreadores de un mundo medieval con leyendas, consejas y *cuentos de vieja*—, y transformado —por obra y gracia de los naturalistas maupassantianos, sobre todo— en algo nuevo, tan distante ya de las narraciones románticas que nada parece deberles, cuando realmente es hijo de ellas y de su cruce con otros géneros literarios, como el artículo de costumbres.

De tan complicada evolución intentan ofrecer un resumen nuestros capítulos temáticos, en los que la producción narrativa breve del pasado siglo se encuentra distribuída según unos cuantos temas definidores de las inquietudes típicas y dominantes en la época.

Nuestro estudio podría considerarse dividido en dos partes que se complementan y justifican. La segunda sería la comprendida por esos capítulos temáticos, en los que describimos la evolución del cuento literario en el siglo XIX; género éste que hemos intentado analizar en los primeros capítulos. Los últimos, pues, son de carácter descriptivo y crítico, mientras que estos iniciales podrían ser considerados como de *teoría del cuento,* siendo el primero de ellos un breve estudio de los problemas terminológicos que la palabra *cuento* y las con ella relacionadas plantean. Estudio éste complicado y enojoso, por la variedad de soluciones y la dificultad de justificarlas. En él hemos perseguido el uso del término *cuento* y de los que con él conviven o lo sustituyen, desde la Edad Media al siglo XIX.

Creemos, no obstante, que es el capítulo II el fundamental de nuestro trabajo, por estudiar en él lo que es el género literario *cuento;* para lo cual hemos adoptado un procedimiento negativo, examinando los géneros literarios que suelen confundirse con él —leyenda, artículo de costumbres y poema en prosa, esencialmente— y estudiando seguidamente lo que es la novela corta, para acabar con un análisis comparativo de la novela y del cuento; análisis que nos ha proporcionado —a través del estudio del diálogo y las descripciones, entre otros elementos, en los dos géneros— una serie de características capaces de permitir un intento de fijación de lo que es el cuento como género literario, buscando su razón de ser en su papel de género eslabón entre la poesía y la novela.

Antes de pasar a los capítulos temáticos hemos estudiado en otro, dedicado al cultivo del género en el siglo XIX, las causas de su éxito y popularidad, entre las que hay que destacar como fundamental el auge del periodismo literario, favorecedor e impulsador de todos los géneros narrativos breves.

Un índice bibliográfico-cronológico precede a los capítulos temáticos, algunos de los cuales, como el dedicado a los que hemos llamado *cuentos de objetos y seres pequeños,* resulta de excepcional interés, no sólo por revelar un típico aspecto de la mentalidad de la época, sino por la peculiaridad técnica, es decir, por tratarse de una clase de asuntos específicos del cuento o que en él encuentran su más adecuada expresión.

En las notas de estos capítulos temáticos encontrará el lector detalladas referencias bibliográficas de cuantas ediciones de cuentos, revistas y obras de crítica literaria, general o particular, hemos utilizado.

Finalmente advertiremos que cuando la importancia del capítulo lo requería, hemos antepuesto al estudio de los cuentos una introducción que permitiera relacionar el tratamiento de una determinada clase de narraciones —religiosas, sociales, rurales, etc.— con el cultivo de ese mismo tema en los restantes géneros literarios, especialmente en la novela, describiendo además las fases de su evolución a lo largo del siglo.

La densa maraña bibliográfica entre la que nos hemos movido, y las dificultades de un tan atrevido experimento como el de estudiar un género literario a través de un siglo, podrán servirnos de disculpa en las deficiencias y omisiones observables en nuestro trabajo. Si no hemos renunciado a él, ha sido por creer que el cuento literario español era merecedor no de un estudio de carácter general, como es el presente, sino de una serie de ellos, en los que se abordasen todos los problemas de técnica narrativa que el género entraña, y a través de los cuales fuésemos conociendo, individualmente, a nuestros mejores cuentistas decimonónicos y contemporáneos.

Si en la actualidad muchos escritores inmerecidamente postergados comienzan a atraer la atención de críticos e investigadores, con mucha más razón se comprenderá lo injusto del olvido, no de un autor, sino de todo un género literario.

Los capítulos que siguen significan tan sólo una llamada de atención hacia ese género, el más característico y rico en posibilidades de nuestros días.

CAPITULO I

EL TERMINO «CUENTO»

CAPITULO I

EL TERMINO «CUENTO»

I. EL CUENTO EN LAS PRECEPTIVAS DEL SIGLO XIX

Al tratar de definir el cuento tropezamos con la primera dificultad de que tras una misma palabra se esconden diferentes conceptos, y aunque tratásemos de prescindir de todas las acepciones familiares y peyorativas que el término tiene, no podríamos hacer lo mismo con los diferentes géneros literarios que reciben este nombre.

Definir es delimitar, y de ahí que en esta inicial investigación nos sea preciso fijar los contornos de un género literario, deslindando terrenos semejantes o próximos y dando nombre a todos los posibles acotamientos que hayamos de hacer. Este sistema de encasillar géneros literarios, de establecer fronteras y distingos, podrá parecer artificial, pero pronto hemos de ver cómo, en el caso presente, es completamente necesario. No se nos oculta, desde luego, la arbitrariedad de las clasificaciones apresadoras de la creación literaria, a veces tan subjetiva que resulta absurdo y estéril utilizar los viejos rótulos para géneros que se escapan a tan simplistas clasificaciones. Ortega y Gasset, en sus *Meditaciones del Quijote,* observó y comentó este problema de los géneros literarios, decisivo, por afectar directamente a la entraña misma de la creación artística [1].

---

[1] La importancia que actualmente tiene el problema de los géneros literarios se reveló en las discusiones que, sobre los mismos, tuvieron lugar en el III Congreso Internacional de Historia Literaria, celebrado en 1939 en Lyón.

Las preceptivas literarias, disecadoras de obras, resultan hoy inútiles y caducas. No obstante, hubo un tiempo en que tuvieron vigencia, ya que muchos escritores respetaban las normas en ellas preceptuadas, guardando bien las formas y los límites, evitando confusiones e hibridismos, observando en todo momento la nitidez de los géneros literarios. Es decir, la creación literaria se sujetaba a la clasificación que los preceptistas habían hecho *a posteriori* sobre las obras fundamentales del espíritu humano.

Y sin embargo, en medio de tan asépticas y científicas clasificaciones, el cuento —desdeñado como género insignificante— no encontró lugar adecuado, escurriéndose de uno en otro casillero [1 bis]. Mientras que unos preceptistas lo hacen depender de la novela —como embrión o adehala de ésta—, otros lo estudian como manifestación degenerada de la poesía épica. La concepción del cuento como novela reducida es más moderna, y nace como consecuencia de la floración de cuentos de signo naturalista en los últimos años del siglo XIX. Son los grandes maestros de la novela los que componen cuentos, y de ahí que los preceptistas vean un directo enlace entre novela y cuento, aunque sin olvidar el origen poético del último.

El punto de partida es siempre la ficción, elemento inevitable, imprescindible en este género literario. Narciso Campillo en su *Retórica,* estudiaba las leyendas y cuentos dentro de la poesía épica. Tras ocuparse de los grandes poemas épicos, de los poemas heroicos, de los burlescos y de los descriptivos, pasa a estudiar las leyendas que define como «poemas narrativos cuyo asunto es histórico, tradicional o enteramente inventado por el autor. Sin embargo de este carácter narrativo, admite en sus frecuentes digresiones el lirismo más elevado y entusiasta, y, a veces, ocupan breve parte los diálogos» [2]. Apunta luego que «algunos autores dividen este género en *leyendas* y *cuentos,* aplicando el primer nombre a los poemas de asunto histórico o tradicional, y el segundo, a los totalmente ficticios. Otros los llaman leyendas, si están versifica-

---

[1 bis]   Ya doña Emilia Pardo Bazán había advertido este desdén de las preceptivas: «El cuento será, si se quiere, un subgénero, del cual apenas tratan los críticos; pero no todos los grandes novelistas son capaces de formar con maestría un cuento.» (*La literatura francesa moderna.* III. *El naturalismo,* pág. 153.)
Y ella misma, pese a su devoción por las narraciones breves, creía que el cuento era un *género menor* (ob. cit., pág. 62).
[2]   *Retórica y poética o literatura preceptiva,* por D. Narciso Campillo y Correa. Tercera edición. Madrid, 1881, pág. 317.

dos, y cuentos a los escritos en prosa; pero éstas son distinciones pueri-
les que a nada conducen. Lo importante es que sean buenos y apellí-
dense como quieran» [3]. Como ejemplos de leyendas cita *El Montserrate*
y *El estudiante de Salamanca,* observando que al primero se le ha llamado poema épico y cuento al segundo. Sobresalen en este género,
según Campillo, el P. Arolas, el Duque de Rivas y Bécquer, cuyas
leyendas cita. La distinción de cuento y leyenda por la prosa o el verso en que estén escritos, nos interesa y entraña un significado profundo
que Campillo no vió [4].

Este mismo preceptista —cuyos juicios pueden ser interesantes por
ser su autor notable cuentista— vuelve a hablar del cuento al tratar
del origen histórico de la novela, que remite a la curiosidad de las primeras sociedades por lo desconocido, curiosidad satisfecha con los cuentos y tradiciones que se transmiten de padres a hijos.

«Posteriormente, bien fuese porque tales cuentos se hacían más complicados y
difíciles de retener en la memoria, bien porque una civilización menos primitiva
y ruda comprendiese el partido que de ellos podía sacar dándoles conveniente
forma y perpetuándolos mediante la escritura, o por ambas causas juntamente,
la novela pasa de la palabra al libro, se fija con carácter propio y constituye un
nuevo género literario» [5].

He aquí, pues, el cuento definido como embrión de la novela, como
género que al pasar de oral a escrito cambia de nombre y hasta de
técnica. Campillo no se fija, realmente, en las dimensiones —aun cuando admite una mayor ampliación en la peripecia— para diferenciar
cuento de novela, sino que cree que el simple hecho de escribir un
relato oral basta para transformar cuento en novela.

Una opinión semejante es la recogida en el artículo *Cuento* del
Diccionario enciclopédico hispano-americano, publicado en Londres
por W. M. Jackson; artículo que sirvió como prólogo a la edición de
los *Cuentos completos,* de D. Juan Valera, de 1907 [6].

---

[3] Id., pág. 318.
[4] Vid. nuestro capítulo acerca del *cuento* y de la *leyenda.*
[5] Ob. cit., pág. 223.
[6] *Diccionario Enciclopédico Hispano-Americano de Literatura, Ciencias, Arte,*
etcetera. Redactado por distinguidos profesores y publicistas de España y América. W. M. Jackson. Editor. Londres (s. a.). Tomo VI, págs. 1.510-1.511.—
Juan Valera: *Obras completas.* Imprenta Alemana. Madrid, MCMVII. Tomo XIV, págs. 5 y ss.

«Para formar en el día el verdadero concepto de lo que por cuento debe entenderse, importa proceder por exclusión. Cuento, en general, es la narración de lo sucedido o de lo que se supone sucedido. De aquí que en las edades primitivas fuese cuento o pudiera llamarse cuento cuanto se contaba. Vocablos de diversos idiomas dan testimonio de esta verdad. *Hablar* es lo mismo que *fabular*, o que contar fábulas o cuentos. *Fabulare*, en latín; μυθέομαι, en griego; *sagen*, en alemán; *tell*, en inglés; por donde *fábula* μῦθος, *sagen* o *tell* equivalen a cuento.»

En un principio los hombres no escriben, sino que recuerdan o imaginan:

«Lo que entró como elemento en la epopeya dejó de ser cuento, y siguió siendo cuento lo que no entró o lo que, arrancado o desglosado de la epopeya, y tal vez desfigurado e incompleto, volvió a ser referido por el vulgo.»

Invéntanse luego la escritura y la historia, «... y todo aquello que de los dichos y narraciones tradicionales se aceptó como verdad, según la crítica de entonces, y se incluyó en la Historia, dejó de ser cuento y continuó sin ser cuento hasta que una crítica más alta, más sutil y aguda, o más descontentadiza, lo expulsó de la Historia por falso o por no bien probado y verificado, y volvió a ser cuento otra vez.

Debe inferirse de aquí que el cuento vulgar primitivo es como el desecho de la historia religiosa, de la historia profana y de la poesía épica de las diversas naciones, y a veces es también el fundamento y el germen de la historia y de la epopeya.»

Y más abajo explica cómo en un principio las narraciones contábanse de viva voz y las primeras que se escribieron fueron didácticas: símbolos, alegorías, apólogos:

«Habiendo sido todo cuento al empezar las literaturas, y empezando el ingenio por componer cuentos, bien puede afirmarse que el cuento fué el último género literario que vino a escribirse. Hubo libros religiosos, códigos, poesías líricas, epopeyas, anales y crónicas, y hasta obras de filosofía y de ciencias experimentales, antes de que aparecieran libros de cuentos.»

Nos interesa sobremanera esta apreciación y los razonamientos que a ella siguen, no porque los creamos absolutamente ciertos, sino porque, aunque con otra intención, vienen a confirmar nuestra tesis de que el cuento escrito es el más moderno de los géneros literarios, entendiendo por cuento el nacido a la sombra del naturalismo, que es el que reúne las características propias del género.

Es curioso y paradójico observar cómo el más antiguo de los géneros literarios en cuanto a creación oral, viene a ser el más moderno en cuanto a obra escrita y publicable. Pero es ésta cuestión que, por desbordar la investigación de tipo estrictamente terminológico, reservamos para otro capítulo.

Ahora queríamos solamente confrontar dos opiniones semejantes acerca de cómo el cuento al escribirse se transforma en novela, epopeya o aun historia.

Tiempo es de volver al estudio de otras preceptivas decimonónicas, semejantes —como vamos a ver— a la de Campillo, en el encuadramiento épico del cuento.

Así, José Coll y Vehí, al tratar *De otras varias composiciones épicas,* dice:

«Los poemas a que se ha dado el nombre de *cuentos,* como el *Don Juan,* de Espronceda, se alejan ya mucho de la epopeya. La acción no es heroica; búscanse situaciones más novelescas y dramáticas, y el diálogo se sustituye con frecuencia a la forma narrativa, y tanto el estilo como la versificación varían a cada paso, siguiendo el caprichoso vuelo de la imaginación del poeta.

(Este mismo nombre se ha aplicado a algunas novelitas en prosa más poéticas de lo que generalmente acostumbra a ser la novela, como los tan conocidos cuentos de Hoffman, los cuentos árabes, etc. También se han escrito cuentos jocosos, así en verso como en prosa; pero los autores que en este género más se han distinguido pecan de inmorales y licenciosos.)

Algunos de nuestros poetas han denominado *leyendas* a ciertas narraciones apoyadas generalmente en la historia y en la tradición, en las cuales divaga agradablemente la fantasía, ya deteniéndose en minuciosas descripciones, ya en incidentes fantásticos o populares, ya en digresiones de un carácter enteramente lírico. Han desplegado en este género de composiciones dotes muy sobresalientes el Duque de Rivas y don José Zorrilla» [7].

Nos interesa especialmente la intuición de Coll al decir que los cuentos son «novelitas en prosa *más poéticas* de lo que generalmente acostumbra a ser la novela», ya que al estudiar la esencia misma del cuento, trataremos de probar su papel de género eslabón entre la poesía y la novela.

En un programa de *Retórica y poética,* de Julián Apráiz, y en la lección LII, encontramos:

«Poemas épicos menores.—Canto épico.—Cuentos.—Leyendas» [8].

Y don Saturnino Milego e Inglada, al estudiar en su *Literatura Preceptiva* los poemas épicos menores, dice:

«Son *degeneraciones* o variedades en extensión e intensión de los poemas; composiciones cortas, abreviaciones o resúmenes desprendidos de los mismos; epi-

_____

7 *Elementos de literatura,* por José Coll y Vehí. Séptima edición. Barcelona, 1885, pág. 327.

8 *Introducción al estudio de la asignatura de Retórica y Poética (principios elementales de Literatura) y programa de la misma,* por el doctor en Filosofía y Letras D. Julián Apraiz. Vitoria, 1886, pág. 23.

sodios o incidentes de una composición más vasta; formas orgánicas y complejas del género épico, cuando ni los hechos ni los personajes han adquirido aún, por el transcurso del tiempo, las calidades y condiciones indispensables para servir de asunto a los poemas.

Estas variedades o degeneraciones de la poesía épica son, en general, más propias de las edades eruditas y reflexivas que de la edad espontánea.

Pertenecen a este grupo de composiciones el *Epinicio,* la *Narración épica,* la *Leyenda* y el *Cuento»* [9].

Y más abajo:

«La *leyenda* es una narración o relato poético de un hecho conservado por la tradición. No exige la grandiosidad ni la transcendencia propias del poema épico, bastándoles una tradición local, de familia, o un hecho singular de cualquiera de los grandes personajes de la historia pasada. La sencillez es una de las condiciones de la narración legendaria, que ha de ser, por lo general, viva, caminando directamente al desenlace, porque sería contrario a su naturaleza la marcha solemne y reposada de los poemas.

Como ejemplo de esta clase de producciones indicaremos la titulada *A buen juez, mejor testigo,* de Zorrilla.

El *cuento,* como variedad de la poesía épica, es una composición de pequeñas dimensiones que desenvuelve una acción ficticia con el objeto de presentar poéticamente una ley moral, un principio filosófico o también describir los usos y costumbres sociales. Admite gran variedad de asuntos, cambiando el estilo y el metro, según las situaciones, y sustituyéndose la forma *dialogada* a la *narrativa»* [10].

Como ejemplos cita *El moro expósito,* del Duque de Rivas, y *El estudiante de Salamanca,* de Espronceda.

Al estudiar la novela, dice este preceptista:

«El *cuento,* la *conseja* y la *leyenda* en prosa son formas fragmentarias del género novelesco» [11].

Según puede verse, las preceptivas del pasado siglo coinciden monótonamente en considerar el cuento como poema épico menor, o como fragmento —y germen, a la vez— de la novela. En nuestra opinión, el error fundamental está en presentarlo siempre como género subordinado, sin independencia. Pues el cuento, si bien tiene relación con la poesía y la novela, representa, en su forma actual, un género nuevo, completamente independiente. No es un producto híbrido ni un género menor. Es, sencillamente, la expresión literaria de una época, como

---

9 *Tratado de Literatura Preceptiva,* por D. Saturnino Milego e Inglada. Toledo, 1887, pág. 264.

10 Id., pág. 265.

11 Id., pág. 348.

la tragedia, la epopeya, o aun la novela, lo han sido de otras. Es cuestión ésta que más adelante estudiamos, limitándonos ahora a observar la imprecisión terminológica en torno a la idea *cuento*.

II. CUENTOS EN VERSO

Del examen de las preceptivas se deduce que en el siglo pasado numerosas composiciones poéticas recibían el nombre de *cuentos*. Parecerá inútil, desde una perspectiva moderna, demostrar que el auténtico cuento es el expresado en prosa, y que los que utilizaron tal denominación para sus composiciones poéticas, lo hicieron siguiendo una rutina que encontró sus normas en las preceptivas, y que pudiera explicarse como consecuencia de la perdurabilidad de un tipo de cuento: el fantástico-tradicional.

El cuento versificado tiene un claro signo romántico. Se recrea con nostalgia y amor una edad de romancero, cuya escenografía y tópicos van a satisfacer las ansias de evadirse de un mundo prosaico. El Duque de Rivas, Espronceda y Zorrilla cultivan la leyenda y el cuento en verso. Los nombres de estos tres escritores y sus más conocidas obras sirven de ejemplos a los preceptistas para explicar en qué consisten la leyenda y el cuento. Es por eso por lo que el muy culto y preciso don Juan Valera llama *cuento* a *El estudiante de Salamanca* [12], y por contraste acepta la calificación de *poemas* que D. Cándido Nocedal dió a las «novelitas de costumbres de Fernán Caballero» [13].

Estas, para nuestro gusto, imprecisiones no deben achacarse a ligereza ni mucho menos a ignorancia, sino que responden a la mentalidad de la época, lastrada de prejuicios románticos como este de llamar leyenda o cuento a toda narración de tipo fantástico, cualquiera que sea su expresión literaria.

«... y que los entes sobrehumanos —dice Valera—, de cuya existencia sabemos por revelación, pueden, a pesar de los peligros mencionados, aparecer en un poema, en una leyenda o en un cuento, ya sea en verso, ya en prosa, con tal que el autor nos lo presente de un modo digno y con el conveniente decoro» [14].

---

[12] *Estudios críticos sobre la literatura, política y costumbres de nuestros días.* Madrid, 1864. Tomo I, pág. 141.

[13] Id., pág. 221.

[14] Id., pág. 232.

Pero no son el Duque de Rivas, Espronceda y Zorrilla los únicos que componen leyendas y cuentos en verso. Gregorio Romero Larrañaga, Antonio Hurtado y Valhondo, José Joaquín de Mora, entre otros, son autores de leyendas y cuentos versificados. El primero —Romero Larrañaga— es autor de un cuento fantástico en verso, titulado *El Sayón,* que apareció en 1836. En 1842, el *Semanario Pintoresco Español* publicó —en el número 32— una composición poética de Guillermo Fernández Santiago, titulada *El cometa. Cuento histórico.* José Heriberto García de Quevedo y Zorrilla firman, en 1851, *Un cuento de amores,* en verso. En 1887, José Sánchez Arjona, imitador de Zorrilla, publica sus *Cantos y cuentos,* en verso también. Y Narciso S. Serra, en el mismo año, da a conocer sus versificadas *Leyendas, cuentos y poesías.*

Manuel del Palacio compone en verso *Veladas de Otoño. Leyendas y poemas* (1851), *Blanca. Historia inverosímil* (1889), *El niño de nieve. Cuento árabe* (1899), *El sarcófago. Cuento oriental* (1894), etcétera. Y aun en época más moderna siguen editándose libros de poesías con el título de cuentos. Así, Juan Alcover y Maspons publica en 1901 sus *Meteoros. Poemas, apólogos y cuentos.* Y en el mismo año, Cayetano de Alvear compone un poema titulado *Un cuento de flores.*

Más significativo aún es observar cómo en una antología de don Francisco Rodríguez Zapata, publicada en 1878, figuran como *cuentos* composiciones en verso, una, satírica, de Baltasar del Alcázar, y otra, de Quevedo, titulada *La boda de los negros* [15].

Si a esto añadimos el hecho de que las *Tentativas literarias,* de Miguel de los Santos Alvarez, publicadas en 1864, llevaban el subtítulo de *Cuentos en prosa,* comprenderemos la imprecisión observada en las preceptivas al hablar de las leyendas y cuentos en verso y prosa.

Posiblemente el origen de esta imprecisión está, como hemos apuntado, en un resabio romántico que lleva a identificar ficción con leyenda, cuento y aun novela, sin detenerse a distinguir si estos géneros están escritos en prosa o verso.

Que la novela y lo novelesco sonaban también a fantasía nos lo prueba algún curioso ejemplo de *novela en verso.* En 1886 se publi-

---

[15] *Colección selecta de trozos en prosa y de composiciones poéticas en castellano,* por D. Francisco Rodríguez Zapata. Segunda edición. Segunda parte. Sevilla, 1878, págs. 281 y ss.

có en Madrid, y con un prólogo de D. Juan Eugenio Hartzenbusch, *El caudillo de los Ciento,* novela en verso de Antonio Arnao. Y ya en 1884, Gregorio Romero Larrañaga había publicado *Amar con poca fortuna, novela fantástica en verso.*

Precisamente, partiendo de que lo novelesco equivale a lo que no sucede comúnmente, Valera llamaba novelista a lord Byron [16], aunque por contraste, y en compensación, llamara *cuento* a *Ivanhoe* [17] y aun a *Los Miserables* [18].

Todo parece explicarse si tenemos en cuenta que *leyenda, novela* y *cuento* convergen en un concepto único: *ficción, fantasía* [19].

Precisamente, apoyándose en este concepto y defendiendo la capacidad creadora de los españoles, D. Cándido Nocedal, en su discurso de ingreso en la Real Academia Española, llegó casi a tener por *novelista* al Duque de Rivas, pero no por sus leyendas, lo que sería más disculpable, sino —y esto nos llena de asombro— por su *Don Alvaro* [20]. Considerar la leyenda y el teatro como los *verdaderos dominios de la novela* es juicio que excede ya de toda posible disculpa, y que sólo podría perdonarse teniendo en cuenta la obcecación que el académico sufría, deslumbrado por lo que de fantástico y original —creacional— había en las obras del Duque de Rivas.

Con el naturalismo van aclarándose tales confusiones, aunque no del todo, dándose además el caso contrario al que venimos observando, es decir, el de poemas equivalentes a cuentos, aunque no lleven tal denominación al frente.

---

[16] *Estudios críticos...* I, pág. 233.

[17] Id., pág. 239.

[18] Id. Tomo II, págs. 205-206.

[19] Es curiosa, a este respecto, la siguiente nota de *Clarín:* «Hoy los grandes poemas antiguos, para la mayoría de los lectores que no pueden leerlos en el original y los leen en traducciones en prosa, que son las más tolerables, vienen a ser más bien novelas, leyendas, cuentos, que otra cosa. Ejemplo: la *Odisea.» (Un discurso de Núñez de Arce.* Folletos literarios. IV. Madrid, 1888, pág. 90.)

[20] «¡Que no es España madre de novelistas eminentes! ¿Pues cuándo se remonta a mayor altura nuestro duque de Rivas, que ahora mismo entre nosotros vive y entre vosotros se sienta, sino cuando vuela su poderosa y galana fantasía por los verdaderos dominios de la novela y escribe sus históricos romances, sus interesantes leyendas, su *Azucena milagrosa,* su *Moro expósito* o su incomparable *Don Alvaro?* Parece que con *la fuerza del sino* conduce a los españoles a componer novelas, no obstante que huyan de semejante denominación.» (*Discursos leídos en las recepciones públicas que ha celebrado desde 1847 la Real Academia Española.* Tomo II. Imprenta Nacional. Madrid, 1860, págs. 394-395.)

Ya *Clarín* hablaba de una escuela poética naturalista, acaudillada por Núñez de Arce, cuya novedad consistía en «el predominio de la descripción correcta, exacta, tomada de la observación de la naturaleza, siguiendo el orden de ésta, no sometiéndola a los intereses del lirismo; no la descripción según el ánimo, sino la descripción de las cosas según su género» [21].

Y la Pardo Bazán llega aún más lejos, y no contentándose con hablar de un naturalismo lírico, titula un artículo suyo *La novela en la lírica* [22], donde dice:

«Desde hace años se advierte que nuestros mejores poetas líricos sustituyen a la leyenda, más o menos zorrillesca, que podemos llamar *novela histórica* en verso, con el episodio contemporáneo, asimilable a la novela actual. *El tren expreso*, de Campoamor, ¿qué es, bien mirado, sino un delicioso cuento? Que se encargue otro maestro prosista de quitarle la rima, y esencialmente no perderá mucho. Lo mismo puede decirse de *Dichas sin nombre*, de *La lira rota* y de otros pequeños poemas...»

Comenta luego la Pardo Bazán cómo Núñez de Arce se resistió a versificar asuntos —novelas— modernos: etapa de *Raimundo Lulio*, *La visión de Fray Martín*, etc.; pero al fin se rindió: *El idilio*, *Maruja*, *La pesca*. Lo mismo le sucedió a su imitador Emilio Ferrari.

La observación de la escritora gallega es interesantísima, ya que parece, casi, continuación del punto de vista de las preceptivas que hemos estudiado. Pues, en definitiva, lo que cambia es la época novelable, mientras la forma sigue siendo la de un poema épico menor. Si la novela naturalista sucede al gran poema épico —recuérdese que Zola, Balzac y Galdós, en España, representan la épica según el sentir de sus contemporáneos [23]—, estos *pequeños poemas* campoamorinos o las composiciones naturalistas de Núñez de Arce reemplazan al cuento poético a lo Zorrilla o Duque de Rivas.

La despoetización implícita en el naturalismo ha despojado al cuento de su carácter fantástico, pero no de su sentido poético. La abundancia de cuentos en prosa explica —por contagio— el que algunos poetas —de espíritu prosaico, ésa es la verdad— intenten, consciente

---

[21] *Sermón perdido*, pág. 19.
[22] *Nuevo Teatro Crítico*. n. 8. Agosto, 1891, pág. 75.
[23] Decía *Clarín* en su estudio sobre Galdós: «Se ha dicho, en general con razón, que la novela es la *épica* del siglo, y entre las clases varias de novela, ninguna tan épica, tan impersonal como ésta, narrativa y de costumbres, que Galdós cultiva...» (*Galdós*. Ed. Renacimiento. Madrid, 1912, pág. 15.)

o incon.ientemente, un género mixto —cuento por el asunto, poema por la forma— tal como los románticos lo habían empleado y ajustándose al esquema de las viejas preceptivas.

Involuntariamente hemos llegado a plantear una serie de problemas que pertenecen al cuento como género literario. En este capítulo nos hemos propuesto solamente la investigación terminológica, y si hemos derivado a la relación entre cuento y poema, lo hicimos impulsados por el deseo de comprobar cómo la imprecisión existente en las preceptivas tiene su exacta correspondencia en la literatura de la época. Más adelante han de planteársenos nuevamente los problemas aquí sugeridos, tratando entonces de buscar una solución que ilumine y justifique las inexactitudes de una época y nos lleve a apresar la esencia misma del cuento.

III. EL TERMINO «CUENTO» EN LA LITERATURA MEDIEVAL

Reanudando la investigación terminológica, trataremos de ofrecer un resumen del significado de la palabra *cuento* en la literatura medieval. No es ésta una investigación de tipo semántico, sino, sencillamente, una rápida visión del uso de una palabra en una época, como introducción al estudio de un género literario.

Cuento, etimológicamente, es un postverbal de *contar,* forma ésta procedente de *computare,* cuyo genuino significado es contar en el sentido numérico. Del enumerar objetos pásase, por traslación metafórica, al reseñar y describir acontecimientos.

En nuestra lengua se empleó antes *contar* que *cuento,* voz cuya completa aceptación para designar un género literario creacional es relativamente moderna. Nos interesa grandemente el paso de *contar* (numéricamente) a *contar* (relatar), por cuanto en esta segunda acepción aún no se ha deslizado ningún matiz de irrealidad. La transformación semántica de *contar: relatar sucesos reales,* en *contar: relatar sucesos fingidos,* es posiblemente imperceptible. Si encontrásemos el texto o el momento preciso en que ocurrió tan importantísima transformación, encontraríamos, al mismo tiempo, el primer puro momento de la creación, de la invención humana.

En el *Cantar de Mío Cid, contar* empléase siempre en el sentido de numerar: *sean contados, escriviendo e contando, que no son con-*

tados, que no serien contados, qui los podrie contar, etc. Pero también aparece, alguna vez, empleado *contar* con el sentido de *referir, narrar:* *cuentan gelo delant* [24]. La voz *cuento* no aparece en ningún verso, y solamente *cuenta* en el sentido de *acción y efecto de contar.*

Los más antiguos libros castellanos de narraciones hablan de *fábulas, fabliellas, enxiemplos, apólogos, proverbios, castigos,* etc., pero no de cuentos.

Así, en *Calila e Dimna:*

«Et posieron ejemplos e semejanzas en la arte que alcanzaron.»
«... et posieron e compararon los mas destos ejemplos a las bestias salvajes é a las aves» [25].

El mecanismo que engrana los cuentos y el procedimiento introductor son siempre los mismos:

«E sera atal como el home...» «Et esto semeja a lo que dicen que era un home muy pobre...»

Empléase el verbo *decir* y no *contar:*

«Dijo Calila... Dijo Dimna... Dicen que un piojo...»

La versión latina del *Calila,* de Juan de Capua, se titulaba *Directorium vitae humanae, alias Parabola antiquorum sapientum.*

En una de las traducciones castellanas aparece la voz *fábulas:*

Libro llamado Exemplario en el cual se contiene muy buena doctrina y graves sentencias debaxo de graciosas fábulas. Sevilla, 1534.

Avisos y exemplos titúlanse las narraciones del *Libro de los siete sabios de Roma.* Burgos, 1534.

La ausencia del término *cuento* no significa la del verbo *contar,* empleado en el sentido de *relatar,* en algunas colecciones de apólogos medievales. Así, en el *Sendebar:*

«... e mandó traer el papagayo, e preguntóle todo lo que viera, e el papagayo *contógelo* todo lo que viera faser a la muger con su amigo...» [26].

Don Juan Manuel emplea la voz *fabliella* para el *Libro del Caballero y del Escudero,* y *ejiemplo* para las narraciones de *El Conde Lu-*

---

24   Vid. estas voces en la ed. de Ramón Menéndez Pidal. Tercera parte. Vocabulario. Ed. Espasa-Calpe. Madrid, 1945, págs. 592-593.

25   *Calila e Dimna.* Ed. de A. G. Solalinde. Ed. Calleja. Madrid, MCMXVII, pág. 13.

26   *Versiones castellanas del Sendebar.* Ed. y prólogo de A. González Palencia. Consejo Superior de Investigaciones Científicas. Madrid, 1946, pág. 19.

canor. El mecanismo narrativo es semejante al del *Calila*, y siempre el mismo:

«... placerme hía que supiérades lo que contesció...» «E el conde le rogó quel dijiese como fuera aquello.» «Señor conde Lucanor —dijo Patronio—, el león...»

En el ejemplo XXVII emplea el verbo *contar*:

«Señor conde Lucanor —dijo Patronio—, porque estos ejemplos son dos et non vos podria entrambos decir en uno contarvos he primero lo que contesció al Emperador Fadrique, et despues contarvos he lo que contesció a don Alvarhañez» [27]. «Mas a don Alvarhañez contesció al contrario destos et porque lo sepades todo como fué, contarvos he como acaeció...» [28].

Y en el ejemplo XXXII:

«Et el rey contol las maravillas et extrañezas que viera...» [29].

Del ejemplo XLVIII:

«... et contol aquella desventura quel había contescido...» «Et desque fué con su padre, contol todo lo quel contesciera.» «Et desque el mancebo esto contó a su padre...» «Et desque llegó a casa del amigo de su padre et le contó todo» [30].

Y en la *Quinta* parte del libro:

«Et porque en este libro non está escripto este ejemplo, contarvos lo he aquí» [31].

El Arcipreste de Hita, en el *Libro del Buen Amor*, emplea las expresiones *proverbio, fabla, estoria*, etc., pero no *cuento*.

«Esta fabla compuesta de Ysopete sacada» [32].
«Enxiemplo de cuando la tierra bramava» [33].
«Desto ay muchas fablas e estoria paladina» [34].

Al narrar la Pasión de Nuestro Señor, dice:

«Cuentan las profecias...» [35].

---

[27] *El conde Lucanor*. Ed. de F. J. Sánchez Cantón. Ed. Calleja. Madrid, 1920, pág. 145.
[28] Id., pág. 148.
[29] Id., pág. 174.
[30] Id., pág. 317.
[31] Id., pág. 318.
[32] *Libro de buen amor*. Ed. de Julio Cejador en *La Lectura*. Espasa-Calpe. Cuarta edición, pág. 45 del tomo I.
[33] Id., pág. 46.
[34] Id., pág. 111.
[35] Id. Tomo II, pág. 73.

Y describiendo la tienda de Don Amor:

«La obra de la tienda vos quería contar.» «En suma vos cuento por vos nóm detener» [36].

Clemente Sánchez de Vercial titula su obra *Libro de Exemplos por A. B. C.*

En resumen: en la literatura medieval no aparece explícitamente la voz *cuento*, aplicada a una narración breve, aun cuando se emplee el verbo *contar* en el sentido de relatar. La única importantísima excepción es la del *Libro de los Cuentos*, mal llamado *Libro de los Gatos* [36 bis].

Sin embargo, la casi total ausencia, o a lo menos el escaso uso del término *cuento* designando un concreto género literario, nada tiene que ver con la existencia real y el cultivo de tal género. Para referirnos con nuestro lenguaje actual a esas narraciones medievales, empleamos preferentemente la voz *cuentos*, ya que las otras utilizadas por los narradores de aquella época han tomado sentidos más limitados.

Cuentos llamamos a los tan breves del *Calila* o a los más extensos y artísticos del *Libro de Patronio*. No obstante, aún manejamos las viejas voces *fábula, apólogo, ejemplo*, etc., ya que todas ellas se emplearon casi indistintamente para designar un mismo género.

Menéndez Pelayo, en los *Orígenes de la novela*, estudiando el *Calila e Dimna*, dice: «Copiaré dos apólogos de los más breves», y luego, «y ya transcrita esta fábula». Más adelante: «He aquí el más remoto original de *Doña Truhana* de *El Conde Lucanor* y de la *Perrete*, de Lafontaine, sin que sea fácil decir, a punto fijo, cuándo se efectuó la transformación y cambio de sexo del religioso o bracmán del cuento primitivo...»

En tres páginas [37], tres denominaciones distintas —*apólogo, fábula* y *cuento*— para una misma obra. Lo cual, si bien prueba la riqueza del léxico, prueba asimismo cierta imprecisión. ¿Ocurriría lo mismo con la novela? La contestación negativa viene a probar que tal abundancia de formas no sólo puede explicarse por riqueza de vocabulario, sino por imprecisión conceptual.

---

[36] Id., págs. 156 y 157.

[36 bis] Vid. L. G. Zelson: *The title «Libro de los Gatos»* (*Romanic Review*, 1930).

[37] M. Menéndez y Pelayo. *Orígenes de la novela*. Ed. Nacional. Tomo I. Las citas corresponden, respectivamente, a las páginas 39, 40 y 41.

En una literatura naciente cabe la utilización de diversas palabras para un mismo género, ya que los hombres aún no han aprendido a matizar, y al encontrarse con un vocabulario relativamente abundante, caen a veces en el peligro del despilfarro (caso del Arcipreste de Hita). Con todo, no se crea que los escritores medievales fueron demasiado torpes, ya que un análisis más delicado de la cuestión, quizá nos llevara a comprender que las diferentes voces que se aplicaban a un mismo género tenían en su abono razones etimológicas, estilísticas e históricas que las justificarían cumplidamente.

Obsérvese cómo casi todos esos términos aluden, más o menos insistentemente, a la raíz didáctica —ejemplo, apólogo, proverbio— y oral —fábula— del mismo género.

Hoy, el empleo de los términos medievales aplicados al cuento, estrictamente tal, sólo vale como recurso retórico —el caso de Menéndez Pelayo—, ya que la matización imprecisa —quizá aparentemente— de entonces ha desaparecido ahora, correspondiendo cada palabra a un género concreto y único. La voz *parábola*, empleada por Juan de Capua y otros narradores, resérvase hoy, casi exclusivamente, para las narraciones que N. S. Jesucristo empleaba en sus predicaciones o para las que en intención o forma imiten a aquéllas. *Apólogo* tiene un sentido didáctico, alegórico y comparativo, semejante al de la parábola pero con acepción más amplia. Emilia Pardo Bazán tituló así uno de sus cuentos [38].

Ejemplo, como término literario, ha caído en desuso y se aplica únicamente a las narraciones medievales o como arcaísmo deliberado. *Proverbio* es un dicho sentencioso que nada tiene que ver con el cuento. (En la literatura francesa reciben este nombre unas composiciones dramáticas que escenifican un proverbio o refrán.) *Fábula* resérvase para las narraciones protagonizadas por animales y, preferentemente, para las compuestas en verso —Mey, Iriarte, Samaniego, Hartzenbusch—. Empléase también la voz fábula para designar el asunto de una obra.

Historias (*estorias*) y *hazañas* (*fasañas*) carecen de uso moderno relacionado con el cuento, a no ser la primera en su forma diminutiva, *historietas*, que empleó Alarcón. Más adelante veremos la relación de este último término con la *short story* inglesa.

---

[38] Pertenece a la serie *Cuentos de amor*, págs. 249 y ss.

En resumen: ninguna de las voces medievales empleadas para designar el cuento subsiste prácticamente, ya que el arte de matizar ha llevado a emplearlas cuidadosamente para designar géneros próximos, precursores del cuento, pero no éste mismo. Tal vez la confusión nazca de un error de perspectiva nuestro, al considerar como *cuentos* un conjunto de narraciones medievales que, teniendo relación con el género moderno, no poseen sus esenciales características. Se comprenderá mejor lo que queremos decir al estudiar más adelante, comparativamente, los dos tipos de cuentos: medieval y moderno.

Observemos ahora cómo los románticos, al resucitar la Edad Media y sus narraciones breves, emplearon los términos *consejas* y *leyendas* [39]. Cualquiera puede darse cuenta de que estas palabras no tuvieron empleo en la literatura medieval, y si los románticos las aceptaron como antiguas y evocadoras, lo hicieron movidos del mismo sentimental error que les llevó a suponer una sensibilidad decimonónica en los guerreros y monjes del Medievo.

Conseja y *leyenda,* aplicadas a relatos escritos, son términos de sabor completamente romántico y nada tienen que ver con las narraciones de D. Juan Manuel, de Sánchez de Vercial o del Arcipreste de Hita. Lo que resucitan los románticos no es propiamente el cuento medieval —que en nada se parece, ni en asuntos ni en técnica, al romántico—, sino la escenografía de una época, retocada y falseada

---

[39] Cervantes y Pero Mexía, entre otros, empleaban ya la voz *consejas* para designar narraciones orales, populares. Vid. más adelante: *El término «cuento» en el Renacimiento.*

En cuanto a textos románticos, citaremos algunos ejemplos: En 1845, en el número 19, del 6 de octubre, de la revista *El Español,* publicaba Gabino Tejado una narración titulada *Mis viajes,* en cuya introducción decía: «Yo no he visitado esas márgenes del Rhin, donde cada ola que las baña trae envuelta entre su espuma una de esas famosas consejas tenebrosas o extravagantes que apuntan los viajeros curiosos en sus libros de memorias...» En 1856, y en el n. 7 del *Semanario Pintoresco Español,* apareció una narración de L. M. Ramírez y de las Casas Deza, titulada *El conde don Julián. Conseja cordobesa.*

Y Bécquer, en la leyenda *El gnomo* (1863), dice: «... completando, por decirlo así, la ignorada historia del tesoro hallado por la pastorcilla de la conseja...» *(Obras completas.* Ed. Aguilar. Madrid, 1942, pág. 298). En la séptima carta desde la celda: «Conseja por conseja, allá va la primera que se ha enredado en el pico de la pluma.» (Ed. cit., pág. 530.) En la carta octava: «... pero hasta tiene sus barbillas blancuzcas y su nariz corva, de rigor en las brujas de todas las consejas.» (Id., pág. 545.) En la carta novena: «A esta temible crítica..., ¿qué concepto le podría merecer ésta, que desde luego calificaría de conseja de niño?» (Id., pág. 547.)

de acuerdo con los gustos de una nueva sensibilidad. Los asuntos de los cuentos románticos, aunque situados en la Edad Media, no sólo no se parecen a los de los cuentos medievales, sino que son diametralmente opuestos, asemejándose más a temas de romancero o de novela morisca. Tengamos en cuenta, también, que la Edad Media recreada con nostalgia y pasión, es más germánica que latina. Sílfides, duendes y monstruos de la tradición y mitología nórdica pueblan narraciones y poesías románticas españolas.

Por tanto, el medievalismo romántico y su terminología nada tienen que ver con el auténtico, histórico, como no sea el carácter tradicional, oral, que los cuentistas del ochocientos tratan de dar a sus narraciones. *Conseja* suena a relato de viejas junto al fuego, y transformado en *leyenda* fué género muy cultivado, quedándonos el mejor exponente en las delicadas y alucinantes narraciones de Bécquer.

Volviendo a los términos rigurosamente medievales, vemos que tienen equivalentes en casi todas las lenguas literarias europeas: Italiano: *fávola, cantafávola, fiaba, apologo, fandonia, fróttola*. Francés: *fable, apologue*. Inglés: *fable*. Alemán: *fabel, fromme*.

Todas estas voces parecen probar la existencia de un género primitivo, oral, no creacional, que siendo *cuento* —o precursor de éste— pocas veces es llamado así. El problema está en si, efectivamente, los españoles hemos empleado en distintas épocas, diferentes palabras a manera de marbetes cubridores de un mismo contenido o de contenidos diferentes.

Podemos afirmar, en términos generales, que todos los críticos e historiadores de la literatura española emplean la voz *cuentos* para aludir a las narraciones medievales, ya sean éstas las esquemáticas del *Calila,* las latinas de Pedro Alfonso o las versificadas del Arcipreste de Hita.

En última instancia, *cuento* equivale a ficción —aun cuando los narradores naturalistas escriban *cuentos verídicos, documentos humanos*— y de ahí a la equivalencia *cuento: mentira* sólo hay un paso, dado ya por la opinión vulgar que ha convertido *cuento* y *cuentista* en términos peyorativos [40].

Resumiendo, pues, las conclusiones que del examen de la literatura medieval pueden deducirse, tenemos:

---

[40] *Clarín* utilizó ingeniosamente esta acepción popular para el título de una de sus series de narraciones: *El Señor y lo demás son cuentos.*

1.ª La voz *cuento* .no se emplea aplicada a un género literario, sino que se prefieren las de *fábula, apólogo, ejemplo,* etc., salvo en el caso del *Libro de los cuentos,* mal llamado *Libro de los gatos.*

2.ª Se utiliza el verbo *contar* en el sentido de *referir, relatar, narrar,* aparte del de *numerar.*

3.ª El escaso empleo del término *cuento* no quiere decir que no exista el género, o a lo menos un precedente.

4.ª Las narraciones medievales se asemejan a las modernas en el carácter de ficciones relatadas. (Téngase en cuenta, sin embargo, que el cuento medieval casi siempre relata una ficción —salvo excepciones como algunos ejemplos históricos de *El conde Lucanor*—, mientras que el moderno refleja, muchas veces, un hecho verídico. No obstante y en términos generales, puede admitirse la consecuencia.)

IV. EL TÉRMINO «CUENTO» EN EL RENACIMIENTO

Aunque, desde un punto de vista moderno, las narraciones medievales se acerquen más al cuento que las de la Edad de Oro, lo cierto es que en esta época el término adquiere uso decisivo.

Intentaremos resumir las fases de esa evolución.

Un obstáculo inmediato embarazará y oscurecerá el estudio del término *cuento,* empleado por los renacentistas, y es la aparición de la voz *novela,* utilizada para resignar narraciones breves también.

Pfandl, en su *Historia de la literatura nacional* [41], dedica un capítulo a la *novela corta* de los siglos de oro. Lo de *corta* es el resultado de estudiar ese género con perspectiva moderna, puesto que Cervantes sólo habló de *novelas,* usando este vocablo con el valor diminutivo que en italiano tiene (*nova > novella*). Es decir, *novela corta* ha venido a ser una especie de tautología, al olvidarse el primitivo significado etimológico de *novela.*

Y sin embargo, los mismos italianos, con más conciencia idiomática, olvidaron también el valor diminutivo de la palabra. Pues junto a las *Trecento novelle* de Franco Sachetti [42], existe el llamado *Novelli-*

---

[41] *Historia de la literatura nacional en la Edad de Oro.* Barcelona, MCMXXXIII, págs. 330 y ss.

[42] *Novelillas* las llamaba D. Juan Valera en el prólogo a *Una docena de cuentos,* de Narciso Campillo.

no, también conocido por *Libro di novelle e dil bel parlar gentile*. Esta obra es de finales del siglo XIII, de autor desconocido. Masuccio Salernitano, cuatrocentista, compone también un *Novellino*. En el siglo XVI, Mateo Bandello escribe sus *Novelle*. Ya en época moderna, Edmundo de Amicis compone *Novelle* (1872), al igual que Giovanni Verga (*Novelle rusticane*, 1883), Salvatore di Giacomo (*Novelle napolitane*), Adolfo Albertazzi (*Novelle umoristiche*, 1901), etc. Y junto a éstas, las *Novelline popolari italiane* (1875) de Ildefonso Nieri.

¿Se acercan más las *novelline* a los cuentos y las *novelle* a las novelas? Posiblemente unas y otras equivalen a nuestros cuentos, ya aparezcan con la forma de diminutivo normal —el olvidado— o con la de doble diminutivo. Para la novela larga el italiano tiene la voz *romanzo*.

La palabra *novela* penetra tardíamente en España, no tanto en cuanto a su uso sino en cuanto a su auténtico significado. Las ediciones del *Decamerón* de 1494, 1496, 1524, 1539, 1543, 1550, traducen *cien novelas*, lo que parece indicar que ya en tiempos de los Reyes Católicos el término *novela* significaba algo.

Sin embargo, aun siguen utilizándose otras voces para las narraciones breves. El prólogo de la traducción castellana de la *Zuca del Doni*, en la edición de Venecia, dice:

«Está llena de muchas y provechosas sentencias, de muy buenos exemplos, de sabrosos donaires, de apacibles chistes, de ingeniosas agudezas, de gustosas boberías, de graciosos descuidos, de bien entendidos motes, de dichos y prestezas bien dignas de ser sabidas...»

Otra colección de novelas traducidas del italiano es la titulada *Horas de recreación, recogidas por Ludovico Guicciardino, noble ciudadano de Florencia. Traducidas de lengua Toscana. En que se hallarán dichos, hechos y exemplos de personas señaladas, con aplicación de diversas fábulas de que se puede sacar mucha doctrina*. Este título corresponde a la edición de Bilbao de 1586.

Las novelas de Mateo Bandello se traducen con el título de *Historias trágicas exemplares sacadas de las obras del Bandello Veronés*. Edición de Salamanca de 1589.

Estos ejemplos nos prueban que aún siguen usándose los viejos términos medievales.

No obstante, la voz *novela* se emplea en la misma época. Así, la traducción de las *Cien novelas de M. Juan Baptista Giraldo Cinthio* (Toledo, 1590). El traductor —Juan Gaitán de Vozmediano— dice en el prólogo, que este libro podrá agradar «a los que gustan de cuentos fabulosos con ciento y diez que cuentan las personas que para esto introduce». Este es un ejemplo revelador de cómo *novela* y *cuento* empleábanse indistintamente para un mismo género y en una misma obra.

Pero Mexía, en su *Silva de varia lección* (1540) y en el capítulo XXII de la primera parte, dice al hablar del hombre pez:

> «Desde que me sé acordar siempre oí contar a viejas no sé que cuentos y consejas de vn pez Nicolao, que era hombre y andaua en la mar, y del dezia otras cosas muchas a este propósito, lo cual siempre lo juzgué por mentira, y fábula, como otras muchas cosas que assi se cuentan...» [43].

Cuentos, consejas y fábulas equivalen a mentira tradicional, puesta en boca de viejas. (Recuérdese lo dicho acerca de las *consejas* románticas.)

Juan de Mal Lara, en su *Philosophia vulgar* (1568), habla de *novelas*.

Quien emplea ya con todo su valor la voz *cuento* es Juan de Timoneda. En 1563 y en Zaragoza, publica su colección de cuentos titulada *El sobremesa y alivio de caminantes de Joan Timoneda; en el qual se contienen affables y graciosos dichos, cuentos heroycos y de mucha sentencia y doctrina.* En las ediciones de Medina del Campo (1563) y de Alcalá (1576), preceden a los cuentos de Timoneda doce de otro autor llamado Juan Aragonés. Tanto éstos como los de Timoneda son de forma esquemática y de carácter paremiológico. Equivalen a chistes aunque su autor insista en llamarlos *cuentos*, según se desprende de la *Epístola al lector*, donde dice:

> «Curioso lector: Como oir, ver y leer sean tres causas principales, ejercitándolas, por do el hombre viene a alcanzar toda sciencia, esas mesmas han tenido fuerza para comigo en que me dispusiere a componer el libro presente, dicho *Alivio de Caminantes,* en el que se contienen diversos y graciosos cuentos, afables dichos y muy sentenciosos. Así que fácilmente lo que yo en diversos años he oído, visto y leído, podrás brevemente saber de coro, para decir algunos cuentos de los presentes. Pero lo que más importa para ti y para mí, porque no nos tengan por friáticos, es que estando en conversación, y quieras decir algun contecillo, lo digas al propósito de lo que trataren...»

---

[43] *Silva de varia lección.* Madrid, 1669. A costa de Mateo de la Bastida. Primera parte, cap. XXII, pág. 74.

Timoneda es autor también de *El buen aviso y portacuentos* (1564) y de *El Patrañuelo* (¿1566?), su obra de más fama y que, según Menéndez Pelayo, es «la primera colección española de novelas escritas a imitación de las de Italia, tomando de ellas el argumento y los principales pormenores» [44].

Téngase en cuenta que al hablar Menéndez Pelayo de *novelas*, lo hace pensando en las narraciones breves que reciben también este nombre, de Cervantes, de María de Zayas, de Tirso de Molina, de Castillo Solórzano, etc. Juan de Timoneda no usa el término italiano y se sirve del de *patraña*. En la *Epístola al amantísimo lector* juega festivamente con estas palabras.

«... porque *patrañuelo* se deriva de patraña, y patraña no es otra cosa sino una fingida traza tan lindamente amplificada y compuesta, que parece que trae alguna apariencia de verdad. Y así, semejantes marañas las intitula mi lengua natural valenciana *rondalles*, y la toscana *novelas*, que quiere decir: tú, trabajador, pues *no velas*, yo te desvelaré con algunos graciosos y asesados cuentos, con tal que lo sepas contar como aquí van relatados, para que no pierdan aquel asiento y lustre y gracia con que fueron compuestos.»

Timoneda confiesa bien explícitamente que se trata de *cuentos*, dando a esta palabra su sabor tradicional: cuentos escritos pero con intención oral, que el lector puede aprender y relatar a su vez. Insiste el autor, al igual que en la epístola prologal de *El Sobremesa*, en que la gracia, el *toque* del cuento, está en cómo se narra. Y también en la oportunidad, hecho curioso que nos revela el valor como de juguete y de chiste —sin trascendencia literaria— que el cuento tenía para los renacentistas.

Nos hemos detenido brevemente en Timoneda, por creer que sus obras son fundamentales, a manera de hitos, en esta evolución del término *cuento*. Aunque la imprecisión —*patraña, novela, cuento*— se observe aún, lo cierto es que las narraciones del *Sobremesa* y *Portacuentos* van numeradas como cuentos, adquiriendo estabilidad y validez un término que se empleaba dudosamente.

Podríamos concluir aquí —una vez apresada definitivamente la palabra *cuento*—, pero aun queremos recordar los *Cuentos* de Garibay y los de D. Juan de Arguijo. Citaremos también otro ejemplo, si no castellano, peninsular y muy interesante. Nos referimos a los

---

44 *Orígenes de la novela*. Tomo III. Ed. Nacional, pág. 150.

Contos e historias de proveito e exemplo de Gonçalo Fernández Trancoso. Lisboa, 1608.

Dentro también de la literatura portuguesa puede recordarse el famoso libro de Francisco Rodríguez Lobo, *Corte na aldeia e noites de inverno* (1619), que Menéndez Pelayo consideraba fundamental, ya que su autor «intentó antes que otro alguno, reducir a reglas y preceptos el arte infantil de los contadores, dándonos de paso una teoría del género y una indicación de sus principales temas» [45].

La teoría consiste, entre otras cosas, en la distinción que Rodríguez Lobo hace entre *cuentos* e *historias* (sinónimo éstas, según Menéndez Pelayo, de las *novelle* italianas), diciendo que en las últimas puede hacerse más ampliamente «la buena descripción de las personas, relación de los acontecimientos, razón de los tiempos y lugares, y una plática por parte de algunas de las figuras que mueva más a compasión y a piedad, que esto hace doblar después la alegría del buen suceso» [46].

Y añade:

«Esta diferencia me parece que se debe hacer de los cuentos y de las historias, que aquéllas piden más palabras que éstos, y dan mayor lugar al ornato y concierto de las razones, llevándolas de manera que vayan aficionando el deseo de los oyentes, y los cuentos no quieren tanta retórica, porque lo principal en que consisten está en la gracia del que habla y en la que tiene de suyo la cosa que se cuenta.»

Coincide, por tanto, Rodríguez Lobo con los narradores españoles del tipo Timoneda en creer que el cuento es exclusivamente argumento —sin *retórica*—, y que su efecto depende de la gracia con que se narre. Y también se asemeja a Timoneda en exigir oportunidad para intercalar los cuentos, es decir, las agudezas o chistes:

«Los cuentos y dichos galanes deben ser en la conversación como los pasamanos y guarniciones en los vestidos, que no parezca que cortaron la seda para ellos, sino que cayeron bien, y salieron con el color de la seda o del paño sobre los que los pusieron; porque hay algunos que quieren traer su cuento a fuerza de remos, cuando no les dan viento los oyentes, y aunque con otras cosas les corten el hilo, vuelven a la tela, y lo hacen comer recalentado, quitándole el gusto y gracia que pudiera tener si cayera a caso y a propósito, que es cuando se habla en la materia de que se trata o cuando se contó otro semejante» [47].

---

45   Id., págs. 150-151.
46   Id., pág. 151.
47   Id., págs. 151-152.

Sebastián Mey publicó en Valencia, en 1613, un *Fabulario en que se contienen fábulas y cuentos diferentes, algunos nuevos y parte sacados de otros autores,* en cuyo prólogo recomienda honestidad en las *patrañas y cuentos.* Las narraciones de Mey están protagonizadas por animales, entroncando por un lado con la fabulística medieval —*Calila e Dimna*—, y por otro con la neoclásica: Samaniego.

Resumiendo lo hasta aquí expuesto, se observa que las narraciones estudiadas no son exactamente cuentos, sino anécdotas, chistes, relaciones de casos extravagantes, agudezas, refranes explicados, etc. [48]. Sus autores no se jactan de originales y el único mérito que se adjudican es el de la gracia con que narran, y que recomiendan a los lectores que deseen referir los cuentos. Téngase presente que esta gracia no tiene nada que ver con el recargo descriptivo o digresiones hinchadoras de la narración —aconséjase evitar la retórica—, sino que ha de ser provocada por la misma escueta narración, acompañada, tal vez, de gestos o entonación que la hagan viva y alegre, tal como Berganza recomendaba [49].

El cuento, por tanto, nada tiene de creacional, es propiedad común, por todos utilizable, siempre que se observe oportunidad en su uso. Ahora comprendemos por qué el cuento renacentista nos parece aún menos ligado al moderno que el medieval. Pues siempre se acercará más al género actual el cuento-apólogo que el cuento-chiste.

De todas formas, la fijación y empleo de la voz *cuento* son eviden-

---

[48]   Decía D. Juan Valera refiriéndose a esta clase de narraciones:
«Pero tanto Sachetti y otros italianos, como nuestros españoles D. Juan Manuel y Timoneda, vivieron en tiempos de menos malicia, cuando la gente era menos descontentadiza y exigente, cuando no había periódicos donde no hay anécdota que no se refiera, y cuando el viajar, ver mundo, presenciar lances y sucesos y adquirir experiencias de los usos y costumbres eran prendas más raras y estimadas que en el día. Todavía entonces el hombre que había vivido y peregrinado podía, sin exagerado amor propio, jactarse, como Ulises, de saber mil cosas que no sabían sus conciudadanos, y podía aspirar a instruirlos y a deleitarlos refiriéndolas.» (Prólogo a *Una docena de cuentos.)*

[49]   «Y quiérote advertir de una cosa, de la cual verás la experiencia cuando te cuente los sucesos de mi vida, y es que los cuentos unos encierran y tienen la gracia en ellos mismos, otros en el modo de contarlos; quiero decir, que algunos hay que, aunque se cuenten sin preámbulos y ornamentos de palabras, dan contento; otros hay que es menester vestirlos de palabras, y con demostraciones del rostro y de las manos, y con mudar la voz se hacen algo de nonada, y de flojos y desmayados se vuelven agudos y gustosos.» *(Novelas Ejemplares.* Ed. Rodríguez Marín, II. Clás. Cast. Madrid, 1917, pág. 219.)

tes. Veamos ahora, brevemente, lo que pudo significar la voz *novela*. Según Pfandl, es ésta una historia breve y cautivadora que, hasta las traducciones del *Decamerón,* era algo inexistente en la literatura indígena [50].

Cervantes se enorgullece de ser el primer escritor de *novelas* en el prólogo de las *Ejemplares* [50 bis]. Y sin embargo, *novelas* son también el *Persiles,* el *Quijote* y *La Galatea.* Por tanto, nos encontramos ante el siguiente problema: ¿Vale el término *novela* para aplicarlo indistintamente al *Quijote,* al *Guzmán de Alfarache,* a *La Gitanilla* y a *El castigo de la miseria?* Con perspectiva moderna diríamos que el *Quijote, La Galatea,* el *Persiles,* el *Guzmán* son novelas auténticas, y que *La Gitanilla,* las restantes novelas ejemplares, las obras de María de Zayas, son novelas cortas, como las denomina Pfandl. Es decir, estas últimas se acercarían más al cuento [51].

---

[50] Pfandl. Ob. cit., pág. 333.

[50 bis] Sobre el uso de los términos *novela* y *cuento* en Cervantes véase la interesante nota de Pedro Henríquez Ureña en su trabajo *Las novelas ejemplares.* (*Plenitud de España.* Ed. Losada. Buenos Aires, 1945, págs. 165-166.)

[51] Buena prueba de ello es que en una de las más recientes antologías de cuentos españoles figuran como tales *La fuerza de la sangre,* de Cervantes, y *El castigo de la miseria,* de María de Zayas, entre otras narraciones breves de Timoneda, Salas Barbadillo, Castillo Solórzano, etc. *Los mejores cuentistas españoles.* Compilación de Pedro Bohigas. Tomo I. Ed. Plus Ultra. Madrid, 1946.

En una antología titulada *Los mejores cuentos de los mejores autores españoles contemporáneos,* publicada en París en 1912, dice el prologuista, Arturo Vinardell Roig, que el cuento nace en el siglo XVII, ignorando los medievales:

«De aquella esplendente centuria datan también —¿quién no lo sabe?— los primeros cuentos españoles. Todos los autores, o casi todos, quisieron esgrimirse en este género, unos por espíritu de imitación, viendo cómo hasta el mismo Príncipe de los Ingenios no se desdeñaba de cultivarlo, otros acaso porque hallaban en aquella manera sencilla y breve de exponer los sucedidos de la época, con disfraces más o menos aliñados y transparentes, una especie de gimnástica intelectual, con que se adiestraban para emprender más tarde labores de más empuje y de más alto vuelo» (págs. 5-6).

Cita como cuentistas a Cervantes, Quevedo, Tirso, Zabaleta, Montalbán, Zayas... «A esas novelas cortas de la época que bien pudiéramos llamar picaresca por lo que se refiere a los asuntos que de ordinario escogían los autores para componerlas (y que hoy muchos tartufos a la moderna calificarían sin duda de pornográficas), les damos actualmente el nombre elástico de cuentos; y en verdad cuentos son más que novelas, con todo y llamarlas *ejemplares* su propio autor, las que escribió Cervantes después de su inmortal *Quijote*» (pág. 6).

Subrayemos lo de *el nombre elástico de cuentos,* la mejor intuición del prologuista —olvidemos ahora el detestable castellano que emplea—, el cual, sin plantearse el problema, notó la imprecisión terminológica existente alrededor de unos géneros literarios próximos, pero diferentes.

Sin embargo, es preciso advertir que esa aproximación no supone una técnica o intención semejantes a las de los cuentos decimonónicos. El acercamiento es sencillamente dimensional.

Pero es que Cervantes no se limita a usar el término *novela,* aplicado a sus narraciones breves, sino que emplea también el de cuento.

Recordemos cómo en el primer capítulo del *Quijote,* al hablar del nombre del hidalgo, dice: «Pero esto importa poco a nuestro cuento; basta que en la narración dél no se salga un punto de la verdad» [52].

El llamar *cuento* a narración tan extensa como el *Quijote* no supone error ni ligereza, puesto que en el siglo XIX —cuando los dos géneros, novela y cuento, se han ido ya perfilando— siguen cometiéndose las mismas aparentes inexactitudes.

Y es que la palabra *cuento* tiene como una doble vertiente, uno de cuyos lados conduce al género literario concreto y breve, y otro al concepto de historia contada, cualesquiera que sean sus dimensiones.

El capítulo XIII de la primera parte del *Quijote* titúlase exactamente: «Donde se da fin al cuento de la pastora Marcela, con otros sucesos.»

Este episodio de los amores de Grisóstomo y Marcela es una breve novela pastoril, intercalada, del mismo artificioso corte que *El curioso impertinente* o muchas de las *Ejemplares.* Cervantes, que llama *novelas* a narraciones como *La Gitanilla,* y que emplea el mismo término para *El curioso impertinente* [53], acertó con el término adecuado al llamar cuento a este episodio de Marcela. Pues, realmente, estas narraciones intercaladas no son novelas, sino cuentos. Dickens, en sus *Papeles póstumos del Club Picwick,* se sirve de la misma técnica, interferenciando la acción con cuentos a manera de *intermezzos.*

Resultaría difícil precisar por qué Cervantes empleó la voz *novela* para sus narraciones breves, excepto en este capítulo XIII del *Quijote.* Tal vez nos sirva para algo fijarnos en *cómo* está narrada la historia de Grisóstomo y Marcela. El capítulo anterior titúlase: «De lo que *contó* un cabrero a los que estaban con Don Quijote.»

Hemos subrayado el verbo *contó* por creer que pudiera justificar el *cuento* del capítulo siguiente.

---

[52] Cuarta edición de la R. A. E. Madrid, 1819. Tomo I, pág. 2.
[53] Capítulos XXXIII y XXXIV de la primera parte del *Quijote:* «Donde se cuenta la novela del Curioso impertinente» y «Donde se prosigue la novela del Curioso impertinente».

Don Quijote es albergado por unos cabreros, y estando en grata tertulia con ellos, llega un mozo que es quien narra el desdichado fin de Grisóstomo, enamorado de Marcela. La narración es interrumpida frecuentemente. Una de esas interrupciones, hecha por Don Quijote, es de gran interés:

«Así es la verdad, dijo don Quijote, y proseguid adelante, que el cuento es muy bueno, y vos, buen Pedro, le contáis con muy buena gracia» [54].

He aquí cómo Cervantes viene a coincidir por boca de Don Quijote, como también lo hizo por la de Berganza, con los juicios de Timoneda y Rodríguez Lobo sobre el donaire con que debían contarse los cuentos.

Al acabar su relación el cabrero, Don Quijote le dice:

«... y agradezcoos el gusto que me habéis dado con la narración de tan sabroso cuento» [55].

Sabido es que el desenlace de esta historia es presenciado por el hidalgo: narración objetiva. Pero como Cervantes la había llamado *cuento,* por ser *contada* —narrada oralmente— por un cabrero, en el siguiente capítulo continuó empleando el mismo término. *El curioso impertinente* es llamada *novela,* no sólo por la mayor extensión sino, ante todo, por ser una narración *escrita.* El cura halla unos papeles en la maleta que le enseña el ventero.

«Sacólos el huésped, y dándoselos a leer, vió hasta obra de ocho pliegos escritos de mano, y al principio tenían un título grande que decía: *Novela del curioso impertinente*» [56].

Cervantes reserva, pues, la voz *cuento* para la narración oral y emplea *novela* para la escrita, es decir, para aquella que no necesita de gracias más o menos fisionómicas o de entonación del narrador, y que, en compensación, tiene más calidad literaria. Esta diferenciación nos recuerda aquel juicio de los preceptistas decimonónicos, que al estudiar la evolución de la novela, la definían como cuento que dejando de ser oral, pasó a ser escrito.

Existe otro pasaje en el *Quijote* en el que Cervantes vuelve a utilizar la palabra *cuento,* esta vez en un sentido plenamente popular. Es en el capítulo XX de la primera parte, cuando Don Quijote oye en

---

[54]	Ed. cit. Tomo I, pág. 105.
[55]	Ed. cit., pág. 108.
[56]	Ed. cit. Tomo II, pág. 81.

la noche el extraño ruido de los batanes y se decide a lanzarse a la aventura. Sancho traba las patas de Rocinante y, en tanto llega el alba, se dispone a entretener a su amo narrándole cuentos:

«Díjole don Quijote que contase algún cuento para entretenerle, como se lo había prometido; a lo que Sancho dijo que sí hiciera, si le dejara el temor de lo que oía; pero con todo eso yo me esforzaré en decir una historia, que si la acierto a contar y no me van a la mano, es la mejor de las historias, y estéme vuestra merced atento, que ya comienzo» [57].

Nuevamente alude Cervantes a la gracia del narrador —«y si la acierto a contar»—. Sancho narra su historia lentamente y con muchas repeticiones, por lo cual le reprende su amo.

«De la misma manera que yo las cuento, respondió Sancho, se cuentan en mi tierra todas las consejas, y yo no sé contarlo de otra, ni es bien que vuestra merced me pida que haga usos nuevos» [58].

Volvemos a encontrar aquí la voz *conseja* aplicada a las narraciones de tipo oral, tradicional. El cuento que relata Sancho es el popular del barquero y de las cabras, y en su boca se convierte en un chiste absurdo que hace comentar a su amo:

«Dígote de verdad, respondió don Quijote, que tú has contado una de las más nuevas consejas, cuento o historia que nadie pudo pensar en el mundo, y que tal modo de contarla ni dejarla jamás se podrá ver ni habrá visto en toda la vida, aunque no esperaba yo otra cosa de tu buen discurso; mas no me maravillo, pues quizá estos golpes que no cesan te deben de tener turbado el entendimiento» [59].

Lo observado en Cervantes parece indicar que éste empleaba la voz *cuento* para las narraciones orales o populares, y *novela* para las escritas, aunque las dimensiones de unas y otras fueran casi las mismas. El valor diminutivo de esta última voz se olvidó casi por completo, y hoy nos sirve solamente para designar narraciones extensas. Si queremos aludir a un género próximo al cuento, tendremos que hablar de *novelas cortas,* de *novelitas,* o aun de *noveletas* como titula Tomás Borrás, actualmente, algunas de sus narraciones.

---

[57] Ed. cit. Tomo I, pág. 206.
[58] Id., pág. 207.
[59] Id., pág. 210.

V. EL TERMINO «CUENTO» EN EL SIGLO XIX: PEDRO ANTONIO DE ALARCON

Adquirida ya la voz *cuento,* quedaría concluído el breve estudio terminológico; pero llevado éste al siglo que nos interesa, al XIX, encontraremos nuevos resultados.

Acabamos de decir que Cervantes crea la novela española, teniendo en cuenta que bajo la palabra *novela* existen dos géneros literarios: la novela auténtica, extensa —del tipo del *Quijote* o del *Persiles*— y la novela corta —cualquiera de las *Ejemplares.*

Cervantes evitó el uso de la palabra *cuento* para designar sus narraciones, porque éstas nada tenían que ver con las que entonces recibían ese nombre. Los cuentos eran relatos brevísimos —cuatro o cinco líneas, a veces—, chistes, anécdotas... Timoneda trata de crear una narración de tipo medio, eslabón entre cuento-anécdota y novela a la moda italiana, que es la *patraña.* Cervantes novela por primera vez en castellano con asuntos originales, aunque de corte o ambiente italiano en muchos casos.

Las *Novelas Ejemplares* representan, pues, un estado intermedio entre *cuento* y *novela,* y si Cervantes usó el segundo término fué por tener éste un prestigio literario del que carecía el primero. *Novelar* acércase más a *inventar,* mientras que *contar* tiene el sentido de referir casos no inventados por el narrador. Tal vez por esto llamó *cuento* Cervantes a su *Quijote,* en el primer capítulo, de acuerdo con la intención irónica y paródica de hacernos creer que no inventaba las hazañas del hidalgo.

¿Dónde acaba el cuento y empieza la novela corta? La denominación es, muchas veces, arbitraria y no alude a la extensión. Dejando para más adelante las características de estos géneros, vamos a fijarnos solamente en cómo continúa la imprecisión terminológica en el siglo XIX.

Las *Novelas cortas* de Pedro Antonio de Alarcón se clasifican en tres series que el autor llamó: *Cuentos amatorios, Historietas nacionales* y *Narraciones inverosímiles.* Como se ve, la denominación no puede ser más subjetiva ni arbitraria, puesto que tan cuentos son los de una serie como los de las otras. Es más, si alguno no es cuento por su extensión, tendríamos que citar *El clavo,* que tiende más a la novela corta y que, sin embargo, el autor encuadra como *cuento amatorio* [60].

Alarcón utiliza para un mismo género las siguientes denominaciones: novelas cortas, cuentos, historietas y narraciones. No está la gravedad del caso en la triple denominación diferencial de las distintas series, sino en llamar a todas *novelas cortas.*

En la *Historia* de sus libros, Alarcón distingue tres etapas o tres maneras en estas novelas, pero no se ocupa de clasificarlas por su extensión. En algún pasaje habla de *novelillas:*

«Consecuencia de aquella aberración de Bonnat y mía fué el que yo escribiera diez o doce novelillas estrafalarias o bufonas...» [61].

A su segunda etapa corresponde «algunas otras novelillas, escritas en *manera* más española...» [62].

Recordemos también que una de las narraciones breves alarconianas titúlase *Novela natural,* y otra *Fin de una novela,* y tendremos completa la imagen de un Alarcón, excelente creador, pero tan ligero como todos los escritores que vamos estudiando en cuanto a la denominación de sus obras. Posiblemente Alarcón empleaba la voz *novela* en el sentido de invención, ficción, sin fijarse en sus dimensiones. Sin embargo, para distinguir sus narraciones extensas de las breves, llamó a éstas *novelas cortas* o *novelillas,* según acabamos de ver.

Pero es que en el mismo Alarcón se da el caso, aun más curioso, de que el más conocido de sus cuentos, *El sombrero de tres picos,* no es tal, sino auténtica novela o, en todo caso, una novela corta no demasiado corta. Y no obstante, todos los críticos estuvieron conformes en denominarlo cuento. Andrés González Blanco coincide con la Pardo Bazán en considerarle *rey de los cuentos españoles* [63]. Juan Fernán-

---

[60] Por el contrario, Armando Palacio Valdés llama *novelas* a algunas narraciones de esta serie:
«... contenían varias novelas de Alarcón: *¿Por qué era rubia?, Coro de ángeles, El final de Norma* y algunas otras» *(Semblanzas literarias. Don Pedro Antonio de Alarcón. Obras completas* de Palacio Valdés. Ed. Aguilar. Tomo II, pág. 1.196).
[61] *Historia de mis libros* (publicada con *El capitán Veneno*). Octava edición. Madrid, 1905, pág. 202.
[62] Id., pág. 203.
[63] A. G. Blanco: *Historia de la novela en España desde el Romanticismo a nuestros días.* Madrid, 1902, págs. 233-234.—Vid. *Nuevo Teatro Crítico* de la Pardo Bazán, n. 10, octubre 1891, donde la autora llama *rey de los cuentos españoles* a *El sombrero de tres picos.*

dez Luján decía: «y como *El sombrero de tres picos* es un cuento y no una novela» [64]. Menéndez Pelayo lo llamó «salpimentado cuento» [65].

Tal unanimidad —mantenida en las actuales historias de la literatura— resulta irrebatible y nos hace creer, con doña Emilia Pardo Bazán, que tal denominación obedece al sentido popular del relato, ya que no a su extensión y estructura.

La escritora gallega, que consideraba *El sombrero de tres picos* como «precioso capricho de Goya, un cuento español por los cuatro costados» [66], comprendía, sin embargo —como genial y fecunda creadora de cuentos—, que la denominación no correspondía a las dimensiones, y al estudiar las obras de Alarcón en varios números del *Nuevo Teatro Crítico,* dijo:

«... saludemos al rey de los cuentos españoles: *El sombrero de tres picos.* Cuento hay que llamarle, no tanto por sus dimensiones cuanto por su índole y procedencia. El mérito mayor de Alarcón fué, sin duda alguna, haber conservado a su obra maestra el carácter popular y sencillo del genuino *cuento...* En eso consistió la suprema habilidad de Alarcón: cuando por instinto o impulso genial acertaba, no acertaba a medias» [67].

En cuanto a la opinión del autor sobre esta obra suya, véanse las páginas que a ella dedica en la *Historia* de sus libros, explicando su gestación. Alarcón, en 1874, apremiado por la obligación de enviar a una revista cubana «algún cuentecillo gracioso», recordó el picaresco romance de *El corregidor y la molinera,* lo escribió en forma breve —de auténtico cuento— y luego lo fué ampliando hasta darle la forma actual, bastante extensa [68].

Este hallazgo nos servirá para iluminar un poco todo este confuso amontonamiento de datos: Si *El sombrero de tres picos* es llamado *cuento,* es porque el autor dice haberlo oído narrar a un ciego romancista. Con lo cual parece que hemos aprehendido, con cierta seguridad, una de las características del cuento: su aire popular.

Al igual que en Cervantes, en Alarcón el término *novela* corresponde a *narración original,* escrita, mientras que *cuento* se adapta me-

---

[64] J. F. Luján: *Pardo Bazán, Valera y Pereda (Estudios críticos).* Luis Tasso, editor. Barcelona, 1889, pág. 68.
[65] *Estudios y discursos de crítica histórica y literaria.* Ed. Nacional. Tomo V, pág. 89.
[66] *La cuestión palpitante,* pág. 95.
[67] *Nuevo Teatro Crítico,* n. 10, págs. 58-59.
[68] Vid. *Historia de mis libros,* págs. 244 y ss.

jor a lo *tradicional, oral y no inventado*. Y como en las narraciones renacentistas, el mérito de *El sombrero de tres picos* no está tanto en la trama como en el gracejo narrativo, sin que esto implique hojarasca retórica.

Y así llegamos a la curiosa paradoja de que las narraciones denominadas *novelas cortas* son *cuentos* por su extensión: *La Comendadora, El carbonero alcalde, El amigo de la Muerte;* mientras que *El sombrero de tres picos, novela corta* por sus dimensiones, es llamado *cuento*.

¿Cuáles son, después de esto, las auténticas novelas cortas de Alarcón? Doña Emilia Pardo Bazán decía:

«Y es que el ingenio de Alarcón gana con reducirse a cuadros chicos: su cincel trabaja mejor exquisitos camafeos, ágatas preciosas, que mármoles de gran tamaño. Descuella en el cuento y en la novela corta, variedad literaria poco cultivada en nuestra tierra, y que Alarcón maneja con singular maestría» [69].

Doña Emilia no hace la verdadera diferencia entre los cuentos y las novelas cortas de Alarcón, limitándose a estudiar en el *Nuevo Teatro Crítico* como novelas largas *El escándalo, El niño de la bola* y *La Pródiga,* y considerando novelas cortas todas las demás.

No obstante, las que podrían recibir este nombre son *El capitán Veneno, El sombrero de tres picos* —ésta por su extensión— y quizá *El final de Norma* y *El Clavo.*

Se nos perdonará el tiempo y espacio que hemos dedicado a Alarcón, si consideramos que gracias al análisis de sus obras hemos podido ver cómo ya se perfilan en la historia de nuestra literatura dos tipos bien distintos de narraciones breves: la literaria y la popular. La primera atrae las voces *novela* y *novela corta*. La segunda conténtase con el término *cuento.*

VI. EL TERMINO «CUENTO» EN LAS LENGUAS LITERARIAS [69 bis]

La comparación con lo que sucede en otras literaturas podrá servir para mejor probar la diferenciación existente entre cuento popular y literario.

Entre las palabras que la lengua inglesa posee para designar las

---

69 *La cuestión palpitante,* pág. 262.

69 bis Vid. W. Krauss: *Novela-novelle-roman*. Z. R. Ph., 1940, LXI, 16-28, estudio de la denominación de la novela en las lenguas románicas.

narraciones cortas, existen dos fundamentales: *tale* y *short story*. Vamos a citar unos pocos ejemplos del uso de cada una.

En primer lugar, recordaremos los *Cantebury Tales* de Chaucer, equivalentes al *Decamerón* de Boccaccio o a nuestro *Conde Lucanor*. *Tale* es, por consiguiente, palabra de uso más antiguo que *short story*, como en nuestra literatura son anteriores *cuento* a *novela*, y *fábula*, *apólogo, ejemplo*, etc., a *cuento*. *Tale* procede de *to tell*: hablar, como *fábula* de *fabulare*. Las solas palabras, por tanto, revelan ya el carácter oral, esencialmente popular, de los géneros a que dan nombre.

Una de las obras de Shakespeare, titulada *Winter's Tale*, nos proporciona el dato curioso de comprobar cómo *tale* no se utiliza únicamente para la narración breve, sino que se aplica a toda obra, poética o incluso teatral, que tenga un carácter popular, tradicional. (Lo mismo que en nuestra literatura sucede con la voz *cuento* designando poemas de tono legendario.)

Jonathan Swift (1667-1745) escribió un *Tale of a Tub*. En la época romántica, Charles Lamb convierte las obras shakesperianas en cuentos: *Tales from Shakespeare*.

En la literatura norteamericana citaremos a Washington Irving (1783-1859), popular por sus *Tales from the Alhambra*, y a Edgar Allan Pöe (1809-1849), autor, entre otras obras, de unos *Tales of the Grotesque and Arabesque*.

La *story* o más concretamente la *short story* (equivalente a nuestra *novela corta* o a las *historietas* de Alarcón) es palabra usada por los narradores del siglo XIX, y, sobre todo, por los cuentistas modernos [70]. Charles Dickens es el más grande creador de estas *stories* [71].

---

[70] En una moderna antología de cuentistas de lengua inglesa se define así la *short story:*

«Las formas de narración breve han sido en aquellos países —sobre todo en las Islas Británicas y en los Estados Unidos de América— objeto de intenso cultivo, ya desde las primeras décadas del siglo XIX; la «historieta», o *short story*, en particular.

Por *short story* entiéndese en inglés lo que en otras literaturas se ha dado en llamar «cuento literario»: una narración poco extensa (unas treinta páginas, por lo común), con un contenido moral o ideológico, que suele patentizarse, a guisa de moraleja, en el desenlace.» *(Los mejores cuentistas de lengua inglesa.* Compilación y traducción de M. Olivar. Tomo I. Ed. Plus Ultra. Madrid, 1946, pág. 7.)

[71] Por ej., sus *New Christmas stories*. También Dickens utilizó otros términos. Así, su tan conocido *Cuento de Navidad* titúlase en inglés *A Christmas Carol (Un villancico de Navidad)*, tal vez para diferenciarlo, por su aire popular, de otras narraciones más literarias.

Las narraciones de los actuales cuentistas ingleses y americanos —Lawrence, Joyce, Conrad, Katherine Mansfield, Huxley, William Saroyan, Faulkner— son también *short stories*.

Todo esto parece sugerir que el término *tale* corresponde a una narración de tipo popular, oral, fantástico o aun infantil. Los cuentos de niños no serán nunca *stories,* por literarios que sean, sino *tales* [71 bis]. El valor tradicional —que no menoscaba el valor literario— se comprueba en casos como el ya citado de Shakespeare o el de Algernon Charles Swinburne (1837-1909), poeta prerrafaelista, que tiene, junto a sus *Poems and Ballads,* un poema titulado *Tale of Balen.* No se trata, pues, de un cuento en prosa sino de una composición poética que, por su carácter legendario, tradicional, recibe ese nombre.

Modernamente, Rudyard Kipling tituló su más famosa colección de cuentos, *Plain tales from the hills.* Y es que Kipling, pese a ser narrador literario, gusta del sabor tradicional. Muchos de sus cuentos están puestos en boca de ancianos, de soldados, e incluso de animales como en la vieja fabulística.

Tale corresponde, por tanto, al cuento oral (que puede ser y es remedado literariamente), y *story,* al cuento literario [72].

* * *

[71 bis] Encuentro confirmada esta opinión en la obra de Joseph T. Shipley, *The Quest for Literature. A Survey of Literary Forms.* New York, 1931, en la que se estudian dentro de la *Prosa,* pero como géneros distintos, el *Tale,* género infantil y tradicional —vid. pág. 363 y ss., *A note on Children,* y 369 y ss., *The persons of the tale*— y la *short story,* narración literaria. Vid. pág. 398 y ss.

Aprovecho la ocasión para advertir que en las tres páginas que Shipley dedica a la *short story,* se limita a repetir casi los tópicos de las viejas preceptivas, considerándola miniatura de novela, a la que aplica todo lo dicho de este último género, sin admitir que entrañe una problemática distinta. Shipley recoge alguna opinión sobre la *short story,* tan peregrina y superficial como la de H. G. Wells: «fiction that can be read in less than an hour».

Inútil creemos señalar que este criterio, excesivamente práctico —muy inglés—, no aporta ninguna solución efectiva.

[72] No obstante, algunos críticos emplean *short stories* refiriéndose a narraciones populares. Como ejemplo curioso citaremos el estudio de Milton A. Buchanan titulado *Short stories and anecdotes in Spanish plays (The modern Language Review.* Vol. V, n. 1, 1920), sobre las anécdotas, apólogos y cuentos, intercalados en las obras teatrales de Lope, Tirso, Calderón, etc.

Una curiosa antología de las transformaciones experimentadas por la *short story* a través de la historia, es la de Frances Newman, titulada *The short story's mutations. From Petronius to Paul Morand.* New York, 1925, 3.ª ed.

En sus páginas aparecen cuentos de Petronio, de las *Gesta Romanorum,* de

Veamos si en francés y en italiano ocurre algo parecido. En la primera lengua, *roman* sirve para la novela, aun cuando también se utiliza *nouvelle*. Creemos que *conte* designa el cuento popular, aunque quizá no con la precisión del *tale inglés*.

He aquí algunos ejemplos:

En la Edad media empléase el término *fabliaux* para designar unas obras que, según Lanson, «sont des contes plaisants en vers dont les sujets sont en général tirés de la vie commune et *physiquement*, sinon *moralement* et *psychologiquement* vraisemblables» [73].

En 1462 aparecen las *Cent nouvelles nouvelles* de imitación boccacciana.

Emplean, decidida y literariamente, el término *contes*, Lafontaine y Perrault, si bien para designar relatos de tipo tradicional.

Las narraciones de Voltaire son llamadas *romans* por algunos críticos y *contes* por otros [74]. La misma impresión se observa respecto a los relatos breves de Diderot, como *Le Neveu de Rameau*. Doña Emilia Pardo Bazán empleó la voz *nouvelles* para las de uno y otro autor:

«... la *nouvelle* o novelita, que en el siglo XVIII produjo con Voltaire y Diderot obras maestras...» [75].

Alfredo de Musset es autor de unos *Contes d'Espagne et d'Italie* (1829), y de *Contes y Nouvelles* (1837-1853). Recordemos también los *Trois contes* (1877), de Gustave Flaubert; los *Contes à Ninon* (1864), de Zola; los *Contes du lundi* (1873), de Daudet; *Les contes de la Bécasse* (1883) y *Contes de jour et de la nuit* (1885), de Guy de Maupassant.

Con relación a este último autor, el más notable cuentista francés y uno de los más grandes de todas las literaturas, hemos de hacer alguna advertencia. Marcel Prévost, prologuista de una selección de cuentos de Maupassant, decía que *Boule de suif* y *Monsieur Parent*

Bocaccio, Voltaire, Andersen, Musset, Mérimée, Maupassant, Laforgue, James, Chejov, Anderson, Lawrence, Joyce y Morand, con breves prólogos y comentarios.

[73] G. Lanson: *Histoire de la littérature française*. Hachette. Dix-neuvième édition. París (s. a.), pág. 103.

[74] Daniel Mornet en su *Histoire de la littérature et de la pensée françaises* (Larousse. París, 1924), llama *contes* a narraciones como *Zadig*, en tanto que Lanson, en la ob. cit., emplea la voz *romans*.

[75] *La literatura francesa moderna*. III. *El naturalismo*, pág. 149.

eran novelas cortas que por su mérito no se diferenciaban de los cuentos, aunque sí por su extensión [76].

Doña Emilia Pardo Bazán, fijándose más que en la extensión en lo literario, en lo novelesco, llamaba *nouvelles* —traduciendo *novelitas*— no sólo a las obras ya citadas de Diderot y Voltaire, sino también a las narraciones de Merimée, como *Carmen*. Y, refiriéndose a Maupassant, decía que al despreciarle los Goncourt «llamándole como por aminorarle *novellière*», no hacían sino rebajar lo que eran incapaces de hacer [77]. Y en su mismo estudio de Maupassant llama *cuento* a *Boule de suif*, que Prévost tenía por novela corta.

La despectiva calificación de los Goncourt resulta interesante por cuanto parece entrañar que existe una diferencia jerárquica entre *romancier* —novelista— y *nouvellière* —cuentista. (Pensemos en el matiz peyorativo que en nuestro lenguaje popular ha adquirido la palabra *cuentista*.)

Tras todo esto cabe preguntarse si la *nouvelle* equivale al *cuento* español, o más bien a la novela corta.

Andrés González Blanco, estudiando los *Aguafuertes* de Palacio Valdés, dice:

«Aunque el autor no haga los cuentos bien, en el sentido técnico de la palabra cuento (la *nouvelle* francesa)...» [78].

Por el contrario, la Pardo Bazán, en algún caso, no sólo no identifica *cuento* con *nouvelle,* sino que cree que este último género no tiene equivalente exacto en la literatura castellana, o a lo menos, que tardó en tenerlo. Estudiando la genealogía de la novela francesa, define así las *nouvelles* de los siglos xv y xvi:

«Solían tales historietas narrarse primero de viva voz, imprimiéndose después si agradaban; superiores al cuento popular, eran inferiores a la novela propiamente dicha. Nosotros carecemos de *nouvelles;* la *novela ejemplar,* aunque corta, tiene más alcance que la *nouvelle* francesa» [79].

De estas líneas parece deducirse que si la *nouvelle* es más corta que la *novela ejemplar* —novela corta—, es en realidad un *cuento literario* superior al *cuento popular.*

---

[76] Guy de Maupassant: *Cuentos escogidos.* Prefacio de Marcel Prévost. Versión castellana por Carlos de Batlle. París (s. a.).
[77] *El naturalismo,* pág. 149.
[78] *Historia de la novela...,* pág. 519.
[79] *La cuestión palpitante,* págs. 116-117.

Sin embargo, parece como si la diferenciación que Maupassant y Musset hacían entre sus *nouvelles* y *contes* —narraciones todas literarias— no autorizase tal afirmación. La misma Pardo Bazán dijo:

«Pérez Galdós... no maneja el cuento, la *nouvelle* ni la narración corta» [80].

¿Son tres géneros distintos? Si la *nouvelle* no es *cuento* ni *novela corta*, ¿qué equivalente puede tener en nuestras letras?

La cuestión, así apurada, degeneraría en ridícula. Tal vez puedan explicarse todas estas imprecisiones y confusionismo teniendo en cuenta que, efectivamente, la *nouvelle* francesa no tuvo un exacto equivalente en la literatura española hasta muy entrado el siglo XIX. Entonces pudo ya utilizarse el término francés como paralelo de *cuento* o de *novela corta* (siempre vencerá lo subjetivo en esta diferenciación), mientras que hasta esos años se carecía de la palabra precisa con que traducir *nouvelle* al castellano. Una prueba de esto la tenemos en el término *Relaciones* que *Fernán Caballero* empleó, justificándolo así:

«Las composiciones que los franceses y alemanes llaman *nouvelles*, y que nosotros, *por falta de otra voz más adecuada*, llamamos *relaciones*, difieren de las novelas de costumbres *(romans de moeurs)*» [81].

Y en una carta a Hartzenbusch, de 28 de junio de 1852, repetía:

«Si usted ha pensado en las otras novelillas (que yo llamo *relaciones*, pues no son *novelas*, y los franceses las llaman *nouvelles*)...» [82].

Si Cecilia Böhl de Faber emplea *relaciones* por *nouvelles* a falta de otra voz más adecuada, significa que no considera apta la palabra *cuento*, reservada solamente para las narraciones populares —*Cuentos y poesías populares andaluzas* y *Cuentos, oraciones, adivinas y refranes populares infantiles*— que ella, a imitación de Grimm en Alemania, recogía de la misma boca de los campesinos. Es muy interesante esta actitud de *Fernán Caballero*, porque revela que en su tiempo aún no ha adquirido la voz *cuento* rango literario para designar un género creacional.

Un imitador de Cecilia, Luis Miquel y Roca, empleó también la voz *relación* en alguna de sus narraciones, como la titulada *Miseria*

---

[80] *Nuevo Teatro Crítico*, n. 3, marzo 1891, pág. 38.
[81] *Relaciones*. Lib de A. Rubiños. Madrid, 1917, pág. 199.
[82] *Cecilia Böhl de Faber (Fernán Caballero) y Juan Eugenio Hartzenbusch. Una correspondencia inédita,* publicada por Theodor Heinermann. Espasa-Calpe. Madrid, 1944, pág. 145.

y virtud, publicada en 1851, y dedicada a *Fernán.* En ella decía el autor:

«Lo que voy a publicar no es un ensueño, ni una fábula, ni un cuento; es la *relación* de uno de esos dramas, desgraciadamente, tan comunes en el mundo...» [83].

Como se ve, Miquel y Roca huye también del término *cuento,* por sonarle a cosa fantástica o poco verosímil.

Antonio de Trueba, discípulo de *Fernán,* empleó el término *cuento,* sin escrúpulos, pero aplicado a narraciones sencillas y populares.

El P. Coloma, al igual que *Fernán,* se sirvió únicamente del término *cuentos* para sus relatos no creacionales, de tono infantil: sus *Cuentos para niños,* reservando para los literarios, novelescos y originales el mismo vocablo —*relaciones*— que introdujera la autora de *La Gaviota.*

Y como curiosidad añadiremos que, a finales de siglo, D. José Echegaray utilizó el mismo fernáncaballeresco término en su narración titulada *La esperanza. Símbolo, relación o cuento* [84]. Claro es que este autor ha prescindido ya de todo matiz entre lo verosímil e inverosímil, y se fija sólo en la derivación *relación <relatar,* utilizando el término como sinónimo de *narración.*

Se desprende, pues, de lo observado, que la palabra *cuento* no se empleó, sin escrúpulos, hasta muy entrado el siglo XIX, para designar narraciones literarias, reservándose antes únicamente para aquellas de carácter popular, fantásticas o inverosímiles. Más adelante estudiaremos esta cuestión con más detalle.

Fernán y el P. Coloma escribieron *nouvelles,* es decir, narraciones que oscilan entre el *cuento literario* y la *novela corta,* conceptos éstos que en la lengua inglesa se funden en una sola palabra: *short story.*

Podríamos establecer una valoración que —según parece deducirse del juicio de los Goncourt— tendría su más alta expresión en el *roman,* para descender luego a la *nouvelle* —género intermedio entre *roman* y *conte*—, acabando en lo más popular, el *conte.*

Comparando este esquema con lo que sucede en las literaturas in-

---

[83] *Semanario Pintoresco Español,* n. 13, 30 marzo 1851, pág. 103.

[84] *Los mejores cuentos de los mejores autores españoles contemporáneos.* Ed. cit., págs. 23 y ss.

glesa y española, creemos que *conte* equivale, por lo popular, al *cuento* español y al *tale* inglés; y que *nouvelle,* como la *story* y nuestras *novelas cortas,* corresponden al cuento literario.

* * *

Respecto a la literatura italiana, algo hemos dicho ya, refiriéndonos a las *novelle* y *novelline.* Existe aún otra voz, *racconto,* que debe acercarse al *tale,* significando narración oral, popular. Y así, Emilio de Marchi (1851-1901) titula una de sus obras *Due anime in un corpo e altri racconti.* Ildefonso Nieri es autor de los *Racconti popolari lucchesi* (1915) —título éste, bien significativo para lo que pretendemos demostrar—, Adolfo Albertazzi: *I racconti di Corcorento* (1921), etc.

En cuanto a la lengua alemana, los términos más corrientes son *Erzählung,* para designar el cuento, y *Roman* o *Novelle* para la novela. *Sagen* y *Märchen* corresponden al cuento en el sentido tradicional. *(Volksmärchen:* cuento popular, *Kindermärchen:* cuento infantil.) Para la novela corta sirve el término *Novelle* —coincidiendo con lo que ocurre en la literatura francesa, según hacía notar *Fernán* al hablar de sus *Relaciones*— y también *Kurze Erzählung:* narración corta. *Geschichte:* historia, empléase también para el cuento, y así, *Geschichte-buch:* libro de cuentos, y *Geschichtenerzähler:* narrador de cuentos.

El término literario es, como siempre, *Novelle.* Así, Gottfried Keller titula un conjunto de narraciones cortas *Züricher Novellen.*

Hoffmann, el más famoso de los cuentistas alemanes, no empleó término concreto para sus libros. Uno de los más característicos titúlase *Phantasienstücke in Callots Manier* (Fantasías a la manera de Callot).

* * *

En resumen, las equivalencias entre todas estas lenguas podrían hacerse así, tal vez de un modo algo convencional o forzado:

	NOVELA	NOVELA CORTA CUENTO LITERARIO	CUENTO CUENTO POPULAR
Inglés...	Roman o Novel.	Short story.	Tale.
Francés.	Roman.	Nouvelle.	Conte.
Italiano.	Romanzo.	Novelle.	Racconto.
Alemán.	Roman.	Novelle y Erzählung.	Märchen.
Español.	Novela.	Novela corta.	Cuento.

VII. EL TERMINO «CUENTO» EN EL SIGLO XIX

Lo hasta aquí expuesto prueba la imprecisión existente en la terminología que rodea al concepto *cuento*. Además, la investigación nos ha servido para comprobar cómo esa imprecisión nace no sólo de la variedad de términos que aspiran a precisar géneros de distinta extensión, sino que tiene sus causas primeras en la convergencia —y lucha— de dos tipos de cuentos: el tradicional y el literario, es decir, el cuento a lo Perrault, Grimm, Andersen, y el cuento literario, a lo Maupassant, Pardo Bazán, *Clarín,* etc. El primero es tan antiguo como la humanidad, bien mostrenco de todos los países, aun de los más incultos.

El segundo es producto de una elaboración lenta, germinada al amparo de la novela, y que alcanza su madurez y plenitud en los últimos años de un siglo tan refinadamente literario como lo fué el xix.

No se crea, sin embargo, que al adquirir auge y cultivo el cuento en la centuria pasada desaparecieron las imprecisiones e inexactitudes, sino que, en cierta manera, aumentaron.

Estudiamos ya los problemas sugeridos por los títulos de las narraciones de Alarcón, y también los provocados por las obras de *Fernán Caballero.* Añadiremos ahora algo más.

Cecilia Böhl de Faber rehuía la voz *cuento* por excesivamente popular, por carecer de prestigio literario. Por eso, junto a sus *Relaciones,* tiene *Cuadros de costumbres* y *Cuadros sociales,* novelas cortas también, *nouvelles,* pero con escenario más popular.

Fermín de la Puente, prologuista de unas *Relaciones* de *Fernán,* dice, refiriéndose a una de éstas, la titulada *Callar en vida y perdonar en muerte:*

«Y esto es lo que nos incumbe hoy respecto a las páginas siguientes, que por título llevan: *Callar en vida y perdonar en muerte.* No son una *novela,* no son un *cuento.* Llámalas el autor una *Relación.* Forma literaria, si no nueva ni por él inventada, al menos desentrañada, restituída y aplicada con singular propiedad. Hay, en efecto, verdad histórica en el fondo del suceso, ya que no en todos los pormenores. Lo que a éstos les falta no se pide a la fantasía; se encuentra en el corazón, en la lógica de los hechos, en la experiencia de la vida. Volvemos, pues, a decirlo: *Callar en vida y perdonar en muerte* no es una historia, no es un cuento ni una novela; no es un asunto buscado ni inventado de propósito, combinado a placer, desenvuelto con arte; no es un drama tampoco. Es lo que su autor ha dicho, tan natural como profundamente: la relación de uno de tantos sucesos que todos hemos visto, con que hemos tropezado, unos en el teatro del mundo, otros en el estudio del hombre, y muy particularmente, los médicos, los abogados y los confesores, que por deber están llamados a sondear los secretos de las pasiones y de los intereses humanos» [85].

Ya conocemos el juicio de *Fernán* respecto a sus *Relaciones.* Si no son *novelas* ni *cuentos* —como dice De la Puente— es que son —técnicamente hablando— *nouvelles,* según reconocía su autora. Fijémonos en que la descripción que de estas narraciones hace el prologuista, casi las asemeja a *documentos humanos,* propios de un realismo incipiente.

Repetimos que *Fernán* huye de lo novelesco, de lo ficticio, de lo fantástico. En el prólogo a *Vulgaridad y Nobleza,* dice:

«En éste, como en los más de nuestros cuadros, el argumento es cosa sencilla y poco complicada, por lo que carece de ese movimiento, de esas intrigas, de esas pasiones, que son, en particular en Francia, la esencia de la novela; por eso hemos tenido cuidado de no denominar a estas composiciones *novelas,* sino *cuadros,* para que todo aquel a quien no agrade el estudio de costumbres, del carácter, de las ideas y del modo de expresarlas de nuestro pueblo, no las lea» [86].

Aunque resulta aventurado fantasear acerca de lo que pudo opinar un autor de sus obras, nos parece, a la vista de los textos citados, que *Fernán Caballero* distinguía tres clases de narraciones breves, usando para cada una de ellas un término distinto. Las más literarias, las más novelescas —aunque fuesen verídicas— eran las *relaciones* —*nouvelles*—. Las seguían en importancia los *cuadros de costumbres* y los

[85] *Relaciones,* págs. 7-8.
[86] *Vulgaridad y nobleza (Cuadros de costumbres populares).* Lib. de A. Rubiños. Madrid, 1919, pág. 14.

cuadros sociales, cuyos solos títulos indican ya su contenido. Veces hay en lo que la autora llama *cuadro de costumbres populares* nada tiene de costumbrista, equivaliendo, en realidad, a una *relación:* v. gr., *La viuda del cesante* [87]. Un tercer grupo de narraciones populares, recogidas de la boca del pueblo, lleva el nombre de *cuentos.*

Por otra parte, el término *relación* es empleado por la Real Academia Española, en su diccionario, para definir el cuento:

«Relación de un suceso. 2. Relación de palabra, o por escrito, de un suceso falso o de pura invención. 3. Fábula o conseja que se cuenta a los niños para divertirlos.»

Definición ésta que pudo ser válida en un tiempo, pero que ya en 1900 mereció el reproche de un académico precisamente, de Jacinto Octavio Picón, al decir:

«Las novelas que se escribían hace medio siglo estaban fundadas, casi exclusivamente, en el interés de la acción; la mejor era la que se leía con más impaciencia de llegar al fin.

Comenzaron luego a escribirse obras del mismo género basadas, no en el interés de la acción misma, sino en la índole de los personajes, en el estudio de los caracteres y en la pintura de clases y tipos sociales. Y a estos libros se les siguió llamando novelas.

Lo mismo pasa con el cuento, que era antes la «relación de un suceso falso o de pura invención», y se ha convertido en la narración de un episodio de la vida real; o a lo menos tan bien imaginado que lo parezca. Pero se le sigue llamando cuento» [88].

Aunque las palabras de Picón afecten más a una cuestión de tipo literario que terminológico, las hemos traído aquí para demostrar cómo, a finales de siglo, había cambiado completamente la visión —y por tanto, la denominación— de lo que era el cuento. Y en realidad, el reproche transcrito no va tanto contra el término *relación* con el sentido de suceso falso o inventado, como contra el término *cuento* con ese significado.

El Diccionario Académico distingue dos tipos de cuentos: relación de un suceso —parece sobreentenderse: verídico— y relación de un suceso falso o de pura invención.

Fernán Caballero emplea la voz *relación* en el primer sentido, reservando la de *cuento* para el segundo. De ahí que como esta última voz circulara y se empleara en el siglo, como sinónimo de ficción, fantasía

---

[87] Id., págs. 213 y ss.
[88] *Cuentos,* de J. O. Picón. Biblioteca Mignon. Madrid, 1900, págs. 9-10.

popular o infantil, Picón se creyera en el deber de explicar que sus narraciones, pese a titularse *cuentos,* eran relatos literarios, verosímiles, y nada tenían que ver con los que habían venido llamándose así. Lo cual corrobora nuestra creencia de que, hasta casi finalizado el siglo, el término *cuento* no fué empleado, rotundamente, para designar narraciones literarias, reservándose para ciertas composiciones poéticas, para relatos anónimos, populares, fantásticos, etc.

Esto en líneas generales, ya que en detalle la voz *cuento* se empleó para algunas narraciones de tipo distinto. De todas formas, lo corriente es verla utilizada para designar géneros con las características apuntadas.

En 1836, Eugenio de Ochoa publicó en el *Semanario Pintoresco Español* una narración titulada *Un caso raro* que, aunque no lleva subtítulo alguno, es denominada *cuento* por su autor, según se desprende del texto:

«Es el cuento que en aquella casa de campo...» «... y *colorín colorao, mi cuento se ha acabao»,* dice, remedando el estilo popular [89].

Esta misma revista publicó numerosas narraciones, en las que puede observarse cómo la voz *cuento* se reservaba para las anónimas, populares, fantásticas o para algunas composiciones poéticas.

En 1837 aparece en sus páginas, sin firma, un *Cuento moral* titulado *Ventajas de la adversidad,* y un *Cuento,* en verso, titulado *El motín.*

Serafín Estébanez Calderón publica en 1838 su novela histórica *Cristianos y moriscos,* en uno de cuyos pasajes se lee:

«... estaba sentado un personaje, no de la mejor catadura, y que por ser sujeto de razonable influencia en este cuento no será fuera de propósito presentarlo en este punto con ayuda de cuatro pinceladas» [90].

Y en las *Escenas Andaluzas* —1847—, en la titulada *La rifa andaluza,* usa el autor la expresión *emprendiendo cuento.*

En los dos casos, *cuento* significa tanto como narración, recordando su valor postverbal de *contar:* narrar, y prescindiendo de todo matiz o consideración de tipo específicamente literario.

En 1840, el *Semanario Pintoresco Español* publica *Un cuento de vieja,* de Clemente Díaz; *El califa y el astrólogo. Cuento granadino,* y

---

[89]   *Semanario Pintoresco Español,* n. 2, 10 abril 1836.
[90]   *Novelas, cuentos y artículos.* Sucesores de Rivadeneyra. Madrid, 1893, pág. 11.

El comandante manco y el soldado. Cuento de la Alhambra, estos dos sin firma.

Del año 1841 son los *Cuentos históricos, leyendas antiguas y tradiciones populares de España,* en verso, de Gregorio Romero Larrañaga. En el mismo año, J. M. de Andueza publica en el *Semanario* dos narraciones con el título general de *Costumbres,* en la primera de las cuales, *El morrillo,* dice: «Sentado ya el principio de mi cuento...», y en la segunda, *La venta de Aluenda,* describe cómo los viajeros que por ella pasaban contaban «alguna de esas quisicosas que al presente admiramos, impresas con los nombres de leyendas, cuentos fantásticos» [91]. En el primer caso, Andueza utiliza la voz *cuento* con el mismo sentido que Estébanez Calderón en los pasajes transcritos, y en el segundo, el adjetivo *fantásticos* viene a confirmar nuestra hipótesis de que hacia esos años sólo se consideraban cuentos los relatos de tipo fantástico o tradicional, o bien los versificados, como el que en 1842 publicó Guillermo Fernández Santiago en la misma revista con el título de *El cometa. Cuento histórico.*

Los relatos anónimos reciben también este nombre: en 1843 aparece en el *Semanario Pintoresco Español, El ratón enamorado, cuento,* y *Lo que encierra una gota de aceite, cuento;* y en 1845, otro, *El vivac, cuento,* también sin firma y de carácter fantástico.

Casto de Iturralde, en el artículo titulado *De Madrid a Málaga,* publicado en 1845 en la revista *El Español,* dice: «Si la lectura del cuento que te ofrezco te hiciere sonreír, me alegraré...» [92].

Un relato firmado por Juan Antonio Escalante, *La iglesia subterránea de San Agustín de Tolosa,* publicado en el *Semanario* en 1846, lleva el subtítulo de *Cuento,* explicable aquí, por tratarse de una narración legendario-fantástica.

En general, los autores evitan en esa época emplear tal término para relatos verídicos o, por lo menos, verosímiles. Así, en 1846, Juan Manuel Azara dice, al frente de *Los bandoleros de Andalucía. Escenas populares:*

«Lo que voy a contar no es una novela, ni menos un cuento con detalles

---

[91] Vid. la primera cita en *Semanario Pintoresco Español,* n. 28, 11 julio 1841, pág. 217; y la segunda en el n. 52, 26 diciembre, pág. 409.

[92] *El Español,* n. 18, 29 septiembre 1845. Y en la continuación del artículo en el n. 22, dice el autor: «Sigo mi cuento».

históricos: es una aventura, como tantas otras aventuras que por no haber sido publicadas no han sido nunca conocidas» [98].

Por el contrario, Juan Eugenio Hartzenbusch da el subtítulo de *Cuento moral* a su narración de tipo legendario-fantástico *Una mártir desconocida o la hermosura por castigo*, publicada en el *Semanario Pintoresco Español* en 1848. Y Juan de Ariza comienza, en el mismo año, a insertar en las páginas de dicha revista una serie de tradicionales *Cuentos de vieja*. Ramón Franquelo y Romero publica, también en 1848, una colección de *Cuentos, mentiras y exageraciones andaluzas escritas en verso*. Y en 1849, el *Semanario* recoge una versión de la vieja *patraña* del abad y el cocinero, con el título de *Un abad como hubo muchos y un cocinero como no hay ninguno. Cuento,* firmado por J. Godoy Alcántara.

Obsérvese —y perdónesenos la repetición— cómo la palabra *cuento* es empleada casi únicamente para narraciones fantásticas, legendarias, populares o versificadas. Para los simples relatos novelescos, verosímiles, son preferidas otras que más adelante reseñaremos.

En 1849, J. Giménez Serrano titula *cuento* un relato publicado en el *Semanario: La casa del duende y las rosas encantadas*. Y Manuel Lucifer firma un *Proverbio o cuento que parece historia*. (Siempre *cuento* en el sentido de mentira, opuesto a *historia,* verdad.)

Del año 1850 es ya el citado *Cuento de amores* de Zorrilla y Heriberto García de Quevedo. En el *Semanario Pintoresco Español* aparece en el mismo año un *Cuento de vieja*, de Juan de Ariza.

Y al año siguiente, J. E. Hartzenbusch dió a conocer en la misma revista *La novia de oro. Cuento en castellano antiguo*. Eduardo López Pelegrín publica sus *Cuentos de antaño, colección de leyendas de la Edad Media*.

Una narración anónima, *La yerba de virtudes*, subtitulada *cuento*, es insertada en el *Semanario* en 1852. Otras dos en 1853: *La capa roja, cuento nocturno,* y *El cambio de las edades, cuento*. Dos narraciones fantásticas firmadas aparecen en el mismo año y en la misma revista: *El espejo de la verdad, cuento fantástico*, de Vicente Barrantes, y *Alma por alma,* de A. Gil Sanz.

Y al llegar aquí es preciso citar, como caso aparte, el de los relatos de Antonio de Trueba, seguidor e imitador de *Fernán,* que utiliza, sin

---

[98] *Semanario Pintoresco Español*, n. 44, 1 noviembre 1846, pág. 347.

reparo alguno, la palabra *cuentos* para sus narraciones: *Cuentos populares* (1853), *Cuentos de color de rosa* (1854), *Cuentos campesinos* (1860), *Cuentos de varios colores* (1866), *Cuentos de vivos y muertos* (1866), etc. Siendo casi todos ellos de sabor popular y ambiente rural, Trueba no tendría demasiados escrúpulos en servirse de un término también popular, y que trascendía a narración fabulosa, puesta en boca de viejas. Alguna vez se sirve Trueba de este recurso, haciendo que sea una anciana la que narre el relato, como en el caso de *La madrastra* [94].

Sin embargo, y pese a utilizar siempre el término *cuentos,* alguna vez hace Trueba confesión de no hallarle demasiado apropiado para sus narraciones, casi todas verídicas, y que al llamarse *cuentos* podrían parecer mentirosas. En el prólogo de los *Cuentos de madres e hijos,* dice:

«Las historias que constituyen mi nuevo libro (e historias y no cuentos debiera llamarles, porque aseguro a usted, con la mano en el corazón, que no tienen de cuento más que su cualidad de cosas contadas)» [95].

Si son *cuentos* por tratarse de cosas contadas, no lo son en cuanto a mentira o invención fantástica. Es la misma repetida protesta que encontramos en Juan Manuel de Azara, en Manuel Lucifer, y que volveremos a encontrar en textos como el siguiente de Ventura Ruiz Aguilera, perteneciente a su *Proverbio ejemplar. Escupir al cielo,* publicado en 1861:

«... la heroína de éste, que, aunque pareciere cuento, más que cuento es verdadera historia» [96].

En 1877 —fecha del prólogo de Trueba— el término *cuento* sigue, pues, conservando un tinte romántico y sólo sirve para designar relatos fantásticos o populares. Recuérdese que cuando *Fernán* utilizaba esta palabra lo hacía para designar narraciones que, como *La buena y la mala fortuna, La suegra del diablo, La oreja del diablo,* son de carácter popular-fantástico. Y lo mismo sucede en el caso del P. Coloma, que utiliza la voz *cuento* para los relatos populares, infantiles y legendarios —*La camisa del hombre feliz, Las tres perlas, ¡Porrita, componte!*—, titulando *relaciones* —al igual que *Fernán*—

---

[94] *Cuentos de color de rosa.* A. Rubiños. Madrid, 1921, págs. 78 y ss.
[95] *Cuentos de madres e hijos.* Barcelona, 1894, pág. 9.
[96] *El Museo Universal,* n. 25, 23 junio 1861.

aquellas otras que se caracterizan por su realidad o verosimilitud. (Vid. *Del Natural,* 1887, y *Lecturas recreativas,* 1884).

Y reanudando el cortado hilo cronológico, citaremos cómo en 1855 aparecen en el *Semanario Pintoresco Español* las siguientes narraciones: *Bautista Montauban. Cuento* y *El Barbo de Ucebo. Cuento popular.* En el mismo año, Pío de la Sota y Lastra da a conocer *La Venta del diablo, cuento que pica en historia.* De 1856 es el *Cuento fantástico* de Núñez de Arce, *Las aventuras de un muerto.*

Y por fin, en 1857 encontramos una colección de *Cuentos amorosos* de E. Fernández Vaamonde, en la cual la palabra no está aplicada a relatos de las características de los hasta ahora examinados. Pero esto es casi excepcional, y en 1859 encontramos un *Cuento fantástico* de Ventura Ruiz Aguilera, publicado en *El Museo Universal,* y otro, en la misma revista, de Carlos Rubio, titulado *La calumnia. Cuento de niños.* En 1861, *El Museo* inserta *El cáscaro de nuez. Cuento fantástico-marítimo* de *El capitán Bombarda* (Baldomero Menéndez), y *Rosa María. Cuento de niños,* de Carlos Rubio.

Los relatos de este último autor ofrecen la curiosidad de que, pese a su título, no son protagonizados por niños, ni mucho menos escritos para ellos. Creemos que Carlos Rubio los titulaba así porque sus asuntos eran irreales y fantásticos. He aquí una nueva valoración del cuento, concebido tal como lo presentaba la Real Academia: «Fábula o conseja que se cuenta a los muchachos para divertirlos».

Vemos, pues, que la voz *cuento* está cercada por muy apretados límites: lo popular, lo infantil, lo fantástico, y apenas puede escaparse hacia lo real, lo verosímil, consiguiendo así prestigio de género literario, emparentable con la novela.

Insistimos en estas ideas por considerar que sólo ellas pueden justificar la enojosa relación que venimos haciendo de ejemplos sobre el empleo de la voz *cuento,* por los narradores decimonónicos. Ejemplos, como se ve, lo suficientemente significativos para explicar la valoración de dicho término.

En 1861 publica J. E. Hartzenbusch una primera edición de sus *Cuentos y fábulas,* y en 1862, *El Museo Universal* inserta *Un cuento de viejas,* de M. Ossorio y Bernard, y un extrañísimo ensayo de Dolores Gómez de Cádiz, titulado *La soledad del alma. Cuento para la fantasía y para la razón. Para la fantasía porque es mentira. Para la razón porque es verdad. Es mentira en la forma, es verdad en el fondo.* Tal título, aunque absurdo y grotesco, resulta esclarecedor de cómo a la idea de *cuento* solía agregarse la de mentira, fantasía.

En 1863, *El Museo* publica *El alcalde de Cihuela. Cuento popular,* y *La fortuna de la fea. Cuento de niños,* este último de Carlos Rubio. El mismo autor en 1864 y 1865 escribió más narraciones, así subtituladas: *La piedra filosofal. Historia de no sé qué príncipe* y *El hijo de la fortuna.* Asimismo continúan apareciendo *cuentos fantásticos,* como una colección de Carlos Mesía de la Cerda, publicada en 1865; o los *Cuentos negros o historias extravagantes,* de Rafael Serrano Alcázar, en 1866; o el *Cuento extraño* de Rosalía de Castro, *El caballero de las botas azules,* publicado en 1867. Y también los *Cuentos estrambóticos,* de Antonio Ros de Olano, que la *Revista de España* comenzó a publicar desde 1868; los de J. Fernández Bremón, publicados en 1873, y los *Cuentos inverosímiles,* de Carlos Coello, en 1878.

De todas formas, en estos años el término *cuento* se utiliza ya, no sólo para las narraciones populares y fantásticas, sino también para las de otras características. Así, en 1870, Enrique Fernández Iturralde publica sus *Cuentos agridulces;* en 1872, José González de Tejada, sus *Cuentos caseros;* en 1874, Angel R. Chaves, sus *Cuentos de dos siglos ha,* y José Murúais Rodríguez, sus *Cuentos soporíferos;* en 1875, Jaime Porcer, sus *Cuentos trascendentales,* y Antonio Julián Bastinos, sus *Cuentos orientales;* en 1876, Teodoro Guerrero y Pallarés, sus *Cuentos sociales;* en 1878, Narciso Campillo, *Una docena de cuentos;* en 1879, Manuel Jorrero, sus *Cuentos fantásticos y morales;* en 1880, Fernando Garrido, sus *Cuentos cortesanos;* en 1881, Narciso Campillo, *Nuevos cuentos,* y J. O. Munilla, *El Salterio, cuentos y apuntes;* el mismo Munilla, en 1882, *El fauno y la dríada, cuentos,* y Juan Valera, *Cuentos y diálogos;* en 1884, M. Ossorio y Bernard, *Cuentos novelescos,* Salvador López Guijarro, *Cuentos madrileños,* y José Zahonero, *Las estatuas vivas, cuentos;* en 1885, Angel R. Chaves, sus *Cuentos nacionales;* en 1886, Fernanflor, sus *Cuentos rápidos;* en 1887, Zahonero, sus *Cuentos pequeñitos,* etc.

El término se ha impuesto ya, si bien alterna —por gala retórica o ingenio de sus autores— con otros sinónimos. De la enumeración y relación hechas, se deduce que hasta muy entrado el siglo apenas se usó la voz *cuento* para designar una narración literaria, creacional, que no fuese fantástica, versificada, anónima, popular o infantil. La adopción y uso de dicha voz coincide con el cultivo de nuevas modalidades dentro de la narración breve, con la que se tratan ya asuntos patrióticos, psicológicos, humorísticos, sociales, etc.

El término tardó en imponerse porque existía contra él, el prejuicio de creer que sólo servía para designar narraciones ínfimas, sin valor literario, o bien por estimar que entrañaba, inevitablemente, un significado de fabulosa mentira, poco apropiado para relatos verídicos o realistas. Es por eso por lo que, junto a las citas que anteriormente transcribimos, añadiremos ahora ésta de José Castro y Serrano, tomada del prólogo a sus *Historias vulgares* (1887):

«Las *Historias vulgares,* con que su autor no ha pensado nunca establecer género, ni siquiera especie literaria, con el que las escribe ha querido distinguir, para su uso, lo que en la literatura de toda Europa se conoce y ejecuta desde hace largo tiempo bajo la denominación modesta de narraciones. Eso que no es novela, eso que no es cuento, eso que no es estudio de costumbres, eso que se narra porque puede interesar al lector y conmover su ánimo, dentro de las condiciones ordinarias de la vida, eso es lo que debe entenderse por historias vulgares. Relatar las peripecias dramáticas de una existencia oscura; sorprender los sentimientos íntimos de esas almas de segundo orden, que al parecer carecen de poesía; descubrir las historias de los que en la opinión general no tienen historia, tal ha sido antes el objeto de las narraciones literarias, y tal es el objeto de las presentes.

No negará el autor que su procedimiento tiene algo de oposición hacia la novela» [97].

Transcribimos íntegro este pasaje por juzgarlo de interés, ya que nos revela cómo, pese a la lenta aceptación del término *cuento,* aún en

---

[97] José de Castro y Serrano: *Historias vulgares.* Tomo I. Madrid, 1887, págs. 7-8.

A esta cita podría agregarse alguna otra, no menos significativa.

En 1884 publicaba Juan Tomás Salvany una colección de relatos breves con el título *De tarde en tarde. Cuentos y novelas.* Aunque todos los relatos incluidos en el volumen vienen a tener dimensiones parecidas, Salvany reserva la voz *cuentos* sólo para los dos primeros —*El péndulo milagroso* y *Los estornudos del diablo*— de carácter fantástico, mientras que para los restantes —que él cree de carácter naturalista— emplea sin escrúpulos el término *novelas.*

Vid. el prólogo de dicha obra, donde dice textualmente: «A las novelas preceden dos cuentos, fantásticos los dos...» (pág. XI). Y más abajo: «—¡Cuentos, es decir, mentiras! —exclamará tal vez torciendo el gesto algún naturalista intransigente—. Cuentos, es decir, mentiras, sí, señor —le objetaré—; invenciones ideales para copiar más libremente el natural y ofrecérselo a V. con cuanta verdad me ha sido dable, envuelta en él una doctrina, una enseñanza o como quiera V. llamarla, que a mí me ha parecido provechosa» (pág. XII). Véase cómo aún en 1884 sobrevive el concepto tradicional de cuento como ficción moralizadora, didáctica.

el año 1887 José de Castro y Serrano huye de él y del de *novela,* por parecerle que equivalen a fantasía, a mentira, y que, por tanto, no son aptos para unas tan sencillas narraciones como las suyas (narraciones que en realidad no son otra cosa que novelas cortas y cuentos) [98].

Este prólogo nos recuerda vivamente el que Fermín de la Puente puso a las *Relaciones* de *Fernán,* y casi justifica el que la crítica haya considerado a la autora de *La Gaviota* y, más aún, a Castro y Serrano como prenaturalistas, tan grande es su prevención contra lo fabuloso-romántico.

Hay que contar además con el temperamento del autor, y el hecho de que en 1887 Castro y Serrano rechazara las palabras *novela* y *cuento* para sus relatos, no nos autoriza a hacer extensiva esa actitud a la época que, según hemos comprobado, aceptaba ya, casi sin restricciones, las tan discutidas voces. En cambio nos proporciona un dato más, revelador de la resistencia a admitir unos términos para aludir a unos géneros literarios. Castro se refiere también en su prólogo a los estudios de costumbres, hecho bien significativo, que refuerza nuestra opinión —expuesta en otro capítulo— de cómo esta modalidad literaria intervino e influyó en la gestación del cuento.

Indudablemente, la plena adopción del término que venimos comentando tiene lugar, sin titubeos ya, con los autores naturalistas. Doña Emilia Pardo Bazán, Blasco Ibáñez, Octavio Picón, dan el nombre de *cuentos* a sus narraciones breves, o bien, en algunos casos, el de *novelas cortas.* Han desaparecido ya los viejos prejuicios, y así como la novela pasa a ser, de folletín histórico o sentimental, impasible documento humano, el cuento pierde su carácter legendario, tradicional o fantástico, y se convierte en un nuevo género literario con una técnica y unos medios expresivos, específicos, y, por lo tanto, con capacidad de actuar sobre la sensibilidad del lector de manera distinta a como actúa la novela.

Se nos podrá objetar que también ésta es, a finales del siglo XIX, un género nuevo en relación a todo lo que atrás quedó. Pero es que no tratamos ahora de esconder o deformar este hecho, sino de hacer recaer la atención sobre el semejante que en el cuento se da. Pues aun

---

98   Decía *Clarín* refiriéndose a estas narraciones de Castro y Serrano: «Sus *Historias vulgares,* especialidad suya, que tiene, en efecto, un corte original, singular, que hace merecer un nombre genérico (aunque parezca contradicción); esas novelas cortas...» *(Ensayos y revistas,* pág. 381).

hoy día, una cosa es el cultivo del género y otra el uso de la palabra, anomalía ésta menos dable en el caso de la novela.

Cuando las gentes hablan de novelas, todos sabemos lo que quieren decir, y la palabra tiene siempre un tinte literario. Por el contrario, el término *cuento* se utiliza más en el sentido de mentira o relato tradicional, que para designar un concreto género literario.

Si escribir hoy un cuento es tarea de la máxima calidad literaria y en algún caso se estima no menos que escribir una novela, se debe a los narradores del siglo pasado, que se entregaron con toda vocación y entusiasmo, como respondiendo a una consigna de la época, a redimir un género que pese a haber sido el más antiguo —recuérdense nuestros primeros prosistas—, fué decayendo hasta quedar convertido en algo popular, conseja fabulosa, chascarrillo o narración infantil. Maupassant, Dickens, *Clarín,* Emilia Pardo Bazán, Andreiev, Chejov, Allan Pöe, y tantos otros geniales cuentistas del siglo pasado, fueron los creadores de ese género nuevo, breve, intenso y expresivo.

Estas consideraciones nos han apartado en cierta manera de la cuestión esencial, es decir, de la puramente terminológica.

Habíamos seguido, cronológicamente, el uso de la voz *cuento,* hasta llegar a una época en que, con alguna excepción, era admitida. Y ahora cabe preguntarse cuáles eran los términos empleados para designar un género, que aunque no fuera llamado *cuento,* pueda conderarse como tal.

Las denominaciones están ligadas a las características de los relatos, y abundando los históricos y legendarios en los años románticos, es natural que los títulos aludan a esta clase de temas. En 1838, Miguel de Hue y Camacho publica sus *Leyendas y novelas jerezanas.* En el mismo año y siguientes, el *Semanario Pintoresco Español* inserta varias *Baladas y Leyendas.* En 1839, esta revista publica una narración de Carlos García Doncel sobre *El reloj de las monjas de San Plácido,* subtitulada *Tradición,* y varios artículos de *Costumbres* que, en muchos casos, son cuentos. En los números de 1840 siguen apareciendo estos artículos, junto con algunas llamadas *Novelas de costumbres,* como *Manuel el Rayo* y *Mariano,* de J. M. de Andueza, cuentos por su extensión. También sigue publicando *Baladas, Tradiciones* y *Episodios históricos.* En 1841 colaboran en sus páginas Navarro Villoslada, con algunos *Recuerdos históricos* y *Leyendas nacionales;* Clemente Díaz, con *Costumbres provinciales;* Corte y Ruano, Nicolás

Magán y Manuel de la Corte, con *Leyendas históricas,* etc. Idénticos o parecidos términos siguen apareciendo en 1842: *Costumbres de lugar, Estudios históricos, Baladas, Tradiciones populares, Anécdotas históricas,* etc.

Cuando las narraciones, aunque sean cortas, no son de trama histórica, sino simplemente novelesca, sentimental, psicológica, suelen ser llamadas *novelas.* Así, J. Manuel Tenorio publica en las páginas del *Semanario,* en 1843, una *Novela* titulada *Emilia Girón,* y L. Villanueva, en 1844, otra titulada *Amalia. Novela original.* En la misma revista, y en 1845, D. R. de Valladares publica unas *Crónicas fantásticas. Semblanzas de los enamorados. Novela semi-historia o historia semi-novela.* Continúan apareciendo *Leyendas* y *Baladas.*

Todas estas narraciones breves que el *Semanario* publica, llevan bastantes veces el epígrafe general *Amena Literatura.* En 1847 aparece, sin firma, una *Novela en miniatura* titulada *Memorias de una fea.* G. Gómez de Avellaneda publica, en 1851, *La montaña maldita. Tradición suiza.* Manuel P. Durán subtitula, en 1854, su cuento *La corona de siemprevivas, Episodio dramático.* Siguen apareciendo relatos breves titulados *novelas: Pablo Gámbara* publica en 1854 *Esperanza. Novela original.* En 1856, Ramón de Espínola escribe *Un capricho. Apuntes para una novela.* En 1860 aparece una *Colección de pequeñas novelas,* de Daniel Balanciart.

En 1864, Miguel de los Santos Alvarez publica sus *Tentativas literarias. Cuentos en prosa.* Este subtítulo, queriendo ser el colmo de la precisión, revela el confusionismo existente en esos años y la preponderancia del cuento versificado. En 1864 también, aparece *El libro azul. Novelitas y bocetos de costumbres,* de Eduardo Bustillo. Ventura Ruiz Aguilera recoge en un volumen sus *Proverbios ejemplares,* relatos que oscilan entre el artículo de costumbres y el cuento.

Excusado es decir que continúan publicándose *Leyendas, Tradiciones, Estudios de costumbres,* etc. De todas formas, hacia el año 1870, según vimos ya, el término *cuento* va imponiéndose. Si tuviésemos que citar un autor en que dicha palabra alcanzara, por decirlo así, su consagración oficial, daríamos sin vacilación el nombre de doña Emilia Pardo Bazán, la más fecunda creadora de cuentos de nuestra literatura. La variedad temática —*Cuentos de amor, de Marineda, antiguos, de Navidad y Reyes, de la Patria, trágicos, sacro-profanos, de la tierra,* etc.— y el alto valor literario de esas narraciones, deciden la aceptación de un término contra el que tantos prejuicios existían.

Pereda nunca dió el nombre de *cuentos* a sus narraciones breves, que en realidad tendían a la estampa costumbrista. Valera aceptó ese término para sus relatos de corta extensión —fantásticos o legendarios casi todos ellos—, para los chascarrillos populares y, abusivamente, para relatos en verso como *Santa, Cuento en verso; Confiteor Deo, Cuento romance; Cide Jahye,* etc. Menéndez Pelayo, en una de sus cartas a Valera, de fecha 1 de noviembre de 1886, le comunicaba que el editor Catalina creía que en el tomo de *Cuentos y diálogos* debía de incluirse *Dafnis y Cloe,* lo que parecía bien a D. Marcelino:

> «Usted dirá. En el caso de dar gusto a Catalina, convendría inventar un título, lo, aunque realmente *Dafnis y Cloe* un cuento es» [99].

No queremos alargar aun más esta enojosa cuestión de la variedad terminológica, y para concluir, sin comentarios ya, transcribimos los títulos de algunas colecciones de cuentos del pasado siglo:

Manuel Polo y Peyrolón: *Borrones ejemplares* (1883); Manuel Cuba y Martínez: *Duchas agradables, cuentos* (1885); Luis Alfonso: *Historias cortesanas* (1886); *Fernanflor: Cuentos rápidos* (1886); José Zahonero: *Novelas cortas y alegres* y *Cuentos pequeñitos* (1887); Felipe Mathé: *Nuevos relatos* (1887); Eugenio Sánchez de Fuentes: *Acuarelas, narraciones* (1890); *Silverio Lanza: Cuentecitos sin importancia* (1890); Luis Cánovas: *Novelas cortas* (1891); Alfonso Pérez Nieva: *Novelas relámpagos* (cuentos dialogados publicados en *Blanco y Negro* desde el año 1891), y *Cuentos de la calle* (1891); A. de Valbuena: *Capullos de novela* (1891); J. O. Picón: *Novelitas* (1892); Eugenio Sellés: *Narraciones* (1893); Jaime L. Solá Mestre: *Cuentecitos* (1894); Ramón Rodríguez Correa: *Agua pasada, novelas cortas* (1894); José de Siles: *Cuadros de color* (1895); A. de Valbuena: *Novelas menores* (1895); Rafael Altamira: *Novelitas y cuentos* (1896); Manuel Bueno: *Viviendo. Cuentos e historias* (1896); *Lusiñán de Mari: Narraciones rápidas* (1897); Francisco Maspons y Anglasell: *Instantáneas* (1897); Carlos de Batlle: *Luces y colores* (1897); Ramón de Síscar: *Variedades* (1898); María de la O. Lejárraga: *Cuentos breves* (1898); Alfredo Tabar: *Casi novelas* (1899), etc.

---

[99] *Epistolario de Valera y Menéndez Pelayo.* Publicaciones de la Sociedad Menéndez Pelayo. Espasa-Calpe. Madrid, 1946, carta 222, pág. 311.

La ingeniosidad y gustos personales de cada autor deciden la matización terminológica. Puede observarse en algunos casos la redundancia que significa apellidar *rápidos* o *breves* a los *cuentos,* género que exige precisamente esas condiciones.

* * *

Como resumen de todo lo expuesto en este capítulo, podrían establecerse —en líneas generales— las siguientes conclusiones:

1.º)   En la literatura medieval existe el género literario *cuento,* aunque no suele emplearse este término para designarlo, utilizándose en su lugar los de *apólogo, enxiemplo, proverbio, fábula, fasaña,* etc., más adecuados al carácter y contenido de tales narraciones.

2.º)   Al nacer en el Renacimiento un género nuevo, la *novela,* esta palabra se utiliza no sólo para las narraciones extensas, sino también para aquellas más breves que en nuestros días llamamos *novelas cortas* y *cuentos.*

3.º)   El término *cuento* es empleado preferentemente por los renacentistas para designar chistes, anécdotas, refranes explicados, curiosidades, etc., y también —caso de Cervantes— para narraciones orales y populares. Cuando se trata de relatos algo más literarios y extensos se prefiere la voz *novela.*

4.º)   En el Romanticismo, *cuento* se emplea para las narraciones versificadas o para las en prosa, de carácter popular, legendario o fantástico —tipo Hoffmann—, aun cuando para estas últimas se utilicen también los términos *leyenda, balada,* etc.

5.º)   Los escritores de transición que componen relatos breves —*nouvelles*— evitan el término *cuento,* empleando en lugar suyo *relación. cuadro de costumbres, cuadro social, novela,* etc. *Cuento* sólo es utilizado para las narraciones tradicionales, fantásticas o infantiles. Por reunir estas características las de Trueba, su autor aceptó sin escrúpulos la voz *cuento,* aunque en algún caso advirtiendo que sus relatos eran, por su realidad o verosimilitud, más *historias* que *cuentos.*

6.º)   Según avanza el siglo XIX, el término *cuento* va triunfando, empleándose para narraciones de todo tipo, aun cuando la imprecisión y los prejuicios tarden en desaparecer. La variedad terminológica que a finales de siglo se observa, debe atribuirse al ingenio u originalidad de los autores más que a confusionismo. Las narraciones de doña Emilia Pardo Bazán representan rotundamente la completa aceptación de la voz *cuento* para un género característico de la segunda mitad —casi de los últimos años— del siglo XIX.

CAPITULO II

EL GENERO LITERARIO CUENTO

CAPITULO II

EL GENERO LITERARIO CUENTO

I. CUENTO MEDIEVAL, CUENTO RENACENTISTA Y CUENTO MODERNO

En el capítulo anterior, al estudiar la imprecisión terminológica existente alrededor del concepto *cuento,* observamos que tal imprecisión tenía una de sus causas en la convergencia de géneros literarios próximos pero distintos, en una misma palabra. Por lo tanto, necesario es que ahora estudiemos las características de esos géneros que guardan parentesco con el cuento, y tal vez así, desbrozado y limpio el terreno, podamos llegar a apresar la esencia misma de este último género literario.

Repetimos que la investigación deja ya de ser terminológica para convertirse en literaria, por lo cual prescindiremos desde el principio del análisis de aquellos géneros que, como el apólogo, el ejemplo y sus restantes sinónimos medievales y aun renacentistas, no significan géneros distintos, sino más bien matices dentro de uno mismo. Todos ellos refiérense al cuento, en formas que, con criterio moderno, se acercarán más o menos a él, pero sin constituir género aparte, excepto en el caso de la fábula (entendiendo por tal la que fijaron los neoclásicos). Prescindiremos también de aquellos términos que aun refiriéndose al cuento o géneros semejantes, son usados caprichosamente por sus autores, sin que signifiquen un género nuevo: patrañas, fantasías, casi novelas, etc.

Parecería lógico que en el estudio comparativo del cuento con los géneros literarios con que se relaciona comenzásemos por la novela. Pero siendo ésta la comparación clave, por decirlo así, la que nos dará inmediatamente una serie de características afines entre cuento y novela, y por tanto los precisos límites del primero, la dejaremos para el final, examinando antes otros géneros literarios.

En primer lugar, cabe preguntarse qué relaciones existen entre el cuento medieval y el moderno, es decir el que nace en el siglo XIX.

Las diferencias y semejanzas entre uno y otro refiérense a la intención, la técnica y los temas, principalmente. Se aproximan en las dimensiones, aun cuando también existen diferencias en éstas, menos importantes si tenemos presente que no existe un canon delimitativo de la extensión del cuento.

Las dimensiones de éste habrán de ser reducidas, generalmente, pero siempre proporcionadas al asunto y personajes que en él intervienen. Es ésta una ley de equilibrio cuyo olvido o infracción deforma la esencia misma del cuento y lo convierte en producto híbrido; novela raquítica o cuento hinchado. Las páginas que un cuento puede ocupar serán pocas o muchas —nunca demasiadas, empero—, mas si el autor excedió los límites que exigía el tema de *su* narración, habrá fracasado en lo más decisivo.

Más adelante insistiremos en esta característica dimensional, ocupándonos ahora solamente de contrastar cuentos medievales y modernos.

En los primeros suele dominar el tipo de narración breve, que en algún caso llega a ser esquemática. Así, los cuentos del *Calila e Dimna* son en su mayoría ejemplos de cinco o seis líneas, ya que sólo se busca el esqueleto argumental, despojado de todo aderezo descriptivo o psicológico. El relato es lineal, los hechos refiérense unos tras otros sin matices y en una prosa rígida. En realidad este esquematismo argumental, en el que sólo se atiende a la desnuda acción sin divagación alguna, no es defecto en un género como el cuento, cuyo interés reside en el asunto, no admitiendo interferencias o derivaciones, aptas para la novela.

Los mejores cuentos decimonónicos son breves también, esencialmente argumentales, pero narrados ya con una técnica literaria que falta en los desgarbados relatos medievales, si excluímos los de D. Juan Manuel. Este excepcional narrador supo mover algo más que muñecos sin personalidad, y a través de los ejemplos de *El conde Lucanor* revela un arte exquisito, no por virtud de coloristas descripciones, que siguen faltando como en el *Calila,* sino por sus calidades psicológicas. Sin necesidad de descripciones D. Juan Manuel sabe crear ambientes —recuérdese la estancia de Don Yllán, bajo el río Tajo—, usando para ello de la máxima economía verbal, cualidad ésta que acerca sus relatos a los modernos, en los que el *clima* nos es dado por alusión.

Hay, pues, en los cuentos de *El conde Lucanor* algo más que en los de las restantes colecciones medievales, escuetamente argumentales. Humor, ambiente, observación de la psicología humana, son las grandes conquistas de D. Juan Manuel, cuyo arte narrativo contiene ya en potencia el de los siglos posteriores. Pero estas cualidades exigen más extensión narrativa. Y así, los cuentos del *Libro de Patronio* son más extensos que los del *Calila* o el *Sendebar.*

También es variable la extensión de las narraciones renacentistas, aun cuando siguen dominando las de tipo esquemático (prescindimos en esta observación de las llamadas novelas). Compárense las que Timoneda llama *Patrañas* con sus *cuentos.* Las primeras tienden a la novela corta; las segundas, al chiste que cabe en cinco o seis líneas. Juan Rufo, Mal Lara, Santa Cruz, etc., cultivan la anédota, el proverbio puesto en acción, dentro también de estrechos límites. Otra cosa son las llamadas novelas, cuya extensión las acerca unas veces al cuento, otras a la novela corta y otras a la auténtica novela larga.

Igual vacilación se advierte en las narraciones decimonónicas, que, como algunas de *Clarín* y de la Pardo Bazán, oscilan por sus proporciones entre cuento y novela corta.

En cuanto a la intención, advertimos en los narradores medievales un propósito eminentemente didáctico, que les lleva a recoger y traducir narraciones de todas las procedencias. Las denominaciones apólogo, ejemplo, castigo, etc., revelan ya el carácter moralizador.

En los cuentecillos y facecias del Renacimiento hay que confesar que éste se apaga bastante. Al narrador medieval le interesaba enseñar bajo apariencia de deleite, y por eso D. Juan Manuel, en su prólogo a *El conde Lucanor,* comparaba su técnica con la del médico que disfraza de dulces las amargas medicinas que proporcionan la salud. Es decir, que por encima de la intención recreativa está la didáctica, mientras que en tiempos de Timoneda y Juan Aragonés desaparece casi todo propósito moralizador, quedando sólo el deseo de divertir al lector.

En *El conde Lucanor* los cuentos se nos ofrecen sugeridos por las consultas que el conde hace a su consejero, es decir, justificados moral, didácticamente. El narrador renacentista aspira, esencialmente, a distraer al lector, a hacerle reír en la mayor parte de los casos y aun con los recursos más bajos y soeces. Cervantes representa el retorno a la moraleja, y por imitación adoptan propósito ejemplarizante otros autores.

¿Conservan los cuentos del siglo XIX la intención moralizadora y didáctica que, según el Diccionario de la R. A. E., es característica del género? Probablemente sí, aunque transformada. Desde luego la frívola concepción del cuento-chiste, sin más trascendencia, se pierde en un siglo tan afectadamente inquieto como el XIX; conservándose tan sólo en los chascarrillos de carácter popular que algunos escritores recogen —*Fernán Caballero,* Valera, Campillo, Rodríguez Marín, etc.—, y para eso no totalmente desprovistos de intención educativa, sino, por el contrario, reveladores de la salud moral del campesino español.

Tan grande es la preocupación didáctica de los escritores decimonónicos, que en este siglo surgen el teatro de ideas, la novela de tesis y la poesía filosófico-social, tipo Campoamor y Núñez de Arce. No cabe, por tanto, un quehacer literario ausente de sentido moral, patriótico, político, y aunque muchos creen en el arte por el arte, lo cierto es que, consciente o inconscientemente, todas las manifestaciones artísticas utilízanse como armas defensivas de unos ideales que no eran comunes, sino que se diversificaban según los temperamentos. Los hombres del XIX creen que su siglo cierra toda una etapa histórica e inaugura otra en la que se instalan orgullosamente, como recién nacidos a un mundo que ellos mismos van creando [1]. Su época, por otra parte,

---

[1] Transcribimos a este respecto el siguiente pasaje, escrito en 1862:
«El siglo XIX ha dado la voz de alerta. El comercio une a unos hombres con otros bajo el poderoso vínculo del interés; las locomotoras ponen en comunicación constante a los pueblos, que se aman porque se conocen; la igualdad civil sustituye al privilegio; el trabajo, al derecho de conquista; la ley de amor, al derecho de fuerza; la razón, tanto tiempo oprimida y esclava, tiende a levantarse sobre la fe; la religión y la filosofía, tanto tiempo divorciadas, tienden a unirse, a hermanarse bajo una sola fórmula, y todo indica que la Humanidad ha puesto su pie gigante sobre la indefinida senda del progreso y que se acerca con firme paso al cumplimiento de su fin, a la unificación del gran todo espíritu y el gran todo naturaleza, bajo Dios. Y el hombre del siglo XIX, que se siente animado

parece resumir todas las incidencias de la humanidad, y de ahí el tan extenso, variado, increíble repertorio de actitudes de estos hombres decimonónicos, saltando de un ideal a otro, defendiéndolos apasionadamente, combatiendo encarnizadamente a sus enemigos, queriendo imponer a todos su voluntad, su tesis, creyéndose redentores de un mundo en crisis. Y tras todo esto, el escepticismo, la incredulidad, la ironía.

Se comprende que la literatura de un tal agitado siglo no podía estar al margen de las preocupaciones de sus hombres, ya que además han desaparecido las barreras o murallas que cercaban el arte, territorio cuya pureza invaden los nuevos bárbaros del romanticismo. Los neoclásicos tuvieron el arte bien guardado en un templo y enseñaron a la humanidad que nadie podía entrar allí, si no era con unción estética. Los románticos sacan el arte a la calle, a las barricadas. Nada hay ajeno al hombre, y las guerras se hacen ya con pólvora y con versos.

Esta humanización violenta del arte, este convertir la creación literaria en instrumento de combate con el que expresar pasiones e ideas, nos explica sobradamente que en el siglo xix el cuento aspire a algo

---

para realizar su destino, no como simple unidad que marcha a un fin particular independiente, sino como parte inmediata de una totalidad a cuyo fin general necesariamente concurre; el hombre del siglo xix, que subido sobre la cima de la Historia puede ver con ojos serenos, entre los escombros de lo pasado y los encontrados elementos de lo presente, la mal encubierta senda de lo porvenir por donde la Humanidad camina a la plenitud de los tiempos; a la presencia de ese gran espectáculo que en vano quieren negar algunos espíritus pequeños, enemigos de la razón y esclavos de un ciego fanatismo, puede exclamar con voz de trueno: «El siglo xix no es el ropón tejido con los pedazos viejos de otros siglos; es el montón de soles amasado sobre montones de sombras; es el más grande de los siglos; el día más grande de la humanidad en la historia» (*El Museo Universal. La poesía inglesa desde el siglo XVI*, por Federico Leal, n. 21, 23 mayo de 1862).

Tan pretenciosas, enfáticas y a la vez ingenuas palabras, definen bien la mentalidad de una época. Pero ya en 1891 decía Leopoldo Alas:

«Mas no hace falta, a mi entender, para que se emprendan con valor y constancia las reformas indiscutibles, que hagamos tabla rasa de la tradición, que nos figuremos abstractamente colocados en un mundo nuevo, como si acabáramos de descubrir el suelo que pisamos, o como si saliéramos del Arca de Noé y toda la tierra no fuera más que el cementerio de toda la historia, condenada a universal catástrofe. Estas palingenesias absolutas que decretan escritores y filósofos un poco ligeros no son más que ilusiones; no hemos de estar creando el mundo todos los días; no hemos de figurarnos como generaciones que estrenan la civilización y pueden olvidar el pasado. No somos más que un eslabón de una cadena que no sabemos ni dónde empieza ni dónde acaba» (*Folletos literarios. VIII. Un discurso*. Librería de F. Fe. Madrid, 1891, págs. 30-31).

más que a divertir. Sin embargo, desaparece casi totalmente el afán de hacer explícita la moraleja, resumida en unos versos en las narraciones medievales o comentada sobriamente en prosa en las renacentistas.

Es decir, la desaparición no es brusca ni total, sino que se realiza según triunfa y se extiende la fórmula naturalista. Los narradores lastrados de romanticismo, como *Fernán* y Trueba, se esfuerzan en moralizar largamente y no perdonan al lector ni una sola de las consecuencias morales que de sus cuentos pueden extraerse. Por el contrario, los naturalistas aspiran a conseguir la impasibilidad narrativa que Zola propugnara, evitando el hacer oír su voz a lo largo del relato, que debía de ser un simple documento humano. Pero esta impasibilidad literaria no excluye la impasibilidad moral.

En los novelistas españoles del XIX no se cumplió con exactitud la consigna de Zola, y en mayor o menor proporción nuestros narradores no supieron mantenerse al margen de la acción.

El logro de la objetividad narrativa no supone indiferencia moral, ya que el novelista puede ocultar su personalidad, sus opiniones, y, sin embargo, hacer sentir un problema moral en toda su intensidad.

Aunque parezca una paradoja, la impasibilidad narrativa persigue la misma finalidad que las interferencias moralizadoras de los narradores románticos. Un naturalista evita el comentario subjetivo porque piensa que el problema humano presentado en toda su desnudez, sin subrayado alguno, puede impresionar más vivamente al lector que cualquier disertación moral. El novelista se limita a sugerir una tesis y una consecuencia que el lector habrá de descifrar y aprovechar, con lo que queda a salvo la inteligente percepción de este último.

Se trata, simplemente, de un juego intelectual. Trueba o *Fernán* exponen todas las consecuencias morales de sus narraciones, no se callan ni una sola, con lo que no permiten que el lector piense por sí mismo y juzgue de las acciones de los seres novelescos, que se le dan ya catalogados y distribuídos, inequívocamente, en buenos y malos.

Los naturalistas, al contrario, halagan esa vanidad existente en numerosos lectores, que gustan de sacar por sí mismos la tesis o moraleja de la narración, prudentemente silenciada y sólo sugerida por el novelista, que además se abstiene de fichar y juzgar moralmente a sus criaturas novelescas, reservando tal labor estimativa al lector de la obra.

Trueba, a pesar de charlar con el lector, no permite que éste pase de mero espectador, dándoselo todo hecho y aderezado. *Clarín,* por ejemplo, al no agotar la moraleja, convierte al lector en un protagonista más y le concede libertad de juzgar las acciones de los seres novelescos.

Por lo tanto, explícita o implícita, la intención moralizadora perdura en los cuentos decimonónicos.

Hay que advertir que cuando hablamos de *intención moralizadora* en tales narraciones, empleamos una expresión que tiene sólo un valor de referencia, ya que la moral de los cuentos medievales y la de los del xix son muy distintas. En aquéllos, la moral era cristiana o, en el caso de proceder de fábulas orientales, utilitaria y egoísta. Los cuentos de la pasada centuria sirven a muy distintas doctrinas e ideologías. Con sólo recordar los nombres de *Fernán Caballero,* Trueba, el P. Coloma, *Clarín,* Valera, Pereda, Octavio Picón, Pardo Bazán, Blasco Ibáñez, etc., y pensar en sus respectivas peculiaridades morales, podremos darnos una idea de la variedad ideológica de sus cuentos.

Unas veces, éstos cantan la moral cristiana, el hogar, la vida campesina; otras, sirven para lamentar la decadencia nacional; otras, defienden el escepticismo, el materialismo, o atacan a la Iglesia, a la autoridad, etc. No cabe, pues, hablar de una intención moralizadora, sino de intenciones defensoras de diversas doctrinas y partidos.

En algunos casos, el propósito didáctico de los cuentistas se comprueba tan palpablemente como en los subtítulos que Eugenio Sellés puso a sus *Narraciones:* Para los celosos, para los viejos, para los idealistas, para los holgazanes, etc.

Podríamos resumir todas estas actitudes diciendo que la explícita e indispensable intención utilitaria de los cuentos medievales no se pierde en los decimonónicos, sino que en algún caso crece —*Fernán,* Trueba— y en otros se esconde o deforma bajo el signo de un objetivismo más torturado que espontáneo. (Compárese la técnica de la Pardo Bazán con la de Maupassant, el más objetivo de los narradores del siglo xix.)

Encontramos las mismas diferencias en la técnica de las narraciones de los siglos anteriores y las del xix. Precisamente esto nos va a servir de piedra de toque —junto con la riqueza de temas— para comprobar la alta jerarquía literaria del cuento decimonónico, hijo del medieval y del renacentista, pero hijo rebelde que se emancipa hasta cobrar casi categoría de género nuevo, específico del siglo en que renace con una técnica tan diferente, que puede considerársele junto con la novela como la conquista literaria más importante del siglo XIX.

El cuento de este siglo es un refinado producto artístico, capaz de vivir con independencia y no en bloques narrativos del estilo del *Decamerón,* los *Cuentos de Canterbury* o *El conde Lucanor.* En éstos —como en *Las mil y una noches,* el *Calila e Dimna* y toda la fabulística de origen oriental— los cuentos, aunque con valor individual, viven en una atmósfera seminovelística, uniformadora. Son cuentos encadenados, engendrados unos en otros, y dotados todos de una intención que se nos recuerda en los intermedios, en las ligaduras entre cuento y cuento. La peste florentina sirve de fondo a las narraciones de Boccaccio. La peregrinación a Canterbury es el hilo sostenedor de los relatos de Chaucer. El diálogo de Patronio y Lucanor sirve de pretexto y engranaje de los cuentos de D. Juan Manuel.

El cuento decimonónico vive por sí solo, inserto en las páginas de un periódico, o coleccionado con otros del mismo autor, pero sin hilo argumental que atraviese y unifique las narraciones.

Por lo tanto, el cuento aislado es un género literario moderno. En la Edad Media carecía de independencia, viviendo como célula de un organismo más grande. En el Renacimiento se logra un relativo aislamiento, ya que si bien las narraciones breves no se conciben siempre como relacionadas o engendradas unas en otras, no existe aún el cuento independiente. Existen colecciones del tipo del *Patrañuelo* y las *Novelas Ejemplares,* en que los cuentos nada tienen que ver unos con otros. Se puede argumentar que tampoco las narraciones de *El conde Lucanor* o del *Libro de exemplos por A. B. C.* tienen relación entre sí. Pero es que en los libros medievales no falta nunca una relación superior, aunque no exista el encadenamiento narrativo de tipo oriental. La técnica boccacciesca —que en esencia es la de Chaucer y la de D. Juan Manuel— se prolonga en algunos narradores renacentistas del tipo de Tirso de Molina con sus *Cigarrales de Toledo* y *Deleitar aprovechando.*

Es decir, el cuento, la narración breve apenas existe independientemente —como excepción notable: la historia de *Abindarráez y de la hermosa Jarifa*— y se encuentra agrupada en colecciones como las de Cervantes y María de Zayas, o incrustado en novelas extensas: ca-

sos del *Quijote* y del *Guzmán de Alfarache*. Esta moda de interrumpir
la acción con novelas cortas fué muy del gusto renacentista, y debía
de obedecer a la creencia de que con esas interpolaciones o *intermezzos* se hacía más grata la lectura, buscando con ellas un contrapeso
emotivo. Cervantes utiliza este artificio en la primera parte del *Quijote,* narrando acciones que como la de *Grisóstomo y Marcela* y *El
curioso impertinente* sirven casi de contraste trágico intercaladas en
una acción —hazañas de Don Quijote y Sancho— que se reputaría
de festiva. (Piénsese también en la interpretación que de estas novelas intercaladas da Américo Castro en *El pensamiento de Cervantes,*
considerándolas no como añadiduras innecesarias, sino como relatos
que sirven de contrapunto al tema dominante.)

Mateo Alemán intercaló en la primera parte del *Guzmán* la novelita morisca de *Ozmín y Daraja,* quizá para que este cuadro delicado, de suave factura, hiciera resaltar aun más o —por parodójico
que parezca— aliviara el tono de miseria y sordidez que caracteriza
las acciones del pícaro. En el siglo xix narradores como Dickens
gustaron de esta técnica narrativa. (Recuérdense los cuentos intercalados en los *Papeles póstumos del club Pickwik,* y obsérvese cómo tanto esta obra como las citadas de Cervantes y Mateo Alemán se caracterizan por su falta de acción argumental, en el sentido clásico, y son
un conjunto de diversos episodios, anudados sólo por los personajes
protagonísticos en torno a los cuales giran los hechos y los personajes secundarios. En novelas así concebidas cabían bien esos relatos intercalados.)

El cuento decimonónico vive, sobre todo, a expensas del periodismo, como más adelante estudiaremos, y de ahí que pueda tener
existencia independiente. Obsérvese el caso de doña Emilia Pardo
Bazán, la más fecunda cuentista del pasado siglo, que publicaba sus
narraciones en diarios y revistas, recogiéndolos luego en volúmenes,
donde aparecían agrupadas según sus temas o características. Claro es
que el ejemplo de la Pardo Bazán no significa que todos los narradores decimonónicos procediesen igual, ya que siendo muy elevado el
número de éstos, se explica la diferencia de técnicas. De todas formas,
el cuento inserto en periódicos y revistas, como ser con vida independiente, es el más característico del pasado siglo.

Prescindimos en esta comparación de las técnicas medieval y moderna, de todo análisis estilístico, por inadecuado al caso y por la

abundancia —y variedad de estilos— de narradores en el siglo XIX. Por tanto nada hemos de decir de los estilos narrativos de las épocas contrastadas, aunque sí queremos anotar una coincidencia interesante por afectar a la misma esencia del género literario *cuento*.

En la Edad Media, en el Renacimiento o en el siglo XIX, los cuentos podrán ser narrados con estilos diferentes, según la época o el autor, pero es fácil observar cómo siempre interesa más el asunto que el estilo. Siendo el cuento argumento ante todo, la excesiva galanura narrativa podría distraer al lector del objetivo principal. Por tanto, el estilo narrativo sirve al asunto en todas las épocas. Cuando no es así, el cuento podrá ganar en valores estilísticos, pero habrá perdido su más sustancial característica: el interés argumental.

Recordemos el esquematismo de las narraciones más primitivas, o el desgarbado narrar de un Timoneda, atento sólo a captar la atención del lector relatando un caso notable, y comparémoslo con lo que sucede en el cuento actual. Rubén Darío y Gabriel Miró son autores de cuentos cuyo valor reside principalmente en el lenguaje. Maupassant, Daudet, en las letras francesas; Dickens, en las inglesas; Chejov, en las rusas, o la Pardo Bazán y Palacio Valdés en las españolas, consiguen sus más logradas narraciones no a fuerza de bella palabrería, sino narrando asuntos intensos, dotados de tanta fuerza que no necesitan decoración verbal, ya que ésta actuaría como de freno retardatario de una emoción que por provenir de la misma vida, captada en su instantaneidad cálida y palpitante, no necesita de literatura.

Esto no significa la ausencia de una técnica o de un arte. Precisamente la Pardo Bazán, admiradora de los Goncourt, cuida del color y de las descripciones en sus relatos, pero utilizando siempre la proporción justa, la adecuada a la acción. Al estudiar las características del cuento decimonónico insistiremos en esta cuestión. Ahora nos interesaba tan sólo anotar la coincidencia de las narraciones medievales, renacentistas y modernas en un aspecto esencial.

La simplicidad descriptiva inherente al cuento se ha agudizado en nuestros días. Cuentistas tan representativos, tan de vanguardia como los norteamericanos Saroyan y Faulkner han dejado la narración en puro hueso, sin el menor aderezo literario. A su lado las decimonónicas parecen sobrecargadas y enfáticas.

Finalmente, pudiéramos acabar esta comparación de las técnicas medieval y decimonónica observando cómo los cuentistas primitivos tratan de redondear sus narraciones, aun cuando éstas traten de un solo momento vital. Conocemos a los personajes no sólo en el trance que motiva el cuento, sino antes y después, ya que el narrador se encarga de suministrar las noticias posibles. La acción siempre aparece narrada en pasado, y su final es tan perfecto que parece excluir la posibilidad de una nueva peripecia. En el Renacimiento subsiste este tipo de relato.

Generalizando, podríamos decir que los cuentistas del siglo XIX presentan solamente un momento interesante, decisivo, de la vida humana. Precisamente podría explicarse la existencia del cuento como género literario que refleja una experiencia de todos conocida: en nuestro vivir hay momentos en los que parece ponerse en juego todo, en los que la vida alcanza su máxima tensión. En los cuentos decimonónicos aparecen hombres que viven ante nosotros ese momento *suyo,* para desaparecer luego con la vida rota o lograda. Se observa, pues, una como reducción temporal comparando el cuento medieval con el del siglo pasado, ya que el primero, aun cuando presentaba un solo incidente de una vida, no perseguía una sensación de instantaneidad, sino que, por el contrario, nos ofrecía un momento vital en función de toda una existencia.

Esa reducción temporal se agudiza en las narraciones más modernas que ya no se contentan con presentar el momento decisivo de una vida, sino que, avanzando más, narran un momento cualquiera —gris, insignificante— por considerar que, en potencia, contiene toda una vida.

De la confrontación hasta aquí hecha entre el cuento medieval, el renacentista y el moderno, se deduce que la dimensión espacial —extensión narrativa—, conjugada con la temporal —duración del suceso narrado—, constituyen los más decisivos elementos del cuento.

Respecto a los temas, es casi imposible entrar en distingos, tan grande es su variedad en las narraciones decimonónicas. Nos parece por tanto innecesario advertir que la principal diferencia entre la temática de los relatos medievales y renacentistas, y los decimonónicos, consiste en su ampliación y enriquecimiento en estos últimos.

El cuento en manos de los narradores modernos sirve para toda clase de asuntos, según podrá verse en los capítulos que hemos dedicado a la clasificación temática. Es hecho éste que demuestra la vitalidad de un género cuyas posibilidades parecían tan reducidas hasta el pasado siglo. Del apólogo o la fábula de trama sencilla, y pasando por el refrán explicado, el chiste o la agudeza, se ha llegado a las narraciones decimonónicas, en las que encontramos reflejadas y transformadas literariamente todas las preocupaciones de la época: patrióticas, religiosas, morales, sociales, etc. El cuento casi supera a la novela en flexibilidad y oportunidad para expresar los más variados temas, y, desde luego, posee algunos tan propios y característicos como el que nosotros hemos estudiado en el capítulo de *Cuentos de objetos y seres pequeños.*

La supeditación al didactismo en las narraciones medievales, o la tendencia a sólo divertir de las renacentistas, no favorecían la amplitud temática, conseguida —sorprendentemente— por los cuentistas del siglo XIX, más atentos a lo puramente artístico, emocional, aun sirviendo a ideologías tan varias como pugnan en su época.

Tras este breve análisis de las características del cuento moderno, contrastado con el medieval y el renacentista, es hora ya de que entremos en el estudio de los géneros próximos, a veces confundidos con el cuento, algunos de cuyos rasgos distintivos esperamos poder fijar.

II. CUENTO Y LEYENDA

¿Existe alguna diferencia entre estos dos géneros literarios, o se trata simplemente de una distinción de tipo temático? En nuestro estudio dedicamos un capítulo a los cuentos legendarios, lo que es tanto como admitir que éstos no son sino una variante más, dentro del amplio repertorio de temas de la cuentística decimonónica.

Y, sin embargo, los preceptistas decimonónicos trataron de diferenciar el cuento de la leyenda, bien es verdad que considerando ambos géneros como modalidad del poema épico. Habiendo estudiado ya dichas preceptivas, intentaremos ahora precisar las características del cuento y de la leyenda desde un punto de vista moderno.

En realidad, el confusionismo existente entre estos dos géneros literarios es consecuencia de la génesis misma del cuento en el siglo XIX.

A la espléndida floración de cuentistas de los años finiseculares no se llega de golpe, sino a través de una serie de autores y de obras que preparan el logro y éxito de un género que, con la novela, va a resultar el más característico de la pasada centuria.

Considerando el hiato que en lo narrativo representa el siglo XVIII, se comprende que el retorno a esa modalidad literaria fué provocado por el Romanticismo. Fenómeno éste demasiado complejo para que tratemos de desentrañar su significación. Sobradamente conocido es el valor que a lo imaginativo, por contraposición a lo racional, da el nuevo estilo literario. La recreación del mundo medieval y la poética evasión de la sociedad europea hacia geografías exóticas justificarían, junto con el apuntado gusto por lo imaginativo y con el nuevo sentido del nacionalismo, el cultivo de géneros narrativos tales como la novela, la leyenda, el cuento, el artículo de costumbres, etc. Obsérvese que aun no distinguimos entre lo narrativo expresado en prosa o en verso, sino que nos limitamos al concepto entendido ampliamente, sin particularización.

Al comparar el cuento medieval con el moderno dijimos que, aunque nacido éste como imitación de aquél, a través de la evolución que arranca de las leyendas y consejas románticas, existían radicales diferencias entre uno y otro; ya que esas leyendas románticas, remedadoras de los motivos medievales, no tienen nada que ver con los relatos que circularon en la época recreada con una óptica pintoresca e idealizadora.

El medievalismo romántico que inspira cuentos y leyendas, ya estén en verso o en prosa, es indudablemente convencional y escenográfico, y tiene un sombrío sello, explicable por su procedencia germánica. Se acepta que la primera llamarada romántica brotó en Alemania. Madame Stäel recogió parte de ese fuego y trató de comunicarlo a los franceses a través de un libro, que viene a ser un interesantísimo reportaje sobre las primicias de una revolución artística que había de cambiar la faz del siglo XIX.

Georg Brandes ha dicho de este romanticismo alemán:

«Se quería algo simple; se estaba cansado de la cultura de la antigüedad y se profundizaba el conocimiento del rico y extraño mundo de la Edad Media, descuidado por espacio de tanto tiempo. Una tendencia viva hacia lo fantástico y maravilloso se apoderó de las almas, y mitos y cuentos fueron, a partir de ahí, las especies artísticas prescritas. Todas las viejas tradiciones y leyendas populares son recopiladas, refrescadas, y reciben con frecuencia una excelente forma poética, principalmente por parte del poeta de la nueva escuela Ludwig Tieck en *El rubio Eckbert* o en *La historia de la bella Magalona y del conde de Provenza*» [2].

---

[2] Georg Brandes: *Las grandes corrientes literarias en el siglo XIX*. Ed. Americalee. Buenos Aires, 1946. Tomo I, pág. 158.

Más adelante insiste Brandes en la raíz tradicional de estas narraciones románticas:

«Introducen en la poesía romántica un nuevo tono y dan a sus obras un nuevo carácter, despertando además otra vez estados de alma y motivos de las canciones históricas y libros populares» [3].

Brandes ve también en el nuevo sentimiento de la naturaleza una causa de la aparición de cuentos y leyendas:

«La metamorfosis que ésta sufre ahora consiste en que la contemplación de la Naturaleza, que en Rousseau fué sentimental, es fantástica entre los románticos. De ahí su vuelta a las leyendas y cuentos, a la superstición popular con todos sus duendes y sílfides» [4].

La leyenda tiene, pues, un valor popular, ya que el poeta acude a la tradición en busca de motivos a los que dar forma poética y en los que verter su imaginación, tan fantástica ésta que le lleva a poblar las narraciones de esos duendes y sílfides a que se refería Brandes.

No es, por tanto, una Edad Media auténtica e histórica, la recreada por los románticos, sino una época sentida a través de varias generaciones, que se han ido transmitiendo viejos relatos tradicionales, nacidos la mayor parte de ellos, no en la época a que aluden, sino en años posteriores, perdido el recuerdo histórico y deformado fantástica e imaginativamente el hecho suscitador de la narración.

De la exageración con que se tratan los temas medievales dan idea textos como el siguiente, tomado del *Semanario Pintoresco Español* de 1846, y de una crítica sin firma sobre —nada menos— *María, la hija de un jornalero,* de Aiguals de Izco:

«Sorprendente es la altura a que la novela se ha elevado en estos últimos años, calcándola sobre antiguas leyendas, evocando los recuerdos de la Edad Media y presentándolas revestidas de formas terribles y exageradas» [5].

No deja de ser curioso observar cómo en 1846 se tenían ya por *terribles* y *exageradas* las leyendas románticas.

Tenemos, pues, explicada la aparición de un género literario como consecuencia de un retorno a lo medieval, favorecido por la aproximación hacia lo popular y pintoresco, entrañada en el movimiento romántico. Precisamente, fijándose en esta última característica, Céjador decía al estudiar los géneros románticos:

---

3 Id., pág. 183.
4 Id., pág. 287.
5 *Semanario Pintoresco Español*, n. 36, 6 septiembre 1846.

«*Epico*.—La leyenda es una epopeya corta con asunto folklórico y tradicional, arrimado a un lugar, edificio, ruina o personaje, y que el pueblo ha forjado tomando como fundamento algún hecho histórico. Los dos elementos, el folklórico y el maravilloso, propios del romanticismo, tenían que despertar en los poetas de esta época la afición por la leyenda, que es, puede decirse, la epopeya corta moderna, algo así como lo que fueron los romances viejos. Zorrilla fué el que más sobresalió en ellas; después, el Duque de Rivas. Lo que caracteriza a la leyenda romántica es la nota de misterio, de terror, de crueldad a veces, de idealismo en suma, que trajo el romanticismo septentrional. Las *Novelas ejemplares* de Cervantes pueden igualmente servir de patrón para ver lo que el romanticismo del Norte añadió a la narración clara y robusta, realista y sana, de la manera española» [6].

Prescindiendo de ciertas observaciones discutibles, creemos que Cejador señaló bien cómo lo folklórico y lo septentrional —lo germánico— informaron la leyenda romántica española. En las revistas de la época se encuentran traducciones de leyendas y baladas germánicas. Así, en *El Semanario Pintoresco Español* encontramos, entre otras, *Ashavero o el judío errante, Leyenda alemana de Shubart* (1837), *Colón, Balada alemana de Luisa Bracmann* (1838), *Lenorá, Balada alemana de Burger* (1840). En *El Español: La cena del Señor de Leonardo de Vinci* (1845), *El espejo encantado, Novela alemana* (1845), etc.

Las imitaciones son abundantísimas, en especial de las baladas, composiciones en prosa poética que se caracterizaban por un estilo cortado, casi de versículo bíblico.

Y tiempo es ya de referirnos a las formas expresivas que solían usarse para estas composiciones legendarias.

Aun cuando éste sea un problema difícil, dada la variedad de autores y temperamentos, en líneas generales nos atreveríamos a decir que el asunto engendró la forma. Si se trataba de una deliberada imitación de los temas y motivos medievales, parece lógico suponer que se utilizaran para expresarlos formas también medievales, más o menos remozadas y adaptadas al gusto moderno. Precisamente las baladas germánicas a que nos venimos refiriendo son imitaciones de las formas poéticas primitivas, y la misma simplicidad expresiva —que no es tal, sino amaneramiento insoportable en las versiones españolas— es trasunto de la técnica lineal, de versículos, que aun puede observarse en las antiguas sagas y escaldas.

En España la leyenda encontró su más adecuado molde expresivo

---

[6] *Historia de la lengua y de la literatura castellana.* Tomo VII, pág. 87.

en el romance tradicional. De ahí la abundancia de asuntos legendarios en verso, explicados por la natural atracción que el octosílabo
—utilizado para cantar hechos heroicos, amorosos y novelescos—
ejercía sobre una determinada clase de asuntos. Zorrilla y el Duque
de Rivas, que todos los preceptistas solían citar como los más destacados autores de leyendas y cuentos en verso, utilizaron precisamente
el esquema del romance, cuya sola musicalidad monótona y sobria
había de provocar ya en el lector la sensación de retroceso hacia un
mundo habitado por seres tan maravillosamente románticos como los
Infantes de Lara, el Conde Alarcos, Arnaldos, Fernán González, etc.

El romance atrae los asuntos legendarios con una fuerza natural,
dada por los siglos y por el gusto de los españoles. A propósito de las
leyendas de José Joaquín de Mora, decía Cejador:

«Son mezcla de narraciones románticas entreveradas con digresiones humorísticas al modo del *Beppo* y del *Don Juan*, de Byron. Tiene Mora el particular
mérito de haber sido el primero que escribió este género llamado *leyenda*, que
se diferencia del antiguo romance por su mayor extensión y por encerrar una
acción novelesca, viéndose envuelta en hermoso estilo poético. Natural brote del
romanticismo, cundió el género en nuestra literatura, tomando el lugar de los
antiguos romances y siendo la verdadera épica castellana del siglo XIX» [7].

Lo narrativo épico adopta la expresión poética en verso en la época romántica tan frecuentemente, que aun cuando luego el gusto por
lo medieval vaya siendo sustituído por nuevos asuntos y temas, éstos
en muchas ocasiones continúan siendo expuestos en verso. Ya hemos
hablado de las novelas y cuentos en verso, y de cómo Campoamor,
Núñez de Arce y Ferrari, entre otros poetas naturalistas, cultivaron
lo que doña Emilia Pardo Bazán tenía por cuentos equivalentes a las
antiguas leyendas zorrillescas.

Naturalmente, esta clase de leyendas en verso podía y debía distinguirse del cuento, siempre que éste estuviera escrito en prosa. Porque el cuento en verso que los preceptistas estudiaban junto con la
leyenda no era sino una subespecie de ésta, que se caracterizaría por
ser producto de la invención del autor y no de la tradición recogida
y aderezada. No nos importa, en última instancia, estudiar la diferencia entre leyendas y cuentos en verso, y sí nos interesa, en cambio,
observarla entre los dos géneros en prosa.

Cejador estudiando los géneros románticos decía:

---

[7] Ob. cit. Tomo VI, pág. 422.

«El género menos floreciente fué el novelesco, porque la leyenda era la forma propia de la épica en aquella época, y la novela sólo podía ser histórica, prosaización de la leyenda» [8].

Esa prosaización explicaría también la aparición del asunto legendario, incorporado a la forma del cuento, Pero quizás no pueda enunciarse el hecho de manera tan simplista, y sea preciso recurrir a describir el confusionismo existente en la época romántica entre algunos géneros literarios.

En las mismas revistas literarias en que aparecen cuentos y leyendas en verso, junto a traducciones de relatos alemanes en prosa, encontramos baladas también en prosa y asimismo artículos de costumbres y cuentos tradicionales. Se trata de géneros narrativos breves, más o menos adecuados para la prosa o el verso, y de cuyas convivencias y semejanzas había de nacer el confusionismo romántico, observable en preceptistas y críticos.

Si el romance atrae la leyenda por las razones explicadas, el cuento tradicional, relatado en prosa y con jerarquía artística a partir de la obra de los Grimm, había de cruzarse entre romance y leyenda, perturbando tal aproximación. Por otra parte el artículo de costumbres, narración breve y de trama novelesca, iría adoptando la forma del cuento hasta disolverse en él, según explicamos en el capítulo dedicado a contrastar estos dos géneros literarios. La existencia de baladas en prosa —explicable, tal vez, como consecuencia de las traducciones prosificadas de composiciones germánicas en verso— favorecería también la prosaización de la leyenda, en el caso de suponer a rajatabla la prioridad de la leyenda en verso sobre la prosificada.

El problema es complejo, y por afectar a la creación literaria inconsciente e ingobernable no puede resolverse en conclusiones simplistamente definitivas. Lo único cierto y observable es la convivencia de varios géneros narrativos breves en prosa y verso; convivencia engendradora de cruces y confusiones.

La leyenda en prosa —fijada maravillosamente por Bécquer— es ya un cuento. Y lo es tan innegablemente que nuestra teoría de considerar el cuento como género eslabón entre la poesía y la novela, tendría en este hecho una prueba más a su favor.

La leyenda, género originalmente poético, expresable en verso, al pasar a la prosa explica de manera gráfica y convincente el indudable

---

[8] Ob. cit. Tomo VII, pág. 86.

origen poético del cuento, género que crece confusamente, aumentando sus temas y perfeccionando su técnica hasta llegar a parecer, con el naturalismo, que no es sino consecuencia de la novela. Lo costumbrista, lo popular, lo legendario se han ido disolviendo y nadie diría que el cuento deba nada a los géneros románticos. Y es que, en realidad, por rara alquimia depuradora el cuento ha llegado a ser en los últimos años del siglo XIX un género nuevo, encuadrable dentro de lo narrativo y, por tanto, al lado de la novela, pero siendo algo distinto de ésta.

Se nos replicará que la gestación de la novela decimonónica es idéntica a la del cuento, ya que lo legendario —novela histórica walter-scottiana—, lo costumbrista y popular —novela a lo *Fernán Caballero*—, han sido los materiales de aluvión que han ido formando la gran novelística de Pereda, Galdós, Alas, la Pardo Bazán, etc.

Esto es así, ciertamente, pero nótese que el proceso evolutivo viene a ser de signo contrario al del cuento. Mientras que en éste se procede por depuración, disolviéndose lo legendario, popular, costumbrista, hasta desaparecer y quedar en su lugar algo misterioso y sorprendentemente nuevo; en la novela se observa un proceso de acumulación, que no excluye la depuración y fijación, pero que cristaliza en esas grandes novelas naturalistas cargadas de observación, que son la experiencia y resultado de los tanteos novelísticos efectuados a lo largo de todo el siglo.

Tal vez lo más valorable en el cuento, lo que le da belleza y perfección, sea su multiplicidad expresiva, su capacidad de recoger los más variados asuntos y de adaptarse a todas las tendencias literarias. Lo mismo aparece el cuento en los labios del viejo campesino, que en la pluma del más febril de los narradores legendarios, que en la del más objetivo naturalista.

De ahí que la leyenda al adquirir forma prosificada pueda y deba ser estudiada como un cuento, admitiendo cuentos legendarios de la misma manera que los admitimos religiosos, rurales, sociales, etc.

El cuento legendario se confunde muchas veces con el histórico y el fantástico. En los capítulos dedicados a cada uno de estos temas intentaremos precisar las características, proporcionando ejemplos suficientes.

No es preciso, pues, entrar aquí en diferenciaciones. Sólo lo histórico, lo evolutivo nos interesaba, y eso hemos intentado describirlo ya. La incorporación de la leyenda al cuento, adquiridas todas las características de éste, es hecho que no puede precisarse cronológicamente, dado el confusionismo a que hicimos referencia anteriormente. Por otra parte, no existe un canon delimitativo del cuento, que pudiéramos emplear para hacer depuraciones y distingos. Por tratarse de un género extremadamente flexible, pese a su brevedad, admite la mayor variación temática y los más sorprendentes recursos narrativos.

Y acabaremos citando otra vez las leyendas becquerianas, ante las cuales nadie dirá que se trata de un género distinto del cuento, sino de una modalidad temática del mismo.

De todas formas, el cuento legendario tuvo su época, y, al estudiarlo en el capítulo temático, tendremos ocasión de advertir cómo su cultivo fué haciéndose más débil según avanzaba el siglo.

Un muy significativo ejemplo nos lo ofrece Blasco Ibáñez, autor en su juventud —antes de los veinte años— de unas *Fantasías (Leyendas y tradiciones)* —publicadas en 1887— a la manera romántica, y creador más tarde de cuentos, los más naturalistas y objetivos de nuestra literatura.

Podríamos considerar a Blasco Ibáñez como un símbolo del siglo XIX. El Romanticismo —es decir, el siglo juvenil— cultiva el cuento legendario. El Naturalismo —madurez finisecular— ha olvidado casi por completo aquellas descabelladas fantasías juveniles, sustituyéndolas por unas narraciones de técnica y asuntos completamente distintos, opuestos.

La evolución del novelista valenciano es la de su siglo y es la del cuento mismo [9].

III. CUENTO Y ARTICULO DE COSTUMBRES

He aquí dos géneros próximos y que llegaron a confundirse en algún tiempo. El costumbrismo cristalizado en un preciso género literario como es el artículo de costumbres, parece una conquista del Ro-

---

[9] Decía Cejador: «El género épico o narrativo, que en la época romántica soñó con leyendas e historias más o menos legendarias, y todo ello en verso, al despertar a la realidad dió de mano al verso, a la leyenda y a la historia, quedándose con lo que se veía a vista de ojos y se tocaba con las manos: la realidad presente. Narró, pues, el vivir presente, y eso en prosa llana: tal es el cuento y su más amplia evolución, la novela» (Ob. cit. Tomo VIII, págs. 46-47).

manticismo, que favoreció el cultivo de lo popular, de lo regional, de lo pintoresco.

El costumbrismo, concepto general, es quizá tan antiguo como la literatura misma, que se nutre de lo que al hombre rodea, siendo por tanto reflejo de sus hábitos y de su vida.

Inútil repetir aquí, por demasiado conocidos, todos los juicios emitidos sobre la literatura costumbrista decimonónica y sus antecedentes en los sainetes de D. Ramón de la Cruz, obras de Lope, novelas picarescas, etc. Nos limitaremos sólo a señalar la confusión observada entre el cuento y el artículo de costumbres, para ir así depurando y afinando los límites del primero.

El artículo de costumbres puede adoptar distintas modalidades. Hay una abstracta en que el autor especula sobre costumbres, pero sin apenas concretar, sin darnos los moldes humanos en que esas costumbres cuajan o, por lo menos, sin tomar como base o pretexto un argumento; ejs.: *Modos de vivir que no dan de vivir, El hombre globo,* de Larra.

No es ésta, sin embargo, la forma más abundante ni más literaria, sino aquella otra en que el autor finge un asunto —por esquemático que éste sea— y crea unos personajes —o bien los transcribe del natural—, presentándonos un cuadro animado, cuya mayor o menor semejanza con el cuento estará en razón directa de la dosis argumental —peripecia— que el autor haya vertido en la acción. *En este país, Vuelva V. mañana, Yo quiero ser cómico,* y sobre todo, *El castellano viejo,* de Larra, son buenos ejemplos de esta clase de artículos de costumbres con acción, personajes y diálogo que los asemejan a la ficción narrativa breve que es el cuento.

En algún caso, la complicación de la peripecia o la intención poética del artículo aumentan esa semejanza. Recuérdense *De tejas arriba* y *El retrato,* de Mesonero Romanos. La primera, escrita en 1837, es una narración bastante extensa, formada por cinco capítulos titulados: *Madre Claudia, Las buhardillas, Drama de vecindad, Peripecia* y *Desenlace.* La abundancia de personajes, el movimiento, la objetividad del relato son más propios de un cuento o novela corta que de un artículo de costumbres. *El retrato* es lo que nosotros llamaríamos *un cuento de objeto pequeño,* amargamente simbólico y sin intención costumbrista [10].

---

[10] César Barja consideraba que *El retrato* era un cuento, al decir: «Disuelta

Pues, en definitiva, lo que caracteriza al cuento no son tanto sus dimensiones como su intención. Y lo mismo ocurre con el artículo de costumbres, cuya más genuina forma es la pintura de unos ambientes o tipos, o la sátira de unas costumbres encarnadas en unos seres más o menos novelescos cuya actuación y descripción provoca el comentario del escritor.

Hay un costumbrismo blando, con escasa virulencia, orientado hacia lo burgués: el de Mesonero Romanos. Y otro acre, irónico, agresivo: el de Larra. Estébanez Calderón representa el costumbrismo plástico, colorista. Mesonero Romanos censura unas veces, y otras aplaude. Larra censura siempre —como Quevedo— y su expresión es desesperadamente irónica. Estébanez Calderón se complace en la pintura de costumbres, dedicando sus mejores adjetivos a la rifa andaluza, al bolero, al puerto. Es, de los tres, el que quizá tiende más al cuento, por la atención que presta a la pintura de tipos y al manejo del diálogo. *Los filósofos en el figón, Pulpete y Balbeja* son estampas que modernamente han sido publicadas como cuentos [11].

Este asimilar el artículo de costumbres al cuento fué el criterio seguido por Enrique Gómez Carrillo en una antología de cuentos, publicada en París en 1894 [12]; criterio que mereció la censura de doña Emilia Pardo Bazán:

«En cambio, infunde asombro que mientras se suprimen cuentistas de la talla de los cinco susodichos [Pérez Galdós, Coloma, Campillo, Sellés, Palacio Valdés] se otorga el diploma a escritores que jamás tornearon un cuento, y se dan por cuentos verdaderos *artículos de costumbres*. Verbigracia: ¿han oído ustedes a nadie que celebrase *el último cuento de Luis Taboada* y afirmarse haberse reído muchísimo con él? Pues mi chistoso paisano se encuentra, por obra y gracia de la Casa Garnier, convertido en cuentista, y lo mismo que él, Pereda, que tampoco es cuentista, ni ése es el camino. Ambos (Pereda y Luis Taboada) son *costumbristas;* el primero, serio, poético y descriptivo; el segundo, jocoso y caricaturista;

---

en la gracia del cuentista, fíltrase a través del cuadro una gota de amarga ironía, como al contarnos la suerte de *El retrato*» (*Libros y autores españoles*, pág. 240).

Jacinto Octavio Picón se inspiró en este artículo de Mesonero Romanos para componer un cuento titulado también, *El retrato*.

[11] En algunas modernas antologías de cuentos españoles aparecen narraciones de *El Solitario*. Federico Sáez de Robles selecciona *Pulpete y Balbeja* en sus *Cuentistas españoles del siglo XIX*. Crisol, n. 105. Ed. Aguilar. Madrid. El mismo relato es incluído por Pedro Bohigas en *Los mejores cuentistas españoles*. Tomo I. Ed. Plus Ultra. Madrid, 1946. Esta misma antología publica como cuentos *El castellano viejo*, de Larra, y *Una noche de vela*, de Mesonero Romanos.

[12] *Cuentos escogidos de autores castellanos contemporáneos*. Selección de Gómez Carrillo. Ed. Garnier. París, 1894.

y eso ni les quita ni les pone mérito, pero debiera excluirles de la antología
Garnier» [13].

El caso de Taboada no ofrece problema, pero el de Pereda impone
algún distingo. ¿Cabe, efectivamente, excluir a Pereda de una antología de cuentos? Depende de lo que de él se seleccione, pues si bien
algunas de sus narraciones caen plenamente en lo costumbrista, otras
se acercan al cuento o poseen sus características [14].

Y esto no supone que creamos en un Pereda creador de cuentos,
pero tampoco en un Pereda al que deban estar cerradas las puertas
de toda antología de cuentos. Y de hecho no lo están, ya que en cualquiera de ellas se encuentra siempre una narración del escritor montañés, cuyo arte sólido y gigantoide era más apropiado para la novela
que para el cuento, género delicado, frágil, casi femenino —pudiera
resultar revelador el hecho de que quien más cuentos escribiera en España haya sido una escritora, la Pardo Bazán.

Por tanto —y pese a los reparos expuestos—, no puede silen-
ciarse el nombre de Pereda en cualquier estudio que sobre el cuento
español se haga, teniendo presente, además, que cultivó con inimitable
gracia el tema rural, uno de los que más narraciones breves ha inspirado.

En 1864 aparecieron las *Escenas montañesas* con un prólogo de
Trueba. En esta colección no hay propiamente ningún cuento. Se
acerca a este género *La leva*, vigoroso aguafuerte con personajes de
cuento realista y con trama lo suficientemente emotiva como para desbordar el interés de un artículo de costumbres. En la misma línea de
emotividad está *El fin de una raza*. El movimiento y el diálogo de
A las Indias presta interés a la acción, pero no hace de ella un cuento.

---

[13] Vid. *Nuevo Teatro Crítico*, n. 30.

[14] Por escritor costumbrista tenía Manuel de la Revilla a Pereda: «Puede
asegurarse que el género cultivado por *El Curioso Parlante* (y antes por Larra)
no existe ya. El cuadro de costumbres —de que dejaron tan notables muestras
Cervantes en su *Rinconete y Cortadillo* y su *Coloquio de los perros*; Vélez de
Guevara en su *Diablo Cojuelo*; Francisco Santos en su *Día y noche de Madrid*, y
tantos otros en obras no menos insignes—, no tiene hoy entre nosotros más cultivadores que D. José María Pereda, inferior a nuestro juicio a *El Curioso Parlante*, como quiera que sus valiosas dotes están oscurecidas por sus deplorables
intransigencias ultramontanas» (*Obras*. Madrid, 1883, pág. 40).

Y Pérez Galdós decía de los *Tipos y paisajes*, que eran «rudimentos de novelas o materiales reunidos para componer cuadros más o menos amplios y complejos de la humana vida» (Discurso de contestación al de ingreso de Pereda en
la R. A. E. 1897, págs. 40-41).

La Noche de Navidad tiende a la estampa. Las restantes escenas se alejan aun más del cuento: *El espíritu moderno, Los bailes campestres, El raquero, La costurera,* etc.

En 1871 aparece la colección *Tipos y paisajes,* en la cual el costumbrismo está más disuelto, más novelado aún: *Dos sistemas, Para ser buen arriero, Las brujas* y, sobre todo, *Blasones y talegas,* deliciosa novela corta. *Ir por lana,* pese a su rotunda intención costumbrista-moralizadora, tiene el interés de un cuento. *Los baños del Sardinero, Al amor de los tizones, Los chicos de la calle,* etc., son cuadros de costumbres.

Los *Tipos trashumantes* no son cuentos, sino pinturas de veraneantes grotescos, sin apenas trama, excepto tal vez la titulada *Un joven distinguido.*

En cuanto a la serie *Esbozos y rasguños,* diremos que está compuesta por auténticos artículos de costumbres, tales como *Las visitas, Los buenos muchachos, La Guantería, El tirano de la aldea,* etc.

Oscilan entre cuento y artículo de costumbres algunas de las narraciones breves publicadas, junto con *Pachín González,* en el tomo XVII de las *Obras completas* de Pereda. Tales, una carta de *Patricio Rigüelta* a su hijo, *Agosto, Cutres* y *El óbolo de un pobre.*

Se deduce, pues, que Pereda no fué tan fecundo cuentista como la mayoría cree, ya que sus relatos cortos tienden a la estampa costumbrista. En un cuento auténtico carecen de importancia los valores plásticos, teniéndola en cambio el argumento, tan insignificante en las narraciones del escritor montañés que, a veces, es sólo un pretexto para una descripción de figuras o ambientes pintorescos.

De todas formas, el confusionismo censurado por la Pardo Bazán, al criticar la antología de Gómez Carrillo, tenía sus antecedentes en algunas narraciones románticas que, siendo breves, no podían llamarse cuentos y que unas veces tendían hacia lo legendario, y otras, hacia lo costumbrista. Recuérdense los relatos que Bécquer intercalaba en sus *Cartas.*

Al cuento —al de la Pardo Bazán y *Clarín*— no se llega de golpe, sino a través de una serie de tanteos, representados por estos géneros próximos como el artículo de costumbres.

En la revista literaria *El Español,* y en su número 18 de 1845, comenzó a publicarse un artículo o narración con el título *De Madrid a Málaga,* en donde su autor, Casto de Iturralde, dice:

«Más por entretenerme recordando mis pasadas aventuras que por divertirte, carísimo lector, refiero en este que yo llamo artículo de costumbres y que tú podrás calificar como quieras, un viaje que desde la Corte hice *in illo tempore* a la ciudad de Málaga. Si la lectura del cuento que te ofrezco te hiciere sonreír, me alegraré...» [15].

Se trata de un artículo de costumbres realmente, pero el autor lo llama también cuento, y cree que el lector podrá calificarlo de cualquier otra manera.

Ventura Ruiz Aguilera publicó en *El Museo Universal* numerosos artículos de costumbres, así titulados: *El Rastro de Madrid, Las lavanderas del Manzanares, Los pobres de San Bernardino,* etc. Del mismo autor y publicado en la misma revista es *Yo en compra. Cuento fantástico* [16], que, a pesar del subtítulo, nada tiene de cuento y sí bastante de artículo de costumbres, o más bien de fantasía quevedesca al estilo de los *Sueños*. Los *Proverbios ejemplares* de Ruiz Aguilera son un género híbrido que unas veces tiende al cuento, y otras, al artículo costumbrista [17].

Pedro Antonio de Alarcón, por el contrario, diferenció bien sus *Novelas cortas* de sus *Artículos de costumbres,* parte de los cuales recogió en volumen, quedando otros diseminados en las revistas de su tiempo. El caso de Alarcón es excepcional, ya que lo corriente en los narradores del pasado siglo, y aun en muchos del actual, era reunir, barajados en un volumen, cuentos y artículos de costumbres [18].

Así lo hacen Eduardo Bustillo en *El Libro azul* (1879), formado por *novelitas* y *bocetos de costumbres;* Salvador Rueda en su *Sinfonía callejera* (1893); Alfonso Pérez Nieva en *Los Gurriatos* (1890); Rafael Altamira en *Fantasías y recuerdos* (1910), etc.

En realidad, resulta difícil a veces discriminar si una narración es cuento o artículo de costumbres, ya que no existe un patrón o rasero con el que medir la dosis argumental que podría diferenciar los dos

---

[15] *El Español,* n. 18, lunes 29 septiembre 1845, pág. 11.

[16] *El Museo Universal,* n. 24, 15 diciembre 1859, págs. 186 y ss.

[17] La literatura de carácter moralizador, social, se caracteriza en los años románticos o inmediatamente post-románticos, por esa oscilación entre los dos géneros próximos. Por eso, la Pardo Bazán decía que «*Fernán Caballero* fluctuó siempre entre la narración novelesca y el cuadro de costumbres» (*Nuevo Teatro Crítico,* n. 13, enero 1892, pág. 45).

[18] Decía la Pardo Bazán, de Alarcón: «Sus artículos de costumbres son más bien arpegios, variaciones o *scherzos* brillantes, de carácter profundamente subjetivo; dígalo el más celebrado entre todos, *La Nochebuena del poeta*» (*Nuevo Teatro Crítico,* n. 13, pág. 45).

géneros. Un artículo en que lo costumbrista esté muy disuelto y con bastante animación argumental, no se diferenciará de un cuento de escasa trama y bastante colorido descriptivo.

El toque diferenciador está en lo argumental, pero —repetimos— no es esta sustancia medible o pesable hasta el punto de permitirnos clasificaciones exactas y rígidas.

Téngase presente que el costumbrismo satírico inficionó y sigue inficionando al cuento, restándole mérito, en nuestra opinión, pero sin menoscabar sus características.

Tal es el caso de numerosos relatos de *Clarín,* elaborados con mentalidad y técnica de crítico satírico [19]. Tales, *Cuervo, El hombre de los estrenos, Bustamante, Zurita, El número uno, La imperfecta casada, Don Urbano, El señor Isla, González Bribón, De la Comisión, El poeta-búho, Un candidato,* etc. Estas narraciones, típicamente clarinescas, se salvan por el interés y agudeza de las observaciones, por la gracia de algunos tipos, pero representan la parte más floja de la literatura creacional del autor, y tienen sus antecedentes indudables en la sátira costumbrista de Larra. (Recuérdese *El castellano viejo,* que podría considerarse como la fórmula precursora de la de *Clarín,* deformada caricaturescamente por éste.)

Pese a estas características que diferencian tales narraciones de los cuentos auténticos, lo cierto es que siguen estudiándose y publicándose como cuentos, según lo hiciera el propio *Clarín,* excepto en algún caso en que los publicó mezclados con sus *solos* y *paliques* de crítica.

Resulta inútil, pues, detenerse en excesivos distingos ni en una crítica cernedora que convertiría la pureza narrativa del cuento en una entelequia. Hemos de atenernos a realidades, pensando en que lo argumental, que es lo decisivamente característico del cuento, es muchas veces empañado por lo lírico, lo satírico, lo costumbrista o lo tendencioso. Así debe ser, ya que el cuento, como producto humano que es, va cargado de las preocupaciones entre las que respira su autor, y es trasunto de la ideología y sentimientos de éste.

La misma Pardo Bazán, la más objetiva y fecunda narradora de cuentos, deriva hacia un costumbrismo impresionista en algunas de

---

[19] Vid. las páginas que a estos relatos dedicamos en nuestro capítulo de *Cuentos satíricos y humorísticos.* A esta clase de narraciones debió de aludir A. González Blanco al decir que *Clarín* escribió «*cuadros de costumbres,* cuentos morales, cuentos líricos» (*Historia de la novela...,* pág. 496).

sus narraciones rurales: v. gr., *Lumbrarada,* perteneciente a la serie *Cuentos de la tierra.*

Pío Baroja en sus *Vidas sombrías,* publicado en 1900, mezcla los cuentos con las fantasías líricas —*Mari Belcha, Playa de antaño,* etc.— y con cuadros costumbristas: *La venta, Angelus,* etc. Lo mismo puede decirse de algunos libros de *Azorín,* con narraciones empapadas de un costumbrismo bien disuelto, poetizado delicadamente.

En resumen, el costumbrismo persigue al cuento como la sombra al cuerpo, tal vez porque contribuyó a su aparición y lo nutrió constante y generosamente [20]. Una frontera divisoria entre uno y otro género podría ser la representada por la siguiente proporción: Argumento-Descripción detallista de ambientes o pintura satírica de tipos.

Un aumento del primer miembro supone aproximación al cuento; del segundo, al artículo de costumbres. El cuento perfecto, ideal, es el consistente en solo argumento. Según vaya más o menos lastrado de descriptivismos o de notas satíricas, se acercará en idéntica proporción al artículo de costumbres. El equilibrio entre los dos términos de la proporción corresponde, tal vez, a algunos cuentos de *Clarín.*

IV. CUENTO Y POEMA EN PROSA

He aquí otro género próximo al cuento, mezclado con él en antologías y revistas, y que, sin embargo, casi viene a ser su antítesis. Como siempre, no existe en este caso un rasero con el que medir cuándo un cuento por su excesivo lirismo es ya poema en prosa, o cuando un poema en prosa por su interés narrativo se convierte en cuento.

Hay que considerar además, que entre el cuento y el poema en pro-

---

[20] Decía Cejador: «Los cuadros de costumbres y tipos de la época romántica tenían que parar en el cuento y en la novela realista, que nacen, puede decirse, o resucitan en esta época» (*Historia de la lengua y de la literatura castellana.* Tomo VIII. Madrid, 1918, pág. 46).

Y *Andrenio* consideraba también que la aportación de los escritores costumbristas había sido grande: «Les enseñó a salir de la mascarada medieval de los románticos, para instalarse como observadores en la sociedad en que vivían y prepararse a contemplar la comedia humana. El escenario era el cuadro de esa misma sociedad; la descripción de tipos, de costumbres, de escenas, el fondo de la fábula novelesca. En resumen, lo que trajeron los costumbristas fué un aprendizaje de observación y de deducción» (*El renacimiento de la novela española en el siglo XIX,* pág. 39).

sa está el que pudiéramos llamar cuento lírico, como de hecho lo son algunos de Salvador Rueda, de *Fernanflor,* de José de Roure, de Martínez Sierra, etc. En esta clase de narraciones lo puramente narrativo aún no ha desaparecido, si bien lo que predomina en ellas es el lirismo, no sólo acusable en el lenguaje, sino también en la misma calidad del asunto.

Entendemos por asunto lírico el que pudo expresarse poéticamente en verso, pero que por hábito del autor, hecho a la prosa, o por obedecer a una moda generacional —caso del modernismo— encarnó en prosa narrativa. Este tipo de asuntos líricos nada tiene que ver con lo que de poético pueda llevar implícito todo cuento, aun cuando su forma o aun su tema revistan la más prosaica apariencia [21].

También aquí, como en el caso del cuento y el artículo de costumbres, o el del cuento y la leyenda, hay que contar con el importantísimo factor cronológico, ya que según la época y el estilo dominante, la narración breve tiende a uno u otro género.

Así, en los años románticos pesa más lo lírico que lo narrativo en las narraciones breves, que, como ya hemos visto, adoptan muchas veces la forma versificada. Siendo el Romanticismo un estilo profundamente lírico, una actitud individualista y sentimental, es explicable que el lirismo sea la nota dominante y aparezca en todos los géneros literarios, incluso en el drama y en la novela. Aún no ha aparecido el poema en prosa —denominación y género que creemos finiseculares, propios de un momento de refinada decadencia: Turgueniev, Oscar Wilde, Rubén Darío—, pero sí existen precedentes de él, como las numerosas *baladas* que las revistas románticas publicaban.

La balada —que nada tiene que ver con lo que en la literatura trovadoresca medieval recibió ese nombre— no es un género nacional, y su cultivo es consecuencia del gusto por lo germánico —concepto éste

---

21 Vid. más adelante nuestro estudio del cuento encuadrable entre poesía y novela, y las consideraciones que en él hacemos acerca de este punto. Aquí citaremos un pasaje de Georg Brandes, muy significativo: «La verdadera poesía es la poesía del cuento. Un cuento es una visión sin coherencia, y el fuerte del cuento consiste en hallarse en posición diametralmente contraria al mundo de la realidad y, sin embargo, guardar semejanza con él» *(Las grandes corrientes de la literatura en el siglo XIX.* Tomo I, pág. 336).

Claro es que el autor, al decir esto, piensa en el cuento romántico —y concretamente en el alemán—, muy orientado hacia el lirismo y lo fantástico, según puede apreciarse a través de las traducciones que de leyendas y baladas alemanas publicaban las revistas románticas españolas.

confusamente entendido, tras el que sólo había sílfides, gnomos, delirios de Hoffmann y castillos rhenianos—; gusto y afición que cristalizaron en las traducciones e imitaciones de leyendas y baladas alemanas.

En 1838, el *Semanario Pintoresco Español* publica *Colón. Balada alemana* de Luisa Bracmann; en 1840, una traducción de una *Balada alemana* de Burger, titulada *Lenorá;* en 1845, una *Balada* de Benito Vicetto, titulada *Stellina,* y otra de Víctor Balaguer, *Edita la del cuello de cisne.* En el mismo año, *El Español* inserta varias traducciones de relatos alemanes: *La Cena del Señor de Leonardo de Vinci, Andrés Organna, El espejo encantado,* etc. En 1852, el *Semanario Pintoresco* publica *Idilios,* narración lírica de R. M. Baralt, de imitación gessneriana, y una traducción de J. R. Figueroa, de un poema ossiánico. En 1855 y en la misma revista, S. J. Nombela publica dos baladas: *Azelia y las Willis* y *Lelia.* En 1856, Pedro de Madrazo da a conocer una *Balada en prosa: El hidalgo de Arjonilla,* y Eduardo Gasset, otra, *La sombra del caballero.* M. Ossorio y Bernard publicó en 1859, en *El Museo Universal, La mujer del pescador. Balada.* En 1860, en la misma revista aparecen *El manto de estrellas,* narración lírica de E. Serrano Fatigati, y *El llanto del justo, Elegía en prosa* de Manuel Vázquez Taboada, etc.

Estas baladas y breves relatos líricos —a los que pudieran añadirse otros muchos de Manuel Murguía, Melchor de Palau, Eugenio María Hostos, Manuel Valcárcel, etc.— se caracterizan por el amaneramiento expresivo, que lleva a los autores a adoptar como forma narrativa una, intermedia entre verso y prosa, que consistía en algo así como el versículo prosificado, distribuido en capítulos muy breves, y remedando tal vez el estilo y técnica de las primitivas sagas y escaldas nórdicas.

Así, *Hilda,* cuento fantástico y lírico de Eugenio de Ochoa, ambientado en Alemania, «patria de las sílfides y las ondinas..., suelo predilecto de los encantadores y los magos», consta de 16 páginas —en la edición de *Miscelánea* de 1867— con un total de 30 capítulos brevísimos, en una proporción de dos o tres por página. Es la misma artificiosa distribución que Bécquer adoptó —imitando no la antigua épica nórdica, sino la oriental— en algunas de sus leyendas: *La Creación, El caudillo de las manos rojas.*

En cuanto a los asuntos, estas baladas son en realidad cuentos legendarios y fantásticos que no se diferencian de los que con tales nombres se publicaban, más que en la extensión y en el artificio narrativo. (Las baladas suelen ser muy breves.)

Con el naturalismo el cuento lírico desaparece prácticamente, para resurgir transformado ya, en muchos casos, en poema en prosa, con el modernismo: Salvador Rueda, Rubén Darío, Benavente —*El caballero de la muerte, El poema del circo,* etc.—, Gómez Carrillo, etc.

Esto no excluye que algunos relatos de escritores naturalistas se acerquen a la concepción del cuento lírico: *Vario* de *Clarín, La paloma azul* de la Pardo Bazán.

Creemos, no obstante, que el momento decisivo en la aparición y cultivo del poema en prosa lo representa Rubén Darío con su libro *Azul,* impreso en 1888 en Valparaíso, al que pertenecen *El rey burgués, El sátiro sordo, El velo de la reina Mab* y otros *cuentos en prosa,* según los llamaba —sorprendentemente— D. Juan Valera en sus *Cartas americanas* [22].

El mismo Rubén Darío, en una carta publicada en *La Nación,* fechada en 1913 en París, explicó las influencias asimiladas en *Azul* y el origen de algunos cuentos:

«¿Cuál fué el origen de la novedad en *Azul?* El origen de la novedad fué mi reciente conocimiento de *autores franceses del Parnaso,* pues a la sazón la lucha simbolista apenas comenzaba en Francia... Fué Catulle Mendés mi verdadero iniciador... Algunos de sus cuentos lírico-eróticos, una que otra poesía de las comprendidas en el *Parnase contemporaine,* fueron para mí una revelación. Luego vendrían otros anteriores y mayores: Gautier, el Flaubert de *La tentación de S. Antoine,* Paul de Saint Victor, que me aportarían una inédita y deslumbrante concepción del estilo.»

«En cuanto al estilo, era la época en que predominaba la afición por la *escritura artística* y el diletantismo elegante. En el cuento *El rey burgués* creo reconocer la influencia de Daudet. En *El sátiro sordo,* el procedimiento es más o menos mendesiano, pero se impone el recuerdo de Hugo y de Flaubert. En *La ninfa,* los modelos son los cuentos parisienses de Mendés, de Armando Silvestre. de Mezeroi; con el aditamento de que el medio, el argumento, los detalles, el tono, son de la vida de París, de la literatura de París... En *El fardo* triunfa la entonces en auge escuela naturalista. Acababa de conocer algunas obras de Zola, y el reflejo fué inmediato; mas no correspondiendo tal modo a mi temperamento ni a mi fantasía, no volví a incurrir en tales desvaríos. En *El velo de la reina Mab* el deslumbramiento shakespeariano me poseyó, y realicé por primera vez

---

[22] «En el libro hay *cuentos en prosa* y seis composiciones en verso. En los. cuentos y en las poesías todo está cincelado, burilado, hecho para que dure, con primor y esmero, como pudiera haberlo hecho Flaubert o el parnasiano más. atildado» (*Cartas americanas.* 1899, pág. 214).

el poema en prosa. Más que en ninguna de mis tentativas, en ésta perseguí el ritmo y la sonoridad verbales, la transposición musical» [23].

Valera empleaba para estas narraciones la denominación de *cuentos en prosa;* Rubén decía que con *El velo de la reina Mab* realizó su primer *poema en prosa.* He aquí dos denominaciones que se oponen y que habría que explicar.

La actitud de Valera quedaría justificada con sólo recordar lo que en otro capítulo hemos dicho sobre las imprecisiones terminológicas observables en este crítico, que consideraba novelista a lord Byron y que, de acuerdo con la moda de su época, llamó cuentos a algunas de sus composiciones versificadas. *Azul* era un libro esencialmente poético, y Valera debió de creer oportuno subrayar que algunos de los cuentos en él incluídos tenían forma prosística.

Si Rubén empleaba la denominación *poema en prosa* para *El velo de la reina Mab,* y reservaba la de cuentos para narraciones como *El rey burgués,* lo haría fijándose tal vez en la dosis argumental de una y otras composiciones. En *El rey burgués,* pese al lenguaje fastuoso y a la intención melancólicamente lírica, aun hay argumento. Y no es que éste falte en *El velo de la reina Mab,* pero es ya de distinto signo, como nacido de un pensamiento lírico que en vez de encarnar en versos, tomó cuerpo en prosa rítmica y colorista.

En realidad, ninguno de los llamados cuentos de Rubén —excepto algunos realistas, deliberadamente antipoéticos: *El Fardo, La Matuschka,* etc.— se diferencian demasiado de los llamados poemas en prosa, si bien éstos son más breves y sin motivación anecdótica. *La muerte de la emperatriz de la China* es tal vez la narración rubeniana que más se acerca al puro esquema del cuento, por la índole de su asunto e incluso por la técnica de que su autor se sirvió. Es, realmente, un cuento de los que nosotros llamamos de *objeto pequeño,* aun cuando su forma afiligranadamente poética choque un poco con lo que es normal —sobriedad narrativa— en este género literario. *El hombre de oro* podría servirnos de ejemplo de novela corta rubeniana.

Sanguínea, Los pescadores de sirenas, La canción del Invierno, Sol de domingo, La canción de la luna de miel, etc., son poemas en prosa, sin nada ya que les acerque al cuento; estrictos motivos líricos que no han pasado al verso.

---

[23] Cito a través de Cejador: *Historia de la lengua y la literatura castellana.* Tomo X, págs. 98-99.

Como siempre, lo argumental decide cuándo una narración pasa de cuento poético a poema en prosa. *La muerte de la emperatriz de la China,* pese a su estilo brillante y a su lenguaje poético, tiene el interés de la anécdota, de la trama. En *Sanguínea,* v. gr., no hay nada argumental y sí solamente unos motivos coloristas, líricos.

Así como la Pardo Bazán decía que algunos poemas de su época —del corte y estilo de *El tren expreso* de Campoamor— eran, en realidad, cuentos versificados que bien podían ser puestos en sencilla prosa narrativa, así también existen poemas en prosa que nada tienen de común con el cuento, si no es la forma prosística, equivaliendo a composiciones en verso.

Otra cosa es —repitámoslo— el cuento lírico, que si por la forma y lenguaje se acerca al poema en prosa, aún posee la suficiente fuerza argumental como para no confundirse con este último género.

Campoamor y Núñez de Arce se esforzaron por dar a la poesía un tono naturalista —actitud ésta de signo antirromántico—, acercándola lo más posible a la prosa y aun a la prosa no literaria, al lenguaje conversacional. (Ultima consecuencia de este naturalismo poético es el regionalismo a lo Gabriel y Galán, que ya no se contenta con la común prosa hablada, sino que desciende al incorrecto lenguaje dialectal.)

Los escritores modernistas intentaron hacer con la prosa lo que Campoamor y Núñez de Arce con el verso, pero animados de una intención completamente opuesta. Ahora se pretende acercar la prosa al verso, creando el llamado estilo artístico, rítmico, colorista.

Los dos intentos tienen una raíz común: borrar las diferencias entre la prosa y el verso, para lo cual se idean dos soluciones distintas y opuestas, prosaización del verso y poetización de la prosa.

El cuento es el género más adecuado para probar y ensayar ambas soluciones, lo cual, dicho sea de paso, es una prueba más de su papel o categoría de género eslabón entre la poesía y la novela, como más adelante intentaremos demostrar.

V. CUENTO Y NOVELA CORTA

Al estudiar las vicisitudes terminológicas por que pasó la voz *cuento,* nos ocupamos ya de las relaciones y confusiones entre *cuento* y *novela corta,* tomando como base sus posibles equivalencias con la *nouvelle* francesa. Recordaremos que hasta muy avanzado el siglo xix era la *nouvelle* género sin equivalente en la literatura española, o a lo menos eso creían los críticos [24]. *Fernán Caballero* se esfuerza, con sus *Relaciones,* en cubrir ese vacío literario, como más tarde José de Castro y Serrano cree lograr con sus *Historias vulgares,* un género que no es ni novela ni cuento.

Claro es que tanto *Fernán* como Castro y Serrano huyeron de las voces *novela* y *cuento,* no por lo que éstas significaban dimensionalmente, sino por ver en ellas unos sinónimos de ficción, fantasía. Es éste un prejuicio antirromántico —pese a representar *Fernán* un romanticismo mesurado—, propio de una época que no veía bien los excesos de la más fugaz, pero más perdurable de las revoluciones literarias. Al siglo xviii, didáctico, inimaginativo y frío, sucedió el delirio romántico. Bastaron sólo unos años de fiebre y de pasión para que lo novelesco fuera concepto paralelo a lo romántico, es decir, a lo fantástico, lo desbocado, lo absurdo.

Pero no es ésta cuestión que nos interese ahora, y si a ella hemos derivado ha sido para justificar la actitud de esos narradores como *Fernán* y Castro, que, pretendiendo crear un género narrativo nuevo, no hicieron sino escribir novelas cortas y cuentos.

No cabe duda de que en el siglo xix coexisten estos dos géneros,

---

[24] En cambio, algún crítico francés, como Henri Merimée, juzgaba que «En Espagne, le genre romanesque a commencé par la nouvelle. Car c'est un abus de classer sous la rubrique «roman», tel que nous le concevons aujrd'hui, des ouvres comme la *Diana* que est une bergerie, comme l'*Amadis* qui est, malgré la prose, une manière d'epopée ou comme la *Célestine,* que sa forme dialoguée rettache au théatre; tout au plus, ces oeuvres prouvent-elles que le roman, avant de trouver sa vraie nature, a hésité entre plusieurs voies et qu'il ne s'est degagé que lentement du genre pastoral, du genre épique et du genre dramatique; mais du jour où il se constitua à l'état independant, ce fut par des nouvelles qu'il affirma son existence, qu'il s'agisse du *Lazarillo,* des *Novelas ejemplares* ou des *Novelas* de Lope de Vega» (*Bulletin Hispanique.* XXVII, 1925, n. 4, pág. 377).

haciéndose difícil su diferenciación en algunas ocasiones; diferenciación que siempre se apoyará en lo dimensional. Pero al no existir un canon delimitador de las justas proporciones del cuento, rebasadas las cuales se caiga ya en la novela corta, hay que aceptar que el que una narración sea una cosa u otra depende de la intención del autor y de las calidades del asunto elegido.

Quitada la extensión, no puede apreciarse diferencia de técnica o de intención estética entre cuento y novela corta. Es lo que advertía Prevost en el prólogo a unas narraciones de Maupassant, al decir que las novelas cortas, como *Boule de suif,* no se diferenciaban de los cuentos nada más que en la extensión.

En efecto, la técnica es la misma: Maupassant, la Pardo Bazán, *Clarín* componen novelas cortas y cuentos, sirviéndose de un mismo procedimiento, consiguiendo idéntico tono en unas y otros. La novela corta y el cuento se ven de una vez, y se narran sin interferencias, sin digresiones, sin personajes secundarios. Sólo se diferencian en que el asunto de la novela corta —que, en los mejores casos, tiene una raíz poética semejante a la del cuento, v. gr., *Doña Berta* de *Clarín*— requiere más páginas. Podrá objetarse que entonces tal asunto no corresponde a una novela corta, sino a una *novela* sin más, es decir, a una novela larga.

Pero es objeción ésta a la que puede responder cualquier lector de cuentos, de novelas cortas y de novelas extensas. En estas últimas, más que la trama, le interesan los tipos, los ambientes; siendo prueba de ello el que mientras un cuento se recuerda o no por el asunto, una novela se recuerda más por algún personaje o alguna incidencia parcial que por el argumento, mucho menos importante que en los otros dos géneros breves.

La novela corta es, ante todo, argumento, diferenciándose así de la novela larga, que requiere una técnica distinta. *Pipá, Doña Berta, Superchería,* de *Clarín,* son *novelas cortas* por sus dimensiones. Compárese la técnica empleada por su autor en ellas con la utilizada en *La Regenta* o *Su único hijo,* y se verán las profundas diferencias entre los dos géneros. El asunto de *Su único hijo* es tan insignificante que en esquema serviría para un cuento, residiendo su interés en la pintura del ambiente y los tipos. Los argumentos de *Pipá* y *Doña Berta,* v. gr., poseen una intención poética que nada tiene que ver con la novela propiamente dicha. No hay en esas narraciones interferencias ni digresiones, no sobra ni una página, y si las dimensiones exceden las del cuento —el cuento normal, a lo Pardo Bazán, de tres o cuatro páginas—, no exceden las que el desarrollo del asunto requiere.

Sería absurdo valorar un género literario por sus dimensiones. Las del cuento alcanzan gran variedad. Juan Ochoa tiene narraciones de dos páginas —La flauta—; las de la Pardo Bazán oscilan entre cinco, seis, siete o diez páginas —más abundantes las breves—, llegando en algún caso a las dieciséis —La mayorazga de Bouzas—, pasando en otras de las treinta —Un destripador de antaño—, cayendo de lleno en la novela corta al rebasar las sesenta páginas: Bucólica, La dama joven, Por el arte, etc.

Las narraciones de Clarín oscilan entre la veintena y la docena de páginas, aun cuando la tendencia del autor es a darles una mayor extensión que la Pardo Bazán. Boroña y Cristales ocupan ocho páginas, mientras que El caballero de la mesa redonda ocupa cuarenta, y El cura de Vericueto, sesenta, todas publicadas en la misma serie de Cuentos morales.

De las narraciones de Estébanez Calderón pueden considerarse novelas cortas, El collar de perlas y la misma Cristianos y moriscos, mientras que El Fariz, Los tesoros de la Alhambra, Catur y Alicak, etcétera, por su brevedad, podrían llamarse cuentos.

La misma irregularidad en el número de páginas puede observarse en la mayor parte de los narradores del siglo pasado.

Fernán Caballero tiene narraciones de sesenta y seis páginas —Deudas pagadas—, de ciento —Simón Verde—, de cuarenta y cuatro —El último consuelo—, de veinte —El dolor es una agonía sin muerte—, de dieciséis —Los dos amigos—, de siete —La buena y la mala fortuna—, de cinco —Doña Fortuna y Don Dinero—, etc.

Trueba escribió narraciones de diversa extensión: El maestro Tellitu, Diabluras de Periquillo, El molinerillo, Las cataratas, La felicidad doméstica, etc., son novelas cortas. Sus cuentos fluctúan entre las cuarenta y las diez páginas.

Suum cuique, Blasones y talegas, La mujer del César y Oros son triunfos son ejemplos de novelas cortas de Pereda. De la primera época de Galdós y escritas hacia el año 1870 son La sombra —ciento cuarenta páginas— y Celín —sesenta y cuatro—. Puede también considerarse novela corta *Torquemada en la hoguera* —ciento catorce páginas—, según lo hiciera *Clarín* [25].

Sería inútil, sobre prolijo, reseñar las diferentes dimensiones que los cuentistas decimonónicos dieron a sus relatos. Unicamente citaremos, para acabar, el caso de Jacinto Octavio Picón, autor de novelas cortas —*La recompensa, Prueba de un alma, Amores románticos*— y de cuentos no demasiado breves, excepto tal vez la serie *Cuentos de mi tiempo*. En compensación, este escritor cultivó poco la novela larga —por lo menos, demasiado larga—, gustando siempre de cierta brevedad, hasta el punto de que la Pardo Bazán decía de *Dulce y sabrosa:*

«En el cuento largo o juguete de Picón hay fondo bastante para novela...» [26].

Cuento largo es un término equivalente a *novela corta,* que doña Emilia Pardo Bazán empleó inconscientemente, pero que podría servirnos —bien entendido— para aclarar lo que venimos exponiendo a lo largo de este capítulo.

Decíamos que la novela corta sólo se diferenciaba del cuento en su extensión; apreciación que parece confirmar el hallazgo del término *cuento largo*. Prescindiendo de la obra así calificada por la Pardo Bazán, que es una novela, podríamos pensar que el *cuento largo* no significa el clásico perro hinchado, sino, sencillamente, el relato de un cuento cuyo asunto, desnudo, sin digresiones, sin interferencias, requiere la extensión propia de lo que llamamos una *novela corta*.

Otra cosa es diferenciar el *cuento popular* de la *novela corta,* ya que siendo esta última, narración exclusivamente creacional, literaria, se aparta del primero no sólo en dimensiones, sino también en técnica, en intención. Esto nos explica que cuando algún crítico identifica *cuentos* y *novelas cortas,* lo hace pensando en los literarios, como Rafael Altamira refiriéndose a los de Maupassant [27].

---

[25] Estudiando *Clarín, Torquemada en la hoguera,* dice: «Primero apareció *Torquemada en la hoguera,* novela corta...» (*Galdós*. Estudio biográfico-bibliográfico. Ed. Renacimiento. Madrid, 1912, pág. 263). En otra ocasión emplea la palabra *cuento* para esta narración: «*Torquemada en la hoguera,* precioso cuento...» (íd., pág. 253).

[26] *Nuevo Teatro Crítico,* n. 6, pág. 64.—Utilizó también la Pardo Bazán esta expresión para una novela corta de Zola. Hablando de *Las veladas de Médan,* dice: «Encabeza el volumen un cuento largo de Zola, *El ataque al molino...*» (*La literatura francesa moderna*. III. *El naturalismo,* pág. 159).

[27] Los cuentos o novelas cortas (*Contes* y *nouvelles*) son una patente demostración de esta cualidad» (R. Altamira. *Mi primera campaña,* 1893, pág. 202).

En nuestro estudio del cuento decimonónico no hemos prescindido, pues, de la novela corta. No se comprendería a *Clarín* sin *Doña Berta, Pipá, Avecilla,* etc., que figuran entre sus mejores narraciones. Y lo que de Alas decimos podría aplicarse a muchos narradores que cultivaron los dos géneros hermanos, sin diferenciarlos, mezclándolos en sus publicaciones, como brotados ambos de un mismo impulso, de una misma vocación.

Todo lo que digamos del cuento, de sus conexiones con la poesía, puede aplicarse, por tanto, a la novela corta, salvadas las diferencias de extensión con las naturales consecuencias de ellas nacidas: más descripción, más diálogo y más detenimiento en la pintura de caracteres. Cuando el autor abusa de estas consecuencias entra ya en el terreno de la novela.

La novela corta ha de actuar en la sensibilidad del lector con la misma única fuerza de vibración que el cuento posee. Si esa novela corta, en vez de una sola vibración emocional, sin baches, sostenida en un solo acorde, provoca sensación de varias notas, intensas pero separadas por relleno novelístico, es que el autor no ha acertado. Su obra nada tiene que ver ya con el cuento ni con la novela corta, perdida la sensación de descarga emocional, más o menos lenta según las dimensiones de la narración, pero siempre única, tensa, emitida de una vez.

La novela es como un sinfónico conjunto de vibraciones, cuyo efecto total no percibimos hasta que la última ha sido emitida. El cuento es una sola vibración emocional. La novela corta, una vibración más larga, más sostenida.

De ahí que nos parezca acertado el siguiente juicio de Gregorio Marañón sobre estos dos géneros, excepto las líneas finales:

«Sólo el tamaño separa al cuento de la «novela corta» nuestra, la «nouvelle», que los franceses definen como composición «qui tient le milieu entre le conte et le roman». Muchos escritores, como Guy de Maupassant, como nuestro Blasco Ibáñez, creaban indistintamente novelas cortas y cuentos: *Contes et Nouvelles* se titula el último libro de Maurois, y se ve que son una u otra cosa, según que al autor le fuera posible contar la historia humana en más o menos palabras. La invención es la misma, igual la técnica, y van dirigidas a los mismos lectores. Podríamos citar cuentos de los grandes escritores nombrados que con la simple adición de cosas accesorias —descripciones, divagaciones, personajes secundarios— serían novelas cortas; y con un esfuerzo más, novelas a secas, el «roman», la novela larga» [28].

[28] Prólogo del Dr. Marañón a *Sus mejores cuentos,* de Osvaldo Orico. Madrid, 1947, págs. VI-VII.

Narrar un cuento o una novela corta es, por tanto, cuestión de más o menos palabras, pero no cuestión arbitraria. Fijémonos en que el propio Marañón reconoce que el número de esas palabras es el que requiere la acción, y no más ni menos. Por tanto, un cuento no puede ampliarse y transformarse en novela corta, ya que por la índole de su asunto no necesita más palabras, ni más divagaciones o personajes secundarios. No se resuelve el paso del cuento a la novela mediante un hinchamiento del primero, como dice Marañón, sino que es necesario un asunto que por sí mismo —y no por las digresiones— requiera más páginas, las de una novela corta. Los personajes secundarios son propios de las novelas extensas. En una novela corta —como *Pipá* o *Doña Berta*— no existen prácticamente, puesto que el autor no se detiene en ellos más que el tiempo preciso que requiere la acción, y no nacen como adehala de ésta, sino que son parte integrante de la misma.

La novela corta no es, por consiguiente, un *cuento dilatado;* es un *cuento largo,* cosa muy distinta, ya que el primer término se refiere a aumento arbitrario —con «cosas accesorias»—, y el segundo alude a un asunto para cuyo desarrollo no son necesarias digresiones, pero sí más palabras, más páginas.

Thibaudet ha definido perfectamente la novela corta al decir:

«Entre la novela y la novela corta hay la diferencia que existe entre lo que es un mundo y lo que está en el mundo» [29].

Esta exacta distinción corrobora todo lo que venimos diciendo, ya que esa cualidad de *estar en el mundo* es precisamente la que caracteriza también al cuento, trozo de vida expresivo e intenso.

La novela, sobre todo la del pasado siglo, aspira a reflejar la vida en toda su integridad y con todas sus variantes. El cuento y la novela corta recogen un aspecto —una vibración— de la vida.

Las dimensiones están en la novela al servicio del conjunto —personajes accesorios, descripciones, interferencias—, y en el cuento y novela corta, al del argumento exclusivamente. De la extensión de éste depende el que la narración sea uno u otro género [30].

---

[29]   Albert Thibaudet: *Historia de la literatura francesa desde 1879 hasta nuestros días.* Ed. Losada. Buenos Aires. Segunda edición, 1945, pág. 189.

[30]   Sobre el valor y significado de la *novela corta,* vid. Sean O'Faolain: *The short story,* obra en que el autor, con su experiencia personal —se trata de un narrador irlandés, cultivador del relato breve—, estudia algunos problemas técnicos entrañados en este género, ejemplificándolos con la inclusión de relatos completos de Daudet, Chejov, Maupassant, Stevenson, Hemingway, etc.

VI. NOVELA Y CUENTO

I. *Parentesco entre ambos géneros.*

Si al estudiar las diferencias existentes entre el cuento y los géneros próximos, como la leyenda, el artículo de costumbres, el poema en prosa, etc., obtuvimos una serie de matices y, por consiguiente, un mayor acercamiento al género buscado; ahora, al enfrentarlo con la novela, obtendremos sus notas dominantes, las que hacen de él un género literario aparte, independiente.

Recuérdense las diferencias establecidas entre el cuento medieval y renacentista, y el moderno, ya que ahora nos referiremos constantemente a este último. Podrá parecer el nuestro un estudio parcial, ya que la confrontación novela-cuento se hace a base de los textos de una sola época, pero teniendo presente que las narraciones que pudiéramos llamar pre-decimonónicas, aunque en potencia contengan las características del cuento moderno —es decir, del cuento literario—, difieren notablemente de éste, se comprenderá tal parcialidad.

Aunque hablemos del cuento como de una abstracción, sin apoyarnos exclusivamente en ejemplos, quisiéramos que tras ese concepto desnudo se adivinaran las mejores creaciones de *Clarín,* de la Pardo Bazán, de Palacio Valdés o de los mejores cuentistas contemporáneos españoles y extranjeros. Las ideales notas que, en nuestro parecer, posee el cuento podrían aplicarse a las narraciones modélicas que en nuestro estudio temático procuraremos resaltar.

El estudio comparativo de la novela y el cuento ofrece esta dificultad invencible de que, a menos de pormenorizar trabajosamente, cada cual se imagine tras las palabras *cuento* y *novela* unos esquemas subjetivos, surgidos de la lectura de las obras de uno y otro género que se consideren ejemplares, reveladoras. Con sólo pensar en la variedad de temas y técnicas dables en la novela, y en el número increíble de cuentos que desde el Romanticismo han escrito autores de tan diversos estilos e ideologías, se nos podrán disculpar las inexactitudes cometidas en este estudio, en el que *novela* y *cuento* manéjanse como conceptos ideales, sin tener en cuenta aquellos casos en que fallen parcial o totalmente las notas que de uno y otro género intentaremos dar.

Bueno será advertir también que si al hablar de *cuentos* pensamos en los modernos, es decir, en los creados a fines de la pasada centuria, otro tanto puede decirse de las *novelas*. Precisamente la convivencia de los dos géneros en un mismo siglo nos obliga a esta reducción aparente.

Aparente, porque al ser el XIX el siglo de la novela y del cuento, lo que de estos géneros se diga trascenderá de los límites temporales y afectará a la creación literaria, intemporal y perdurable.

* * *

Hemos observado en los capítulos anteriores el parentesco existente entre el cuento y otros géneros próximos, parentesco que en ocasiones era tan inmediato y cercano como en el caso de la *novela corta*.

¿Se da ese mismo parentesco entre la novela larga y el cuento? Para muchos el cuento no es sino una novela reducida o un fragmento novelesco. Con la misma razón hay quien afirma que algunas novelas no son sino cuentos aumentados. Así, Marañón, que diferencia ambos géneros por la cantidad de elementos accesorios que contienen, dice:

«En el cuento, la acción, condensada, lo es todo, con breves toques de escenografía descriptiva y el paso rápido de personajes por el fondo del escenario, ocupado por los protagonistas. En la novela, esta misma acción se diluye en aquellos otros componentes accesorios. Y así, muchas veces, al terminar un cuento, nuestro comentario es: con este cuento se hubiera podido hacer una gran novela. ¡Cuántas veces se ha dicho esto de Maupassant! Así como al leer una novela larga, como esas que propugnan ahora los norteamericanos para amenizar durante varias semanas el viaje diario de la casa al trabajo, o para distraer toda una vacación sin poner más que un solo volumen en la maleta, lo primero que se nos ocurre pensar es que todo ello, que puede estar muy bien, cabría holgadamente en veinte páginas, es decir, en las dimensiones de un cuento» [31].

¿Hasta qué punto son verdaderas las afirmaciones de Marañón? El segundo caso, el de la novela que es en realidad el clásico *perro hinchado,* el cuento alargado mediante incidentes y personajes secundarios, es verdadero y a diario encontramos ejemplos.

Pero si bien cabe tal tipo de novela, no puede decirse lo mismo del cuento: novela condensada. El que un cuento pueda convertirse en novela no creemos que sea una cualidad positiva, sino todo lo contrario. Si de la lectura de una narración breve sacamos la impresión

---

[31] Osvaldo Orico: *Sus mejores cuentos*. Prólogo de Gregorio Marañón. Madrid, 1947, págs. VII-VIII.

de que allí hay en potencia una gran novela, como dice Marañón, es que estamos ante un mal cuento, ante una novela frustrada.

El buen escritor sabe distinguir los asuntos y nunca elegirá un tema de novela para cuento o viceversa. Porque juzgamos un error esa creencia de suponer una única clase de asuntos, susceptibles de ser transformados en novelas largas, novelas cortas o cuentos, según la extensión con que se narren. Es preciso darse cuenta de una vez de que no reside la virtud específica de esos géneros en sus dimensiones, sino en la índole de sus argumentos. Imaginad un cuento típico —*¡Adiós, Cordera!* de *Clarín*, *¡Solo!* de Palacio Valdés, por citar dos muy conocidos— convertido en novela. El resultado sería poco menos que un engendro, pese a las dotes narrativas del autor, capaz de crear situaciones secundarias o de encantar con su estilo y sus descripciones. El buen cuento, el auténtico, jamás suscitará en nosotros esa impresión que Marañón cree encontrar nada menos que en Maupassant, cuyos cuentos breves no podrán ser nunca concebibles como novelas: *El bicho de Belhomme, El cordel, Minué,* etc.

El cuento, pues, no se diferencia exclusivamente de la novela en las «cosas accesorias», inexistentes casi en el primero y fundamentales en la segunda. Se diferencia —repetimos— en la índole de los asuntos, no susceptibles de ser transformados en novelas si no es artificial y forzadamente. El cuento que equivalga a novela en síntesis es un producto monstruoso; la novela que pudo ser y que por incapacidad narrativa de su autor quedó transformada en raquítica sinopsis sin mérito alguno.

Henri Mérimée, estudiando una colección de cuentos de Ramón Pérez de Ayala —que él llama *nouvelles*—, decía:

«On a souvent remarqué qu'entre le roman et la nouvelle il n'y a pas seulement une différence de longeur. Le roman suit l'aventure dont il s'agit, depuis ses origines jusqu'a à ses dernières consequences; il est par bien des côtés une «chronique», c'est-à-dire un récit chronologique dont le plan se modéle sur l'ordre même des événements et dont l'exactitude ne s'accommode ni d'omissions ni de raccourcis. La nouvelle choisit ses sujets entre ceux dont la crise, par se rapidité, requiert la brieveté: elle simplifie, condense, procéde par omission autant que par développement; elle projette sa lumière sur quelques circonstances d'une situation; elle n'est point le grand tableau de genre, mais la miniature exactement dessinée. De la nouvelle au roman, puisque par tant de traits ils s'opposent, peu d'écrivains ont réussi à passer. Les uns sont «nouvellistes» comme Prosper Mérimée, les autres sont romanciers comme Stendhal, mais on ne conçoit ni Prosper Mérimée s'essouflant jusqu'a produire un roman ni Stendhal se restreignant aux limites de la nouvelle. Différence de tempérament entre deux écrivains —objectera-t-on— plutôt que différence entre deux genres littéraires. Sans doute, mais si l'écrivain se voue à l'un des deux genres à l'exclusion de l'autre, c'est qu'il sent obscurément entre lui et le genre choisi une affinité, une harmonie qui rendra fructueux son effort. La différence, elle n'est pas seulement entre la nature des talentes, mais aussi entre les deux conceptions. Salvons en Balzac, l'auteur du *Père Goriot* et du *Colonel Chabert,* une rare exception, pues qu'il a su tour à tour amplifier ses œuvres qusqu'a aux dimensions de la comédie humaine ou les reduire aux proportions de la nouvelle» [32].

Juzgamos acertado el punto de vista de Mérimée, aun cuando creemos que los casos de autores que cultiven a la vez cuento y novela con fortuna, no son tan excepcionales como él cree, a lo menos en nuestra literatura, que cuenta con escritores como Alas, Palacio Valdés, la Pardo Bazán, etc., excelentes novelistas y cuentistas.

Mérimée dice bien explícitamente que se trata de dos géneros literarios distintos, y que, por lo tanto, no cabe pensar en reducciones o amplificaciones con las que convertir un mismo asunto en un cuento o una novela. Transformación ésta casi tan absurda como pretender hacer de una poesía un relato novelesco.

Y sin embargo, el cuento guarda parentesco con la novela, aunque no contenga a ésta en embrión ni sea fragmento de ella, como pretendían, algunos preceptistas decimonónicos [33]. Ese parentesco es quizás más histórico que literario, estético, ya que mientras podemos señalar rasgos que diferencian los dos géneros hasta el punto de independizarlos, no podemos señalar, en cambio, esa independencia desde el punto de vista temporal. Cuento y novela florecen conjuntamente en el siglo XIX, y los mejores novelistas son también — según acabamos de decir— los mejores cuentistas, como si escribieran movidos por una misma vocación. No debería entonces hablarse de novelistas o de cuentistas, sino de narradores que unas veces necesitan más páginas y otras, menos.

Efectivamente, en lo narrativo está el elemento denunciador del parentesco entre *cuento* y *novela*. Sin creer demasiado en esas simplistas consideraciones que los preceptistas hacían acerca de los orígenes históricos de la novela, parece indudable que en el desarrollo cronológico del arte narrativo el cuento precedió a la novela [34].

---

[32] *Bulletin Hispanique*. XXVII, 1925, n. 5. *Compte rendu* de *El ombligo del mundo*, de P. de Ayala, por H. Mérimée, pág. 376.

[33] Vid. el cap. *El cuento en las preceptivas del siglo XIX.*

[34] Decía Menéndez y Pelayo: «Género tan antiguo como la imaginación humana es el relato de casos fabulosos, ya para recrear con su mera exposición, ya

Esta última es género literario que requiere ser escrito, a diferencia del cuento primitivo y popular, que vivía sólo en los labios de los narradores. En un principio nace el apólogo, el «símbolo didáctico» que decía Menéndez Pelayo, del que deriva el cuento [35], germen a la vez de la novela. Pese a esta antigüedad, el cuento escrito es el más moderno de los géneros literarios. Resulta sorprendente y paradójico que un género precursor de la novela haya necesitado que ésta fuera cultivada intensa y extensamente para alcanzar jerarquía artística. Porque entre las causas que justifican el extraordinario auge del cuento en el siglo XIX no cabe olvidar el éxito de la novela, género considerado como sustituto de la vieja poesía épica.

Cada época tiene un medio de expresión literaria que se impone como una característica dominante, que es el que encuentra eco en las sensibilidades de los hombres de ese tiempo. En los siglos de oro fué el teatro el más popular de los géneros literarios, ya que en él veía el pueblo su mentalidad y sentimientos expuestos con una plasticidad y viveza que no encontraba en otras manifestaciones artísticas.

En el siglo XIX es más popular la literatura narrativa que la dramática. La novela pasa a ser instrumento de la educación —y de la in-educación— del pueblo. Género minoritario en sus más refinadas manifestaciones, y popular en las más bajas, como el folletín y las novelas sociales y eróticas (Sué, Kock), etc., se impone rápida y rotundamente. El teatro suena a mentira, a tramoya, a romanticismo. La novela emplea un lenguaje directo, se lee en cualquier momento, invade los periódicos, se hace accesible en forma de entregas, se encuentra en las bibliotecas públicas.

Aún hoy son más los lectores de novelas que los de poesía, lo cual es consecuencia del apasionamiento que tuvo lugar en la pasada centuria por los géneros narrativos. Además, si bien la poesía y el teatro recogían las inquietudes políticas, religiosas, sociales de la época; era en las páginas de las novelas donde encontraban su mejor expresión.

---

para sacar de ellos alguna saludable enseñanza. La parábola, el apólogo, la fábula y otras maneras del símbolo didáctico son narraciones más o menos sencillas, y germen del cuento, que tiene siempre en sus más remotos orígenes algún carácter mítico y transcendental, aunque este sentido vaya perdiéndose con el transcurso de los tiempos y quedando la mera envoltura poética» *(Orígenes de la novela.* Ed. Nacional. Tomo I, págs. 7-8).

[35] Doña Emilia Pardo Bazán decía que el cuento era *hijo del apólogo.* Vid. *El naturalismo,* pág. 151.

El lector buscaba en esas páginas no sólo la fruición narrativa, sino también la tesis ideológica.

El cuento reunía todos los atractivos de la novela, más el de la brevedad, que permitía leerlo en cualquier momento. Fruto de una época nerviosa, obsesionada ya por la idea de la velocidad, publicable en cualquier rincón de un periódico o revista, es género que se impone tan rápida y victoriosamente que llega a ser más representativo, más significativo que la novela. Los últimos años del xix y los primeros del xx son los más fértiles y admirables en cuanto a la producción de narraciones breves, género en que prueban fortuna todos los escritores, cualquiera que sea la modalidad específica que cultiven. (Recuérdense los casos de Rubén Darío, Salvador Rueda, Benavente, Unamuno, etc., cuentistas.)

II. *Peculiaridades del género literario «cuento»*

Todo lo que venimos exponiendo demuestra el parentesco innegable, existente entre la novela y el cuento, géneros narrativos que utilizan una misma forma expresiva, aunque entrañen diferentes técnicas y hasta diferente estética. Por eso apenas nos detendremos en la tan debatida cuestión de si es más fácil o más difícil escribir un cuento que una novela. A este respecto decía *Clarín,* estudiando los *Aguafuertes* de Palacio Valdés:

«No diré yo, como cierto crítico, que es más difícil escribir un cuento que una novela, porque esto es relativo, como decía D. Hermógenes I.

Siempre que se habla de las dificultades de un género literario, recuerdo lo que decía Canalejas, mi querido e inolvidable maestro de literatura, a un discípulo que aseguraba, guiándose por la enseñanza de algunos preceptistas, «que el soneto era la composición métrica más difícil».

—Para mí, sí —decía Canalejas—; es cosa muy difícil un soneto; tan difícil, que nunca he escrito ninguno; pero lo mismo digo de las demás clases de combinaciones métricas. Mas un poeta verdadero no le entendería a usted eso de la dificultad especial de los sonetos.

Lo mismo sucede con los cuentos y novelas; no es más difícil un cuento que una novela, pero tampoco menos; de modo que hay notoria injusticia en considerar inferior el género de las narraciones cortas, en el cual, por cierto, se han hecho célebres muchos escritores antiguos y modernos, que no hay para qué citar, pues bien conocidos son de todos» [36].

---

[36] *Nueva campaña,* págs. 187-188.

Y en un *Palique* contra la plaga de malos cuentistas que inundaba los periódicos:

«El mal está en que muchos entienden que de la novela al cuento va lo mismo que del artículo a la noticia: no todos se creen Lorenzanas; pero, ¿quién no sabe escribir una noticia? La relación no es la misma. El cuento no es más ni menos arte que la novela: no es más difícil, como se ha dicho, pero tampoco menos; es otra cosa: es más difícil para el que no es *cuentista*. En general, sabe hacer cuentos el que es novelista de cierto género, no el que no es artista. Muchos particulares que hasta ahora jamás se habían creído con aptitudes para inventar fábulas en prosa con el nombre de novelas, *han roto* a escribir cuentos, como si en la vida hubieran hecho otra cosa. Creen que es más modesto el papel de cuentista, y se atreven con él sin miedo. Es una aberración. El que no sea artista, el que no sea poeta, en el lato sentido, no hará un cuento, como no hará una novela» [37].

Clarín, cuya autoridad como crítico, novelista y cuentista es innegable, precisa bien claramente que se trata de dos géneros distintos —la diferenciación estética no excluye el parentesco cronológico de que hemos hablado—, y, por lo tanto, no puede hablarse de una mayor o menor facilidad. *Clarín* cree tanto en la independencia de los dos géneros que llega a decir:

«Los alemanes, aun los del día, se precian de cultivar el género del cuento con aptitudes especiales, que explican por causas fisiológicas, climatológicas y sociológicas: Pablo Heyse, por ejemplo, es entre ellos tan ilustre como el novelista de novelas largas más famoso, y él se tiene, y hace bien, por tanto como un Frietag, un Raabe, o quien se quiera. Además, entre nosotros se reduce en rigor la diferencia de la novela y del cuento a las dimensiones, y en Alemania no es así, pues como observa bien Eduardo de Morsier, *El vaso roto*, de Mérimée, que tiene pocas páginas, es una verdadera novela (roman), y *La novela de la canonesa*, de Heyse, es una *nouvelle*, y ocupa un volumen. En España no usamos para todo esto más que dos palabras: cuento, novela, y en otros países, como en Francia, v. gr., tienen *roman, conte, nouvelle* u otras equivalentes. Y sin embargo, el cuento y la *nouvelle* no son lo mismo» [38].

No explicó *Clarín* esa diferencia entre *cuento* y *nouvelle*, lo que es muy de lamentar, ya que la opinión de tan intuitivo crítico y tan maravilloso narrador de novelas largas, cortas y cuentos; hubiera sido muy interesante.

Este pasaje que acabamos de transcribir se presta a la discusión. En primer lugar, nos parece ingenuo y trasnochado explicar el auge del cuento en una literatura por causas «fisiológicas, climatológicas y sociológicas» (bien es verdad que Alas no parece solidarizarse con esta

[37] *Palique*, 1893, págs. 28 y ss.
[38] Id.

creencia). Precisamente, y aunque tales teorías tengan mucho de especulación bastante fantástica, se dice que el genio germánico es analítico, y el latino, sintético. Lo analítico corresponde a la novela —la gran creación francesa del pasado siglo—, y lo sintético, al cuento —el género más brillante de la literatura alemana, según *Clarín*. Querer reducir lo literario a lo etnográfico, a lo racial —y más en el muy cosmopolita siglo XIX—, conduce muchas veces al absurdo.

En cuanto a los distingos de Alas sobre cuentos que son novelas y viceversa, los estimamos confusamente expuestos, aun cuando sea una gran verdad la de que no sirve un criterio exclusivamente dimensional para diferenciar los dos géneros.

Y finalmente, la afirmación de que en España sólo hay dos palabras *cuento* y *novela,* no podemos menos de tenerla por equivocada, ya que desde la época de *Fernán Caballero* se siente la preocupación de bautizar un género intermedio entre *novela (roman)* y *cuento (conte),* es decir, la *nouvelle,* que *Fernán* llamó *relación* y que después pasó a ser novela corta. Lo sorprendente es que cuando *Clarín* publicó en 1893 este *Palique,* había escrito ya *novelas cortas* como *Pipá.* Tal vez lo que el crítico deseara era una sola palabra, como la *nouvelle,* y no dos —novela corta— para designar un género.

De todas formas *Clarín* con sus novelas extensas, cortas y cuentos, explica mejor que con su crítica todas estas diferencias y semejanzas entre los tres géneros narrativos que venimos estudiando.

Con la discusión del último texto de Alas nos hemos apartado levemente de la cuestión de la dificultad o facilidad del cuento, a la cual regresamos ya.

Lo vocacional manda, y al cuentista neto le es fácil escribir narraciones breves, como se observa en el caso de doña Emilia Pardo Bazán, autora de más de quinientos cuentos. Por el contrario, novelistas puros, lentos, magistrales, como Galdós, apenas cultivaron el cuento. Precisamente y a propósito de este autor, decía la Pardo Bazán:

«El artista, a no ser un prodigio de la Naturaleza, no está condicionado para desempeñar todos los géneros con igual maestría, y casi siempre descuella en uno, que es su especialidad, su reino. A Pérez Galdós, por ejemplo, le es difícil redondear y encerrarse en un espacio reducido; no maneja el cuento, la *nouvelle* ni la narración corta; necesita desahogo, páginas y más páginas, y, como el novelista ruso Dostoyewsky, domina la pintura urbana y no la rural» [89].

---

[89] *Nuevo Teatro Crítico.* Marzo, 1891, n. 3, pág. 38.

Efectivamente, Galdós es el creador impetuoso que necesita de anchos y profundos moldes en que verter toda su desbordante imaginación. Crea incesantemente situaciones, ambientes, personajes. Comparando su técnica con la de Pereda, recogía la misma Pardo Bazán una interesante opinión de Luis Alfonso:

«El muy entendido crítico de *La Epoca*, Luis Alfonso, juzgando un libro reciente de Pereda, *Al primer vuelo*, hacía una indicación sumamente exacta: que con él, y con algunos de la misma procedencia, sucedía lo que con los lienzos de ciertos pintores: el paisaje o la marina lo absorbían todo, y las figuras quedaban sacrificadas. En Galdós —que es poco paisajista, al menos del paisaje rural— hay exuberancia de figuras, un hormigueo de cabezas puestas casi en un primer plano, y todas estudiadas con escrupulosa atención, que recuerda la *Ronda nocturna*, de Rembrandt» [40].

Galdós —no tan mal cuentista como estos juicios quieren mostrárnoslo [41]— tenía vocación y facultades de novelista, de creador de narraciones extensas, pululantes de personajes, henchidas de vitalidad.

Parece como si el escribir cuentos o novelas no fuera resultado de una preferencia estética, sino más bien de una especial conformación óptica que lleva a unos autores a ver la vida de lejos, como un paisaje dominable desde alto risco, donde se ve el ir y venir de muchas criaturas, desde el que se otean amplios horizontes. En el siglo XIX aparece la novela-ciclo, la obra literaria apresadora de toda una época, la narración protagonizada por una familia. Balzac con su *Comedia humana*, Zola con sus *Rougon Macquart* y Galdós con sus *Episodios*

---

[40] Id. Agosto 1891, n, 8, pág. 53.

[41] Se deben a Galdós algunas narraciones tan bellas como *La princesa y el granuja*, *La mula y el buey*, *Celín*, etc. Es de notar que estos cuentos tienen todos un aire irreal, fantástico e incluso cierto tono infantil, como si el narrador pensara al escribirlos en la vieja definición del cuento, que era la aceptada por los románticos.

Y que esto debía ser así, nos lo prueba un curioso comentario del propio Galdós sobre lo que él entendía por cuentos, tomado del prólogo a los de *Fernanflor*:

«Con igual fortuna cultivó *Fernanflor* la novela chica y el cuento, que es la máxima condensación de un asunto en forma sugestiva, ingenua, infantil, con la inocente marrullería de los *niños terribles*, que filosofan sin saberlo y expresan las grandes verdades, cándidamente atrevidos, a la manera de los locos, que son realmente personas mayores retrollevadas al criterio elemental y embrionario de la infancia» *(Cuentos*, de *Fernanflor*. Madrid, 1904, págs. VII-VIII).

Esta actitud de Galdós frente al cuento pudiera explicar, junto con las razones apuntadas, la poca atención que el autor prestó a las narraciones breves, hacia las que no debía sentir demasiada inclinación su temperamento, creador de novelas seriales, cíclicas, extensísimas.

Nacionales y sus *Novelas españolas contemporáneas,* son los máximos creadores de esas gigantomaquias novelescas, imitación de la vida [42].

Por el contrario, podríamos comparar al cuentista con el miope que necesita acercarse a la vida, tocarla, pulsarla en sus más diminutos objetos, en los más insignificantes gestos de los hombres. Las novelas-ciclo nos proporcionan una imagen de la vida, obtenida por acumulación de detalles, de personajes, de sucesos; y necesitamos de todo su conjunto para contemplar el mapa espiritual de una época y de una nación. Los cuentos nos ofrecen una imagen de la vida, conseguida por condensación. Así como la célula es un organismo diminuto que, en potencia, contiene todo el complicado organismo de que forma parte, el cuento, apresador de un instante vital, encierra sin embargo toda la trágica grandeza de la vida.

Una novela extensa nos emociona porque en ella vemos reflejada la vida cotidiana del hombre: sus afanes, sus vicisitudes, y hasta su muerte. Las alternativas de gozos y de dolores que a lo largo de la narración vayamos encontrando, las identificamos con las nuestras hasta conseguir olvidarnos, voluntariamente, de la ficción.

Un cuento nos impresiona con la fuerza de una descarga eléctrica, si en el marco limitadísimo de sus páginas nos transmite la sensación de un trozo de vida palpitante, captado en toda su integridad. Al hombre le conocemos a veces mejor por una sola reacción, por un solo gesto, que a través de toda su vida.

Estas son las semejanzas y las diferencias entre cuento y novela. Sus creadores utilizan los mismos ingredientes: la vida, los hombres que la viven y el tiempo. Este último es esencial y nadie ignora su importancia en la novelística moderna, angustiada por la obsesión temporal a la que se presta más atención que a la trama misma, y que trasciende al estilo narrativo. (Recuérdense los nombres de Proust —creador de un *tiempo lento* psicológico que tiene sus antecedentes en Stendhal, pese a ser éste narrador rápido y seco—, Joyce —con su *Ulises,* novela extensísima cuya acción dura veinticuatro horas sola-

---

[42] Modernamente, Proust, Rolland, Duhamel, Jules Romains y otros autores han continuado cultivando este tipo de novela-ciclo, tan característico de la literatura francesa. Entre los autores ingleses recuérdese a Galsworthy, autor de las sagas de los Forsyte.

mente—, Gabriel Miró —inmovilizador del paisaje—, Azorín, Virginia Woolf, etc.) [43].

El novelista escoge para su acción toda una vida o una parte esencial de ella [44]. Surgen así dos tipos de novela: las biográficas, que abarcan la existencia de un hombre desde su nacimiento o niñez hasta su muerte —v. gr., *Sacha Yegulev* de Andreiev—, y las que se contentan con narrar un período vital más o menos largo, que puede concluir con la muerte del protagonista —como les ocurre a Julián Sorel en *Rojo y Negro* de Stendhal, o a Hans Castorp en *La montaña mágica* de Mann— o en cualquier otro momento decisivo de su vida. En ocasiones la acción novelesca comprende muchos años —cualquier novela de Dickens—, y en otras, sólo unas horas: la ya citada *Ulises* de Joyce.

El cuentista se limita a hacer una cala en la vida y es sólo un fragmento lo que de ella nos ofrece, pero un fragmento lleno de significación y, en ocasiones, más atractivo o intenso que una larga acción novelística.

Con sólo pensar en las diferencias existentes entre la concepción de la novela y del cuento, podremos deducir las distintas técnicas que una y otro requieren. La novela se elabora sobre una idea inicial, un hecho, una psicología, un ambiente, una inquietud, a los que se van añadiendo las piezas necesarias para lograr una sólida arquitectura narrativa en la que nada parezca sobrar ni faltar, consiguiendo así un efecto de equilibrio. La novela es como la gran sinfonía musical, cuyos capítulos fueran tiempos o motivos que actúan en la sensibilidad del lector no aisladamente, sino en virtud del conjunto. La impresión final de la novela no la experimentamos hasta que se haya extinguido la última nota, la última vibración, el capítulo final.

---

[43] Vid. nuestro ensayo *Tiempo y «tempo» en la novela*, publicado en *Arbor*, ns. 33-34, septiembre-octubre 1948, págs. 85 y ss.

[44] A propósito de esto transcribimos unas líneas de *Clarín*, que estudiando *Tormento* y su relación con las novelas clásicas, tipo Balzac y Zola, decía: «La vida es así: o se toma un pedazo de ella o se la retrata toda entera...» *(Sermón perdido*, pág. 54). Retratarla toda entera es lo que desea el novelista décimonónico; *tomar un pedazo*, lo que hace el cuentista.

Y Galdós, en el prólogo citado, decía de los cuentos que eran «composiciones estrictamente sintéticas, que en reducido espacio nos descubren segmentos interesantes de la ideal esfera en que, al modo de constelaciones, brillan nuestros dolores, nuestras penas, el infinito anhelo del bien y de la belleza, y los no menos grandes desengaños y contratiempos que componen la vida» (Ob. cit., página XIII).

El cuento hiere la sensibilidad de un golpe, puesto que también se concibe bruscamente, como en una iluminación. Marcel Prévost decía acerca de la técnica de Maupassant:

«Componía observando riguroso método: se sabe que no tomaba la pluma hasta que la composición preparatoria estaba terminada en su cerebro, y entonces se dictaba a sí mismo, por decirlo así, un texto casi definitivo. ¡Apenas se encuentran algunas tachaduras en los manuscritos de este escritor, que tanto trabajaba el estilo! Y la excelencia de la composición aparece tan clara en el cuento, que la mirada y la memoria del lector la reflejan de pronto» [45].

Si la memoria del lector recuerda el cuento de pronto, de una vez, es porque en el cuento no hay digresiones, ni personajes secundarios; es porque el cuento es argumento, ante todo. Marañón, en el prólogo antes citado, dice:

«Yo creo que el cuento debe de ser siempre un relato breve, porque es casi exclusivamente argumento, y argumento esquemático» [46].

De una novela se recuerdan —según hemos dicho ya— situaciones, descripciones, ambiente, pero no siempre el argumento. Un cuento se recuerda íntegramente o no se recuerda. Todo esto parece sugerir que mientras las peripecias de una novela pueden complicarse, no sucede lo mismo con el cuento, cuya trama ha de poseer el suficiente interés como para ser recordada de golpe, pero sin pecar nunca de enmarañada, como una novela en síntesis. Es condición ésta que revela la dificultad del cuento, ya que su autor no puede utilizar los trucos dables en el folletín y aun en la novela, de jugar con el interés del lector, dilatando, escondiendo el desenlace, suspendiendo una acción y entrecruzándola con otra, describiendo reacciones insospechadas. En el cuento los tres tiempos —exposición, nudo y desenlace— de las viejas preceptivas están tan apretados que casi son uno solo [47]. El asunto ha de ser

---

[45] *Cuentos escogidos,* de Maupassant, con prólogo de Marcel Prévots. Versión castellana por Carlos de Batlle. París (s. a.).

[46] Ob. cit., pág. X.

[47] Esto no debe entenderse a rajatabla, ya que en muchos cuentos son observables los tres períodos que distingue *Azorín:* «prólogo, desenvolvimiento y epílogo» (*El arte del cuento. A B C,* 17 enero 1944). Así, en *¡Adiós, Cordera!,* el *prólogo* equivaldría a la descripción del *prao Somonte* y de la vida idílica que Rosa, Pinín y la vaca llevan en él. El *desenvolvimiento* lo constituirían la venta de la vaca y el dolor de los niños. Y la marcha de Pinín, ya mozo, como soldado a la guerra, sería el *epílogo.*

De todas formas, estos tres tiempos están muy apretados, y especialmente el primero —*prólogo*— ha de ser siempre muy breve. El mismo *Azorín* reconoce

sencillo y apasionante a la vez. El lector de una novela podrá sentirse defraudado por el primer capítulo, pero quizá el segundo conquiste su interés. En el cuento no hay tiempo para eso: desde las primeras líneas ha de atraer la atención del lector, sin trucos, con la sola fuerza del trozo de vida captado, de la fantasía imaginada.

III. *El diálogo y las descripciones en el cuento y en la novela*

Los estrechos límites del cuento son, por tanto, los que crean una serie de características que lo diferencian radicalmente de la novela. En ésta, diálogos, descripción del paisaje y descripción de las psicologías, son tres elementos importantísimos que al pasar al cuento sufren una profunda transformación.

El diálogo es tan decisivo en la novela, que para algún crítico constituye su más esencial elemento. Decía Ortega y Gasset:

«En la novela el diálogo es esencial, como en la pintura la luz. La novela es la categoría del diálogo.»

Y como ejemplo:

«Cervantes en el *Quijote,* además de otros tremendos donativos, ofrece a la Humanidad un nuevo género literario. Ahora bien: el *Quijote* es un conjunto de diálogos. Tal vez esto dió motivo a discusiones entre los retóricos y los gramáticos de su tiempo; certifique quien sepa de esta materia si puede referirse a algo parecido lo que Avellaneda dice al comienzo de su prólogo: «Como casi es *comedia* toda la historia de *Don Quijote de la Mancha...*»

La luz es el instrumento de articulación en la pintura, su fuerza viva. Esto mismo es, en la novela, el diálogo» [48].

El cuento puede necesitar o no de diálogo, pero siempre en proporciones reducidísimas: lo indispensable.

El diálogo es elemento accesorio, y mientras que en la novela nos sirve para obtener la ficha psicológica de los personajes hablantes, en el cuento es un elemento narrativo más, y ha de ser manejado con precisión, con la misma emotiva precisión con que *Clarín* lo utilizó

---

que «no se puede llevar al lector durante cierto trecho para enfrentarle luego con una vulgaridad. Desde el primer instante, análogamente a lo que sucede con el teatro, el lector ha de «entrar» en el cuento».

[48] **Vid.** el ensayo *Adán en el Paraíso,* publicado en *Obras completas* de Ortega y Gasset. *Revista de Occidente.* Madrid, 1946. Tomo I, págs. 485-486.

en sus cuentos. Recuérdese el popularísimo *¡Adiós, Cordera!*, en que casi las únicas palabras habladas son las de ese patético adiós.

Otra narración de *Clarín*, la titulada *Un viejo verde*, es tal vez uno de los más expresivos ejemplos de utilización y significado del diálogo en un cuento: Un señor, ya de edad bastante avanzada, se enamora platónicamente de una hermosa dama que, sabedora de aquella adoración, se burla un día de él en un concierto. El señor está en el palco contiguo al de la dama, y un rayo de sol que cae sobre la vidriera coloreada de la sala, tiñe de verde su rostro. Es entonces cuando la dama dice en voz alta a sus amigas: «Ahí tenéis lo que se llama... *un viejo verde*.» Jamás volvió a ver a aquel hombre, y, tarde ya, comprendió la nobleza de su amor [49].

No hay más diálogo en el cuento que las palabras que la protagonista dice a sus amigas, pero en ellas está contenido todo el sencillo y humano drama. Otro ejemplo magnífico de utilización dramática del diálogo nos lo ofrece el cuento de la Pardo Bazán titulado *Sí, señor* [50].

Un hombre tímido no se atreve nunca a acercarse y dirigir la palabra a la mujer que adora desde lejos. Un día, en la terraza de un casino, solos los dos, ella —que hace tiempo ha notado tan silenciosa adoración— siente la curiosidad de saber lo que él podrá decirle y comenta: «¡Qué noche tan hermosa! ¿Verdad que es una delicia?» El pobre enamorado, gloriosamente aturdido, sólo sabe responder «¡Sí... señor! ¡Sí... señor!», huyendo a continuación. Años después vuelven a encontrarse ambos en el tren, envejecidos ya. El la reconoce, pero no ella, la cual, charlando del pasado, le confiesa que el homenaje que más le agradó siendo joven fué el de un hombre que sólo supo decirle: «Sí, señor.»

Aparte de este diálogo final, brevísimo, que cierra el cuento, no hay más palabras que las pronunciadas por el protagonista en la terraza del casino, palabras que como las de la dama del cuento de *Clarín* provocan dos delicados y humanísimos casos psicológicos.

Son muchos los cuentos narrados sin ningún diálogo, en especial los subjetivos, los protagonizados por el propio narrador: v. gr., *Mi suicidio,* entre otros muchos de la Pardo Bazán, muy aficionada a este

---

[49] Los dos cuentos citados se encuentran en la serie *El Señor y lo demás son cuentos.*

[50] Perteneciente a la serie *Cuentos de amor,* pág.s 293 y ss.

tipo de narración. Por el contrario, hay cuentos casi totalmente dialogados, como las artificiosas *Novelas-relámpagos* que Alfonso Pérez Nieva publicaba en *Blanco y Negro,* o la mayor parte de los de Benavente.

Las narraciones de la Pardo Bazán son el mejor ejemplo de una cuidadosísima técnica en cuanto al empleo del diálogo, siempre el justo, expresivo y eficaz.

Aun en la novela corta el diálogo carece de la importancia que tiene en la extensa. Recuérdense *Pipá* y, sobre todo, *Doña Berta,* la más impresionante y poética creación de Alas, en las que el diálogo es leve, el indispensable. Por el diálogo envejecen las obras literarias. *Doña Berta* conserva el encanto de su prosa fresca, recién hecha, no rota por estridencia alguna.

Las narraciones breves más poéticas suelen ser las más desnudas de diálogo. *El dúo de la tos* es un cuento clariniano en el que ya no hay voces humanas, sino las toses de dos enfermos —hombre y mujer— apoyándose en la noche, mutua, amorosamente, desde dos habitaciones próximas en un hotel.

El diálogo en la novela tiende a justificar a los personajes, a revelarnos su psicología. La antigua técnica de filiar el novelista a sus criaturas, presentándolas como seres cuyas reacciones conocemos de antemano, ha sido sustituída por este nuevo procedimiento narrativo de dejar que los personajes desnuden sus almas ante nosotros, quedando escondido pudorosa y objetivamente el narrador. Y para conocer esas almas, nada hay como los hechos y las palabras.

Cabría señalar, no obstante, en la novelística actual una mejor utilización del diálogo, en contraposición a la verborrea que caracterizó la de otras épocas [51]. Los personajes no hablan por hablar, sino que dicen solamente aquello que mantiene el tono de la novela.

El cuentista no dispone de tiempo para ir desvelándonos, lenta y

---

[51] Ya *Clarín* censuraba el abuso de diálogo en algunas novelas de su tiempo. Y así decía de Palacio Valdés: «En el estilo mejora de día en día, y eso que siempre fué el suyo correcto en general, elegante, animado y original. En el diálogo acierta las más veces, pero suele pecar de prolijo. Y esto porque convierte en escenario el texto y deja que los interlocutores se digan todo lo que es probable que en tal caso se dijeran. Los diálogos, para que sigan siendo naturales, sin ser pesados e insignificantes, han de ser interrumpidos por el autor cuando conviene; ha de dialogarse *oportune;* como se puede observar que hacen Zola, Daudet y hasta Galdós en sus últimas novelas (no en otras, que pecaban del defecto que censuro)» (*Sermón perdido,* págs. 246-247).

eficazmente, las almas de sus personajes. Todo ha de hacerlo de un golpe, rápidamente. Además, en los cuentos no nos interesa la psicología de tales personajes en la misma proporción que en la novela, sino que atendemos más al asunto. Esto no excluye la abundancia de cuentos psicológicos —precisamente la gran conquista literaria de finales del XIX—, pero sí indica una diferente técnica.

Esto nos lleva a tratar del segundo de los elementos que considerábamos fundamentales en la novela: la descripción psicológica· de los personajes.

Stendhal es el creador de la novela psicológica, que no tuvo éxito en su tiempo y que ha sido revalorizada por las generaciones posteriores. Para los críticos de finales del XIX fué, sin embargo, Paul Bourget, el iniciador de esta modalidad narrativa.

La novela psicológica suele oponerse a la novela de acción. Mientras que esta última refleja la peripecia exterior de los hombres, la primera recoge el fluir de su vida interior. Los naturalistas trataron de fotografiar exactamente los hechos humanos. Los psicologistas aplican el mismo procedimiento a los hechos interiores. Las teorías psicoanalíticas de Freud se incorporan, más o menos veladamente, a este género literario, que en sus últimas manifestaciones acusa algún síntoma de decadencia. Se habla ya de un retorno a la novela de acción, como a finales del XIX se hablaba de un renacimiento de la novela novelesca.

Se acusa de falta de acción a las novelas psicológicas, porque apenas hay movimiento en ellas. Tal lentitud suele trascender al estilo, aunque casos hay, como el de Stendhal, en que una prosa rápida, seca y nerviosa sirve a acciones lentas: *Le rouge et le noir*.

El tiempo real de la novela psicológica puede ser insignificante —*Ulises* de Joyce—, inferior al de la acción contenida en un cuento, que puede abarcar años —*Benedictino* de *Clarín*—; pero el *tiempo* narrativo suele ser lento, ya que lo psicológico es materia delicada que no puede trabajarse a golpes, con trazos rápidos, sino que necesita del cuidado, del detalle, apresadores de todos los matices, sin los cuales no podrían explicarse determinadas reacciones.

El cuento psicológico es el verdaderamente moderno, el que se diferencia de todos los de otras épocas, medievales, renacentistas o incluso románticos. ¿De qué técnica se vale el creador de tales narraciones breves al faltarle el tiempo que tan necesario le es al novelista?

Por paradójico que parezca, el gran resorte que el creador de cuen-

tos psicológicos maneja, es también el tiempo. El novelista se sirve de
él como de amplio, extenso cañamazo en el que ir ensartando, enca-
denando, una serie de motivos psicológicos que son los que, precisamente, constituyen la técnica novelística. El cuentista escoge un instante o unos instantes vitales definidores de un hombre, de una psicología. La técnica impresionista, que en la novela psicológica es discutible, resulta la única apropiada para el cuento de este tipo. Si tras las
impresiones reflejadas en una novela no se adivina —y ahí la habilidad del creador— un nexo que las justifique y nos dé el contorno espiritual de unos seres, la novela habrá fracasado. El cuento, por el contrario, no es una serie de impresiones, sino —en esencia— una sola,
lo suficientemente expresiva y humana como para darnos la medida
de un ser. En la novela psicológica el tiempo es como un hilo sostenedor en el que se enhebran, más o menos distanciados, los distintos
hechos.

En el cuento no podemos conocer a un hombre sino en virtud de
un solo hecho, de un solo gesto, como a veces nos sucede en la vida.
En *El abanico* de la Pardo Bazán, un solo ademán de una mujer con
su abanico frente a una suerte sangrienta de la fiesta taurina, revela su
contextura moral al hombre que la amaba hasta ese momento. En el
capítulo dedicado a estudiar los *Cuentos de objetos pequeños,* encontraremos muchas narraciones semejantes.

En ocasiones, un *tic* nervioso, una reacción espontánea, no domada
por lo social, nos permite conocer a un hombre, mejor que una observación de toda su vida. Es precisamente ese *tic,* ese gesto personal, el
que trata de recoger el cuento.

* * *

Al pasar de la novela al cuento, estudiando el diálogo y las descripciones psicológicas, comprobamos que estos dos elementos sufren
una reducción tan intensa que en algún caso llegan a desaparecer, como
sucede en el caso del diálogo.

Lo mismo ocurre con la descripción de exteriores, ya se trate de
seres, de paisajes o de objetos. Casi podríamos afirmar que ahora la
reducción es más exagerada aún.

Ya en la novela el excesivo gusto por las descripciones, apartán-
dose de la acción propiamente dicha, supone un demérito y ha sido
muy combatido por ciertos sectores de la crítica literaria.

En el pasado siglo se prestaba demasiada atención a la pintura del paisaje, de los interiores, de los protagonistas, que si en algunas novelas complementaba la acción y servía para mejor adentrarnos en ella —caso de Balzac—, en otras pasaba de telón de fondo a un primer plano, empequeñeciendo la acción, como ocurre con alguna obra de Flaubert cuyo máximo interés reside en las magníficas descripciones. No obstante, *Salammbó* llega a interesar muchísimo más que las obras de los Goncourt, por ejemplo, en las que el gusto por el color, por lo brillante y descriptivo se convierte en un fetichismo que lleva a los autores a escribir no por hallar placer en lo que dicen, sino en cómo lo dicen. En nuestras letras la Pardo Bazán, devotísima de los Goncourt, sintió también la obsesión del lenguaje plástico y colorista, pero supo graduar lo descriptivo en sus cuentos, ejemplares la mayor parte de ellos en lo que se refiere a técnica.

A finales del XIX sobreviene una reacción contra los abusos descriptivos. Palacio Valdés —que aunque no lo quisiera, incurrió en tales abusos— dice en su *Testamento literario:*

«Los novelistas de mi tiempo fueron los primeros que concedieron predominio a la pintura de la naturaleza y costumbres del país en que la acción se realiza. Es lo que se ha llamado *color local*. Y, en efecto, tiene merecida importancia por el estrecho lazo que une al ser humano en todas partes con la tierra y la raza en que ha nacido. Pero en esto también se ha pasado de un extremo a otro. El novelista se ha convertido en un pintor de costumbres. Describirlas bien y ofrecerlas vivas y con su verdadero color es ya mucho; pero no merece el nombre de novelista sino el que conoce sus secretos y sabe revelarlos de un modo bello. Las costumbres y la Naturaleza no son en la novela más que el fondo del cuadro.

Las descripciones sólo se justifican cuando sirven para descubrir el lazo misterioso entre el ser humano y el ambiente de que acabo de hablar, o para determinar la impresión que en un momento dado ejerce la naturaleza sobre el personaje. No hay regla para fijar cuándo hacen falta y cuándo huelgan. El novelista que merece el nombre de tal, pocas veces se equivoca: se deja guiar por su instinto y marcha seguro.

¡Cuánto se ha abusado de las descripciones! Cuando yo llegué al campo de las letras era una pasión, un verdadero furor. La epidemia vino de Francia, y nos cogió a casi todos. Los jóvenes escritores de mi tiempo, cuando se les convidaba a almorzar iban provistos de lápiz y cuartillas para describir el aspecto de la mesa. En cierta ocasión encontré a un amigo plantado delante de una casa de los barrios bajos, tomando apuntes. «¿Te has dedicado al dibujo?», le pregunté. «No —me respondió—; voy a colocar en esta casa algunas escenas de mi próxima novela y quiero describir con exactitud su fachada» [52].

[52] *Obras completas* de Palacio Valdés. Ed. Aguilar. Tomo II, págs. 1.299-1.300.

Quitado lo que de caricatura pueda haber en estas observaciones de Palacio Valdés, se comprueba, a través de ellas, que el descriptivismo era vicio que a todos afectaba y del que era difícil salvarse. El culto al color, a lo pintoresco, fué típico del romanticismo, extendiéndose con la literatura costumbrista y adensándose con el naturalismo. Con sólo pensar que la mejor novela histórica del Romanticismo español, *El señor de Bembibre,* es valorable ante todo por el delicado sentimiento del paisaje, podremos darnos idea de lo que significó el descriptivismo en aquella época. *Fernán Caballero,* Pereda, Valera, la Pardo Bazán, representan diversas maneras de tratar el paisaje y los tipos humanos. En *Fernán* el paisaje tiene una resonancia sentimental, lo mismo en las novelas extensas que en las narraciones breves. El paisaje montañés de Pereda sobresale por sus cualidades plásticas, por su vigor. Las pinceladas de Valera son exactas y elegantes, atendiendo más el autor al fondo filosófico de sus narraciones —especialmente en los cuentos— que al detallismo paisajístico. (Los jardines y bosques vieneses en que se desarrolla la acción de *Garuda o la cigüeña blanca,* son un buen ejemplo de la técnica del autor.) En cuanto a la Pardo Bazán, ya hemos dicho que representa el naturalismo deliberado y el colorismo a lo Goncourt [53]. De todas formas, se advierte en los cuentos de esta escritora una contención descriptiva, una justeza, explicables teniendo presente que estas narraciones son tal vez —junto con algunas de Juan Ochoa— las más breves que hemos encontrado [54].

No deja de ser curioso —y ejemplar— que esta escritora, de lenguaje abundante, haya escrito el mayor número de cuentos, siendo éstos además los más breves. Si no hay diálogo, y las descripciones psicológicas o paisajísticas están reducidas al mínimo, ¿qué hay en esos cuentos, qué es lo que ocupa sus páginas? Pues algo que se sirve del diálogo y de la descripción, pero que, a la vez, es algo más: el argumento. Todos los demás elementos y primores de estilo han de estar subordinados a este factor esencial.

---

[53] *Clarín,* estudiando *La Tribuna,* comparaba a la Pardo Bazán con los Goncourt y decía: «La señora Pardo Bazán es, de todos los novelistas de España, el que más pinta; en sus novelas se ve que está enamorada del color y que sabe echar sobre el lienzo haces de claridad, como Claudio Lorena» (*Sermón perdido,* pág. 113).

[54] Sobre la técnica descriptiva de la Pardo Bazán, dice *Clarín* que esta escritora posee «la vara mágica de la concisión y sabe pintar en cifra, y merced a esto se remedia la falta de espacio que lamento. En cuatro palabras dice Emilia Pardo lo que otros en cuarenta» (*Nueva campaña,* pág. 157).

Claro es que no es ésta una fórmula rígida, y lo temperamental llevará a cada escritor a empequeñecer o hacer más elásticas esas proporciones en las que entran diálogo y descripción. Los cuentos fantásticos y exóticos —que cultivaron la Pardo Bazán y los Valera, padre e hijo, entre otros— requieren un lenguaje más colorista, así como los rurales y, en general, todos aquellos en los que el ambiente, el clima, sean algo más que decoración, alcanzando cualidades protagonísticas, siendo parte integrante del argumento. El tantas veces citado *Clarín,* no demasiado amante de las descripciones paisajísticas en sus cuentos, se sirvió de ellas —aunque con precisión modélica— en narraciones del tipo de *¡Adiós, Cordera!, Boroña, Manín de Pepa José, Doña Berta,* etc., en las que el paisaje asturiano rebasa los valores escenográficos y alcanza los psicológicos. El *prao Somonte* cruzado por los palos del telégrafo y próximo al tren, es en *¡Adiós, Cordera!,* un protagonista, quizás el más importante. El *escondite verde y silencioso* de Susacasa donde vive aislada Doña Berta, no es un decorado bucólico, sino la misma atmósfera poética, la misma sustancia antigua y tierna de que está hecha el alma de la protagonista. Recordemos el final de esta narración en que el gato de Doña Berta muere en Madrid de hambre y de rabia, «soñando con las mariposas que no podía cazar, pero que alegraban sus días, allá en el Aren, florecido por abril, de fresca hierba y deleitable sombra en sus lindes, a la margen del arroyo que llamaban el *río* los señores de Susacasa».

Aún podríamos citar más ejemplos de éste y otros cuentistas, reveladores de cómo el paisaje se incorpora al cuento, como un personaje más, formando parte de la trama argumental y no a manera de adehala de ésta, como accesorio ornamental que en obra de tan reducidas proporciones resultaría desproporcionado y absurdo.

El paisaje que aparece en los cuentos suele caracterizarse por su sencillez, coincidiendo en esto con la simplicidad espiritual de sus personajes, rara vez de psicología complicada. Los escenarios y ambientes extraños —salvo en el caso de relatos fantásticos y exóticos— no son adecuados para el cuento, como tampoco las psicologías anormales, más propias para la novela, donde hay tiempo y espacio para describirlas debidamente.

El ya citado Marcel Prévost, prologuista de unos cuentos de Maupassant, decía:

«Y por otra parte todavía, y éste fué uno de los rasgos característicos de su talento, Maupassant descolló en la psicología de los seres pertenecientes a la clase media, de los seres adocenados, labradores, pequeños rentistas, empleados, pescadores de caña, cazadores, viejas burguesas y viejas de pueblo, criadas, mujeres de marinos... Y hasta cuando, en los últimos días de su vida, estudió el alma de los mundanos, no hizo ningún esfuerzo para presentar caracteres extraños, ni cultivó lo que Bourget llama complicaciones sentimentales. Porque si en la novela se necesita tiempo y espacio necesario para presentar personajes singulares y llevados a extraordinarias aventuras, no sucede lo mismo con el cuento. En el cuento es preciso que los personajes, en cuerpo y alma, queden definidos con pocas palabras; y para descripciones semejantes nada mejor que los tipos de la clase media, porque todos ellos se encuentran en algún rincón de nuestra memoria y basta con animar la imagen.» «Para los paisajes, Maupassant emplea el mismo procedimiento que utilizó para pintar los caracteres. Muy pocas veces los escoge extraños, y siempre los más sencillos son los más admirables. No obliga a la imaginación, como hace Loti, a soñar decorados que nunca ha visto, sino que, evocando lo que hemos visto muchas veces, nos procura la sorpresa de presentarlo mejor, mostrándonos las cosas con tacto de artista delicioso que escoge y retiene los rasgos esenciales» [55].

Si el paisaje y los tipos son sencillos, cabe pensar que lo atrayente del cuento resida en la rareza de los asuntos. Esto sucede a veces, pero no es el caso normal. Maupassant es narrador sin trucos, sin efectismos, cuya objetividad —expuesta con un lenguaje seco y eficaz— no tiene par entre los cuentistas de su época. Los narradores españoles suelen ser más apasionados, más dados a buscar desenlaces sorprendentes, pero aun así existe un buen número de narraciones en que los argumentos son tan sencillos como los de Maupassant. (Recuérdense, entre otras muchas, *Lumbrarada* y *El último baile*, de la Pardo Bazán; *El torso, La trampa, El Rana,* de *Clarín,* etc.).

Considérese la evolución que el género *cuento* ha sufrido: en sus comienzos servía para narrar ficciones moralizadoras; en el Renacimiento equivale a narración de hechos curiosos, explicación de refranes, relación de anécdotas o chistes. En el siglo xix —y tras los excesos románticos— pasa a reflejar figuras y hechos cotidianos, humanísimos. Precisamente esa sencillez argumental, ese carácter de narración de *sucedidos,* nos sirvieron para explicar que algunos escritores evitasen la palabra *cuento* por creerla apropiada solamente para relatos fantásticos y fabulosos, y no para los de trama sencilla que ellos comenzaban a cultivar.

---

[55]　Ob. cit., págs. IX a XII.

IV. *Estilo y objetividad en el cuento*

Con la comparación de la novela y el cuento, hemos desembocado de lleno en el estudio de la técnica de este último. En realidad, examinado el uso del diálogo y de la descripción en el cuento, poco queda por decir, ya que resulta casi imposible hablar del estilo, dado el gran número de escritores que cultivaron este género en la pasada centuria. Con sólo recordar algunos nombres significativos —Rubén Darío, Palacio Valdés, Juan Valera, Blasco Ibáñez, Ros de Olano—, podremos darnos idea del variadísimo mosaico estilístico que supone el cuento en el siglo XIX.

No obstante, algo puede decirse en líneas generales. Si, como acabamos de ver, diálogo, paisaje y análisis psicológico son elementos novelísticos que al pasar al cuento se reducen, otro tanto cabe decir de la expresión. Parece una perogrullada afirmar que una narración breve necesita de un estilo conciso, de pocas palabras, pero en seguida se verá cómo tal afirmación entraña la más decisiva peculiaridad técnica del género.

Decíamos, al estudiar la novela corta, que lo que imponía diferencias entre ésta y el cuento, era la extensión, no arbitraria, sino sujeta a las dimensiones del asunto. Existe un equilibrio —advertible por la intuición creadora— entre el argumento y las palabras que necesita. He aquí la razón de ser, la última esencia del cuento: el límite.

Límite que no nos viene dado de fuera, que no nos es impuesto a manera de cuadrícula o esquema aprobado por los preceptistas. Las tres unidades dramáticas del neoclasicismo eran límites exteriores, a los que el autor tenía que sujetarse. El límite del cuento no lo impone ninguna autoridad crítica, sino que es creado por el propio cuentista. Este concibe un asunto capaz de ser transformado en cuento, y lo narra en el número de páginas que requiere y no en más ni en menos.

Cuando se habla de la dificultad del cuento, se piensa en lo delicado, en lo huidizo de ese límite, que es uno para cada narración y a ella se ciñe exactamente, sin arruga que denuncie exceso, o tirantez provocada por exigüidad.

¿Cuál es la sustancia formadora de ese marco, de ese límite? El mismo cuento, es decir, las palabras que lo componen.

Hemos citado ya el caso de Pérez Galdós, cuya naturaleza desbordante le impedía contenerse en el reducido espacio del cuento [56], según advertía sagazmente la Pardo Bazán. Esta misma escritora, refiriéndose a Mérimée, dice:

«La genialidad de Mérimée, su veta de oro, escasa y fina, se reveló en sus cuentos. Los escritores palabreros no saben tornear el cuento; no aciertan a concentrar en cuatro o seis páginas la emoción suprema, la esencia dulce, amarga, embriagadora o quemante que la realidad destila» [57].

Y el tantas veces citado Marcel Prévost:

«Por otra parte, Maupassant empleaba un estilo preciso, sin nada que lo recargase, y deliberadamente breve. Raramente sus frases llenan más de tres líneas, y las que son más largas no son mejores. Y la experiencia demuestra que los escritores que componen frases largas, fracasan infaliblemente en el cuento por efecto de la desproporción que salta a la vista de todos, hasta de los menos perspicaces...» [58].

Lógico es que el poco diálogo y las pocas descripciones vayan servidas por pocas palabras [59]. Los escritores *palabreros,* los que *compo-*

---

[56] Galdós, creyendo que su propensión a la abundancia expresiva era propia del carácter nacional, juzgaba difícil el cultivo del cuento en España:
«Pero la introducción del cuento en nuestros métodos literarios de trabajo no era empresa fácil, pues los escritores de acá propendíamos a las longitudes y a dormirnos sobre las cuartillas, sin duda porque la gran correa de nuestro idioma facilita el frasco, el desarrollo verbal, y éstos desatan, sin sentirlo, la sarta analítica de las ideas. Unicamente Trueba y *Fernán-Caballero* habían acertado en el género, conteniendo sistemáticamente dentro del molde de la ideación y de la cháchara infantiles» (Prólogo cit., pág. VIII).

[57] *La literatura francesa.* Tomo II. *La transición,* pág. 68.

[58] Ob. cit., pág. 1.

[59] Un cuentista tan digresivo como Eduardo Bustillo se daba cuenta, sin embargo, de que no convenía al cuento el excesivo detallismo. Así, en su novelita *Fidela* dice: «En estas narraciones cortas, el lujo de los detalles es imposible, y, por lo tanto, ha de quedar a cuenta del avisado lector el razonar y explicar la brutalidad de los hechos por la fuerza de los caracteres que ve apuntados y por la influencia del ambiente que los personajes respiran» (*Cosas de la vida.* Madrid, 1899, pág. 119).
Y en *La noche de Reyes* dice: «Los infortunios de Paquita acusan un crimen; pero su historia debe durar lo que dura un cuentecillo en una reunión amena; literatura de ropa ligerita, paso breve y color vivo; en consonancia, en fin, con la voluble impaciencia de nuestra raza y la agitación de la vida moderna» (*El libro azul.* Madrid, MDCCCLXXIX, pág. 228).
Otra cita curiosa a este respecto es la que tomamos de un cuento de José Requena y Espinar publicado en 1862, tan carente de unidad y lleno de digresiones que hace decir al autor:
«Perdonen nuestros lectores que les traigamos como pandereta de bruja.
Las indecisiones e inconsecuencias son una especie de epidemia que ataca a todos los narradores de cuentos e historias» (*El Museo Universal. La cabra tira al monte,* de José Requena y Espinar, n. 30, 27 julio 1862, pág. 240).

nen frases largas, fracasan en el cuento, como le sucedió al muy difuso Ortega Munilla. La preferencia de *Azorín* por el cuento se explica, ante todo, por ser escritor que gusta del período breve.

El cuento es el género literario que más cuidados exige en las proporciones: de ahí que consideremos ejemplares esas narraciones montadas sobre un objeto pequeño —*El clavo* de Alarcón, *La perla rosa* de la Pardo Bazán, *El aderezo* de Maupassant, *Boroña* de Clarín, etc.—, ya que en ellas todo es breve, equilibrado, desde las proporciones del objeto suscitador del cuento hasta este mismo.

* * *

A lo largo de este capítulo hemos comparado la técnica del cuento con la de la novela. Aún podrían plantearse otros temas de comparación menos interesantes, como el de la *objetividad* narrativa.

El naturalismo zolesco propugnó la impasibilidad artística, es decir, el apartamiento deliberado del autor al que no se le permite apasionarse por sus criaturas literarias. El novelista debe de abstenerse de charlar con el lector a lo largo de la novela —según lo hacían *Fernán,* Trueba, Alarcón, Coloma y tantos otros—, permaneciendo cuidadosamente oculto y sin dejar oír su voz nunca.

En realidad, según hemos explicado ya al comparar la intención moralizadora en los cuentos medievales y en los modernos, las dos técnicas tienden a un mismo fin, a lo menos en algunos autores.

Esta impasibilidad naturalista fué defendida por Maupassant en el prólogo de *Pierre et Jean,* donde dice:

«Los partidarios de la objetividad (¡qué palabreja!) pretenden, por el contrario, darnos la representación exacta de lo que sucede en la vida; evitan cuidadosamente toda explicación complicada, toda disertación sobre los motivos, y se limitan a hacer pasar delante de nuestros ojos los personajes y los sucesos.

Para ellos, la psicología debe estar oculta en el libro, como lo está en realidad bajo los hechos de la existencia.

La novela concebida de esta manera gana en interés, en movimiento, en la narración, en color y en animación y vida.

Así, pues, en vez de explicar largamente el estado del ánimo de un personaje, los escritores objetivos se fijan en la acción o el gesto que este estado de alma debe producir fatalmente en ese hombre en una situación determinada, y le hacen conducirse de tal manera del principio al fin de la obra, que todos sus actos, todos sus movimientos sean el reflejo de su naturaleza íntima, de todos sus pensamientos, de todas sus voluntades o de todas sus vacilaciones. Ocultan, pues, la psicología, en vez de presentarla; hacen el armazón de la obra, como la osamenta invisible es la armazón del cuerpo humano. El pintor que hace nuestro retrato no pinta nuestro esqueleto.

Me parece también que la novela ejecutada de esta manera gana en sinceridad. Es, desde luego, más verosímil, porque las gentes que vemos moverse en torno nuestro no nos cuentan los móviles a que obedecen» [60].

Algunos escritores españoles estudiaron también esta cuestión de la novela objetiva, entre ellos *Clarín,* la Pardo Bazán, Rafael Altamira y Andrés González Blanco, que dedicó grandes elogios a Blasco Ibáñez por juzgarle «el único novelista español que nunca desliza un *nuestro héroe* ni nos habla de como *dijimos en otro capítulo;* grave defecto y no por fácil de curar menos lamentable» [61].

La Pardo Bazán anhelaba la objetividad narrativa, sobre todo para un género, el cuento, diciendo:

«El cuento es, además, muy objetivo; en él, en la novelita, hasta los románticos buscan cierta impersonalidad» [62].

Clarín también opinaba que los cuentos debían de ser objetivos:

«... y no admito que, a no ser cuando se trate de contar cuentos o cosas por el estilo, esté bien y sea natural que quien hable y escribe procure dar a entender así como que él no es nada, y por tal se tiene» [63].

La objetividad no tiene, realmente, el valor de piedra de toque para diferenciar cuento y novela, como lo tenían la descripción o el diálogo. Desde el momento en que existen abundantes novelas objetivas y no pocos cuentos subjetivos, no es posible establecer diferencias.

El cuento tiende a la objetividad, quizá por razón de tiempo. En la novela el creador dispone de espacio para compenetrarse con las reacciones de los personajes, con los que simpatiza o no, más o menos conscientemente. La brevedad del cuento no estorba el encariñamiento o repulsión del autor hacia sus protagonistas, pero le obstaculiza el comentario personal, que alargaría y deformaría la narración.

Un cuentista suele tratar además muchos temas, y aunque siempre ponga un acento personal en ellos, la sensación de objetividad es más fácil de conseguir. Maupassant la logró plenamente, y de ahí que sus cuentos gozaran fama de poco simpáticos. El autor está tan ausente

---

[60] G. de Maupassant: *Pedro y Juan.* Versión española de Carlos Frontaura. Nueva edición. F. Fe. Madrid (s. a.).

[61] *Historia de la novela...,* pág. 605.

[62] *La literatura francesa.* Tomo III. *El naturalismo,* pág. 151.

[63] *Folletos literarios.* IV. *Rafael Calvo y el Teatro español.* Madrid, 1890, pág. 6.

de las miserias humanas, que nos parece un ser cruel, desamparador de sus criaturas literarias.

Algunas de las más logradas narraciones de la Pardo Bazán y de *Clarín* son fruto, también, de cierta crueldad narrativa, creadora de un clima de angustia, y que, en realidad —como en las más ásperas y aparentemente objetivas novelas rusas—, entraña un terrible clamor de justicia.

* * *

Según hemos ido advirtiendo diferencias entre la novela y el cuento, nos hemos ido acercando a la esencia de este último.

La novela se caracteriza por la técnica analítica. El cuento es, ante todo, síntesis. Transcribimos un texto de la Pardo Bazán que viene a resumir muchas de las cosas que hemos dicho:

«La forma del cuento es más trabada y artística que la de la novela, y ésta, en cambio, debe analizar y ahondar más que el cuento, sin que por eso deje de haber cuentos que (como suele decirse de los camafeos y medallas antiguas) en reducido espacio contienen tanta fuerza de arte, sugestión tan intensa o más que un relato largo, detenido y cargado de observación.

Al decir que la forma del cuento ha de ser doblemente artística, no entiendo por arte el atildamiento y galanura del estilo, sino su concisión enérgica, su propiedad y valentía, el dar a cada palabra valor propio, y en un rasgo evocar los aspectos de la realidad o herir la sensibilidad en lo vivo.

El primor de la factura de un cuento está en la rapidez con que se narra, en lo exacto y sucinto de la descripción, en lo bien graduado del interés, que desde las primeras líneas ha de despertarse; pues si la novela, dentro del naturalismo, quiso renunciar al elemento que luego se llamó *novelesco,* o por lo menos, reducir su importancia, no distinguiendo de asuntos y aun prefiriendo los más vulgares y triviales, el cuento jamás pudo sujetarse a este principio de la escuela» [64].

Cuando la Pardo Bazán dice que no consiste el mérito del cuento en el *atildamiento y galanura del estilo,* piensa en los escritores *palabreros,* en los *flaubertianos,* y tal vez en los modernistas.

Maupassant es un cuentista cuyas obras sirven de ejemplo perdurable porque en ellas no se nota el estilo, tan seco, tan exacto. Actualmente, los creadores de narraciones breves más en vanguardia, norteamericanos e ingleses, gustan, en especial los primeros, de cultivar un estilo realista, casi antiliterario, que tiene sus antecedentes en los cuentos del autor de *Boule de suif.*

Los cuentistas españoles no han logrado nunca la seca expresividad

[64] *El naturalismo,* págs. 152-153.

narrativa de Maupassant. *Clarín,* la Pardo Bazán, Palacio Valdés, Valera, son más locuaces, más apasionados, más declamatorios. Precisamente es la retórica la que ha alejado a las actuales generaciones de estos cuentistas. *Clarín* es, tal vez, el más actual en cuanto a expresión y lenguaje.

Pero en los mejores casos, los efectos emotivos que Maupassant consigue a fuerza de fría impasibilidad, los alcanzan también nuestros narradores a fuerza de ternura, de pasión; animados por un profundo sentido de la vida, más cordial y más sano que el del novelista francés.

Pese a estos distingos, el cuento es producto sintético, tan diferente en técnica e intención de la novela, que podría llevarnos a dudar del parentesco establecido en un principio.

Y sin embargo, uno y otra se asemejan en ser acciones narradas, en contener descripciones, en servirse del diálogo novelescamente, aun cuando todos estos elementos experimenten una gran reducción al pasar al cuento.

Pero es que tampoco son las dimensiones frontera única entre novela y cuento, ya que más importante aún es la intención, el impulso que mueve a un escritor a escribir uno u otro género.

Hay que acercarse, pues, al mismo acto creador, puesto que en él está la última razón de ser del cuento como género literario.

V. *El cuento, género intermedio entre poesía y novela*

Dijimos ya que el asunto de un cuento se concebía rápidamente, de una vez, como en una iluminación. La novela larga exige lenta meditación, un ir añadiendo, mentalmente, incidencias a la idea inicial.

La génesis del cuento, concebido así, brusca, súbitamente, se asemeja a la de la poesía. Doña Emilia Pardo Bazán, que por el número y calidad de sus cuentos era testigo excepcional, dice a este respecto:

«Noto particular analogía entre la concepción del cuento y la de la poesía lírica: una y otra son rápidas como un chispazo y muy intensas —porque a ello obliga la brevedad, condición precisa del *cuento*—. Cuento original que no se concibe de súbito, no cuaja nunca. Días hay —dispensa, lector, estas confidencias íntimas y personales— en que no se me ocurre ni un mal asunto de cuento, y horas en que a docenas se presentan a mi imaginación asuntos posibles, y al par siento impaciencia de trasladarlos al papel. Paseando o leyendo; en el teatro o en ferrocarril; al chisporroteo de la llama en invierno y al blando rumor del mar en verano, saltan ideas de cuentos con sus líneas y colores, como las estrofas en la mente del poeta lírico, que suele concebir de una vez el pensamiento y su forma métrica» [65].

Consideramos exactísimos estos juicios de la Pardo Bazán, trasunto de una repetida experiencia que nos proporciona ya, inequívocamente, la auténtica razón de ser del cuento.

Decíamos que el cuentista es el creador de la narración y del límite de ésta a la vez. Digamos ahora que se asemeja en esto al poeta, creador del pensamiento y de las justas, medidas palabras que lo expresan.

La creación artística es un fenómeno que tiene sus causas en el deseo que el hombre experimenta de expresar bellamente algo que siente, que le acongoja, que le hace feliz, que le desborda su ser. Esos sentimientos, esas ideas, son expresables con las diversas modalidades artísticas que hablan al hombre a través de sus distintos sentidos.

Hay sentimientos sólo expresables en música, como hay concepciones sólo transformables en pintura. El primer impulso, tumultuoso, impreciso, que el hombre siente en el trance mismo de la inspiración, cristaliza luego en una u otra forma artística, según se sirva el creador de los colores, de las masas, de la luz, de los sonidos, de las palabras...

Pero es que aun dentro de la creación literaria hay que distinguir los asuntos según sean expresables bajo la forma de drama, de novela, de poema, etc. Veces hay en que al creador se le aparece el tema inicial como idóneo para más de un género literario. (Galdós transformaba sus novelas en dramas; Valle-Inclán y Azorín han convertido cuentos en novelas.) Ha de ser gozoso y angustioso, a la vez, sentir la tentación de los diversos cauces expresivos en los que verter la primera materia artística, el manantial mismo de la creación.

Sin embargo, con la poesía sucede que pensamiento y forma se le aparecen al creador de una vez —a despecho de posteriores retoques y pulimentos—, como si no hubiera otra forma expresiva y otras palabras que aquellas surgidas de no se sabe dónde, como dictadas misteriosamente al poeta.

Con el cuento ocurre algo parecido. No es que el autor vea a la vez el asunto y las palabras exactas con que ha de narrarlo, pero sí que intuye el límite y a él se ajusta, no narrando más que aquello, precisamente, que se le apareció en la primera y única inspiración.

Recuérdese lo que Prévost decía acerca de cómo componía Maupas-

---

[65] Vid. prólogo a *Cuentos de amor*, págs. 9-10.

sant sus narraciones.. El cuento bueno suele escribirse de un tirón, como con temor de que el trozo de vida captado pueda huir, olvidarse.

La semejanza entre la concepción del cuento y la de la poesía es la que, seguramente, ha hecho decir a *Azorín* que «el cuento es a la prosa lo que el soneto al verso» [66].

El soneto supone un esquema rígido de versos, de sílabas y de acentos, al que ha de adaptarse el pensamiento poético del autor. El límite del cuento es flexible, no sujeto a esquema alguno, sino —repetimos— impuesto por la índole del asunto. No obstante, la comparación de *Azorín* es certera, ya que la finura, la concentrada belleza y la precisión del cuento evocan las características de los mejores sonetos.

El sonetista no hace más que acomodar sus sentimientos a un molde tradicional, cuyo cultivo y lectura forman una como musical rutina que favorece la creación.

El cuentista carece de esa tradición, ya que los ejemplos que puedan servirle de orientación técnica, acusan variedad en cuanto a la extensión, el estilo y el procedimiento narrativo. No existe esa acomodación a un esquema musical —cada vez más ahincado, según se escriban más sonetos,—, y el cuentista está en trance perpetuo de creación, como si el género surgiera por primera vez de entre sus manos, ya que cada asunto entraña un límite distinto y hasta una nueva técnica. Aún así, el cuentista fecundo tiene muchas probabilidades de perfeccionarse cada vez más, ya que según reconoce *Azorín,* al confesar haber escrito más de cuatrocientos cuentos, «el hábito facilita la gestación» [67]. Es el caso también de la Pardo Bazán, que veía asuntos de cuentos por todas partes, como consecuencia de una entrega decidida a un género literario, que llega a ser en ella el más notable de todos los que cultivó.

Se acerca el cuento a la poesía en virtud de su concepción rápida y también de su brevedad. (Al decir esto último pensamos, claro es, en la poesía lírica.) Pero ¿son éstas características que basten para hacer de él un género que rebasando lo puramente narrativo —lo novelesco— le acerquen a lo poético? Porque resultaría absurdo emparejar cuento y poesía solamente por una semejanza en la concepción. ¿Qué importaría que el cuentista se parezca al poeta en crear de un golpe un producto literario ausente de todo significado poético?

---

[66] *El arte del cuento,* artículo publicado en *A B C* del 17 de enero de 1944.
[67] Id.

Y sin embargo, éste existe, por lo menos en las mejores manifestaciones del género.

Al hablar de significado poético no pretendemos sugerir que el cuento sea una modalidad de la poesía. Precisamente es lo contrario lo que quisiéramos explicar: es decir, cómo el cuento, cuya gestación tanto se asemeja a la de la poesía, es, empero, un género narrativo distinto de ésta, próximo a ella, pero cercano también a la novela, a la que se asemeja en el procedimiento expresivo.

Sobre el significado poético del cuento recuérdense las ya estudiadas confusiones entre cuentos en verso y cuentos en prosa, o lo dicho al estudiar comparativamente el cuento con la leyenda y el poema en prosa.

Los preceptistas decimonónicos estudiaron siempre el cuento y la leyenda como géneros expresables en verso. Algo había, pues, en estas formas narrativas capaz de atraer la expresión poética, especialmente en la leyenda.

Es innegable que las narraciones de Bécquer tienen un alto sentido poético, que trasciende lo puramente verbal y afecta al asunto mismo. De todas formas, estas leyendas becquerianas no podrían servirnos de ejemplo decisivo con que probar la índole poética del cuento, ya que en ellas los asuntos y el lenguaje tienen un tono poco común. La existencia de cuentos poéticos —y esto vienen a ser dichas leyendas— no prueba nada a favor del significado poético del cuento en general.

Junto al cuento poético, lírico, existen la novela y el teatro poéticos, y esto no supone que los dos últimos géneros sean genuinamente poéticos.

El cuento lírico sólo sería una variante, un matiz, de los muchos que caben dentro del género. Representaría, en todo caso, la permeabilidad del género para admitir lo poético.

Pero es que, como tendremos ocasión de ver, los cuentos propia, escuetamente líricos, son poco frecuentes en nuestra literatura y suelen confundirse con los poemas en prosa: caso de Rubén Darío.

Este género es una derivación que— ya lo hemos explicado— nada tiene que ver con el cuento, cuyo elemento esencial es el argumento.

Podrían, por tanto, considerarse como límites extremos, polos entre los que el cuento se mueve, el poema en prosa y la narración ausente de toda intención poética.

Pero no hace falta pensar en el poema en prosa como última consecuencia, para comprender el significado poético del cuento. Recuérdese que José Coll y Vehí decía en su preceptiva que el nombre de cuentos se aplicaba «a algunas novelitas en prosa, más poéticas de lo que generalmente acostumbra a ser la novela». Recuérdese también cómo D. Cándido Nocedal, en su discurso de ingreso en la R. A. E., calificó de *poemas* las «novelitas de costumbres de *Fernán Caballero*». O cómo *Clarín,* estudiando las dificultades del cuento, decía que no podría cultivar este género quien no fuera poeta en el lato sentido de la palabra.

Digamos, también, que la Pardo Bazán daba el nombre de *Historietas y poemillas* a sus *Cuentos sacro-profanos,* y que Valera decia: «Estos poemitas en prosa que llamamos cuentos» [68].

Un escritor francés, magnífico cuentista, podrá servirnos de clave para mejor aclarar lo que venimos exponiendo. Nos referimos a Alfonso Daudet, a quien la Pardo Bazán tenía por cuentista neto, hasta el punto de decir que los capítulos de sus novelas podían leerse aisladamente sin desmerecer. Y de este modélico cuentista dice:

«El autor que empezó por poeta y siguió por cuentista...» [69].

Y Marcel Prévost, comparando los cuentos de Maupassant con los de Daudet, decía que éstos eran en su mayor parte *pequeños poemas* [70].

Rafael Altamira recogió también otro juicio interesante:

«Dice Zola que Daudet está colocado en el punto exquisito en que acaba la poesía y empieza la realidad» [71].

Esto mismo pudiera decirse del cuento en general, género literario fronterizo entre la poesía y la novela —la realidad.

La delicada emotividad de las narraciones daudetianas no excluye sabor realista. Los *Cuentos del lunes* refiérense a la guerra franco-prusiana. Las *Cartas de mi molino* representan una estilización del tema rural, pero no falta en ellas un sentido realista del humor, muy provenzal.

Las calidades poéticas de estos cuentos no nacen de una prosa brillante, artística, sino que son resultado de la intuición finísima de su autor al escoger unos temas poéticos de por sí, y que sólo necesitaban de la justa expresión para lograr su efecto.

---

68 *Obras completas.* Imp. Alemana. Madrid. Tomo XIV, pág. 215.
69 *El naturalismo,* pág. 154.
70 Vid. prólogo de ob. cit.
71 *Mi primera campaña.* Madrid, 1893, pág. 94.

Clarín, siempre tan avizor, tan de vuelta de todos los ismos, es autor de un ensayo sobre *La novela novelesca,* que trata en realidad de la *novela poética* [72], donde dice, entre otras cosas:

«La novela contemporánea, si bien con excepciones, es poco poética, aunque sea obra de grandes estilistas. *La Réve,* de Zola, es algo *poética,* y podría serlo mucho más; *Madame Bovary,* a no ser el final, que es pura poesía... *Pepita Jiménez* y *El amigo Manso* y *Marianela* son algo poéticas. Pero ¿qué es la novela poética? No lo puedo explicar, a lo menos en pocas palabras; pero estoy seguro de que sería muy bien venida. De esta novela, que tendría mucho de lo que pide Prévost, más que otras cosas, sacaríamos impresiones parecidas a ese perfume ideal que dejan los *lieder* de Goethe; el *Reischebilder,* de Heine; las *Noches,* de Musset; cualquier cosa de Shakespeare..., y el hálito ideal de *Don Quijote*» [73].

Clarín no llega a decir en qué consiste la *novela poética,* pero se adivina que él no piensa en la novela ornamentalmente lírica, sino que con intuición sorprendente, actualísima, desea una novela en que la poesía emane de la misma trama, de la calidad de la acción y del sentimiento, y no del ropaje.

Y él mismo se acercó a ese ideal, sobre todo con algunas de sus narraciones breves: novelas cortas y cuentos, lográndolo cumplidamente en casos como *Doña Berta* [74]. Fué su obra preferida y hoy resulta una de las mejores creaciones literarias del pasado siglo, distinta a todo lo que en aquel tiempo se escribió en España.

Otros cuentos suyos pudiéramos citar dentro de esta misma línea: *Pipá,* aguafuerte goyesco o esperpento de Valle-Inclán, pero con más ternura, con un lirismo más sugerido que expreso; *El dúo de la tos, La conversión de Chiripa* y el muy popular *¡Adiós, Cordera!,* del que decía Ulpiano González Serrano que era «un poema de los de más intensidad emocional [75].

El cuento así concebido es un género literario que sirve de nexo, de eslabón entre poesía y novela. De la poesía tiene la gracia y el riesgo del límite, la delicada intención; de la novela, la profundidad psicológica, los elementos narrativos.

Acudiendo a las mejores creaciones de los más famosos cuentistas

---

[72] Vid. nuestra nota *Clarín y la novela poética,* publicada en el *Boletín de la Biblioteca de Menéndez Pelayo.* Año XXIII, n. 1, 1947, págs. 98 y ss.

[73] *Ensayos y revistas.* Madrid, 1892, págs. 154-155.

[74] Juan Antonio Cabezas dice en su biografía de *Clarín* que *Doña Berta* es «lo más representativo por su calidad poemática» (*Clarín. El provinciano universal. Vidas españolas e hispanoamericanas del siglo XIX.* Espasa-Calpe. Madrid, 1936, pág. 199.

[75] U. González Serrano: *La literatura del día.* Barcelona, 1903, pág. 141.

mundiales, se descubre en ellas una emoción semejante a la que palpita en la poesía. Pero obsérvese que se trata de una emoción que no hubiera podido expresarse en los versos de un poema porque resultaría excesivamente prosaico, pero que tampoco podría encarnar con éxito en la forma novelística.

Precisamente el cuento es el género literario apto para recoger y transmitir esa emoción, que, teniendo un origen fundamentalmente poético, exige una forma no poética, sino narrativa, pero no la de la novela, en cuyas dimensiones se disolvería.

El cuento podría ser definido como el género literario más adecuado para esos temperamentos demasiado secos para la auténtica poesía, y excesivamente líricos para la pura novela. Obsérvense la evolución de Daudet, la del mismo Maupassant, que empezaron por poetas, o en nuestra literatura la de Bécquer y, especialmente, la de *Clarín*.

Alas compuso poesías en su juventud, de las que luego pareció avergonzarse y aun burlarse, según veremos al estudiar en otro capítulo su cuento *Versos de un loco*.

Lo intelectual, lo profesoral, fueron asfixiando esa primitiva vocación poética, pero no del todo, ya que encontró cauce expresivo —más intelectualizado, más burlón, pero posiblemente más sincero— precisamente en el cuento, género sustituidor de unos poemas que *Clarín* no llegó a escribir.

Del temperamento poético de *Clarín* sabemos mucho a través de esas narraciones suyas como *Doña Berta, Pipá, El Torso, El dúo de la tos*, en las que fluye una ternura que tiene su origen en la reacción —de carácter poético— del autor frente a la vida.

Aunque carentes de la ternura clariniana, otro tanto podría decirse de los mejores cuentos de la Pardo Bazán, escritora que evitaba todo exceso sentimental, movida del deseo de que sus relatos no pareciesen obra de mujer —temiendo el matiz peyorativo de esta calificación—, sino de escritor recio y desgarrado. Y sin embargo, en la mayor parte de esos cuentos hay implícito un pensamiento poético, como ella misma reconocía en el texto antes transcrito, en que explicaba al lector la génesis de sus narraciones breves. Pensamiento poético, repetimos, de distinta calidad del que se resuelve y concreta en poesía. Empleamos esta expresión al no encontrar otra más adecuada para definir esta clase de emociones, de sensaciones, que provocan la creación del cuento.

Se nos podrá objetar que a la vista de ciertas narraciones breves, excesivamente dramáticas, crudas, satíricas, nadie podrá creer que el cuento tenga su origen y fundamento en una emoción comparable a la que experimenta el creador de poesía. Pero esto equivaldría a negarse a aceptar la especial naturaleza de esa impresión que, al traducirse en cuento, puede incluso adoptar una expresión prosaica —otra cosa son los cuentos prosaicos y antipoéticos, por fracaso del autor—, pero de muy distinto signo a la de la novela, aun cuando la apariencia la asemeje a ésta.

El hecho de que el cuentista utilice como medios expresivos los mismos de la novela, si bien en distinta proporción y con distinta intención, basta para explicarnos esa semejanza entre uno y otro género. Además podríamos pensar que muchos cuentistas buscan formas y lenguaje deliberadamente antipoéticos, precisamente por un como temor a que pudiera transparentarse su no ahogada —y tal vez inconsciente— vocación poética. Y bueno será decir que algunos de los cuentos así concebidos suelen ser obras maestras del género, a lo menos para el gusto actual, que busca lo poético no en el lenguaje, sino en el fondo, en la intención. (Los más modernos cuentistas norteamericanos, como William Saroyan, cultivan este tipo de narraciones desaliñadas formalmente, con giros arrancados del lenguaje más vulgar, pero fundamentalmente poéticas.)

Otra prueba del acercamiento del cuento a la poesía, la tenemos en las garantías de mayor perdurabilidad y universalidad que el primero ofrece, contrastado con la novela.

La auténtica, la pura poesía, desligada en lo posible de todo lo anecdótico y temporal, es voz inmarchitable a través de los tiempos, y siempre encontrará resonancia en todas las generaciones, puesto que habla a lo que de eterno llevan dentro.

El cuento perdura también, pues siendo esencialmente argumento —y argumento humanísimo—, está libre de los peligros que acechan a la novela, más ligada a lo efímeramente circunstancial. (Prescindimos en esta observación de los cuentos de circunstancias, como los brotados al calor de las guerras carlista, de Africa, de Ultramar, etc., aun cuando algunos de éstos pueden seguir interesando y emocionando al lector moderno.)

Leemos algunas novelas del pasado siglo lamentándonos de que el ropaje retórico y las alusiones temporales perjudiquen a la narración misma, dándole cierto aire de cosa anticuada. El cuento, si su autor ha prescindido de palabrería y de atuendo ornamental —condiciones éstas muy contrarias al género, según hemos visto ya—, producirá una impresión más de actualidad, más de acuerdo con la época en que vivimos.

Otra cosa es la universalidad del género. La novela suele ser más nacional, racial, y surge como consecuencia de un ambiente, de una época histórica, cuyas preocupaciones y estilo trata de captar. El cuento —que puede ser tan local y temporal como los de Daudet, Maupassant, Chejov, o los gallegos de la Pardo Bazán— posee sin embargo —como la poesía— una mayor capacidad de hablar a todas las sensibilidades.

Compárese la pureza artística de *Clarín* componiendo *El dúo de la tos, La trampa* o cualquiera de sus más logrados cuentos, con la ya no pura —hablando estéticamente— intención que se advierte en las páginas de *La Regenta*. Esta novela, pese a su indudable y altísimo valor, resulta excesivamente estrecha, local y temporalmente. Se advierte demasiado en ella la presión de la época y del ambiente en que vivió su autor. Y no es que éstos sean defectos, pero sí características que diferencian claramente esta obra de los mejores cuentos clarinianos, nacidos quizás, también, como consecuencia de la circunstancia histórica, pero elaborados ya con una tan distinta técnica, que basta, ya que no para hacerla desaparecer del todo, sí para ocultarla más artísticamente.

En realidad, todos los géneros literarios acusan la hora histórica que los vió nacer, pero entre la poesía y la novela es preciso confesar que es en esta última donde más se advierte tal circunstancialidad histórica.

A la vista de la mayor parte de los cuentos españoles del xix, el lector podrá creer que estas notas ideales que del género venimos dando son sólo eso, ideales, que rara vez se cumplen.

Efectivamente, las mejores narraciones decimonónicas están rodeadas de una maraña de cuentos mediocres o rotundamente malos, anticuados, sin interés. Esto se explica teniendo presente que el cuento fué un género en el que probaron fortuna muchísimos escritores, no siempre dotados. Pero la existencia de tales relatos no significa que junto a ellos no podamos encontrar otros, espléndidos, en los que se cumplen las características apuntadas.

Si en la novela es casi imposible prescindir de lo local, lo circunstancial, en el cuento es más fácil la evasión, al desaparecer o —por lo menos— disminuir el paisaje, la descripción y el diálogo, es decir, las categorías que la novela toma de su alrededor temporal y que, precisamente, son las que más pueden envejecerla, en especial el diálogo.

Y no es que el cuento sea un producto literario nacido al margen de las preocupaciones del siglo, ya que, como veremos en nuestra clasificación temática, es el género más idóneo para registrar los afectos, pasiones, mentalidad, incidencias y costumbres de la época. Pero todo este conjunto de hechos circunstanciales se incorporan más diluída y suavemente en el cuento que en la novela.

Los *Contes du lundi* de Daudet, pese a estar cargados de pasión estrictamente local y temporal —la guerra franco-prusiana—, siguen atrayendo al lector, porque en ellos la circunstancia histórica se ha resuelto en motivos perdurablemente humanos, expresados bellamente. Piénsese también en que el tantas veces citado *¡Adiós, Cordera!* —que la crítica y los lectores han consagrado casi como modelo de cuento español— fué originariamente un cuento de circunstancias, rebosante de pasión polémica, pero expresada ésta con tal nobleza literaria y limpia emotividad, que el cuento sigue atrayendo a todas las generaciones posteriores.

Esto es factible también en la novela, y no vamos a negarlo, pero sí creemos que el cuento se presta más a esa artística transformación y depuración de un motivo circunstancial, por la razón de que pesa más el argumento —la peripecia humana, siempre interesante a despecho del paso del tiempo— que el diálogo y las descripciones, que lo estilístico, es decir, lo cambiable, lo sujeto a los vaivenes de la moda.

* * *

En resumen, el cuento es un preciso género literario que sirve para expresar un tipo especial de emoción, de signo muy semejante a la poética, pero que no siendo apropiada para ser expuesta poéticamente, encarna en una forma narrativa próxima a la de la novela, pero diferente de ella en técnica e intención. Se trata, pues, de un género intermedio entre poesía y novela, apresador de un matiz semipoético, seminovelesco, que sólo es expresable en las dimensiones del cuento.

Este género, así concebido, supone un desarrollo y perfeccionamiento de la poesía y de la novela, y por eso es, tal vez, el más moderno de los géneros literarios, nacido en la hora justa, cuando la literatura, en

todas sus manifestaciones, llevaba muchos siglos a su espalda y había
alcanzado una apropiada madurez.

El cuento es el matiz. Y sólo una civilización refinada, llena de experiencia, puede aprender a captar y expresar los matices. Al declinar
el siglo XIX, en sus últimos años, adquiere perfección y éxito un género literario que nuestro siglo ha heredado como el más característico,
hasta el punto de que si se puede hablar de decadencia de la novela,
nadie pensará en decir lo mismo del cuento, delicado instrumento artístico con el que aún quedan muchas cosas por decir.

CAPITULO III

EL CUENTO EN EL SIGLO XIX

CAPITULO III

EL CUENTO EN EL SIGLO XIX

I. EL ROMANTICISMO Y EL CUENTO

En los capítulos anteriores hemos tratado de estudiar la evolución del término *cuento* y las características esenciales de este género literario, capaces de diferenciarlo de otros próximos y que con él suelen confundirse. Ha llegado, pues, el momento de explicar la aparición del cuento moderno en nuestra literatura, ya que, según hemos tenido ocasión de ver, las narraciones medievales y renacentistas son géneros que, aunque ligados al que ahora vamos a estudiar, tienen, ante todo, valor de precedentes.

Tras el paréntesis que en los géneros narrativos significa el siglo XVIII en España —y precisamos «en España» porque en Francia, por ej., es el gran siglo de la *nouvelle*— surge con el Romanticismo una gran afición por las narraciones, de cualquier clase que éstas sean, en prosa o en verso, que, creciendo y refinándose a la vez, va a dar el tono característico a la centuria, sobre todo en su segunda mitad y más acentuadamente en los años finiseculares.

Se viene diciendo —y es uno de los lugares comunes más irrebatibles— que el siglo XIX es el siglo de la novela en todas las literaturas. Convendría añadir que lo es también del cuento o, sintetizando, de lo narrativo. La poesía lírica, dígase lo que se quiera, resulta en España desmedrada, pedante y prosaica comparada con la de siglos anteriores. (Hablamos en términos generales y muy simplistamente, excluyendo de tan severa condenación la alta y pura poesía de Bécquer, las genialidades de Espronceda o algunos otros momentos de auténtico lirismo, en una época dada a lo truculento y enfático.) No intentamos ya compararla con la lírica inglesa; tan distintos resultan los dos mundos poéticos.

Y, sin embargo, entrando en el mundo novelístico —digamos mejor, en el mundo de los géneros narrativos—, podemos equiparar nuestras mejores obras con las más logradas de la literatura europea.

No en balde se ha hablado de un renacimiento novelesco español en el siglo XIX. Indudablemente, y pese a todas sus quiebras y a todos los falsos encumbramientos, nuestra vida literaria alentó poderosamente en la pasada centuria, tal vez con un deje de provincianismo, contrastada con las restantes literaturas europeas; deje que en vez de menoscabar su valor lo acrecentó en muchos casos. Marañón ha evocado recientemente aquella espléndida época, rica en focos provincianos literarios como Santander y Oviedo, donde Pereda o Alas, señorilmente provincianos, producían sus más exquisitas y universales obras.

Posiblemente —y pese a lo que, pesimistamente, creyeran los críticos de la época— nunca se habló tanto de literatura y nunca absorbió ésta de tan gran manera el interés nacional como en la pasada centuria. Es el tiempo de las revistas literarias, de las polémicas seguidas con atención por muchos lectores, de los grandes éxitos de librería: recuérdense los casos de *El Escándalo* y *Pequeñeces*. La literatura anda mezclada con la vida, con la política, y de ahí surgen las discusiones. Tal vez la parte más activa en estas inquietudes correspondiese a una minoría, pero lo cierto es que al lector actual que se enfrenta con el mundo literario español del pasado siglo, le sobreviene una impresión de estupor y admiración, tan grandes son sus dimensiones, tan lleno de vigor y de vitalidad le resulta.

Posiblemente ha llegado ya la hora de ejercer una depurada labor de criba en nuestra literatura decimonónica, densa, compleja, excesiva. No todo es bueno, y lo vulgar y lo selecto andan mezclados muchas veces. La fiebre literaria se pulsa igualmente a través de las más insignificantes y pobres revistas locales, como de las más consagradas nacionalmente.

No nos corresponde estudiar las causas y características de esta especie de locura literaria [1] —ya en tiempos de *Fernán* decía el Marqués

---

[1] Decía Armando Palacio Valdés en el *Album de un viejo:*
«Hasta el siglo XIX, la producción literaria era escasa. Fácilmente se podían

de Molíns que su siglo era «el más *novelífero...* de cuantos registra la historia literaria» [2]; *Clarín* ridiculizó cuantas veces pudo a los *grafómanos* de su época—, y sí, en cambio, debemos intentar justificar el cultivo y éxito del cuento en el siglo XIX.

En realidad, habiendo estudiado ya en capítulos anteriores las relaciones de este género con la leyenda, el artículo de costumbres, la novela, etc., poco podremos añadir, limitándonos a describir de manera breve y sin entrar en detalles o citas, que en esos capítulos —o en los temáticos dedicados a los cuentos *legendarios* y *fantásticos,* entre otros— pueden encontrarse, una serie de hechos que puedan resultar esclarecedores del auge del cuento.

Al estudiar este género a través de las preceptivas decimonónicas, advertimos cómo ya algunos críticos del pasado siglo observaban el fenómeno de que habiendo sido el cuento la más primitiva creación literaria, fué el género que más tardó en conseguir forma escrita. Seguramente que al decir esto pensaban los preceptistas en el cuento moderno, el de su siglo, ya que entre las manifestaciones más antiguas de nuestra literatura se encuentran, precisamente, narraciones breves, cuentos, como los que componen el *Calila* o el *Libro de Patronio.* ¿Es que éstos no eran cuentos escritos? ¿O es que no merecían ser llamados cuentos?

Sobre las afinidades y desemejanzas del cuento medieval y el moderno, algo hemos dicho ya. Creemos que el toque diferenciador está en lo creacional. Ni el cuento medieval ni el renacentista pueden considerarse, realmente, como obras originales, creadas por el ingenio de sus autores. Estos se limitan a recoger relatos extraídos de las más variadas fuentes, y a narrarlos en forma atractiva y tal vez nueva a sus lectores. El cuento renacentista está en la misma línea que el medieval, considerados como géneros literarios no creacionales. Timoneda no inventa sus *patrañas,* sino que las recoge de los *novellieri* italianos, aderezándolas al gusto español.

Si Cervantes se jacta de ser el primer novelista, lo hace dando a la voz *novelar* su valor creacional: *inventar.* La voz cuento —recordé-

---

leer las obras que se publicaban. No escribían más que los que por naturaleza estaban llamados a hacerlo. Ahora escribe todo el censo electoral. Hace sesenta años se publicaban en España, cada año, cinco o seis novelas. Ahora se publican todos los días» (*Obras completas.* Ed. Aguilar. Tomo II, pág. 828).

[2] *Fernán Caballero: Cuadros de costumbres.* Con un prólogo del Marqués de Molins. Lib. Rubiños. Madrid, 1917.

moslo— conserva en el Renacimiento —y conservará aún, durante mucho tiempo— un sentido popular, tradicional, y es sólo aplicable a relatos no creacionales, aun cuando éstos adopten la más literaria de las formas.

El cuento adquiere independencia y jerarquía creacional en el siglo XIX, pero no de golpe, sino a través de una serie de etapas y matices que van desgajando el género del árbol tradicional, haciendo de él algo nuevo en la historia de la literatura nacional. Cuando hoy día leemos un cuento de la Pardo Bazán o de Palacio Valdés, es difícil pensar en lo mucho que tardó en madurar y cuajar esta forma literaria, la más significativa de nuestro tiempo.

El cuento así concebido nació cuando tenía que nacer, en el momento oportuno, como obedeciendo a una consigna universal que tendía a satisfacer los gustos y necesidades de una época. No se puede explicar el auge de este género sin tener presente el elemento humano, la masa de lectores que lo sostenía. Tal vez al cuento se llegase tras una educación literaria a través de la novela. En cualquier caso, se trata de un género que corresponde a un momento de refinamiento en la historia de la civilización.

Pero quizás la cuestión no pueda resolverse tan simplistamente. En el cultivo y éxito del cuento hay que considerar varios hechos, todos de indudable importancia.

En primer lugar, es necesario hacer abstracción por unos instantes del cuento moderno —es decir, a lo *Clarín,* a lo Maupassant— y pensar en su más inmediato precursor: el cuento romántico. Este, con ser ya muy diferente de los renacentistas y medievales, no posee aún las características del moderno. Y, sin embargo, el cuento romántico, históricamente considerado, nos parece la pieza clave, el núcleo engendrador de toda la brillante literatura narrativa posterior.

En el cuento romántico tienden a fundirse varios géneros característicos de la época: la leyenda, el cuento fantástico, el artículo de costumbres, el poema narrativo. He aquí los elementos básicos en la formación del más exquisito de los géneros literarios actuales. Es curioso que en la forma con que hoy lo conocemos, nada parezca deber a esos géneros románticos. Y, no obstante, la filiación es evidente, aunque también lo es lo radical de las transformaciones operadas.

No vamos a repetir aquí las ideas expuestas en capítulos anteriores. Sólo nos resta insistir en cómo de la conjunción —y confusión—

de los géneros románticos citados, nace la narración breve con valor creacional.

Pudiera explicarse esto recordando que el romanticismo, con su acercamiento a lo popular, resucita viejas formas narrativas: la leyenda, la conseja, la balada... Se trata, pues, de un retorno al cuento popular, ahora descubierto —con dimensiones de universalidad y perdurable encanto— por obra y gracia de los Grimm en Alemania, de Andersen en Dinamarca, de Mme. D'Aulnoys en Francia, etc.

Lo legendario, lo fantástico-germano —baladas en prosa—, lo popular, lo infantil, atraen al hombre romántico y le impulsan a tratar un género que sin ser aún enteramente creacional, lleva ya camino de serlo. La prevención de escritores como Cecilia Böhl de Faber contra la voz cuento aplicada a narraciones realistas —novelescamente realistas—, la hemos explicado teniendo presente que en su época el término evitado servía para designar narraciones con unas especiales características, estudiadas en otro capítulo.

Pero lentamente, el cuento así concebido —legendario, fantástico o infantil—, popular aún, va adquiriendo un valor literario, creacional. Y ocurre que las leyendas comienzan a ser inventadas, aun cuando tengan como base argumental un debilísimo motivo de la tradición, que el narrador interpreta y deforma a su antojo.

En realidad, basta comparar la leyenda romántica con los cuentos medievales y renacentistas para ver cómo lo creacional, lo literario, ha hecho ya su aparición, aunque bajo apariencia de cuento tradicional aún.

El artículo de costumbres, género romántico incluso en sus manifestaciones más antirrománticas —Mesonero Romanos—, va a prestar su realismo a las narraciones breves, originándose unos géneros híbridos que si por su intención satírica pueden ser considerados artículos de costumbres, por su contenido argumental rebasan ya las fronteras de ese género literario, cayendo en las del cuento.

El relato breve, originariamente popular, va sufriendo una lenta transformación que alcanza su punto culminante con los escritores naturalistas. Estos aprovechan el molde romántico —narración de escasas dimensiones—, rellenándolo con nueva materia, creando un género que parece nuevo en la literatura de la época, aun cuando deba tanto a los entonces despreciados géneros románticos.

Lo que el Romanticismo resucita es la forma de narración breve y lo que a ella aporta es su dignificación literaria. El cuento popular, el cuento de viejas, es recreado por los románticos. Pero en la recreación ocurre el mismo fenómeno advertible en el tratamiento de los temas medievales en el teatro, poesía y novela de la época. Lo que resucitan los románticos no es la Edad Media, sino la escenografía de la época como fondo de una nueva sentimentalidad.

Y así resulta que cuando el narrador pretende relatar un episodio legendario crea un nuevo tipo de narración, ya que lo tradicional, filtrado a través de su espíritu, se traduce y resuelve en algo muy distinto ya de lo verdaderamente popular.

Cabe, por tanto, a los cuentistas románticos, el haber logrado la literaturización de un género tenido por ínfimo y despreciable. Literaturización lenta, primero aplicada a narraciones aún atadas a lo tradicional, de donde van poco a poco desligándose hasta quedar convertidas en pura expresión de la imaginación del escritor, el cual toma ya de lo legendario sólo el color y no el argumento.

Pero aún hay que considerar un hecho importantísimo en la aparición del cuento como narración breve y creacional. Nos referimos al periodismo literario, causa, tal vez la más poderosa, del éxito de los géneros narrativos durante el pasado siglo.

II. EL CUENTO Y EL PERIODISMO

Todas las leyendas, cuentos fantásticos y populares, baladas, etc., a que nos venimos refiriendo adquieren configuración literaria, porque tienen un medio a su alcance en el que tomar cuerpo y con el que adquirir difusión. Ese medio es el periodismo, la gran creación romántica [3].

Lo que mejor explica la formación de un ambiente literario en el siglo XIX, es la gran abundancia de publicaciones periódicas, diarios, semanarios, revistas ilustradas, novelas por entregas, folletines, etc. Fué un diluvio de letra impresa, un manantial constantemente alimentado, ya que la letra engendraba letra y una polémica provocaba otra, y junto a la crítica de libros existía la crítica de críticas. Jamás se escribió tanto ni tan desaforadamente en España como en el pasado siglo. Cada partido, cada escuela literaria, incluso cada hombre —recuérdense los

---

[3] «El género periodístico, con sus artículos de crítica literaria y sus crónicas chispeantes, puede, en fin, decirse que nace en la época romántica» (Cejador: *Historia de la lengua y literatura castellana*. Tomo VII, pág. 87).

casos verdaderamente reveladores de doña Emilia Pardo Bazán, que crea una revista literaria por sí sola y toda escrita por ella, el *Nuevo Teatro Crítico;* o el idéntico de *Clarín* con sus *Folletos literarios*—, tienen su revista, su portavoz literario, arma de combate en la guerra literaria del siglo XIX.

De la influencia benéfica o nociva del periodismo no nos corresponde hablar. Sólo nos interesa constatar el hecho de la abundancia de publicaciones periódicas que, junto con las causas antes apuntadas, va a decidir el porvenir del cuento, nuevo género literario, nacido en las volanderas páginas de los periódicos y revistas decimonónicas.

Historiar la evolución del periodismo español y la paralela del cuento a través de él, no es tarea aquí emprendible. Nos limitaremos a recoger algunos testimonios interesantes de la influencia del periodismo en el cultivo y éxito del cuento.

De la literaturización del periodismo da fe el Marqués de Molíns en el prólogo a los *Cuadros de costumbres* de *Fernán Caballero:*

«Y vuelvo a atestiguar con los periódicos: no habrá ninguno de ellos tan poco observante de la moda que no ceda su entresuelo a algún novelista, y esto sin preguntarle de dónde viene ni adónde va. Periódicos conservadores hay que dan acogida a Eugenio Sué y consortes, y no faltará algún diario que, bajo el manto y rezaderas de devoto, dé benévolo hospedaje a un romancero *sapientem haeresim»* [4].

En realidad, basta examinar nuestros capítulos dedicados al estudio temático de los cuentos, para comprobar cómo los periódicos y revistas del pasado siglo nos han servido de fuente inagotable, ya que la mayor parte de nuestros narradores, antes de reunir en volúmenes sus cuentos, los habían dado a conocer en publicaciones periódicas.

Cuentistas como *Fernán,* Trueba y Alarcón comenzaron su vida literaria en las revistas. El *Semanario Pintoresco Español,* que vivió de 1836 a 1857, recogió las obras de muchos narradores, no coleccionadas luego. Navarro Villoslada, Clemente Díaz, Víctor Balaguer, Romero Larrañaga, Hartzenbusch, Cánovas del Castillo, Gabino Tejado, *Fernán,* G. Gómez de Avellaneda, Carolina Coronado, Rafael María Baralt, Florencio Moreno y Godino, Trueba, Agustín Bonnat, José de Selgas, etc., colaboraron en sus páginas. *El Museo Universal* (1857-1867) publicó cuentos de Alarcón, Manuel del Palacio, Soler de la Fuente, Núñez de Arce, Manuel Murguía, Carlos Rubio, Ruiz Agui-

---

[4] *Cuadros de costumbres,* pág. 7.

lera, Ossorio y Bernard, Trueba, Eduardo Bustillo, Carlos Frontaura, Pereda, Bécquer, Rosalía de Castro, Moreno Godino, Fernández Iturralde, etc. *El Contemporáneo, La Crónica de Ambos Mundos* y *La América* insertaron las leyendas de Bécquer. Antonio Ros de Olano publicó sus *cuentos estrambóticos* en la *Revista de España,* en la que también aparecieron otras muchas narraciones de Rodríguez Correa. Pérez Galdós, Valera, Miguel de los Santos Alvarez, Emilia Pardo Bazán, Fernando Fulgosio, etc. En *El Globo* y *La Ilustración* vieron por primera vez la luz los más fantásticos cuentos de Fernández Bremón. Algunos delicados relatos de Juan Ochoa aparecieron en *Barcelona Cómica.*

Y no son sólo las revistas —de las que *Blanco y Negro* a partir de 1891 es la más significativa en cuanto a la publicación de relatos breves—, sino también los periódicos diarios los que albergan en sus páginas la producción cuentística. *El Imparcial* y *El Liberal,* especialmente, se caracterizaron por la atención prestada a la literatura, adquiriendo fama los *Lunes* literarios del primer diario. *Fernanflor,* la Pardo Bazán y Octavio Picón, entre otros narradores, dieron a conocer muchos de sus cuentos en las páginas de la prensa madrileña.

Consideramos inútil entrar en detalles, por creer que los capítulos dedicados al estudio temático de los cuentos proporcionarán la suficiente información a este respecto, sobre todo a través de sus notas bibliográficas, en las que se registran los periódicos y revistas en los que aparecieron muchas de las narraciones utilizadas en nuestro trabajo.

Y esta invasión del periodismo literario, acogedor de novelas, folletines y, sobre todo, cuentos, no fué un fenómeno exclusivamente español, sino inherente a la literatura europea en general.

Estudiando Marcel Prévost el éxito de los cuentos de Maupassant, decía:

«La segunda razón que más poderosamente ha contribuído a hacer popular a Maupassant, cuentista, estriba en que el cuento es una obra corta que se publica fácilmente y fácilmente se reproduce en los periódicos, y que el lector puede leer cómodamente varias veces. Es un producto literario que el público se procura por poco dinero, que puede conocer por corto que sea el tiempo de que disponga, y que puede retener haciendo un insignificante esfuerzo de memoria» [5].

«Y cuando el éxito inmenso que alcanzaron hubo hecho surgir imitadores a

---

[5] *Cuentos escogidos* de Guy de Maupassant. Prefacio de Marcel Prévost. Versión castellana por Carlos de Batlle. Librería Ollendorf. París (s. a.), págs. VIII-IX.

granel, los periódicos diarios se llenaron de cuentos de las mismas dimensiones y del mismo género que los del nuestro» [6].

Es indudable, pues, que la existencia de una gran cantidad de publicaciones periódicas, aun cuando no fueran específicamente literarias, favoreció el cultivo del cuento, género que desplazó al folletín romántico en los diarios, según observaba bien *Clarín* en un artículo fechado en agosto de 1892, titulado *La prensa y los cuentos,* que consideramos fundamental para ilustrar nuestro punto de vista.

Consideraba Alas cómo a raíz de la revolución, y en los primeros años de la Restauración, el periodismo adquirió gran brillantez literaria, sobre todo en el aspecto crítico, para decaer luego lastimosamente.

«Por lo mismo que existe esa decadencia, son muy de aplaudir los esfuerzos de algunas Empresas periodísticas por conservar y aun aumentar el tono literario del periódico popular, sin perjuicio de conservarle sus caracteres peculiares de papel ligero, de pura actualidad y hasta vulgar, ya que esto parece necesario. Entre los varios expedientes inventados a este fin puede señalarse la moda del cuento, que se ha extendido por toda la prensa madrileña. Es muy de alabar esta costumbre, aunque no esté exenta de peligros. Por de pronto, obedece al afán de ahorrar tiempo; si al artículo de fondo sustituyen el suelto, la noticia, a la novela larga es natural que sustituya el cuento. Sería de alabar que los lectores y lectoras del folletín apelmazado, *judicial* y muchas veces *justiciable,* escrito en un francés traidor a su patria y a Castilla, se fueran pasando del novelón al cuento; mejorarían en general de gusto estético y perderían mucho menos tiempo. El mal está en que muchos entienden que de la novela al cuento va lo mismo que del artículo a la noticia...» [7].

Prologando Pérez Galdós en 1904 unos cuentos de *Fernanflor.* consideraba a este narrador como periodista ante todo —«de él nacieron la viveza, la gracia y brevedad de las formas literarias aplicadas al periódico» [8]—, elogiaba sus narraciones antes publicadas en *El Liberal* y loaba también la labor de la prensa diaria:

«La lectura febril del periódico, en muchos casos con interés ardiente, en otros con el solo fin de saber lo que pasa en el mundo, matando dulcemente las horas, despierta el gusto de otras lecturas. La Prensa, buena o mala, que en esto de la maldad o bondad de los periódicos no hay medida para todos los gustos, ni puede haberla, es el despertador de los pueblos dormidos y el acicate contra perezosos del entendimiento. No duden de que hoy se lee más que ayer, de que un ameno libro encuentra cada día más favorable ambiente» [9].

Y un periodista, Arturo Vinardell Roig, se jactaba en 1912, en la

---

[6] Id., pág. XIV.
[7] *Palique.* Lib. de Victoriano Suárez. Madrid, 1893, págs. 28 y ss.
[8] *Cuentos de Fernanflor.* M. Romero. Madrid, 1904, pág. V.
[9] Id., pág. IX.

introducción de una antología de cuentistas españoles, de cómo la prensa fué el elemento decisivo en favor del cuento:

«Y en este punto debo declarar una cosa que me interesa dejar consignada como periodista, ya que no tenga autoridad suficiente para decirlo como aprendiz de literato: el elemento predominante, el vehículo que ha servido aquí y en todas partes, lo mismo en los pueblos latinos de Europa que en las naciones hispanoamericanas, para hacer esta revolución en favor del cuento, es el periódico. En Francia no se concibe ya el periódico sin el folletín para pasto de la gente indocta, para el vulgo, y sin el cuento, éste para la gente culta, para el público selecto. Periódico con ínfulas de literario y sin cuento, está destinado a perecer irremediablemente. Y como nadie quiere morir pudiendo impedirlo, de aquí que todo periódico bien nacido tiene su colaboración de cuentistas, y si éstos gustan, el periódico está salvado.

Y vengamos a nosotros. ¿Qué ha sucedido en España? No hay más que ver lo que han hecho y lo que están haciendo los grandes periódicos. La corriente, esto es innegable, procede de Francia. ¿Qué importa? Empezaron —hablo de memoria y sin hacer cronología— Fernández Flórez, Fernández Bremón, Ortega Munilla, mirándose en el espejo que relucía en esta otra parte de los Pirineos, y allí se fueron llenando columnas y más columnas de los principales diarios madrileños, a los que han seguido más tarde los principales periódicos de provincias, hasta que consiguieron arraigar el nuevo gusto y atraerse buen golpe de imitadores, que hoy día se cuentan por docenas, para gloria y prestigio de las letras españolas...» [10].

De estas líneas parece deducirse que la moda del cuento periodístico vino de Francia, y que nació *a posteriori* del gusto que por este nuevo género literario había surgido en el país vecino, a consecuencia tal vez —aunque Vinardell no lo diga— del éxito alcanzado por Maupassant, según advertía Marcel Prévost.

Estudiando doña Emilia Pardo Bazán las obras del creador de *Boule de suif,* decía que:

«... el momento en que se reveló no podía ser más favorable: era aquel en que, a las largas narraciones, el público, sin darse de ello cuenta exacta, empezaba a preferir la forma, tan en armonía con el gusto francés, del cuento. Durante el período romántico pareció casi olvidada esta forma y la de la *nouvelle* o novelita, que en el siglo XVIII produjo, con Voltaire y Diderot, obras maestras» [11].

Trata la Pardo Bazán a continuación y muy brevemente de los cuentos de Musset, Merimée —período de transición—, Janin, Gozlan, Nodier y Méry.

---

[10] *Los mejores cuentos de los mejores autores españoles contemporáneos.* París, 1912, págs. 9-10.
[11] *La literatura francesa.* III. *El Naturalismo,* págs. 149-150.

«La fantasía, sin embargo (no significando con esta palabra los fuegos artificiales de la imaginación, sino un grado de emoción poética que sobrepuja a la realidad), no inspiró a nadie como a Alfonso Daudet, primer gran cuentista dentro de la escuela a que aparece afiliado, y a la cual reconcilió con el público, repelido por el creciente brutalismo de las narraciones de Zola» [12].

Según la escritora gallega, el cuento era en Francia un género nacional que, tras el período romántico en que tuvo escaso cultivo, volvió a gozar de la estima general por obra y gracia sobre todo de Daudet, en cuyas narraciones florecían la ternura, el humor y un ingenio suave y melancólico, muy meridional.

No creemos excesivamente en los nacionalismos literarios. En otro capítulo hemos estudiado un texto de *Clarín* en el que se decía que el cuento era un género esencialmente adecuado al carácter germánico. En realidad, no hay tales exclusivismos. El cuento en el siglo xix es patrimonio de todas las literaturas y alcanzó cultivo en Inglaterra —Dickens—, Rusia —Andreiev—, Francia —Maupassant—, Norteamérica —Allan Pöe—, etc. No puede adjudicarse a ningún país la creación de este género, si bien es verdad, como observaba la Pardo Bazán, que Francia contaba en su haber con una tradición —la *nouvelle* del siglo xviii— de que España, por ejemplo, carecía.

En todo caso, tampoco nos costaría demasiado considerar que el naturalismo francés, con su retorno al cuento literario, pudo influir en el cultivo del género en España, así como el cuento legendario-germánico influyó en nuestros narradores románticos.

Lo que de ningún modo podría aceptarse es la presentación de este influjo como causa única del auge del cuento. No creemos necesario recurrir a la imitación francesa para justificar la abundancia de narraciones breves en nuestro siglo xix. Las influencias serán observables a través de determinados autores y de obras concretas, pero no en cuanto al género mismo, universal entonces y ahora, como consecuencia de un afinamiento y matización de los géneros literarios.

Maupassant logró el éxito con su *Boule de suif*, no sólo porque existiera una tradición francesa en favor del cuento y de la *nouvelle*, sino también porque el ambiente estaba en sazón, según reconocía la misma Pardo Bazán:

«El momento en que Maupassant debió a una obra breve entrar en las letras por la puerta grande, ya hemos dicho que era propicio al cuento. La gente, ocupada y preocupada, quería leer aprisa, y los diarios inauguraban el reino del

---

[12] Id., págs. 150-151.

cuento, que todavía dura. En librería siguieron y siguen vendiéndose más las novelas; en la publicación diaria y semanal, el cuento domina...» [13].

Y ese ambiente *propicio* no era exclusivo de Francia, sino dominante en toda Europa. La prensa periódica no nace para la narración breve, ni ésta para ella, sino que —dos manifestaciones de la época— se compenetran perfectamente, como si estuvieran hechas la una para la otra.

El periodismo aparece en la hora justa, para servir una necesidad universal. El cuento es, también, el preciso género literario que el hombre desea en una época en que el tiempo comienza a ser obsesión y angustia. Uno y otro fenómeno —la aparición del periodismo y la del cuento— tal vez podrían haber surgido aisladamente, pero lo cierto es que la coincidencia temporal, cronológica de los dos, y su idéntica intención —proporcionar al lector en poco tiempo lo que necesita saber de la actualidad y ofrecerle, en escasas páginas, distracción o fruición estética— provocan esa sensación de interdependencia.

No diremos, pues, que el periodismo crea taxativamente el cuento, sino que favorece su cultivo, dándole cabida en sus páginas, en las que encuentra su mejor acomodo, su justa expresión.

Es preciso tener presente, además, que el cuento es muchas veces un producto de circunstancias —y esto no menoscaba su valor literario— equiparable al editorial periodístico. Véanse nuestros capítulos temáticos en los que estudiamos las narraciones surgidas al calor de las guerras de Africa, de Cuba, de Filipinas, o las escritas para diversas conmemoraciones, o las circunstancialmente satíricas, sociales, etc.

Y aquí sí que es preciso reconocer que el cuento ha sido víctima del periodismo. Su dependencia de éste le ha convertido, en muchas ocasiones, en algo así como un género literario híbrido que traduce en forma novelesca, bajo apariencia de ficción, lo que el editorial o las noticias comentan en otras páginas del mismo periódico. Indudablemente algunos cuentos noventaiochistas de la Pardo Bazán debieron de ser más eficaces, desde el punto de vista de la yanquifobia, que los más apasionados comentarios periodísticos.

Cada época del año, cada festividad —Navidad, Reyes, Carnaval, Semana Santa, etc.— tenía su expresión en los cuentos de los periódicos y revistas, como la tenían también los principales acontecimientos históricos y los más vivos problemas de la época: repatriación de los

---

[13] Id., pág. 159.

combatientes y miserias de éstos, injusticia del servicio militar, ignorancia de la población campesina, etc.

En los cuentos decimonónicos encontramos un repertorio de preocupaciones españolas, tan completo y vivo como no podrían suminis-
trarlo jamás las novelas o las obras teatrales, que son otros géneros
literarios muy ligados también al momento, a la circunstancia.

(Sobre la transmutación artística de tales motivos circunstanciales
en los cuentos y en los otros géneros literarios, algo hemos dicho páginas atrás.)

El cuento al pasar a las páginas del periódico no pierde perdurabilidad, no se convierte en fugaz letra impresa, ya que la mayor parte
de las veces los autores se preocupan de coleccionar sus narraciones
dispersas en diarios y revistas. Y, en cambio, con ese paso al periodismo gana el cuento en vida, al escribirse al compás de los acontecimientos, glosados poética y novelescamente en la brevedad de sus páginas. No hay género literario que pueda comparársele en este aspecto.

También aquí debemos de ver una de las causas de su éxito: el
cuento no sólo es accesible a todos, no sólo puede leerse en cualquier
momento, sino que, además, interesa a todos también por la actualidad
de su temática, tan viva y cálida como cualquier noticia o comentario
de los publicados en el peródico en que aparece.

Recuérdense los *Cuentos de mi tiempo,* de Jacinto Octavio Picón,
publicados en *El Liberal,* que su mismo autor tenía por cargados de
pasión y de polémica por haber sido escritos para un diario político,
en el que sólo debía escribirse «luchando como soldado raso».

Hay, pues, que considerar que en el éxito del cuento concurrieron
también circunstancias extraliterarias, aun cuando el resultado siga siendo literario. El ardor combativo que Alas puso en su *¡Adiós, Cordera!*
no ha restado ningún valor emocional al cuento, aun cuando una de
las circunstancias que provocaron el relato —injusticia de un servicio
militar clasista— haya desaparecido. En el mismo caso están otras narraciones breves, tendenciosas originariamente, y que hoy siguen interesando por su humanidad y depurada técnica narrativa.

Lo que resulta indudable es que el periodismo favoreció el éxito
del cuento entre los lectores y aún entre los mismos cuentistas, que tenían a su alcance un instrumento cómodo en el que dar cabida a sus
creaciones literarias. *El hábito facilita la gestación,* ha dicho *Azorín* refiriéndose a sus propios cuentos. A los narradores del pasado siglo debió de ocurrirles lo mismo. La facilidad de publicación que sus cuentos

encontraban y la constante demanda de éstos, explican el caso portentoso de la Pardo Bazán, autora de más de quinientos cuentos, casi todos publicados por primera vez en periódicos y revistas.

El arte del cuento exige una dedicación fervorosa a este quehacer literario, pero a la vez proporciona la recompensa de una mayor fluidez en la creación de nuevas narraciones, según va adquiriéndose un más logrado dominio de la técnica. En este aspecto, el periodismo español decimonónico —propulsor de la creación de cuentos— fué un factor decisivo en el desarrollo del género.

Y esto tuvo sus peligros, ya que muchos narradores mediocres lograron ver publicadas sus narraciones, aprovechándose de la necesidad de la prensa diaria y de las revistas, de publicar relatos breves con que satisfacer el gusto de los lectores. Alas decía a propósito de esta avalancha de malos cuentistas:

«El mal está en que muchos entienden que de la novela al cuento va lo mismo que del artículo a la noticia: no todos se creen Lorenzanas; pero, ¿quién no sabe escribir una noticia?».

«Muchos particulares que hasta ahora jamás se habían creído con aptitudes para inventar fábulas en prosa con el nombre de novelas, *han roto* a escribir cuentos...» [14].

Y la Pardo Bazán observaba que:

«El cuento requiere especiales disposiciones, y no es tan fácil sobresalir en él, cual pudiera suponerse por el hecho de que, aquí y en Francia, se haya lanzado a asaltarlo la turbamulta» [15].

Es sobre todo a finales de siglo cuando la invasión de narradores mediocres se exacerba. En una carta *A muchos y a ninguno,* se quejaba *Clarín* del frenesí existente en su época por imprimir obras literarias:

«Dos formas predominan en la nueva *escuela* prosaica de nuestros muchos y muy ilustres majaderos reformistas: el cuento corto y la novela descriptiva, con poco diálogo, de párrafos largos, y en la cual el autor procura, y lo consigue, que no *suceda nada de particular.*»

«Los otros, los de los cuentos cortos, son nerviosillos, atrevidos, y creen tener una imaginación como una máquina fotográfica reformada, de esas que retratan en un abrir y cerrar de ojos. Pero como no quieren ser menos que los otros en lo de escribir mucho, se desquitan de la necesaria brevedad del cuento escribiéndolos por docenas y hasta por millares. El caso es que ni a unos ni a otros les ha de quedar pizca de prosa en el cuerpo» [16].

---

[14] Vid. el ya citado artículo sobre *La prensa y los cuentos.*
[15] *El Naturalismo,* pág. 155.
[16] *Mezclilla.* F. Fe. Madrid, 1889, págs. 171-172.

Y en un *Palique* de 6 de enero de 1893, se lamenta:

«... así como no hay ciudadano que no se crea apto para la política, no hay lector que no sea crítico, y hay muchos que también son autores. Tenemos, pues, la invasión de lo vulgar, de la pacotilla, que produce novelas, cuentos, artículos *varios* con una rapidez y abundancia de fábrica que asusta y desconsuela...» [17].

Tras el naturalismo vino un llamado impresionismo literario, pródigo en narraciones cortas, que *Clarín* satirizó violentamente:

«No escriben largo [los impresionistas]; nada de libros; dicen que no hay tiempo para esto (ni tiempo ni editor). Son *impresionistas; sorprenden* la realidad en la calle y la copian en un dos por tres.

Lo que nunca sorprenden es el castellano.

¡Qué manera de escribir! Esa realidad que copian, a lo menos habla en español; pero ellos..., ¡Virgen Santísima!

También han oído que se debe despreciar la frase hecha, el género manoseado, y se dan a inventar y a despreciar lo que ellos llaman *convenciones gramaticales.*

Por lo general escriben semblanzas, cuentos y fantasías.»

«Pero su fuerte es el cuento.

¡Qué cuentos nos han contado estos muchachos, de tres o cuatro años a esta parte!

Algunos de esos señoritos, los más listos, traducen bonitamente, sin decirlo por supuesto, alguna cosilla de Coppé o de Guy de Maupassant, o de cualquier otro francés, y ponen toda su originalidad en cambiar los nombres y lugares, diluir el efecto y estropear el lenguaje» [18].

Otro crítico, J. M. Aicardo, quejábase también de la invasión de novelería breve:

«La producción original no es de mejor condición, porque es tanto, y por desdicha, lo que se escribe para el monstruo de cien fauces, la Prensa ya diaria, ya periódica; son tantísimos los lectores y lectoras que hacen timbre de superficialidad, a quienes hay que servir la chuchería y la confitura de alguna historieta sentimental y, sobre todo, corta; son tan innumerables los que pasan por las horcas caudinas de la Prensa y de los límites artísticos, tipográficos y materiales que ella impone, que no extraña ver la muchedumbre sin guarismo de los que escriben cuentos, narraciones, fantasías, leyendas, novelitas microscópicas para los susodichos fines, y de los que luego coleccionan sus obrillas para solaz de algunos y no menos —¿qué pecado es?— para honra y provecho del mismo novelador» [19].

Sería muy fácil aumentar esta lista de protestas o de alusiones satíricas contra el diluvio de letra impresa, típico de los últimos años del siglo XIX.

---

[17] *Palique,* págs. 54-55.

[18] *Nueva campaña.* Madrid, 1887, págs. 290 a 292.

[19] *De literatura contemporánea.* Segunda edición. Sucesores de Rivadeneyra. Madrid, 1905, págs. 223-224.

La abundancia de cuentos es tal, que llega a ser el fenómeno más característico y el rasgo más distintivo de nuestra literatura finisecular. Los críticos han coincidido en esta apreciación, especialmente los extranjeros. Así, H. Péseux-Richard, estudiando las obras de Octavio Picón, ha dicho:

«En Espagne, sauf M. Pérez Galdós, auquel elles semblent répugner, les plus grands noms de la littérature contemporaine figurent sur des recueils de contes formant volume, ou apparaissent de temps à autre sur la fueille littéraire d'un periodique. Assez souvent même, les contes passent du journal au livre et ils gardent de leur affectation première certains traits distinctifs» [20].

Y A. F. G. Bell, estudiando la *short story* española, comenta:

«A separate volume might be written on the development of the Spanish short story, the *cuento,* in one form or another always a favorite with Spanish readers but never so freely and variously cultivated as of late years» [21].

El éxito de las narraciones breves es tal, que no siendo suficientes los periódicos y revistas, o las colecciones y antologías, para contenerlas, surgen publicaciones especiales dedicadas a recoger novelas cortas y cuentos, como la titulada *El Cuento Semanal,* que empezó a publicarse en 1907. Muchas otras publicaciones similares han seguido a ésta, verdaderamente notable y que marca la transición del cuento decimonónico al plenamente actual, ya que en sus páginas aparecieron narraciones de los veteranos y de los entonces bisoños: Picón, Benavente, Pardo Bazán, Manuel Bueno, Larrubiera, entre otros, por un lado; y Martínez Sierra, Zamacois, José Francés, Eduardo Marquina, Pedro Mata, Amado Nervo, Pérez de Ayala, Julio Camba, etc., por otro.

Posiblemente la aparición de *El Cuento Semanal* —cuyo éxito justifica el de las publicaciones semejantes— es el hecho más importante de todos los que venimos reseñando respecto al cultivo y triunfo de un determinado género literario.

El cuento alcanza su máxima independencia, no necesita ya del libro ni del periódico, es un género con atractivo suficiente como para poder ser publicado aisladamente y con una regular periodicidad. Todos los escritores españoles pagan su tributo al género vencedor en el alborear del nuevo siglo.

En realidad, el cuento había triunfado ya en el siglo XIX, pero

---

[20] H. Péseux-Richard: *Un romancier espagnol: Jacinto Octavio Picón. Revue Hispanique.* XXX, 1914, n. 79, pág. 525.
[21] *Contemporary Spanish Literature,* pág. 103.

cuando mejor se percibe la rotundidad de su triunfo es en los primeros años del xx, con la perspectiva suficiente ya para valorar todo el proceso evolutivo de la literatura narrativa breve en la centuria anterior,
que desemboca en el hecho sorprendente y significativo de la publicación del cuento desligado de libros y de periódicos, es decir, con la
misma independencia que la novela, a la que ya parece igualarse, je-
rárquicamente, como género literario.

Al Romanticismo se debe el retorno a las formas narrativas tradicionales: cuento, conseja, leyenda. Al Naturalismo, la dignificación
literaria del relato breve, apto ya para narrar asuntos realistas, fuera
de los límites que imponían la mentalidad y los prejuicios románticos.
El periodismo favorece el cultivo de los cuentos y novelas cortas, géneros en que prueban fortuna casi todos los escritores del siglo xix y
comienzos del xx.

Al finalizar la centuria y comenzar la siguiente, el cuento ha adquirido ya su plena madurez como género literario independiente, y,
por lo tanto, entraña unos determinados problemas de estética y de técnica narrativa. Resultaría absurdo continuar empleando, para hablar
del cuento como género literario, los mismos tópicos de las viejas preceptivas. Es preciso saber valorar toda la importancia del relato breve
en nuestra literatura moderna, para poder decidirse a incorporar su
evolución a la historia de nuestra literatura, atenta sólo, en general, a
los restantes géneros literarios.

Todo un mundo, todo un conjunto de valores, de experiencias, de
sensibilidad, de problemas técnicos, de influencias —es decir, toda una
interesantísima problemática literaria— están contenidos en el cuento
español.

Nuestro presente trabajo es sólo un intento de aproximación a ese
casi desconocido mundo, cuya amplitud y complejidad exigen no un
estudio de conjunto —y tal es nuestra actual pretensión—, sino una
serie de ellos, semejantes a los que ya se van haciendo sobre autores
y aspectos de nuestra novelística decimonónica.

Resultan desconcertantes hechos como el de que mientras las novelas de la Pardo Bazán, v. gr., han sido estudiadas más o menos deta-
lladamente, apenas se han hecho sino rapidísimas menciones de sus
cuentos, cuando en un balance cuantitativo —e incluso cualitativo—
de la obra pardobazaniana, lo que más pesaría es el conjunto de sus
narraciones breves. Creemos que es precisamente la abundancia, la que
ha embarazado el desmenuzamiento y estudio de tales relatos breves.

Y, sin embargo, es fácil pensar que nunca se podrá obtener una completa semblanza literaria de la Pardo Bazán —técnica, temática, preocupaciones, estilo— con sólo atender a sus obras mayores, despreciando los cuentos. Por el contrario, es en ellos —dada su riqueza y variedad— donde mejor puede buscarse el perfil espiritual de la escritora.

Lo dicho de la Pardo Bazán es aplicable a otros autores, si bien el caso de la escritora gallega es el más grave, considerado el gran número de sus cuentos.

Y no sólo está la gravedad en el desconocimiento de los escritores, implícito en la omisión de sus cuentos, sino que, transcendiendo lo individual, la ignorancia u olvido de las narraciones breves trae como consecuencia el desconocimiento integral de todo un aspecto de la historia literaria.

Esto no quiere decir que los críticos literarios hayan de descender al análisis particular de todos y cada uno de los cuentos que se han escrito. Tal actitud sería extremosa, pero no lo es menos su contraria de prescindir, por comodidad muchas veces o por dificultad de caracterización, de tales narraciones y aludir a ellas muy superficialmente. El cuento no exige la atención que la novela, claro es, pero tampoco es admisible el olvido total en que permanece, salvo excepciones. La novela, como mundo cerrado que es, permite —y requiere— un más detenido análisis. Los cuentos han de tratarse más bien en conjunto, pero sin desdeñar individualidades; no contentándose con la fácil alusión global, sino buscando una caracterización suficiente y precisa, exigida por la técnica que el género entraña, tan diferente de la de la novela.

En los capítulos que siguen hemos intentado ofrecer una visión general del cuento decimonónico, clasificado según varios temas significativos. Nuestra clasificación no aspira a ser perfecta, y sólo representa un esfuerzo por reducir un conjunto enmarañadamente complejo dentro de unos esquemas lo menos forzados posible.

Esos capítulos temáticos pretenden servir de justo complemento a cuanto venimos exponiendo sobre teoría del cuento como género literario y su evolución en el siglo XIX. Posiblemente el mejor y más expresivo complemento sería una extensa y bien comentada antología, ya que, en última instancia, sólo la lectura de los mejores textos justificaría las características y el encuadramiento que hemos esbozado del cuento dentro del casillero de los géneros literarios.

El método descriptivo-temático, elegido por nosotros, adolecerá de muchos defectos e incluso podrá parecer anticuado, pero de momento, y dada la virginidad casi absoluta de la materia de nuestro estudio, nos ha parecido el único adecuado y posible.

CAPITULO IV

REPERTORIO CRONOLOGICO DE TEXTOS

CAPITULO IV

REPERTORIO CRONOLOGICO DE TEXTOS

Antes de pasar a la clasificación temática, ofrecemos un índice cronológico-bibliográfico del cuento español en el siglo xix. No es éste completo y sólo intenta servir de complemento a dichos capítulos temáticos, en los cuales el orden cronológico será sacrificado, muchas veces, en favor de una mayor claridad en la exposición, que permita relacionar las narraciones de un autor con las de otro, distante en el tiempo pero no en el tema. Al ser estudiado el cuento decimonónico a través de unos cuantos temas significativos, repartiendo entre ellos la producción de unos mismos autores, se imponía aquí un esquema cronológico en el que se pudiera seguir ordenadamente el movimiento bibliográfico a lo largo de toda la centuria.

Recogemos aquí, pues, el mayor número que nos ha sido posible obtener de colecciones de cuentos editados en el pasado siglo, año por año, reseñando en algún caso la producción detallada de narraciones sueltas o la global de escritores en revistas literarias, en los años en que el cuento vivía en ellas más que en volúmenes, antologías o publicaciones del estilo de *El Cuento Semanal*. En los años románticos, efectivamente, apenas podrían citarse ediciones de cuentos, por lo cual hemos creído conveniente citar los nombres de algunos narradores que publicaban sus relatos en las revistas de la época, llenando así un vacío que podría resultar desorientador, ya que llevaría a creer que en tales años no se cultivaba el cuento.

La máxima dificultad en la elaboración de este índice bibliográfico-cronológico, estriba en la demarcación de unas fechas topes entre las que situar los cuentos que llamamos decimonónicos. ¿Cuándo empieza y dónde acaba el siglo XIX? Pues nadie puede creer ingenuamente que el año 1900 señale el paso de un siglo a otro, en cuanto a mentalidad, costumbres y estilo. El XIX —la mentalidad decimonónica— se prolonga aún durante los primeros años de la centuria siguiente, acostumbrándose a citar la fecha de 1914 —comienzo de la guerra europea, o mejor aún la de su final: 1919— como la decisiva en el paso de un siglo a otro. En cuanto a los comienzos del XIX, el Marqués de Valmar daba el año 1808 como final del XVIII. Para Menéndez Pelayo no comenzó su siglo hasta 1834, mientras que el P. Blanco García retraía tal comienzo hasta 1793.

Nosotros hemos elegido como fecha inicial de nuestro índice bibliográfico la de 1832, en que Larra comenzó a publicar sus artículos en varias revistas. En cuanto a la final, el límite es impreciso, y en los capítulos temáticos podrá advertirse que mientras en uno hemos llegado hasta 1933, fecha de los *Tiempos felices* de Palacio Valdés, en otros cerramos el estudio antes de 1910. Y esto no por capricho o descuido, sino obedeciendo al propósito de utilizar para nuestro trabajo la producción narrativa completa —excepto en algún caso, como el de Baroja— de autores cuya mentalidad y estilo nos permitieran clasificarlos como decimonónicos. ¿Quién duda de que los *Tiempos felices* de Palacio Valdés, aun cuando publicados en 1933, son fielmente decimonónicos en técnica e intención? Es el mismo caso de Blasco Ibáñez, cuyas narraciones fueron publicadas muchas de ellas en 1918 —*Cuentos de guerra*—, 1919 —*La condenada*—, 1921 —*El préstamo de la difunta*—, en 1924 —*Novelas de la Costa Azul*—, en 1927 —*Novelas de amor y de muerte*—, etc. Pese a esta relativa modernidad de fechas, Blasco Ibáñez es uno de los narradores más característicamente decimonónicos, como tendremos ocasión de ver en los capítulos temáticos. Su tendenciosidad, su excesivo naturalismo, sus preocupaciones sociales y políticas, su mismo estilo colorista y denso, corresponden bien a los años finiseculares. No hay que olvidar que junto a esas colecciones publicadas después de 1900, existen otras más antiguas, como la titulada *Fantasías (Leyendas y tradiciones)*, publicada en 1887, siendo muy joven su autor, y llena de tópicos románticos. De 1888 es el conjunto de novelas cortas encabezadas por *El adiós de Schubert*.

Además, hay que tener en cuenta que la fecha de publicación de muchas de esas narraciones no corresponde a la de redacción. *El des-*

pertar del Buda, perteneciente a la serie *Novelas de amor y de muerte,* fué escrito en 1896 y publicado por primera vez en una modesta publicación de Valencia.

También la Pardo Bazán publicó muchos de sus volúmenes de cuentos después de 1900, aun cuando algunos relatos habían sido escritos y publicados en revistas con anterioridad: de 1901 es la serie de *Cuentos dramáticos: En tranvía;* de 1902, los *Cuentos de Navidad y Reyes;* de 1907, *El fondo del alma;* de 1909, *Sudexprés;* de 1912, *Belcebú* y los *Cuentos trágicos,* etc.

Clarín publicó en 1901 *El gallo de Sócrates.* Otras muchas narraciones de Alfonso Pérez Nieva, Alejandro Larrubiera, Jacinto Octavio Picón, Francisco Acebal, José Zahonero, José Cánovas y Vallejo, Luis Valera, Rafael Altamira, entre otros cuentistas claramente decimonónicos, aparecieron después de 1900.

Por el contrario, narradores inequívocamente contemporáneos —por su estilo, ideología y preocupaciones— publicaron algunas de sus obras en los últimos años de la centuria pasada. En 1895 aparecieron, con un prólogo de Manuel Murguía, las seis historias amorosas de Valle Inclán que componen la serie *Femeninas.* De 1897 es la obra de José Martínez Ruiz titulada *Bohemia.* Y, sin embargo, a nadie se le ocurriría estudiar a estos escritores como decimonónicos.

Alguna excepción hemos hecho con ciertas narraciones de Martínez Sierra, de Benavente, y con las *Vidas sombrías* de Pío Baroja. Estos autores no pueden ser estudiados dentro del siglo xix, excepto a través de ciertas narraciones lastradas aún de las preocupaciones dominantes en esa centuria. Es el caso de algunos cuentos sociales y mundanos de Benavente, o de algunos relatos de Martínez Sierra, anticuadamente *modernistas* —y perdónesenos la paradoja. Un tono más actual tienen las *Vidas sombrías* de Pío Baroja, publicadas en 1900; pero resumen y cierran tan adecuadamente el ciclo de ciertas preocupaciones decimonónicas, que no hemos vacilado en estudiarlas, junto con algunos cuentos de Catalina Albert *(Víctor Catalá),* como narraciones representativas del paso de una centuria —mentalidad y estilo— a otra.

La cuestión es, pues, compleja y no puede ser resuelta en un sencillo esquema introductivo al estudio temático de los cuentos del siglo xix. Tal vez nuestra selección peque de arbitraria e instintiva, pero no creemos habernos equivocado al centrar nuestra atención en un núcleo de narradores tan caracterizadamente decimonónicos como *Clarín,* Palacio Valdés y la Pardo Bazán, nuestros mejores cuentistas.

El adjetivo *decimonónico* sirve más de estorbo que de ayuda en muchas ocasiones, ya que lo asociamos a cosa anticuada, caduca. Y nada más moderno y vivo que las narraciones de *Clarín*. El confusionismo nace de utilizar un mismo adjetivo para una tan compleja y diversificada centuria como fué la pasada. Entre los narradores románticos y los finiseculares —ya sean naturalistas, psicologistas, modernistas, etc.— apenas parece haber nada de común, como si perteneciesen a mundos distintos y no fueran hijos de un mismo siglo. (Compárese esta diversificación existente tras un único adjetivo, con la relativa unidad entrañada en el término *dieciochesco,* con el que todos sabemos lo que queremos decir.)

Por eso nosotros en los capítulos temáticos hemos procurado hacer resaltar las diferencias entre narradores románticos, naturalistas, modernistas, etc.

Seguimos llamando contemporáneos a Pérez Galdós, la Pardo Bazán, Picón, Blasco Ibáñez, etc., aun cuando pertenezcan a una generación muy distinta y muy distante ya de la nuestra, pero también los designamos como decimonónicos. Una denominación no excluye la otra, aun cuando cree cierto confusionismo. Lo definitivamente lejano, histórico, es el fenómeno romántico (no sus consecuencias). Los años finiseculares gravitan aún sobre nosotros —lo más muerto es su retórica— como cosa viva, llena de calor y de fuerza.

Sin embargo, era necesario para nuestro actual trabajo buscar un criterio unificador, y si hemos agrupado temáticamente a escritores tan distintos como los de los años románticos y los finiseculares —y aun a algunos claramente contemporáneos—, ha sido porque lo que nos interesaba era la evolución y logro de un género a lo largo de un siglo, aun cuando éste fuera tan contradictorio como el xix. Tal vez nuestro estudio concluya en el momento más rico en posibilidades —el alborear de un nuevo siglo en que el género ha triunfado ya plenamente, y es cultivado por todos los escritores como el más característico y adecuado a la nueva sensibilidad—, pero aun así nos ha permitido asistir al pleno éxito de un género que, en manos de autores como *Clarín* y la Pardo Bazán, alcanzó la máxima jerarquía artística.

Necesitábamos del cuento decimonónico para estudiar lo que este género literario era. Con las narraciones escritas hasta el año 1910, aproximadamente, creemos haber tenido el material suficiente para intentar ese estudio. Hemos omitido la obra de autores como los citados Valle Inclán y Azorín, y aun de otros que en los años finales del xix o en los primeros del xx surgen a la vida literaria —Pérez de Ayala en 1903, Alfonso Danvila (*Odio. Cuentos.* 1903); Eduardo Zamacois, Concha Espina (*Trozos de vida, cuentos.* 1906); Antonio Zozaya, Mauricio López Roberts, Alejandro Sawa, Gabriel Miró y tantos otros como colaboraron a partir de 1907 en *El Cuento Semanal:* José Francés, Eduardo Marquina, Pedro de Répide, Linares Rivas, Pedro Mata, Amado Nervo, Carmen de Burgos, Cristóbal de Castro, Julio Camba, Insúa, Salaverría, etc.—; y los hemos omitido, precisamente, porque no nos proponíamos estudiar el cuento literario —tema que requeriría la inclusión de esos autores—, sino únicamente el cuento del siglo xix.

Una fecha tope, pues, pudiera ser esa de 1907 en que aparece *El Cuento Semanal,* publicación en que colaboran escritores como los ya citados y otros más antiguos —más decimonónicos—, como la Pardo Bazán, Picón, Larrubiera, etc. Según estudiamos ya, al hablar del cuento y el periodismo, la aparición de esta clase de publicaciones señala el momento de la independencia del género, capaz de vivir tan aisladamente como la novela.

Suele citarse a la generación del 98 como divisoria entre el siglo xix y el nuestro. En el campo del cuento nos interesa afinar más, ya que algún noventiochista, como Benavente, era necesario a nuestro estudio. Por otra parte, el noventaiochismo no resulta en el cuento clave ideológica excesivamente precisa. *Clarín* y la Pardo Bazán escriben —precisamente en los años en que el Imperio colonial se liquida— narraciones inmediatamente noventaiochistas, vibrantes y angustiadas, teñidas del mismo sentir que va a caracterizar a la generación siguiente.

No obstante, *Azorín,* Valle Inclán, Pérez de Ayala, Miró, pertenecen ya a otro mundo ideológico, estilístico, aun cuando el cuento no sea el género más idóneo para apreciar esas transformaciones, y no por inepcia o carencia de fuerza innovadora en los noventaiochistas y narradores contemporáneos, sino por la perennidad, por el tono siempre actual de los antiguos, entendiendo por tales los de la generación finisecular.

Hasta que la historia literaria se estudie por generaciones o por otro más racional procedimiento que el rígidamente cronológico, habremos de tropezar con dificultades como las que ahora examinamos. El carácter de nuestro actual trabajo nos ahorrará, sin embargo, más explicaciones. No hemos pretendido hacer una historia del cuento en el siglo xix. Hemos intentado estudiar un género literario a través de un siglo, precisamente el que le vió nacer —renacer quizás, recordando las narraciones medievales y renacentistas, tan distintas, empero, de las modernas—, el que asistió a su triunfo, legándolo a la centuria siguiente como la manifestación literaria más representativa de nuestro tiempo.

El presente esquema cronológico-bibliográfico intenta, solamente, ofrecer una visión —incompleta, claro es— de la evolución del cuento en el siglo xix. En la relación de las colecciones de cuentos hemos prescindido de todo detallismo bibliográfico, ya que sólo nos interesaba su inserción cronológica. Es en las notas de los capítulos temáticos donde el lector encontrará una más completa referencia de las principales colecciones de cuentos utilizadas para nuestro estudio, así como de todas aquellas obras críticas, de carácter general o particular, que hemos consultado, y que constituyen, por decirlo así, el cuerpo bibliográfico del presente trabajo.

Años

1832   Mariano José de Larra comenzó a publicar artículos de costumbres en *El Pobrecito Hablador, La Revista Española, El Observador, El Español,* etcétera.
         A este año pertenece también la primera serie de *Escenas matritenses,* de Ramón Mesonero Romanos.

1833   En este año se cree que Cecilia Böhl de Faber escribió en alemán su novela corta *Sola oder wahrheit und Schein,* enviada por su padre a Hamburgo.

1836   Segunda serie de *Escenas matritenses.*
         En el *Semanario Pintoresco Español* colaboran con narraciones breves Eugenio de Ochoa, Roca de Togores y Clemente Díaz.

1837   Tercera serie de *Escenas matritenses.*
         En el *Semanario Pintoresco Español* continúan apareciendo relatos cortos, en su mayor parte anónimos.

1838   Hue y Camacho, Miguel: *Leyendas y novelas jerezanas.*
         En el *Semanario Pintoresco Español* colaboran Jacinto de Salas y Quiroga, Antonio Gil de Zárate y José Somoza.
         De este año es la novela corta de Serafín Estébanez Calderón, *Cristianos y moriscos.*

Años

Tapia, Eugenio de: *Juguetes satíricos en prosa y verso*.   1839

En el *Semanario Pintoresco Español* aparecen narraciones de Antonio Gil y Zárate, Clemente Díaz, Carlos García Doncel y Miguel Agustín Príncipe y Vidaud.

En este año aparece una edición de *Cuentos*, de Hoffmann, traducidos por D. Cayetano Cortés.

En Hamburgo, y en la revista *Literarische und Kritische Blätter der Börsenhalle*, apareció *Sola*, de Cecilia Böhl de Faber.   1840

En el *Semanario Pintoresco Español* colaboran Clemente Díaz, Julio Marnier, Enrique Gil, José María de Andueza, Jacinto de Salas y Quiroga, etc.

De este año es la novela corta *La protección de un sastre*, de Miguel de los Santos Alvarez.

Romero Larrañaga, Gregorio: *Cuentos históricos, leyendas antiguas y*   1841
tradiciones populares de España (en verso).

En el *Semanario Pintoresco Español* colaboran Clemente Díaz, Francisco Navarro Villoslada, J. M. de Andueza, Manuel de la Corte y Ruano, Nicolás Magán, etc.

De este año son las siguientes narraciones de Miguel de los Santos Alvarez: *Agonías de la corte, Principio de una historia, Amor paternal* y *Dolores del corazón*.

En el *Semanario Pintoresco Español* colaboran Manuel de la Corte,   1842
L. Viardot, Miguel Agustín Príncipe, José Manuel Tenorio, Juan Rico y Amat, etc.

En el *Semanario Pintoresco Español* colaboran Nicolás Magán, J. Ma-   1843
nuel Tenorio, J. Giménez Serrano, Baldomero Menéndez y J. Guillén Buzarán.

En el *Semanario Pintoresco Español* colaboran Miguel López Martí-   1844
nez, J. Giménez Serrano, L. Villanueva, Benito Vicetto, E. Florentino Sanz, Nicolás Castor de Caunedo, etc.

De este año es el relato de Eugenio de Ochoa, *No hay buen fin por mal camino*.

En el *Semanario Pintoresco Español* colaboran N. Castor de Caunedo,   1845
Miguel Rodríguez Ferrer, Luis Alarcón, José de Cominges, Víctor Balaguer, Benito Vicetto, N. R. de Losada, etc.

En *El Español* aparecen narraciones de Ildefonso Ovejas, Antonio Hurtado, Casto de Iturralde, Gabino Tejado, Antonio Alegre Dolz, Aureliano Fernández Guerra, etc.

En este año comienzan a publicarse *Las mil y una noches españolas*, en entregas de 16 páginas, con narraciones de Hartzenbusch, Larrañaga, Huici, Orgaz, Andueza, Rubí, etc.

En el *Semanario Pintoresco Español* aparecen narraciones de Miguel   1846
López Martínez, Juan Antonio Escalante, N. R. de Losada, Juan Manuel de Azara, José Godoy Alcántara, Teodoro Guerrero, etc.

Años

1847   Estébanez Calderón, Serafín: *Escenas andaluzas.*
En el *Semanario Pintoresco Español* colaboran G. Romero Larrañaga, Rafael M. Baralt, Miguel Agustín Príncipe, José Godoy y Alcántara, J. Giménez Serrano, Gabino Tejado, José Sanz Pérez, etc.

1848   En el *Semanario Pintoresco Español* colaboran Juan de Ariza, J. E. Hartzenbusch, Isidoro Gil, Juan Manuel Azara, Antonio Marín y Gutiérrez, J. Giménez Serrano, Teodoro Guerrero, J. Heriberto García de Quevedo, Jacinto de Salas y Quiroga, Ramón de Navarrete, Félix Espínola, Antonio Cánovas del Castillo, R. Rúa Figueroa, etc.

1849   En el *Semanario Pintoresco Español* colaboran Francisco Navarro Villoslada, Juan de Ariza, J. E. Hartzenbusch, G. Romero Larrañaga, Gabino Tejado, Manuel Lucifer, Salvador Costanzo, *Fernán Caballero,* José Godoy Alcántara, Vicente Barrantes, J. Giménez Serrano, etc.

1850   En el *Semanario Pintoresco Español* colaboran Juan de Ariza, Antonio Neira de Mosquera, *Fernán Caballero,* J. E. Hartzenbusch, J. Giménez Serrano, Vicente Barrantes, etc.

1851   Goizueta, José María: *Leyendas vascongadas.*
López Pelegrín, Eduardo: *Cuentos de antaño, col. de leyendas de la Edad Media.*
En el *Semanario Pintoresco Español* colaboran G. G. de Avellaneda, *Fernán Caballero,* Luis Miquel y Roca, Carolina Coronado, J. E. Hartzenbusch, Juan de la Roca González, Adolfo de Castro, J. M. de Andueza, Emilio Bravo, Juan de Ariza, L. M. de Larra, Santiago Iglesias, J. Giménez Serrano, etc.

1852   *Fernán Caballero: Cuadros de costumbres populares andaluzas.*
En el *Semanario Pintoresco Español* colaboran R. M. Baralt, M. de los Santos Alvarez, *Fernán Caballero,* Francisco Flores Arenas, Francisco Aguilar y Lora, J. H. García de Quevedo, Juan de Ariza, Eduardo Gasset, etc.
De este año son *El amigo de la muerte* y *El año en Spitzberg,* de Pedro Antonio de Alarcón.

1853   Trueba, Antonio de: *Cuentos populares.*
En el *Semanario Pintoresco Español* colaboran Vicente Barrantes, Florencio Moreno y Godino, A. Gil Sanz, José de Castro y Serrano, *Fernán Caballero,* Eduardo Gasset, Aureliano Valdés, Agustín Bonnat, Ramón Ortega y Frías, A. de Trueba, Luis Eguilaz, etc.
De este año son la *Gaceta sentimental,* de Miguel de los Santos Alvarez, y los relatos *El clavo, La buenaventura* y *Dos retratos,* de Alarcón.

1854   Trueba, Antonio de: *Cuentos de color de rosa.*
En el *Semanario Pintoresco Español* colaboran Diego Luque, A. de Trueba, Alfonso García Tejero, Ferriz Villeda, Carlos Rubio, A. Bonnat, Luis Vidart, Manuel P. Durán, etc.

De este año son los siguientes cuentos de Alarcón: *La belleza ideal, El abrazo de Vergara, ¿Por qué era rubia?, El extranjero, La corneta de llaves, El asistente, ¡Buena pesca!, Fin de una novela* y *Soy, tengo y quiero.*

En el *Semanario Pintoresco Español* colaboran Carlos Rubio, *Fernán Caballero*, Ventura García Escobar, Francisco Javier Cobos, Fabio de la Rada y Delgado, José de Selgas, Juan de Salduba, A. Bonnat, J. M. Villergas, Antonio Castilla y Ocampo, S. J. Nombela, Alarcón, José Pastor de la Roca, etc. **1855**

De este año son *Los seis velos* y *El rey se divierte,* de Alarcón.

En el *Semanario Pintoresco Español* colaboran Luis de Eguilaz, A. Bonnat, Pedro de Madrazo, Alarcón, Eduardo Gasset, J. E. Hartzenbusch, L. M. Ramírez y de las Casas-Deza, A. de Trueba, Joaquín José Cervino, Luis Mariano de Larra, Juan de Ariza, José Pastor de la Roca, Josefa San Román, Ramón de Espínola, M. Fernández y González, Francisco de Espínola, Manuel Ivo Alfaro, etc. **1856**

De este año son *El afrancesado,* de Alarcón, y *Las aventuras de un muerto,* de Núñez de Arce.

Fernán Caballero: Relaciones. **1857**
Fernán Caballero: Vulgaridad y nobleza.
Fernández Vaamonde, E.: *Cuentos amorosos.*
Sinués, María del Pilar: *Amor y llanto* (leyendas).
En *El Museo Universal* aparecen narraciones de G. Núñez de Arce, Manuel del Palacio, M. Fernández y González, Alarcón, José J. Soler de la Fuente, J. de Dios de la Rada y Delgado, etc.

De este año es *¡Viva el Papa!,* de Alarcón, y quizá *El caudillo de las manos rojas,* de Bécquer.

En *El Museo Universal* colaboran Alarcón, Federico Díez de Tejada, Manuel Murguía, Carlos Rubio, etc. **1858**

De este año son *El coro de ángeles, Las dos glorias* y otros relatos y artículos de Alarcón.

Fernán Caballero: Cuentos y poesías populares andaluces. **1859**
En *El Museo Universal* colaboran Alarcón, Ventura Ruiz Aguilera, G. Núñez de Arce, Rogelio León, Carlos Rubio, Torcuato Tarrago, M. Ossorio y Bernardo, José de Castro y Serrano, Manuel Murguía, Ricardo Puente y Brañas, Pedro Yago, etc.

De este año son *El carbonero alcalde* y *El ángel de la guarda,* de Alarcón.

Balanciart, Daniel: *Colección de pequeñas novelas.* **1860**
Fernán Caballero: Deudas pagadas.
Ros de Olano, Antonio: *Leyendas de Africa.*
Trueba, Antonio de: *Cuentos campesinos.*
En *El Museo Universal* aparecen narraciones breves de M. Fernández y González, R. Puente y Brañas, José Joaquín Villanueva, Torcuato Tarrago, Pío Gullón, José J. Soler de la Fuente, V. Ruiz Aguilera. M. del

Palacio, Fernando Martínez Pedrosa, Eduardo Serrano Fatigati, M. Ossorio y Bernard, Manuel Vázquez Taboada, Manuel Murguía, A. de Trueba, Juan Antonio Sazatornil, Guillermo Forteza, Eduardo Bustillo, Pedro Escamilla, etc.

En *La Crónica de Ambos Mundos* apareció *La cruz del diablo*, de Bécquer.

1861　　Hartzenbusch, J. E.: *Cuentos y fábulas*.

En *El Museo Universal* colaboran V. Ruiz Aguilera, Angela Grassi, Baldomero Menéndez *(El capitán Bombarda)*, E. Bustillo, J. J. Villanueva, José Requena Espinós, A. de Trueba, Carlos Rubio, Federico Villalba, T. de Rojas, Eduardo Bordíu, Evaristo Escalera, Torcuato Tarrago, etc.

En *El Contemporáneo* aparecen *La creación, Maese Pérez, El monte de las ánimas* y *Los ojos verdes*, de Bécquer.

1862　　Boira, Rafael: *El libro de los cuentos*.

Couder, Gerardo: *Mis ratos de ocio, poesías, cuentos y costumbres*.

Hartzenbusch, J. E.: *Cuentos y fábulas*. Segunda ed.

En *El Museo Universal* colaboran A. de Trueba, J. de Dios de la Rada y Delgado, M. Ossorio y Bernard, Eduardo Zamora Caballero, Dolores Gómez de Cádiz, Ricardo Molina, Ramón Rodríguez Correa, J. J. Soler de la Fuente, José María Cuenca, José Garay de Sartí, José Requena y Espinar, Carlos Frontaura, T. de Rojas y Rojas, Jacinto Labaila, Felipe Carrasco de Molina, H. V. Domínguez, V. Ruiz Aguilera, Fernando M. Martínez Pedrosa, Benigno de Rezusta, José Ferreira y Peralta, etc.

En *El Contemporáneo* aparecen *El aderezo de esmeraldas, Creed en Dios, El Cristo de la calavera, El Miserere, El rayo de luna* y *Tres fechas*, de Bécquer.

1863　　En *El Museo Universal* aparecen narraciones de Ricardo Molina, Eusebio Martínez de Velasco, V. R. Aguilera, Augusto Ferrán, Melchor de Palau, Pedro Yago, Fernando Martínez Pedrosa, Carlos Rubio, Luis Rivera, Manuel Valcárcel, Adolfo Miralles de Imperial, José Pastor de la Roca, etc.

En *La América* aparecen *El beso, La corza blanca* y *El gnomo*, de Bécquer. *El Contemporáneo* publica *La cueva de la mora*, del mismo.

1864　　Badía, Francisco Miguel: *Cuentos de la abuela*.

Balaguer, Víctor: *Cuentos de mi tierra*.

Bustillo, Eduardo: *El libro azul, Novelitas y bocetos de costumbres*.

Martínez Pedrosa, Fernando: *Cuentos íntimos*.

Palacio, Manuel del: *Cabezas y calabazas*.

Palacio, Manuel del: *Dos reales de prosa y algunos versos gratis*.

Pereda, José María de: *Escenas montañesas*.

Ruiz Aguilera, Ventura: *Proverbios ejemplares*.

Santos Alvarez, Miguel de los: *Tentativas literarias. Cuentos en prosa*.

En *El Museo Universal* colaboran Eusebio Martínez de Velasco, Manuel Ossorio y Bernard, Fernando León y Castillo, Eugenio María Hostos, Ricardo Molina, Adolfo Miralles de Imperial, Fernando Fulgosio, Carlos Rubio, Cecilio Navarro, M. del Palacio, Victorina Ferrer y Saldaña, Vicente Gregorio Aspa, A. P. Rioja, José P. Clemente, V. Ruiz Aguilera, J. M. de Pereda, José Pastor de la Roca, Juan Antonio Almela, etc.

El Contemporáneo publica *La rosa de pasión,* de Bécquer.

Fernán Caballero: *La farisea y las dos gracias.*   1865
En *El Museo Universal* colaboran Juan Antonio Almela, Carlos Rubio, M. Ivo Alfaro, A. de Trueba, J. de Dios de la Rada y Delgado, V. Ruiz Aguilera, Andrés Avelino de Orihuela, Eugenio García Ruiz, E. Bustillo, Cecilio Navarro, Eugenio María Hostos, Manuel Valcárcel, Fernando Fulgosio, G. A. Bécquer, E. García Ladévese, M. Ossorio y Bernard, E. Fernández Iturralde, Mario Sodelo, Gonzalo Honorio, etc.

Araquistain, Juan V.: *Tradiciones vasco-cántabras.*   1866
Pizcueta Galell, Félix: *Las noches de invierno, historias, cuentos.*
Ruiz Aguilera, Ventura: *Limones agrios,* col. de cuentos, cuadros y *artículos para alegrarse y sobre todo para rabiar.*
Serrano Alcázar, Rafael: *Cuentos negros o historias extravagantes.*
Sinués, María del Pilar: *Veladas de invierno, leyendas.*
Trueba, Antonio de: *Cuentos de varios colores.*
Trueba, Antonio de: *Cuentos de vivos y muertos.*

En *El Museo Universal* colaboran V. Ruiz Aguilera, E. Fernández Iturralde, Rosalía Castro de Murguía, G. A. Bécquer, Luis García de Luna, Fernando Fulgosio, F. Moreno Godino, M. Ramos y Carrión, Manuel Valcárcel, Abdón de Paz, Eusebio Blasco, Federico Villalba, F. de Zulueta, Federico de la Vega, Luis Carreras, Constantino Gil, Alarcón, etc.

Ochoa, Eugenio de: *Miscelánea de literatura, viajes y novelas.*   1867
En *El Museo Universal* colaboran E. Fernández Iturralde, José Pastor de la Roca, Octavio Marticorena, F. de Zulueta, E. del Palacio, M. del Palacio, E. Bustillo, Cecilio Navarro, Mariano Lerroux, Luis Vidart, Faustina Sáez de Melgar, J. M. Marín, A. de Trueba, A. Campo y Carreras, etc.

Fernán Caballero: *La corruptora y la buena maestra de costumbres.*   1868
Frontaura, Carlos: *Cosas de Madrid.*
Navarro y Rodrigo, Carlos: *Cuadros al fresco, cuentos de todos colores.*
Rubio, Carlos: *Cuentos.*
Trueba, Antonio de: *El libro de las montañas.*
Viedma, Juan Antonio de: *Cuentos de la villa.*

En la *Revista de España* publicó Antonio Ros de Olano *Un episodio de la guerra civil: De cómo se salvó Elizondo y por qué fué condenado Lecaroz,* y un *Cuento estrambótico: Maese Cornelio Tácito.*

En la misma revista aparecieron narraciones de J. L. Albareda, F. Moreno Godino y Miguel de los Santos Alvarez.

De este año son *La comendadora,* de Alarcón, y *La conjuración de las palabras,* de Galdós.

Años

1869　　Blanco Herrero, Miguel: *Cuentos para reír*.
Santa Ana, Manuel María de: *Cuentos y romances andaluces*.
En la *Revista de España* aparecen narraciones de Ros de Olano, Alcalá Galiano, F. Moreno Godino, J. E. Hartzenbusch, J. M. de Pereda y Eduardo de Mier.

1870　　Fernández Iturralde, Enrique: *Cuentos agridulces*.
Lustonó, Eduardo de: *El Quitapesares, col. de cuentos, anécdotas, etc.*
Ruiz Aguilera, Ventura: *Proverbios cómicos*.

1871　　Lustonó, Eduardo de: *El hazmerreír*.
Pereda, J. M. de: *Tipos y paisajes*.

1872　　Castro y Serrano, José de: *Cuadros contemporáneos*.
González de Tejada, José: *Cuentos caseros*.
En la *Revista de España* aparecen narraciones de Peregrín García Cadena, Ramón Rodríguez Correa, Manuel Prieto y Prieto, etc.
De este año son *El artículo de fondo, La pluma en el viento* y *Un tribunal literario*, de Pérez Galdós, y *Gestas o el idioma de los monos* y *El cordón de seda*, de Fernández Bremón.

1873　　Castro y Fernández, Federico de: *Flores de invierno, cuentos, leyendas y costumbres populares*.
Fernández Bremón, José: *Cuentos*.
García Cadena, Peregrín: *Historias para todos*.
En la *Revista de España* publica Antonio Ros de Olano las *Jornadas de retorno escritas por un aparecido*.

1874　　Murúais Rodríguez, J.: *Cuentos soporíferos*.
Rodríguez Chaves, Angel: *Cuentos de dos siglos ha*.
Ruiz Aguilera, Ventura: *Proverbios ejemplares*.
Trueba, Antonio de: *Narraciones populares*.
De este año son las siguientes narraciones de Alarcón: *La última calaverada, Sin un cuarto* y *El sombrero de tres picos*, y la novela corta de José de Selgas *Un rostro y un alma*.

1875　　Cano y Cueto, Manuel: *Leyendas y tradiciones de Sevilla*.
Julián Bastinos, Antonio: *Cuentos orientales*.
Mesia de la Cerda, Carlos: *El saquillo de mi abuelo*.
Porcer, Jaime: *Cuentos trascendentales*.
Selgas, José de: *Dos para dos, El pacto secreto, El ángel de la guarda, cuadros copiados al natural*, dos tomos.
En *El Imparcial* aparece *La Nochebuena de Periquín*, el cuento de *Fernanflor* que Bonafoux presentó como fuente de *Pipá*, de *Clarín*.

1876　　Guerrero y Pallarés, Teodoro: *Cuentos sociales*.
Pereda, José María de: *Bocetos al temple*.
Selgas, José de: *Escenas fantásticas*.
De este año son *La mula y el buey* y *Junio*, de Pérez Galdós.

Fernán Caballero: Cuentos, oraciones, adivinanzas y refranes popu- 1877
lares e infantiles.

Palacio, Manuel del: *Letra menuda.*
Pereda, José María de: *Tipos trashumantes.*
Peño Carrero, Julián L.: *Cuadros y cuentos de aldea.*
Ruigómez e Ibarra, Andrés: *Viajes al fondo de mi tintero, cuentos.*
Sáez de Melgar, Faustina: *La abuelita, cuentos de la aldea.*
Sinués, María del Pilar: *Palmas y flores, leyendas.* .
De este año es *El libro talonario,* de Alarcón.

Campillo, Narciso: *Una docena de cuentos.*   1878
Coello, Carlos: *Cuentos inverosímiles.*
Fernán Caballero: Estar de más y *Magdalena.*
Ramírez de Arellano, Rafael: *Leyendas y narraciones populares.*
Sinués, María del Pilar: *Glorias de la mujer, leyendas históricas.*
Valera, Juan: *El pájaro verde* y *Parsondes.*

Bustillo, Eduardo: *El libro azul.*   1879
Fernández Bremón, José: *Cuentos.*
Jorrero y Paniagua, Manuel: *Cuentos fantásticos y morales.*
Oller, Narcís: *Croquis del natural.*
Palacio Valdés, Armando: *Crótalus horridus.*
Rodríguez Chaves, Angel: *Recuerdos del Madrid viejo, leyendas.*
Sinués, María del Pilar: *Tres genios femeninos, leyendas.*
Sinués, María del Pilar: *Luz y sombra, leyendas.*
De este año son las narraciones *La princesa y el granuja,* de Pérez
Galdós; *Pipá,* de *Clarín; El Bermejino prehistórico,* de Valera, y *El
maestro Malaguilla* y *Carambola de perros,* de Ros de Olano.

Flores García, Francisco: *¡Cosas del mundo!, narraciones.*   1880
Garrido, Fernando: *Cuentos cortesanos de El ermitaño de las Pe-*
ñuelas.
Lustonó, Eduardo de: *La capa del estudiante, cuentos y artículos.*
Olavarría y Huarte, Eugenio de: *Tradiciones de Toledo.*
Ortega Munilla, José: *Viñetas del Sardinero, relaciones.*
Ortega Munilla, José: *Panza al trote.*
Ossorio y Bernard, Manuel: *Lecturas de la infancia.*
Ramírez de Saavedra, Enrique: *Historias novelescas.*
Rodríguez Marín, Francisco: *Cinco cuentezuelos populares andaluces.*
Trueba, Antonio de: *Nuevos cuentos populares.*

Alarcón, Pedro Antonio de: *Novelas cortas.*   1881
Blanco Herrero, Manuel: *Más cuentos para reír.*
Campillo, Narciso: *Nuevos cuentos.*
Ceballos Quintana, Enrique: *Vergel de la infancia, cuentos con color*
de cielo.
Lustonó, Eduardo de: *Cuentos de lo mejor de nuestro Parnaso con-*
temporáneo.

Años

Nogués, Romualdo: *Un soldado viejo. Cuentos, dichos, anécdotas y modismos aragoneses.*
Ortega Munilla, José: *El salterio, cuentos y apuntes.*
Palacio, Manuel del: *Fruta verde.*
Pereda, José María de: *Esbozos y rasguños.*
Zahonero, José: *Zig-zag.*
De este año son *La mujer alta,* de Alarcón, y las series *Cuentos amatorios* e *Historietas nacionales.*

1882   Alarcón, Pedro Antonio de: *Narraciones inverosímiles.*
Blanco Asenjo, Ricardo: *Cuentos y novelas.*
Comenge y Dalmau, Rafael: *Cuentos maravillosos.*
Ortega Munilla, José: *El fauno y la dríada, cuento.*
Picón, Jacinto Octavio: *Lázaro, casi novela.*
Rodríguez Chaves, Angel: *Páginas en prosa.*
Rodríguez Marín, Francisco: *Juan del Pueblo, historia amorosa popular.*
Selgas, José de: *Historias contemporáneas: Dos parados, El pacto secreto, El corazón y la cabeza* y *Las dos rivales.*
Valera, Juan: *Cuentos y diálogos.*
De este año son las siguientes narraciones de *Clarín: Amor'é Furbo, Mi entierro, Un documento* y *Avecilla.*

1883   Baró, Teodoro: *Cuentos del hogar.*
García Cadena, Peregrín: *Obras literarias.*
Ogea, José: *Célticas, cuentos y leyendas de Galicia.*
Ortega Munilla, José: *Pruebas de imprenta, cuentos y artículos.*
Polo y Peyrolón, Manuel: *Borrones ejemplares.*
Rueda, Salvador: *Cuadros de Andalucía.*
Valera, Juan: *Cuentos y diálogos.*
De este año es el cuento de *Clarín: Las dos cajas.*

1884   Altés y Alabert, Juan Bautista: *Cuentos y cuadros teresianos.*
Coloma, P. Luis: *Lecturas recreativas.*
Grassi y Techi de Cuenca, Angela: *Palmas y laureles, lecturas instructivas.*
Esteban y Navarro, Casta: *Mi primer ensayo, col. de cuentos.*
Matheu y Aybar, José María: *La casa y la calle, novelas cortas.*
Ossorio y Bernard, Manuel: *Cuentos novelescos.*
Palacio Valdés, Armando: *Aguas fuertes.*
Salvany, Juan Tomás: *De tarde en tarde, cuentos y novelas.*
De este año son *Bucólica,* de la Pardo Bazán —publicada en la *Revista de España*—; *Dos Noches Buenas,* de Luis Alfonso, y *El hombre de los estrenos, Bustamante y Zurita,* de *Clarín.*

1885   Baró, Teodoro: *El buen maestro, historias, cuentos y fábulas.*
Baró, Teodoro: *Veladas de invierno, historias, cuentos y fábulas.*
Coloma, P. Luis: *Lecturas recreativas.*
Cuba y Martínez, Manuel: *Duchas agradables, cuentos.*

Nogués, Romualdo: *Cuentos, dichos, anécdotas y modismos aragoneses.*
Pardo Bazán, Emilia: *La dama joven, Bucólica,* etc.
Rodríguez Chaves, Angel: *Cuentos nacionales.*
Selgas, José de: *Novelas.* II.
Sinués, María del Pilar: *Narraciones del hogar.*
En la *Revista de España* aparecen *Los Reyes Magos* y *La ventolera,* cuentos de José Zahonero.

Alfonso, Luis: *Historias cortesanas* y *El guante.*   1886
Blasco, Eusebio: *Cuentos y sucedidos.*
Clarín: Pipá.
Coloma, P. Luis: *Lecturas recreativas.*
Coloma, P. Luis: *Pilatillo.*
Fernández de Miranda, Ricardo: *Acuarelas, novelas cortas.*
Fernanflor: Cuentos rápidos.
Gómez de Santiago, José: *La sombra de Bécquer, col. de cuentos con pretensiones de imitación.*
Grassi y Techi de Cuenca, Angela: *Cuentos pintorescos.*
Groizard y Coronado, Carlos: *Cuartillas.*
López Valdemoro, Juan Gualberto. Conde de las Navas: *La docena del fraile.*
Madariaga, Federico: *En el cuarto de banderas, cuentos para militares.*
Menos, Dámaso: *Cuentos diáfanos.*
Nogués, Romualdo: *Cuentos para gente menuda.*
Núñez de Arce, Gaspar: *Miscelánea literaria. Cuentos, artículos, relaciones y versos.*
Paula Capellá, Francisco de: *Novelas populares.*
Rueda, Salvador: *El patio andaluz.*
Sañudo Autrán, Pedro: *Narraciones españolas y americanas.*
Trigo Gálvez, Felipe: *Cuentos y patrañas.*
Zahonero, José: *El polvo del camino.*

Alfonso, Luis: *Historias cortesanas. Dos cartas.*   1887
Baró, Teodoro: *Cuentos y novelas.*
Blas y Martín, Juan de Dios: *Los cuentos del viejo.*
Blasco Ibáñez, Vicente: *Fantasías, leyendas y tradiciones.*
Camacho, Tomás: *Brochazos, artículos y cuentos.*
Castro y Serrano, José de: *Historias vulgares.* I y II.
Ceballos Quintana, Enrique: *Narraciones de cuartel.*
Coloma, P. Luis: *Colección de lecturas recreativas.*
Coloma, P. Luis: *La Gorriona.*
Cubas y Martínez, Manuel: *Poca ropa, cuentos de verano.*
Guerrero y Pallarés, Teodoro: *Cuentos de salón.*
Macías y García, Marcelo: *Nobleza obliga* y *El toque del alba, novelitas.*
Mathé, Felipe: *Breves relatos.*
Matheu, José María: *Un rincón del Paraíso.*
Morales de Ceballos, Eloísa: *Flores campestres, narraciones.*
Paula Capellá, Francisco de: *Leyendas y tradiciones.*

Roure, José de: *Cuadros de género.*
Rueda, Salvador: *Bajo la parra.*
Rueda, Salvador: *El cielo alegre, escenas y tipos andaluces.*
Selgas, José de: *Novelas.* III.
Valera, Juan: *Cuentos, diálogos y fantasías.*
Vidal, Diego: *Cuentos morales dedicados a la infancia.*
Zahonero, José: *Novelas cortas y alegres.*
Zahonero José: *Cuentos pequeñitos.*
Zahonero José: *La vaina del espadín.*

1888   Arévalo, Joaquín de: *Ocios de camarote.*
Blasco Ibáñez, Vicente: *El adiós de Schúbert y otras novelas cortas.*
Coloma, P. Luis: *Del natural.*
Dicenta, Joaquín: *Spoliarium, cuentos.*
García Alemán, E.: *El primer capricho, narraciones.*
Guerra, Manuel María: *Cuentos y notas festivas.*
López de Ayala, María de las Mercedes: *Cantos y cuentos para niños.*
Olavarría y Huarte, Eugenio de: *Leyendas y tradiciones.*
Oliver, Juan Luis: *Episodios de antaño.*
Pérez Nieva, Alfonso: *Historias callejeras.*
Selgas, José de: *Novelas.* IV.

1889   Asensi, Julia: *Novelas cortas.*
Castillo, José María del: *El país de la gracia, cuentos de mil colores.*
Coloma, P. Luis: *Por un piojo.*
Coloma, P. Luis: *Cuentos para niños.*
Mathé, Felipe: *Más relatos breves.*
Oller, Narcís: *De tots colors.*
Pardo Bazán, Emilia: *Morrión y boina.*
Pérez Galdós, Benito: *Torquemada en la hoguera.*

1890   Alfonso, Luis: *Cuentos raros.*
Pérez Galdós, Benito: *Torquemada en la hoguera y otras narraciones.*
Darío, Rubén: *Azul...*
Estremera, José: *Fábulas y cuentos.*
Jaén y Rosales, Narciso: *Cuentos morales.*
Matheu, José María: *Rataplán, cuentos.*
Mesa y de la Peña, Rafael: *Los pecados capitales.*
Peiró, Agustín: *Cuentos baturros.*
Pérez Galdós, Benito: *La sombra y otras narraciones.*
Pérez Nieva, Alfonso: *Los gurriatos.*
Pérez Nieva, Alfonso: *Cuentos de la calle.*
Sánchez de Fuentes, Eugenio: *Acuarelas, narraciones.*
Silverio Lanza: Cuentos políticos.
Silverio Lanza: Cuentecitos sin importancia.
Urrecha, Federico: *La estatua. Cuentos del lunes.*
Vera y González, Enrique: *Narraciones y cuentos.*
Viñals y Terrero, Francisco: *Cuentos verosímiles.*

Altamira, Rafael: *Confesión de un vencido.*   1891
Cánovas, Luis: *Novelas cortas.*
Castro y Serrano, José de: *Dos historias vulgares.*
Contreras y Camargo, Enrique: *De la vida, novelas cortas.*
Cubas y Martínez, Manuel: *Setas con perejil, cuentos.*
Font de Fondeviela, Enrique: *Cuentos modernos.*
Frontaura y Vázquez, Carlos: *Blanco y negro, narraciones cortas.*
Nogales y Nogales, José: *Mosaico, col. de artículos, cuentos y tradiciones de la Sierra.*
Pardo Bazán, Emilia: *Cuentos escogidos.*
Pérez Nieva, Alfonso: *Cuentos de la calle.*
Pérez Nieva, Alfonso: *Para la noche.*
Polo y Peyrolón, Manuel: *Seis novelas cortas.*
Polo y Peyrolón, Manuel: *Pepinillos en vinagre.*
Roure, José de: *Los hijos de la noche, cuentos madrileños.*
Rueda, Salvador: *Tanda de valses.*
En el *Nuevo Teatro Crítico* publicó la Pardo Bazán las siguientes narraciones: *Viernes Santo, No lo invento, La santa de Karnar, El baile del Querubín, Sinfonía bélica, Por el arte, En el nombre del Padre...* y *El peregrino.*

Baró, Teodoro: *Travesuras del corazón, cuentos para niños.*   1892
Clarín: Doña Berta, Cuervo y Superchería.
Dicenta, Joaquín: *Tinta negra, cuentos.*
Frontaura, Carlos: *La buena senda, cuentos.*
López de Sáa, Leopoldo: *Allá van historias, cuentos en prosa ligera.*
Martínez Tornel, José: *Cuentos murcianos.*
Pardo Bazán, Emilia: *Cuentos de Marineda.*
Pérez Nieva, Alfonso: *Narraciones.*
Pérez Nieva, Alfonso: *Niños y pájaros.*
Picón, Jacinto Octavio: *Novelitas.*
Romero, Joaquín E.: *Verde y negro, col, de novelas cortas.*
Torre, José María de la: *Granos de arena.*
Urrecha, Federico: *Cuentos del vivac.*
En el *Nuevo Teatro Crítico* aparecen las siguientes narraciones de la Pardo Bazán: *Crimen libre, La Nochebuena en el Limbo, El mechón blanco, La mayorazga de Bouzas, Los huevos arrefalfados, En tranvía, El voto, Casuística* y *La leyenda de la codicia.*

Altamira, Rafael: *Mi primera campaña.*   1893
Amor Meilán, Manuel: *El último hijodalgo.*
Amor Meilán, Manuel: *Sol y sombra, cuentos y paisajes.*
Baselga y Ramírez, Mariano: *Desde el cabezo cortado.*
Blanco, Angel, y Luis Gabaldón: *Palotes, cuentos.*
Cánovas y Vallejo, José: *Cuentos de éste.*
Campillo, Narciso, y Javier de Burgos: *Cuentos y sucedidos.*
Clarín: El Señor, y lo demás son cuentos.
Corral y Mairá, Manuel: *Cuentos veloces.*
Estébanez Calderón, Serafín: *Novelas, cuentos y artículos.*

Años

Larrosa, Francisco: *Prosa barata (Cuentos de mi cosecha)*.

López Núñez, Alvaro: *Narraciones bíblicas*.

López Valdemoro, Juan Gualberto. Conde de las Navas: *De allende Pajares (paisajes y cuentos)*.

Morell, Francisco de P.: *Cuentos y verdades*.

Morquecho, Dionisio: *Cuentos y cuentecillos*.

Pérez Nieva, Alfonso: *Los humildes*.

Pérez Nieva, Alfonso: *Diminutas*.

Reyes Aguilar, Arturo: *Cosas de mi tierra*.

Rueda, Salvador: *Cuentos y cuadros*.

Sellés, Eugenio; *Narraciones*.

Sepúlveda y Planter, Enrique: *Madrid en 1891 a 92, artículos, cuentos, crítica, semblanzas*.

Siles, José de, C. Rubio y J. Comas: *Relatos trágicos*.

En el *Nuevo Teatro Crítico* publicó la Pardo Bazán las siguientes narraciones: *La Noche Buena en el Infierno. La N. B. en el Purgatorio, La N. B. en el Cielo, La estéril, Vida nueva, La niña mártir, El cinco de copas, Temprano y con sol, Las dos vengadoras*, etc.

1894   Degetau y González, F.: *Cuentos para el viaje*.

Gómez Carrillo, Enrique: *Cuentos escogidos de autores españoles contemporáneos*.

Labarta, Enrique: *Pasatiempos*.

López Núñez, Alvaro: *El Album, col. de lecturas morales y recreativas*.

Moreno, Gregorio: *Religión y Patria, relatos históricos, cuentos y leyendas*.

Ochoa, Juan: *Su amado discípulo*.

Pardo Bazán, Emilia: *Cuentos nuevos*.

Rodríguez Correa, Ramón: *Agua pasada, novelas cortas*.

Sepúlveda, Enrique: *Cuentos*.

Solá Mestre, Jaime L.: *Cuentecitos*.

Trueba, Antonio de: *Cuentos de madres e hijos*.

Valle, Adrián del: *Narraciones rápidas*.

En la *España Moderna* aparece *El hechicero*, de Juan Valera. Del mismo año son *La muñequita* y *La buena fama*.

1895   Altamira, Rafael: *Cuentos de Levante*.

Baró, Teodoro: *Aventuras y coscorrones*.

Baró, Teodoro: *Flores y frutas, cuentos para niños*.

Blanco Belmonte, Marcos Rafael: *Desde mi celda, cuentos, miniaturas, bocetos...*

Briones, Gabriel: *Cuentos*.

Hernández, E., y A. de Valbuena: *Cuentos de barbería aplicados a la política*.

Huidobro, Eduardo de: *Cuentos, apuntes y otras menudencias*.

López Valdemoro, Juan Gualberto. Conde de las Navas: *La decena (cuentos y chascarrillos)*.

Mesa y de la Peña, Rafael: *Narraciones infantiles*.

Matheu y Aybar, José María: *Rataplán, cuentos.*
Nilo María Fabra: *Cuentos ilustrados.*
Opisso, Antonia: *Rojo y blanco.*
Ortega y Munilla, José: *La viva y la muerta, páginas infantiles.*
Pardo Bazán, Emilia: *Arco Iris.*
Pérez González, Felipe: *Pompas de jabón, cuentos.*
Pérez Mateos, Francisco: *Pólvora en salvas, col. de cuentos.*
Pérez Nieva, Alfonso: *Mundanas.*
Picón, Jacinto Octavio: *Cuentos de mi tiempo.*
Pino, David del: *Nubecillas.*
Polo y Peyrolón, Manuel: *Manojico de cuentos, fábulas, etc.*
Ramírez de Arellano, Rafael: *Cuentos y tradiciones.*
Rodríguez, José E.: *Hojas sueltas.*
Salcedo, Juan: *Cuentos militares.*
Siles, José de: *Cuadros de color: Mariposuelas.*
Siles, José de: *Cuadros de color: Pasiones de fuego.*
Valbuena y Gutiérrez, Antonio: *Novelas menores.*
Valle-Inclán, Ramón del: *Femeninas.*

Altamira, Rafael: *Novelitas y cuentos.*   1896
Barado y Font, Francisco: *Ronda volante, episodios y estudios de la vida militar.*
Baró, Teodoro: *Cuentos del Ampurdán.*
Blasco, Eusebio: *Cuentos alegres.*
Blasco Ibáñez, Vicente: *Cuentos valencianos.*
Bueno, Manuel: *Viviendo, cuentos e historias.*
Burgos, Javier de: *Cuentos, cantares y chascarrillos.*
Cavia, Mariano de: *Cuentos en guerrilla.*
Clarín: Cuentos morales.
Collado y Tejada, Cayetano: *Bondad de los animales, cuentos del pastor.*
Delgado, Sinesio: *Artículos de fantasía, cuentos.*
Dicenta, Joaquín: *De la batalla, cuentos.*
Edo, Carlos: *Y va de cuento.*
Estremera, José: *Fábulas.*
Fernández Vaamonde, E.: *Cuentos amorosos.*
García Rufino, José: *De la paleta, cuentos de color.*
Julián Bastinos, Antonio: *Cuentos americanos.*
Larrubiera, Alejandro: *Cuentos.*
López Berril, José Luis: *Novelas cortas.*
Lusiñán de Mari (Luis de Armiñán): *Narraciones rápidas.*
Llano y Ovalle, Francisco: *Flores del Bierzo.*
Morales, Gustavo: *De mi huerta.*
Ossorio y Bernard, Manuel: *Fábulas y moralejas.*
Ossorio y Bernard, Manuel: *Cuentos ejemplares.*
Ossorio y Gallardo, Carlos: *Cuentos del otro jueves.*
Pardo Bazán, Emilia: *Novelas cortas.*
Pestana, Alicia: *Cuentos.*
Picón, Jacinto Octavio: *Tres mujeres.*

Rodríguez Chaves, Angel: *Cuentos de sabor histórico*.
Rodríguez Chaves, Angel: *Cuentos de varias épocas*.
Rueda, Salvador: *El cielo alegre, cuentos*.
Sarasate de Mena, Francisca: *Cuentos vascongados*.
Sánchez Santos, Adela: *Para ellas, col. de novelitas y cuentos*.
Siles, José de: *Los mil y un cuentos*.
Tineo Rebolledo, J.: *Rosa y negro, cuentos*.
Tomasich, Enrique: *Media docena de cuentos*.
Valera, Juan: *Cuentos y chascarrillos andaluces*.
Vergara de Prado, Angel *(El Barón A. Toupin)*: *Cuentos*.
Viñals y Terrero, Francisco: *Cuentos verosímiles*.
Zahonero, José: *Cuentecillos al aire*.
Zamacois, Eduardo: *Humoradas en prosa. Artículos y cuentos*.

1897   Arozena, Mario: *Chispazos y perfiles, cuentos y artículos*.
Asensi, Julia: *Auras de otoño, cuentos para niños*.
Asensi, Julia: *Brisas de primavera, cuentos para niños*.
Baró, Teodoro: *Cuentos del hogar*.
Baselga, Mariano: *Cuentos de la era*.
Batlle, Carlos de: *Luces y colores*.
Ceballos y Quintana, Enrique: *Jazmines y violetas. Cuentos infantiles*.
Corral y Mairá, Manuel *Cuentos ciclistas*.
Díez de Tejada, Vicente: *Cuentos piadosos*.
Francos Rodríguez, José María: *Como se vive se muere, cuentos*.
Frutos Baeza, José: *De mi tierra*.
Giner de los Ríos, Hermenegildo: *Cuentos y aventuras*.
Larrubiera, Alejandro: *Historias madrileñas*.
Leoz, Melitón: *Poca cosa*.
López Ballesteros, Luis: *Semblanzas y cuentos*.
Martínez Ruiz, José: *Bohemia*.
Maspons y Anglasell, Francisco: *Instantáneas*.
Ortega Munilla, José: *Fifina, cuentos y esbozos*.
Pereda, José María de: *Tipos y paisajes*.
Pérez y González, Felipe: *¿Quieres que te cuente un cuento?*
Roure, José de: *Fantasías vascongadas*.
Ruiz de Obregón y Retortillo, Angel: *Muestras sin valor*.
Urrecha, Federico: *Agua pasada, cuentos, bocetos, semblanzas*.

1898   Benavente, Jacinto: *Figulinas*.
Brizeño, Ramón B.: *Cuentos escogidos*.
Casañal Shakery, Alberto: *Cuentos baturros*.
Dicenta, Joaquín: *Cosas mías. Col de cuentos*.
Escolano, Salvador: *Crisálidas, cuentos*.
García Alemán, E.: *Narraciones*.
Lejárraga, María de la O: *Cuentos breves*.
López Núñez, Alvaro: *De Re Rustica. Cuentos campesinos*.
Nogués, Romualdo: *Cuentos, tipos y modismos de Aragón*.
Ochoa, Juan: *Un alma de Dios*.
Oller, Narcís: *De tots colors*.

Ossorio Bernard, Manuel: *Cuentos y sucedidos.*
Pardo Bazán, Emilia: *Cuentos de amor.*
Pereda, José María de: *Bocetos al temple.*
Pereda, José María de: *Esbozos y rasguños.*
Ramos Carrión, Miguel: *Colorín, colorao...*
Rodríguez Marín, Francisco: *Fruslerías anecdóticas.*
Roure, José de: *Cuadros de género.*
Salas Sagristá, José: *Variedades.*
Síscar, Ramón de: *Fantasías.*
Torre de Trassiera, Gonzalo de la: *Tradiciones cantábricas.*
Valera, Juan: *De varios colores. Breves historias.*
Valera, Juan: *Garuda o la cigüeña blanca.*
Val, Luis de: *La primera falta.*

Aranaz Castellanos, Manuel: *Leyendas.*   1899
Aranaz Castellanos, Manuel: *En babuchas, cuentos y artículos.*
Batlle, Carlos: *Novelas cortas.*
Blasco Ibáñez, Vicente: *Cuentos grises.*
Bustillo, Eduardo: *Cosas de la vida. Cuentos y novelitas.*
Clarín: Las dos cajas (Biblioteca Mignon).
Fernández y González, Delfín: *Pos veréis.*
Grande Bandesson, Luis: *Granos de arena.*
Grande Bandesson, Luis: *Meridionales.*
Grau Delgado, Jacinto: *Trasuntos, narraciones.*
Guillén Sotelo, Juan: *Novelas cortas.*
López Valdemoro, Juan Gualberto, Conde de las Navas: *La media docena.*
Martínez Carrillo, José: *Cosas que pasan, cuentos y artículos.*
Martínez Sierra, Gregorio y María de la O. Lejárraga: *Cuentos breves.*
Palacio Valdés, Armando: *¡Solo! Novela.*
Rey, Enrique J. del, y Fernando Adelantado: *Nocturnos, cuentos.*
Pardo Bazán, Emilia: *Cuentos sacro-profanos.*
Rodríguez Chaves, Angel: *Cuentos de varias épocas.*
Soriano y Barroeta, Rodrigo: *Grandes y chicos, artículos y cuentos.*
Tabar, Alfredo: *Casi novelas.*
Vergara de Prado, Angel *(El Barón Toupin): Cuentos morrocotudos.*

Acebal, José: *Cuentos penales.*   1900
Altamira, Rafael: *Cuentos levantinos.*
Barado y Font, Francisco: *En la brecha, cuentos y fantasías.*
Bargiela, Camilo: *Luciérnagas, cuentos y sensaciones.*
Baroja, Pío: *Vidas sombrías.*
Blasco Ibáñez, Vicente: *La condenada, cuentos.*
Blasco Ibáñez, Vicente: *A la sombra de la higuera, cuentos valencianos.*
Bobadilla, Emilio *(Fray Candil): Novelas en germen.*
Boet, Andrés de: *Flor de almendro, cuentos de amor.*
Cánovas y Vallejo, José: *Lances de amor y fortuna.*
Casañal Shakery, Alberto: *Cuentos baturros.* Segunda edición.

Años

Clarín: Zurita.
Coloma, P. Luis: *Juan Miseria.* Cuarta edición.
Martín Granizo, Isaac: *Cantos y cuentos.*
Nogales, José: *Las tres cosas del tío Juan.*
Ochoa, Juan: *Los señores de Hermida* (publicada como obra póstuma, junto con otras narraciones).
Olive Bridgman, J.: *Prosa vulgar, col. de cuentos.*
Ortega Munilla, José: *Tremielga, cuentos.*
Palacio Valdés, Armando: *Seducción.*
Palacio Valdés, Armando: *Los amores de Clotilde.*
Pardo Bazán, Emilia: *Un destripador de antaño.*
Pérez Galdós, Benito: *La novela en el tranvía.*
Picón, Jacinto Octavio: *Cuentos.*
Pineda, Modesto: *Novelas y cuentos.*
Rogerio Sánchez, José: *Nueve cuentos.*
Solana, Ezequiel: *Lecturas de oro, narraciones para niños.*
Terán, Luis de: *Violetas, cuentos reales y fantásticos.*
Valera, Juan: *El pájaro verde.*
Valverde y Perales, Francisco: *Leyendas y tradiciones.*
Vega Blanco, J. *(Beppo): Borrones, cuentos.*

1901   Acebal, José: *Cuentos penales.* Segunda serie.
Armiñán, Luis de *(Lusiñán de Mari): Cuentos cárdenos.*
Balbuena, Benito: *Cuentos de caza.*
Blasco, Eusebio: *Cuentos.* Segunda serie.
Botella y Serra, Cristóbal: *Sin pretensiones, cuentos y novelas.*
Cáceres y Pla, Francisco de Paula: *Tradiciones lorquinas.*
Calvo Acacio, Vicente: *Cuentos y novelas.*
Campo y García, José María: *Narraciones lorquinas, tradiciones y leyendas.*
Cardenal, Andrés P.: *Oro y barro, col. de cuentos.*
Clarín: El gallo de Sócrates.
Contreras y Camargo, Enrique: *De la vida y del amor.*
Cueva y Ramón, Teodoro F. de: *Cosas que fueron, col. de cuentos.*
Dicenta, Joaquín: *Cuentos.*
Fernández Arias, Adelardo: *Alma y cuerpo.*
Fernández Vaamonde, Emilio: *Al vuelo, cuentos y apuntes.*
Goya, Antonio: *Cuentos de la vida y de la muerte.*
Groizard, Carlos: *Mis cuartillas, novelas cortas.*
López Sánchez Solís, J. A.: *Del arroyo, col. de cuentos.*
López-Serrano, Juan José: *Un libro más, cuentos.*
Muñiz de Quevedo, José: *Narraciones de Juan Soldado.*
Navarro, Joaquín: *Flores de trapo, col. de cuentos.*
Pardo Bazán, Emilia: *En tranvía (Cuentos dramáticos).*
Picón, Jacinto Octavio: *La vistosa.*
Sánchez Díez, Ramón: *Amores, cuentos.*
Tolosa Latour, Manuel: *Hombradas, cuentos.*
Torre, José María de la: *Cuentos del Júcar.*

Trogo, Rafael Angel: *Terracotas. Cuentos breves.*
Zamacois, Eduardo: *De carne y hueso, cuentos.*
En la *Revista de Extremadura* publicó diversos cuentos José María
Gabriel y Galán.

Acebal, Francisco: *De buena cepa.*   1902
Acebal, Francisco: *De mi rincón.*
Alcalá Zamora, Pedro: *Más cuentos.*
Aragonés, Adolfo: *Muestras sin valor.*
Ausin y Donis, Teodosio: *Cuentos sociales.*
Benavente, Jacinto: *El criado de D. Juan. Narraciones.*
Castro y Les, Vicente de: *Historias baturras y cuentos de mi tierra.*
Cerezo Irizaga, E.: *Cuartillas sueltas.*
Corujo, Angel: *Cuentos naturales.*
Jara, Alfonso: *Naderías, cuentos y artículos.*
López Allué, L. M.: *De Uruel a Moncayo, cuentos.*
López y López, José María: *Nostalgia, artículos, novelitas y poesías.*
López Serrano, Juan José: *Fábulas para un Rey.*
Ory, Eduardo de: *Plumaditas, cuentos.*
Pardo Bazán, Emilia: *Cuentos de Navidad y Reyes.*
Pérez Arroyo, G.: *Cuentos e historias.*
Reyes Aguilar, Arturo: *Del Bulto a la Coracha, cuentos andaluces.*
Ríos, Blanca de los: *El Salvador. Cuentos varios.*
Ríos, Blanca de los: *La Rondeña, cuentos andaluces.*
Roure, José de: *Cuentos madrileños.*
Ruiz, José Miguel: *Sucesos y cuentos.*
Serrano Anguita, Francisco: *Primicias. Artículos y cuentos.*
Vila Velasco, Justo: *El Diablo protestante, cuentos.*
Zamacois, Eduardo: *La quimera, cuento.*

Armiñán, Alfonso de: *Narraciones.*   1903
Arzadun y Zabala, Juan: *Escenas militares, cuentos.*
Casañal Shakery, Alberto: *Más baturradas.*
Danvila, Alfonso: *Odio, cuentos.*
Elola y Gutiérrez, José de: *Corazones bravíos, cuentos.*
Leyda, Rafael: *Valle de lágrimas.*
Leyva, Nicolás de: *Cuentos en papel de oficio.*
Maldonado, Luis: *Del campo y de la ciudad.*
Rodríguez Marín, Francisco: *Historias vulgares.*
Picón, Jacinto Octavio: *Dramas de familia, cuentos.*
Valera, Luis: *Visto y soñado.*
Valle, Adrián del: *Cuentos inverosímiles.*
Zamacois, Eduardo: *Horas crueles, cuentos.*
Zamacois, Eduardo: *Desde el arroyo, cuentos e historietas.*

Arce, Francisco: *Pasionales, cuentos.*   1904
Benavente, Jacinto: *Figulinas.* Segunda edición.
Fernanflor: Cuentos.
Jordi Arranz, Prudencio: *Cuentos cortos.*

Larrubiera, Alejandro: *El dulce enemigo.*
Martínez Sierra, Gregorio: *Sol de la tarde, novelas cortas.*
Pérez Nieva, Alfonso: *Angeles y diablos.*
Palma, Clemente: *Cuentos malévolos.*

1905   Asensi, Julia: *Victoria y otros cuentos.*
Baró, Teodoro: *La tierra catalana, narraciones, fiestas.*
Benavente, Jacinto: *Vilanos.*
Burgos, Carmen de: *Alucinación, cuentos.*
Danvila, Alfonso: *Cuentos de infantas.*
Domínguez Fernández, Antonio: *Relatos, novelas.*
Domingo de Ibarra, Ramón: *Cuentos históricos.*
Francos Rodríguez, José María: *Música, cuentos.*
Matheu, José María: *El Pedroso y el Templo.*
Menéndez y Pelayo, Enrique: *Cuentos y trazos.*
Moreu, P. Esteban: *De color de cielo, narraciones.*
Pérez Zúñiga, Joaquín: *Cuentos embolados.*
Pérez Zúñiga, Joaquín: *Villapelona de Abajo, cuentos.*
Rivero, Atanasio: *Pollinería andante, cuentos.*
Rodríguez de Bedía, Evaristo: *Narraciones cántabras.*
Rodríguez Marín, Francisco: *Chilindrinas, cuentos, artículos y otras bagatelas.*
Siles, José de: *El lobo y la oveja, cuentos.*
Siles, José de: *La casa de la alegría, cuentos.*
Siles, José de: *La novia de Luzbel, cuentos.*
Siles, José de: *El Paraíso de los pobres, cuentos.*
Torroella Plaja, Miguel: *Cuentos que son historias.*
Trueba, Antonio de: *Cuentos populares de Vizcaya.*
Valera, Luis: *Del antaño quimérico.*
Zahonero, José: *Pasos y cuentos.*

1906   Arenas Alonso, Juan: *Cuentos sencillos.*
Blanco Belmonte, Marcos Rafael: *De la tierra española, cuentos.*
Espina de Serna, Concha: *Trozos de vida, cuentos.*
Fernández y González, Delfín: *Alternando, novelas y cuentos.*
Pereda, José María de: *Pachín González* y otras narraciones.
Torromé, Rafael: *Cuentos del maestro.*

Con la aparición de *El Cuento Semanal* en 1907, cerramos el presente índice cronológico-bibliográfico. Daremos, sin embargo, las fechas de publicación de algunas otras colecciones de cuentos posteriores a este año.

En 1907 apareció la serie de cuentos de la Pardo Bazán titulada *El fondo del alma.* En este año y en el siguiente aparecen los tomos XIV y XV de las *Obras completas* de Juan Valera, editadas en la Imprenta Alemana de Madrid, conteniendo todos los cuentos del autor.

En 1908 aparece la obra de José María Matheu, *La hermanita Comino, cuentos y novelas cortas.*

De 1909 es la colección de cuentos de la Pardo Bazán titulada *Sud-exprés*, y la de Antonio Julián Bastinos, *Exótica, narraciones ultramarinas*.

En 1910 publica Rafael Altamira sus *Fantasías y recuerdos*, y Arturo Reyes, *De Andalucía, cuentos*. En el mismo año aparecen *Nuestros soldados, narraciones y episodios*, de Francisco Barado y Font, y *Quisicosillas*, de Francisco Rodríguez Marín.

De 1911 son: *Las diez y una noches*, de José Alcalá Galiano; *Mujeres, cuentos*, de Jacinto Octavio Picón, y *De mis parrales. Cuentos andaluces*, de Arturo Reyes.

De 1912: *Belcebú, novelas cortas*, y *Cuentos trágicos*, de la Pardo Bazán.

De 1913: *Hombres y mujeres*, de Alejandro Larrubiera, y *De chicos y grandes*, de Juan Gualberto López Valdemoro, Conde de las Navas.

De 1914: *Cuentos quiméricos y patrañosos*, de José Zahonero, y *Frateretto, cuento*, de J. Ortega Munilla.

CAPITULO V

CLASIFICACION TEMATICA DE LOS CUENTOS
DEL SIGLO XIX

CAPITULO V

CLASIFICACION TEMATICA DE LOS CUENTOS
DEL SIGLO XIX

INTRODUCCION

En las páginas que siguen intentamos describir la evolución y cultivo del cuento en el siglo XIX —como complemento necesario a todo lo que sobre teoría del género venimos exponiendo—, a través de un repertorio de temas significativos.

No se nos oculta lo convencional y anticuado de las clasificaciones temáticas que pretenden reducir a unos cuantos motivos, asuntos o preocupaciones la varia y libre creación literaria. Realmente, pocos son los narradores que *a priori* se proponen hacer un cuento religioso o social, sino que tal carácter es más bien observado posteriormente, como resultante y no como premisa impuesta a la creación literaria. Siempre habrá, además, cuentos inclasificables que habría que estudiar aparte, a no querer incluirlos, forzadamente, en uno de los casilleros establecidos.

Tales son, entre otros muchos —como la sensación de monotonía que produce ver agrupados en bloques cuentos de un mismo tono: rural, patriótico, fantástico, etc.—, los inconvenientes de una clasificación temática. Y sin embargo, la hemos aceptado en este estudio como método ya que no completamente eficaz, sí el único posible, de momento, para describir la enmarañada y vasta cuentística española del pasado siglo. La abundancia de narraciones y de narradores no permitía una descripción rigurosamente histórica —narrador por narrador, cronológicamente—, que hubiera resultado aún más enojosa —y menos expresiva, quizás— que la temática.

Además no era éste nuestro objetivo. Repetimos que no nos interesa el estudio estrictamente histórico del cuento decimonónico español, sino su descripción en cuanto género literario, atendiendo más a sus características generales que a las individualidades de quienes lo cultivaron. No obstante, en nuestros capítulos temáticos —aun cuando concebidos con esa preocupación— hemos procurado caracterizar adecuadamente a los más notables narradores de la pasada centuria. No hay, sin embargo, en esas caracterizaciones ningún detalle biográfico ni ajeno, en última instancia, al cultivo del cuento a través de los diferentes temas elegidos. Los narradores interesan sólo en función de sus narraciones, y si éstas nos dan alguna clave de su estilo, personalidad e ideología, casi será como añadidura y no porque nosotros hayamos perseguido semblanzas individuales.

Del conjunto de los capítulos temáticos que siguen, quisiéramos que el lector obtuviese una impresión de lo que fué el cuento literario del siglo XIX, y de cómo lo cultivaron autores de diversos estilos, temperamentos e ideologías.

Esa diversidad —unas veces provocada por la simple cronología: cuentistas románticos y cuentistas finiseculares; y otras por lo irreductiblemente temperamental: Pérez Galdós, Pereda, la Pardo Bazán, coetáneos y dispares— puede apreciarse claramente en el tratamiento de un mismo tema por autores distintos ideológicamente o distantes cronológicamente. En nuestros capítulos temáticos intentamos describir y justificar tales disparidades. (Véase, por ejemplo, nuestra introducción al estudio de los *Cuentos rurales,* en la que describimos la transformación del motivo horaciano de exaltación del campo y desprecio de la ciudad, deformado hasta casi la inversión por los naturalistas.)

Por lo tanto, el conceder un primer plano de atención al estudio de los cuentos, no supone el olvido o menoscabo de las individualidades creadoras, las cuales no quedan apagadas, sino que se expresan a través de sus creaciones literarias. ¿Existe algo más personal y lleno de vida que los cuentos de *Clarín,* en los que encontramos, intensísima, toda la angustia espiritual de su autor?

Los cuentos, estudiados temáticamente, nos informan de las preocupaciones dominantes en el siglo XIX: problemas religiosos, sociales, políticos, etc. Recuérdese lo que en otro capítulo hemos dicho sobre cómo el cuento vive en los periódicos, participando a veces del carácter de editorial o de glosa de noticias, tal como sucede en las narraciones publicadas en los años 1898 y siguientes, en las que la pérdida de las colonias ultramarinas constituye el tema, eficazmente dramático por su carácter de cosa viva y que a todos afectaba. Junto a la generación del 98 habría que considerar este noventaiochismo inmediato, encarnado en obras literarias surgidas al calor de los sucesos.

Siendo el cuento el género literario captador del latido fugaz, el conjunto que ahora ofrecemos, distribuído en capítulos temáticos, nos proporciona algo así como un trasunto de la vida toda del siglo XIX, vista y expresada a través de infinidad de narraciones breves, abarcadoras de todos los temas y preocupaciones definidoras de la época. La novela, el teatro y la poesía no permitirían nunca una semblanza del siglo XIX tan completa como la que de los cuentos puede extraerse. En ellos están glosadas y reflejadas cuantas inquietudes agitaron a los hombres para los que fueron escritos. La convivencia del cuento con el periodismo agudizó esa sensación de glosa del momento, no expresable en ningún otro género literario, precisamente por su levedad, por su rapidez.

Hemos dicho que el cuento es el género captador del matiz, de la minucia. De ahí que un tan amplio conjunto de narraciones como el que ofrece el siglo XIX, contenga todos los matices —no perceptibles en los restantes géneros literarios— reveladores de la mentalidad y clase de vida dominantes en la época.

Temas hay, por otra parte, peculiares, casi exclusivos del cuento. Es el caso de los que nosotros hemos llamado *cuentos de objetos y seres pequeños,* interesantes no sólo por ofrecer una valoración estética y emotiva de la mentalidad decimonónica —tan inclinada a conceder importancia a hechos aparencialmente minúsculos—, sino también por resultar uno de los mejores y más claros ejemplos de cuál fué la técnica de nuestros cuentistas en lo relativo a las dimensiones —equilibrio entre asunto y extensión narrativa— del género.

No siendo propósito nuestro estudiar histórica y exhaustivamente el cuento decimonónico, se comprenderá que en los capítulos temáticos no sean estudiados todos los relatos de un mismo autor, aún tratándose de narradores importantes. (Esto no impide que ofrezcamos cuentos de las épocas más distantes de un mismo autor, ya que, según hemos advertido anteriormente en otro capítulo, nuestro propósito ha sido servirnos de la producción total de cada cuentista, aun cuando luego hayamos hecho una selección dentro de ésta.) Pretendemos, solamente, ofrecer un conjunto expresivo y significativo, y por eso hemos hecho una selección dentro de las narraciones encuadrables en cada capítulo, utilizando las que pudieran resultar más interesantes para la descripción y ejemplificación de los diferentes temas. Por tanto, a nadie deberá extrañar que de algún autor se citen solamente uno o dos cuentos, habiendo escrito muchos más, ya que no era nuestra intención describir la producción total de dicho narrador, sino servirnos de ella tan sólo en la proporción suficiente para ilustrar la evolución y cultivo de un determinado tipo de cuento.

También la elección y fijación de temas podrá parecer arbitraria, ya que siempre se echará de menos algún capítulo o tema omitido, o bien parecerá que sobra, por detallista, algún otro no adecuado a una clasificación de carácter general.

No intentaremos defendernos de los reparos que en este aspecto puedan hacerse a nuestra clasificación —aun cuando creemos haber apurado exigentemente el posible índice de temas fundamentales—, puesto que en un principio hemos reconocido los inconvenientes que este procedimiento acarreaba, siendo éste uno de los más importantes.

Sí diremos, en cambio, que capítulos aparentemente nimios, como los dedicados a *cuentos de niños y de animales* —conceptos que casi resultan ridículos en una clasificación amplia—, tienen su razón de ser, según intentaremos demostrar. Otro tanto puede decirse del ya citado capítulo de *cuentos de objetos y seres pequeños,* imprescindible en un trabajo de esta clase, hasta el punto de ser, posiblemente, el más característico desde el punto de vista literario.

También podría objetársenos el que algunos cuentos debieran haber sido estudiados en determinados capítulos y no en otros. En esto, naturalmente, es la visión personal y subjetiva la que llevará a un crítico a juzgar como rural o social un mismo cuento, haciéndole apreciar unas características sobre otras, según las cuales encuadrará el cuento en uno u otro capítulo temático.

De ahí que un mismo relato aparezca citado en varios capítulos de nuestra clasificación, si bien el estudio decisivo pertenezca a uno solo de ellos.

Se observará, asimismo, que la atención prestada a los distintos temas es en unos casos más intensa que en otros, resultando así diferencias de extensión en los capítulos. Efectivamente, los motivos religiosos, sociales, rurales, patrióticos, v. gr., requerían un estudio introductivo menos necesario en otros capítulos. Hemos procurado en todos ellos encuadrar los cuentos dentro de su época, relacionándolos y engranándolos con los restantes géneros literarios, y observando las diferencias que presentaban unos y otros en el tratamiento de un mismo tema.

El muy complejo, apasionado e hirviente siglo XIX aparece retratado con todas sus virtudes y defectos en estos cuentos, receptáculo vivo y flexible de cuantas preocupaciones sintieron —y ostentaron enfáticamente— los hombres de esa centuria; preocupaciones que por próximas e intensas nos afectan aún, si bien la tremenda gesticulación retórica de algunos escritores decimonónicos les da un aire de cosa anticuada o caduca.

Y, además, hay que considerar la pura obra de arte, exenta de todo lastre ideológico, en la cual hallamos el más auténtico acento humano, desligado de toda limitación cronológica. Aun no usando excesivamente de la valoración crítica y tendiendo, ante todo, a la exposición descriptiva, hemos intentado hacer resaltar las bellezas que en nuestra producción narrativa del pasado siglo pueden encontrarse, dedicando especial comentario a las más logradas creaciones de los cuentistas decimonónicos.

En estos capítulos se encontrará, pues, una descripción del tratamiento de determinados temas a través de cuentos expresivos de diversos autores, procurando en algunos casos señalar influencias y semejanzas, y realizando labor crítica en otros. Las desproporciones que en el espacio concedido a distintos cuentistas puedan hallarse, son el resultado natural de la diferente estimación que sus obras nos merecen. Sirva esto de disculpa a la atención prestada a *Clarín* en el transcurso de todo nuestro estudio; atención que a algunos podrá parecer excesiva, pero que nosotros tenemos por justa, dada la excepcional calidad de sus narraciones, entre las que se encuentran algunas de las más significativas y perfectas de nuestro siglo XIX, y, desde luego, las de tono más actual y adecuado para la sensibilidad de nuestro tiempo y de las generaciones literarias de hoy día.

En los capítulos temáticos que siguen quedan planteadas e insinuadas muchas cuestiones que merecerían más amplio estudio. Otro tanto sucede con algunos autores, menos conocidos de lo que su calidad exige, y a los cuales no hemos podido dedicar el suficiente espacio.

La amplitud de la materia sobre la que hemos trabajado puede servirnos de disculpa en éstas y otras deficiencias, que somos los primeros en lamentar, y que quisiéramos subsanar en sucesivos trabajos sobre el cuento literario español y las cuestiones de tal estudio derivadas.

CAPITULO VI

CUENTOS LEGENDARIOS

CAPITULO VI

CUENTOS LEGENDARIOS

I. CUENTISTAS ROMANTICOS

En el capítulo *Cuento y leyenda* hemos intentado dar un resumen de la evolución cronológica de esta clase de narraciones, por lo cual ahora prescindiremos de toda introducción de ese tipo.

El cuento legendario tuvo su máximo cultivo en la primera mitad del siglo, decayendo luego notablemente hasta casi desaparecer con el naturalismo.

No obstante, es éste un tipo de cuento que nunca podrá desaparecer del todo, por lo ligado que está a los orígenes del género, es decir, por su raíz popular.

En el capítulo de *Cuentos históricos* veremos cómo, a veces, es difícil diferenciar tales narraciones de las puramente legendarias. Advertiremos ahora que tampoco resulta fácil en otros casos, clasificar un cuento como legendario o como fantástico.

Dada la diversidad de autores y de técnicas, no podríamos precisar nítidamente las características de los cuentos legendarios, ya que mientras unos toman como base un suceso histórico, otros son de pura creación imaginativa, sin base alguna más o menos real. Buscar en lo trágico y sombrío un elemento caracterizador de esta clase de narraciones, resultaría parcialmente orientador. No siempre el cuento legendario es trágico, aun cuando en algún caso —Bécquer— sea esta cualidad la más característica.

Lo popular tradicional es clave más segura para caracterizar los cuentos legendarios [1], aunque algunos de ellos sean completamente creacionales, carentes de toda apoyatura histórica o folklórica.

Los modelos más significativos del género pertenecen, claro es, a la época romántica. En 1830 TELESFORO TRUEBA Y COSSÍO publicó en Londres *The romance of history of Spain* y veinte leyendas, y en 1838, MIGUEL HUÉ Y CAMACHO sus *Leyendas jerezanas*.

En el *Semanario Pintoresco Español* aparecieron muchas narraciones de este tipo. JACINTO DE SALAS Y QUIROGA es autor de cuentos históricos que también pueden considerarse legendarios, dado lo poco verosímil de los sucesos narrados: *Moreto* —asesinato de Baltasar Elisio de Medinilla—, *El Marqués de Javalquinto*, etc. [2].

De MARIANO ROCA DE TOGORES recordaremos *El Marqués de Lombay* y una versión de la famosa leyenda *La peña de los enamorados* [3], sobre los amores y trágico fin de una mora y de un cristiano, tema del que existen muchas versiones en nuestra literatura, encontrándose, incluso, en el *Marcos de Obregón* de Vicente Espinel. Otra versión romática de esta leyenda, con el mismo título de *La peña de los enamorados,* es la de GONZALO HONORIO, publicada en 1865 [4].

El reloj de las monjas de San Plácido (Tradición), de CARLOS GARCÍA DONCEL [5], refiere cómo el rey Felipe IV persiguió hasta el convento a una bella joven, la cual le concede una cita. Cuando el rey acude, la encuentra muerta y asiste a su funeral. Las monjas le piden un reloj para la torre, y él lo manda hacer con unas campanas que doblen por la muerte de una religiosa.

ENRIQUE GIL Y CARRASCO, el afortunado autor de *El Señor de Bembibre,* escribió algún cuento legendario como el titulado *El lago de Carucedo (Tradición popular)* [6]: Un noble se interpone entre el amor de dos jóvenes por los que suplica sin éxito un religioso, protector suyo. (Obsérvese la semejanza de este comienzo con el asunto de *Los novios* de Manzoni.) El joven mata al noble para defender a su amada y huye luego, participando en la guerra de Granada y en el des-

[1] En el *Semanario Pintoresco Español,* n. 29 de 1848, apareció un artículo titulado *De las leyendas y cuentos populares.* En el texto no se hace distinción entre uno y otro género.

[2] *Semanario Pintoresco Español,* n. 117, 24 junio 1838.

[3] Id., n. 15, julio 1836; n. 24, 11 septiembre 1836.

[4] *El Museo Universal,* ns. 50 y 51 de 1865.

[5] *Semanario Pintoresco Español,* n. 27, 7 julio 1839.

[6] Id., ns. 29, 30, 31 y 32 de 1840.

cubrimiento del Nuevo Mundo. Cuando regresa a su hogar, su novia ha entrado en religión, y él entonces se hace fraile. Un día se encuentran los dos. Y al abrazarse, ella se horroriza por haber profanado sus hábitos y le obliga a separarse, diciendo que el Cielo los castigará. Pero él contesta que morirá a su lado aunque caiga en un abismo. En ese momento sobreviene un terremoto y aparecen las aguas del lago de Carucedo, siendo arrastrados por ellas.

MANUEL DE LA CORTE Y RUANO es autor de *Leyendas históricas* como *Don Alfonso Coronel o la venganza del cielo, La piedra del Cid Campeador*, etc. [7].

MIGUEL AGUSTÍN PRÍNCIPE cultivó también este género: *La campana de Velilla, Tradición aragonesa; La casa de Pero Hernández, Leyenda española* [8], etc.

De NICOLÁS MAGÁN conocemos *Laras y Castros, Leyenda histórica; El Alfaquí de Toledo y La espada del rey Pelayo* [9].

El alcaide del Castillo de Cabezón es una *Leyenda histórica* sobre Don Pedro el Cruel y Enrique de Trastamara —personajes éstos muy literarios y que han inspirado bastantes romances, dramas y leyendas— escrita por MIGUEL LÓPEZ MARTÍNEZ [10].

NICOLÁS CASTOR DE CAUNEDO es autor de *Los amores de Macías* —otra figura típicamente romántica cuyo nombre vive asociado al de Larra— y de *El castillo de Gauzón*, trágico *Episodio de la Edad Media* sobre el envenenamiento de una Sagrada Forma que el P. Mauro da a unos novios, tan grandes son los celos que siente [11].

La Iglesia subterránea de San Agustín en Tolosa, de JUAN ANTONIO ESCALANTE, es otra sombría y trágica historia, también sobre la venganza de un fraile [12].

GABINO TEJADO escribió alguna leyenda, como *La cabellera de la reina* [13]. *La Virgen del Clavel, Cuento morisco*, de J. JIMÉNEZ SERRANO, es una tradición popular sobre la Virgen del Amparo existente en una capilla árabe: Amina, morisca cristiana, dió un clavel a su enamo-

---

[7] Id., n. 35, 29 agosto 1841; ns. 42 y 43 del mismo año.
[8] Id. n. 36, 4 septiembre 1842; ns. 9 y ss. de 1847. Quedó inacabada.
[9] Id. n. 37, 12 septiembre 1841; ns. 20, 21 y 22 de 1843; ns. 47 al 52 de 1844.
[10] Id., ns. 8 al 11 de 1844.
[11] Id., ns. 45 y 46 de 1844.
[12] Id., n. 21, 24 mayo 1846.
[13] Id., ns. 44 y ss. de 1847.

rado, un joven sacristán. En un sueño ve éste la desgracia que hubiera supuesto el raptar a la joven, tal como en algún momento llegó a pensar. Se hace monje entonces, y ella entra también en religión. Muere el joven defendiendo el templo de los monfíes, y manda el ensangrentado clavel a Sor Amparo (Amina) [14].

También sobre el tema de amor entre religiosos —muy del gusto de la época, según vemos a través de *El lago de Carucedo, El castillo de Gauzón,* etc.— es *La monja de San Payo* de R. Rúa Figueroa [15].

Salvador Costanzo es autor de *Beatrice Cenci* [16], y Juan de Ariza, de *La cruz de esmeralda, Tradición popular* [17].

Gertrudis Gómez de Avellaneda publicó en el *Semanario Pintoresco Español* alguna narración legendaria. Tal, *La velada del helecho o El donativo del diablo,* que pese a ir subtitulada *novela* tiene el siguiente significativo comienzo:

«Al tomar la pluma para escribir esta sencilla leyenda de los pasados tiempos, no se me oculta la imposibilidad en que me hallo de conservarle toda la magia de su simplicidad, y de prestarle aquel vivo interés con que sería indudablemente acogida por los benévolos lectores (a quienes la dedico), si en vez de presentársela hoy con las comunes formas de la novela, pudiera hacerles su relación verbal junto al fuego de la chimenea, en una fría y prolongada noche de diciembre; pero más que todo, si me fuera dado transportarlos de un golpe al país en que se verificaron los hechos que voy a referirles, y apropiarme por mi parte el tono, el gesto y las inflexiones de voz con que deben ser realzados en boca de los rústicos habitantes de aquellas montañas» [18].

De la misma autora es *La montaña maldita (Tradición suiza)* [19].

Recordaremos también los nombres de Adolfo de Castro, autor de *La destrucción de Patria (Tradiciones gaditanas)* [20]; Luis Miquel y Roca: *Ofelia. Leyenda del siglo VI* [21]; Santiago Iglesias: *El amor de la castellana* (sobre Alvaro de Luna) [22]; José Gutiérrez de la Vega: *Don Miguel de Mañara, Cuento tradicional* [23]; Francisco Aguilar y Lora: *La casa del ahorcado* (Pedro el Cruel presentado como Justicie-

---

14 Id., ns. 24 al 27 de 1848.
15 Id., n. 52 de 1848.
16 Id., n. 19, 13 mayo 1849.
17 Id., n. 22, 2 junio 1849.
18 Id., n. 23, 10 junio 1849, pág. 179.
19 Id., n. 23, 8 junio 1851.
20 Id., n. 19, 11 mayo 1851.
21 Id., n. 33, 17 agosto 1851.
22 Id., n. 46, 16 noviembre 1851.
23 Id., n. 52, 28 diciembre 1851.

ro) [24]; Félix Montoro y Moralejo: *El caballero banda azul* [25]; L. M. Ramírez y de las Casas-Deza: *El conde don Julián, Conseja cordobesa* [26]; Juan de Dios Montesinos y Neyra: *El monte del ermitaño. Tradición popular* [27], etc.

Muchas fueron las leyendas publicadas sin firma, traducidas algunas y otras originales. No nos detendremos en ellas, así como tampoco en las numerosas *baladas* insertas en las revistas románticas —pese a su tono legendario—, y a las que aludimos al comparar el cuento con el poema en prosa.

Ninguna revista tan expresiva como el *Semanario Pintoresco Español* en cuanto a leyendas. En la *Revista Española de Ambos Mundos* apareció publicada alguna como la titulada *Luz de luna*, de María del Pilar Sinués y Navarro [28].

El Museo Universal, Periódico de ciencias, literatura, artes, industria y conocimientos útiles, que se publicó desde 1857 a 1867, insertó también en sus páginas diversos cuentos legendarios.

Manuel del Palacio es autor de *La cueva de Zampoña* [29]. Juan de Dios de la Rada y Delgado publicó en esta revista las siguientes leyendas: *El cuarto del aparecido, Tradición granadina; La calavera del ahorcado, Tradición granadina*, y *El caballero de Olmedo* [30].

Manuel Murguía se muestra partidario de los cuentos tradicionales en su narración *Ayuda de Dios* [31]. Del mismo autor son *Don Suero de Toledo* y *El último recuerdo*, narración muy lírica sobre el poeta Juan Rodríguez del Padrón, que, dolido de amor, acabó sus días como monje [32].

T. de Rojas en *La cueva de Menga* [33] refiere uno de los «cuentos pavorosos», «el más fantástico e inverosímil» acerca de su origen.

De José Joaquín Soler de la Fuente nos ocuparemos en el capítulo de *Cuentos históricos*. Ofrece interés la introducción de su re-

---

[24] Id., ns. 17 y 18 de 1852.

[25] Id., ns. 47 al 49 de 1854.

[26] Id., n. 7, 17 febrero 1856.

[27] Id., n. 51, 21 diciembre 1856.

[28] *Revista Española de Ambos Mundos.* Tomo III. 1855, págs. 634-661.

[29] *El Museo Universal*, n. 6, 31 marzo 1857.

[30] Id., n. 21, 15 noviembre 1857; n. 22, 15 noviembre 1859; n. 3, 19 enero 1862.

[31] Id., n. 20, 30 octubre 1858.

[32] Id., n. 18, 15 septiembre 1859; ns. 39 y 40 de 1860.

[33] Id., n. 37, 15 septiembre 1861.

lato *Los maitines de Navidad, Tradición monástica,* en la que el autor, describiendo una tertulia de un café granadino, dice que «uno de los poetas, asaltado por un luminoso pensamiento, ofreció divertir a la reunión con un cuento de vieja. Aplaudida la idea, fué aceptada por unanimidad y llovieron cuentos durante muchas noches. De los pastoriles pasábase a los maravillosos, de éstos a los de miedo, y entre tanto cuento negro, amarillo, verde y colorado como se refería, hubo uno que llamó la atención de este prójimo, que también le llegó el turno de narrar los que había aprendido de una tía suya, cuando despabilaba por las tardes al salir de la escuela la merienda de ordenanza, sazonada con los cuentecicos de la buena señora, que santa gloria haya.»

«Desde el momento en que lo escuché, y me refiero al cuento indicado, parecióme muy a propósito para entretener por algunos minutos la imaginación del que busca en los periódicos un rato de solaz, y tomándolo por mi cuenta, he procurado revestirlo del traje que en mi juicio le conviene, resucitando la decaída y mal parada forma romántica» [34].

No deja de ser interesante observar cómo en 1860 —fecha de publicación de este cuento— se consideraba ya decaído un género romántico: el cuento legendario.

Esta narración de Soler de la Fuente se asemeja, por lo lúgubre, a algunas leyendas de Bécquer, concretamente a *El Miserere,* y más aún a *El aniversario* del Duque de Rivas. Una comunidad franciscana se niega a levantarse a media noche, la víspera de Navidad, para cantar los maitines. El P. Superior toca él mismo la campana, y al ver que nadie acude, se dirige al Panteón y, tocando la matraca, convoca a todos los muertos. Aparecen éstos, espectrales y lentos. Y entonces los vivos despiertan y piden perdón, aterrados.

La leyenda está bien narrada y la escenografía —tempestad, rezos, tumbas— es la típica del más desenfrenado romanticismo.

Los cabellos de Luisa, de Soler de la Fuente, se caracteriza por su grotesca rareza, y aunque es llamada varias veces leyenda, poco tiene de tal [35].

EDUARDO ZAMORA CABALLERO publicó en 1862 la *Tradición* popular titulada *La calle de la traición* [36].

---

[34] Id., n. 15, 8 abril 1860, págs. 114 y ss.
[35] Id., ns. 26 al 30 de 1860.
[36] Id., ns. 6 y 8 de 1862.

De Eusebio Martínez de Velasco conocemos *Sisalda,* historia de una esclava africana a la que salva Alfonso el Católico, rey de Asturias; y *La cruz de sangre, Episodio histórico de la guerra de las Comunidades* [37].

En *El puñal* relata su autor, Augusto Ferrán, cómo junto al monasterio de Veruela, un anciano cuenta la legendaria historia de un hombre que no fué enterrado en sagrado [38].

La sombra ensangrentada, Crónica tradicional, de José Pastor de la Roca, es un episodio de la vida del rey D. Pedro el Cruel. Del mismo autor es la colección de leyendas sobre los palacios de Villena, que llevan la siguiente significativa introducción:

«Todos estos monumentos, listas fúnebres de la dominación sarracénica, tienen una historia romancesca que les es común, y que enlaza su destino recíproco. De ellos se refieren curiosas consejas, cuyas distintas y singulares versiones, aunque armonizadas en el fondo, han conmovido nuestras fibras y han hecho latir de terror y emoción nuestro corazón de niño, en mejores días. Hoy, pues, estimulados por esos mismos recuerdos de infancia, que suelen vivir tanto como el hombre, para tortura suya; desentrañados los principales arcanos de esas consejas, y aclaradas las notas teológicas, acometemos la empresa de consignar en las respectivas leyendas esos cuentos de hadas y encantamientos que nadie se ha atrevido a escribir todavía, y para los cuales nada pediremos a la invención, porque en su mismo fondo existe un manantial de inagotable fantasía, capaz de inflamar por sí solo la inspiración del poeta y del novelista: evocaremos esas livianas sombras que duermen en subterráneos desconocidos, y al eco de esas grotescas fórmulas del conjuro, bajo el signo cabalístico trazado por la vara mágica del nigromante, nos revelarán sin resistencia curiosos y sombríos misterios que yacen allí olvidados» [39].

En *La flor de un día,* de Octavio Marticorena [40], se narra la historia de Zoraida, única hija de Almanzor. A. P. Rioja es autor de una *tradición soriana* titulada *Hernán Martín de San Clemente* [41].

La Corredoira, Leyenda gallega, de Fernando Fulgosio; refiere la trágica historia de los amantes Pelayo y Felisa. El la abandona para casarse con una mujer rica y Felisa le maldice, deseando que las lágrimas que ella vierte caigan sobre la cabeza del desleal. Un rayo mata a la esposa de Pelayo, y cuando él va a la corredoira a buscar a Felisa, la lluvia —las lágrimas— lo anegan todo, arrastrando los cuer-

---

37 Id., n. 6, 8 febrero 1863; n. 1, 3 enero 1864.
38 Id., n. 16, 19 abril 1863.
39 Id., n. 52, 27 diciembre 1863; n. 3, 20 enero 1867, pág. 23.
40 Id., n. 7, 17 febrero 1867.
41 Id., n. 38, 18 septiembre 1864.

218 MARIANO BAQUERO GOYANES

pos de Pelayo y Felisa. Del mismo autor, y también subtitulada *leyenda gallega,* es *El Prado* [42].

La historia del último caudillo morisco fué narrada por M. Ossorio y Bernard en *Turigi (Leyenda histórica)* [43]. *Halewa* es una extensa *leyenda árabe* de Abdón de Paz [44].

De tono legendario son también *El monasterio de Meira, Recuerdo fantástico de Galicia* de Mariano Lerroux, y *La copa de Byron* de J. M. Marín [45].

En 1845 empezaron a aparecer en entregas de 16 páginas, con grabados, *Las mil y una noche españolas,* colección de cuentos y leyendas de Hartzenbusch, Larrañaga, Huici, Orgaz, Andueza, Rubí, etc.

En 1851, Eduardo López Pelegrín publica sus *Cuentos de antaño, col. de leyendas de la Edad Media,* y José M. Goizueta, sus *Leyendas vascongadas,* elogiadas por Cecilia Böhl de Faber, de la cual recordaremos aquí solamente la leyenda piadosa *Peso de un poco de paja,* ya que el tono general de sus narraciones es realista, gustando la escritora de la verosimilitud.

De Antonio de Trueba citaremos *El madero de la horca* —cuento legendario popular cuyo origen estudiamos en otro lugar—, *El Preste Juan de las Indias* y *La vara de azucenas* [46]. Esta última es una leyenda del puente de Castrejara sobre el Cadagua, que se dice fué construído por el diablo: En la aldea vivía una viuda con su bella hija Catalina, novia de Martín. Una noche recibieron en su casa a un huésped que resulta ser el diablo. Quiere éste tronchar una vara de azucenas que Catalina guarda para la Virgen, sin conseguirlo, gracias a la aparición de la muchacha. Al día siguiente Catalina parte para Bilbao, vadeando el Cadagua por unas piedras. En tanto, el diablo la ha calumniado, y cuando ella regresa al pueblo encuentra una carta de Martín, rompiendo y despidiéndose. Catalina corre a desengañarle e impedir que se marche a la guerra, pero la crecida no le permite vadear el río. El diablo promete hacerle un puente a cambio del alma, y ella accede sin apenas darse cuenta. Es salvada por intercesión de la Virgen de Begoña, a quien había ofrecido la vara de azucenas. Con

[42] Id., n. 43, 22 octubre 1865; n. 16, 22 abril 1866.
[43] Id., n. 46, 12 noviembre 1865.
[44] Id., ns. 35 al 45 de 1866.
[45] Id., n. 30, 27 julio, y n. 40, 5 octubre 1867.
[46] Pertenecientes todos a la serie *Cuentos de varios colores.* S. H. G. Madrid, 1866.

ésta toca la Virgen el puente casi concluído, y el diablo no puede encajar el último sillar, marchándose sin el alma de Catalina.

También puede considerarse legendario el cuento de Trueba titulado *La novia de piedra* [47].

Pedro Antonio de Alarcón no cultivó los cuentos legendarios, a menos de que quieran considerarse como tales *Las dos glorias, Dos retratos* y *Fin de una novela* [48]. Esta última es una estampa romántica, compuesta por el autor en su mocedad —1854—, en que se describen las ruinas de un monasterio, roídas de musgo y bañadas de luz otoñal, entre las que un viajero ve la figura fantasmal de una bella mujer que muere ante él y cuyo misterio queda sin resolver. En los muros ruinosos hay diversas poesías amorosas y ascéticas. Esta atmósfera de misterio, poesía y apariciones, parece preludiar el tono de las leyendas de Bécquer.

Al llegar a éste, lamentamos que la índole de nuestro trabajo no nos permita un estudio detenido de su obra, aunque, por otra parte, la popularidad de que goza nos disculpa de no invertir en ella tiempo y espacio que necesitamos para otros autores menos conocidos.

II. LAS «LEYENDAS», DE BECQUER

Alrededor de la figura y la obra de Gustavo Adolfo Bécquer existe la suficiente bibliografía como para impedir que nosotros tratemos de decir algo nuevo acerca de sus *Leyendas*. Nuestra intención se reduce a encuadrarlas dentro de este estudio general del cuento decimonónico. Encuadramiento que no creemos que necesite justificación, ya que, admitida la existencia de cuentos legendarios, estos de Bécquer representan, precisamente, el máximo logro y la más exquisita perfección dentro de esa modalidad temática.

E incluso parece como si las *Leyendas* becquerianas realizaran perceptiblemente ese papel que al cuento hemos asignado de eslabón entre poesía y novela. Porque Gustavo Adolfo Bécquer es esencialmente un poeta cuya delicada interioridad encuentra su mejor expresión en la brevedad de las rimas, y cuyo epicismo —objetividad, exterioridad— encarna en esas modélicas narraciones en prosa, en las cuales la poesía

---

47 Perteneciente a la serie *Cuentos campesinos.*
48 Pertenecientes a la serie *Historietas nacionales.*

brota no sólo de un lenguaje cuidado, musical, colorista, sino también —y esto nos interesa más— de la belleza de los temas. Si el mérito de las leyendas becquerianas residiera únicamente en el lenguaje —lenguaje de poeta—, estaríamos ante un caso más de poemas en prosa.

Y si a veces —*El caudillo de las manos rojas, La Creación*— las narraciones de Bécquer tienden por su forma a la balada, al versículo, el tono dominante nada tiene que ver con los verdaderos poemas en prosa, v. gr., los de Rubén Darío [49].

Los aciertos expresivos del narrador están puestos al servicio de una imaginación poderosa que lo es todo en estas leyendas. Por el contrario, en el poema en prosa el asunto no es sino un débil pretexto para provocar y sustentar una brillante teoría de imágenes, tras las cuales queda oculto el insignificante motivo argumental.

El caso de Bécquer cuentista es uno de los más puros y significativos. Su visión poética del mundo necesitaba de un instrumento literario más expresivo, flexible y amplio que el de las rimas. Estas sólo le sirven para verter parte de su inquietud sentimental. En el relato breve encuentra Bécquer el complemento exacto de las rimas.

Decíamos en otro capítulo que la poesía podía ser expresada no sólo a través del esquema de la estrofa, del verso, sino también encarnada en otras formas literarias: teatro, novela, cuento. Bécquer, al que no cabe considerar como un *poseur,* un efectista, necesitaba dar cauce y expresión al hirviente mundo poético que en su interior se agitaba:

«Por los tenebrosos rincones de mi cerebro, acurrucados y desnudos, duermen los extravagantes hijos de mi fantasía, esperando en silencio que el arte los vista de la palabra para poderse presentar después en la escena del mundo.

Fecunda, como el lecho de amor de la miseria, y parecida a esos padres que engendran más hijos de los que pueden alimentar, mi musa concibe y pare en el misterioso santuario de la cabeza, poblándola de creaciones sin número, a las cuales ni mi actividad ni todos los años que me restan de vida serían suficientes a dar forma.

Y aquí dentro, desnudos y deformados, revueltos y barajados en indescripti-

---

[49] Respecto a lo que Bécquer opinaba de la calidad poética de su prosa, véase este pasaje de *Creed en Dios:* «De boca en boca ha llegado hasta mí esta tradición, y la leyenda del sepulcro que aún subsiste en el monasterio de Montagut es un testimonio irrecusable de la veracidad de mis palabras.

Creed, pues, lo que he dicho, y creed lo que me resta por decir, que es tan cierto como lo anterior, aunque más maravilloso. *Yo podré acaso adornar con algunas galas de la poesía* el desnudo esqueleto de esta sencilla y terrible historia, pero nunca me apartaré un punto de la verdad a sabiendas» *(Obras completas.* Ed. Aguilar. Madrid, 1942, pág. 227).

ble confusión, los siento a veces agitarse y vivir en una vida oscura y extraña, semejante a las de esas miríadas de gérmenes que hierven y se estremecen en una eterna incubación dentro de las entrañas de la tierra, sin encontrar fuerzas bastantes para salir a la superficie y convertirse al beso del sol en flores y frutos» [50].

Recuérdese también la rima I: «Yo sé un himno gigante y extraño...»

Bécquer es un poeta integral, porque supo completar con sus *Leyendas* su visión del mundo, que no podía condensarse en las rimas.

Y queda aún la cuestión literaria. Las leyendas becquerianas representan el triunfo del relato en prosa, ya que los que hasta ahora hemos estudiado de este tipo son muy inferiores a los relatos legendarios en verso del Duque de Rivas o de Zorrilla. Bécquer consigue el milagro de una prosa poética —pero prosa auténtica, con valores narrativos— sirviendo a unos asuntos que en emoción, misterio y belleza nada tienen que envidiar a los mejores de los autores citados.

Las leyendas de Bécquer suponen el logro de un género antes mediocre y topiqueramente romántico, y a la vez significan casi su fin, ya que de puro perfectas ningún otro relato de esta clase, posterior, podrá igualarse a los del escritor sevillano. El género decae sensiblemente y todas sus manifestaciones subsiguientes parecerán torpes remedos de la obra de Gustavo Adolfo.

De estas *Leyendas* suele citarse como la más antigua *El caudillo de las manos rojas,* que se supone escrita hacia 1857, según Ramón Rodríguez Correa, que la hizo publicar en *La Crónica de Ambos Mundos,* estando Gustavo Adolfo gravemente enfermo. Tan bien captado e imitado estaba el espíritu y estilo oriental, que creyeron el relato *traducción india* en vez de *tradición india,* que era el subtítulo puesto por Bécquer. El relato estaba dividido en *cantos* y éstos en brevísimos capítulos de muy pocas líneas. En lenguaje colorista y fastuoso canta el poeta una historia de amor, crimen y guerra, cuyo principio recuerda el de un relato moderno de Stefan Zweig también de ambiente oriental, el titulado *Los ojos del hermano eterno* [51].

En 1860 *La Crónica de Ambos Mundos* publicó *La Cruz del Diablo* [52], una de las más impresionantes leyendas de Bécquer, sobre una

---

[50] *Introducción del autor a sus obras* (Ed. cit., pág. 1).

[51] *El caudillo de las manos rojas* puede leerse en la ed. cit., págs. 57 y ss.

[52] *Crónica de Ambos Mundos.* Madrid, ns. 21, 22 y 24, de 21 y 28 de octubre y 11 de noviembre de 1860.—Ed. cit., págs. 117 y ss.

armadura diabólica convertida en cruz, ante la que nadie reza y en la que se enroscan los rayos en las noches de tempestad.

En 1861 aparecieron las siguientes narraciones: *La Creación, Poema indio* [53], *Maese Pérez el organista* [54], *El monte de las ánimas* [55] y *Los ojos verdes* [56]. La primera es una especie de apólogo, carente del tono lúgubre o sombrío de las restantes leyendas. El tema de los muertos que regresan a la tierra es el de *Maese Pérez,* magnífico de ambiente y de ritmo narrativo, y el de *El monte de las ánimas;* tema tratado en el primer relato solemne pero suavemente, y en el segundo, de la más trágica y alucinante forma. En *Los ojos verdes* trata Bécquer —como en *El rayo de luna* y *La corza blanca*— el tema de la atracción personificada en mujeres extrañas e inasibles, que ocasionan la perdición y la muerte.

Al año 1862 corresponden *Creed en Dios (Cantiga provenzal)* [57], *El Cristo de la calavera* [58], *El Miserere* [59], *El rayo de luna* [60] y *Tres fechas* [61], de las cuales la tercera tiene cierta semejanza con la ya citada *Los maitines de Navidad* de Soler de la Fuente, y con *El aniversario* del Duque de Rivas.

El beso, Leyenda toledana [62], *La corza blanca* [63], *La cueva de la mora* [64] —tema semejante al de *La peña de los enamorados*—, *El Gnomo* [65] y *La promesa* [66] fueron publicadas en 1863. En 1864 apareció *La rosa de pasión* [67]. No se conoce la fecha exacta de *La ajorca de oro* [68], impresionante narración de un sacrilegio castigado.

---

[53]   *El Contemporáneo.* Madrid, n. 12, 27 junio 1861.—Ed. cit., pág. 7 y ss.

[54]   Id., ns. 311 (I y II) y 313 (III y IV), 27 y 29 de diciembre.—Ed. cit., págs. 17 y ss.

[55]   Id., ns. 472 y 473, 16 y 17 julio. Ed. cit., págs. 165 y ss.

[56]   Id., n. 302, 15 diciembre.—Ed. cit., págs. 37 y ss.

[57]   Id. Partes I a V en el n. 359, 23 febrero 1862; partes VI-XI y I-II, en el n. 360, 25 febrero; partes III-X y IV, en el n. 362, 27 febrero.—Ed. cit., págs. 219 y ss.

[58]   Id., ns. 472 y 473, 16 y 17 julio. Ed. cit., págs 165 y ss.

[59]   Id., n. 402, 17 abril.—Ed. cit., págs. 307 y ss.

[60]   Id., ns. 350 y 351, de 12 y 13 de febrero.—Ed. cit., págs. 103 y ss.

[61]   Id., ns. 476, 477 y 479, del 20, 22 y 24 de julio.—Ed. cit., págs. 141 y ss.

[62]   *La América.* Madrid, n. 14, 27 julio 1863.—Ed. cit., págs. 249 y ss.

[63]   Id., n. 12, 27 junio.—Ed. cit., págs. 181 y ss.

[64]   *El Contemporáneo,* n. 626, 16 enero 1863.—Ed. cit., págs. 279 y ss.

[65]   *La América,* n. 1, 12 enero 1863.—Ed. cit., págs. 287 y ss.

[66]   Id., n. 3, 12 febrero.—Ed. cit., págs. 235 y ss.

[67]   *El Contemporáneo,* n. 987, 24 marzo 1864.—Ed. cit., págs. 207 y ss.

[68]   Ed. cit., págs. 47 y ss.

Repitamos, finalmente, que un análisis detenido o aun una simple exposición de los argumentos de estas narraciones, sobre ocupar excesivo espacio, resultaría superfluo, tan conocidas son y tanto se ha dicho ya de ellas [69].

III. OTROS CUENTISTAS

Tono legendario tienen algunas narraciones de SERAFÍN ESTÉBANEZ CALDERÓN: *Cristianos y moriscos* —novelita histórica cuyo trágico final recuerda el de *La cueva de la mora* de Bécquer—, *Los tesoros de la Alhambra, El collar de perlas, Novela árabe,* etc. [70].

El Solitario es autor de una narración en fabla de carácter cómico, titulada *Don Egas el escudero y la dueña Doña Aldonza.* También en *fabla* escribió D. JUAN EUGENIO HARTZENBUSCH algunos cuentos legen-

---

[69]   De entre los juicios emitidos sobre las *Leyendas* de Bécquer, reproducimos el siguiente de César Barja: «Aunque no puede aceptarse ni por un momento la opinión de los que afirman ser superiores las *Leyendas* y las *Cartas desde mi celda* a las *Rimas,* su valor literario no es por eso menos positivo. En realidad de verdad, la diferencia entre la poesía y la prosa de Bécquer no es muy grande. Igual que en aquélla, es siempre Bécquer un poeta en ésta: el poeta de los sueños maravillosos, de las visiones extraordinarias, de las apariciones quiméricas, de las armonías naturales, de las coloraciones brillantes, de las galas múltiples. Sus leyendas y sus cartas están escritas a base de esto. Elementos sobrenaturales, fuerzas invisibles, cuadros de prodigio y de misterio, sorprendentes tradiciones; tal es lo que el prosista nos presenta.» «Hay en todas las leyendas de Bécquer algo de trágico, sin que por otra parte pueda decirse que llegan a causar una impresión profunda. Todas ellas son bellas y se leen con sumo placer; pero su belleza es más bien lo que diríamos una belleza externa. Describe Bécquer bien, aunque con adorno excesivo, la naturaleza, los viejos monumentos, tal cual personaje, y la obra en total resulta una pequeña joya de arte. En el estudio de los personajes ahonda poco, de tal modo que en sus leyendas hay más belleza descriptiva que interés de pasión o de sentimiento. Ya en esto se distinguen sus leyendas de los cuentos de Hoffman, escritor con el que suele compararse a Bécquer como cuentista. Por lo demás, y prescindiendo de que el cuento alcanza a veces en Hoffman proporciones poco menos que de novela, cosa que no ocurre en Bécquer, cuyas leyendas son relaciones cortas; en ambos escritores se advierte el gusto por lo misterioso y sobrenatural, y son las mismas fuerzas invisibles las que dirigen los sucesos de la leyenda y del cuento. Pero hay mucho más elemento cómico en Hoffman, hasta frecuentemente llegar a la caricatura; más propósito moral, y el cuento tiene un sentido más social y más moderno. Bécquer es aún la Edad Media» *(Libros y autores modernos,* págs. 348 y ss.).

[70] *Novelas, cuentos y artículos* de D. Serafín Estébanez Calderón. Col. de Escritores Castellanos. Sucesores de Rivadeneyra. Madrid, 1893.

darios y tradicionales: *La novia de oro* y *Mariquita la Pelona* [71], artificiosos aunque dotados de gracia y vivacidad. *Mariquita la Pelona* junto con *La Reina sin nombre, Miriam la trasquilada* y *Doña Mariquita la Pelona,* fueron escritas «para entretenimiento y consuelo de una hermosa dama que a consecuencia de una enfermedad tuvo que cortarse el cabello». *Mariquita la Pelona* se asemeja a la ya citada *Los cabellos de Luisa* de Soler de la Fuente.

Del P. COLOMA recordaremos *Las tres perlas (Leyenda imitada del alemán)* [72] y *¡Paz a los muertos! (Tradición)* [73]. En esta última el cruel castellano de Valdecoz cuelga en lo más alto de su castillo, para que se lo coman los buitres, el ·cadáver de su enemigo. Su ·hijo Ferrant, piadosamente, da sepultura al cuerpo. El padre se encoleriza, y Ferrant marcha del castillo. Desde entonces el remordimiento persigue al señor de Valdecoz. Un día, Ferrant encuentra en un bosque el cadáver de su padre, y cuando quiere darle sepultura, la tierra, tan dura como el corazón del muerto, se niega a abrirse hasta que el joven se lo pide fervorosamente a Dios. Sus lágrimas humedecen la tierra y ésta se abre.

DON JUAN VALERA no cultivó el cuento específicamente legendario. A él se acercan narraciones estudiadas en otros capítulos, como *El bermejino prehistórico, El caballero del azor, El duende beso* y *El cautivo de Doña Mencía.*

En este capítulo pudiera clasificarse algún cuento de JOSÉ FERNÁNDEZ BREMÓN, como el titulado *La hierba de fuego, Episodio del siglo XV* [74], que, en realidad, es sólo un pretexto para que el autor luzca sus conocimientos de la literatura del siglo xv en forma muy difusa. El protagonista es D. Enrique de Villena, que aparece como Marqués, y la acción se desenvuelve en un ambiente de supersticiones y fascinaciones.

Según avanzamos cronológicamente hacia el final del siglo XIX, y a medida que nos apartamos del momento romántico, los cuentos legendarios van desapareciendo o, por lo menos, decreciendo sensiblemente.

---

[71] *Cuentos.* Col. Universal. Ed. Calpe. Madrid, 1924, págs. 129 y ss.; y 193 y siguientes.

[72] *Obras completas.* Eds. Razón y Fe y El Mensajero del Corazón de Jesús. 1943, págs. 499 y ss.

[73] *Lecturas recreativas.* Bilbao, 1887, págs. 107 y ss.

[74] *Cuentos.* Oficinas de *La Ilustración Española y Americana.* Madrid, MDCCCLXXIX, págs. 47 y ss.

En 1887 BLASCO IBÁÑEZ, dominado aún juvenilmente por los tópicos románticos, escribe, con técnica opuesta a la que luego había de seguir, una colección de *Fantasías* subtituladas *Leyendas y tradiciones* [75], que juzgamos interesantes no por su valor intrínseco, sino por significar algo así como la liquidación o despedida de un género.

La leyenda que abre el volumen titúlase *La misa de media noche,* y en ella encontramos un pasaje muy significativo y muy romántico. El guarda de un viejo castillo se dispone a contar una historia a un joven italiano. Este último se expresa así:

«Me explicaré. Soy artista y recorro el mundo copiando a la Naturaleza con mis pinceles, y buscando al mismo tiempo esas tradiciones populares que tanto abundan en todos los países y de las cuales en más de una ocasión he sacado asunto para mis cuadros.

—¡Ah! Ya entiendo. ¿Os referís a esas historias que en las noches de invierno, como ésta, se acostumbran a contar junto al fuego? Viejas consejas, cuentos que hacen las delicias de los niños...»

El guarda cuenta la historia del odio entre los Montalbanes y los Aguilares.

En *Alvar Fáñez* relata el narrador valenciano cómo una mora de Valencia se enamoró del caballero del Cid. *Fray Ramiro* es una romántica historia de un amor sacrílego. *Historia de una guzla* lleva al frente —como sello romántico— los versos de Bécquer «Del salón en el ángulo oscuro...» En *Tristán el sepulturero* utiliza Blasco Ibáñez el tema de la noche de ánimas. De trama profundamente trágica es *La predicción,* ambientada en la Edad Media, al igual que *El castillo de Peña Roja. La espada del templario* es una *Leyenda provenzal.*

El conjunto de estas narraciones sorprende en la obra narrativa de Blasco Ibáñez, y aunque sean muy inferiores a otros cuentos suyos del tipo de *El préstamo de la difunta* —su mejor relato breve para nuestro gusto—, ofrecen el interés de comprobar cuán intensa fué la influencia de las leyendas becquerianas.

Puede también considerarse cuento legendario el titulado *El despertar del Buda,* perteneciente a la serie *Novelas de amor y de muerte,* escrito por Blasco Ibáñez en 1896 en circunstancias muy novelescas [76]. El cuento reproduce la historia de Buda, ya tratada en el *Baarlam y Josafat, Libro de los Estados,* etc., narrada aquí fastuosa y sensualmente.

---

[75] *Fantasías, leyendas y tradiciones.* Imp. de «El Correo de Valencia». Valencia, 1887.

[76] Por motivos políticos fué encarcelado Blasco Ibáñez, y en la enfermería de la prisión, «entre tísicos y cadáveres», compuso *El despertar del Buda.* En el

Finalmente citaremos *El dragón del patriarca,* perteneciente a la serie de *Cuentos valencianos* [77].

Los cuentos legendarios de la PARDO BAZÁN son, en realidad, seudolegendarios, ya que en ellos la ficción tradicional tiene una intención muy distinta a la que impulsó a los escritores románticos a escribir esta clase de narraciones.

Se caracteriza, además, la escritora gallega por su capacidad creadora, por su poderosa imaginación. Sus cuentos no suelen ser tradicionales, aun cuando a veces lo parezcan, merced al exquisito arte imitativo de la autora.

No existe ninguna serie de *Cuentos legendarios* en las tan abundantes de la Pardo Bazán, y sí sólo una de *Cuentos antiguos* a los que nos referiremos en primer lugar.

Abre la serie la narración titulada *La paloma,* dedicada al Zar de Rusia y simbólicamente pacifista. En *Prejaspes* lo interesante no es el ambiente exótico, sino el problema moral del consejero de un rey, tan leal a éste, que no tiene ningún ademán de protesta cuando el cruel monarca mata a su hijo por divertirse. También moral es el tema de *Zenana,* cuyo protagonista, Alejandro Magno, encuentra un amor puro, hastiado de pasión y carnalidad. La muerte del mismo héroe macedonio, a causa de sus excesos, es el asunto de *La gota de cera. La Palinodia* es una divertida fábula griega.

El mandil de cuero tiene una intención social y simboliza, enarbolado como estandarte, la revolución de las masas explotadas por un tirano. De ambiente bíblico es el relato titulado *Los cabellos,* sobre el trágico fin de Absalón. *Al buen callar...* es un apólogo protagonizado por un muchacho que desde niño aprende que la verdad mata, por lo que, antes de mentir, prefiere pasar por mudo y así logra ser feliz en

---

prólogo de las *Novelas de amor y de muerte* dice el autor: «Como en nuestra vida deseamos siempre lo contrario de lo que nos rodea, encontré inmenso solaz en la producción de esta leyenda indostánica, exuberante de riquezas y esplendores en su primera parte, y que es en su fondo la glorificación del amor, de la tolerancia con el semejante, del sacrificio. ¡Quién me hubiera dicho entonces a mí, joven escritor viviendo entre ladrones y asesinos a causa de mis ideas políticas, que muchos años después haría un viaje alrededor del mundo, conociendo la India, país de ensueño, donde se desarrolla la leyenda del sublime Buda!» (*Novelas de amor y de muerte.* Ed. Prometeo. Valencia, 1927, pág. 11. El cuento está en las págs. 249 y ss).

[77] *Cuentos valencianos,* págs. 243 y ss. Este cuento fué publicado en el número 505 de 1901 de *Blanco y Negro,* dedicado a la tradición.

la corte. *Fausto y Dafrosa* es un relato hagiográfico que fué narrado también por Merejkovski en *La muerte de los dioses* [78].

Se caracterizan todas estas narraciones por su brillante lenguaje y colorido a lo Goncourt.

Algunos de los *Cuentos de amor* tienen tono legendario. Tal, el titulado *La aventura del ángel* [79], en que la Pardo Bazán recogió y transformó un viejo tema cuya evolución y versiones modernas estudiamos en el capítulo de *Cuentos de amor*.

A *Los cabellos de Luisa* de Soler de la Fuente y a *Mariquita la Pelona* de Hartzenbusch, se asemeja *La cabellera de Laura* [80], aun cuando carece del absurdo tono trágico de la primera y de la suave emotividad de la segunda. El relato de la Pardo Bazán es más idealista y poético.

A la serie *Cuentos trágicos* pertenecen algunas narraciones que pueden ser citadas en este capítulo. En *El pozo de la Vida*, de tema exótico, un camellero enfermo queda abandonado al pie de un pozo llamado de la Vida, donde se dice que apagó su sed Alí, yerno y continuador de Mahomed. Las aguas son dulces y refrescantes para unas muchachas que beben del pozo, pero amargas —a cada sorbo más— para el camellero. Un santón le dice que la dulzura o amargura no están en el agua, sino en el paladar de quien la bebe. El cuento concluye arrojándose el camellero al pozo. El mismo asunto aparece en el capítulo VI de *La Quimera* [81].

---

[78] Todos estos cuentos pueden leerse en la cit. serie, publicada en el tomo XXV de las *Obras completas*, con los *Cuentos de Navidad y Reyes* y los de la Patria. Algunos fueron publicados anteriormente en *Blanco y Negro*, y la autora advirtió a propósito del último, *Fausto y Dafrosa*, que apareció antes de ser publicada *La muerte de los dioses*, evitando así el que la acusaran de plagiaria. *La Palinodia* apareció en el n. 342 de 20 de noviembre de 1897 de *Blanco y Negro. Al buen callar...*, n. 383, 3 septiembre 1898. *El mandil de cuero*, n. 392, 5 noviembre 1898. *Prejaspes, cuento persa*, n. 396, 3 diciembre 1898. *Zenana, cuento alejandrino*, n. 397, 10 diciembre 1898. *La paloma*, n. 453, 2 septiembre 1899. *Los cabellos*, n. 488, 8 septiembre 1900. *Fausto y Dafrosa*, n. 463, 17 marzo 1900.

[79] *Cuentos de amor*. Tomo 16 de las O. C., 1911, págs. 52 y ss.

[80] Id., págs. 105 y ss.

[81] En este cap. dice Minia a Silvio Lago, el protagonista: «La vida no es ningún tesoro. Dolor en ella, dolor por ella: he ahí el fondo, Silvio. ¿Conoce usted el cuento oriental? Un camellero descubrió un pozo y se echó al pie de él, porque estaba muy fatigado, muy fatigado; ni andar podía. Se llamaba Pozo de la Vida..., y este nombre atractivo ilusionaba al camellero. Con su odre sacó agua el primer día, y el agua era un cristal, una alegría de los ojos. Bebió, y se

La tigresa [82] es un cuento indio: el príncipe Yudistin no sale de su palacio, pues pesa sobre él la profecía de que morirá de muerte violenta. Decide consultar a un santón que vive encadenado en el bosque, y éste le dice que le matará una tigresa que ya probó su sangre. La única oportunidad de escapar a tal sino consiste en quedarse a vivir allí con él. El príncipe, lleno de repugnancia ante la proposición, regresa a su palacio. De la espesura salta la tigresa y le mata.

El fin de Cleopatra es relatado legendariamente en *El tesoro de los Lágidas*. De ambiente exótico es *El peligro del rostro* [83].

Más interesante es *La leyenda de la torre* [84], en que un arqueólogo evoca la historia de la torre de Diamonde: Mafalda, casada con el señor de Diamonde, languidecía de hastío. En ocasión en que su marido estaba fuera, llega un joven buhonero y juglar que es hospedado en el castillo. Vende sus telas y perfumes, narra lascivas historias italianas y logra seducir a Mafalda. Cuando el señor de Diamonde regresa los amantes le asesinan y huyen con su dinero. El desenlace y lo brutal de la conducta de la castellana y el juglar resultan deliberadamente antirrománticos, y parece como si la Pardo Bazán, por boca del arqueólogo narrador, hubiera querido asestar un golpe mortal a un género literario ya en completa decadencia.

La almohada [85] es un cuento exótico cuyo mayor mérito reside en el espléndido lenguaje descriptivo: Bisma, veterano chiatria, se prepara para el combate, invocando a la diosa Kali de faz de loba. Kunta, el bramán, trata de apartarle de una lucha en que tendrá que pelear contra sus propios hermanos. Pero Bisma ama la guerra, y al día siguiente se lanza al combate, en el transcurso del cual mata a su nieto. Se arrodilla ante él, compadecido, y en ese momento es atacado por sus enemigos, que le hieren por todas partes. Deshecho y moribundo, pide a Kunta una almohada en que descansar su cabeza, y el bramán se la hace con un haz de flechas. Así muere el viejo guerrero.

---

refrigeró. Sacó agua al segundo día, y era buena aún. Fué sacando, sacando..., y el agua, poco a poco, se hizo amarguilla, amarga, amargota... Hiel, de la hiel más horrible. El camellero, ante el desengaño, se arrojó en el pozo, y desde entonces, ¿sabe usted lo que ocurre? ¡Que el agua del Pozo de la Vida, además de amargar, sabe a muerto!» (*Novelas y cuentos*. Ed. Aguilar. Tomo I. Madrid, 1947, págs. 1.050-1.051).

[82] *Cuentos trágicos*, págs. 65 y ss.
[83] Id., págs. 87 y ss.; y págs. 103 y ss.
[84] Id., págs. 159 y ss.
[85] Id., págs. 167 y ss.

La descripción del combate recuerda las de Flaubert en *Salambó*.

La hierba milagrosa es una narración legendaria que fué publicada en *El Liberal* y luego recogida en el núm. 27 del *Nuevo Teatro Crítico* con una curiosa carta a modo de introducción, en que la autora ofrecía un premio en libros a quien descubriera la fuente original de su relato [86]. El cuento trata de una doncella que, al ser asaltada su ciudad por los soldados, cae en poder de uno de éstos, ansioso de poseerla. La joven le dice que si la respeta le dará a cambio una hierba milagrosa con la que nunca podrá ser herido ni muerto. El soldado se resiste a creer en la hierba mágica. Y ella le incita a herirla en el cuello para demostrarle que es invulnerable. Lo hace el soldado, degollando a la muchacha, que así muere virgen.

De «CLARÍN» sólo podemos citar aquí *Vario* [87] y *La rosa de oro* [88]. La primera es una evocación clásica del poeta latino Vario, al que las sirenas profetizaron que sus obras se perderían y sería desconocido para la posteridad. El, no obstante, sentía tanto la poesía que siguió componiéndola: «... y Vario que el mundo no conocería, mientras vivía, era poeta.»

La rosa de oro es una narración impar entre todas las de Alas, y su delicado lirismo, su gracia sensual y su cuidado lenguaje nos hacen pensar en las obras de Gabriel Miró. Las imágenes adquieren un sabor

[86] Esta carta fué publicada como consecuencia de la acusación que *La Unión Católica* hizo a la Pardo Bazán de haber plagiado un cuento de Voltaire en su narración *Agravante*, cuando, en realidad, se trataba del viejo tema de *La matrona de Efeso*. La Pardo Bazán, tras enumerar diversas versiones de este tema, se refiere a los libros arrumbados y poco conocidos que son un filón de asuntos, y dice: «Al que acierte y diga *qué autor español refiere en pocos renglones* el caso que va V. a publicar bajo mi firma [el cuento apareció primeramente en *El Liberal* en 1892], le regalo una docena de libros, que no diré sean buenos, pero corren como si lo fuesen. Queda excluído de concurso Marcelino Menéndez y Pelayo.» Acaba la carta, y a continuación habla la Pardo Bazán de las muchas contestaciones que recibió: «La mayor parte de mis corresponsales citaban a Ariosto, en cuyo poema *Orlando furioso* ocupa el episodio de *La hierba milagrosa*, un canto casi íntegro. Por fin, el señor Don Narciso Amorós, escritor de erudición varia y peregrina, nombró a un autor español que traía el caso de la *hierba;* y aun cuando no era el mismo de donde yo lo había tomado —Luis Vives, en su *Instrucción de la mujer cristiana, Tratado de las vírgenes*—, me pareció que no por eso dejaba de llenar el señor Amorós las condiciones del certamen, y tuve el gusto de ofrecerle el insignificante premio» *(Nuevo Teatro Crítico*, n. 27, 1899, págs. 36 y ss.).

[87] *Cuentos morales*, págs. 117 y ss.

[88] *El Señor y lo demás son cuentos*. Col. Universal. Ed. Calpe. Madrid, 1919, págs. 207 y ss.

tan refinado y decadente, que parecen preludiar los tópicos del modernismo. La fusión de elementos religiosos y paganos es la típica de un
Valle-Inclán, por ej. Véase el comienzo del cuento:

> «Una vez era un Papa que a los ochenta años tenía la tez como una virgen
> rubia de veinte años, los ojos azules y dulces con toda la juventud del amor
> eterno, y las manos pequeñas, de afiladísimos dedos, de uñas sonrosadas como
> las de un niño en estatua de Paros, esculpida por un escultor griego.»

Hasta la adjetivación es valleinclanesca: «La reina devota y lúbrica...»

No se crea que es solamente en este cuento donde pueden encontrarse pasajes del tipo de los apuntados. En *El Señor* se halla el que a
continuación transcribimos, en el que lo sensual y lo místico se mezclan al modo de Valle-Inclán o de Gabriel Miró, tan aficionado este último a servirse de la liturgia católica como de motivo colorista:

> «Hasta el señor Obispo, varón austero que andaba por el templo como tem
> blando de santo miedo a Dios, más de un vez se detuvo al pasar junto al niño,
> cuya cabeza dorada brillaba sobre el humilde terciopelo negro como un vaso
> sagrado entre los paños de enlutado altar; y sin poder resistir la tentación, el
> buen místico, que tantas vencía, se inclinaba a besar la frente de aquella dulce
> imagen de los ángeles, que cual un genio familiar frecuentaba el templo» [89].

Volviendo a *La rosa de oro,* diremos que con ser el único cuento
específicamente legendario del escritor asturiano, es uno de los más bellos y revela además cuán prodigiosa era la técnica del autor en su madurez literaria.

Finalmente, reseñaremos con rapidez algunos relatos de otros autores, como *La cruz de San Dimas* y *El Cristo de la Seo* de LUIS ROYO
VILLANOVA [90]; *El Cristo de Candás (Leyenda piadosa)* de JUAN MENÉN
DEZ PIDAL; *El Cristo del Amor. Tradición sevillana* de FRANCISCO
RODRÍGUEZ MARÍN; *El Cristo de los guardias. Tradición madrileña*
de ANGEL R. CHAVES; *El Cristo de Vergara* de RODRIGO SORIANO [91];
El cofre enterrado. Leyenda árabe de LUIS LÓPEZ BALLESTER [92]; *La
mano misteriosa* de F. MARTÍN ARRUÉ [93]; *Por qué el diablo es zurdo* y

---

[89] Id., págs. 7-8.
[90] *Blanco y Negro,* n. 255, 21 marzo, y n. 257, 4 abril de 1896.
[91] Todas estas leyendas fueron publicadas en el último número citado de
Blanco y Negro.
[92] Id., n. 268, 20 junio 1896.
[93] Id., n. 309, 3 abril 1897.

Las flores (leyenda poética sobre el origen del arco iris) de José ECHE-
GARAY [94]; *Nuestro Señor de la Santa Inocencia, La corona de Reyes.
Leyenda vascongada* y *El misterio* de José DE ROURE [95]; *La cruz de Er-
vigia, Leyenda toledana* de R. TORROMÉ [96]; *Leyendas españolas, El desastre de la Invencible* (pese al título no es propiamente una leyenda)
de F. NAVARRO Y LEDESMA [97]; *Don de lágrimas* de G. MARTÍNEZ SIE-
RRA [98]; *La mula y el buey* y *El pecado venial,* dos leyendas italianas,
llena la primera de ternura y la segunda de intención moral, de J. BE-
NAVENTE [99]; etc.

Legendario-simbólicos son algunos cuentos de ALEJANDRO LARRU-
BIERA: *El collar de la princesa, La envidia de los dioses, La famosa historia de Maese Antón* [100], *El dulce enemigo, El gran Ahasverus, El
primer usurero* [101], etc.

Párrafo aparte merecen las narraciones legendarias de VÍCTOR
BALAGUER, que ya en 1845 publicó una bella balada, *Edita la del
cuello de cisne,* haciéndose eco del gusto —de imitación germánica—
por tan artificioso género literario. Fué, a finales de siglo, uno de los
excepcionales cultivadores de esta clase de relatos románticos, a los cuales supo dar belleza y emoción [102].

---

[94] Id., n. 411, 18 marzo 1899; n. 452, almanaque dedicado a las flores, 1900.
[95] Id., n. 498, 17 noviembre 1900; n. 505, dedicado a la tradición, con varios cuentos legendarios, 1901; y n. 534, 27 julio 1901.
[96] Id., n. 542, 21 septiembre 1901.
[97] Id., n. 571, 12 abril 1902.
[98] Id., n. 584, 12 julio 1902.
[99] *Vilanos.* Madrid, 1905, págs. 53 y ss.; y 203 y ss.
[100] Pertenecientes a la serie *Hombres y mujeres.*
[101] Pertenecientes a la serie *El dulce enemigo.*
[102] En 1900, *Blanco y Negro* publicaba narraciones legendarias de Víctor
Balaguer, tan bellas como *La flor de los poetas* —n. 452— y *La leyenda de la
cuesta roja* —n. 505 de 1901—.

CAPITULO VII

CUENTOS FANTASTICOS

CAPITULO VII

CUENTOS FANTASTICOS

I. POPULARIDAD DE HOFFMANN Y POE EN ESPAÑA, EN EL SIGLO XIX [1]

He aquí un género muy característico del siglo XIX y que, sin embargo, en España no tuvo demasiados cultivadores; muy inferiores éstos, desde luego, a los grandes creadores del género: Hoffmann, Chamisso, Nodier, Allan Pöe, etc.

El cuento fantástico viene a ser algo así como el cuento por excelencia. Recuérdese lo que en otro capítulo dijimos de la resistencia que los escritores oponían al uso de la palabra *cuento* para designar relatos

---

[1] Sobre la popularidad y traducciones de Hoffmann en España, vid.: Franz Schneider: *E. T. A. Hoffmann en España. Apuntes bibliográficos e históricos (Estudios eruditos in memoriam de Adolfo Bonilla y San Martín*. Madrid, 1927. Tomo I, págs. 279 a 287). A las noticias proporcionadas por Schneider en este artículo —casi todas de carácter bibliográfico— añadimos algunas más, reveladoras de la popularidad del narrador alemán.

Sobre la influencia de Allan Pöe, vid.: John E. Englekirk: *Edgar Allan Pöe in Hispanic Literature*. New-York, 1934.

Además, vid.: Celestin Pierre Cambiaire: *The influence of E. T. A. Hoffmann on the Tales of Edgar Allan Pöe*. Chapel Hill: The University Press, 1908.

Sobre el cuento fantástico en general pueden consultarse, además, las siguientes obras: Clark Gallaher: *Le conte fantastique dans le Romantisme*. Universidad de París, 1947; íd.: *The predecessors of Bécquer in the fantastic tale*. College Bulletin Southeastern Louisiana College. Vol. VI, enero 1949, n. 2; Howard Phillips: *Supernatural Horror in Literature*. New-York, 1945; y J. H. Retinger: *Le conte fantastique dans le Romantisme français*. París, 1904.

verídicos o, por lo menos, verosímiles, ya que les sonaba a falsedad y fantasía.

Posiblemente los orígenes del cuento fantástico se hallan ligados a los del legendario tradicional, hasta el punto de que tres modalidades narrativas —cuento popular, legendario y fantástico— puedan ser consideradas como un solo género primitivo del que luego se han desgajado, literaria, artificiosamente, las narraciones legendarias y las fantásticas. Estas, tal como hoy día las concebimos, resultan bastante extrañas al cuento popular, ya que suponen el máximo esfuerzo creador, imaginativo. A la tradición opónese la invención, capaz de engendrar maravillosas fantasías, aunque es preciso advertir que a veces éstas toman pie en algún motivo popular, espoleador de la imaginación del cuentista.

Prescindiendo, pues, de los cuentos legendarios y populares, este capítulo resultará más reducido que los dedicados a las narraciones humorísticas, rurales, sociales, etc., muy numerosas en el pasado siglo.

El cuento fantástico español nace como una imitación de los cultivados en otros países, especialmente de los de Hoffmann, autor conocido en España desde 1830, y de cuyos *cuentos* existían ya traducciones en 1837 y en 1839, hecha esta última por D. Cayetano Cortés.

Esta edición comprendía cuatro relatos cortos, distribuídos en dos tomos: *Aventuras de la noche de San Silvestre, Salvador Rosa, Maese Martín* y *Marino Falieri*, y de ellos decía una crítica de la época que estaban llenos «de invención, de verdad, de gracia y de misterio, y que los amantes de la bella literatura en nuestro país, encontrarían en ellos un género de impresiones enteramente nuevo y un campo desconocido de imaginación y de belleza» [1 bis].

El éxito y popularidad de las narraciones de Hoffmann debieron de ser grandes, a juzgar por las abundantes citas que de ellas se encuentran en la literatura española del siglo xix. En 1840 Clemente Díaz, en un relato titulado *Un cuento de vieja*, decía:

«Ni Goya pudo imaginar en sus ratos de inspiración un grupo tan pintoresco como el que formaba esta colección de entes atezados y miserables; ni Hoffmann, en sus momentos de embriaguez, soñar tamaños abortos como los que narró a su auditorio la respetable posadera con una gravedad doctoral» [2].

[1 bis] *Semanario Pintoresco Español*, n. 16, 21 abril 1839. *Crónica. Revista Literaria.*

[2] Id., n. 2, 12 enero 1840. No es ésta la única cita que sobre la *embriaguez* de Hoffmann hemos encontrado. George Brandes, el crítico danés, habla tam-

Las revistas y periódicos comienzan a publicar baladas y leyendas germánicas de tono lúgubre y misterioso, hasta convertir esta modalidad literaria en uno de los tópicos más característicos del Romanticismo.

En 1845 Gabino Tejado satirizaba la boga que los cuentos fantásticos, oriundos de Alemania, habían alcanzado en España:

«Yo no he visitado esas márgenes del Rhin, donde cada ola que las baña trae envuelta entre su espuma una de esas famosas consejas tenebrosas o extravagantes que apuntan los viajeros curiosos en su libro de memorias, que arrullaron sin duda la infancia de Hoffmann y de Goethe, y que a nosotros, españoles, que no somos ni viajeros ni curiosos, nos llegan de vez en cuando traducidas en francés o del francés, tan descoloridas y trocadas ya, que si volvieran a su patria las recibirían en ella como al hijo pródigo» [3].

José María de Andueza burlábase también, en 1851, de la moda de las narraciones lúgubres y fantásticas:

«Muy poco tiempo hace que nuestra juventud ha dado en la manía de volverse loca por la narración de lúgubres dramas, cuya exposición se verifica regularmente en los caminos reales o en los montes, y no pocas veces en el hogar doméstico, para proseguir el nudo de la acción y sus peripecias ante los tribunales, y acabar con un desenlace definitivo y fatal en los presidios del reino o en el cadalso...» «... no pueden ofrecer a la ansiedad pública un cúmulo de horrores semejantes a los de *Han de Islandia,* ni hacer soñar a nuestras *impresionables* damas, con sudarios blancos, relojes de arena y máquinas de madera dotadas de vida por el galvanismo, a imitación de los desesperados y tétricos vapores novelescos que acertó a formar la infeliz imaginación del pobre Hoffmann» [4].

El citar a Hoffmann conviértese en un lugar común, siempre que de rarezas, absurdos o fantasmagorías se trata. Véase el siguiente pasaje, escrito en 1846:

«Yo, aunque no he podido hacer derribar montes o alquerías para satisfacer mi capricho, como el barón de Reingsberg, de que habla Hoffmann» [5].

Y Alarcón, en *El abrazo de Vergara,* cuento escrito en 1854, dice:

«Aquella figura trastornaba la imaginación como un delirio de Hoffmann o como un vertiginoso vals de Weber» [6].

---

bién del cuentista alemán como de un «fantástico ultrasensible, con fantasías medio chifladas de bebedor» (*Las grandes corrientes de la literatura en el siglo XIX.* Tomo I, pág. 187).

[3] *El Español,* n. 16, 6 octubre 1845; *Mis viajes,* de Gabino Tejado, pág. 187.

[4] *Semanario Pintoresco Español,* n. 28, 13 julio 1851. *La Capitana,* de J. M. de A., pág. 221.

[5] *El Español,* n. 32, 4 enero 1849, pág. 10.

[6] *Cuentos amatorios,* pág. 216.

Prolijo sería, sobre superfluo, amontonar citas sobre esta popularidad del cuentista alemán. Su nombre suele aparecer también unido al de Allan Pöe, el gran narrador americano.

Enrique Fernández Iturralde, describiendo en un relato de 1866 la figura de un viejecillo de extraña catadura, comentaba:

«... al verle se representaban, naturalmente, a la memoria, los personajes de las fantásticas leyendas de Hoffmann y de Edgardo Poe» [7].

Y en 1868, a propósito de *El caballero de las botas azules,* cuento extraño de Rosalía de Castro, publicó la *Revista de España* una interesante crítica en la que se decía:

«Esta composición pertenece al género fantástico, que ya en España se ha cultivado con acierto por varios autores, y singularmente por el General Ros de Olano, autor de *El Diablo las carga, El ánima de mi madre* y *El Doctor Lañuela.* Si con alguno de estos cuentos tiene analogía el de la Sra. de Murguía, es con el último. Con los tan celebrados cuentos de Hoffmann y de Edgardo Poe, no tiene ninguna. El cuento de la Sra. de Murguía es menos extraño, a pesar de que extraño se llama; hay en él acaso menos vigor de fantasía; pero en cambio parece obra de un entendimiento sano y de un juicio recto, y no se ve en él, como en los de Hoffmann y en los de Poe, que el delirio de la fiebre o de la embriaguez han entrado por mucho en la inspiración del poeta» [8].

Y José de Castro y Serrano, en el prólogo a sus *Cuentos contemporáneos,* compuestos con las *Historias vulgares* para combatir los fantásticos, decía:

«No hace mucho tiempo que un ingenio insigne del otro mundo (el angloamericano Poe) asombró a la generación presente con sus *Historias extraordinarias.* Basadas éstas en un principio filosófico, a que no se sustrae ni sustraerá nunca el corazón humano, cual es la sublimación de lo maravilloso, el hábil narrador pudo conmover y amedrentar al orbe literario, aun habiendo existido Hoffmann largos años antes que él. Y es que Hoffmann partía de lo fantástico para llegar naturalmente a lo maravilloso, mientras que Poe partía de lo real y efectivo en busca de la maravilla; cuyo procedimiento perturba el alma con mayor violencia que otro resorte alguno, por lo mismo que se halla en condiciones completas de verosimilitud» [9].

La pareja Hoffmann-Pöe sigue siendo citada, incluso a finales de siglo. Luis Vidart, en un artículo sobre *Las informaciones literarias de fin de siglo* publicado en 1891, recogió las opiniones de la prensa fran-

---

[7] *El Museo Universal,* n. 22, 3 junio 1866. *Un caso de avaricia,* por E. Fernández Iturralde.

[8] *Revista de España,* 1868. Tomo I, n. 2. *Boletín Bibliográfico,* págs. 314 y 315.

[9] *Cuadros contemporáneos.* págs. 275 y 276.

cesa y española sobre el discutido tema de la novela novelesca, que E. Goncourt identificaba con la novela fantástica a lo Hoffmann y Pöe [10].

Y José Alcalá Galiano, en *La voz de las olas,* cuento recogido en la serie *Las diez y una noches* publicada en 1911, continúa citando conjuntamente a los dos cuentistas extranjeros:

«Nada extraordinario había ocurrido: una mujer que escribía junto al mar, y ya mi mente de poeta forjaba algo estupendo, dramático: un cuento de Hoffmann, una historia extraordinaria de Poe...» [11].

II. CUENTISTAS ROMANTICOS.—ALARCON.—NUÑEZ DE ARCE

Los más antiguos cuentos fantásticos del pasado siglo, es decir, los correspondientes a los años románticos e inmediatamente post-románticos, viven confundidos con las leyendas, y a veces no son sino variantes de éstas. Prescindimos aquí de tales narraciones, que quedan estudiadas en otro capítulo.

Un caso raro, de Eugenio de Ochoa, publicado en 1836, tiene todo el corte de un cuento popular, ya que empieza: «Erase que se era...» y concluye con el clásico «colorín colorao, mi cuento se ha acabao» [12]. Relata cómo en una casa misteriosa las velas encendidas se apagan y las apagadas se encienden. Son Mateo Bergante y el diablo, el cual tiene derecho a apoderarse del alma del primero cuando se consuma una vela. De ahí que Mateo apague todas las velas que el diablo enciende.

Del mismo autor es *Hilda, Cuento fantástico* [13], escrito en tono de balada germánica, constituído por treinta capítulos muy breves y que lleva al frente el siguiente significativo pasaje:

«El país de las aventuras misteriosas, la patria de las sílfides y las ondinas, el suelo predilecto de los encantadores y las magas, es la Alemania, la poética, la nebulosa Alemania. Sus selvas, tan antiguas como la tierra, tan negras como el infierno, son asilo de innumerables duendes y fantasmas; sus lagos y sus torrentes están poblados por mil hermosas ondinas...»

---

[10] *Blanco y Negro,* n. 14, 9 agosto 1891.
[11] *Las diez y una noches.* Valencia, 1911, pág. 71.
[12] *Semanario Pintoresco Español,* n. 2, 10 abril 1836.
[13] *Miscelánea de literatura, viajes y novelas,* por D. Eugenio de Ochoa. Madrid, 1867, págs. 247 y ss.

En la orilla izquierda del Rhin se alza la fortaleza del barón Stein-lomberg. Describe Ochoa la ruda figura de éste y la delicada, vagoro-sa y espiritual de su hija Hilda. Tan bella es, que su padre no encuen-tra pretendiente digno. Pero ella ama a Arturo, «uno de aquellos jó-venes, blancos como la nieve, apasionados y novelescos, de que tanto abunda la novelesca Alemania; uno de aquellos seres sublimes y me-lancólicos, cuyo tipo se encuentra en Schiller y en Mozart, especie de ángeles desterrados del cielo, condenados por una injusta fatalidad a vivir entre los hombres».

Una noche, mientras suena el reloj del monasterio, Arturo atra-viesa el bosque para acudir a una cita de Hilda. El barón, al acecho, le mata. Las aguas del río arrebatan su cuerpo. Hilda le espera ansio-samente. Llega a caballo un bulto negro que rapta a la doncella, la cual cree que se trata de Arturo, sin saber que es la Muerte su raptora. En una gruta de algas y conchas está el cadáver de Arturo, hijo de las ondinas. Hilda se abraza a él y es arrebatada por las aguas. El barón encuentra los dos cadáveres abrazados y muere de pesadumbre.

Narración entre fantástica y humorística es *Un sueño en el tea-tro,* de EULOGIO FLORENTINO SANZ, publicada en 1844 [14]. En *La visita nocturna,* de FÉLIX ESPÍNOLA (1848), se escribe el sueño macabro de un hombre que, perseguido por un extraño huésped, huye hasta el cementerio, donde encuentra al perseguidor que, convertido en sepul-turero, le da la bienvenida [15].

De ANTONIO CÁNOVAS DEL CASTILLO conocemos un relato publica-do en 1848 y titulado *Recuerdos de un médico,* pretenciosamente filo-sófico y en el que domina lo fantástico y macabro [16].

Semifantástico es *La casa del duende y las rosas encantadas, Cuen-to* de J. GIMÉNEZ SERRANO aparecido en 1849 [17]. *El espejo de la ver-dad,* subtitulado *Cuento fantástico,* es una absurda y humorística na-rración de VICENTE BARRANTES fechada en 27 de mayo de 1852 [18].

PABLO GÁMBARA (seudónimo de CARLOS RUBIO) publicó en 1854 la *Fantasía* titulada *Un ángel en el mundo* [19], cuyo asunto recuerda,

---

[14] *Semanario Pintoresco Español,* ns. 35 y 36 de 1844.
[15] Id., n. 44 de 1848.
[16] Id., ns. 49 al 53 de 1848.
[17] Id., n. 38, 23 septiembre 1849.
[18] Id., ns. 3 al 9 de 1853.
[19] Id., n. 30, 23 julio 1854.

en cierta manera, el de *La aventura del ángel* de la Pardo Bazán y los cuentos con éste relacionados, que estudiamos en otro capítulo.

Entre fantásticos y simbólico-morales son algunos de los titulados *Cuentos de niños* (sin tener nada de infantiles) del mismo Carlos Rubio: *La piedra filosofal. Hazañas de no sé qué príncipe, El día de difuntos, La Noche Buena,* etc. [20].

De ambiente germánico y con las correspondientes escenas de fascinación y hechicería, es la *Balada* de S. J. NOMBELA titulada *Azelia y las Willis* [21].

De los cuentos *Los tres locos* y *La Atanasia,* de ILDEFONSO OVEJAS, y de su estrambótico humorismo, hablamos en otro capítulo.

GABINO TEJADO es autor de un extraño y difuso relato titulado *Mis viajes* [22] en un principio, y cuyos sucesivos capítulos llevan ya otros títulos —*Memorias del ex-muerto, Arrebatos y generosidades del ex-muerto,* etc.—, como si el autor fuera imaginando la acción según iba publicándola en los números de la revista. El comienzo de la narración es fantástico y simbólico: un anciano es condenado por una mujer, el día 31 de diciembre de 1899. Se trata de un año que muere para dar paso al nuevo. Después narra Gabino Tejado la historia de un hombre del siglo XIX, que, embalsamado vivo, permanece sepulto hasta el siglo XX (desde 1845 a 1945). El autor dice en una nota:

«Para que nuestros lectores entiendan estas palabras de nuestro doctor, como las escenas anteriores y subsiguientes, debemos recordarles que no ha mucho se contaba en los periódicos haber hallado un sapo encerrado en lo profundo de dos piedras, el cual se creía estaba allí hacía algunos siglos. Se añadía que, hechos algunos experimentos, se vió que este animal conservaba su vitalidad, la cual se creía había estado adormecida durante el largo período de su clausura.»

«Verdad o patraña, esta peregrina relación me ha inspirado el extravagante artículo que está a la vista.»

Desde el capítulo *Continúa la historia del ex-muerto,* se pasa ya del tono fantástico al romántico y novelesco.

En 1874 publicó RAFAEL SERRANO ALCÁZAR sus *Cuentos negros o historias extravagantes,* en donde recogió los relatos *El cuervo blanco, La carcajada de un muerto, Un alma en pena, La casa del verdugo, El árbol de Iphigenia, Martirologio* y *El espíritu Demócrito.*

---

[20]   *El Museo Universal,* n. 27, 3 julio; n. 47, 20 noviembre; n. 49, 30 octubre, y n. 52, 25 diciembre 1864.
[21]   *Semanario Pintoresco Español,* ns. 35 y 36 de 1855.
[22]   *El Español,* ns. 19 y ss. de 1845.

Las *Narraciones inverosímiles* de ALARCÓN componen la tercera serie de sus *Novelas cortas,* y son, según la crítica de todos los tiempos, la parte menos afortunada de su producción narrativa.

Doña Emilia Pardo Bazán decía:

«Tres tomos ocupan, en la colección de sus obras, las *Novelas cortas.* Constituyen la primera serie los *Cuentos amatorios;* la segunda, las *Historietas nacionales;* la tercera, las *Narraciones inverosímiles.* ¿Cuánto va a que sin más que la
enumeración del título, toda persona de mediana cultura literaria elige, prometiendo recrearse con el primer tomo, poner sobre su cabeza el segundo y hacer
rajas el último?

Veo que estoy siendo demasiado radical y absoluta y me detengo. Sólo quise
indicar que en el tercer tomo de novelas cortas de Alarcón abundan, más que
en los otros, ejemplos de ese romanticismo superficial y extravagante de última
hora, y escasea la nota castiza y rancia que tan balsámico sabor de generoso vino
andaluz comunica a los mejores cuentos alarconianos» [23].

Y más adelante:

«... las *Narraciones inverosímiles*... son pobres en interés, mezquinas en su
intención moral, superficialmente amenas, y alguna (por ejemplo, *Los seis velos)*
muestra curiosa de ese estilo aforístico, puntiagudo, lapidario, que tenía la ventaja de remedar a Alfonso Karr y de llenar muchas páginas con poca prosa. Si
alguien duda de la superioridad del segundo Alarcón sobre el primero, no tiene
más que comparar, en este tomo, las narraciones de fecha reciente con las antiguas. No sólo se destaca *La mujer alta* (1881), en la cual hay (sobre todo el
principio, en la parte no *inventada*) cierto terror sugestivo, muy hondo, sino
principalmente el cuento titulado *Moros y cristianos,* fechado en 1881...» [24].

Entre las censuras modernas, citaremos la de César Barja:

«En todas estas obras falta tanto de arte como sobra de fantasía romántica y
descabellada» [25].

No obstante, algún crítico elogió las *Narraciones inverosímiles.*
Manuel de la Revilla decía, a propósito de ellas:

«... o bien se trazaba un cuento fantástico y vaporoso, mezcla del idealismo
alemán y de la soñadora fantasía de los meridionales. Tales eran aquellas producciones, llenas de originalidad (a pesar de estar evidentemente inspiradas en modelos extranjeros), que no menos que los artículos humorísticos contribuyeron a
acrecentar la reputación del joven escritor» [26].

---

[23] *Nuevo Teatro Crítico,* n. 10 de octubre 1891.
[24] Id., pág. 36.
[25] *Libros y autores modernos,* pág. 430.
[26] Manuel de la Revilla: *Obras.* Madrid, 1883, pág. 93.

Y modernamente *Azorín* elogió narración tan inverosímil como *El amigo de la muerte*:

«¡Qué poder formidable de genio en *El amigo de la muerte*, en *La mujer alta*, en *Lo que se ve por un anteojo*, en *La Comendadora!* No hay en las literaturas europeas modernas nada que supere a las narraciones citadas» [27].

Según el propio autor, algunas de estas narraciones —*El amigo de la muerte, Los ojos negros, El año en Sipzberg*— corresponden a su primera manera, guadijeña, de imitación de Dumas padre. *Los seis velos, ¿Por qué era rubia?*, etc., pertenecen a la segunda manera madrileña, en que rindió el autor vasallaje al estilo de Alfonso Karr. *Moros y cristianos* y *La mujer alta* son del tercer estilo, más natural y castizo.

Y en el prólogo dirigido a Dióscuro Puebla que puso Alarcón a esta serie, dice:

«... a ti, digo, van dedicadas, al volver a salir a luz, estas *Narraciones inverosímiles*, fantásticas unas, románticas otras y humorísticas las demás; escritas casi todas en mi niñez o en mi primera juventud; pertenecientes varias de ellas a un modo o gusto literario hoy abolido, pero que entonces hacía relamerse a los admiradores de Alfonso Karr, y sólo una *(El amigo de la muerte)* digna de que más experimentado y sabio escritor hubiese desenvuelto el profundo y generoso pensamiento que, al decir de respetables críticos, le sirve de tema, y que yo no sé por qué rara casualidad buscó albergue en mi pobre cerebro...» [28].

No sabemos lo que Alarcón entendía por *humorísticas*, pero lo cierto es que, quitado el artículo costumbrista —no cuento— *Lo que se oye desde una silla del Prado* que cierra el volumen, no hay ninguna narración de tal tipo y todas son trágicas y sombrías.

Respecto a *El amigo de la muerte*, transcribimos lo que de ella dijo Alarcón en la *Historia* de sus libros:

«Con *El amigo de la muerte* me ha ocurrido una cosa singularísima. Contóme mi abuela paterna su argumento, cuando yo era niño, como me contó otros muchos cuentos de brujas, duendes, endemoniados, etc. Lo escribí en compendio antes de salir de Guadix, y lo publiqué en un semanario de Cádiz titulado *El Eco de Occidente* [En la ed. de *Narraciones* aparece con fecha: Guadix, 1852]. Visto su éxito, lo amplié en Madrid y volví a publicarlo en *La América;* y desde entonces hice de él ediciones continuas en mis colecciones de novelas. Pues bien: hace pocos meses, un amigo queridísimo me contó que acababa de oír cantar en el teatro Real de esta villa y Corte una antigua ópera, titulada *Crispino e la Comare*, cuyo argumento venía a ser el mismo, mismísimo, de *El amigo de la muerte*. Nunca había visto yo aquella ópera, aunque sí la conocía de nombre. Por otra parte, ningún crítico ni gacetillero, de los muchos que han analizado

---

[27]   *Andando y pensando*, pág. 216.
[28]   *Narraciones inverosímiles*. Madrid Ed. de 1920, págs. 5-6.

minuciosamente mis escritos, me había acusado por tal semejanza, que parecía denunciar el más imprudente y cándido de los plagios... Protesté, en consecuencia, contra la afirmación de mi amigo, no pudiendo admitir que dos autores concibieran independientemente dos fábulas tan parecidas... Pero mi amigo (que es catalán) se calló, compró el libreto de *Crispino e la Comare* y me lo envió... ¡Figuraos mi asombro! ¡El asunto de ambas obras no tenía meramente semejanza!... ¡Era el mismo, con la circunstancia agravante de que la ópera llevaba fecha anterior a mi cuento!... ¡Luego yo había sido el plagiario!... Pero, ¿cómo, sin conciencia de lo que hacía? ¿Cómo, si mi memoria, mi entendimiento y mi voluntad me declaraban inocente? Pronto caí en la cuenta de lo que sin duda alguna había acontecido: el cuento, por su índole, era popular, y las viejas de toda Europa lo estarían refiriendo, como las de España, Dios sabe desde qué centuria. ¡Al autor de *Crispino e la Comare* se lo había contado su abuela, y a mí me lo había contado la mía!» [29].

Si hemos de dar crédito a esta declaración de Alarcón —tan efectista y novelesca—, no podemos por menos de considerar cuán grande era la ingenuidad —o la ignorancia— del escritor, por haber tardado tanto en darse cuenta de que su relato pertenecía a la tradición oral.

En 1859 aparecieron en Sevilla los *Cuentos y poesías populares andaluzas,* de *Fernán Caballero,* entre las que se recoge la narración tradicional *Juan Holgado y la muerte.* El protagonista, sin conocerla y creyéndola una mendiga, da de su comida a la Muerte. Esta le promete ayuda, diciéndole que podrá hacerse rico como médico, ya que cuando la vea a ella a la cabecera de la cama del enfermo, podrá vaticinar su irremediable muerte [30].

Y en 1867, Antonio de Trueba publicó en *El Museo Universal* un *Cuento* popular titulado *Traga-aldabas,* con el mismo asunto [31].

La narración alarconiana es más extensa que las de *Fernán* y Trueba, y se caracteriza por su pretenciosidad filosófica, que lleva al autor a rodear todo de misterio y tinieblas, entorpeciendo el desarrollo de la acción y oscureciendo la posible tesis o moraleja —*el generoso pensamiento*— que queda sin precisar. Hay demasiadas preocupaciones cósmicas, con alusiones a la química, la astronomía, etc.; todo con un insoportable aire de filosofía barata que anula casi las bellezas que, por otra parte, contiene la narración.

Mezclados con las aventuras de Gil Gil, el amigo de la Muerte, están una narración seudohistórica y otros episodios secundarios. El

---

[29] *Historia de mis libros.* Octava edición. Madrid, 1906, págs. 207-208.
[30] *Cuentos y poesías populares andaluzas.* Ed. Rubiños. Madrid, 1916, pág. 145.
[31] *El Museo Universal,* ns. 41 y 42 de 1867.

más ambicioso capítulo, el titulado *El tiempo al revés,* es el más rico en aciertos y en fantasía. La acción concluye en el Polo, donde la Muerte tiene su helado y silencioso palacio.

Esta obsesión por los temas polares fué uno de los más característicos rasgos de la producción juvenil de Alarcón. Recuérdese *El final de Norma,* escrito a los diecisiete o dieciocho años, cuando el autor sólo conocía del mundo y de los hombres lo que había aprendido en los libros, y cuya acción transcurre principalmente en las comarcas boreales. Pensaba el joven Alarcón escribir un conjunto de novelas sobre *Los cuatro puntos cardinales,* cuya primera parte —el Norte— era *El final de Norma.*

«De aquel período —dice la Pardo Bazán— (comparable al que hoy atraviesan los muchachos que coleccionan sellos) resultaron, ya que no las cuatro obras proyectadas, muchas páginas que constituyen lo que de buena gana llamaría yo la *mascarada polar.* Una Escandinavia descabellada y estrambótica, sin pies ni cabeza, digna de la España de Dumas, señoreó la fantasía de Alarcón, y le dictó (amén de *El final de Norma*) dos narraciones tituladas *El año en Spitzberg* y *Los ojos negros.* En la primera puede notarse un lujo de descripción colorista que nadie superó después, y que ya quisiera para sus escenas boreales Julio Verne, o para sus novelas cosmogónicas Flammarion.» «En *Los ojos negros* faltan estas galas descriptivas y queda sólo una fantasía ártica, que en realidad podríamos llamar un puro disparate» [32].

Efectivamente, en *El año en Spitzberg,* fechado en Guadix en 1852, hay descripciones no exentas de cierta fastuosidad de signo barroco, muy meridional para el frío decorado. He aquí la aurora boreal:

«El Septentrión se inflama con mil luces y colores; una llamarada de oro y fuego inunda el espacio ilimitado; las soledades se incendian; los monolitos de hielo brillan con todos los matices del arco iris. Cada carámbano es una columna de topacio; cada estalagmita, una lluvia de zafiros. Rásgase la penumbra, y descúbrense océanos de claridad... ¡Allí adivino el Polo, alumbrado intensamente, erial solitario que ningún pie humano llegará a hollar nunca! Y en aquella región de continuo espanto creo divisar el eje misterioso de la Tierra...

Único espectador de este sublime drama, caigo instintivamente de rodillas...

¡He aquí los confines del Globo trocados en esplendoroso templo, en una *capella ardente,* en un sagrario de purísimo oro derretido! Dominando tan vasta iluminación álzanse columnas de llama aérea, arcos de divina lumbre, bóvedas de flámulas desatadas... Así se conciben la cuna del rayo, el manantial de la luz, el lecho del sol en la fulgente tarde» [33].

Los ojos negros (Historia escandinava imaginada por un andaluz) viene a ser la réplica dramática a *¿Por qué era rubia?,* narración hu-

---

[32] *Nuevo Teatro Crítico,* n. 10, págs. 31 y ss.
[33] *Narraciones inverosímiles,* págs. 266-267.

morística perteneciente a la serie de *Cuentos amatorios*. Se desarrolla la acción de *Los ojos negros* en 1730, «más allá del círculo polar ártico». En el castillo de Loppen viven los protagonistas, Magno de Kivi, Jarl o Conde de la Isla, y Foedora, la jarlesa. Ambos son nórdicamente rubios. En *¿Por qué era rubia?* un matrimonio moreno tenía una hija rubia. Aquí nace un niño de ojos negros, habido por la jarlesa del español Don Alfonso de Haro. Todo acaba trágicamente con un desafío marítimo entre el seductor y el marido ultrajado; desafío que interrumpe el *maelstrom,* pereciendo los contendientes con las tripulaciones de sus barcos.

Tales son las narraciones alarconianas de tema polar. Recuérdese el encanto que estos mismos paisajes ofrecían para el hombre renacentista. En el *Persiles,* de Cervantes, describíanse con muy barroca imaginería las fabulosas tierras polares, donde vibraban ardientes pasiones en muy significativo contraste. También el escritor granadino se complace en usar del fondo polar para una historia tan sangrienta, pasional y bárbara como la de *Los ojos negros.* Junto a los moros y cristianos alpujarreños, he aquí a estos hombres desterrados en los témpanos, semejantes todos en el ardor de sus corazones, como creados por la más cálida y meridional de las imaginaciones.

Los seis velos, fechada en 1855, es la más extrañamente construída de las *Narraciones inverosímiles.* Está dedicada a Agustín Bonnat y escrita —dice el autor— «en el París de Alfonso Karr; en la residencia del gran maestro de este nuevo género de literatura que Agustín y yo nos hemos propuesto cultivar, desaforadamente, hasta que nuestros lectores pierdan el juicio» [34].

Los seis velos no es un cuento, sino una fantasía a propósito de los colores y significados de seis sucesivos velos bajo los que ve el protagonista a una mujer que amó. El velo blanco es el visillo de un balcón, tras el que la vió por primera vez. La segunda, la reconoce, ya casada, tras la cortinilla rosada de un coche de caballos. En un baile de máscaras la mujer adúltera aparece cubierta con un velo verde. Una gasa azul, tan sólo, vela su desnudez en una casa degradante; sugiriendo el color azul a Alarcón comentarios tan pintorescos como éstos:

«Azul es Alfonso de Lamartine, según Alfonso de Cormenin.»
«Y las venas de las mujeres blancas, y el manto de las Concepciones de Mu-

---

[34] Id., págs. 149 y ss.

rillo, y la ausencia, y los celos, y las violetas, y otras muchas cosas exquisitas son azules...

¡Qué horror! Acabo de acordarme de las medias de los aragoneses!»

El velo negro es el que lleva la misma mujer en el cementerio, colocando flores sobre la tumba de su hijo. Y finalmente, el protagonista la ve, muerta ya, cubierta la faz con un velo amarillo. Y de este color dice Alarcón:

«... y la mitad de la bandera española.

¡Ay de aquel cuya vida es un amarillento erial cubierto de espinas que le recuerden otras tantas cosas llevadas por el viento!

¡Ay de la bandera española!»

Lamentación ésta que suena no poco a generación del 98. A esta narración —calificada por la Pardo Bazán de *afeminado papotage*, y que su autor consideraba como *pura quimera de imaginación*— se asemeja una de PEDRO YAGO titulada *Un capricho*, publicada en 1859 [35]. El narrador cuenta —tras un prólogo sobre lo que es el capricho— cómo socorrió espléndidamente a una bella mendiga; la vió luego de criada en un hospital —donde le confiesa su amor—, y finalmente, ya casada, en un baile de máscaras.

La mujer alta (Cuento de miedo), fechada por Alarcón en Valdemoro, 1881, es una narración que recuerda las terroríficas de Allan Pöe, y en la que, según su autor, «desde la primera letra hasta el final del segundo encuentro de Telesforo con la terrible vieja, no se refiere ni un solo pormenor que no sea la propia realidad» [36]. El cuento narra cómo la aparición de una feísima mujer alta anunciaba siempre desgracias al protagonista.

Moros y cristianos, aunque incluída en las *Narraciones inverosímiles*, nada tiene de fantástico y es más bien un sabroso cuento realista, en el que lo trágico y lo humorístico están eficazmente combinados.

Citaremos ahora dos narraciones de GASPAR NÚÑEZ DE ARCE. La primera, del año 1856, titúlase *Las aventuras de un muerto, Cuento fantástico* [37], y lleva al frente una dedicatoria a D. Juan Antonio Biedma, en la que se lee el siguiente significativo pasaje:

«Rescatando mi palabra empeñada, te dedico este cuento, el primero de una colección de fantasías, sueños o caprichos, como quiera llamárselos, que estoy escribiendo.»

---

[35] *El Museo Universal*, n. 19, 1 octubre 1859, págs. 147 y ss.

[36] *Narraciones inverosímiles*, pág. 212.

[37] Estas dos narraciones fueron publicadas en *Miscelánea literaria. Cuentos,*

En una tertulia de bebedores se habla de la muerte como eterno reposo, afirmación que uno de los asistentes niega, diciendo que lo sabe bien por experiencia, ya que él murió, volviendo luego a la vida. Narra cómo siendo poeta fué a Madrid a triunfar, sin lograrlo. Se enamoró y su amada se casó con otro. Llevó desde entonces una vida miserable y bohemia. Cierto día encontró en una taberna a un extraño personaje, que resultó ser el diablo, un diablo bueno y predicador, el cual comienza a charlar con el poeta, hablando de la incredulidad y positivismo de su siglo. El diablo le dice que hay una vida eterna, que no se acaba todo con la muerte. El poeta no le cree, y entonces el diablo le presenta una pistola, invitándole a suicidarse. Así lo hace, y al dispararse un tiro en la sien entra en el mundo de las almas, desde el que presencia su propio entierro, ve su gloria póstuma, el dolor de su amada, el de su familia, el desprecio de los que tenía por amigos —tema semejante al de ¡Muérete y verás!, de Bretón de los Herreros— y, al fin, se encuentra vivo en un hospital. Allí vuelve a aparecérsele el diablo, que le cuenta cómo resucitó cuando le llevaban a enterrar. El poeta se extraña de aquella protección y el diablo le revela que es su padre.

Como se ve, el cuento no puede ser más absurdo. Su lenguaje, a tono con el tema, revela a veces al Núñez de Arce poeta, en frases que son verdaderos versos: «al rápido giro de sombras que pasan, de besos que estallan».

La otra narración, compuesta en 1872, lleva el título de *Sancho Gil (Cuento fantástico)* y narra cómo en un pueblo vive la bruja Aldonza con su bella y pura sobrina Catalina, a la que ama Sancho Gil, arrogante soldado de los tercios de Flandes. Catalina le confiesa que su tía quiere entregarla al diablo. El soldado prepárase a luchar contra la bruja, rociando su espada con agua bendita. Por la noche entra en casa de Aldonza, en ausencia de ésta, y monta en su escoba. En tanto el diablo, bajo la apariencia de Sancho Gil, trata de forzar a Catalina, pero ella, reconociéndole, le rechaza y vence con la señal de la Cruz. Sancho es apresado por brujas y trasgos, y el diablo le condena a morir en la hoguera. Lucha el soldado inútilmente, hasta que, al invocar a Jesús, desaparecen sus enemigos. Cansado, se echa a dormir, y cuando despierta han transcurrido setenta años —truco éste propio

artículos, relaciones y versos, de Núñez de Arce. Biblioteca «Arte y Letras». Barcelona, 1886.

de cuentos populares y que se encuentra en el conocido *Rip Wan Wi-kle*—. Catalina murió en un convento.

III. VALERA, COLOMA, PEREZ GALDOS Y OTROS CUENTISTAS

Los cuentos de D. JUAN VALERA son difícilmente clasificables en casi su totalidad, y si nos hemos decidido a incluir algunos aquí, no ha sido porque creamos que son rotundamente fantásticos, sino sólo convencionalmente. La vestimenta fantástica de las narraciones de Valera encubre otra intención, de existir alguna. Es ya un lugar común hablar del escepticismo del autor de *Pepita Jiménez,* y de su apasionado esteticismo, que le hacían evitar toda tendenciosidad [38].

Esta olímpica actitud suya, junto con lo que *Clarín* llamaba *sano egoísmo* de Valera, han permitido la —en nuestro juicio, excesiva— comparación con Goethe. Otros críticos le han comparado con Anatole France —tal, Cejador—, y si bien *Andrenio* reconocía que podía asemejarse en la forma [39] al creador de M. Bergeret, advertía que Valera carecía de la sensibilidad del francés, creyendo que tenía más afinidad «con Voltaire, a quien recuerda en alguno de sus cuentos, casi todos encantadores» [40].

El amoralismo de Valera es mucho más suave que la ironía afiladísima de Arouet, pero de todas formas, narraciones como *Parsondes* hacen lícita la comparación.

En los cuentos de Valera se advierte un exquisito estilo entre ático y andaluz, elegante y burlón, sirviendo a una total carencia de interés argumental. Valera es un finísimo artista, pero no es un auténtico cuentista. Por eso su fama en este último aspecto nos parece injustifi-

---

[38] Acerca de esto dice César Barja: «Vivió D. Juan Valera en una época de tendencias encontradas, entre los últimos espasmos de un realismo y un naturalismo que él vió nacer, crecer y morir; joven para todo eso, tuvo tiempo, en su larga vida de setenta y ocho años, acabada en Madrid en 1905. A todos esos movimientos literarios fué igualmente extraño el señor Valera, y a todos ellos fué igualmente contrario. Extraño y contrario fué también a iguales o semejantes movimientos en el campo de la filosofía, la sociología, etc. Y he aquí cómo se nos aparece Valera: como un escéptico, como un desconfiado de las modas literarias y filosóficas que revolucionaron a Europa en los últimos cincuenta años del siglo pasado; como un individuo aislado» (*Libros y autores modernos,* páginas 401-402).

[39] *De Gallardo a Unamuno.* Espasa-Calpe, S. A. Madrid, 1926, pág. 80.

[40] *El renacimiento de la novela en el siglo XIX,* pág. 74.

cada, y aunque la comparación peque de violenta, hemos de confesar
que Alarcón, carente de la cultura y de la gracia expresiva de Valera.
supo crear, sin embargo, mejores cuentos. El autor de *El escándalo*
representa la pasión, el interés argumental, la habilidad narrativa. Valera, intelectual, crea unas narraciones en las que se podrá admirar la
gracia con que el humor y filosofía están combinados, pero en las que
falta el resorte emotivo —folletinesco, si se quiere— que caracteriza
a las de Alarcón. Un tipo de narrador equidistante de ambos extremos,
sentimentalismo e intelectualismo, sería *Clarín,* no tan culto quizás
como Valera, pero más cordial, más humano y, por tanto, mejor cuentista.

Pero, dejando ya estas consideraciones, examinaremos los cuentos
de Valera que pudieran clasificarse como fantásticos, entre los que citaremos, en primer lugar, *El Pájaro Verde,* fechado en 1880 [41].

A propósito de esta narración observaba A. F. G. Bell cómo Valera, al tiempo que daba a sus novelas un aire de irrealidad, procedía
al revés con los cuentos fantásticos, desarrollados realistamente:

«... but Valera succeeded in casting a complete air of unreality over the
book, and it very curious to notice how in his *El Pájaro Verde* the tables are
turned and a fairy-story becomes completely real» [42].

Efectivamente, según hacemos notar en otro capítulo refiriéndonos a *El bermejino prehistórico,* Valera gusta de describir situaciones
legendarias o fantásticas con un lenguaje anacrónico, del siglo XIX, con
el que incluso llegan a expresarse los protagonistas. El tema de *El Pájaro Verde* casi pudiera calificarse de infantil, pero está tratado escabrosa y frívolamente, con esa amoralidad aticista que para Valera constituía la clave del arte. Si se resume el asunto de la narración diciendo
que la siempre triste princesa, hija del Rey Venturoso, no encuentra
pretendiente a su gusto y al fin se prenda de un raro pájaro verde que
resulta ser un príncipe encantado, creeremos estar ante la más ingenua
e intrascendente de las fábulas. Y, sin embargo, la sensualidad —de
buen tono, eso sí— que inspira el cuento, lo aleja rotundamente de
toda inocencia más o menos pueril. En las escenas frívolas emplea Valera su peculiar técnica humorística, presentando a la princesa en *des-
habillé,* o sujetándose una liga, etc. A su lavandera se la describe como

---

[41] *Obras completas.* XIV. Imp. Alemana. Madrid, MCMVII, págs. 35 y ss.
[42] *Contemporary Spanish Literature,* pág. 80.

una *pollita muy simpática*. En el palacio del príncipe existe «un surtidor tan gigantesco como el que hay ahora en la Puerta del Sol». La cajita en que el pájaro-príncipe guarda los objetos robados a la princesa, supera en belleza a «aquella en que encerró Alejandro la *Ilíada*», que al lado de ésta es «más chapucera y pobre que una caja de turrón de Jijona».

En la escena de la entrevista de la princesa y sus doncellas con el viejo ermitaño que les revela el desencantamiento del príncipe, hace alarde Valera de su gusto por las ciencias ocultas, por los misterios de la magia oriental, si bien con su sempiterno dejo de ironía.

Conocidísimos son los dos bellos cuentos japoneses que Valera tradujo del inglés, en 1887, con los títulos de *El espejo de Matsuyama* y *El pescadorcito Urashima*, traducciones con las que Valera acreditó una vez más su buen gusto [43]. *La muñequita* y *La buena fama* son dos cuentos fantásticos [44] que vienen a tratar el mismo tema. En el primero, una honestísima y bella muchacha es pretendida inútilmente por el rey. Cierta vez encuentra ella una muñequita, y la lleva, cariñosamente, a su casa. La muñequita habla y corre, lo que hace recelar a la madre de la joven que sea cosa del diablo. Entonces la lleva a la casa de la prima de la joven, y allí una noche la muñequita siente una necesidad y expele granos de oro. La madre de la niña, ambiciosa, da mucha comida a la muñeca y la hace dormir en lujoso lecho. Aquella noche, sin embargo, no es oro lo que sale, y la mujer, indignada, tira la muñeca por la ventana, cayendo en el corral del rey. Cuando éste baja allí para hacer sus necesidades, se coloca inadvertidamente encima de la muñequita y ésta le muerde tan fuertemente que nadie es capaz de desprendérsela. El rey promete casarse con quien logre arrancarle la muñequita, y sólo lo consigue la joven protagonista.

El P. Coloma es autor de un *cuento popular* titulado *Ajajú*, sobre el mismo tema: Mariquita la Pelona es una pobre niña, maltratada por su madrastra, a la que una anciana tendera regala una muñeca, la

---

[43] Ed. cit., págs. 143 y ss., y 148 y ss. Dijo Valera en la introducción a estos *Dos cuentos japoneses*: «Elijo los dos que me parecen más interesantes: uno, porque se diferencia mucho de casi todos los cuentos vulgares europeos; y otro, por lo mucho que se asemeja a ciertas leyendas cristianas, como la de San Amaro; la de otro Santo, referida por el Padre Arbid en sus *Desengaños místicos*, y la que ha puesto en verso el poeta americano Longfellow en su *Golden Legend*» (pág. 142).

[44] Ed. cit., págs. 199 y ss., y 211 y ss.

cual expulsa oro. Cuando la madrastra arrebata la muñeca a la niña, esperando enriquecerse, queda terriblemente defraudada. Es arrojada la muñeca por la ventana y se repite la misma escena que en el cuento de Valera, concluyendo también con la boda de Mariquita y el rey.

La muñequita está fechada en Viena en 1894. En el mismo año, y también en Viena —15 diciembre—, escribió Valera *La buena fama,* en cuya introducción dice:

> «El asunto del cuentecillo, harto desfigurado por el vulgo de Andalucía, resulta extravagante e inverosímil; pero yo me lisonjeo de haberle restaurado en la dignidad, el decoro y la verosimilitud que hubo de tener en su origen. A este fin le interpreto y expongo, con el auxilio de ciertas luminosas doctrinas que, venidas a Europa en tiempos novísimos desde el remoto Oriente, nos ponen en la boca el ajonjolí para visitar y en la mano la llave para abrir el misterioso laboratorio donde el espíritu hace de la naturaleza cuanto quiere.»

El cuento, ambientado en el siglo XIII, refiere cómo Doña Eduvigis, viuda, tiene una bellísima hija, Calitea, a la que desea casar con un mercader rico y viudo. Pero la joven conoce al arrogante Miguel, del que se enamora. Cuando se entera de que es el rey, le abandona y él no logra vencer su voluntad. Como siempre, Valera utiliza sus expresiones humorísticas: El rey, «adelantándose en escepticismo histórico a Masdeu y a Niebuhr, dudaba de cuanto se dice que les ocurrió [a Tarquino, Apio, Claudio, etc.] con Lucrecia, con Virginia o con otras doncellas o matronas cogotudas, suponiéndolo invención, calumnia de los republicanos y demócratas; lo que ahora llamamos una *filfa»*

El padre de Calitea fué muy amigo de un sabio oriental descendiente del Rey Mago Melchor, llamado Criyasacti, el cual al morir le dejó un regalo para su hija, que debía entregarle cuando cumpliera los veintitrés años. El regalo consiste en la estatuilla de una mujer tocando la trompeta: la buena fama. Nada hay en ella aparentemente de extraordinario, pero lleva el encanto, la misión de Criyasacti. Calitea —como las jovencitas de otros cuentos— se encariña con ella. Doña Eduvigis, viendo en la estatuilla algo diabólico, intenta romperla sin conseguirlo, y finalmente la arroja al pozo. El rey, al bañarse en un lago, se siente mordido en la parte posterior por algo que resulta ser la estatuilla. Sólo Calitea puede arrancársela, y en ese momento la figura hace sonar la trompeta. El rey decide casarse con Calitea, y mientras discute con su madre, da un manotazo a la figura. Cae ésta, se rompe, y en su interior aparecen unos documentos probatorios de que Calitea es de sangre real, celebrándose, sin oposición ya, la boda.

Como se ve, aunque algo modificado y con muchas digresiones sobre la brujería y la magia, el cuento es el mismo narrado en *La muñequita,* y no deja de ser curioso que un autor, y en un año, escribiese dos relatos sobre el mismo asunto.

Finalmente citaremos otros dos cuentos fantásticos de Valera: *El duende beso* y *El hechicero* [45].

Los *Cuentos estrambóticos* de ANTONIO ROS DE OLANO serán estudiados en el capítulo de *Cuentos humorísticos y satíricos,* por creer que éste es el tono dominante en ellos. Otro tanto cabe decir de los de FERNÁNDEZ BREMÓN y CARLOS COELLO. De este último, no obstante, citaremos aquí el muy ingenioso relato, entre humorístico y psicológico, titulado *El huésped* [46]. Maese Jacobo es acusado de hechicero, al morir misteriosamente su bella y joven mujer, la cual, pese a ser mucho más joven que su marido, le amaba profundamente. Interviene en la investigación un catedrático de Salamanca, el licenciado Fajardo, que llega a ser gran amigo de Jacobo. Fajardo se jacta de conocerse sinceramente y escribe un *Estudio de sí mismo* que presta a Maese Jacobo, el cual se lo alaba mucho, diciéndole que no advirtió ningún defecto. A la casa de Fajardo llega un licenciado de Alcalá y allí es hospedado. Maese Jacobo, extrañado de la ausencia de su amigo, ocupado en atender al huésped, le pide que le hable de éste, y Fajardo le contesta con una carta en la que le describe la fea y vanidosa figura del licenciado de Alcalá. Cuando se despide de él, Fajardo se encuentra dándose la mano a sí mismo. Maese Jacobo hizo que el licenciado Fajardo desdoblase su personalidad, se hospedara a sí mismo, para así enseñarle a conocerse.

En 1861 publicó *El capitán Bombarda,* seudónimo de BALDOMERO MENÉNDEZ, su *Cuento fantástico marítimo* titulado *El cáscaro de nuez* [47]. En 1862, DOLORES GÓMEZ DE CÁDIZ publica *La soledad del alma,* que lleva los subtítulos: *Sicología y cuadro fantástico* y *Cuento para la fantasía y para la razón. Para la fantasía porque es mentira. Para la razón porque es verdad. Es mentira en la forma, es verdad en el fondo* [48]. El cuento comienza con la invocación siguiente:

«¡Hoffmann! ¡Hoffmann! ¿Por qué llenaste las imaginaciones alemanas con tus cuentos mentirosos, y que, sin embargo, erizaban el cabello?»

---

[45]   *Obras completas.* XV, págs. 53 y ss.; XIV, págs. 153 y ss.
[46]   *Cuentos inverosímiles.* Biblioteca Perojo. Madrid, 1878, págs. 65 y ss.
[47]   *El Museo Universal,* ns. 5 al 18 de 1861.
[48]   Id., n. 7, 16 febrero 1862.

Se reduce a una fantasía en la que un poeta charla con el Marques de Villena, desprendido de un cuadro.

El cementerio del mar, de MELCHOR DE PALAU, aparecido en 1863 [49], es una historia fantástica en prosa poética. También es poético-fantástica la *Pesadilla* de EUGENIO MARÍA HOSTOS titulada *El bello ideal* [50].

MIGUEL RAMOS Y CARRIÓN publicó en 1866, *La segunda vez, Cuento fantástico* [51], sobre un anciano que desea vivir otra vez para no cometer los mismos errores. Pacta con el demonio, y al caer en las mismas faltas, pierde el alma. *Mal de ojo* es un extraño relato de FEDERICO VILLALBA, aparecido en 1866 [52].

ENRIQUE FERNÁNDEZ ITURRALDE es autor de alguna tan fina narración como la titulada *El espejo roto* [53], en la cual este protagonista, es decir, el silfo que vive dentro del espejo, cuenta cómo se enamoró de la muchachita que se miraba en él y que llegó a besarse, a besarle. Cuando el silfo del espejo ve al novio de la joven, siente tan atroces celos que se rompe. Del mismo autor es la ingeniosa narración *Un siglo de vida* [54], de hondo sentido moral: El narrador se ve en el espacio como un átomo. Va a nacer. Y un ángel pide al Señor que le dé una vida larga. cien años. El Señor accede, mas con la condición de que si él lo desea podrá acortarla. Y ya en el colegio, para obtener un premio, piensa el protagonista que daría diez años de vida. Por estrenar un drama, cede otros años. Y porque una mujer corresponda a su amor, da media vida. Muere entonces, y despierta.

Del P. COLOMA, aparte de *¿Qué sería?,* citaremos *El salón azul (Historia maravillosa)* [55], cuya primera parte recuerda las narraciones de Allan Pöe, aunque luego todo se resuelva real y humorísticamente. Cuenta el narrador cómo en la casa de unos amigos que viven en un pueblo próximo a San Sebastián, tuvo tres horribles visiones en un salón azul, donde se dice que quedó el rabo de un judío ladrón. Descubre, investigando, que en aquella casa murió un hugonote, cuyo cadáver hicieron desaparecer los dueños para sustraerlo a las iras del pueblo, que le culpaba de varias desgracias. El narrador vuelve al salón y

---

49 Id., n. 19, 10 mayo 1863.
50 Id., n. 9, 28 febrero 1864.
51 Id., ns. 24 y 25 de 1866.
52 Id., ns. 42 a 47 de 1866.
53 Id., n. 2, 13 enero 1867.
54 Id., n. 43, 26 octubre 1867.
55 *Obras completas,* págs. 258 y ss.

nada ocurre, ya que los ruidos que oye son producidos por unos perros.

De Pérez Galdós recordaremos *La princesa y el granuja* (1879) [56]: El pillete Pacorrito, vendedor de periódicos y cerillas, préndase de una muñeca que ve en un escaparate, se convierte en muñeco y es expuesto a su lado.

Celín es una extrañísima narración entre poética y humorística [57]. El novio de Diana ha muerto y ella intenta suicidarse. (Descripción fantástica de los funerales del joven.) Vive Diana en Turris, pueblo movible cuyas casas y ríos están cambiando siempre de sitio. Antes de suicidarse decide visitar el panteón y a él se encamina, guiada por un niño, Celín. Este la conduce hasta el río. Tardan mucho en llegar y durante el viaje ocurren cosas maravillosas. Celín crece, vuela, le da a probar del árbol del café con leche, ahuyenta el río y la lluvia a pedradas... Celín se transforma en un adolescente y —en seguida— en un hombre que toma en sus brazos a Diana. Caen de un árbol y se rompen en mil pedazos. Todo ha sido un sueño en el que Diana ha aprendido a amar la Vida en todas sus edades.

Tropiquillos no es propiamente un cuento, sino una alegoría del Otoño escrita para un Almanaque [58], pero tiene un aire moderno y un estilo poético que, pese a la carencia de trama, le dan cierto encanto: Un marino —el narrador— llega enfermo a su casa destruida. Morirá con el caer de las hojas. Un antiguo criado de los Tropiquillos, enriquecido ahora, viñador y bodeguero, le protege y le da a su hija por esposa. Llega el otoño y el marino sigue viviendo. Pero cuando abraza a su esposa, se desmaya. Al despertar se encuentra en un sofá, con un criado que le ofrece un café muy fuerte.

Theros [59] es una alegoría del Verano, bajo la forma de una bella y ardiente mujer que el narrador conoce en sus viajes por Andalucía, y que, tras casarse con ella, desaparece el 22 de septiembre.

Algunas narraciones de José de Selgas pueden considerarse como fantásticas. *Mundo, demonio y carne* [60] relata cómo Elías Puentreal descubre que está arruinado, cuando va a casarse con Celia, la hija de

---

[56] *Torquemada en la hoguera* (y otros relatos). La Guirnalda. Madrid, 1889.

[57] *La sombra* (y otros relatos). La Guirnalda. Madrid, 1890, págs. 141 y ss. El cuento está fechado en noviembre de 1887.

[58] Id., págs. 205 y ss. Pérez Galdós tiene todas estas narraciones por «divertimientos, ensayos», según confiesa en el prólogo.

[59] Id., págs. 231 y ss.

[60] *Novelas*. II. Imprenta de Pérez Dubrull. Madrid, 1885, págs. 7 y ss.

un banquero. Decidido a suicidarse, invoca al diablo, que se le aparece bajo la figura de Angel, un antiguo amigo suyo. Viene de América y dice a Elías que le llame Baal, ofreciéndole su protección. El joven se lanza entonces a audaces jugadas de bolsa que aseguran su fortuna, cimentada en la ruina de los demás. Rico ya, se casa con Celia, pero ésta le echa en cara que no le ama a él, sino a otro. Elías, desesperado, mata a su mujer y se suicida. Baal arrebata su alma.

Dos muertos vivos, Mal de ojo [61] y *El número 13* [62], estos dos últimos sobre supersticiones, pueden también clasificarse en este capítulo.

IV. EMILIA PARDO BAZAN, «CLARIN», Y OTROS CUENTISTAS FINISECULARES

Doña EMILIA PARDO BAZÁN apenas cultivó el cuento fantástico. *La Madrina* [63], ambientado en tiempos de dueñas, escuderos e inquisidores, relata cómo al nacer un segundón, el padre, al verlo tan débil y pequeño, piensa que su madrina será la muerte. Así sucede, y el joven, llamado Beltrán, crece salvándose de todos los riesgos y peligros, hasta coger fama de hechicero. Enamórase de Doña Estrella, a la que también pretende Moncada, y éste muere acorneado por un toro. Interviene el Santo Oficio y Beltrán es encarcelado. Llama a su madrina y aparece ésta:

«Su cara se parecía a la de don Beltrán —como que era él mismo, «su muerte propia»—; y don Beltrán recordó el dicho de cierto ilustre caballero del hábito de Santiago: «La muerte no la conocéis, y sois vosotros mismos vuestra muerte: tiene la cara de cada uno de vosotros, y todos sois muerte de vosotros mismos.»

(Por cierto, y a manera de inciso, que este pasaje y la cita del «ilustre caballero del hábito de Santiago» —Quevedo en *La visita de los chistes*— recuerdan vivamente las conocidas y poéticas palabras de Rilke sobre la muerte propia, contenida en cada uno, que constituyen el *leitmotiv* de *Los cuadernos de Malte Laurids Brigge.*)

La madrina dice que sólo puede libertarle llevándolo consigo. Beltrán se niega, pero al fin, desesperado, llama a la muerte.

En *Hijo del alma* [64] el doctor Tarfe —que antes de ser médico

61 Id., págs. 227 y ss, y 355 y ss.
62 *Novelas.* III. Madrid, 1887, págs. 71 y ss.
63 *Cuentos trágicos,* págs. 139 y ss.
64 Id., págs. 173 y ss.

fué escritor— narra una rarísima historia. A su consulta llegaron cierta vez una madre y su hijo, seres extraños y pálidos. Reconocido el niño, nada anormal presenta. Sin embargo, la madre cuenta al doctor que se trata del hijo de un cadáver... Su marido le había prometido un hijo, aun a costa de su sangre. Una noche, mientras ella dormía en el lecho esperando el regreso de su marido, la despertaron las caricias de éste. Al amanecer no le encuentra en la cama, y descubre que fué robado y asesinado en la carretera durante la noche. Ella supone que su hijo lo es de un alma y no de un cuerpo. El cuento es audaz y está bien desarrollado.

El espectro [65] es una trágica historia sobre un neurótico que dió en la manía de odiar un gato blanco de su madre —tema parecido al de *El gato negro* de Allan Pöe—, y, decidido a matarlo, una noche disparó contra él, viéndolo en la ventana. En realidad, disparó contra su madre, que llevaba una toquilla blanca en la cabeza, provocando la confusión. Ella resultó herida solamente, pero desde entonces cobró horror al hijo.

El rival [66] es la historia que un hombre refiere de su enamoramiento por una atractiva adivina, poseída por el diablo. Menos interés ofrece la narración simbólica *Los cinco sentidos* [67].

De «CLARÍN» no podemos citar aquí ningún cuento, pues aunque muchos tienen carácter fantástico —*Mi entierro, Cuento futuro, La mosca sabia,* etc.—, hemos preferido clasificarlos atendiendo a sus notas dominantes: humor, sátira, etc. Unicamente recordaremos la *Fantasía* titulada *Tirso de Molina* [68]: Unos raros personajes caminan entre la niebla. El paisaje resulta ser el del Puerto de Pajares, y los personajes, Tirso, Quevedo, Lope, Jovellanos, fray Luis, etc., que, llenos de vanidad, bajan desde la *alma región luciente* a la tierra, para ver si son recordados. El ferrocarril les asusta en un túnel. Luego ven una locomotora que lleva un letrero con el nombre de *Tirso de Molina,* lo cual les indica que no están olvidados. La intención irónica de *Clarín* se revela en este pasaje:

«Señores —dijo Don Gaspar, —ya lo véis: el mundo no está perdido, ni nosotros olvidados. Ilustre poeta mercedario, ¿qué dice vuestra merced de esto? ¿Sá-

---

[65] *Sud-exprés,* págs. 176 y ss.
[66] Id., págs. 221 y ss.
[67] Id., págs. 134 y ss.
[68] *El gallo de Sócrates.* Maucci. Barcelona, 1901, págs. 37 y ss.

bele tan mal que a este portento de la ciencia y de la industria le hayan puesto los hombres de este siglo el seudónimo glorioso de Tirso de Molina?

De Ortega Munilla citaremos la semifantástica narración *Una historia de un viaje* [69], sobre la locura de un pescador que se enamoró de una sirena del mar.

De Alejandro Larrubiera recordamos *La mujer número 53* [70], cuento fantástico inspirado, según declara el autor, en *Avatar* de Gautier: El doctor Wohk anuncia haber encontrado el procedimiento para la transmutación psíquica. Thon Bullg acude, deseando experimentar la espiritualidad de una mujer, precisamente de la que en el catálogo del doctor tiene el número 53. Al día siguiente efectúase el cambio con una mujer de las características deseadas, la cual a su vez prefiere ser hombre. Pasados unos años, Bullg acude al doctor para que le devuelva su primitivo ser masculino, por resultarle insoportable la vida. Wohk le dice que las mujeres están satisfechas con el cambio y los hombres no, siendo imposible una nueva transmutación.

En *Los novios de la vitrina* [71] describe el autor los juguetes de un escaparate, entre ellos unos novios que desean ser vendidos para gozar de la libertad y del amor. Un payaso se ríe de ellos. Y un gato, persiguiendo a un ratón, derriba y rompe varios muñecos, entre ellos los novios.

¡Si se volviera a nacer!... [72] es casi idéntico a *La segunda vez,* de Ramos Carrión: Un hombre, desdichado en su vida amorosa, cree que todo iría mejor si volviera a nacer. El Destino se lo concede, reencarnándole en un niño recién nacido y conservándole su mentalidad de hombre. Esto le hace desgraciado, puesto que desde niño siente la llama del amor, que le conduce al suicidio.

Nilo María Fabra es autor de unos *Cuentos ilustrados* entre los que se encuentran algunas narraciones futuristas y fantásticas: *Un viaje a la República Argentina en el siglo XXI, La locura del anarquismo, El fin de Barcelona* [73]. También futurista es la *Narración del año 2000, El diafotófono* de Vicente Vera [74].

---

[69] *Mis mejores cuentos,* págs. 25 y ss.
[70] *El dulce enemigo.* Rivadeneyra. Madrid, 1904, págs. 131 y ss.
[71] Id., págs. 155 y ss.
[72] Id., págs. 223 y ss.
[73] *Blanco y Negro,* n. 195, 26 enero 1895.
[74] Id., ns. 595 y 596 de 1902.

De Blasco Ibáñez citaremos únicamente *La muerte de Capeto* [75]: El narrador, Nicolás, cuenta cómo tras la Revolución francesa se alistó con su amigo Teodoro, gran pintor, para defender la República. Teodoro presiente que va a morir y encarga a su amigo que pinte un cuadro que él siempre deseó realizar: el guillotinamiento de Luis XVI. Nicolás es un pésimo pintor y cree que jamás podría hacerlo. Y al morir Teodoro, su espíritu mueve la mano y el pincel de Nicolás, que pinta un gran cuadro con sólo un defecto: todos los personajes tienen la cara de Teodoro.

De Luis Valera, hijo de D. Juan, citaremos *La esfera prodigiosa* [76], narración del estilo de *La buena fama,* en cuanto a la doctrina sobre el Yoga: Un holandés en China cuenta al narrador cómo en una tienda de antigüedades, donde compró un Buda de gran belleza, conoció a un extranjero, el cual fué a su casa a ver la figura y descubrió en su interior un papel. En la cabeza del Buda había una esfera cristalina que logró extraer, contándole entonces el extranjero la historia de Nivang-Tsang, autor del manuscrito encerrado tras la esfera, que fué a la India a adoctrinarse en el Yoga. Su maestro le regaló esa esfera, con la cual los humanos pueden satisfacer sus deseos. Y efectivamente, el holandés y el extranjero se hacen invisibles. Este último aún realiza otras maravillas con la esfera, y al fin desea pasar al mundo de las Ideas Puras. Se disuelve con la esfera, pese a los esfuerzos del holandés por retenerle. Nunca más volvió a aparecer. El tono —y sobre todo el final del cuento— recuerda el de algunas extrañas narraciones de H. G. Wells.

Dos buenas narraciones fantásticas son *El Péndulo milagroso* y *Los estornudos del Diablo* de Juan Tomás Salvany [77]. En la primera, las horas perdidas se le aparecen, acusadoras y vengativas, al narrador. Hay ciertos motivos bellamente poéticos, como el de la visión de aquellas horas juveniles vividas sin apenas comprender su encanto, y que nos recuerdan el desván lleno de las cosas despreciadas que a nuestro lado pasaron y que nos pudieron hacer felices, descrito por Tomás Borrás en uno de sus más delicados cuentos, el titulado *En los desvanes.*

Los estornudos del Diablo es una ingeniosa fantasía, algo dilatada y excesivamente rica en peripecias para merecer el nombre de cuento,

---

[75] *El adiós de Schubert* y otros cuentos. Valencia, 1888, págs. 411 y ss.
[76] *Visto y soñado.* Viuda e hijos de Tello. Madrid, 1903, págs. 61 y ss.
[77] *De tarde en tarde.* Madrid, 1884, págs. 28 y ss., y 49 y ss.

dado por Salvany en virtud de su carácter fantástico. La narración pretende ser trascendente, y presenta la originalidad de que el Diablo aparece en ella bajo la forma de una fascinadora mujer que despierta insensata pasión en el protagonista.

El tono extrañamente protector del Diablo con el hombre cuya alma, no obstante, desea ganar, nos recuerda el paternalismo diabólico de *Las aventuras de un muerto* de Núñez de Arce.

Finalmente, de la serie *Vidas sombrías* de Pío BAROJA, publicada en 1900, citaremos aquí *Medium, El trasgo* y *El reloj*.

CAPITULO VIII

CUENTOS HISTORICOS Y PATRIOTICOS

CAPITULO VIII

CUENTOS HISTORICOS Y PATRIOTICOS

El solo título de este capítulo se presta a considerar que en rigor la materia aquí tratada podría repartirse en dos apartados diferentes, pero es que muchas veces el tema histórico o anecdótico tiene tan inmediata intención patriótica, que resultaría difícil en esos casos deslindar lo simplemente histórico de lo patriótico, es decir, de lo emotivo no en virtud de la peripecia, sino por la repercusión de ésta en la conciencia nacional.

Cierto que junto a cuentos así concebidos encontramos otros muchos clasificables, limpiamente, en históricos, sin mezcla sentimental y polémica. Y a la vez existe el puro cuento patriótico, de pura imaginación y sin contenido histórico.

Como siempre, procuraremos seguir un orden cronológico en nuestro estudio temático, más conveniente aquí que nunca, ya que los cuentos de esta clase son producto muchas veces de la circunstancia histórica por que atravesaba España en el tiempo en que se compusieron. Y así, comparadas la etapa romántica e inmediatamente postromántica con los años finiseculares, se observa cómo en aquéllas abundan los cuentos estrictamente históricos, es decir, sin angustia nacional, creados al margen de toda preocupación o tesis; mientras que en éstos casi desaparecen para ser sustituídos por los cuentos patrióticos violentos o satíricos [1].

---

[1] En realidad la novela histórica —y, como consecuencia, el cuento— no tuvo excesivo arraigo en España. A este respecto decía D. Manuel de la Revilla:

Las sucesivas pérdidas que España fué sufriendo a lo largo del siglo xix, las guerras interiores, africanas y ultramarinas, fueron creando una dolorida conciencia nacional, cuyo más vivo grito estalló con la generación del 98, surgida no de golpe, sino como resultado de una serie de precedentes que toman cuerpo y conciencia en un grupo de poetas e intelectuales. Estos no hicieron más que dar voz y pasión a unas ideas que rondaban las mentes españolas y que venían atormentando a las más finas sensibilidades.

El tema de España es, junto con el religioso y el social, el que va a dominar en los últimos años del siglo xix. Y esto no quiere decir que en los anteriores no hubiese sino despreocupación o deliquios románticos. No todo fué pirotecnia orientalizante o medievalismo lúgubre. Existió una literatura costumbrista que representa algo más que lo superficialmente pintoresco o humorístico.

El costumbrismo tiene una raíz nacional; nace no sólo como consecuencia de una óptica nueva que enseña a valorar lo popular, sino también como resultado de una reacción de lo nacional contra imperialismos políticos o literarios. Los artículos de costumbres suelen ser casi siempre artículos de malas costumbres, es decir, examen y exposición de las llagas nacionales: de la ineducación, de la incultura, del afrancesamiento, de la blandenguería, del cohecho... Y no nos referimos solamente a Larra, cuyo prenoventaiochismo es ya del dominio corriente, sino que creemos que aun en los artículos del regocijante y burgués D. Ramón de Mesonero Romanos hay algo más que bonachonería y donaire madrileño. Ese cortejo de cesantes —uno de los tópicos de la literatura humorística decimonónica—, señoritos y señoritas cursis y extranjerizadas, campesinos obtusos y brutales, cómicos hambrientos, alguaciles venales y demás pobres o despreciables seres que desfilan por el *Panorama Matritense,* hablan de una España en la que las más altas clases sociales eran huecas, vanidosas y afrancesadas,

_____

«Las novelas históricas, escritas bajo la influencia de Walter Scott, por Larra, Espronceda, Escosura, Navarro Villoslada y algunos otros, no habían tenido el éxito necesario para fundar un nuevo género. Aquellas elegantes narraciones, más abundantes en color local que en interés dramático, no lograron excitar la atención del público...» (*Obras.* Madrid, 1883, pág. 109). No obstante, es curioso anotar que, aunque tal vez fugaz, fué grande la admiración que se tuvo durante algunos años por novelistas como Walter Scott. En una narración anónima, publicada en el *Semanario Pintoresco Español,* 1848, n. 22, se encuentra la siguiente expresiva frase: «Y a su lado estaba la figura enteramente walter scottica del pastor.»

mientras que en las más bajas no había sino sordidez, ignorancia, pillería. No, no es buen humor todo lo que sonríe, y tras la gracia de unos tipos bulle una sociedad llena de vicios y de taras morales.

El dolor nacional enmascarado en los artículos de costumbres, descubre su rostro en la literatura de fin de siglo, y grita ya en los primeros años del xx a través de un género nuevo, última consecuencia tal vez de otros que le habían precedido: el ensayo. Si el cuento patriótico supone con relación al artículo de costumbres una depuración de lo accesorio, de la ganga colorista y descriptiva; el ensayo, con relación al cuento, significa la eliminación de todo lo anecdótico, lo falso, para dejar el puro hueso de la idea, desnuda y quemante entonces.

Se comprende que un estudio detenido de los artículos de costumbres, desde el punto de vista que pudiéramos llamar de inquietud o dolor nacional, no encajaría aquí, por lo cual pasaremos inmediatamente al análisis de los cuentos.

I. CUENTOS HISTORICOS

Citaremos, en primer lugar, aquellas narraciones estrictamente históricas que, repetimos, son las que abundaron en los años románticos. El *Semanario Pintoresco Español,* que vivió desde el año 1836 al 1857 publicó muchos cuentos de este tipo, que, con las leyendas, eran los géneros preferidos y apropiados para una revista de sus características: moralidad, instruir deleitando y todos los tópicos que por entonces circularon.

Muchas veces es difícil distinguir la narración propiamente histórica de la legendaria, ya que lo estrictamente historiográfico no es materia de cuento, y siempre se requiere un poco de fantasía o de color en la forma. Aquí nos limitaremos a citar narraciones de asunto o de fondo histórico, sin entrar en distingos sobre su verosimilitud o rigor historiográfico.

Entre los autores de esta clase de relatos figuran ANTONIO GIL DE ZÁRATE —*El paso honroso, El duque de Alba*— [2]; JACINTO DE SALAS Y QUIROGA —*Moreto, El marqués de Javalquinto*— [3]; J. M. DE ANDUEZA —*Garci-Laso de la Vega: Episodio histórico del siglo XIV; Carlota*

---

[2] *Semanario Pintoresco Español,* n. 121, 22 julio 1838, y n. 5, 3 febrero 1839.
[3] Id., n. 177, 29 junio 1838, y n. 4, 4 octubre 1840.

Corday: Un episodio de la revolución francesa— [4]; F. Navarro Villoslada —*Recuerdos históricos: El castillo de Marcilla; El amor de
una reina* (síntesis de su novela *Doña Urraca de Castilla,* resumida
para satisfacer una petición del director del *Semanario*)— [5]; Nicolás
Magán —*Antigüedades españolas: el Alfaquí de Toledo; Recuerdo
histórico: Allá van leyes do quieren reyes; La espada del rey Pelayo:
Novela histórica*— [6]; A. Neira —*Recuerdos históricos: El martes de
Espíritu Santo de 1697, en Santiago*— [7]; Miguel López Martínez
—*Crónicas de Castilla: Albar Núñez, conde de Lara*— [8]; Nicolás
Castor de Caunedo —*El triunfo del Ave María*— [9]; A. Sierra —*Re-
cuerdos históricos: Dos poetas* (sobre Quevedo y Villamediana)— [10];
Isidoro Gil —*El barbero de un valido: Crónica del siglo XV*— [11]; An-
tonio Marín y Gutiérrez —*Doña Margarita de Austria o Grandeza
por violencia: Episodio histórico*— [12]; Gregorio Romero Larrañaga
—*Los últimos amores* (sobre las bodas de Carlos II)— [13]; Gertrudis
Gómez de Avellaneda —*Dolores, Novela* (reinado de Juan II)— [14];
Carolina Coronado —*La Sigea*— [15]; Adolfo de Castro —*Luchar
contra la Fortuna, Novela ejemplar* (sobre Alfonso XI)— [16]; Ramón
Ortega y Frías —*La venganza de los hombres por la justicia de Dios:
Episodio histórico* (sobre Fernando IV)— [17]; Alfonso García Teje-
ro —*El guarda del rey: Novela histórica* (Alfonso X el Sabio)— [18];
Ventura García Escobar —*La carta del Almirante: Novela histórica
original*— [19]; etc. Otras muchas narraciones históricas, sin firma, aparecen en el *Semanario,* que consideramos prolijo enumerar.

Puede observarse que muchos de los autores de estos cuentos lo

---

4   Id., n. 45, 8 noviembre 1840, y n. 46, 15 noviembre 1840.
5   Id., n. 16, 18 abril de 1841, y ns. 1 al 3 de 1849.
6   Id., ns. 20 al 22 de 1843; n. 40, 1 octubre 1843, y ns. 47 al 55 de 1843.
7   Id., ns. 33 y 34 de 1843.
8   Id., ns. 13 a 16 de 1844.
9   Id., n. 8, 23 febrero 1845.
10   Id., n. 40, 9 octubre 1846.
11   Id., n. 3 de 1848.
12   Id., n. 21 de 1848.
13   Id., n. 7 de 1849.
14   Id., ns. 1 al 8 de 1851.
15   Id., comienza en el n. 14, 6 abril 1851.
16   Id., n. 34, 22 agosto 1851.
17   Id., n. 41, 9 octubre 1853.
18   Id., ns. 6 al 8 de 1854.
19   Id., ns. 13 al 24 de 1855.

son también de novelas históricas, y en algún caso —el citado de *El amor de una reina,* de Navarro Villoslada—, no hacen sino reducir la trama de éstas hasta darle forma de cuento.

Aunque como fuente informativa hemos usado el *Semanario Pintoresco Español* —revista definidora de una época—, no se crea que solamente en sus páginas se encuentran narraciones históricas. El género se prolonga a lo largo de toda la cuentística decimonónica, mezclado y casi anulado a veces por otros. Recuérdense los cuentos históricos, publicados en diferentes revistas, *La algarada,* de Aureliano Fernández Guerra [20]; *Un episodio histórico* (sobre Fernando el Católico), *La toma de Granada y el suspiro del moro,* y otros, de Manuel Fernández y González [21]; *Don Suero de Toledo* y *El sepulcro de Moore,* de Manuel Murguía [22]; *El compadre Felipe* (Felipe II), de Torcuato Tarrago [23]; *Las campanas de la catedral de Santiago* (peregrinación de Luis XI de Francia), de Ricardo Puente y Brañas [24]; *Más vale precaver que remediar* (sobre el lance legendario de Quevedo, que mató a un hombre para defender a una dama, teniendo que huir a Italia) y *Al mejor cazador se le va la liebre* (historia de un viejo ex soldado que, yendo a cobrar como recaudador unos dineros debidos al gran priorato de la orden de San Juan, es despreciado y apaleado, resultando ser Cervantes), de José Joaquín Soler de la Fuente [25]; *La cruz de sangre: Episodio histórico de la guerra de las comunidades de Castilla,* de Eusebio Martínez de Velasco [26]; etc.

Prescindimos de la descripción de asuntos, que aquí no tendrían interés ni servirían para apreciar la técnica del cuento. Además, los hasta ahora citados no ofrecen particulares méritos narrativos. A propósito de ellos recordaremos la donosa sátira que de esta clase de litera-

---

[20] *Revista literaria de El Español. Periódico de Literatura, Bellas Artes y variedades,* n. 28, 7 diciembre 1845.

[21] *El Museo Universal. Periódico de ciencias, literatura, artes, industria y conocimientos útiles,* n. 3, 15 febrero 1857, y n. 1, 1 enero 1860.

[22] Id., n. 18, 15 septiembre 1859, y ns. 37 y 38, de 1860.

[23] Id., n. 3, 15 enero 1860.

[24] Id., n. 8, 19 febrero 1860.

[25] Id., ns. 34, 35 y 36 de 1860, y n. 18, 4 mayo 1862. El asunto de *Más vale precaver que remediar,* se encuentra también en un relato, sin firma, titulado *Anécdota histórica, Episodio de la vida de un gran poeta,* publicado en el *Semanario Pintoresco Español,* n. 48, 29 noviembre 1846. La figura de Quevedo fué muy popular en la novelística histórica del siglo XIX. Recuérdese, por ejemplo, *El pastelero de Madrigal,* de Manuel Fernández y González.

[26] Id., n. 1, 3 enero 1864.

tura hizo Pérez Galdós en el capítulo I de *Tormento,* donde presenta a un escritor de folletines históricos que habla así de sus obras:

«Todo es cosa de Felipe II; ya sabes: hombres embozados, alguaciles, caballeros flamencos, y unas damas, chico, más quebradizas que el vidrio y más combustibles que la yesca...; el Escorial, el Alcázar de Madrid, judíos, moriscos, renegados, el tal Antoñito Pérez, que para enredos se pinta solo, y la muy tunanta de la princesa de Éboli, que con un ojo solo ve más que cuatro; el Cardenal Granvela, la Inquisición, el Príncipe D. Carlos, mucha falda, mucho hábito frailuno, mucho de arrojar bolsones de dinero por cualquier servicio, subterráneos, monjas levantadas de cascos, líos, trapisondas, chiquillos naturales a cada instante y mi D. Felipe todo lleno de ungüentos... En fin, chico, allí salen pliegos y más pliegos» [27].

Párrafo aparte merecen dos narraciones de tipo histórico de Juan Eugenio de Hartzenbusch, las tituladas *La locura contagiosa* y *La reina sin nombre, Crónica visigótica del siglo VII.* La primera [28] es más bien de tono legendario y se refiere a una anécdota de Cervantes, tenido por loco mientras escribía el *Quijote,* locura que se contagia a aquellos a quienes lee los primeros capítulos.

Aunque bien narrado, es uno de los más flojos cuentos de Hartzenbusch y fué censurado por Valera [29]. *La Reina sin nombre,* aunque publicado en la serie de *Cuentos y fábulas* [30], es, por su extensión (en la edición moderna, cerca del centenar de páginas), una novelita histórica, y por tal la tenía Valera al decir: «*La Reina sin nombre* es más que un cuento; es una linda novela histórica; es un *Ivanhoe* en miniatura» [31]. Se trata, efectivamente, de una narración animada e interesante, en la que se plantea el problema religioso-racial existente en la España visigoda, y que el mismo Hartzenbusch había tratado ya en su obra dramática *La Ley de raza.* Una bella y poética trama amorosa sirve de pre-

---

[27] B. Pérez Galdós: *Tormento.* Madrid, 1842, pág. 8.

[28] Publicada en el *Semanario Pintoresco Español,* n. 6, 11 febrero 1849.

[29] «El que menos me agrada es la *La locura contagiosa.* Será, si se quiere, una tradición; pero es una tradición que tiene algo de pueril. Es falso suponer, por tonta que supongamos a la hermanastra de Cervantes, que le tuviese ella, muy seriamente, por loco, cuando estaba escribiendo el *Quijote.* Pues qué, ¿no había de comprender que cuando él se encerraba y escribía, y se reía escribiendo, era porque componía alguna novela, poema o sátira festiva?» *(Estudios críticos sobre literatura, política y costumbres de nuestros días,* por D. Juan Valera, de la Real Academia Española. Librería de A. Durán. Madrid, 1864. Tomo II, pág. 46).

[30] Primeramente apareció en el *Semanario Pintoresco Español,* ns. 37 y ss. de 1850. Puede leerse en la edición moderna de *Cuentos,* de Hartzenbusch, publicada por Espasa-Calpe en la «Colección Universal». Madrid, 1929, págs. 31 y ss.

[31] Ob. cit., pág. 45.

texto para narrar cómo al fin se mezclaron las razas, al casarse Florinda, española, con Recesvinto. Este relato, al igual que *Mariquita la Pelona* y *Miriam la trasquilada,* están escritos con el pie forzado de ser las protagonistas mujeres a quienes cortaron la cabellera, y los escribió el autor para entretenimiento y consuelo de una hermosa dama que, a consecuencia de una enfermedad, tuvo que cortarse el cabello. *Miriam la trasquilada* [32] es una *Historia hebrea* de tono más bien legendario.

SERAFÍN ESTÉBANEZ CALDERÓN escribió una novela corta histórica, la titulada *Cristianos y moriscos* —1838— y algún cuento, como *Don Egas el escudero y la dueña doña Aldonza, fecho de burlas,* escrito en fabla como otros de Hartzenbusch, y que en realidad no tiene de histórico más que los muy convencionales ambiente y lenguaje.

PEDRO ANTONIO DE ALARCÓN es autor de una serie de *Historietas nacionales.* Aparte de los relatos referentes a las guerras de la Independencia y carlista, que luego estudiaremos, las propiamente históricas son *¡Viva el Papa!* (relacionada con la guerra de la Independencia) y *El rey se divierte.* La primera [33] es un episodio que el autor dice haber oído relatar a un capitán retirado, el cual, hecho prisionero, recorriendo Francia con otros oficiales, encuentra en un pueblo al Papa Pío VII, también prisionero de Napoleón. Los españoles se descubren ante Su Santidad, pero no se atreven a exteriorizar su devoción y respeto por no empeorar la situación del prisionero. Una mujer se abre paso entre los soldados y ofrece un azafate lleno de melocotones al Pontífice, arrodillada y llorando. Los españoles, conmovidos, gritan ¡Viva el Papa!. Pío VII les bendice, y cuando ellos creen que los franceses van a castigarlos, oyen con estupor cómo todo el pueblo, arrodillado, grita: ¡Viva el Papa!

La segunda [34], que Alarcón dice haber extractado de un documento histórico, escribiéndola en su mocedad, describe un auto de fe con todos los tópicos de la leyenda negra.

Las dos glorias y *Dos retratos* son citadas en el capítulo de *Cuentos legendarios,* pues tales son, pese a presentarlas el autor como narraciones históricas.

Merecen especial mención los ágiles relatos históricos del P. Co-

---

[32] Ed. cit., págs. 161 y ss.

[33] *Novelas cortas,* de Pedro Antonio de Alarcón. Segunda serie. *Historietas nacionales.* Madrid, 1921, págs. 49 y ss.

[34] Id., págs. 209 y ss.

LOMA, uno de los más amenos cuentistas en este género, que también inspiró algunas de sus mejores novelas. *Fablas de dueñas* es un relato, muy recargado de notas, de la muerte de Alfonso IX y de los esfuerzos de D.ª Teresa y D.ª Berenguela por evitar la guerra. Don Diego Díaz, fiero conde, al oír al truhán Payo comentar la entrevista de las dos mujeres, dice orgullosamente: *Non doblan fablas de dueñas la mia espada lobera.* Y cuando, al fin, el truhán hace burla de él, apaciguado, se disculpa el conde diciendo que *se trata de fablas de sanctas que doblan hasta los cielos* [35]. *La batalla de los cueros* fué dedicada por su autor al Excmo. Sr. D. Xavier López de Carrizosa y de Giles, Marqués de Casa-Pavón, por tratarse de un episodio de sus antepasados: la victoria de los cristianos de Jaén, ayudados por la Virgen, sobre la morisma [36]. *La intercesión de un Santo* refiere cómo San Francisco de Borja asistió a Juana la Loca a la hora de la muerte [37]. *Hombres de antaño* es tal vez la mejor de estas narraciones históricas, y describe el comportamiento heroico de un padre jesuíta en el sitio de Mastich, durante las guerras de Flandes [38]. Del excelente cuento *Las borlitas de Mina,* hablamos en el capítulo de *Cuentos de objetos pequeños.*

Apenas podríamos citar algún cuento histórico de «FERNÁN CABALLERO» —*Una madre* (sobre la batalla de Trafalgar) [39]—, aparte de los dedicados a la guerra de Africa. De ANTONIO DE TRUEBA recordaremos el titulado *Las fijas de Mio Cid* [40], cuento en fabla sobre los versos del cantar de gesta.

De D. JUAN VALERA citaremos dos narraciones históricas o seudo-históricas, las tituladas *Los cordobeses en Creta, Novela histórica a galope* y *El cautivo de Doña Mencía* [41]. La primera es en realidad un esquema de novela, dedicado al director de *El Liberal,* y de tono entre fantástico y humorístico. La segunda está compuesta sobre hechos que se dicen facilitados por Don Juan Fresco y confirmados por don Aureliano Fernández Guerra: Doña Mencía, viuda, tiene encerrado en su castillo, por orden de su primo Don Diego, a un joven, her-

---

[35] *Obras completas* del P. Coloma. Madrid-Bilbao, 1943, págs. 247 y ss.

[36] *Lecturas recreativas* (1884-1885-1886). Cuarta edic. Bilbao, 1887, páginas. 513 y ss.

[37] Id., págs. 283 y ss.

[38] *Lecturas recreativas.* Bilbao, 1884, págs. 47 y ss.

[39] *Deudas pagadas.* Lib. de A. Romero, editor. Madrid, 1911, págs. 149 y ss.

[40] *Semanario Pintoresco Español,* ns. 2, 3 y 4 de 1854.

[41] *Obras completas* de D. Juan de Valera. Tomo XV. *Cuentos.* Imprenta Alemana. Madrid, MCMVIII, págs. 37 y ss., y 101 y ss.

mano de un enemigo suyo. Se enamora la dama del cautivo, pese a la diferencia de edad, entregándose a él. Doña Mencía ingresa luego en un convento, libertando al joven y despidiéndose de él con una carta en la que le dice haber visto en él a un héroe español. El cautivo llega a ser el Gran Capitán.

Y avanzando ya en el tiempo, podemos citar como fecundo cuentista histórico a Angel Rodríguez Chaves, del que recordaremos algunas narraciones: *Los Señoritos (Episodio de 1836); Constitución o muerte (Episodio de 1822); Mi capitán (Episodio de 1835); El motín contra Esquilache; La caída de Godoy; La causa del Escorial, octubre de 1807*, etc. [42]. En 1874 publicó Rodríguez Chaves sus *Cuentos de dos siglos ha*, y en 1885 sus *Cuentos nacionales*.

Ildefonso Antonio Bermejo escribió también numerosos relatos históricos: *Don Juan de Dios Pancorbo, Las bodas del Conde de Aranda, Los lentes de oro* (Anécdota de Martínez de la Rosa), *Adán de la Parra, Fray Benito Caranchón* [43], etc., todos ellos publicados con el título de *Episodios históricos*.

II. CUENTOS DE LA GUERRA DE LA INDEPENDENCIA

Citaremos en primer lugar las siguientes narraciones de Pedro Antonio de Alarcón, pertenecientes a la serie *Historietas nacionales*: *El carbonero alcalde, El afrancesado, El extranjero* y *El ángel de la guarda*. La primera, fechada en Granada en 1859, ha merecido los elogios de todos los críticos y está considerada como una de las mejores narraciones de Alarcón [44]. Indudablemente, comparando la serie

_____

[42] *Blanco y Negro*, n. 212, 25 mayo 1895; n. 519, 13 abril 1901; n. 111, 22 julio 1893; n. 203, 23 marzo 1895; n. 547, 26 octubre 1901.

[43] *Blanco y Negro*, n. 52, 1 mayo 1892; n. 55, 22 mayo 1892; n. 67, 14 agosto 1892; n. 74, 2 octubre 1892; n. 80, 13 noviembre 1892; n. 568, 22 marzo 1902

[44] Decía doña Emilia Pardo Bazán: «Maestría suprema en el arte de narrar: ahí tenéis definida la verdadera gloria literaria de Alarcón. Dadle un tema cualquiera y entregadle una astilla de pino, un retazo de estopa burda y áspera; él los trocará en oloroso cedro o en seda, no lisa y suave, sino cuajada de bordados y recamada de perlas distribuídas con toda la gracia del mundo. Véase por qué, entre las más lindas joyas de la literatura española, habrá que contar alguna novela breve de Alarcón. Ni Próspero Merimée, ni Daudet, han superado al Alarcón de *La buenaventura, Tic-tac, El carbonero alcalde*.» «Compárense estas enérgicas pinceladas y esta varonil sencillez de la frase con el afeminado *papotage* de

de *Historietas nacionales* —y sobre todo *El carbonero alcalde*— con sus dos hermanas *Cuentos amatorios* y *Narraciones inverosímiles,* resulta la más vigorosa y realista [45]. Muy elogiada ha sido la descripción de Manuel Atienza, el carbonero, ser casi vegetal, animal y piedra, que parece segregado del mismo áspero suelo que defiende de la invasión francesa. Alienta en *El carbonero alcalde* un patriotismo primario, violento, pero espléndido, que es buen ejemplo de lo que en un principio decíamos de cómo un tema histórico podía convertirse en emotivamente nacional.

El afrancesado es otro cuento de la guerra de Independencia: García de Paredes, boticario al que se tiene por afrancesado, alberga en su casa a los invasores, envenenándolos y envenenándose él mismo —para no despertar sospechas—, cuando el enardecido pueblo se disponía a acabar con todos ellos. El cuento tiene un tono trágico y hace referencia a un suceso verídico, recogido también por Schopenhauer en el cap. LXIV del libro V de *El mundo como voluntad y representación,* donde cita el caso de un obispo que en la francesada envenenó a varios generales, convidándoles a la mesa y envenenándose él con ellos. Schopenhauer pone este ejemplo como ilustración de su concepto de lo heroico [45 bis].

El extranjero tiene un interés moralizador, encaminado a demos-

---

Los seis velos o con los delirios boreales de *Los ojos negros. El carbonero alcalde* (escrita en 1859) nos muestra a Alarcón completo, en su plenitud de artista. Ya no irá más lejos que en esta primorosa narración: ni el interés, ni el arte de contar, ni los recursos de la pluma pueden ser mayores; y ni Merimée, autor de *La toma del reducto* y *Mateo Falcone,* ni Turguenef, al concebir *El rey Lear en la estepa* o *Las reliquias vivas,* ponen la ceniza en la frente a Alarcón, modelando de alma y cuerpo entero a Manuel Atienza, el gran español desconocido. Busco algún fragmento épico moderno que supere a *El carbonero alcalde,* y sólo podría citar los *Cuadros del sitio de Sebastopol,* donde supo difundir tan misterioso horror bélico el genio de Tolstoy» (*Nuevo Teatro Crítico,* n. 10 de 1891).

[45]   Vid. los juicios de César Barja en *Libros y autores modernos,* págs. 429-430, y el de A. F. G. Bell en su *Contemporary Spanish Literature,* donde dice: «... in the *Historietas Nacionales* ever a Frenchman can admire the art and vigour of *El ángel de la guarda,* and in a still greater degree of *El carbonero alcalde,* in which two hundred soldiers of villagers of Napoleon are overwhelmed by a handful of villagers in the Alpujarras» (Ob. cit., pág. 50).

[45 bis]   Sobre la fuente de este cuento, vid.: *The source of Pedro Antonio de Alarcon's, «El Afrancesado»,* de Alexander Haggerthy Krappe, en *The Romanic Review,* 1925, XVI, págs. 54-56; y *El carácter tradicional de «El Afrancesado» de Alarcón,* de William L. Fichter, en *Revista de Filología Hispánica,* 1945, VII, págs. 162-163.

trar que debe respetarse al vencido y tener piedad con él [46]. Más interés ofrece *El ángel de la guarda*, conmovedora y efectista narración sobre el sitio de Tarragona, durante el cual un joven matrimonio con su hijo recién nacido huye de los franceses, refugiándose en un pozo seco. En ese momento el niño empieza a llorar y la madre sofoca su voz, apretándole contra el pecho. Pasados unos momentos de intensa angustia, se marchan los franceses y cesa el peligro. Pero el niño ha muerto asfixiado.

Entre otros cuentos alusivos a la guerra de Independencia citaremos: *Juan García, Episodio militar*, de TORCUATO TARRAGÓ [46 bis]; *Medio Juan y Juan y Medio (Episodio de 1812)*, del P. COLOMA [47]; *1808. Madrid, en la víspera*, de «FERNANFLOR» [48]; *Frasquito Lucas*, de EDUARDO DEL PALACIO [49]; *Los dos rivales*, de M. FERRER Y LALANA [50]; *De antaño a hogaño*, de JUAN JOSÉ LOZANO, premiado en un concurso de *Blanco y Negro* [51]; *Cuento del año ocho*, de JOSÉ ORTEGA MUNILLA [52]; *María Rosa la de Aldeagómez*, de LUIS MALDONADO [52 bis]; etc.

Muchos de estos cuentos se publicaron en revistas, con carácter de circunstancias, ya que aparecieron en las fechas conmemorativas de la guerra de Independencia.

III. CUENTOS DE LA GUERRA DE AFRICA

Las campañas africanas dejaron también su huella en la literatura de la época. Recuérdese, como obra significativa, el famoso *Diario*, de Alarcón, autor que, en cambio, no escribió ningún cuento sobre este tema.

«FERNÁN CABALLERO» publicó su colección de narraciones *Deu-*

---

[46] Sobre la fuente de este cuento, vid.: *The source of Pedro Antonio de Alarcon's, «El extranjero». Hispanic Review*, 1943, XI, págs. 72-76.

[46 bis] *El Museo Universal*, n. 48, 1 diciembre 1861. El tema del tambor heroico que con sus redobles anima al regimiento se encuentra en otras narraciones, v. gr., *El tambor de la primera*, de A. P. Nieva, publicado el 29 septiembre de 1894 en el n. 178 de *Blanco y Negro*.

[47] *Lecturas recreativas*. Bilbao, 1884, págs. 145 y ss.

[48] *Cuentos*. M. Romero, impresor. Madrid, 1904, págs. 101 y ss.

[49] *Blanco y Negro*, n. 259, 18 abril 1896.

[50] Id., n. 209, 4 mayo 1895.

[51] Id., ns. 551, 552 y 553 de 1901.

[52] *Mis mejores cuentos*. Prensa Popular. Madrid (s. a.), págs. 7 y ss.

[52 bis] *Del campo y de la ciudad*. 2.ª ed. Salamanca, 1932, págs. 187 y ss.

das pagadas, destinando la venta a beneficio de los heridos de la guerra de Africa. La impresión del libro fué costeada por S. A. R. el Duque de Montpensier. La narración que da título a la serie relata un hecho heroico de la guerra, que da pretexto a la autora para exaltar varias proezas de las tropas españolas, que justifica y demuestra con notas al pie de las páginas, explicativas de los hechos descritos. En realidad, apenas hay tema en este relato, que al final lleva un *apéndice* donde la autora refiere otros casos heroicos y curiosos de la popularísima guerra de Africa.

La *relación* titulada *Promesa de un soldado a la Virgen del Carmen* describe cómo un escapulario de la Virgen del Carmen salva a un soldado español [53].

Dos cuentos de «Clarín» tienen como fondo la guerra de Africa: *Don Patricio o el premio gordo en Melilla* y *El sustituto* [54]. El primero, eminentemente satírico, no es propiamente un cuento, sino un cuadro más de la galería de tipos grotescos y casi simbólicos que son *Cuervo, Don Urbano, Doctor Pértinax, Doctor Sutilis,* etc.

Este *Don Patricio* que protagoniza la narración, es un millonario avaro que no quiere suscribir ninguna cantidad para ayuda de los heridos de Melilla. En cambio, exhorta a todos a jugar a la lotería, y promete, en el caso de tocarle el premio gordo, dar la mitad para Melilla. Repite el número de su billete a todos los que encuentra, y el día del sorteo los socios de su Círculo redactan un falso telegrama, diciéndole que le ha correspondido el gordo. Cuando le reclaman la mitad, Don Patricio descubre que no jugó nada a la lotería. El contraste entre las penalidades de los combatientes y el buen vivir de los burgueses fué tratado por el mismo *Clarín* en su cuento *En el tren,* y por Emilio Sánchez Pastor en *Colección de documentos,* ambos sobre la guerra de Cuba.

El sustituto, aunque con fondo de la guerra de Africa, es estudiado más adelante como diatriba contra un servicio militar injusto y cruel.

Entre otras narraciones de la campaña africana recordaremos: *The-*

---

[53] Vid estas dos narraciones en *Deudas pagadas,* ed. con prólogo de don Manuel Cañete. Lib. de M. Romero. Madrid, 1911, págs. 1 y ss., y 67 y ss.

[54] *Cuentos morales.* La España Editorial. Madrid, 1896, págs. 293 y ss., y 301 y ss.

da, Episodio de la guerra de Africa, de CECILIO NAVARRO [55]; *El pacto de la comadre,* de JOSÉ ZAHONERO [56]; *Una cruz laureada,* de JOSÉ IBÁÑEZ MARÍN [57]; *Currito Carrizales,* de ANGEL R. CHAVES [58]; *Cabezota,* de M. FERRER Y LALANA [59]; etc.

Así como los cuentos relativos a la guerra de la Independencia nacían al calor de su conmemoración, estos de la campaña africana suelen ser también de circunstancias, publicados para crear una conciencia nacional, y, en el caso de *Fernán,* para contribuir al auxilio de los heridos.

IV. CUENTOS DE LA GUERRA CARLISTA

Los que conocemos suelen utilizar el tema de la guerra no como motivo de polémica, sino como simple resorte dramático. Y desde este punto de vista, es preciso reconocer que las contiendas civiles contenían una fuerza trágica que había de tener su inmediata repercusión literaria.

Lo movido de las campañas, lo romántico y caballeresco de algunos caudillos, las crueldades cometidas, la belleza del paisaje que sirve de fondo a la lucha, junto con otras circunstancias, eran ingredientes novelescos que, bien manejados, podían cuajar en obras de gran interés. Con sólo recordar las obras de Galdós, Valle-Inclán y Unamuno sobre este tema, podrá apreciarse lo muy *novelables* que eran las guerras carlistas.

Y sobre los valores de tipo plástico estaban los valores psicológicos y éticos. La literatura formada alrededor de estas luchas civiles revela un ansia de conciliación —bien visible en *Morrión y boína,* de la Pardo Bazán, o en *Del mismo tiempo,* de Pérez Nieva— y un dolor de patria desangrada —observable, sobre todo, en *Paz en la guerra,* de Unamuno.

La simpatía de los escritores por uno de los dos bandos no suele ir unida al odio y diatriba sistemática del otro. En los cuentos, concretamente, las guerras carlistas suelen servir muchas veces de simple

[55] *El Museo Universal,* n. 25, 18 junio 1865.
[56] *Blanco y Negro,* n. 136, 9 diciembre 1893.
[57] Id., n. 129, 21 octubre 1893 .
[58] Id., n. 159, 19 mayo 1894.
[59] Id., n. 248, 1 febrero 1896.

telón de fondo, pospuesto el dramatismo a la anécdota, transportada ésta a un primer plano de interés.

Así, *La corneta de llaves,* de ALARCÓN, aunque ambientado en las guerras carlistas, es un típico cuento de objeto pequeño, estudiado en otro capítulo.

El asistente, incluída también en la serie *Historietas nacionales* [60], es otra narración de la guerra carlista, sobre la fidelidad de un soldado que a costa de su vida salva la del capitán de quien era asistente. Lo mejor del cuento está en la ternura suave que de la figura gris del asistente se desprende.

ANTONIO DE TRUEBA, en el cuento autobiográfico que lleva el pretencioso título de *Por qué hay un poeta más y un labrador menos* [61], describe algunos episodios de la guerra carlista de 1870 en las Encartaciones vizcaínas. El autor, aparte de justificar el porqué de su actual profesión, utiliza sus recuerdos para pintar los horrores de la campaña.

Dos relatos del P. COLOMA tienen como fondo la guerra a que nos venimos refiriendo: *Las borlitas de Mina* y *La Maledicencia,* cuento éste de carácter moral-social, en el que la campaña sólo sirve de pretexto o escenario [62].

Doña EMILIA PARDO BAZÁN relata en *Las desnudadas* la cruel venganza que un contraguerrillero tomó en las sobrinas del odiado cura párroco de Urdazpi [63]. *La Mayorazga de Bouzas* es una excelente narración protagonizada por una enérgica mujer que se pone al frente de una partida carlista «al rápido trote de su yegua, luciendo en el pecho un alfiler que por el reverso tenía el retrato de Don Carlos y por el anverso el de Pío IX». El cuento es interesante porque, aunque con trazos rápidos, ofrece una animada pintura de las guerrillas en Galicia, fondo de la brutal venganza que *La Mayorazga* toma sobre una costurera a la que ama su marido, desgarrándole las orejas en las que lucía unos aretes regalados por el esposo infiel [64].

---

[60] Ed. cit., págs. 143 y ss. Publicado en *El Museo Universal,* n. 23 de 1858.

[61] *Cuentos de color de rosa.* Nueva edición. Lib. de A. Rubiños. Madrid, 1921, págs. 7 y ss.

[62] *Lecturas recreativas.* Bilbao, 1887, págs. 153 y ss.

[63] *En tranvía. Cuentos dramáticos.* Tomo XXII de las *Obras completas.* págs. 31 y ss.

[64] *Un destripador de antaño (Historias y cuentos de Galicia).* Tomo XX de las *Obras completas,* págs. 111 y ss. Publicado antes en el *Nuevo Teatro Crítico,* n. 17 de mayo de 1892.

Madre gallega, narración basada en un hecho real consignado en las *Memorias* del general Nogués, refiere el sacrificio de una anciana campesina que muere por defender a su hijo, sacerdote, de las iras de los *cristinos* del pueblo [65].

Morrión y boina no es propiamente un cuento de la guerra carlista, sino de la postguerra: Dos ancianos ex combatientes, el uno carlista y el otro liberal, son vecinos en la misma casa, pero se odian mortalmente. El ex miliciano sospecha que el carlista conspira en su piso. (Hay humor y fina sátira en la pintura de los dos tipos, en los que la Pardo Bazán parece haber querido simbolizar las exageraciones de los dos bandos.) De resultas de una violentísima discusión enferman casi al mismo tiempo los dos ancianos, y mueren con unas pocas horas de diferencia, siendo enterrados en dos nichos contiguos [66].

Se asemeja bastante a esta narración de la escritora gallega la de Alfonso Pérez Nieva titulada *Del mismo tiempo:* El abuelo de un joven recién casado es llevado por éste a la nueva casa, en la que también vivirá el abuelo de la esposa. Uno es carlista y el otro liberal, y aunque al principio se odian, como no tienen a nadie de su tiempo con quien hablar, llegan a olvidar diferencias, simpatizando por ser los dos de la misma época [67].

En *El Capitán Anduiza,* de J. Manso de Zúñiga, un capitán *cristino* se suicida, después de una heroica acción en la que los carlistas fueron arrollados, teniendo para ello que herir a su propio hermano [68]. Tema semejante es el de *Marcha militar,* de Julio de Santamaría [69] y el de *Caín* del P. Coloma. Este último cuento, aunque no tenga como fondo la guerra carlista, puede estudiarse aquí: Roque es un revolucionario, desarraigado de todo afecto familiar, que corre a luchar en las barricadas. Su hermano hace el servicio militar en tanto, y es enviado con las tropas que acuden a sofocar la revolución. La madre de ambos combatientes llega a tiempo de ver cómo Roque mata a su propio hermano [70].

---

[65] Id., págs. 127 y ss.
[66] *Cuentos de Marineda.* Tomo V de las *Obras completas,* págs. 163 y ss.
[67] *Blanco y Negro,* 4 noviembre 1899.
[68] Id., n. 148, 3 marzo 1894.
[69] Id., n. 208, 27 abril 1895.
[70] *Lecturas recreativas.* Bilbao, 1887, págs. 119 y ss.

V. GUERRAS DE ULTRAMAR

Si al tratar de los cuentos de la guerra africana, o, en otro capítulo, de los de Navidad, Reyes, Semana Santa, etc., dijimos que la mayor parte de las veces eran productos de las circunstancias, publicándose en las fechas de tales sucesos y conmemoraciones, en ningún caso se cumple mejor esta condición de circunstancialidad que en estas narraciones de las guerras de Cuba y Filipinas.

En 1898 se pierden las últimas colonias, acontecimiento éste que obra a manera de revulsivo de la conciencia nacional. Es curioso —y duele observarlo— cómo las revistas ilustradas correspondientes a los años de la guerra casi se preocupan más de las últimas novedades literarias, zarzueleras, circenses o sociales, que de los sucesos bélicos. Pero ya en el año 1898, el odio contra el yanqui y la preocupación por lo que pasa en las colonias adquieren más importancia periodística.

Es precisamente en esos años cuando comienzan a ser publicados cuentos alusivos a la guerra, que, además de crear una atmósfera anti-yanqui, sirven para espolear la dormida conciencia o para —consumado el desastre— lamentarse blanda o frenéticamente de los errores cometidos.

Sabido es que todo estado de cosas cristaliza en la generación del 98. Pero bueno es estudiar junto a ese noventaiochismo generacional el que pudiéramos llamar noventaiochismo inmediato, del que vamos a encontrar vibración en bastantes cuentos, unos sobre la guerra ultramarina y otros que hacen alusión —a través de situaciones simbólicas— a una decadencia que la frivolidad y despreocupación ambientales no habían dejado ver, y que de repente se reveló en toda su dolorosa magnitud.

Ninguna clase de cuentos —repetimos— tan emotivos como estos que vamos a estudiar. Se trata de narraciones nacidas al calor de la guerra, provocadas por el coraje de la derrota, llenas, por tanto, de vida y de pasión. No existe género literario alguno que en este aspecto pueda parangonarse con el cuento. El artículo periodístico, el editorial o la crónica de guerra, recogen la noticia, el hecho, el comentario. La novela o cualquier otro género literario, puede utilizar un tema de circunstancias, pero sin la instantaneidad del cuento, publicable en las mismas páginas de una revista donde aparecen fotografías y noticias de la guerra. El paso del tiempo ha despojado a estos cuentos de ciertos valores emocionales. Pero pensemos en los españoles que los leían mientras nuestros barcos se batían con los yanquis, o nuestros soldados con los mambises. Eran lectores que quizás tuvieran a algún familiar luchando en Ultramar. Y aunque así no fuera, eran españoles que vivían un momento histórico, cuyo dramatismo podían percibir a través de esas narraciones, tal vez sin excesivo valor artístico, pero transidas de una tan sincera humanidad como en ningún otro género literario podría encontrarse.

La eficacia de estos cuentos residía, pues, en su carácter híbrido de apasionado artículo periodístico y de emotivo argumento novelesco. Aun hoy, pasados los años, el lector español encuentra en ellos un latido de patria y de dolor.

Las narraciones que se publicaban en los primeros meses de 1897 no eran todavía muy significativas. La guerra de Cuba se sentía como pretexto dramático y no como angustia nacional. EMILIO SÁNCHEZ PASTOR, en *La Canongía,* presenta a un canónigo que envidia la vida de su sobrino, el comandante de un crucero. Sobreviene la guerra de Cuba y el crucero ha de zarpar. Ya a bordo, el comandante se entera de que su mujer le es infiel. Pero aun así no se vuelve atrás, y serenamente se despide de su tío el canónigo, marchando a Cuba [71].

Pero en 1898, los problemas individuales humanos —¡tan pequeños entonces!— van cediendo ante los nacionales. ALFONSO PÉREZ NIEVA publica en ese año *Por la Patria, Cuento de la guerra,* sobre un albañil que se emociona al ver marchar a los voluntarios, y no pudiendo hacerlo él, da su dinero para la suscripción pública, entre los ricos señores que le miran con cariño y respeto [72].

Pero éste es casi un ejemplo excepcional en la manera de tratar, socialmente, el tema de la guerra. El ya citado Emilio Sánchez Pastor escribió, en 1898, un cuento epistolar titulado *Colección de documentos* [73], en el que se contraponen el heroísmo anónimo y el egoísmo materialista de las más ricas clases sociales. Muy parecidos son algunos cuentos de *Clarín* que en seguida estudiaremos.

Del mismo Alfonso Pérez Nieva son *Los aires de la tierra* —un

---

[71] *Blanco y Negro,* n. 301, 6 febrero 1897.
[72] Id., n. 368, 21 mayo 1898.
[73] Id., n. 387, 30 julio 1898.

general, para levantar el espíritu de los soldados, hace tocar a la banda aires musicales de las diversas regiones españolas—, *La caza del trasatlántico, Cuento de la guerra,* y *El buche de aguardiente* —generosidad de los soldados españoles para con los enemigos [74]—, etc.

Doña EMILIA PARDO BAZÁN publicó en el año 1898 un buen número de cuentos patrióticos. *Vengadora* y *Entre razas* son violentamente antiyanquis [75]. En la primera narración presenta el caso de una norteamericana que —un poco convencionalmente— odia el positivismo de su país y ama la sencillez de España. Un caso semejante, tratado sin violencia, más bien con frivolidad, es el de *Por la Patria* [76].

En *La exangüe* un médico narra la historia de una señora anémica a la que curó, que en la sublevación filipina ofreció a un cruel caudillo tagalo su sangre por la de su hermano, hasta casi morir. Cuando los soldados españoles la salvaron, encontraron a su hermano ahorcado por los rebeldes. Un pintor que ha oído el relato piensa retratar a dicha señora para un asunto simbólico. «Voy a hacer un estudio de la cabeza de esa señora. La rodeo de claveles rojos y amarillos, le doy un fondo de incendio... escribo debajo: *La Exangüe,* y así salimos de la sempiterna matrona con el inevitable león, que representa a España» [77].

Aunque con fondo bélico, *Página suelta* es un cuento de Nochebuena que relata cómo unos oficiales españoles recogen a un niño indígena, en recuerdo del que nació en una noche como aquélla [78]. De *El Rompecabezas* nos ocupamos en otro capítulo.

Conocemos cuatro cuentos de «CLARÍN» sobre la guerra de Ultramar. *La contribución,* narración dialogada, presenta el dramático caso del soldado de Cuba que regresa a su casa enfermo, casi moribundo. Por un capricho de unos señores —ministro y acompañamiento— que viajan en un *break* en su mismo tren, pierde éste al bajar en una estación. El anciano padre espera al soldado con angustia. Como no puede pagar la contribución, las autoridades vienen a echarle de la casa que han de embargar. El se resiste, guardando el lecho para el hijo que regresa enfermo, y al que al fin traen muerto. El padre señala el cadá-

---

[74] Id., n. 382, 27 agosto 1898; n. 374, 2 julio 1898; n. 377, 23 julio 1898.
[75] Publicados primeramente en *Blanco y Negro,* ns. 370 y 371 de 1898, y recogidos luego en *Cuentos de la Patria,* págs. 151 y ss., y 211 y ss.
[76] *Sud-exprés. Cuentos.* Tomo XXXVI de las *Obras completas,* págs. 149 y ss.
[77] *Blanco y Negro,* n. 415, 15 de abril. Publicado luego en *Cuentos de la Patria,* págs. 169 y ss.
[78] *Cuentos de Navidad y Reyes,* págs. 71 y ss.

ver de su hijo como la contribución pagada [79]. Un asunto semejante es el de *El repatriado,* cuento también dialogado, de José DE ROURE [80].

El Rana [81] podría estudiarse como cuento social. El protagonista es un mendigo, borracho y blasfemo —del mismo corte que otros personajes clarinianos: *Chiripa* y *Pipá,* hampones ovetenses todos ellos—, ex voluntario de la guerra de Cuba y exaltado patriota. «... y había expuesto la vida en cien combates por la... *eso* de la patria: en fin, «¡Viva Cuba española!», gritaba el *Rana,* que en esta materia no admitía bromas ni novedades. Bueno que la república fuera un... mito, eso, un mito...; pero en la *aquello...* de la patria, que no le tocaran el Carlos Más (Marx), ni el Carlos Menos, ni Carlos Chapa..., porque el *Rana,* allí donde se le veía..., había sido voluntario del heroico batallón de la *Purísima* (alabada sea ella), añadía el *Rana,* que sólo estaba mal con el elemento masculino de la Sacra Familia, y eso de boca.»

Una mañana muy fría, enterado de que marchan quince voluntarios hacia la nueva guerra de Ultramar, sale a la estación a despedirlos. Una semana antes, un batallón de soldados había partido de aquella misma estación, siendo festejadísimo. Pero ahora nadie hay en el andén. Los quince voluntarios son el desecho de la ciudad, como el *Rana* lo fué en la otra guerra. Y allí, en el frío, desierto andén, los quince raídos voluntarios despídense de sus familias. El *Rana* siente la patria —un concepto de patria latiendo tras la miseria y el hambre—, recuerda cómo fué él voluntario con otra *barredura,* y reparte sus pitillos a los que marchan, mientras, dando voces, pregunta por el pueblo, por los burgueses, por los agasajos de la despedida.

Este acre tono social es el que da un tono específico a los cuentos patrióticos de *Clarín,* más angustiosos, más en carne viva el dolor español que en los de otros autores. Su noventaiochismo proviene de este sentir la patria no en lo enfático y grandioso, sino en lo insignificante, en los pitillos del *Rana.*

Como veremos al estudiar los cuentos cuyo tema es el servicio militar, a *Clarín* le dolían las guerras —entre otros motivos— por las desigualdades sociales que creaban. La narración *En el tren* es buen

---

[79] *Doctor Sutilis.* Ed. Renacimiento. Madrid, 1916, págs. 187 y ss.
[80] *Blanco y Negro,* n. 403 de 1899.
[81] *Doctor Sutilis,* págs 201 y ss.

ejemplo de esto [82]. Un duque conversa con sus compañeros de viaje, entre los que está un militar que marcha a Ultramar.

«—¿Con que va usted a Ultramar a defender la integridad de la Patria?
—Sí, señor; en el último sorteo me ha tocado el chinazo.
—¿Cómo chinazo?
—Dejo a mi madre y a mi mujer enferma, y dejo dos niños de menos de cinco años.
—Bien, sí; es lamentable... ¡Pero la patria, el país, la bandera!
—Ya lo creo, señor duque. Eso es lo primero. Por eso voy. Pero siento separarme de lo *segundo*. Y usted, señor duque, ¿adónde bueno?
—¡Phs!... Por de pronto, a Biarritz; después, al norte de Francia... Pero todo eso está muy visto; pasaré el Canal y repartiré el mes de agosto y de septiembre entre la isla de Wight, Comes, Ventmor, Ryde y Osborn.»

Entre otros cuentos de la guerra de Ultramar citaremos, finalmente, *El santo del capitán*, de A. LÓPEZ DEL ARCO; *La mejor moneda*, de RAFAEL TORROMÉ; *Tabaco filipino*, de MIGUEL RAMOS CARRIÓN; *Sin nombre*, de EMILIO SÁNCHEZ PASTOR, etc. [83].

Párrafo aparte merece un cuento de FEDERICO URRECHA algo efectista, pero intensamente dramático. Nos referimos al titulado *Gran velocidad* [84]: En el frío andén de una estación una viejecita, sentada en un banco, espera la llegada del tren con visible ansiedad. Sus dedos estrujan nerviosamente el billete de andén. Vuelve su hijo de Cuba, tras ocho años de ausencia. Pero el tren, al llegar, descarrila. Sólo hay una víctima. «Muy detrás, cuatro peones de la vía llevaban sobre una colchoneta a aquel hombre acuchillado por el destino, y más atrás aún, sostenida por la pareja de la guardia civil, la viejecita, con la cabeza baja y el billete de andén deshecho entre los dedos.» Este detalle final, tan dramático y tan de cuento, parece preludiar algunos recursos de la moderna novelística, que debe no poco a la técnica alusiva del cine. Un simple billete de andén, entre unos dedos movidos por la esperanza y el dolor, resulta elocuente hasta el patetismo.

---

[82] *El gallo de Sócrates*. Ed. Maucci. Barcelona, 1901, págs. 165 y ss.
[83] *Blanco y Negro*, n. 377, 23 julio 1898; n. 378, 30 julio 1898; n. 401, 7 enero 1899; n. 409, 4 marzo 1899.
[84] F. Urrecha: *La estatua* y *Cuentos del lunes*. La España Editorial. Madrid (s. a.).

VI. CUENTOS SOBRE EL SERVICIO MILITAR

En los cuentos citados de *Clarín* observábamos una preocupación por la injusticia que el servicio militar español representaba en el pasado siglo. Pero es que, aun descartando tales injusticias, se tenía por gran desdicha servir en el ejército de resultas de los sorteos.

En 1859 escribió Ventura Ruiz de Aguilera un artículo de costumbres titulado *El Rastro de Madrid,* donde encontramos el siguiente significativo pasaje:

«... cuando hete aquí que, abriéndose paso por entre la apiñada concurrencia, atravesó el Rastro, entre cuatro soldados y un cabo, una docena de mozos (de niños, más bien) lugareños; unos eñ mangas de camisa y con pañuelo a la valenciana en la cabeza; otros con chaquetilla, faja y calañés, adornado de lazos y escarapelas de seda; pero todos cabizbajos, silenciosos, tristes como si les llevaran al suplicio; los cuales habían caído quintos en el último sorteo. Venían de la calle de Embajadores, y al entrar en la de las Maldonadas, un mocetón alto y musculoso como un Hércules, que cerca de mí estaba, les dijo, lanzando una risotada: «¡Mira qué alegres van! ¡Animo, hijos míos, que ya os falta poco para tomar la licencia!»
Este sarcasmo brutal me recordó los funestos precedentes del sitio en que me hallaba, y después de una serie de raciocinios incoherentes, confusos, tumultuosos, mi imaginación, impulsada por una fuerza desconocida e irresistible, me transportó al seno de las familias de aquellos infelices; y vi madres sin hijos, hermanas sin hermanos, padres sin apoyo, hogares fríos y abandonados, campos estériles, amores sin consuelo, y oí suspiros, y sollozos, y lamentos, y oraciones que no sosegaba el mar de lágrimas que vertían tantos desventurados» [85].

Aunque sobran sensiblería y truculencia en tan desorbitado comentario, no deja de ofrecer interés esta romántica diatriba contra el sistema de reclutamiento. Y prueba de la popularidad del tema la tenemos en el éxito que alcanzó el drama de Francisco Pérez Echevarría, estrenado en 1870 y titulado *Las quintas,* sobre un hogar destrozado por el servicio militar.

No pretendemos aquí recoger los numerosos cuentos en que se alude a las quintas como amenaza terrible, no siempre tratada dramáticamente, como lo demuestra el festivo relato de Antonio de Trueba titulado *El más listo que Cardona,* en el que un mozo tenido por ton-

---

[85] *El Museo Universal,* n. 2, 15 enero 1859.

to se libra del servicio militar por ese defecto, con gran desesperación del listo presumido al que le toca ser quinto [86].

Indudablemente, el más popular de los cuentos sobre el servicio militar es *¡Adiós, Cordera!*, de «CLARÍN» [87]. Muchas generaciones aún han de aprender en él lo que es un cuento, un buen y definitivo cuento. Lo exacto del ambiente, la conjugación precisa de realismo y poesía, la humanísima ternura hacen de esta narración algo más que un simple alegato de circunstancias. *Cordera*, el *prao* Somonte, Pínín, el tren son símbolos; pero a la vez son motivos humanos cuya validez universal está al margen de toda intención ideológica. Es difícil acercarse a esta narración con la mirada limpia, porque se ha popularizado excesivamente, trascendiendo a la galería, caso que tenemos por excepcional en la cuentística de Alas, exquisita, minoritaria.

Siempre que se piensa en un cuento español, suele recordarse el título de este que ahora comentamos. Para muchos, *Clarín* es, ante todo, el autor de *¡Adiós, Cordera!* Lo que si bien es notoriamente injusto, dada la extraordinaria calidad de su restante obra, prueba la perdurabilidad y resonancia humana del cuento.

El viejo tema del *Beatus ille...*, el romántico motivo de la *sinfonía pastoral*, adquieren por obra y gracia de Alas un sabor nuevo. (Vid. nuestro capítulo de *Cuentos rurales*.) En este relato, como en *Doña Berta* y *Manín de Pepa José*, se asoma *Clarín* al paisaje asturiano. Tratándose de un novelista eminentemente intelectual, desdeñador de toda fácil imaginería y plasticidad, estas narraciones en las que el paisaje desempeña un papel importante, ofrecen gran interés. El paisaje es en *Clarín* —ya lo advertimos en otro capítulo y lo repetimos aquí por ser en *¡Adiós, Cordera!* donde mejor puede observarse— algo más que un bello fondo decorativo o un simple sustentáculo. Entre la tierra y los hombres parece fluir una sangre común. Pínín y *Cordera* son parte integrante del *prao* Somonte, como una hierba más, como el blando verde que lo tiñe. Es por eso por lo que, al ser separados de la tierra, se produce el drama.

Pero es preciso advertir que en *¡Adiós, Cordera!* el tema de la guerra, del mozo arrancado del campo, no lo es todo, contra lo que pu-

---

[86] *Cuentos campesinos*. Nueva edición. Rubiños. Madrid, 1924, págs. 136 y ss. Fué publicado en *El Museo Universal* en 1868.

[87] *El Señor y lo demás son cuentos*. Col. Universal. Calpe. Madrid, 1919, págs. 34 y ss.

diera creerse. Lo esencial, lo que diferencia este cuento de un simple relato de circunstancias, es la aparición en él de un elemento nuevo en la literatura decimonónica: la ternura; una ternura entendida no a la manera desbordada y delicuescente de los románticos, sino una ternura sobria, masculina, contenida.

En nuestros días, un poeta, Vicente Aleixandre, ha dicho de *¡Adiós, Cordera!* que le parece obra maestra en la literatura de ficción, de ese insólito sentimiento en nuestras letras: la ternura.

Se asemejan a esta narración de *Clarín* una de la PARDO BAZÁN, *Elección,* y otra de ALEJANDRO LARRUBIERA, *La carreta de bueyes.* En ambas se combina el tema del amor a los animales con el del servicio militar.

En *Elección,* un matrimonio campesino se dispone a vender la yunta de bueyes para poder redimir al hijo del servicio militar. La elección es dura, ya que los animales representan su sustento, pero al fin se deciden, desprendiéndose de ellos. Cuando el marido regresa del mercado, comprueba con desesperación que le han dado todos los billetes falsos [88].

En *La carreta de bueyes,* Pelegrín, mozo muy pobre, no puede casarse con su novia Mari-Cruz. Los bienes del padre de ésta son embargados por deudas, entre ellos la carreta de bueyes que representa el sustento de la familia. Pero, con gran sorpresa de todos, en el momento de ser subastada la carreta aparece Pelegrín con mucho dinero y la adquiere, devolviéndosela al padre de su novia. Acto seguido, desaparece misteriosamente el mozo, averiguándose al fin que marchó voluntario a la guerra de Cuba, pagando con la soldada el carro embargado. A diferencia de lo que ocurre en los cuentos de *Clarín* y de la Pardo Bazán, aquí todo acaba felizmente con el regreso y la boda de Pelegrín [89].

Volvamos ahora a *Clarín,* y citemos su tal vez más significativo cuento sobre el servicio militar, *El sustituto* [90]. El protagonista es un joven poeta al que corresponde por sorteo ir al servicio militar. Compra como sustituto a un mozo del pueblo que se presta a ello, para re-

---

[88] *En tranvía. Cuentos dramáticos.* Tomo XXII de las *Obras completas,* págs. 53 y ss.

[89] A. Larrubiera: *El dulce enemigo (Historias y cuentos).* Rivadeneyra. Madrid, 1904, págs. 99 y ss.

[90] *Cuentos morales,* págs. 301 y ss.

dimir una deuda paterna. Pero el joven poeta, en un arranque patriótico, decide ir a luchar a Africa al lado de su sustituto. Cuando llega
le encuentra en un hospital, y allí muere el sustituto en brazos del
señorito. El poeta, entonces, deseando que la madre y la novia del pobre mozo no sepan que murió oscura y tristemente en un hospital,
toma su nombre y con él muere heroicamente en un combate. La madre del *sustituto*, sustituído a su vez, recibe la pensión del héroe. *Clarín* comenta amargamente, a manera de epílogo, que su protagonista
es un caso excepcional, «y si la mayor parte de los señoritos que pagan
soldado, un soldado que muere en la guerra, no hacen lo que Miranda,
es porque poetas hay pocos, y la mayor parte de los señoritos son prosistas».

La aversión de *Clarín* hacia las injusticias del servicio militar se
propaga, por asociación tal vez, hacia los militares de su época. Fué
corriente en la literatura decimonónica, y de ello ofreceremos algunos
ejemplos, presentar a los soldados como seres ingenuos y sencillos, y a
los superiores como sujetos crueles y despóticos.

En *León Benavides, Clarín* hace hablar así al protagonista:

«... vime... convertido en soldado. En la guerra bien me iba; ¡pero la paz
era horrible! Había una cosa que se llamaba la disciplina, que en la guerra era
un acicate que animaba, que confortaba; y en la paz, como el hierro ardiente
del domador, que horroriza, y humilla, y hasta acobarda, y agría, y empeque-
ñece el mismo carácter de los leones, que ya se sabe que por sí son nobles. ¡Lo
que me hizo padecer un cabo chiquito, que olía a mala mujer y se atusaba mucho; muy orgulloso porque sabía de letras!» [91].

Un tipo de militar semejante —en lo odioso— aparece en *La última ofrenda (Relato de un sargento)*, de José AZPITARTE SÁNCHEZ.
Por culpa de un oficialillo «con cara de mujer y hechos de Judas»,
un sargento ha de fusilar a otro, que era su mejor amigo [92]. RAFAEL
TORROMÉ es autor de una narración titulada *El sargento Gascón*, cuyo
violento protagonista, aprovechándose de su graduación, quita la novia a un soldado [93].

Sin embargo, existen cuentos de tendencia contraria. *El sargento
Pérez*, de RICARDO DE VINUESA, relata cómo este veterano y temido
sargento se apiada de un soldado ante el llanto de su madre, y por pro-
tegerle se deja fusilar como desertor [94].

[91] Id., págs. 208.
[92] *Blanco y Negro*, n. 19, 13 septiembre 1891.
[93] Id., n. 602, 15 noviembre 1902.
[94] Id., n. 89, 14 enero 1893.

Para cerrar ya este capítulo, volveremos al tema del servicio militar concebido como desdicha, sirviéndonos de nuevos ejemplos: *La leva,* de PEREDA, desgarrador cuadro —tal vez el mejor de las *Escenas montañesas*— sobre la recluta de marineros [95]. Una emotiva y bien descrita estampa de LUIS MALDONADO, la titulada *La despedida del quinto* [95 bis], apresa en muy pocas páginas toda la angustia de ese momento. *El carbonero,* de PÍO BAROJA, publicado en 1900, tiene por protagonista a un joven que ha vivido siempre en el monte, entregado a su trabajo, y que odia a los de la llanura —como *Pinín* odiaba el tren— a la que ha de bajar para ser soldado, sin saber por qué [96]. En *Paternidad* la PARDO BAZÁN trata el tema de una manera nueva, entre humorística y sentimental: El tío Fidel es un viejo borrachín que cierta vez, al regresar de una romería, dice que se le ha muerto un hijo, uno de los ochenta que ha tenido. Se aclara esto con la explicación de que Fidel consentía en reconocer como hijos, ante el notario, a los mozos que deseaban librarse de quintas, pagando tal servicio al falso padre, cuya vejez les eximía del servicio militar. Uno de estos *hijos* muere en América y deja al anciano una gran cantidad de dinero. El tío Fidel siente la paternidad y, según camina borracho —borracho con el dinero heredado—, llora al hijo perdido [97]. (Un truco semejante es el descrito por CLEMENTE DÍAZ en *¡Calabazas! Costumbres de la Mancha* [98]. Para librarse de quintas, el hijo de un labrador busca novia con la que casarse, y encuentra que todas las mozas del pueblo están ya comprometidas.)

Finalmente recordaremos las narraciones militares *Cuentos del vivac* —1892—, de FEDERICO URRECHA [99], y *Ronda volante, episodios y estudios de la vida militar* —1896—, de FRANCISCO BARADO Y FONT.

---

[95] *Escenas montañesas.* Sexta edición. Lib. Victoriano Suárez. Madrid, 1924, págs. 133 y ss.

[95 bis] Luis Maldonado: *Del campo y de la ciudad* (1903), 2.ª ed. Salamanca, 1932, págs. 41 y ss.

[96] *Vidas sombrías.* Madrid, págs. 85 y ss.

[97] *El fondo del alma. Cuentos,* págs. 133 y ss.

[98] *Semanario Pintoresco Español,* n. 17, 28 abril 1839.

[99] De éstos decía la Pardo Bazán que eran dignos «de figurar al lado de la patética y dolorosa literatura militarista que en Francia representan Daudet, Coppée, Lemonnier, los autores de las *Veladas de Médan...*» *(Nuevo Teatro Crítico,* n. 17, mayo 1892, pág. 95).

VII. CUENTOS DE INQUIETUD NACIONAL

Siéndolo todos los anteriores, parece sobrar este epígrafe. Pero téngase en cuenta que los estudiados en los apartados precedentes no son los únicos en los que puede observarse preocupación por los problemas españoles, pues junto a ellos existen otros de temas distintos e intenciones coincidentes.

Desgraciadamente, la angustia por el decaer nacional no era enfermedad que pudiera apreciarse a través de un solo síntoma, llámese éste servicio militar o guerra de Cuba. Los males eran tantos que engendraban confusión, y donde uno creía ver aciertos, otro apreciaba errores. Sólo de una cosa se iba adquiriendo seguridad: de que España decaía y era preciso levantarla.

Ofrecen, por lo tanto, más interés los cuentos que abordan el tema de la decadencia nacional, que aquellos que sólo se ocupan de exaltar el nombre de la patria [100].

De todas formas, citaremos en primer lugar algunos de estos últimos, comenzando por la muy ingenua y disparatada narración de

---

[100] El patrioterismo falso y detonante fué decayendo, sustituído por una visión más crítica de los errores nacionales. Ya *Clarín*, en uno de sus *paliques*, decía: «El patriotismo *arqueológico* exige, para no ser una *frialdad*, una abstracción, o mucha fe candorosa, o mucha ciencia positiva.» «De otro modo, que la historia de España, o lo que haga sus veces, la han *acaparado* los mestizos y los poetas de certamen en astillero; y en cuanto uno se atreviera a dar un poco de bombo a nuestras antiguas instituciones o al arte español de otros siglos, los maliciosos se pondrían a pensar: Este quiere un destino en la Tabacalera, o un distrito en Asturias..., o un jarrón de la Infanta Isabel.» «Hasta para ensalzar las seguidillas manchegas nos subimos a la parra nacional y sacamos el pendón de las Navas» (*Palique*. Victoriano Suárez. Madrid, 1893, págs. 233 y ss.).

Palacio Valdés, en cambio, se queja de que los españoles sean excesivamente dados a zaherir a su país: «¿Los españoles tenemos patria? Unas veces se me antoja que sí; otras que no. Lo que no ofrece duda es que trabajamos todo lo posible por no tenerla. Hace muchos años que los españoles empleamos lo mejor del tiempo en zaherir a nuestra patria con la lengua y con la pluma, y en desgarrarla con la espada. Sería un milagro que quedase todavía algo de ella» (*Semblanzas literarias. Obras completas*. Ed. Aguilar. Tomo II, pág. 1.263). Y en 1920, en el discurso de ingreso en la Real Academia Española, decía Palacio Valdés: «Si escuchamos a los extraños, somos un pueblo moribundo, refractario a los progresos modernos, rebelde a toda disciplina, incapaz para la política y para las artes industriales. Si atendemos a lo que entre nosotros se dice, es peor. Los españoles somos un conjunto de seres degenerados, de una impotencia y una bajeza irremediables» (Ed. cit., págs. 1.495-1.496).

TRUEBA, *Desde la Patria al cielo*. El protagonista de este cuento, excesivamente convencional aun cuando de muy laudable intención, es un joven campesino que, habiendo leído los libros de su protector —un rico indiano—, arde en deseos de recorrer el mundo, cobrando aversión a su pueblo. Cuando el indiano muere, le deja toda su fortuna, con la cual el joven se marcha a recorrer los países que conocía a través de los libros. La realidad le defrauda siempre, y, desengañado, vuelve a su aldea tras peregrinar por Francia, Suiza, Alemania, Grecia, Inglaterra, Norteamérica... Trueba emplea un lenguaje humorístico para pintar los defectos de los países recorridos, pero la sátira es torpe y de trazos gruesos [101].

Examinemos ahora un cuento de «CLARÍN» de tema semejante, pero de intención completamente distinta. Nos referimos a *Un repatriado* [102], narración interesantísima porque en ella suena, sincera y dolorida, la voz misma del autor con su experiencia de español, lleno de angustia y de coraje —a lo Unamuno—, al que le repugna el medio ambiental en el que se siente extranjero.

Pese a que *Un repatriado* no es propiamente un cuento, nos detendremos en su examen por considerar que en ninguna otra parte aparece tan nítido el noventaiochismo de *Clarín*.

El protagonista, filósofo de afición, desea marcharse de España a los cuarenta años, y explica al autor en una carta los motivos que le empujan a tal decisión:

«Yo *no siento la patria*. No, no la siento como se debe sentir; lo mismo me sucede con la pintura: digo que no la siento, porque comparo el efecto que me produce con el que causa a otros, y con el que yo experimento en presencia de la música buena, de la poesía, de la arquitectura, y veo su inferioridad palmaria. La patria es una madre o no es nada; es un *seno*, un *hogar*; se la debe amar, no por *a más b*, no por efecto de teorías sociológicas, sino como se quiere a los padres, a los hijos, lo de casa. Yo no amo así a España; me he convencido de ello ahora, al ver nuestras desgracias nacionales y lo poco que, en realidad, las he sentido. No, no me quieras consolar de esta decepción íntima diciéndome que casi todos los españoles están en el mismo caso. Es verdad, pero allá ellos, que emigren también. Sí, ya sé que los más, sin descontar aquellos que han impreso su dolor patriótico en multitud de ediciones, en rigor, han visto pasar las cosas como si la lucha de España y los Estados Unidos fuera *res inter alios acta*.»

«Además, yo me siento poco español... En cambio, saltan a la vista, me hieren con tonos chillones y antipáticos las cualidades nacionales, mejor, los vicios adquiridos, que me repugnan y ofenden. Este predominio casi exclusivo de la

---

[101] *Cuentos de color de rosa*, págs. 112 y ss.
[102] *Doctor Sutilis*, págs. 269 y ss.

vida exterior, del color sobre la figura, que es la idea; de la fórmula cristalizada sobre el jugo espiritual de las cosas; este servilismo del pensamiento; esta ceguedad de la rutina, y tantas y tantas miserias atávicas contrarias a la natural índole del progreso social en los países de veras modernos, me desorientan, me desaniman, me irritan...» «Ella [España] a mí no me ha dado lo que yo más hubiera querido, una sólida educación intelectual y moral, que me hubiese ahorrado esta farsa de semisabiduría en que vivimos los intelectuales en España. No puedes figurarte lo que padece mi amor de sinceridad, hoy mi fe, con este fingimiento de ciencia prendida con alfileres a que nos obliga la mala preparación de nuestros estudios juveniles.»

El cuento acaba de una manera un poco desconcertante e irónica. El autor de esta angustiosa carta regresa a España, tras su expatriación voluntaria, convencido de que en ningún sitio «sabría vivir». Y se va a los toros.

Clarín, eterno dualista, siempre oscilante entre lo intelectual y lo sentimental, ha trazado en esta narración —más bien ensayo, diríamos hoy— una tan exacta semblanza de español inteligente, que pudiera ser la suya. Y esa moraleja, en la que el refinado intelectual cede a lo primario y vuelve a España para asistir a una corrida de toros, está en la misma línea que el grito unamuniano que, en un principio, pedía europeización, para acabar pidiendo casi africanización.

El campesino vasco de Trueba volvía a su tierra, porque su aldea era bella, y los países extranjeros, feos y carentes de poesía. Este fino español del cuento clariniano —que pese a todo ama a España negativamente, y aunque él no se dé cuenta—, vuelve a su patria no porque las otras naciones sean detestables o inferiores, sino porque *no se encuentra* en ellas, y necesita del denso ambiente nacional, concretado en el hervor de sol y sangre de una corrida de toros. Para *Clarín,* España, aunque miserable, ignorante y primitiva, es, de todas formas, el único sitio donde puede vivir un español.

Tema parecido —sin la trascendencia ni hondura del cuento de Alas— es el de *La tierra madre,* narración de ALFONSO PÉREZ NIEVA: Un hombre arruinado marcha de su patria odiándola, y cuando regresa, rico ya, besa la tierra donde nació, olvidando lo mal que se portó con él [103].

Citaremos algún otro cuento de exaltación patriótica. *La otra madre,* de RAFAEL TORROMÉ, presenta el caso del niño pusilánime y tími-

---

[103] *Blanco y Negro,* n. 541, 14 septiembre 1901.

do, transformado en hombre recio y resuelto en el ejército por la otra madre: la patria [104].

En los años del desastre colonial escribió Doña EMILIA PARDO BAZÁN numerosos cuentos que a él se refieren directa o indirectamente. En el primer caso están los ya vistos sobre la guerra de Ultramar. Estudiaremos ahora los que, simbólicamente, tratan el mismo tema, más interesantes aún, porque nos proporcionan el perfil noventaiochista de la autora.

Alguno hay de exaltación. Tal *El catecismo* [105]: Un niño de seis o siete años da su lección de catecismo, antes de acostarse, a su padre. Pero una noche el niño pregunta por el tío que está en la guerra, sobreviniendo una conversación en la que el padre le explica lo que es la patria y la belleza de morir por ella.

Más interés ofrece *El caballo blanco* [106], tal vez el cuento de más sabor noventaiochista.

Santiago Apóstol medita en un jardín celeste, y «mirando hacia todas partes, no adivinaba por dónde vendría la salvación, siquiera milagrosa, de los que amaba mucho».

«Frente al Patrón, en mitad del campo, se elevaba un árbol gigantesco, de tronco añoso, rugoso, de intrincado ramaje, pero casi despojado de hoja, y la que le quedaba, amarillenta y mustia. Infundía respeto, no obstante su decaimiento, aquel coloso vegetal; a pesar de que no pocos de sus robustos brazos aparecían tronchados y desgajados, conservaba majestuoso porte; su traza secular le hacía venerable; convidaba su aspecto a reflexionar sobre lo deleznable de las grandezas. De las ramas del árbol colgaban innúmeros trofeos marciales. Petos, galas, cascos, grebas y guanteletes, con heroicas abolladuras y roturas, causadas por el hendiente o el tajo; espadas flamígeras sin punta y lanzas astilladas y hechas añicos; rodelas con arrogantes empresas; albos mantos que blasona la cruz bermeja, trazada, al parecer, con la caliente sangre de una herida; yataganes cogidos a los moros; turbantes arrancados en unión con la cabeza; banderas gallardas, con agujeros abiertos por la mosquetería; el alquicel de Boabdil y la diadema pintorescamente emplumada de Moctezuma.»

Al pie de este añoso árbol de España —una España rota pero altiva, abrumada de glorias pretéritas—, está sujeto con fuerte cadena de hierro el blanco corcel del Apóstol. Al observar la mirada del jinete, se enfurece el caballo, y su ademán inquieto es una invitación al combate.

---

[104] Id., n. 229, 21 septiembre 1895.
[105] *Cuentos de la Patria,* págs. 157 y ss.
[106] Id., págs. 163 y ss.

Llega al cielo un mozo «de mediana estatura, moreno avellanado y enjuto; rodeaban su tronco retazos de tela amarilla y roja, que apresuradamente igualaba en matiz la sangre fluyendo de varias mortales heridas». El español cae a los pies del Hijo del Trueno y le reprocha su olvido:

«Mira, Santiago, a dónde hemos llegado ya. Te lo diré con palabras de la Epístola que se lee el día de tu fiesta: hemos hecho espectáculo para las naciones, los ángeles y los hombres. Hemos venido a ser lo último del mundo. Y todo por faltarnos tú, Apóstol de los Combates. Desata tu corcel, guíale a través del aire, ponte a nuestra cabeza.»

El Apóstol, conmovido, desata a su caballo y descuelga la cota de malla. Y mientras así se prepara para el combate, aparece otro español «vestido de paño pardo, calzado con groseras abarcas», que resulta ser San Isidro.

«¡Orden del Señor! —voceaba el labriego descompasadamente—. ¡Orden del Señor! Ese caballo nos hace falta para uncirlo al arado y que ayude a destripar terrones. Y ese español que está ahí, que venga a llevar la yunta. Bien sabes, *Bonaerges*, lo que dijo el Señor en ocasión memorable, cuando tu madre le pidió para ti y tu hermano el puesto más alto en el cielo: «Los que quieran ser mayores, beban primero su cáliz.» Paisano mío, a arar con paciencia y sin perder minuto...»

Este cuento nos recuerda, inevitablemente, la consigna de Costa de cerrar el sepulcro del Cid. La muy malparada España no está para empresas heroicas y ha de encerrarse en sí misma, mejorar su agricultura, elevar el nivel cultural de sus pobladores y, en definitiva, resignarse a un vivir silencioso, de trabajo, de reeducación. He aquí el programa de la generación del 98, anticipado y sugerido en *El caballo blanco*.

Tono prenoventaiochista tiene también *La armadura* [107]: El joven duque de Lanzafuerte piensa causar sensación en un baile de disfraces con el que tiene preparado. Se trata de una armadura de la época de Carlos V. Tras grandes trabajos consigue vestírsela.

«... y la raza hirvió en su sangre, causándole la nostalgia de la edad heroica: «¡Si nazco entonces! —murmuró con orgullo—. ¡Pero, ahora..., claro! No hay medio...»

Su entrada en el salón de baile resulta sensacional. Pero según va pasando el tiempo, la armadura le pesa y aprieta, causándole gran mo-

---

[107]   Id., págs. 175 y ss.

lestia. No puede bailar ni sentarse. Marcha a su casa, donde los servidores le arrancan todo —gola, escarcelas, quijotes, grebas—, excepto la coraza, soldada a fuego, que sólo el armero podrá sacarle. Es noche de domingo de Carnaval y hasta el día siguiente tendrá que permanecer con la coraza puesta. «La opresión de su pecho, la sensación de asfixia eran ya tormento insufrible.» «Sentir sobre su costillaje débil, sobre un corazón sin energía, la cáscara del heroísmo antiguo..., ¡y no romperla!» Un amigo que le encuentra en tal situación, comenta:

«¿Sabes qué me ocurre? España está como tú..., metida en los moldes del pasado, y muriéndose, porque ni cabe en ellos ni los puede soltar... Bonito simbolismo, ¿eh? Vaya, voy personalmente a traerte alguien que te libre de ese embeleco. Porque, ¡si esperas a los criados...!»

Como se ve, la tesis viene a ser, en esencia, la misma de *El caballo blanco,* al considerar que el momento histórico español había que vivirlo sin alardes espectaculares.

El torreón de la esperanza [108] es simbólico también: Una caravana de viajeros españoles llega al pie del torreón de Barba Azul, al cual desean subir «porque, aburridos y hastiados de lo presente, sólo fiaban en las novedades que diese de sí lo futuro. Mostrábanse los peregrinos descontentos de cuanto existe, y andaban conformes en atribuir los males y decaimientos de España a los individuos que figuran a la cabeza de la nación». Políticos, guerreros, literatos, son criticados duramente. «Urgía refrescar, variar el personal; era llegado el instante de cambiar de baraja, estrenando una nueva, tersa, reluciente, no sobada, ni fatigada del uso... ¡Vengan otros, los desconocidos, los ignorados genios que encierra en su seno la multitud anónima!» Suben al torreón y escrutan el horizonte. Pasan horas y horas, y al fin divisan en lontananza la nube de un cortejo que se acerca. Cuando está suficientemente cerca, ven que los esperados héroes son los mismos de siempre: los mismos estadistas, los mismos literatos.

A la serie *Cuentos de la Patria* pertenece asimismo *El palacio frío* [109], de intención política, y cuya fecha de publicación —1898— sirve para identificar la época a la cual alude la autora: El rey Basilio XXVII ha hecho edificar el más bello y lujoso palacio, pero no se encuentra bien en él, ya que en todas las habitaciones nota un frío in-

---

[108] Id., págs. 183 y ss. Publicado en *Blanco y Negro,* n. 376, 16 julio 1898.
[109] Id., págs. 191 y ss. *Blanco y Negro,* n. 387, 1 octubre 1898.

tenso. Pese a todos sus esfuerzos para calentarlas y a la ropa que siempre lleva encima, el frío continúa atormentándole. Sólo el rey siente el frío, ya que los restantes cortesanos sudan, vestidos invernalmente por complacerle. Consulta entonces a un médico, el cual le manda abrir una ventana. Y al entrar el aire exterior, el rey nota que le calienta y reanima. Ante el fenómeno, el sabio médico indica a Basilio que viva siempre fuera del palacio. Se lanza el rey a las calles y comienza a conocer las necesidades de su pueblo. Y según éste va entrando en el palacio, el frío desaparece, se derrite el hielo, y un aire blando y primaveral invade todas las habitaciones.

Idéntica intención es la que puede observarse en *El templo* [110]: Vu, emperatriz china, caprichosa y tiránica, se enamora de un joven bonzo, y sintiéndose enferma de tristeza acude a él, pidiéndole remedio para sanar. El bonzo le ordena edifique un templo a la luz y otro al cielo. Ella hace erigir dos templos altísimos que el joven quema, advirtiéndole que es en su corazón donde ha de edificarlos. Entonces, Vu «abrió las prisiones, prohibió los suplicios, rebajó los impuestos, oyó las quejas justas, dió premios a la piedad filial, amparó la agricultura, y en su palacio estableció tal moralidad, que podrían ser de vidrio las paredes». Los mandarines, descontentos, hacen estrangular secretamente a la emperatriz.

Simbólico es también *El milagro de la Diosa Durga* [111]: El reino de Kapala, antes floreciente, ha decaído lastimosamente, siendo invadido por sus enemigos, los de Kamurta. «Es verdad que cuando aconteció a Kapala tal desventura, ya estaba muy abatida y desbaratada por culpa de la mala administración, rapacidad y desmanes de los exactores, y de infinitos vicios que se habían ido arraigando en su constitución y enfermándola, hasta producir una atonía que hizo a los kapaleños indiferentes a su propio decaimiento y vergüenza.» La religión ha decaído también, y en el antiguo templo de Durga sólo habita un viejo Brahmán al que acuden a pedir consejo tres kapaleños que desean remediar los males de su nación. El santón habla con la diosa y entrega a los visitantes un pez seco momificado, diciéndoles que lo asen y se alimenten con él. Cuando los kapaleños lo colocan sobre las ascuas, el pez se hincha, se colorea de rojo, y fresco y viviente salta de

---

[110] Id., págs. 199 y ss.
[111] Id., págs. 207 y ss. *Blanco y Negro,* n. 389, 15 octubre 1898.

la llama a la hierba. Comprendieron entonces que lo que necesitaban era *resucitar*.

Se asemeja a esta narración una de José M.ª Matheu, titulada *Flores renovadas* [112]: Un viejo y chiflado sabio pone flores ante su hija, dormida, aletargada. En realidad la joven ha muerto, pero el padre no lo sabe y continúa colocando sus flores ante una mascarilla que imita las facciones de la que él cree que algún día despertará. Asimismo España —comenta el autor— está dormida, como muerta, pero también despertará algún día.

La paz, de la Pardo Bazán, tiene igualmente una intención política, alusiva a las luchas internas que mermaban la energía española: Unos niños se disponen a jugar a la guerra, organizando una gran pedrea. Pero nadie quiere hacer el papel de mambises, deseando hacer todos de españoles. Se agrupan alrededor de la misma bandera, fraternalmente [113].

Para acabar con los cuentos de la escritora gallega, citaremos *La oreja de Juan Soldado (Cuento futuro)*, tremendamente pesimista [114]: Juan es un campesino que combatió tres años en Cuba y que, al regresar a España enfermo, pide agua cuando le desembarcan en el puerto. Una mujer desea complacerle, pero la policía, queriendo proceder con orden, trata de impedirlo. Promuévese un alboroto, durante el cual la policía empieza a sacudir sablazos de plano, y luego de corte, uno de los cuales le lleva una oreja a Juan. Cuando la narradora le pregunta si volvería a la guerra, él responde que es viejo, mientras significativa y apaciblemente sacude una paletada de tierra.

Muy parecido a este cuento es uno de Sinibaldo G. Gutiérrez, titulado *Aquí y allí* [115], idéntico en la manera de presentar al ex combatiente de Cuba como ser herido o desamparado por la sociedad: Juan Soldado muere en la guerra y se dirige al Cielo. Pero San Pedro le detiene, diciéndole que antes ha de pasar una temporada en el Purgatorio. El soldado cree que por haber muerto por España tiene derecho a entrar directamente al Cielo. San Pedro entonces le enseña en

---

[112] *La hermanita Comino.* Novelas cortas. Biblioteca Argensola. Zaragoza (s. a., ¿1898?), págs. 53 y ss.

[113] *En tranvía (Cuentos dramáticos).* Tomo XXII de las *Obras completas,* págs. 103 y ss.

[114] *Un destripador de antaño (Historias y cuentos de Galicia).* Tomo XX de las *Obras completas,* págs. 299 y ss.

[115] *Blanco y Negro,* n. 399, 24 diciembre 1898.

la tierra, en España, a un ex combatiente pidiendo limosna, y Juan Soldado se convence de que vale más ir al Purgatorio.

De la angustia patriótica, noventaiochista de «CLARÍN» ya hemos dicho algo. Sus cuentos —y otros escritos también— revelan cómo el siglo en que le tocó vivir le resultaba mezquino, estrecho. En su folleto *Apolo en Pafos* finge Alas llegar a la mansión del dios, y allí dialoga con las musas, una de las cuales le pregunta si es de su siglo, a lo que él contesta humorística pero reveladoramente: «Procuraré meter la cabeza en el que viene, y si me gusta más que éste, seré del otro» [116].

Aunque no sabemos si a *Clarín* le hubiera gustado nuestro siglo —murió en 1901, recién inaugurada la nueva centuria—, sí tenemos la seguridad de que el suyo le resultó poco grato, casi inhóspito.

Su fina sensibilidad de intelectual debió de proporcionarle no pocos sufrimientos en una sociedad materialista y falta de sentido estético. Recuérdense las quejas vertidas en *Un repatriado,* a las que podrían agregarse otras tomadas de diferentes textos suyos [117].

---

[116] *Folletos literarios*. III. *Apolo en Pafos*. Lib. de F. Fe. Madrid, 1887, pág. 81.

[117] En el prólogo de *Nueva campaña* se ocupa *Clarín* de la general decadencia española, cuyos orígenes busca en los años imperiales —según más adelante habían de hacerlo Unamuno y los de su generación—, y cuyos más dolorosos efectos se observan en su siglo:

«Estamos en una decadencia que viene ya de lejos. Mejor dicho, estamos acaso en dos decadencias: la una, general; si no universal, por lo menos de todos los países con que más afinidades tenemos; la otra, especial, la nuestra, la larga y triste decadencia de España. Fuimos un gran pueblo a nuestra manera, como se era entonces, en aquellos tiempos con que los reaccionarios se entusiasman, tal vez sin comprenderlos; nuestras letras brillaron como brillaban nuestras armas... Pero nuestro poder moría de hidropesía, y nuestros versos y prosas padecían el mismo daño. Nos hinchábamos demasiado. Estallamos al fin. No hay que recordar cómo.

Nuestro gran imperio era casi todo una apariencia; nuestra fuerza era una gran hipérbole política que había asustado a muchos, como nuestra elocuencia era una cascada brillante y sonora, que aturdía y deslumbraba...» (*Nueva campaña*. Lib F. Fe. Madrid, 1887, págs. 9-10).

Naturalmente, donde *Clarín* mejor podía pulsar esta decadencia era en el ambiente literario. En el Epílogo-prólogo de *Sermón perdido* —¡qué título tan significativo!—, quejándose de los críticos venales, dice estas terribles frases:

«Esa necedad inmoral de exaltar a los autores de adefesios y rebajar a los escritores buenos, que indignaba al ilustre Flaubert, es, en España, el signo de los tiempos...» «¿Qué es España en el mundo? Un rincón. ¿Qué es la literatura en España? Menos que el billar: uno de los pasatiempos que tiene menos aficionados, la mayor parte de los cuales son verdaderos asesinos» (Ob. cit., páginas VIII-X).

Citaremos ahora un cuento —al que ya aludimos— que es tal vez el único simbólico de *Clarín,* de preocupación patriótica.

Nos referimos a *León Benavides* [118]: El narrador cuenta cómo cierta vez se detuvo ante los leones del Congreso, uno de los cuales tiene un entrecejo o cicatriz que le hace más interesante. Dicho león narra su historia, que viene a ser la de la raza española. Nace en las montañas de León, pasa al escudo nacional, es vencido por el Cid, y se convierte en hombre con el apellido Benavides. Sirve como soldado —recuérdese el pasaje ya citado—, y en un combate, llevado de su fiereza congénita, llega a morder a un enemigo. Tamaño alarde de incivilización le lleva a ser fusilado.

«Me enterraron como un recluta rebelde, y resucité león de metal para no volver más a la vida de la carne. Aquella bala me mató para siempre. Ya jamás dejaré esta figura de esfinge imitada, a quien el misterio del destino no da la calma, sino la cólera cristalizada en el silencio. Esta cicatriz tiene tanto de cicatriz como de idea fija.»

El cuento acaba con la siguiente intencionada frase: «Yo, concluyó Benavides, soy el león de la guerra, el de la historia, el de la cicatriz. Soy noble... pero soy una fiera. Ese otro es el león parlamentario, el de los simulacros...»

Por no alargar excesivamente este capítulo, renunciamos a citar nuevos cuentos, confiando en que con los reseñados podrá el lector obtener una impresión de cómo el tema nacional fué tratado por los narradores del pasado siglo, que unas veces lo ligaban al hecho histórico o concreto, y otras lo presentaban bajo argumento intencionadamente simbólico, recurriendo en ocasiones a la más amarga sátira.

---

[118]   *Cuentos morales,* págs. 203 y ss.

CAPITULO IX

CUENTOS RELIGIOSOS

CAPÍTULO IX

CUENTOS RELIGIOSOS

I. EL PROBLEMA RELIGIOSO EN EL SIGLO XIX

En este capítulo estudiaremos aquellas narraciones que por sus asuntos, intenciones o personajes, puedan considerase como *religiosas,* teniendo en cuenta que, dada la diversidad de ideologías entre los creadores de estos relatos, el término religioso no debe entenderse en un sentido afirmativo. Pues si bien muchos cuentos defienden y exaltan la religión católica, otros acusan duda, escepticismo, e incluso llegan a atacar, violenta o satíricamente, a los representantes de la Iglesia.

Pese a todo, es tan grande el número de narraciones en las que se plantean temas de carácter religioso, que nos autorizan a dedicarles un capítulo especial, comprensivo de las más variadas y dispares tendencias.

Entre los fenómenos de tipo espiritual que dan fisonomía propia al siglo XIX, destaca el llamado *problema religioso.* Su estudio exigiría un tiempo y oportunidad de que carecemos ahora, por lo cual sólo intentaremos dar unas notas sobre el clima espiritual en que nacieron estos cuentos.

Un hecho de tan gran trascendencia como es el problema religioso en el siglo XIX, no puede ser fruto extemporáneo, surgido sin ambientación previa, sin antecedentes. La angustia religiosa que se agudiza en los años finiseculares, no es sino la consecuencia máxima, la cristalización de un movimiento que se había iniciado en el siglo XVIII.

No se puede comprender bien la inquietud religiosa del siglo XIX sin tener en cuenta las tendencias librepensadoras propagadas por los enciclopedistas franceses de la anterior centuria. Se trataba de un grupo reducido de hombres, y casi nadie advirtió la violenta efectividad de sus doctrinas hasta que éstas incendiaron la atmósfera moral, cada vez más enrarecida, más densa.

Es en el siglo XIX cuando puede apreciarse en toda su integridad la labor destructiva de los librepensadores franceses. Georg Brandes, el crítico danés, simpatizante del enciclopediismo, no puede menos de reconocer que la emancipación del pensamiento condujo al más desalentador pesimismo.

«Antes nacía el hombre en una confesión determinada, incontestable, la cual le daba una respuesta fija, adquirida por vías sobrenaturales, pero consoladora y prometedora» [1].

Suprimida esa fe en lo sobrenatural, el hombre quedó desamparado frente a un mundo hosco e incierto.

Tal es el panorama espiritual con que se inaugura el siglo XIX. Los hombres del siglo anterior lucharon por derruir las bases de la sociedad europea —Monarquía, Iglesia—, y ahora los hombres de esta centuria se encontraron a la intemperie, a solas con su espíritu, que no encontraba asidero ni camino.

De ahí que los intentos románticos de acercamiento a lo religioso resultaran vacilantes o equivocados. Benjamín Constant, en su obra sobre la religión, dice que el hombre necesita de todas las religiones, gesto desmesurado y heterodoxo que no es sino consecuencia de ese vacío espiritual que rodea al siglo naciente. Brandes comenta así la actitud de Constant:

«La confianza era vacilante por la sencilla razón de que para ellos, en su calidad de hijos puros y verdaderamente prominentes del joven siglo XIX, era imposible apoyarse con fe sincera en un tronco que sus padres habían aserrado» [2].

Chateaubriand, por su parte, representa un intento de retorno, no a la religiosidad abstracta y amplia, como Constant, sino a una religión, la cristiana. Y su esfuerzo halló eco de comprensión y de entusiasmo en una sociedad europea que, cansada de tanto frío racionalismo, ansiaba nuevas emociones y sentimientos. *El Genio del Cristianis-*

---

[1] G. Brandes: *Las grandes corrientes de la literatura en el siglo XIX.* Editorial Americalee. Buenos Aires, 1946. Vol. I, pág. 54.

[2] Id., pág. 79.

mo era la obra adecuada para esa recién estrenada sentimentalidad europea, que volvía ahora sus ojos, en giro nostálgico, hacia una más pura edad, en la que todo era más sencillo, más espontáneo.

Y es curioso que aquellos hombres que deseaban un más primitivo vivir, cayesen en un nuevo amaneramiento. Chateaubriand hace desfilar ante los ojos del lector romántico todas las maravillas de la civilización y del arte cristiano. Crea una escenografía brillante y un lenguaje emotivo, apasionado y tremendamente retórico. Por lo tanto su intento de recristianización peca de efímero, de teatral, fruto, más que de una fe a machamartillo, de una óptica pintoresca. Brandes comenta así esta obra de Chateaubriand:

«En el siglo XVII se había creído todavía en el Cristianismo; en el siglo XVIII fué negado y extirpado; en el siglo XIX se introdujo un nuevo tipo de religiosidad que consistía en girar alrededor del Cristianismo como alrededor de un objeto de museo, exclamando continuamente: ¡Qué poético! ¡Qué conmovedor y qué hermoso!» [3].

De todas formas no deja de ser paradójico y curioso que en Francia, sede del volterianismo, se iniciase ese Renacimiento religioso —así lo llamaba la Pardo Bazán [4]— y por obra y gracia de un roussoniano furibundo, como era Chateaubriand.

Su tarea fué, en realidad, la de preparador del terreno, y desde tal punto de vista hay que conceder que la realizó espléndidamente. En una época como la suya, no cabía otra predicación que la apasionada y espectacular del *Genio* o de *Los Mártires*.

Bonald y Joseph De Maistre representan el catolicismo ideológico, más sólido y eficaz que la brillante pero hueca tramoya de René, cuya retórica deslumbradora es sustituída por el razonamiento enérgico de estos nuevos escritores, armados de una convicción férrea y desdeñadores de toda pirotecnia literaria.

El Concordato entre Francia y la Santa Sede robustece ese renacimiento religioso, que ha de continuarse a través de hombres ya de tan variadas tendencias como Ozanam y Lamennais. El apasionamiento lleva a este último a la escisión y al error. De todas formas, equivocación no es ya indiferencia.

Puede reprochársenos que lo hasta ahora expuesto se refiere única-

---

[3] Id., pág. 491.
[4] Vid. E. Pardo Bazán: *La literatura francesa moderna, El Romanticismo. Obras completas.* Tomo XXXVII. Cap. II.

mente a Francia, pero es que no cabe olvidar la función orientadora
y directriz que esta nación ejerce en las letras europeas del siglo xix.
Por otra parte, siendo el protestantismo la religión dominante en Alemania e Inglaterra, y considerando que en España la evolución del problema religioso estuvo muy ligada a la francesa, parece natural que nos
hayamos ocupado de estudiar las características de dicho problema a
través de la nación donde más agudamente se manifiesta.

Esto no quiere decir que, una vez arraigado en España el germen
de la preocupación y de la duda religiosa, se desarrollaran aquí los acontecimientos menos viva y apasionadamente que en Francia. Por el
contrario, el problema religioso se convierte en algo así como la característica dominante de nuestro pueblo en la centuria pasada.

Stephan Scatori, que ha estudiado *La idea religiosa en la obra de
Benito Pérez Galdós,* escribe en su capítulo II (*El problema religioso en
la literatura desde 1868*):

«Entre los problemas que han agitado y siguen agitando la España moderna,
el de la religión es *facile princeps,* el más grave. Escritor hubo [Revilla] que lo
llamó terrible. Sea lo que fuere, ello es que la España moderna y contemporánea
se ha visto violentamente sacudida por la cuestión religiosa. Desde la revolución
de 1868 hasta el presente, la cuestión religiosa ha sido el grito de batalla de los
librepensadores de una parte y de los clericales por otra.

Mas es de advertir que hasta 1868, fecha memorable en la Historia, no hubo,
salvo raras excepciones, literatura propiamente heterodoxa. Con el gran trastorno
de aquel año, la ortodoxia en la ciencia y en la literatura se vió puesta en tela
de juicio. Lo que antes se aceptaba con fe ciega, ahora se discutía y hasta se
negaba.

Fué precisamente la Revolución del 68, proclamando la libertad de conciencia
y de pensamiento, la que dió principio a la lucha religiosa, en la cual han tomado
parte casi todos los literatos hasta el presente. Esta famosa revolución rompió,
como se ha visto, la unidad católica, haciendo su aparición el llamado problema
religioso, y, como es natural, la discusión de tan importante asunto imprimió su
sello en la literatura» [5].

Se trata, por lo tanto, de un problema que afectó a todos y frente
al cual —una vez planteado— no cabían evasivas ni medias tintas [6].

---

[5] Cito a través de J. A. Balseiro: *Novelistas españoles modernos,* pág. 171.
Sobre el problema religioso en España en el siglo xix pueden consultarse los capítulos que a él dedicó M. Menéndez Pelayo en su *Historia de los heterodoxos
españoles.*

[6] Decía *Clarín,* estudiando la familia de León Roch: «Lo que se ha dado
en llamar el *problema religioso,* no sólo tiene importancia imponderable como
tal problema religioso, sino que es digno de atención especial por las relaciones
que mantiene con todo lo que en la vida nos interesa; por esta razón, aun los es-

Y por afectar a todas las manifestaciones de la vida, transciende a la literatura y especialmente a la novela y al cuento, géneros que reflejan como ningún otro las inquietudes de su época, aun cuando sus autores procuren evitar propósitos tendenciosos. Los más apasionantes libros y éxitos teatrales del siglo XIX español, fueron sin duda aquellos en que se planteaba el problema religioso. *Clarín,* analizando la novela *Gloria* de Galdós, decía:

«La primera filosofía, aun en este aspecto vulgar, es la filosofía de lo absoluto (aunque fuese para negarlo), y así lo han comprendido nuestros buenos novelistas, que por esta razón y otras no menos atendibles y que miran al tiempo actual y a las condiciones de nuestra raza, han tratado el problema religioso bajo uno u otro aspecto en sus principales producciones. En esta que llamamos filosofía necesaria, la religión es considerada muy pronto, y principalmente, en sus relaciones con subordinadas esferas. De ello están convencidos los restauradores del género literario a que venimos refiriéndonos, y nada menos que a esa altura han colocado su obra. Alarcón, en su más alabada novela, *El escándalo,* trata el problema religioso en sus relaciones con la conciencia moral; Valera, en *Pepita Jiménez* y en las *Ilusiones del doctor Faustino,* por múltiples respectos, habla de religión como una especie de panteísmo literario; Pérez Galdós, en *Gloria,* la más reciente y mejor de sus producciones, atiende exclusivamente a la religión» [7].

Planteado el problema religioso en nuestra patria, surgen las opiniones y las luchas. Se rompe el aglutinante nacional, la fe, y aparece en su lugar la duda, «ese fantasma siniestro del siglo XIX, que turba las conciencias y las empuja a los negros abismos de la filosofía alemana...», según irónica expresión de Palacio Valdés [8].

Y *Clarín* comentaba:

«Los tiempos son de duda —se oye por todas partes—; la *duda* es una enfermedad del siglo, y hasta se toma a gracia la duda, y el que duda se cree en *estado* interesante, y casi romántico y poético, como la Dama de las Camelias. Los poetas cantan sus dudas, que en muchos de ellos es como cantar su ignorancia y su holgazanería» [9].

Esta clase de duda —es decir, esta *pose*— está representada en nuestras letras —quitando la *ignorancia* y *holgazanería*— por Núñez

---

píritus menos inclinados a meditar los misterios de ultratumba se preocupan con la materia religiosa, que, sin que nadie pueda estorbarlo, influye en todo, y al más despreocupado *sprit fort* puede hacerle víctima de su poder tiránico» (L. Alas (*Clarín*). *Obras completas.* Tomo I. *Galdós.* Ed. Renacimiento. Madrid, 1912, págs. 80-81).

   7   Id., págs. 42-43.

   8   A. Palacio Valdés: *Obras completas.* Ed. Aguilar. Madrid. Tomo II. *Semblanzas literarias,* pág. 1.236.

   9   *Siglo pasado.* Madrid, pág. 148

de Arce, a quien el mismo *Clarín* elogia irónicamente, por boca de la musa Erato, en *Apolo en Pafos:*

«Calló otra vez la Musa, y se asomaron a sus ojos dos lágrimas, y después de un silencio triste, añadió: —También admiro a Núñez de Arce; pero también ése es de su siglo. Dudas, grandes problemas, ¡puf! ¡Su siglo! ¡Vaya un regalo!» [10].

Pero no siempre era la duda expresada a la manera tronitonante y enfática de Núñez de Arce, sino que otras veces adoptaba formas más burguesas y burlonas: Campoamor.

Frente a la duda, la fe, y entre una y otra, la angustia del creyente que vacila, o la del ateo que comienza a creer. Inútil citar ejemplos literarios que están en el recuerdo de todos. Una novela de Palacio Valdés recoge ya en su solo título la preocupación de su siglo: *La Fe.*

Una fe, en este caso, erguida sobre la duda, que, prolongándose, llega al unamunismo, a *San Manuel Bueno y Mártir.*

Fe, duda y negación eran etapas que cabía recorrer de un extremo a otro, lenta o fugazmente, pero siempre con aire de tragedia. He aquí las consecuencias del llamado problema religioso, encarnizado en España precisamente por haber saltado de las conciencias a la literatura, planteando así una verdadera guerra a través de las novelas de tesis. Guerra sostenida cordialmente muchas veces, cuando una buena amistad unía a los escritores, aunque defendiesen opiniones contrarias. (Recuérdese la amistad entre Menéndez Pelayo, *Clarín,* Pereda y Galdós.)

Los ideales religiosos mezcláronse a los políticos y aun a los literarios, resultado así dos bandos distintos, uno de corte conservador católico —formado por los llamados ultramontanos—, y otro de ideología liberal, y ya que no completamente irreligioso, por lo menos anticlerical.

En el aspecto literario se llegó a identificar naturalismo con liberalismo, e idealismo con neocatolicismo. De ahí que Zola se extrañara de la ideología de la Pardo Bazán, comentando:

«Lo que no puedo ocultar es mi extrañeza de que la señora Pardo Bazán sea católica ferviente, militante, y a la vez naturalista; y me lo explico sólo por lo que oigo decir de que el naturalismo de esa señora es puramente formal, artístico y literario» [11].

Otro tanto ocurre con Pereda, naturalista sólo por la técnica y no

---

[10]   *Apolo en Pafos.* Madrid, 1887.
[11]   Opiniones de Emilio Zola sobre *La cuestión palpitante,* recogidas en la cuarta edición de esta obra. Madrid, 1891, págs. 24 y 25.

por la doctrina, tal como se juzgaba en su época. Fijándose en estos dos casos, *Clarín* comentaba que mientras la escritora gallega y el montañés, católicos y tradicionalistas, cultivaban el naturalismo, escribiendo novelas excelentes, los liberales no componían más que obras pésimas [12]. Al decir esto, *Clarín* olvidaba o excluía a Pérez Galdós, que con Blasco Ibáñez constituyen dos ejemplos típicos del naturalismo liberal.

Las apreciaciones y distingos que sobre el naturalismo católico se hicieron, procedían de un error de estimativa que aun hoy conserva vigencia, y que proviene de ver en el naturalismo algo más que una simple técnica literaria, aplicable a diversas ideologías y asuntos. El naturalismo materialista y ateo era en realidad el de Zola, y, manejado por los escritores españoles, perdió virulencia, llegando a ponerse al servicio de temas novelescos católicos, como ocurre con los ya citados casos de Pereda y de la Pardo Bazán.

No obstante, este error hallábase tan extendido que los mismos neocatólicos del tiempo de la Pardo Bazán, identificando simplistamente naturalismo con crudeza e irreverencia, llegaron a dudar de los sentimientos religiosos de la escritora, según tendremos ocasión de ver al estudiar sus *Cuentos Sacro-profanos*. Y aun el mismo *Clarín*, encuadrador de la Pardo Bazán como escritora naturalista defensora del catolicismo, dudó también —o simuló que dudaba— de que éste fuera sentido sinceramente por ella:

«La religión, que es principalmente la capacidad de enamorarse del misterio, es lo más flojo en doña Emilia, considerada como pensador y artista, a pesar de sus oportunismos católicos y neocatólicos y de sus *dilettantismos* italianos, que a ella le parecen a lo Mme. Gervasais nada más que porque no son a lo Chateaubriand. Doña Emilia pretende hacer con el arte cristiano lo que su amigo Goncourt con el Japón... En mi sentir, es el de doña Emilia un espíritu *laico* por excelencia...» [13].

La gran cantidad de cuentos religiosos —algunos llenos de auténtica emoción católica— y el solo recuerdo de obras como *San Francisco de Asís*, parecen desmentir esa afirmación de *Clarín*, ligera y poco convincente, como propia de un hombre de religiosidad vehemente y llena de altibajos, pero no de vida estrictamente católica.

Lo que Alas viene a reprochar a la Pardo Bazán es su sensualidad, su gusto por realzar las bellezas plásticas del Cristianismo, sentido de-

---

[12]   *Sermón perdido,* pág. 113.
[13]   *Museum.* Folletos literarios. VII. F. Fe. Madrid, 1890, págs. 61-62.

corativamente, a lo Chateaubriand. Es el reproche de un ser eminentemente cerebral al ser femeninamente sentimental. Hay que considerar también la tirantez mal encubierta que siempre existió entre la escritora gallega y el autor de *La Regenta*.

Pero, sobre todo, la acusación de *Clarín* va dirigida contra lo que
de oportunismo pudiera haber en la actitud de la Pardo Bazán. Y es
que a finales de siglo sobrevino una nueva reacción católica de signo
antinaturalista, y que tuvo su expresión adecuada en una literatura
de tipo psicológico-idealista.

Son, pues, varios los momentos o etapas que podríamos señalar en
la evolución del problema religioso a través de la literatura decimonónica.

El primer momento viene dado por el romanticismo cristiano, sentimental y oropelesco, a lo Chateaubriand. Es la protesta —emotiva e
inflamada— contra una época racional y rígida.

En nuestra patria los cuentistas *Fernán Caballero,* Trueba y aun
Alarcón, están dentro de esa concepción sentimental católica, si bien el
último, al igual que Coloma, se acerca ya a un catolicismo tratado
más psicológica y naturalistamente.

Del catolicismo decorativo y sentimental pásase en Francia al catolicismo combativo, tipo De Maistre. (Alarcón y Coloma en España
abandonan la dialéctica dulce e infantilizante de *Fernán* y Trueba, para
luchar contra el liberalismo impío con las mismas armas de éste: *El
Escándalo* y *Pequeñeces.)*

A la reacción cristiano-romántica sucede una contrarreacción encarnada en el naturalismo, en el culto de lo positivo, en la exaltación
del materialismo y en la ofensiva contra la Iglesia y el dogma. Es también un momento de duda, de escepticismo. La obsesión del *documento humano* —a lo Zola— lleva a Renán a historiar humanamente la
vida de Jesús, al que despoja de sus atributos divinos.

Y ya a finales de siglo, sobreviene otra etapa caracterizada por un
recrudecimiento del neocatolicismo idealista, surgido en oposición al
naturalismo ateo. Aparece una novelística psicológica, antinaturalista,
de la que es faraute Bourget en Francia [14]. No se piense, sin embargo, que este idealismo supone siempre un retorno al catolicismo es-

---

[14]   *Clarín,* en un artículo lleno de espiritualidad cristiana, decía de Bourget
que seguía, queriéndolo o no, el rastro de la Cruz *(Mezclilla*. Madrid, 1889,
pág. 145).

tricto, ya que, en muchos casos, se reduce a un sentimentalismo difuso y confuso [15].

Rafael Altamira, estudiando esta reacción finisecular, decía:

«En Francia (sede del naturalismo a *outrance,* que ahora imitan los alemanes) abundan las protestas neorreformistas. M. Harancourt se declara portaestandarte de la reacción idealista; Renan truena contra la literatura moderna; Maupassant se llama independiente y critica a los maestros; Faguet une sus censuras a las de Brunetière; y Sarrazin, con Rod y otros, preconiza el advenimiento de la nueva escuela literaria, cuyo Cristo sería Bourget: el psicologismo» [16].

Se trata, por lo tanto, de un psicologismo idealista, que podrá ser o no católico, pero que a los ojos de algunos críticos españoles entroncaba con la religiosidad prenaturalista, por no decir romántica. Así, la Pardo Bazán, analizando *La Fe* de Palacio Valdés, relacionaba a este autor con Pereda, y, para no molestar con la palabra *escuela,* empleaba el término *corrientes de la época:*

«Corre hoy el agua por el cauce del realismo espiritualista. Se ha iniciado la reacción, primero en Francia, al influjo de la novela rusa, y después aquí (donde el terreno estaba mejor preparado, porque no tenía el naturalismo sistemático antecedentes tan gloriosos). Recortada y sucinta en descripción, entrelazada con la acción formal un problema de orden psicológico o una sátira acerca de las costumbres privadas en nombre de las creencias religiosas o solamente de la moral privada, la novela hispana ha vuelto a situarse en el terreno que le señalara Alarcón en *El escándalo* y *El niño de la bola»* [17].

La Pardo Bazán, que se tenía por descubridora en España de la novela rusa con unas conferencias dadas en el Ateneo, alude sobre todo a Tolstoy, cuyas obras en aquel tiempo pasaban por los evangelios de un fantástico espiritualismo.

Pero *Clarín* —casi nunca de acuerdo con la escritora gallega— no cree que las nuevas orientaciones novelísticas tengan nada que ver con Alarcón [18].

---

[15] A propósito de Mme. de Staël, compara la Pardo Bazán este neo-cristianismo finisecular con el de principios de siglo: «También de la Staël se había apoderado, a última hora, la tendencia espiritualista, idealista y neo-cristiana, luz del albor del siglo xix, que hoy vuelve a alumbrar, turbia y mortecina, los últimos arreboles de su ocaso. Infinitamente más sincera que la que hoy presenciamos fué la crisis de religiosidad de principios de siglo: la causaban circunstancias y fuerzas de otra magnitud» *(La literatura francesa.* I, pág. 74).

[16] *Mi primera campaña.* Madrid, 1893, pág. 43.

[17] *Nuevo Teatro Crítico,* n. 13 de 1892, pág. 76.

[18] Vid. *Palique,* 1893, págs. 129-130.

En su actitud contra la Pardo Bazán, parece adivinarse que lo que a Alas le molestaba en ella era su prurito de ir siempre con la última moda literaria. Cuando nadie en España se hubiera atrevido a defender la técnica zolesca, una mujer lanzó los artículos que luego formaron *La cuestión palpitante*. Y después —debió de pensar *Clarín*—, esa misma escritora, ardiente defensora del naturalismo, se pasó a las filas de la nueva literatura psicológica-idealista, simplemente porque era de imitación francesa, y constituía algo así como el último grito en cuestiones estéticas, pero sin comprender plenamente de qué se trataba. Y en verdad que doña Emilia se contradecía, ya que en el número 6 de su *Nuevo Teatro Crítico* (junio 1891), recogió un artículo, ya publicado en el *Heraldo de Madrid,* en el que llamaba *merengadas y natillas* a las novelas psicológicas.

Clarín atacó duramente a la escritora, defendiendo el derecho a la vida de la nueva novelística [19], lo que, entre otras cosas, demuestra que no era su naturalismo tan furibundo como lo querían pintar, y que en realidad su temperamento— mezcla de intelectualismo y de ternura— se avenía mejor con la nueva fórmula novelesca que con el decantado zolismo, aunque ni él mismo se diera exacta cuenta [20].

Resumiendo, pues, los momentos señalados en la evolución del sentimiento religioso y su expresión literaria, observamos un mecanismo de reacción y contrarreacción, en virtud del cual los estilos literarios que se van sucediendo, defienden o atacan la idea religiosa alternativamente.

Contra el neoclasicismo racionalista y el volterianismo, lucha el romanticismo cristiano y sentimental. A éste sigue un naturalismo materialista y ateizante, que a su vez provoca —en nuestra patria— un naturalismo —mejor, realismo— católico tradicional. Y, finalmente, a esta etapa sucede la caracterizada por el idealismo psicológico y católico.

Los cuentos que estudiamos en nuestro capítulo son de distintas épocas —dentro del siglo XIX—, y reflejan, por tanto, esas diferentes tendencias. El mayor número de ellos corresponde a esos años finisecu-

[19] Vid. *Ensayos y revistas,* 1892, págs. 147-149. En realidad, doña Emilia, al llamar despectivamente *merengadas* y *natillas* a las novelas psicológico-idealistas, procedió precipitadamente, ya que ella misma defendió más adelante tal clase de novelas, e incluso las cultivó: *La Quimera* y *La Sirena Negra.*

[20] *Clarín* consideraba peligrosa la reacción excesiva que la literatura neo-idealista suponía. Vid. su estudio de *Realidad* en la obra *Galdós*. Madrid, 1912.

lares que acabamos de estudiar, en los que sobreviene una nueva estimativa de la literatura naturalista, cuyas obras son consideradas como exponentes de las más bajas pasiones humanas. Acerca de esto decía Altamira:

«Renán ha querido echar sobre la literatura contemporánea la más dura de las sentencias: «La buena literatura —ha dicho— es la que, llevada a la práctica, produce una vida noble... La literatura moderna no puede resistir a esta prueba»; frase injusta, aunque muy común» [21].

Y el mismo Altamira, considerando la bajeza de temas y expresiones en la novela de su tiempo, dice:

«Y temo mucho que el día en que los críticos futuros (si por ventura alcanzan otros tiempos mejores) estudien la literatura moderna, crean que así como en ella figura era, de hecho, nuestra sociedad. Induce a pensarlo el acuerdo, la repetición sostenida de la misma nota en la mayoría de las obras» [22].

Y *Clarín* decía:

«¿Qué será, que apenas hay un buen libro moderno que no nos deje tristes?» [23].

El naturalismo materialista, desvelador de los más bajos instintos del hombre, dejó un sabor agrio, a ceniza; un sabor que proporcionó a la literatura finisecular ese tono triste que venimos comentando. Y sobrevino una nueva reacción, otra más en el muy complejo siglo xix. Un siglo signado por el constante forcejeo de tendencias contradictorias; sucediéndose unas a otras en lucha apasionada. El llamado *problema religioso* fué, en definitiva, el único importante de los que en tales luchas se debatían. Un género literario de tan amplia difusión popular y rápida lectura como es el cuento, resultaba un arma demasiado poderosa para no ser utilizada por los bandos litigantes. Y así, aun cuando sea en la novela de tesis donde el problema alcanza su exacta dimensión, estos cuentos religiosos que vamos a estudiar resultan lo suficientemente variados y característicos como para poder percibir, a su través, la inquietud espiritual de un siglo.

---

[21] *Mi primera campaña,* págs. 37-38.
[22] Id., pág. 88.
[23] *Mezclilla (Crítica y sátira).* Madrid, 1889, pág. 257.

II. «FERNAN», TRUEBA, COLOMA Y ALARCON

La extraordinaria abundancia de cuentos religiosos impone un criterio seleccionador de autores y de obras significativas, que nos servirán para estudiar las características generales de esta clase de narraciones.

Concedemos, por tanto, la máxima importancia a los cuentistas más conocidos y destacados, sirviéndonos de los menores como de complemento necesario.

La religiosidad sentimental, de signo romántico, está representada en el cuento español por «FERNÁN CABALLERO» y ANTONIO DE TRUEBA, principalmente.

Las narraciones de Cecilia Böhl de Faber tienen todas una intención moralizadora, y están consagradas a exaltar las virtudes tradicionales españolas y a combatir el escepticismo liberal, el materialismo impío, la relajación de costumbres.

Tratándose, por lo tanto, de cuentos morales, les dedicaremos más amplia atención en el capítulo dedicado a las narraciones de esta clase, citando aquí solamente los genuinamente religiosos, como lo son, por sus temas, *Promesa de un soldado a la Virgen del Carmen* [24], *Un quid pro quo* [25], *Peso de un poco de paja*, *Leyenda piadosa* [26], los tres sobre milagros. *El último consuelo* y *Obrar bien... que Dios es Dios* [27] son más bien de carácter moralizador. *La hija del Sol* [28] y *Leonor* [29] son de tono legendario-religioso, relatando ambos las desventuras amorosas de dos mujeres que, por avisos de Dios, se hacen monjas.

---

[24] Puede leerse en la serie *Deudas pagadas*, con prólogo de D. Manuel Cañete. Ed. A. Romero. Madrid, 1911, págs. 67 y ss.

[25] Se publicó por primera vez en el *Semanario Pintoresco Español*, n. 26, 30 junio 1850. De ambiente popular, desarrollado entre la *gente del bronce*, refiere el heroísmo de un fraile franciscano que salva a una mujer de ser asesinada ocultándola en su capa. Los asesinos, al no encontrar a la víctima, creen que fué salvada por San Francisco.

[26] Esta leyenda fué publicada en el *Semanario Pintoresco Español*, n. 22, 3 junio 1849.

[27] *El último consuelo* se publicó por primera vez en la *Revista Literaria de Sevilla*, 1857, págs. 368 y ss.; 420 y ss., y 487 y ss. *Obrar bien, que Dios es Dios*, pertenece a la serie *Cuadros de costumbres*. Ed. A. Rubiños. Madrid, 1917, págs. 401 y ss.

[28] Se publicó por primera en *La Ilustración*, n. 22, 18 julio 1849.

[29] *Leonor* puede leerse en la serie *Vulgaridad y nobleza*. A. Rubiños. Madrid, 1917, págs. 265 y ss.

Aparte hay que considerar la extensa serie de *Cuentos infantiles religiosos,* contenidos en la colección *Cuentos, oraciones, adivinas y refranes populares e infantiles recogidos por Fernán Caballero,* última de sus producciones literarias, publicada en Madrid en 1877. No se trata, por consiguiente, de cuentos creacionales, pero hay que destacar la gracia, ingenuidad y ternura de muchos de ellos, como *El pan, Si Dios quiere, Una promesa,* etc.

Los cuentos de ANTONIO DE TRUEBA poseen las mismas características e intención moralizadora que los de *Fernán,* por lo cual nos limitaremos a citar aquí los de tema estrictamente religioso. *El niño del establo* [30], *Creo en Dios* [31], *El madero de la horca* [32] y *La vara de azucenas* [33] relatan diversos milagros, siendo los dos primeros de tono realista, y los dos últimos, tomados de la tradición, de carácter legendario-fantástico.

Pero tal vez los mejores aciertos de Trueba, dentro de esta temática, estén en las narraciones populares, en las que lo religioso y lo humorístico se combinan ingeniosamente. *El Preste Juan de las Indias* [34], *De patas en el infierno* [35] y *La portería del Cielo* [36] son buenos ejemplos de esta modalidad, la más grata tal vez de Trueba, que emplea aquí un lenguaje donoso y lleno de vivacidad, exento del lastre cursi, sensiblero o ñoño que acompaña a tantas de sus narraciones.

Podría creerse que el P. COLOMA fué el más fecundo autor de cuentos religiosos, dado su estado; pero pronto veremos cómo fué superado por otros narradores, entre ellos la Pardo Bazán.

El autor de *Pequeñeces,* al igual que Trueba y *Fernán,* cultivó con preferencia el género moralizador, sin abusar de los temas religiosos explícitos, sino disolviéndolos en unas narraciones de carácter realista, libres ya —especialmente las de su madurez literaria— de todos los latiguillos románticos y sensibleros que contenían las obras de *Fernán,*

---

[30] *Cuentos de madres e hijos.* Lib. de Antonio J. Bastinos. Barcelona, 1894, págs. 267 y ss.
[31] *Cuentos de color de rosa.* Nueva edición. Lib. de A. Rubiños. Madrid, 1921, págs. 302 y ss.
[32] *Cuentos de varios colores.* Ed. Salas Helguero Gaztambide. Madrid, 1866, págs. 35 y ss.
[33] Id., págs. 251 y ss.
[34] Id., págs. 3 y ss.
[35] Publicado en *El Museo Universal,* n. 23, 9 junio 1861.
[36] Id., n. 7, 12 febrero 1865.

y libres —también— del tono entre infantil y pretencioso que es nota distintiva del estilo de Trueba.

Aun perteneciendo los tres escritores a una misma escuela literaria, puesta al servicio de la defensa de unos mismos ideales, pueden advertirse en cada uno diversas características que los diferencian entre sí. *Fernán* representa la ternura femenina. Trueba, la ingenuidad infantil. Y Coloma, la masculinidad realista.

Creía el novelista jesuíta que había que luchar con las mismas armas que estaban de moda entonces, es decir, con los recursos del naturalismo. En el prólogo de *Pequeñeces* se disculpa el autor de emplear un lenguaje que, en apariencia, podría resultar inconveniente, pero que era el único eficaz para hablar a aquellos a quienes quería atraerse. Coloma es, ante todo, un hábil e ingenioso predicador que sermonea a través de sus novelas y cuentos [37].

Y sin embargo, hay más discurso moralizador en *Fernán* o en Trueba que en Coloma, con autodefinirse éste como *misionero y predicador*. Y es que el jesuíta supera en habilidad narrativa a sus dos compañeros, los cuales no supieron incorporar los discursos morales a la acción, manejándolos a manera de interferencias con las que el cuentista exhortaba al lector, charlaba con él, o monologaba, simplemente. Coloma —repetimos— deslíe diestramente esas dosis de moral en la trama de sus novelas y cuentos, cuya textura resulta más uniforme —sin nudos extranarrativos— que la de los de *Fernán* y Trueba. Ninguno de éstos supo, además, manejar el diálogo como lo hizo Coloma, más económico a la vez en descripciones, y más atento al dinamismo de la acción, que en aquéllos era lenta y digresiva.

De ahí que nos parezca injusta la apreciación de Andrés González Blanco, considerando a Coloma como «una reducción de *Fernán Caballero,* o si queréis, un *Fernán Caballero* en viñeta» [38]. A Cecilia

---

[37] En el citado prólogo, de *Pequeñeces* dice el autor: «y si por acaso te maravilla que siendo yo quien soy me entre con tanta frescura por terrenos tan peligrosos, has de tener en cuenta que, aunque *novelista* parezco, soy sólo *misionero,* y así como en otros tiempos subía un fraile sobre una mesa en cualquiera plaza pública, y predicaba desde allí rudas verdades a los distraídos que no iban al templo, hablándoles, para que bien le entendieran, su mismo grosero lenguaje, así también armo yo mi tinglado en las páginas de una novela, y desde allí predico a los que de otro modo no habían de escucharme, y les digo en su propia lengua verdades claras y necesarias, que no podrían jamás pronunciarse bajo las bóvedas de un templo» (*Pequeñeces.* Segunda edición, 1890. Tomo I. pág. 8).

[38] *Historia de la novela...,* pág. 655.

Böhl de Faber le cabe el mérito de haber iniciado la gloriosa novelística del siglo XIX, pero es indudable que si Coloma no reúne alguna de sus dotes literarias, la supera en expresividad. Bien lo advirtió doña Emilia Pardo Bazán al decir que a partir de *La Gorriona* el discípulo —Coloma— superó a la maestra —*Fernán:*

«Esto ya se aparta de *Fernán.* Aquí hay una fuerza, una amargura, una *sabrosa hiel* que Cecilia nunca destiló» [39].

El P. Coloma comenzó su vida literaria colaborando, por los años de la Revolución, en una *Biblioteca de la Familia Cristiana* que editaba Pérez Dubrull. Hacia el año 1880 empezaron a aparecer cuentos suyos en *El Mensajero del Corazón de Jesús,* que se publicaba en Bilbao, dirigido y redactado por los padres de la Compañía de Jesús. Posteriormente el P. Coloma fué coleccionando esas *Lecturas recreativas* en distintos volúmenes. *Pequeñeces* pone su nombre en un primer plano de la atención pública, superando su éxito el de *El Escándalo,* y multiplicándose las ediciones.

Los que acusaban a las narraciones de *Fernán* y de Trueba de falsas por su visión dulce y sentimental de la vida, no podían hacer los mismos reproches a Coloma. El mismo severo *Clarín* elogió —con restricciones— el ingenio narrativo del novelista jesuíta [40].

En este capítulo sólo estudiaremos sus cuentos específicamente religiosos, reservando para otros los de simple inspiración católica, con propósito moralizador o intención social. Prescindimos, por consiguiente, de *Juan Miseria* —pese a la destacada intervención de un sacerdote en la acción—, de *Por un piojo, Ranoque,* etc.

Recuerdo de la noble amistad que ligó al P. Coloma y a Cecilia Böhl de Faber —que parece ser le corrigió algunas páginas de *Juan Miseria,* ya anciana—, es el cuento titulado *El viernes de Dolores,* publicado en 1887 en un volumen de *Lecturas recreativas* [41], en cuya acción interviene una generosa anciana que resulta ser *Fernán Caballero.* Siendo Coloma —como sus predecesores en la literatura moralizadora— muy aficionado a los relatos verídicos, se comprende que escogie-

---

[39]   *Nuevo Teatro Crítico,* n. 4, abril 1891, pág. 45.
[40]   *Clarín: Ensayos y revistas.* Madrid, 1892, págs. 325 y ss.
[41]   *Colección de lecturas recreativas,* por el P. Luis Coloma, de la Compañía de Jesús, 1884-1885-1886. Cuarta edición. Administración del *Mensajero del Corazón de Jesús.* Bilbao, 1887, págs. 263 y ss.

ra con placer una anécdota que tanto decía en favor de los sentimientos de la autora de *La Gaviota*.

Aunque de carácter social moralizador, pudiera incluirse aquí *¡Era un Santo!...* [42], que, en definitiva, no es sino un ejemplo vivo e hiriente de la costumbre, tantas veces censurada desde los púlpitos, de ocultar a un enfermo su gravedad, prohibiéndole los Santos Sacramentos. Pertenece esta narración a la serie *Del natural,* cuyo solo título indica ya un propósito realista, naturalista, y está considerada como una de las mejores de Coloma, por lo exacto del ambiente familiar, del diálogo y de los tipos. Esta sensación de *clima* magníficamente captado le recordaba a Andrés González Blanco las narraciones —con interior burgués— de un Balzac [43].

A la misma serie pertenecen *El cazador de venados, Mal Alma* y *¿Qué sería?,* las tres de tema religioso [44]. La primera refiere un hecho histórico sobre el poder de la oración, de cuya veracidad da fe una carta del Arzobispo de Michoacán. En la segunda combínase lo religioso con lo político y lo social: Unos revolucionarios intentan establecer en un pueblo la República federal, provocando un tiroteo en la plaza. Las mujeres aparecen con la imagen de Jesús Nazareno y la lucha se interrumpe, descubriéndose todos excepto el tío Mal-Alma, que dispara su fusil contra la imagen, dándose luego a la fuga. Todos se acercan al Salvador, y tiene lugar el desagravio. El tío Mal-Alma aparece muerto con una bala en el pecho. *¿Qué sería?* relata la aparición de una muerta a su hermana, que no le había costeado sufragios en favor de su alma.

Pilatillo [45] es una novela corta, a la que da título el mote que un padre jesuíta pone a un muchacho que estudia en el colegio de la Compañía, y que peca de soberbia y de temor al «qué dirán». Refiérese la caída moral de éste en Sevilla, y su arrepentimiento. Destaca la descripción del ambiente sevillano de toreros y chulos, semejante al que aparece en otra narración del mismo autor, *Polvos y lodos.* Y también perteneciente a esta clase social es el viejo banderillero protagonista de *La cuesta del cochino,* narración notable por el contraste vigoroso que

---

42 *Del natural (Copias varias).* Bilbao, 1888, págs. 7 y ss.
43 *Historia de la novela...,* pág. 657.
44 *Del natural,* págs. 113 y ss.; 133 y ss., y 161 y ss., respectivamente.
45 *Pilatillo.* Ed. *Mensajero del Corazón de Jesús,* 1886.

ofrece la entrada de un sacerdote en una mancebía, para confesar al ex banderillero que ha sido allí recogido, al desmayarse en la calle [46].

Citaremos también *El primer baile* [47], «relación donde se mezclan las sales andaluzas con las alucinaciones de un Edgar Poe tonsurado», según la Pardo Bazán [48]. En realidad no hay demasiadas sales andaluzas en la narración, de final excesivamente trágico, y en cuanto al recuerdo de Pöe, sólo podría justificarse por un sueño fantástico de la protagonista. Más se asemeja a los relatos del autor de *El cuervo* el comienzo de otra narración de Coloma, la titulada *El salón azul*.

Un milagro [49], a pesar de su título, es un cuento realista de intención semejante a la de *La resurrección de un alma,* de Trueba. A milagros verdaderamente sobrenaturales se refieren *Miguel, Las dos madres, La almohadita del Niño Jesús, Paz a los muertos* y *¡¡Chist!!* [50], siendo notable el último por contener un trozo humorístico contra los tópicos antijesuíticos. *La intercesión de un Santo, Hombres de antaño* y *Dos Juanes* [51], son cuentos de asunto histórico-religioso; el primero, sobre San Francisco de Borja, salvador del alma de Juana la Loca; el segundo, sobre el comportamiento heroico de un Padre Jesuíta en las guerras de Flandes, y el tercero, sobre Juan de Dios y Juan de Avila.

La primera misa [52], aunque protagonizado por un sacerdote, es más bien un cuento moral, que se asemeja algo a otro, titulado *El perdón,* original de A. L. DEL ARCO [53]. En el de Coloma, un joven sacerdote asiste en la muerte a su padre, gran pecador, sin conocerle. El hijo abandonado, y luego sacerdote, absuelve a su madre antes de morir, en la narración de López del Arco.

Dentro de esta modalidad literaria, defensora de un catolicismo sentimental, todavía podríamos citar el nombre de ALARCÓN, que aun no habiendo escrito ningún cuento de estricto tema religioso, fué uno

---

[46] Puede leerse en la edición de *Obras completas* del P. Coloma, publicadas por *Razón y Fe.*

[47] *Colección de lecturas recreativas,* págs. 3 y ss.

[48] *Nuevo Teatro Crítico,* n. 4, pág. 48.

[49] *Lecturas recreativas,* págs. 522 y ss.

[50] Todas estas narraciones se encuentran en la edición de *Lecturas recreativas* ya citada, excepto *Las dos madres,* que aparece en otra serie de *Lecturas* publicada en Bilbao en 1884, págs. 173 y ss.

[51] Los dos primeros están recogidos en la serie de *Lecturas* de 1887; el último puede leerse en la ed. de *Obras completas,* págs. 453 y ss.

[52] *Lecturas.* Ed. 1887, págs. 197 y ss.

[53] *Blanco y Negro,* n. 352, enero 1898.

de los novelistas católicos más prestigiosos y de ideología más combatida.

Su discurso de entrada en la Real Academia Española, en el que tronó contra la inmoral literatura, mereció acres censuras y levantó rumor de polémica [54]. Incluso doña Emilia Pardo Bazán —católica, pero naturalista— no acogió bien el discurso, y en el estudio de las obras de Alarcón que publicó, muerto el novelista, en el *Nuevo Teatro Crítico,* dijo:

«Lo que me obligó a caminar en sentido contrario a Alarcón no fué su escuela, sino la ocasión y modo que de abogar por esa escuela tuvo el ilustre guadijeño. La primera me pareció inoportuna; el segundo, inconsiderado y más semejante a declamación que a alegato literario franco y serio» [55].

Tampoco Palacio Valdés estuvo conforme con el catolicismo alarconiano, reputando *El Escándalo* de *confession d'un enfant gatté,* y añorando la primera época de las novelas cortas, ahora que «se ha cortado la coleta para dedicarse a reaccionario» [56]. Idéntica observación hizo Manuel de la Revilla, estimando más las antiguas novelas de Alarcón que las últimas, ultramontanas [57].

Inútil parece decir que *Clarín,* cuya ideología era opuesta a la del escritor guadijeño, no perdonó ocasión de devolver los ataques que éste había lanzado contra el naturalismo y los críticos, aun cuando le reconoció dotes narrativas e ingenio dignos de admiración [58].

Conocida es la historia de la conversión religiosa e ideológica de

---

[54]   Andrés González Blanco comenta así el escándalo: «Habían entrado ya en España los aires librepensadores de Francia; Renán causaba estragos, y hasta los filósofos más caracterizados de Alemania se internaban en nuestra Patria, traídos del brazo por D. José del Perojo. Pasado el ramalazo del krausismo, se miraba hacia nuevos astros que parpadeaban en cielos nuevos: Strauss, Comte y los positivistas italiano (Lombroso a la cabeza) sentaban sus reales entre nosotros. La *Revista Contemporánea* difundía las nuevas corrientes filosóficas y se orientaba bien hacia la cultura europea. Por eso les pareció a los altos críticos que se habían engañado; aquél no era el novelista soñado por ellos: el novelista realista y castizo de *El niño de la bola.* Aquél era un desdichado converso, un catecúmeno que entraba en los umbrales de la Iglesia a que se acogía echando pestes y vomitando su rabia contra todo lo que execraba» (*Historia de la novela...,* pág. 220).

[55]   *Nuevo Teatro Crítico,* n. 11, noviembre 1891, pág. 28.

[56]   *Obras completas.* Ed. Aguilar. Tomo II. *Semblanzas literarias,* pág. 1.198.

[57]   *Obras.* Con prólogo de D. Antonio Cánovas del Castillo. Publicadas por el *Ateneo Científico, Literario y Artístico de Madrid.* Madrid, 1888, pág. 94.

[58]   Vid. *Mezclilla,* pág. 340. *Nueva campaña.* Madrid, 1887, pág. 85, y *Ensayos y Revistas,* pág. 323.

Alarcón, para que su catolicismo pudiera confundirse con una de tantas *poses* espirituales como se usaban en la época. No se trataba de un oportunismo literario, y en la *Historia* de sus libros afirmó varias veces Alarcón la semejanza ideológica de las tan celebradas novelas de su primera época con las tan combatidas de la última, defendiéndose de las acusaciones que sobre su cambio de derrotero se le hicieran a raíz del discurso de la Academia, y explicando que no era él, sino España, la que había cambiado desde la revolución del 68 [59].

Consecuencia de esos ataques contra el creador de *El Escándalo*, fué que éste adoptara la resolución de no escribir ninguna otra novela. Y es de lamentar, ya que aunque Alarcón careciera de densidad ideológica y fueran vulgares sus ideas, según decía *Clarín,* había en sus

---

[59] «Viene aquí como de molde corroborar la anterior aseveración de que el fondo de todas mis *Novelas cortas* es sano y hasta ascético, por más que están escritas en mis más procelosos años» (*Historia de mis libros.* Octava edición. Madrid, 1905, pág. 204); y más adelante:

«Yo, en 1874, era el mismo que en 1862; pero España, diferente. En medio estaba toda la Revolución de 1868. Antes de aquella revolución, ser cristiano apostólico romano no implicaba impopularidad a los ojos de nadie; todo el mundo lo era o lo parecía; carecían de libertad o de autoridad para demostrar lo contrario; el descreimiento no militaba públicamente como dogma político; ¡había tolerancia en los incrédulos para los creyentes!... Por eso nadie me hizo la guerra durante mi primera época literaria, aunque todas mis obras respirasen, como respiraban, espiritualismo, religiosidad, culto a Jesús crucificado y a su moral divina. Pero vino la revolución: estallaron todas las pretensiones del racionalismo alemán y todos los rencores contra la Religión cristiana; y mientras los conservadores transigían en evitación de mayores males, y estampábamos la tolerancia en la Constitución del Estado, los impíos propasáronse a declarar *ex cathedra* que las creencias religiosas eran incompatibles con la libertad y contrarias a la filosofía y a la civilización. «*Todo el que cree es necesariamente carlista*», fué la extrema fórmula de la impiedad...; y como al propio tiempo, y por desventura, los partidarios de Don Carlos exclamaban: «*¡Todo el que no es carlista es necesariamente impío!*». aconteció, como natural consecuencia, que esta execrable consonancia de los radicalismos produjo la más grosera calumnia y arbitraria condenación para las intenciones de los partidos medios, y aun para las intenciones de aquellos absolutistas que no amaban precisamente a determinado candidato regio, o de aquellos republicanos que no habían renegado la fe de Cristo. Y aquí tenéis explicado con toda claridad por qué en 1874 me atrajeron la nota de neocatólico, teócrata y obscurantista, ideas y creencias que nadie apreció de tal modo en 1862, y por qué se me llamaba variable, apóstata y converso, cuando no era yo, sino las circunstancias, las que habían cambiado» (páginas 236-237).

Hemos transcrito íntegro tan largo pasaje, por creer que resume bien, aun cuando subjetiva y apasionadamente, el clima espiritual de la España de Alarcón.

obras pasión, inventiva e ingenio, cualidades éstas que probablemente faltaban a muchos de sus asépticos censores.

El sentimiento católico de Alarcón se observa en sus novelas largas especialmente. Pero las narraciones menores transparentan idéntico sentir, y, en algún caso —¡*Viva el Papa!*, escrita en 1857 [60]—, llegan a una defensa explícita de la Iglesia Católica.

III. EMILIA PARDO BAZAN

Los cuentos de los escritores que hasta ahora hemos estudiado pertenecen por completo a la modalidad católico-sentimental, que señalamos como característica de los años románticos europeos. En España esta modalidad no coincidió, ni cronológica ni aun expresivamente, con el cristianismo artístico, a lo Chateaubriand; asemejándose más, por su culto a la tradición y su antiliberalismo, a las doctrinas reaccionarias de De Maistre. No hemos citado a Pereda porque entre sus narraciones breves, de inspiración católica y sabor tradicional —depuración realista de la línea ideológica *Fernán*-Trueba—, no se encuentra ninguna de tema auténticamente religioso.

Como no nos interesa aquí mantener un orden cronológico, por quedar éste señalado en otro capítulo, pasaremos ya al estudio de los cuentos religiosos de doña EMILIA PARDO BAZÁN. Y, como siempre, es tan grande el número de éstos, que resulta difícil y prolijo su análisis. Utilizaremos para nuestro trabajo los más significativos.

Y éstos, naturalmente, se encuentran en dos series de narraciones intrínsecamente religiosas, que son las tituladas *Cuentos sacro-profanos* y *Cuentos de Navidad y Reyes*. No obstante, en otras series y en diversas revistas se encuentran abundantes narraciones de tema religioso, dando un conjunto que casi se aproxima al centenar, lo que parece destruir el reproche de *Clarín* sobre la falta de sentimentalidad de doña Emilia y su incapacidad para escribir relatos idealistas.

Se ha abusado de la frase de que la Pardo Bazán era una mujer que escribía como un hombre; frase que parece aludir a la dureza y carencia de sensibilidad de la escritora. Y si bien es verdad que las cualidades de tipo intelectual pesaban mucho en sus creaciones novelísti-

---

[60] *Novelas cortas*. Segunda serie. *Historietas nacionales*. Madrid. Ed. de 1921, págs. 49 y ss.

cas, también lo es que no falta en ellas emotividad muy femenina, refrenada por un elegante temor a caer en lo sensiblero. (Y aun así, algunas veces incurrió doña Emilia en tal defecto.)

Sus cuentos religiosos, concebidos ya de manera muy distinta de la piadosa y sentimental que era característica de *Fernán* y de *Trueba*, merecieron censuras, producto en ocasiones de la incomprensión o de la malicia. Cuando la escritora coleccionó sus narraciones con el título de *Cuentos sacro-profanos,* creyó conveniente defenderse de los ataques hechos contra algunos de ellos, en un prólogo en el que, entre otras cosas, decía:

«He dado a la presente colección el título de *Cuentos sacro-profanos,* porque lo de *profano* corrija lo de *sacro* y nadie suponga que tales historietas y poemillas tienen pretensiones de enseñar o edificar. La precaución es, más que oportuna, indispensable en país donde la escasa cultura y el encubierto, pero general indiferentismo, han engendrado una vidriosa e hipócrita suspicacia, ya que en toda manifestación artística de sentimiento religioso ve impiedad tremenda, algo que estremece las columnas del templo.

Triste síntoma del abatimiento, cada día más hondo, en que ha caído la fe, noble y robusta, que dictó y caldeó tan bellas páginas en los mejores siglos de nuestras letras» [61].

El querer despojar a sus cuentos de intención edificante, recuerda lo que *Clarín* decía en el prólogo a sus *Cuentos morales,* distinguiendo la moralidad objetiva y como artística de éstos, de la pretensión moralizadora de otros. Hay en la Pardo Bazán y en Alas un mismo anhelo de arte por el arte, ausente de toda preocupación doctrinaria, más sincero tal vez en el último y un poco amañado en aquélla. Parece como si doña Emilia, al escribir tal prólogo, quisiera resguardarse tanto de las críticas de los que habían atacado a Alarcón por su ultramontanismo, como de las que pudieran hacerle los católicos auténticos, a quienes podía disgustar ver utilizada la Religión como simple objeto artístico.

Y no es que la autora de los *Cuentos sacro-profanos* se sirviera del Catolicismo exclusivamente como de bella decoración para sus narraciones, pero sí que, como decía *Clarín,* había algo de sensual —a lo Goncourt— en su predilección por los temas religioso-legendarios, que se presentaban al derroche de imágenes.de colores.

En este aspecto los cuentos religiosos de la Pardo Bazán entroncan con el brillante escenografismo de Chateaubriand. Pero es que

---

[61] *Obras completas.* Tomo XVII. *Cuentos sacro-profanos.* Segunda edición. V. Prieto y Compañía, editores. Madrid (s. a.), págs. 5 y ss.

hay algo más, ya que junto a tal complacencia en motivos coloristas y medievalizantes —recuérdese su narración religiosa *Vidrio de colores,* cuyo título define ya todo un estilo—, existe un deseo de tratar temas espirituales, por la riqueza de motivos psicológicos que en ellos pueden hallarse.

Estos cuentos religiosos no son únicamente narraciones de fastuoso lenguaje y denso colorido, sino también finos relatos psicológicos en los que se relatan *casos* espirituales, con moraleja más o menos concretada.

Estudiaremos, en primer lugar, los de carácter legendario. Y entre ellos sobresale *La Borgoñona* [62], procedente, según su autora, de una leyenda franciscana que relata la atrevida historia de una bella joven convertida por San Francisco, y que, tras sufrir una tentación de la que triunfa, ingresa en la Orden de Asís, vestida de novicio. Temía la Pardo Bazán que algunas audacias de este cuento pudieran escandalizar a los lectores modernos, y así sucedió.

Pero aún fué mayor el escándalo provocado por la publicación en 1893, en *El Imparcial* y en Semana Santa, de un cuento que queriendo ser de circunstancias, sonó casi a blasfemia. Se trata de *La sed de Cristo.* Cejador, comentando este suceso, lo consideraba como un alarde de naturalismo, cuando si de algo peca el cuento es de excesiva idealidad, servida por un estilo elaborado y poético [63]. Cuando doña Emilia coleccionó este cuento en la serie de los *Sacro-profanos,* le añadió una especie de epílogo, explicando que la tradición referida carecía de autenticidad y de valor ante las enseñanzas de la Iglesia, e interpretándola de acuerdo con el Evangelio, para así responder a los fariseos que pretendieron «torcer el sentido de este apólogo».

---

[62] *Cuentos sacro-profanos,* págs. 13 y ss.

[63] Reproducimos el comentario de Cejador: «Verdad es que en la mayor parte de sus obras doña Emilia nada tiene de naturalista; pero cuando quiso serlo de veras, verdaderamente que hocicó, diremos empleando la frase de su tierra. En *El Imparcial* (1893), nada menos que en Semana Santa, publicó una escena novelesca en la cual pintaba a María Magdalena como una enamorada carnalmente de Jesús. Fué una de las muestras que dió del naturalismo que predicaba, bien que sólo lo fué de falsificación histórica, y lo hubiese sido de desvergonzado atrevimiento, y de fea herejía, en una escritora cristiana, si no lo atribuyéramos benignamente a la comezón y vanidad con que alardeaba de naturalista» (*Historia de la lengua y literatura castellana.* Tomo IX. Madrid, 1917, pág. 279).

El cuento puede leerse en la ed. citada de *Cuentos sacro-profanos,* páginas 35 y ss.

En realidad, creemos que las acusaciones pecaron de extremosas y que la intención de la Pardo Bazán, al publicar su cuento, no era equívoca. Magdalena, la pecadora, busca con qué aliviar la sed de Jesús, y sólo sus lágrimas lo logran. El tono sensual —característico del estilo pardo-bazaniano— pudo extrañar a algunos lectores, dando lugar a un escándalo del que la autora da noticia en el prólogo de los *Cuentos sacro-profanos*.

A la misma serie pertenecen *Posesión, El pecado de Yemsid, La penitencia de Dora* y *Vidrio de colores,* todos ellos de tono legendario-fantástico [64]. El primero se caracteriza también por lo atrevido del tema, ya que refiere la condenación de Dorotea de Guzmán, a quien el diablo ha tentado atrayéndola místicamente. La segunda narración es una leyenda persa de intención simbólica contra los que con prácticas de santos encubren soberbia demoníaca. *La penitencia de Dora* es una piadosa tradición alejandrina. *Vidrio de colores* recoge un milagro de un fraile dominico en la Provenza sensual y corrompida.

Fuera ya de la serie de *Cuentos sacro-profanos,* aun podríamos citar como legendarios *Fausto y Dafrosa* [65], relato hagiográfico tratado también por Merejkowsky, y *La paloma negra* [66], historia de la conversión de Santa Pelagia, antes liviana bailarina que fué a tentar a los anacoretas.

Son varios los cuentos de la Pardo Bazán que narran milagros. Citaremos solamente *El niño de San Antonio, Corpus* —sobre unas Hostias milagrosas que intentan profanar unos judíos inútilmente [67]—, *La cena de Cristo* —el conocido tema de Jesús bajo apariencia de mendigo, combinado con un problema de tipo moral [68]—; *El aviso* [69] y *El*

---

[64] Ed. cit., págs. 105 y ss.; 145 y ss.; 159 y ss., y 291 y ss., respectivamente. *Vidrio de colores* fué publicado en *Blanco y Negro,* n. 388, 8 de octubre 1898.

[65] Fué publicado en *Blanco y Negro,* n. 463, 17 marzo 1900; recogido luego en la serie de *Cuentos antiguos,* que con los de *Navidad y Reyes* y los de la *Patria* forman el tomo XXV de las *Obras completas.* Tercera edición. Madrid, págs. 273 y ss.

[66] Fué publicado en el *Nuevo Teatro Crítico,* n. 29, noviembre 1893, y luego recogido en la serie *Cuentos nuevos.* Tomo X de las *Obras completas.* V. Prieto y Compañía, editores. Madrid, 1910, págs. 170 y ss.

[67] *Cuentos sacro-profanos,* págs. 55 y ss., y 79 y ss., respectivamente.

[68] Publicado en el *Nuevo Teatro Crítico,* n. 30, pág. 177, y recogido en *Cuentos nuevos,* págs. 206 y ss.

[69] Publicado en *Blanco y Negro,* n. 298, 16 enero 1897, y recogido en *Cuentos sacro-profanos,* págs. 121 y ss.

cinco de copas [70] vienen a tratar el mismo asunto: En la primera narración un joven, que ha logrado una cita de una honesta muchacha a la que piensa seducir, ve en una iglesia cómo la Sagrada Forma tiene un color rojo, de sangre. *El cinco de copas* es el nombre que un burlón estudiante da a las cinco llagas rojas del emblema franciscano de un templo. Al igual que en el otro cuento, este joven logra seducir a una muchacha, y, haciendo tiempo para la cita, entra en la iglesia y ve gotear sangre de las llagas.

Aun cuando los cuentos morales se estudian en otro capítulo, cabe citar aquí algunos ejemplos de narraciones religioso-morales, entre ellas la más emotiva, tal vez, *Las tijeras,* a la que aludimos en el capítulo de *Cuentos de objetos pequeños.* El padre Baltar compara el matrimonio con las tijeras, indisolublemente unidas para que puedan cumplir su misión, y relata la aleccionadora historia de dos ancianos esposos que trataron de ocultarse, mutuamente, la muerte deshonrosa del hijo, que ambos conocían. *El cuarto...* refiere cómo un obispo no vacila en honrar, ante todos sus invitados, a su madre, que por entregarse al vicio le había abandonado, siendo niño él. Un agudo problema es el planteado en *La Lógica:* Un hombre mata a su hijo recién bautizado, para así salvar su alma, haciendo lo mismo con su mujer, al regresar ésta de la iglesia donde había comulgado. *Sequía* tiene, más bien, una intención simbólica, representando la sequedad religiosa de unos sabios escépticos. *Omnia vincit* trata un tema tan del gusto del siglo pasado como es el de la ramera redimida por la caridad de un sacerdote. Todos estos cuentos pertenecen a la serie de *Sacro-profanos,* más otros de tipo moral-religioso quizás menos nítido: *Desde afuera, Tiempo de ánimas, Desde allá,* etc.

La religión de Gonzalo, aunque incluída en la serie *Cuentos de amor,* refiere un caso moral-religioso: Una joven relata a su amiga cómo se casó con Gonzalo, al que todo el mundo tenía por impío, al enterarse de que había sostenido un duelo por oír insultar a una mujer que resultó ser la Virgen María [71]. Tienen carácter moral: *El niño de cera, Nochebuena de jugador, El Belén, El ciego,* etc., estudiados en otros capítulos.

---

[70] Publicado en *Nuevo Teatro Crítico,* n. 26, págs. 181 y ss., y recogido en *Cuentos nuevos,* págs. 58 y ss.

[71] *Cuentos de amor.* Tomo XVI de las *Obras completas.* V. Prieto y Compañía. Madrid, 1911, págs. 263 y ss.

Simbólico-morales son *El palacio de Artasar* —simbolizador de la caridad engendradora de un palacio celestial—; *Miguel y Jorge* —encuentro de los arcángeles: Miguel dice a Jorge que no pueden luchar ahora en la tierra, donde hay que combatir contra el dinero—; *Cuento inmoral,* etc.; todos ellos publicados como *Sacro-profanos,* junto con algunos simbólicos, pero no estrictamente religiosos: *La moneda del mundo* y *Entrada de año.*

Párrafo especial merecen los cuentos que podríamos denominar de personaje religioso. *El martirio de Sor Bibiana* y *La tentación de Sor María* tratan el tema de la monja con ansias maternales [72]. Entre los relatos protagonizados por sacerdotes, deben recordarse *Las cerezas, Omnia vincit, El cuarto...* y, sobre todo, *El señor doctoral* y *La salvación de Don Carmelo,* dos bellas historias sobre el tema del sacerdote pobre e ignorante, pero bondadosísimo. En la primera, el señor doctoral se tiene por inculto y pobre de expresión, ya que a su confesonario sólo va gente de las más bajas clases sociales, pues las altas prefieren la discreción y la elegante retórica del padre Incienso. En una noche de frío y lluvia, cuando ya el anciano señor doctoral se había acostado, viene a buscarle una mujeruca para pedirle que acuda a convertir a su hermano moribundo, impío hasta el último momento. El doctoral, considerándose incapaz, le dice que busque al P. Incienso, pero ella sólo cree en su santidad. Halagado el doctoral, pide manteo y paraguas y se lanza a la calle. Llega calado y aterido a la casa del réprobo, y allí, sintiéndose enfermo y sabiendo que el enfriamiento le ha de costar la muerte, pone todas sus energías y su dulzura en convertir al moribundo, lográndolo al fin. El último episodio del cuento ocurre en la puerta del Cielo, a la que llegan el doctoral y el convertido, desarrollándose una escena de tierno humor, en la que ambos se ceden el paso, sonrientes [73].

Don Carmelo, protagonista del otro cuento, es un cura de Morais, dado a la bebida y aún a otros vicios. Un niño que recogió es tenido por hijo suyo. El mismo chico le llama padre, y, según crece, trata de apartar a don Carmelo de la bebida, consiguiéndolo, hasta que, en un banquete fúnebre, el sacerdote muere víctima de una congestión. Y

---

[72] El primer cuento pertenece a la serie de los *Sacro-profanos,* págs. 91 y ss. El segundo, a la de *Cuentos de Navidad y Reyes,* págs. 16 y ss.

[73] Publicado en la serie *Cuentos de Marineda.* Tomo V de las *Obras completas,* págs. 239 y ss.

sobreviene una escena final semejante en ternura y humor a la de *El señor doctoral*. Don Carmelo llega a las puertas del Cielo, donde San Pedro le recibe hoscamente. Al fin, como va acompañado del niño —no hijo suyo, sino recogido caritativamente—, le permiten entrar. El pequeño se despide de él diciéndole: «¡Adiós, hasta la vista, papá!» [74].

El tornado relata la historia de un sacerdote que, viajando en un barco, conoce a una señora, viuda joven con un niño, a la que no se presenta como sacerdote. Sobreviene un tornado violentísimo, y ante la amenaza de la muerte, la mujer le pide que ampare al niño. Y en el fragor de la tempestad le abraza, momento en que él le revela su condición de sacerdote. Se separa ella con un chillido. Cesa el tornado. La correspondencia entre las pasiones de los seres y de los elementos sirve de fondo a este cuento dramáticamente psicológico [75].

Aun pueden citarse *Sor Aparición, La Sor* y *Vocación* [76]. En un plano humorístico-satírico: *Rosquillas de monja* y *Travesura pontificia* [77].

Y estos dos últimos ejemplos nos hacen recordar otras narraciones de la Pardo Bazán, que pudiéramos calificar de religioso-humorísticas, teniendo en cuenta que no hay en ellas irreverencia alguna. En el ya citado prólogo de los *Cuentos sacro-profanos,* advierte la autora que los cuentos humorísticos incluídos aspiran a combatir el prosaísmo de su época. Se refería a la titulada *Comedia piadosa,* que comprende cuatro graciosas y punzantes narraciones: *Casuística, Cuaresmal, La conciencia de Malvita* y *Los huevos pasados* [78]. También podría incluirse en este grupo *El voto,* episodio de astucia rural [79].

Finalmente citaremos los cuentos de la Pardo Bazán sobre temas de *Navidad,* de *Reyes* y de *Semana Santa.* Fueron muchos de ellos

---

[74] Publicado en *Cuentos de la tierra.* Tomo XLIII de lás *Obras completas.* Ed. Atlántida. Madrid, 1922, págs. 154 y ss.

[75] *Cuentos nuevos,* págs. 93 y ss.

[76] Se encuentran: el primero, en *Cuentos de amor,* págs. 142 y ss.; el segundo, en *Sud-exprés,* págs. 140 y ss., y el tercero, en *El fondo del alma,* páginas 257 y ss.

[77] El primero se encuentra en *Nuevo Teatro Crítico,* n. 30, págs. 227 y ss., y en *Cuentos nuevos,* págs. 256 y ss, y el segundo, en *Cuentos sacro-profanos,* págs. 281 y ss.

[78] *Cuentos sacro-profanos,* págs. 231 y ss. *Casuística* apareció en el n. 23 de *Nuevo Teatro Crítico.*

[79] *Nuevo Teatro Crítico,* n. 22 de 1892.

publicados en revistas y periódicos, circunstancialmente, antes de ser reunidos en la serie *Cuentos de Navidad y Reyes* (más dos de Semana Santa) o en otros libros.

La Nochebuena del Papa, Jesusa, Jesús en la tierra, La Nochebuena del carpintero, pertenecientes todos a la serie citada, tienen una intención social. El primero —cuyo tono doliente recuerda el del clariniano *El frío del Papa*— presenta a Pío IX adorando al Niño Jesús. Este crece ante él y se reúne con los niños pobres que a millones van entrando en la Basílica. *Jesusa* es una niña rica pero enferma, que en Nochebuena desea dormir como los niños pobres. Ante su delirio, la madre consiente en acostarla sobre la paja, y allí cesan los dolores de la niña, que muere dulcemente. La Pardo Bazán debió escribir este cuento casi para evitar el tópico, tan frecuente en las narraciones navideñas, de los niños abandonados en la nieve [80]. *Jesús en la tierra* es el más dramático de todos estos cuentos navideños: Baja el Señor a la tierra en Nochebuena, y no encuentra sino miseria, vicio y crimen. Vuelve a tratar aquí la autora el trágico tema de la *ganadera,* es decir, de los asesinatos que en algunos pueblos costeros gallegos se cometían, atrayendo hacia los riscos las embarcaciones y asaltando a los náufragos [81].

En la misma serie se encuentran *De Navidad* —legendario—, *La Navidad del Peludo* —muerte de un martirizado borriquillo en Nochebuena—, *El Belén, Página suelta, Dos cenas,* etc.

Aun podrían citarse más cuentos navideños, fuera ya de los recogidos en el volumen que venimos comentando, entre ellos, *La Nochebuena en el Infierno, en el Purgatorio, en el Limbo y en el Cielo,* de carácter fantástico-moral [82]. *La estéril* es de tema semejante al de *El Belén:* el matrimonio sin hijos adopta uno en Nochebuena [83].

Los Magos, Sueños Regios y *La visión de los Reyes Magos* son de

---

[80] «Todos hemos narrado alguna vez la triste historia de la niña pobre y desamparada que, harapienta y arrecida, con el vértigo del hambre y la angustia del abandono, vaga por la calles implorando caridad y la nieve la envuelve en blanco sudario» (pág. 27 de *Cuentos de Navidad y Reyes*).

[81] Sobre el mismo tema véase *Tiempo de ánimas (Cuentos sacro-profanos,* págs. 217 y ss.) y *La ganadera (Cuentos de la tierra),* págs. 272 y ss. Vid. nuestro capítulo de *Cuentos rurales.*

[82] Publicados en el *Nuevo Teatro Crítico,* n. 25, enero 1893, y en *Cuentos nuevos.*

[83] Publicado en *Nuevo Teatro Crítico,* n. 26, págs. 161 y ss., y en *Cuentos nuevos,* págs. 38 y ss.

carácter legendario. *El rompecabezas* —publicado también en la serie de *Cuentos de Reyes*— contiene una inquietud patriótica —un niño desprecia el rompecabezas geográfico que le han regalado los Reyes, porque en él no figura Cuba, porque falta la tierra, antes española, en que murió su padre—, y su fecha de publicación —*Blanco y Negro*, 7 de enero de 1899— da la medida del dolor y del coraje vertidos en estas páginas.

En *Semana Santa* se narra la conversión de un pecador por un sueño en el que se le representan los padecimientos de Jesús en su Pasión. Un tema parecido es el desarrollado en *El rizo del Nazareno*, cuya acción transcurre en el día de Jueves Santo: Un hombre, siguiendo a una mujer, entra en un templo donde queda encerrado accidentalmente. Duerme cerca de la capilla del Nazareno, y en un sueño, también, se ve convertido en uno de los sayones que atormentan a Jesús. Despierta en su lecho y encuentra, enroscado a su dedo, un rizo de la cabellera del Nazareno [84]. Aun podrían citarse dentro del tema de Semana Santa los cuentos *La oración de Semana Santa, Viernes Santo* [85], etc.

Tal es, en resumen, el conjunto de cuentos religiosos creados por Doña Emilia Pardo Bazán, conjunto valiosísimo, dadas sus calidades estilísticas y el interés de sus temas. Constituyen éstos una especie de índice de las inquietudes dominantes en la época en que los cuentos fueron escritos, y prueban lo que en un principio decíamos de que lo religioso fué algo más que un valor decorativo-sentimental en la obra de la narradora gallega.

IV. LEOPOLDO ALAS (CLARIN)

Un análisis detenido de los cuentos religiosos de Alas requeriría, como introducción, un estudio de las inquietudes espirituales del autor, pero siendo ésta materia que desbordaría los límites de nuestro trabajo, nos contentaremos con dar algunas notas expresivas de la actitud

---

[84] El primer cuento pertenece a la serie *Cuentos de Navidad y Reyes*, págs. 131 y ss. El segundo se encuentra en los *Cuentos de Marineda*, páginas 321 y ss.

[85] El primero puede leerse en *Cuentos de Navidad y Reyes*, págs. 141 y ss. *Viernes Santo* —de tema bárbaramente rural— fué publicado en el *Nuevo Teatro Crítico*, n. 1, enero 1891, y en la serie *Un destripador de antaño*, páginas 199 y ss.

de *Clarín* frente al llamado problema religioso, pues hay quienes ofuscados por el anticlericalismo de *La Regenta,* niegan a su autor la menor espiritualidad religiosa. Y sin embargo, no es así.

El caso de *Clarín* se asemeja al de Unamuno. No en balde este último tenía a Alas por uno de los educadores de su mente y creía tener con él afinidades de temperamento y educación [86].

Si Unamuno veía en *Clarín* un carácter semejante al suyo, es porque adivinaba en él la misma intensa, angustiosa lucha que traspasó su vida toda. Fueron los dos, catedráticos universitarios, y ninguno creyó en el profesionalismo seco, antivital, sino que lo concibieron como tarea de una más amplia dimensión humana. Lo intelectual y lo sentimental se disputan su seres, y de esa lucha entre tan irreconciliables tendencias, nacen las creaciones clarinianas y unamunianas. Sus obras poéticas, literarias, son fruto de ese dolor de sentirse trágicamente escindidos.

El dualismo de *Clarín* se advierte bien a lo largo de toda su obra: Junto al crítico, el creador de cuentos y de novelas. Y aun en estas obras creacionales cabe observar cómo unas tienden al intelectualismo irónico, a la crítica filosófica, mientras que otras se nos aparecen como henchidas de sentimiento, estallantes de vitalidad. El *Clarín* destructivo y sarcástico de los *Paliques* sabe transformarse en el *Clarín* autor de obras tan rebosantes de ternura, de amor a los humildes, como son esas narraciones magníficas que se llaman *Pipá, Doña Berta, Manín de Pepa José, El Torso,* etc.

Lo que de poeta había en Alas no desapareció, aunque éste dejara de escribir versos, sino que siguió fluyendo, depurada y escondidamente, en los mejores cuentos, expresión de un lirismo contenido y sobrio.

La espiritualidad religiosa de *Clarín* es algo así como el campo de batalla, la zona de fricción en que riñen las tendencias enemigas.

Difícil, sobre atrevido, es tratar de comprender los delicados problemas de una conciencia humana. Lo que *Clarín* pensaba de Dios y de la Religión, es materia que no nos atrevemos a tocar. Nos limitaremos a citar algunas frases suyas que complementen lo que de los cuentos pueda deducirse.

Y ningún texto clariniano tan extenso y significativo como su famoso comentario del libro *La Unión Católica,* de Víctor Ordóñez, en

---

[86] Vid. la *Carta de Unamuno a «Clarín»,* publicada en las *Obras selectas* del primero. Ed. Pléyade. Madrid, 1946, págs. 903 y ss.

donde junto a apreciaciones propias de su extraña religiosidad, se encuentran párrafos tan interesantes como el que transcribimos:

«Nuestros librepensadores confesos debieran pensar que para ellos el Dios de los católicos no debe ser un Dios enemigo, sino un esfuerzo vigoroso del espíritu humano trabajando siglos y siglos en las razas más nobles del mundo; una idea que progresa a través de símbolos y confesiones teológicas y morales. Desde este punto de vista, yo no concibo un buen español reflexivo que se considere extraño al *catolicismo* por todos conceptos. ¡Ah!, no; sea lo que sea de mis ideas actuales, yo no puedo renegar de lo que hizo por mí Pelayo (o quien fuese), ni de lo que hizo por mí mi padre. Mi *historia natural* y mi *historia nacional* me atan con cadenas de realidad, dulces cadenas, al amor del catolicismo... como obra humana y como obra española. Yo también considero como *cosa mía* la catedral labrada y erigida por la fe de mis mayores» [87].

Y más adelante, reflexionando sobre lo que puede verse en el sacrificio de la Misa:

«Y más ve y más oye el que oye misa bien: ve la sangre de las generaciones cristianas; y el español ve más: ve la historia de doce siglos, toda llena de abuelos, que juntaron en uno el amor de Cristo y el amor de España, y mezclaron los himnos de sus plegarias con los himnos de sus victorias. Separar *la Iglesia del Estado,* eso se dice bien, y se hace, pero con una condición: que el Estado no tenga otro nombre propio ni la Iglesia más apellidos; pero si ese *Estado* es España, a los cuatro días de sus guerras civiles, y la Iglesia, la que tiene por patrón a Santiago, entonces el buen gobernante debe procurar no hendir el añoso árbol, no dividir con hacha fría y cruel..., porque se expone a que las mitades violentamente separadas se junten en choque tremendo y le cojan entre fibra y fibra» [88].

No se puede dudar de la sinceridad con que estas líneas fueron escritas, sobre todo teniendo en cuenta lo que su autor dijo al final del artículo:

«La explicación del cómo y por qué una defensa de la unidad católica puede inspirarme a mí estos sentimientos de concordia y de restauraciones idealistas, sería muy larga, exigiría muchas referencias al estado del pensamiento y de la literatura de otros países, a los caracteres principales de nuestro genio nacional y a otras muchas ideas y recuerdos, de que hablaría muy a mi placer si me atreviese a escribir un libro sobre las creencias de los angustiados hijos de los años caducos del siglo xix» [89].

Se ve que *Clarín* sentía en alma viva el problema religioso y que, ya en su madurez y tras el proceso espiritual descrito en *Cambio de luz* —cuento autobiográfico que en seguida estudiaremos—, derivó

---

[87] *Ensayos y revistas* (1888-1892). Madrid, 1892, págs. 196-197.
[88] Id., pág. 198.
[89] Id., págs. 216-217.

hacia una religiosidad intensa, aunque quizás extraviada y difusa. El artículo comentado es del año 1892. Pero ya en 1891, en el discurso de apertura de curso en la Universidad de Oviedo, había dado muestras de esa religiosidad al defender apasionadamente la enseñanza religiosa, que creía inseparable de todas las demás enseñanzas [90]. Y en 1895, es decir, seis años antes de morir, escribía *Clarín* en el prólogo a sus *Cuentos morales:*

«Como en la edad madura soy autor de cuentos y novelillas, la sinceridad me hace dejar traslucir en casi todas mis intenciones otra idea capital que hoy me *llena más* el alma (más y mejor, ¡parece mentira!) que el amor de mujer la llenó nunca. Esta idea es la del *Bien,* unida a la palabra que le da vida y calor: Dios. Cómo entiendo y siento yo a Dios, es muy largo y algo difícil de explicar. Cuando llegue a la verdadera vejez, si llego, acaso, dejándome ya de cuentos, hable directamente de mis pensares acerca de lo Divino» [91].

No llegó *Clarín* a la vejez y no pudo escribir ese libro, por lo cual hemos de contentarnos con los *cuentos y novelillas* que, según su autor, son trasunto de la *idea capital* que le *llenaba el alma.*

Y entre esos cuentos, citaremos en primer lugar aquellos que, coincidiendo con las ideas expuestas en los textos transcritos, denuncian de manera elocuente la espiritualidad religiosa de Alas.

Al hablar de *La Nochebuena del Papa,* de la Pardo Bazán, citamos *El frío del Papa,* de *Clarín* [92]. No dándose ahora la circunstancia de tener que examinar un gran número de cuentos, como ocurría en el caso de la escritora gallega, podremos dedicar más atención a la descripción individual de las principales narraciones religiosas clarinianas. En la que acabamos de citar Aurelio Marco, *ex filósofo,* lee en un periódico un comentario acerca de la salud de León XIII, de su vejez y de su frío. Es la noche del 5 de enero, víspera de Reyes.

«Aurelio Marco llegaba a la vejez, y su espíritu necesitaba un báculo; tenía canas en el pensamiento de nieve: huyendo de la pretendida ciencia positiva, que

---

90 «Por ir de prisa, refiramos esto a la enseñanza, y se verá que la obstrucción de que hablo ha inventado, con apariencias de equidad y liberalismo, el mayor daño posible para la educación armónica, propiamente humana; la separación, así, separación de la enseñanza religiosa y de las demás enseñanzas que no sé cómo llamarlas, así separadas, como no las llame irreligiosas. Porque téngase en cuenta que en este punto el abstenerse es negar; quien no está con Dios, está sin Dios; la enseñanza que no es deísta, es atea» *(Folletos literarios. VIII. Un discurso.* F. Fe. Madrid, 1891, págs. 99-100).

91 *Cuentos morales. La España editorial.* Madrid, 1896, pág. VII. Y en 1899, en un artículo dedicado a *Mensonges,* de Paul Bourget, publicado en *Mezclilla* (págs. 145 y ss.), deja traslucir *Clarín* su espiritualismo cristiano.

92 *Cuentos morales,* págs. 193 y ss.

niega y profana lo que no explica, había vuelto, no a la confesión dogmática de sus mayores, pero sí al amor y al respeto de la tradición cristiana; no entraba en el templo por no profanarlo; se quedaba a la puerta, aterido. Asistía al culto por fuera, contemplando la austera y dulce arquitectura de la forma gótica, himno de sincera piedad *musical, inefable*...»

¿No corresponde esta semblanza de Aurelio Marco a la del propio *Clarín,* en viaje de vuelta —*Viaje redondo* titúlase otra de sus narraciones religiosas— desde el positivismo y las entelequias krausistas a un deísmo que tal vez se hubiera convertido en un pleno catolicismo? Incluso el acceso de sentimentalidad que a Aurelio Marco le produce la visión del templo, recuerda lo que *Clarín* decía de las catedrales en el comentario de *La Unión Católica.*

El protagonista del cuento tiene un sueño en el que vuelve a los siete años y, de la mano de una criada, sale a buscar a los Reyes Magos, corriendo por las calles del pueblo, «tocando apenas con los delicados pies el polvo de la carretera; su melena flotante batía sus hombros como unas alas y le infundía como un soplo en la nuca». (He aquí un rasgo de la añoranza de *Clarín* por la infancia dejada atrás: edad de ángel.)

En un pesebre encuentra una cuna con un niño tiritando y, a su lado, una cama en la que yace un anciano, helado de frío también. Y a continuación traza *Clarín* un cuadro lleno de simbolismo religioso. Llegan los tres Reyes Magos —en figura de los tres murguistas que solían representarlos en el pueblo, detalle éste muy propio del sueño y de la imaginación infantil— y abrigan con sus mantas al anciano que «se hiela en la noche eterna del mundo sin fe, sin esperanza, sin caridad». El buey que lo calienta con su aliento es símbolo de Santo Tomás, el *buey mudo* que con su doctrina quiere aliviar al Papa aterido. Los mantos de los Reyes representan la tradición, las grandezas del mundo adherido a la Iglesia para salvar el *capital* de la civilización cristiana, la herencia de la fe, la belleza mística... Miran los Magos al cielo, esperando la salida del sol. El Papa se muere de frío y contempla la cuna del Niño, al tiempo que piensa: «Mientras El no se hiele, yo no me hielo.» Y Melchor, Gaspar y Baltasar, como un coro, repetían: «¡Si saliera el sol! ¡Si saliera el sol!»

Este cuento nos hace pensar en un Leopoldo Alas, *angustiado hijo de su siglo,* que espera también anhelante como los Reyes que rodean al Papa, la definitiva aparición del Sol en su espíritu.

La conversión de Chiripa [98] es un modelo de cuento decimonónico, en el que se reúnen una serie de características temáticas y estilísticas propias de la época. Hay que advertir, no obstante, que *Clarín* utiliza un tema social-religioso, el del vagabundo convertido, sin sensiblerías ni truculencias.

Chiripa —mozo de cordel que no trabaja, de puro vago— recorre, bajo la lluvia cruel y fría, las calles de Oviedo. No se atreve a entrar en sitio alguno —Universidad, Bibliotecas, Bancos—, en la seguridad de que de todos ellos le echarán. Chiripa tiene la obsesión de lo que él llama la alternancia.

«¿Qué era la alternancia? Pues nada; lo que había predicado Cristo, según había oído algunas veces; aquel Cristo a quien él sólo conocía, no para servirle, sino para llenarle de injurias, sin mala intención, por supuesto, sin pensar en El; por hablar como hablaban los demás, y blasfemar como todos. *La alternancia* era el trato fino, la entrada libre en todas partes, el vivir mano a mano con los señores, y entender de letra, y entrar en el teatro aunque no se tuviera dinero, lo cual no tenía nada que ver con la gana de ilustrarse y divertirse. *La alternancia* era no excluir de todos los sitios amenos y calientes y agradables al hombre cubierto de andrajos, sólo por los andrajos.»

Al fin, para resguardarse de la lluvia, entra en una iglesia. La sensación de quietud reconfortante, de aroma familiar desprendido del templo, está magníficamente captada:

«Llegó junto a una iglesia. Estaba abierta. Entró; anduvo hasta el altar mayor sin que nadie le dijera nada. Un sacristán, o cosa así, cruzó a su lado la nave y le miró sin extrañar su presencia, sin recelo, como a uno de tantos fieles. Allí cerca, junto al púlpito de la Epístola, vió Chiripa a *otro* pordiosero, de rodillas, abismado en la oración; era un viejo de barba blanca, que suspiraba y tosía mucho. El templo resonaba con los chasquidos de la tos; cosa triste, molesta, que debía de importunar a los demás devotos esparcidos por naves y capillas; pero nadie protestaba, nadie paraba mientes en aquello.»

La iglesia está templada y bienoliente a incienso, a cera, «a recuerdos de chico». Como Chiripa se ha colocado, inadvertidamente, cerca de un confesonario, el sacerdote le toma por penitente y le llama, haciéndole pasar por delante de las beatas. El vagabundo se convierte pasándose a la Iglesia, donde ha encontrado la ansiada *alternancia*.

Uno de los más bellos cuentos religiosos de *Clarín* es el titulado *Un grabado* [94], cuyo protagonista, un profesor universitario de Metafísica, habla siempre de Dios Padre en sus explicaciones, en contra de

---

[98] Id., págs. 71 y ss.
[94] Id., págs. 139 y ss.

las corrientes filosóficas de moda. La arraigada creencia del profesor en Dios Padre tiene su origen en un grabado reproducido en una revista, titulado *Huérfanos,* que representaba a unos niños en soledad absoluta. El profesor, que es viudo y padre de tres hijos pequeños, sintió entonces la idea de la Paternidad Divina como imperativo categórico del dolor.

El protagonista de *Viaje redondo* [95] es un joven estudiante que ha perdido la fe, y que, al entrar un día con su madre en la iglesia del pueblo, experimenta esa sensación de viaje redondo, de anticipación de la vida, del dolor de saber que sus padres morirán. El cuento, finamente psicológico, es de un idealismo difuso pero intenso, y podría ser reflejo de un estado de ánimo de Alas.

Más significativa aún es la narración titulada *Cambio de luz* [96], indudable trasunto de una experiencia de Alas, el cual se autorretrató en la figura de Jorge Arial, hombre feliz, hogareño, tipo nítido de intelectual y esteta, pero atormentado por una idea obsesiva:

> «Si hay Dios, todo está bien. Si no hay Dios, todo está mal. Mi mujer, mi hijo, *la dominante,* la paz de mi casa, la belleza del mundo, el *divino* placer de entenderla, la tranquilidad de la conciencia..., todo eso, los mayores tesoros de la vida, si no hay Dios, es polvo, humo, ceniza, viento, nada... Pura apariencia, congruencia ilusoria, fingida; positiva sombra, dolor sin causa, pero seguro, lo único cierto. Pero si hay Dios, ¿qué importan todos los males? Trabajos, luchas, desgracias, desengaños, vejez, desilusión, muerte, ¿qué importan? Si hay Dios, todo está bien; si no hay Dios, todo está mal.»
>
> «¿Y si no hay Dios? Puede que no haya Dios. Nadie ha visto a Dios. La ciencia de los *hechos* no prueba a Dios...»
>
> «Don Jorge Arial despreciaba al pobre diablo *científico, positivista,* que en el fondo de su cerebro se le presentaba con este *obstruccionismo;* pero a pesar de este desprecio oía al miserable y discutía con él, y unas veces tenía algo que contestarle, aun en el terreno de la *fría lógica,* de la mera *intelectualidad...,* y otras veces no.
>
> Esta era la pena, éste el tormento del señor Arial.»

No otro fué el tormento de Alas durante toda su vida, por lo cual *Cambio de luz* no es propiamente un cuento, sino que tiene el valor de una confesión sincera, de uno de esos gritos del alma en que el autor derrama toda su doliente intimidad.

Jorge Arial pierde la vista, queda ciego, pero la Luz se hace en su ser y, sin duda ya respecto a la existencia de Dios, sostenido por el

[95] Id., págs. 265 y ss.
[96] *El Señor, y lo demás son cuentos.* Col. Universal de Ed. Calpe. Madrid, 1919, págs. 49 y ss.

amor y por su espíritu, lleva una existencia feliz al lado de los seres queridos y con la ayuda de la música, cuyas notas le ayudaron a descubrir un mundo nuevo.

La descripción de este fino proceso psicológico es impresionante y hace de *Cambio de luz* una de las más bellas creaciones clarinianas. El momento en que Arial percibe la verdad de Dios nos estremece, por cuanto vemos en él al propio Alas, transido de arrebato espiritual:

«Aquella luz prendió en el espíritu; se sintió iluminado y no tuvo, esta vez, miedo a la locura. Con calma, con lógica, con profunda intuición, sintió filosofar a su cerebro y atacar de frente los más formidables frentes de la ciencia atea; vió, entonces, la realidad de lo divino, no con evidencia matemática, que bien sabía él que ésta era relativa y condicional y precaria, sino con evidencia *esencial;* vió la verdad de Dios, el creador santo del Universo, sin contradicción posible... Una voz de convicción le gritaba que no era aquello fenómeno histérico, arranque místico; y don Jorge, por la primera vez, después de muchos años, sintió el impulso de orar como un creyente, de adorar con el cuerpo también, y se incorporó en su lecho, y al notar que las lágrimas ardientes, grandes, pausadas, resbalaban por su rostro, las dejó ir, sin vergüenza, humilde y feliz, ¡oh!, sí, feliz para siempre. Puesto que había Dios, todo estaba bien.»

En *Un voto* y *Aprensiones* [97] trató *Clarín* tema tan apasionante como el de la influencia de lo sobrenatural en la vida terrena. La primera narración relata el caso de un autor dramático que sacrifica el triunfo de un drama suyo por la salvación de su hijo, víctima de grave enfermedad. La obra fracasa ante la alegría del autor, que ha recibido un telegrama con la noticia de que su hijo está fuera de peligro.

En *Aprensiones* una casada coqueta trata de seducir a un hombre también casado, y aun cuando llegan a relaciones de gran intimidad, no logra nunca vencer la resistencia de él, que se justifica diciendo que no se niega por timidez, sino por aprensión acerca de sus hijos, sobre los que podría caer la desgracia, como castigo de su pecado. Pasado el tiempo, se le muere un hijo, y cuando ella le echa en cara que nada logró con su sacrificio, él responde, serenamente, que de haber pecado sufriría ahora la tortura de creer que la muerte de su hijo fué ocasionada por su falta.

«Lo que Dios me da a cambio de no gozar el crimen, no es la vida de mis hijos, que no puede ser mía, sino la paz de mi conciencia..., que es lo único mío.»

Y, finalmente, habría que citar aquí *El sombrero del señor cura,* uno de los cuentos de *Clarín* más afirmativamente religiosos. Pero como

---

[97] *El gallo de Sócrates.* Maucci. Barcelona, 1901, págs. 65 y ss., y 133 y ss., respectivamente.

es estudiado en otro capítulo, pasamos a reseñar brevemente otro grupo de narraciones que podría oponerse al que acabamos de ver, como manifestación clarísima del dualismo de su autor, ya que en todas ellas alienta cierto escepticismo burlón y aun irreverente.

De tono satírico es *Protesto* [98], historia de un rico comerciante que, sintiéndose viejo y cerca ya de la muerte, quiere arreglar sus negocios ultraterrenales, rindiendo cuentas a Dios y atrayendo a su casa al clero con limosnas para obras pías. Pero en un sueño ve cómo, habiendo muerto, su alma llega al cielo con una letra extendida por su capellán, que San Pedro se niega a admitir, no permitiéndole el acceso al cielo. Entonces desiste de su empeño y se niega a dar un céntimo más para las obras de caridad de la Iglesia.

El doctor Pértinax, El Cristo de la Vega... de Ribadeo y *Cuento futuro* se caracterizan por su tono irreverente. La primera narración [99] es una fantasía humorística sobre un sabio que —en sueños— muere sin confesarse y llega al cielo en el que se niega a creer, teniendo todo aquello por escenografía preparada por sus enemigos, ya que según demostró él en su *Filosofía última,* nada hay después de la muerte. Con su apasionamiento polémico escandaliza a los santos, sobreviniendo unas escenas excesivamente satíricas.

Renunciamos a describir la trama de *El Cristo de la Vega... de Ribadeo* [100], narración de pésimo gusto.

Sí, en cambio, dedicaremos unas líneas al titulado *Cuento futuro* [101], que, pese a su irreverencia, ofrece el interés de haber sido plagiado en nuestros días por Edgar Neville en su narración *Fin,* aún más irreverente que la de Alas [102].

El cuento decimonónico narra cómo la Humanidad, cansada de vivir —de dar vueltas alrededor de un sol odioso—, decide suicidarse colectivamente a propuesta del sabio Judas Adambis. El grado de civilización a que se ha llegado, empuja a todos los seres a tal decisión, excepto a algunas minorías que se resisten a «ser suicidadas». Pero, aprobado el proyecto en una Asamblea Universal, el doctor Adambis

---

[98] *El Señor, y lo demás son cuentos*, págs. 96 y ss.
[99] *Doctor Sutilis.* Ed. Renacimiento. Madrid, 1916, págs. 45 y ss.
[100] *El gallo de Sócrates*, págs. 51 y ss.
[101] *El Señor, y lo demás son cuentos*, págs. 126 y ss.
[102] El cuento de Neville apareció en la *Revista de Occidente.* Año IX, n. C., págs. 37-45, incluyéndolo luego su autor en la serie *Música de fondo* (Biblioteca Nueva. Madrid, 1936, págs. 55-66).

inventa un aparato que extinguirá en un momento la vida de todos los habitantes de la tierra. Evelina, esposa de Adambis, no desea morir y convence a su marido para que se salven ellos dos, lo que consiguen aislándose de la corriente mortífera. Solamente quedan vivos el sabio y su mujer sobre la faz del mundo lleno de cadáveres. Y en un globo aerostático vuelan hacia el Paraíso terrenal, donde encuentran a Jehová que les invita a entrar, exhortándoles a la procreación y prohibiéndoles comer, tan sólo, unas manzanas de Balsain. Repítese la escena del Génesis, pero sólo es Eva la expulsada del Paraíso. (Nótese el fácil simbolismo de los nombres: *Adam*bis, *Eve*lina.)

El cuento de Neville coincide en lo esencial con el de *Clarín,* presentando el fin de la Humanidad por guerras y epidemias, de las que sólo se ha salvado una muchacha francesa de vida alegre. En un coche huye de París hacia Oriente, y en el camino encuentra a un caballero alemán. Llegan a la confluencia del Tigris y el Eufrates, donde se les acaba la gasolina. Se les aparece el Señor, con el Angel de la espada de fuego, y les invita a entrar en el Paraíso, olvidando lo pasado.

No anotamos las coincidencias de detalle, en parte por ser bastante irreverentes y en parte, también, por no detenernos más en un asunto poco importante en definitiva.

Otro grupo de cuentos clarinianos aquí encuadrables, es el de aquellos con sacerdotes como protagonistas.

Sabido es que los escritores del pasado siglo sintieron una especial preferencia por las obras en que intervenían personajes clericales, interpretados y presentados, claro es, según las respectivas tendencias ideológicas de los novelistas. Recuérdense las figuras de sacerdotes que aparecen en *El Escándalo, El Niño de la Bola, Doña Luz, La Fe, Angel Guerra, Los pazos de Ulloa, La Regenta,* etc. Y esto no ocurría solamente en la literatura española, sino en todas las europeas de la misma época [103].

Es preciso confesar que este interés por el sacerdote como sujeto literario, no estaba exento de morbosidad, aun en los casos aparente-

---

[103] Estudiando *Angel Guerra,* decía *Clarín:* «Pero todavía merece más elogios el clero catedral y parroquial que anda por el Toledo de Pérez Galdós con la misma vida y fuerza de realidad que los curas y canónigos de Balzac andan por Tours, y los de Zola, por Plassans. Fernando Fabre en Francia y Eça de Queiroz en Portugal, nos han ofrecido abundante, pintoresca y muy bien estudiada colección de tipos clericales» (*Galdós.* Renacimiento. Madrid, 1912 página 249).

mente menos intencionados y violentos. El naturalismo despojó a los ministros de la Iglesia de la aureola que conservaran hasta los tiempos románticos, para presentarlos como hombres [104], con lo cual, si bien las novelas ganaban en dramatismo, se elaboraba una corriente popular de anticlericalismo cuyos efectos son sobradamente conocidos.

Además, por huir de una extremosidad se cayó en otra. Y si los escritores románticos presentaron a los sacerdotes como seres angélicos, exentos de lastre terrenal, los naturalistas los humanizaron excesivamente, llegando en ocasiones a la caricatura grosera y sin arte. Cierto que en las obras de Galdós y *Clarín*, v. gr., junto a sacerdotes execrables, aparecen otros modélicos.

El cultivo de esta clase de novelas degeneró en abuso, y ya en el año 1891 Rafael Altamira se quejaba de aquella «indigestión... de curas a la parrilla» [104 bis].

Son pocos los cuentos de *Clarín* con personajes clericales, tratados éstos casi siempre de una manera idealista y muy diferente de la que empleara para el Magistral, Don Fermín de Pas, de *La Regenta*.

Ninguno de los sacerdotes de estos cuentos aparece pintado con los vicios del que la Pardo Bazán presentara en *La salvación de Don Carmelo*. Unicamente en *El Diablo en Semana Santa* [105] se describe una escena de tentación sensual, sufrida por el Magistral de una catedral provinciana. El Diablo ha bajado al templo y ofrece al joven Magistral visiones de una primavera pánica y femenina. En el templo está la bella mujer del juez, penitenta del Magistral, en la que toma cuerpo la tentación. (Todos estos motivos recuerdan, indudablemente, escenas y personajes de *La Regenta*, según ha visto bien Carlos Clave-

---

[104] J. A. Balseiro dice, a propósito de *Angel Guerra:* «Notabilísimo es el grupo de clérigos aquí retratados; no porque ninguno de ellos sea gran figura literaria, sino por la actitud en que el creador se coloca ante sus criaturas. Los sacerdotes de *Fernán Caballero;* Manrique, el jesuíta de Alarcón, y los ministros católicos de Pereda, excepto el padre Apolinar, actúan como si fueran una clase especial y distinta de la especie humana. Esto es: se mueven, se expresan y sienten en curas por imposición de su estado, no de sus características de hombre. Galdós —como Valera al dar vida al Padre Enrique y al Padre Jacinto, como *Clarín* al presentar su inigualado clero catedral en *La Regenta*— reconoce aquí a Dios lo que es suyo, y al César lo que le pertenece» (*Novelistas españoles modernos*, págs. 233-234).

[104 bis] *Mi primera campaña*. Madrid, 1893, artículo fechado en 1891, pág. 52.
[105] *Doctor Sutilis*, págs. 89 y ss.

ría) [105 bis]. Pero se trata sólo de un momento, pasado el cual el sacerdote no piensa más en la tentación.

El más bello cuento de *Clarín,* con personaje sacerdotal, es *El Señor* [106]. Hay en él espiritualidad, finura psicológica y un dramatismo hondo, que culmina en la magnífica escena final. No cabe mayor elevación ni más respeto en el tratamiento de un tema como el de esta narración. Sus valores humanos y literarios, conjugados, hacen de ella un modelo de cuento, ya que resulta imposible apresar en menos páginas tal cantidad de vida.

Pero aun queda una maravillosa novela corta, *El cura de Vericueto* [107], cuyo protagonista es el sacerdote mejor tratado psicológicamente dentro de la literatura narrativa breve de Alas.

Don Tomás Celorio, cura de Vericueto, goza fama de avaro. Al morir deja un testamento en el que se explica el porqué de su tacañería, y en él se contienen apreciaciones tan interesantes, desde el punto de vista literario y de época, como ésta:

«Si al principio la vida del Seminario me disgustó un poco, fué por la libertad campesina que me faltaba, no por el rigor del régimen eclesiástico; por fin, el hábito, el compañerismo, el espíritu de cuerpo, hicieron de mí un *cuervo* (como nos llamaban) entusiasta, sincero, de aplicación más que mediana. Si no modelo de virtudes, tampoco escándalo de la santa casa, donde había muchos como yo, que, si transigían con el diablo algunas veces, rescataban los pecados con la debida penitencia, muy sincera, y no pocas vencían en aquellas luchas en que la tentación no era ni tan fuerte ni tan hermosa como suelen figurarse los profanos que escriben cosas de literatura a costa de los clérigos.»

Clarín se burla aquí de la literatura de su tiempo y un poco también de la suya propia. Pero, al mismo tiempo, esas líneas revelan lo mucho que le preocupaba el que los sacerdotes de sus novelas fueran auténticos [108].

---

105 bis Vid. *Cinco estudios de literatura española moderna,* de Carlos Clavería. Salamanca, 1945, págs. 13-14.

106   *El Señor y lo demás son cuentos,* págs. 7 y ss.

107   *Cuentos morales,* págs. 1 y ss.

108   Estudiando *Tormento,* de Galdós, decía *Clarín:* «No hace mucho tiempo me decía un ilustrado sacerdote (que acaso nos sorprenda el mejor día con una novela en que se describa gran parte de la vida aristocrática): «Los curas de los novelistas, casi siempre son falsos; debajo de las sotanas no sucede eso que ellos creen: los Jocelin son tan reales como Eurico, como Claudio Frollo, como el abate Faujas, como monseñor Bienvenido y como los clérigos de Champfleury, que son falsos todos; los curas, para bien y para mal, somos de otra manera» *(Galdós,* pág. 131).

Y en esta narración se acercó a esa sensación de autenticidad, si es que no la logró cumplidamente. *Clarín* utiliza aquí el tema clerical no para polemizar en pro o en contra del estado eclesiástico, sino por sus puras calidades psicológicas.

Don Tomás Celorio, tipo simpático, humanísimo, tuvo como único vicio el juego. En una ocasión, jugando en casa de un amigo, sobrevino una especie de duelo en el juego entre Celorio y el barón de Cabranes, noble casi arruinado. En un principio gana el cura, y el barón empieza a jugar dinero que no tiene, aun cuando se adivina en él que lo pagará a toda costa. Los demás toman a broma la partida, pero ellos dos, aun cuando fingen seguir la broma, se saben hidalgos que juegan con toda seriedad y con todos los riesgos. Cambia la suerte y comienza a ganar el de Cabranes, siendo ahora Celorio quien juega dinero inexistente. Al fin queda deudor del barón en una cifra elevadísima, que promete pagarle poco a poco, a costa de una vida de tacañería que comienza al día siguiente de su derrota. Nada guarda para sí y, periódicamente, va enviando al barón el dinero que logra ir reuniendo.

El cura, antes de morir, consiguió liquidar la deuda, y a un mendigo ciego que pasaba por la calle le hizo entrar apresuradamente, y le entregó todo lo que tenía *suyo,* lo primero de que podía disponer.

La rosa de oro [109], cuento religioso por los personajes, es de tono poético y legendario. Ya hemos aludido a su estilo preciosista, valleinclanesco.

En dos narraciones de *Clarín* aparece la figura del diablo, tratada con cierta compasión, no patética, sino más bien humorística, y motivada por lo que de fracasado, de *pobre diablo,* tiene el protagonista. Uno de esos cuentos es el ya citado *El diablo en Semana Santa.* Tras tentar al magistral, las travesuras del diablo desembocan en hacer que los niños toquen la carraca a destiempo. El diablo se retira, riendo como un chiquillo también.

El dolor que la soledad y el destierro producen al diablo, están descritos en la otra narración titulada *La noche-mala del diablo* [110].

---

[109]   *El Señor y lo demás son cuentos,* págs. 207 y ss.
[110]   *Cuentos morales,* págs. 239 y ss.

V. OTROS CUENTISTAS

Los cuentos hasta ahora estudiados proporcionan, por sí solos, una visión bastante completa de cómo fué tratado el tema religioso en la literatura menor del siglo XIX. Hemos visto cómo *Fernán,* Trueba y Coloma podían considerarse representantes de un catolicismo sentimental, expresado por el último con una técnica casi naturalista. La Pardo Bazán y *Clarín* escriben cuentos religiosos de intención y sentido muy diferentes ya. Pero en ninguno de estos narradores hallamos la nota francamente negativa, antirreligiosa, aun cuando encontremos el matiz satírico anticlerical.

Es en los relatos de BLASCO IBÁÑEZ donde encontramos la actitud negativa, la osada irreverencia, el ataque violento. No podía esperarse otra cosa del autor de *La araña negra* y de *La catedral.* De todas formas, no son muchos los cuentos religiosos del escritor valenciano, en contraste con los muy abundantes de tema social.

Citaremos aquí, entre los más antiguos, el titulado *In pace* [111], estampa legendaria con la «feroz edad media» de fondo. Un monje joven y sacrílego que ha enamorado a una monja, es enterrado vivo, junto con ella, por los monjes del monasterio.

El réprobo [112] presenta otro amor sacrílego: un médico cuenta el caso de un cristiano que murió queriendo ir al infierno. Fué éste, Rafael, el organista de un convento de monjas —ambiente bien descrito, con finura casi excepcional en Blasco Ibáñez—, donde era conocido desde niño. Se trataba de un ser dulce, casi femenino, que llegó a gran intimidad con una de las monjas, Sor Lirio. Y aquí se desvía el cuento hacia truculencias y efectismos de pésimo gusto. Consecuencia de los amores del organista y de la monja, es un aborto de ésta, la cual muere sin arrepentirse de su pecado. Cuando el organista va a morir, quiere ir al infierno para reunirse con ella.

Tanto el cuento anterior como éste pecan de sombríos, en contraste con las muy regocijadas e irreverentísimas narraciones tituladas *En la puerta del cielo* [113] —cuento valenciano digno de *La Traca*— y

---

[111] *Fantasías. Leyendas y tradiciones.* Imprenta de «El Correo de Valencia». Valencia, 1887, págs. 249 y ss.
[112] *Novelas de amor y de muerte.* Prometeo. Valencia, 1927, págs. 203 y ss.
[113] *Cuentos valencianos.* Prometeo. Valencia, págs. 223 y ss.

Los cuatro hijos de Eva [114]. Idéntico tono burlón posee *El milagro de San Antonio* [115].

Más interés ofrece *Noche de bodas* [116], por tratar un asunto que guarda alguna semejanza con el de la narración de Maupassant titulada *El bautizo*. El cuento valenciano —cargado de tópicos de los que *Clarín* censuraba por boca de Celorio— presenta el caso de un joven que se ha hecho cura con los estudios costeados por una rica señora, y que se ve en el trance de tener que casar a una joven de la que fué fraternal compañero en la adolescencia. En la noche de bodas, a solas en su cuarto y pensando en el tálamo nupcial, se le despiertan los instintos de la carne y sufre, horrorizándose de sí mismo.

El cuento francés es más fino y a la vez más intenso, ya que presenta a un sacerdote que también se siente débilmente humano, pero no ante una mujer, sino ante su sobrino que acaba de bautizar. El contraste de su atormentado amor paternal y las borracheras y groserías de los invitados a la fiesta, está eficazmente expresado.

Actitud combativa, anticlerical en ocasiones y escéptica en otras, fué —aunque no tan violenta como la de Blasco Ibáñez— la de JACINTO OCTAVIO PICÓN. Sus cuentos religiosos —mejor diríamos morales, dados los problemas que plantean— están casi todos en la serie *Cuentos de mi tiempo,* en cuyo prólogo se declara el autor combatiente «como soldado raso contra las ideas venidas de lo pasado y a favor de las esperanzas de lo porvenir, no triunfantes todavía» [116 bis].

En *El olvidado* describe Picón cómo la imagen de Jesucristo, desprendiéndose de la vidriera, expulsa a los que, haciendo alarde de lujo y sensualidad, llenan el templo [117]. *La cuarta virtud* y *Lobo en cepo* son narraciones anticlericales, humorística, la primera, y la segunda, dramática [118].

En *Los triunfos del dolor* planteó Picón un problema moral, psicológico: Marcelo, sacerdote, y Luciano, médico positivista e incrédu-

---

[114] *El préstamo de la difunta* (novelas). Prometeo. Valencia, 1921, páginas 25 y ss. Aquí el cuento figura como recogido en una estancia argentina, pero ya antes lo había publicado su autor, como cuento tradicional valenciano, en *Blanco y Negro,* 1900, n. 4.

[115] *La condenada* (cuentos). Valencia, 1919, págs. 189 y ss.

[116] *Cuentos valencianos,* págs. 115 y ss.

[116 bis] *Cuentos de mi tiempo.* Imp. de Fortanet. Madrid, MDCCCXCV, pána XIV.

[117] Id., págs. 39 y ss.

[118] Id., págs. 59 y ss., y 73 y ss., respectivamente.

lo, son los hijos de Doña Inés. Hallándose ésta gravísima, Luciano no se atreve a darle un medicamento que podría salvarla o matarla. Marcelo, ante el dolor de su madre, siente flaquear su fe y sólo cree en la medicina, dándosela. En tanto, Luciano ora con fe [119].

Las plegarias del hombre rico que pide un hijo y las de una mujer pobre, cargada de hijos que se le mueren de hambre, llegan a Dios, que se queja de la incomprensión de los hombres ante el dolor [120].

En *Santificar las fiestas* el cura del pueblo ve trabajar a los canteros en domingo, y el capataz le explica que lo hacen por falta de dinero. El sacerdote —robusto y decidido— baja a ayudar al más pobre de ellos [121].

Como se ve, lo social ronda siempre a lo religioso; *Caso de conciencia* y *La monja impía* tratan el tema de la mezcla de intereses espirituales y económicos [122].

En la puerta del Cielo —cuyo título y escenario recuerdan los cuentos ya citados de Blasco Ibáñez y de Trueba, aun cuando las intenciones sean distintas— versa sobre un tema tan del gusto de Picón —y de su época— como el de la pobre cortesana a la que se le concede el perdón, por el infierno que ha sufrido en la vida [123].

Con los restantes cuentistas hemos de proceder muy rápidamente ya, por lo cual nos limitaremos a dar un índice temático, comenzando por las narraciones de tema legendario-religioso.

Estas fueron las preferidas en los años románticos e inmediatamente post-románticos, y así, a las ya citadas de *Fernán* y Trueba pudieran añadirse las de otros autores: *Nuestra Señora del Amparo*, leyenda de Gabino Tejado; *Tabita, Novela religiosa*, de Joaquín José Cervino —que tiene como fondo la Crucifixión del Señor—; *La Virgen del clavel*, de J. Jiménez Serrano [124]; *Los maitines de Navidad, Tradición monástica*, de José Joaquín Soler de la Fuente [125].

Entre otras narraciones de tono legendario-religioso, ya más modernas, pueden citarse dos de D. Juan Valera, *El último pecado* y *El*

---

[119] Id., págs. 113 y ss.
[120] Id., págs. 145 y ss.
[121] Id., págs. 257 y ss.
[122] Publicados en *Novelitas*. Madrid, 1892, págs. 71 y ss., y 99 y ss.
[123] *Cuentos*. Biblioteca Fénix (Antología de varios autores). Madrid, 1912.
[124] Publicadas en el *Semanario Pintoresco Español*, n. 11 de 1849, n. 11 de 1856 y n. 24 de 1848, respectivamente.
[125] Publicada en *El Museo Universal*, n. 15, 8 abril 1860.

San Vicente Ferrer de talla, episodios de la conversión de la *Caramba* [126]. Del mismo escritor es *Parsondes,* cuento que podría justificar su tan decantado volterianismo [127].

Recordaremos aún *El Cristo del Amor,* de F. Rodríguez Marín; *El Cristo de Candás,* de J. Menéndez Pidal; *El Cristo de la Seo,* de Luis Royo Villanova; *El Cristo de los guardias,* de Angel R. Chaves [128]; *Por qué el diablo es zurdo,* de José Echegaray [129]; *El demonio padre,* de Eugenio Sellés [130]; *La mula y el buey* y *El pecado venial,* de Jacinto Benavente [131]; *La mano misteriosa,* de F. Martín Arrúe [132]; *Nuestro Señor de los Santos Inocentes,* de José de Roure [133]; *La mártir* —persecuciones en los primeros siglos del Cristianismo—, de Emilio Sánchez Pastor, etc. [134].

Entre los cuentos de personajes clericales recordamos el ya citado *El perdón,* de A. R. López del Arco; *La primera misa, El alto en*

---

[126] *Obras completas.* XV. *Cuentos.* Imprenta Alemana. Madrid, MCMVIII, págs. 67 y ss., y 85 y ss.

[127] Este cuento fué publicado con el título de *Cuento soñado* en la obra *Estudios críticos sobre literatura, política y costumbres de nuestros días,* por don Juan Valera. Lib. de A. Durán. Madrid, 1864. Tomo I, págs. 391 y ss., y recogido luego en el tomo XIV de sus *Obras completas.* Madrid, MCMVII, páginas 21 y ss.

Sobre el volterianismo de Valera decía *Andrenio:* «Se le ha comparado a Anatolio France, pero no tiene la sensibilidad ni la modernidad del creador de M. Bergeret. Más afinidad tiene con Voltaire, a quien recuerda en alguno de sus cuentos, casi todos encantadores» (E. Gómez de Baquero: *El renacimiento de la novela en el siglo XIX.* Ed. Mundo Latino. Madrid, 1924, pág. 74).

Palacio Valdés creía que las novelas de Valera eran «novelas sin cielo» *(Obras completas.* Ed. Aguilar. Tomo II, pág. 1.201). En cambio, A. González Blanco casi tenía al autor de *Doña Luz* por excesivamente teólogo, o a lo menos casuista: «Nuestros mismos novelistas fueron algunos de ellos más teólogos que hombres de letras; el mismo Alarcón tiene algo de eso. Y de D. Juan Valera todo el mundo recordará que cuando se tradujeron al francés sus novelas, con el título de *Narraciones andaluzas,* fué forzoso suprimir pasajes enteros de ellas, porque, según dijo por entonces la *Revue Littéraire,* encerraban *trop de théologie,* aunque hubiera sido más exacto decir *trop de casuistique,* demasiada casuística» *(Historia de la novela...,* pág. 211).

[128] Todas estas leyendas fueron publicadas en el n. 257 de 4 de abril de 1896 de *Blanco y Negro.*

[129] *Blanco y Negro,* n. 411, 18 marzo 1899.

[130] Id., ns. 431 y 432 de 1899.

[131] *Vilanos.* Imprenta de Fortanet. Madrid, 1905, págs. 53 y ss., y 203 y ss.

[132] *Blanco y Negro,* n. 309, 3 abril 1897.

[133] Id., n. 498, 17 noviembre 1900.

[134] Id., n. 513, 2 marzo 1901.

la ermita y *El Dulce Nombre,* de A. Pérez Nieva [135]. (Este último es uno de los más delicados relatos del autor: Una joven casada recuerda con una amiga un antiguo amor. El estaba prendado de su bello nombre, María. En una novena reconoce a su antiguo novio en el joven predicador, que, al verla, se emociona y dedica su exaltado sermón al Dulce Nombre de María); *El padre Me alegro* —versión moderna del cuento número XVIII de *El Conde Lucanor,* titulado *De lo que contesció a don Pedro Meléndez Valdés cuando se le quebró la pierna*—, de Blanca de los Ríos [136]; *La ira de la virtud,* de Rafael Torromé [137]; *Lo que deslumbra,* de José de Roure [138] ,etc.

De carácter religioso-moral son *Alma por alma* de A. Gil Sanz [139]; *Rosa y María,* de Carlos Rubio [140]; *Mundo, demonio y carne,* de José de Selgas [141]; *El niño misionero,* de Manuel Polo y Peyrolón, luego alargado con el título de *Tres en uno* [142]; *La ley del más fuerte,* de José de Roure [143]; *La unidad de conciencia* y *Perico el Bueno,* de Palacio Valdés [144]; *La opinión,* de «Fernanflor» [145], etc.

Podrían calificarse de religioso-sociales cuentos como *El ángel bueno y el ángel malo,* de Ceferino Suárez Bravo [146]; el ya citado *El Niño Jesús,* de E. Sánchez Pastor; *La sombra* y *El amo de la jaula,* de Pío Baroja [147], etc.; y de humorísticos: *La histérica,* de E. Sánchez Pastor [148]; *El jamón del cónsul,* de A. Larrubiera [149]; *Caso de concien-*

---

[135] Id., n. 357, 5 marzo 1898; n. 196, 2 febrero 1895, y n. 71, 11 septiembre 1892.

[136] Id., n. 389, 15 octubre 1898.

[137] Id., n. 430, 29 julio 1899.

[138] Id., n. 476, 16 junio 1900.

[139] *Semanario Pintoresco Español,* n. 11, 13 marzo 1853.

[140] Publicado en *El Museo Universal,* n. 24, 16 junio 1861, y luego en *Blanco y Negro,* n. 176, 15 septiembre 1894.

[141] *Novelas.* II. Imprenta de Pérez Dubrull. Madrid, 1885, págs. 7 y ss.

[142] *El niño misionero* viene a ser el esbozo de *Tres en uno,* y se publicó en *Borrones ejemplares.* Valencia, 1883, págs. 145 y ss. Ya aumentado apareció en la serie *Seis novelas cortas.* Valencia, 1891, págs. 281 y ss.

[143] *Blanco y Negro,* n. 130, 28 octubre 1893. Coleccionado luego en *Cuentos madrileños.* Madrid, 1902, págs. 133 y ss.

[144] *Papeles del doctor Angélico. Obras completas.* XVI. Lib. General de Victoriano Suárez. Madrid, 1921, págs. 51 y ss., y 131 y ss.

[145] *Cuentos rápidos.* Barcelona, 1886, págs. 233 y ss.

[146] Puede leerse en la antología de *Cuentistas asturianos,* de Constantino Suárez (Españolito). C. I. A. P., 1930, págs. 17 y ss.

[147] *Vidas sombrías.* Madrid, 1900, págs. 69 y ss., y 90 y ss.

[148] *Blanco y Negro,* n. 305, 6 marzo 1897.

[149] *Hombres y mujeres.* Madrid, 1913, págs. 151 y ss.

cia, de J. FERNÁNDEZ BREMÓN [150]; y, muy especialmente, *Ascetismo* y *Vida de canónigo,* de A. PALACIO VALDÉS [151]. *Leyes suntuarias,* de J. BE-NAVENTE, contiene un episodio frívolo y una sátira leve [152]. Más acre y anticlerical es *Conciencias cansadas,* de BAROJA [153]. Por contraste, una alegría sana domina en *Vino y frailes,* de NARCISO CAMPILLO [154], y en *El padre Daniel,* de CARLOS COELLO [155]. De este autor es también una narración humorístico-moralizadora, *Tierra Tragona* [156], que tiene el sabor y el encanto de un viejo apólogo.

Finalmente citaremos algunos cuentos de Navidad y Reyes. Solían publicarse éstos en las revistas y periódicos con motivo de tales festividades, por lo que pueden ser considerados cuentos de circunstancias. ALEJANDRO LARRUBIERA es autor de varios relatos navideños: *La famosa historia de Maese Antón,* legendario; *Sursum corda,* social; *¡Vaya una nochecita!,* humorístico, etc. [157]. De tono satírico es el cuento *Dos noches buenas,* de LUIS ALFONSO [158]. *El regalo de Reyes,* de A. PÉREZ NIEVA [159], y *Cuento de Reyes,* de R. ALTAMIRA [160], tienen una intención social y moralizadora. J. BENAVENTE, en *Los Reyes Magos,* pinta la amargura de un niño a quien su padre descubre la ficción, que defiende su madre [161].

---

[150] *Blanco y Negro,* n. 185, 17 noviembre 1894.

[151] *Papeles del doctor Angélico,* págs. 153 y ss, y 177 y ss.

[152] *Vilanos.* Madrid, 1905, págs. 119 y ss.

[153] *Vidas sombrías,* págs. 128 y ss.

[154] *Una docena de cuentos.* Madrid, 1878, págs. 259 y ss. La afición que al vino demuestran los frailes de este cuento nos recuerda uno de Daudet, incluído en las *Cartas desde mi molino,* titulado *El elixir del padre Gaucher.*

[155] *Cuentos inverosímiles.* Biblioteca Perojo. Madrid, 1878, págs. 161 y ss.

[156] Id., págs. 199 y ss.

[157] La primera narración pertenece a la serie *Hombres y mujeres,* páginas 225 y ss., y las otras dos a *El dulce enemigo,* págs. 233 y ss., y 141 y ss., respectivamente.

[158] *Historias cortesanas.* F. Fe. Madrid, 1887, págs. 117 y ss.

[159] *Los gurriatos. Novelas cortas.* Gran Centro Editorial. Madrid [1890], págs. 97 y ss.

[160] *Fantasías y recuerdos.* Alicante, 1910, págs. 149 y ss.

[161] *Vilanos,* págs. 59 y ss.

CAPITULO X

CUENTOS RURALES

CAPITULO X

CUENTOS RURALES

I. EL TEMA RURAL EN LAS LETRAS ESPAÑOLAS

Si existe un tipo de cuento esencialmente decimonónico, éste es el rural. Aun hoy día, al leer narraciones contemporáneas de ambiente campesino, no podemos por menos de remitirlas al gusto de la pasada centuria y considerarlas consecuencia de él.

Para algún crítico la aparición del cuento en las letras españolas del xix, quiere decir tanto como aparición del cuento rural, regional [1].

Sin embargo, el hecho de que en el siglo pasado surgiese un nuevo y característico género, el cuento campesino, no quiere decir que el tema rural no existiera en las letras españolas. No es necesario demostrar la perdurabilidad y alcance de tal tema. Tan sólo intentaremos recoger algunos de sus aspectos, que puedan aclarar la transformación sufrida en el xix en la valoración de la antigua pareja antitética, campo-corte.

El tema del *Beatus ille*... es uno de los más fecundos en la literatura nacional, y ha arraigado fuertemente en nuestra sensibilidad, tal vez porque el pueblo español sea más campesino que urbano y vea reflejado en los versos horacianos su exacto sentir.

---

[1] Dice Cejador en su *Historia de la lengua y literatura:* «Pero cuento y novela, además de realistas y morales, nacen ya regionales, por pintar la realidad de la región vasca, Trueba, y de la andaluza, *Fernán Caballero*» (Ob. cit. Tomo VIII, pág. 46).

Hitos decisivos en la evolución del tema son: El Marqués de Santillana, Garcilaso, Fray Luis de León, Fray Antonio de Guevara, Góngora, Epístola Moral a Fabio, etc. [2].

Y es interesante observar cómo el motivo clásico no se transforma en muerta retórica, no pierde vitalidad a través de paráfrasis y recreaciones, sino que se llena de nuevo sentido, adaptándose a la inquietud de cada época, de cada poeta. Tema viejísimo, parece, sin embargo, acabado de nacer para cantar el suave dolor del hombre renacentista, buscador de bosques paganos; o el más acre y cenizoso del poeta barroco, transido de desengaño y soledad; o el frenético y ardiente del romántico, soñador de paraísos exóticos.

La loa del campo, tema universal, se convierte en asunto predilecto de los poetas españoles al servirles para loar también la soledad, *su* soledad.

Tenemos, pues, que el ruralismo congénito de un lado, y un gustar de la soledad por otro, favorecieron la enraización del motivo horaciano en nuestra literatura, expresión de nuestra mentalidad. Añadamos ahora que en el elogio de la vida retirada iba contenido implícitamente el elogio de lo frugal, de lo ascético. Al desdeñar vanidades cortesanas, el hombre busca un vivir sencillo, elemental, carente de lujos y superfluidades.

Ruralismo nacional, cultivo de la soledad (individualismo), tendencia a lo ascético. He aquí tres caminos que podrían justificar cómo y cuán fuertemente el *Beatus ille...* se entrañó en nuestras letras.

Recordemos que no son sólo los poetas líricos los que cantan las excelencias de la vida campesina, sino que, a su lado, los dramaturgos se complacen en contraponer villanos y nobles en contraste violento, como poderoso resorte, capaz de conmover al público. El villano ve turbada la paz de su vivir por la intromisión del noble que intenta arrebatarle su honor. Al tratar este tema Lope, Calderón, Rojas, Zorrilla, etc., no hacen sino continuar la tradición horaciana, transformada teatralmente, encarnada en seres humanos, simbolizadores de ambientes opuestos. El campesino posee todas las virtudes —severidad, honestidad, nobleza de alma—, mientras que el cortesano suele

---

[2] El tema ha sido estudiado minuciosamente por Menéndez Pelayo en su *Horacio en España,* y por Karl Vossler en *La soledad en la poesía española.* Rev. Occidente. Madrid, 1941.

albergar vicios y pasiones. Rectitud y doblez se contraponen en dramática lucha.

Pero aún hay más, ya que si este tópico teatral entronca, por un lado, con el *Beatus ille...,* por otro se enlaza a la figura prerroussoniana del *Villano del Danubio,* creada por Fray Antonio de Guevara.

Horacio cantó, en abstracto, el encanto de la vida apartada, exenta de las ambiciones e intrigas cortesanas. Y lo mismo Garcilaso o Fray Luis. Pero nuestros dramaturgos van más lejos, y no se limitan a pintar corte y aldea como mundos separados, donde alientan distintas concepciones de la vida, sino que presentan al hombre de la corte irrumpiendo en la aldea, perturbando la felicidad del campesino, con lo cual se pasa de la consideración estática del tema a su resolución dinámica. Precisamente —creemos— una de las causas del gran éxito de nuestro teatro entre los románticos alemanes fué esta anticipación de un conflicto sentido en el XIX en toda su intensidad, bien es verdad que trasladado a otro plano.

Y es Fray Antonio de Guevara el primero en transformar —insinuada pero inequívocamente— la pareja campo-corte en primitivismo-civilización, ampliando así el problema y dándole una dimensión más dramática [3].

Rousseau es el más osado defensor de la vida salvaje, y su tesis causa sensación en una Europa agobiada ya por el preciosismo neoclásico, por tanto refinamiento y tanta educación. El naciente romanticismo se apodera de la idea roussoniana —española en su origen— y crea una novelística protagonizada por indios y negros sentimentales. El campesino se ha transformado en salvaje y el cortesano en ciudadano civilizado, explotador de pueblos primitivos, a los que lleva la civilización con todas sus terribles consecuencias.

El hombre romántico cree más en la Naturaleza que en la deleznable obra del hombre —el bosque denso y desmelenado sustituye al peinadísimo jardín neoclásico—, y de ahí su preferencia por esos seres, hijos de la Naturaleza, libres de convencionalismos y lejos de una sociedad inhóspita e incomprensiva.

Ya en nuestra época barroca se dieron manifestaciones artísticas, en las que aparecía el hombre salvaje en toda su violenta belleza. (Re-

---

[3] El texto de Fray Antonio de Guevara, sus precedentes e influencias, pueden verse en la *Introducción al estudio del Romanticismo español,* de G. Díaz-Plaja. 2.ª ed. Madrid, 1942, págs. 183 y ss.

cuérdense los jayanes de tantas fachadas barrocas, o los de algunos cuadros velazqueños). Salvajismo éste un poco enmascarado bajo actitudes mitológicas, o bajo el filosófico y simbólico disfraz con que Gracián presenta a su Andrenio, pero salvajismo innegable [4].

El retorno a la Naturaleza —y al hombre primitivo— no fué, por tanto, una conquista íntegramente romántica, sino que ya se insinuaba en el siglo XVII español. Dámaso Alonso, en el prólogo a su edición de las *Soledades* gongorinas, dice:

«Por todas partes está asomando en las *Soledades* el tema del menosprecio de corte y alabanza de la vida elemental y de la edad dorada. Por todas partes, también, fluye un espíritu pánico de exaltación de las fuerzas naturales» [5].

Pero este impulso hacia lo primigenio, hacia lo elemental, se vió truncado, detenido por el buen gusto neoclásico que, armado de plomada, tijeras y reglas, entró por todas partes, refrenando emociones, geometrizando jardines y ahuyentando a los posibles salvajes barrocos. Fué como si la melodía vital que había comenzado a entonar, bajo el signo de Góngora, la flauta pánica, se transformase en elegante danza de Mozart, más apropiada para blandos boscajes de Watteau, que para enmarañadas selvas barrocas.

Con el Romanticismo renace el salvaje, el hijo de la Naturaleza, pero sin aquella violencia barroca, engendradora de hirsutos jayanes, convertidos, ahora, en seres tiernos y sentimentales.

Si ahora regresamos al punto de partida —contraposición horaciana de campo y corte—, podemos apreciar en todo su alcance la curiosa transformación sufrida por el tema; transformación que podría resumirse así: Campo-corte > Villanos-nobles > Primitivismo-Civilización.

La antinomia va a desaparecer por obra y gracia del naturalismo, que, al aplicar una técnica científica de análisis y disección, demostrará que la virtud no está siempre refugiada en la aldea, ni el vicio en la ciudad. Contra el exclusivismo de las parejas contradictorias, los naturalistas gustarán de presentar campesinos tan depravados y viles como el más corrompido hombre de ciudad.

---

[4] Recuérdese como descendiente de Andrenio, a Lisardo, protagonista de *El desengaño en un sueño,* del Duque de Rivas, que renuncia a la vida social después de ver en un sueño lo que era la corte.

[5] Don Luis de Góngora: *Las Soledades.* Ed. de Dámaso Alonso. Madrid, 1935, pág. 18.

Pero antes de estudiar esta transformación, observaremos cuál fué la actitud del hombre romántico ante el tema rural, y cuáles los cuentos nacidos de esa actitud.

II. RURALISMO COSTUMBRISTA E IDEALIZADOR

Fué el Romanticismo algo más que un estilo y, pese a su brevedad, imprimió tan profunda huella, que todas las manifestaciones literarias posteriores —aun las más deliberadamente contradictorias— vienen a ser una serie de neorromanticismos.

Por eso el gusto naturalista por lo rural, no es sino consecuencia de una actitud romántica [6]. Si en el siglo neoclásico todas las creaciones artísticas eran minoritarias, aristocráticas; en el Romanticismo sobreviene una reacción favorecida por la evolución política de las naciones, que desemboca en el cultivo de lo popular, en la popularización de todas las artes, en el desdén por lo aristocrático. Acontecimientos como la Revolución en Francia, o la guerra de la Independencia en España, demuestran la existencia del pueblo con personalidad capaz de influir en la historia; un pueblo con el que no se había querido contar y que para los hombres del siglo XVIII casi no era más que un tópico con el que hacer literatura filantrópica.

De esta filantropía abstracta pásase al acercamiento apasionado. El Romanticismo favorece lo popular, lo regional, y a su calor recobran jerarquía literaria lenguas sólo usadas conversacionalmente: provenzal, catalán, gallego.

---

[6] Sobre el gusto romántico por lo rural, véase el siguiente pasaje de Georg Brandes, a propósito de Worsdworth: «Estaba convencido de que los sentimientos básicos del alma humana se presentaban en los campesinos de una forma más clara y elemental que en los habitantes de las ciudades, y que por esta razón se les podía observar con mayor fidelidad. Estaba convencido, también, de que la vida entre las hermosas y permanentes manifestaciones de la naturaleza y el carácter necesario y continuo de las tareas rurales, debían reforzar y hacer más duraderos todos los sentimientos. Encontramos entonces aquí, ya al nacer el nuevo siglo, el germen de una concepción estética fundamental que debía mantenerse durante medio siglo, difundiéndose de un país al otro, y que debía crear, en Alemania, en Francia y en Escandinavia, la poesía campesina y el cuento aldeano, conduciendo, en otros países, a la exaltación del lenguaje del pueblo común» (*Las grandes corrientes de la literatura en el siglo XIX*. Ed. Americalee. Buenos Aires, 1946. Tomo I, págs. 705-706). La observación de Brandes puede y debe ampliarse a la literatura española.

Se nos objetará que este acercamiento a lo popular no siempre significa acercamiento a lo rural. Cierto, pero esta última postura no es sino consecuencia o prolongación de la primera. Huyendo de la sociedad, concebida aristocráticamente, el romántico se refugia en el pueblo, ya sea éste el campesino o el urbano —la plebe—, complaciéndose en hacer protagonistas de sus obras a mendigos, ladrones y esclavos. Las más bajas clases sociales adquieren el más alto rango literario.

Naturalmente, el hecho así expuesto nos hace pensar en que la nueva actitud romántica encierra algo más que pintoresquismo y blanda sentimentalidad. Y ese *algo* es el problema social, decisivo para el siglo XIX, y contenido ya en la aparentemente inocua novelística romántica. En el presente capítulo, sin embargo, prescindiremos de todas aquellas consideraciones que por afectar al cuento exclusivamente social se estudian en otra parte.

* * *

Esiste un ruralismo pintoresco, más propio de artículo de costumbre que de cuentos, y del que podríamos citar, como representante, a CLEMENTE DÍAZ, agradable narrador del *Semanario Pintoresco Español,* del que conocemos algunas festivas estampas de *Costumbres provinciales.*

Pero no es este ruralismo exclusivamente costumbrista el que nos interesa, sino el dotado —además— de significación ideológica y sentimental. Y éste lo encontramos en los cuentos de «FERNÁN CABALLERO» y de ANTONIO DE TRUEBA, escritores éstos que se dicen realistas, pero que están inmersos aún en las idealizaciones románticas. Aspiran a reflejar una realidad, unas costumbres, pero según pasa esa realidad a través de su personalidad, ésta obra como un tamiz literario o como un espejo deformador. Ortega y Gasset, comentando la fórmula stendhaliana del espejo paseado por un camino, opinaba que el espejo novelístico ofrece imágenes deformadas.

Los campesinos de *Fernán* y de Trueba resultan convencionalmente idealizados para el lector moderno, y, desde luego, sus creadores se ajustan al tradicional motivo horaciano [7].

---

[7] Decía César Barja sobre esto: «Aunque sin llegar al grado de sentimentalismo a que luego llegó su amigo Trueba, *Fernán Caballero* poetiza demasiado la vida y costumbres del campo. El campo es, para él, el último baluarte de la virtud, la nobleza, la religión, el amor puro y el matrimonio santo, etc. Es posi-

Motivo éste que *Fernán* recoge y transforma socialmente, ya que al enfrentar campo y corte hace algo más que cantar las virtudes del uno y los defectos de la otra. Para *Fernán* la contraposición es algo más que una simple efusión sentimental y personal. En la pugna campo-ciudad ve la escritora un problema nacional: lucha de la tradición contra el positivismo de signo liberal. *Fernán* defiende y exalta la vida campesina —cayendo en la idealización excesiva—, porque en ella ve representadas las virtudes raciales que cree corren peligro de desaparecer, aplastadas por el progreso extranjerizante [8].

Fernán recela de la civilización, del progreso, no sólo desde el punto de vista moral, sino también desde el estético. Así, en la *Promesa de un soldado a la Virgen del Carmen* un campesino habla del tren como de un «monstruo diforme, sin cabeza, que volaba sin alas, y arrastraba tras sí una cáfila de galeras». Y la autora comenta: «Esta nueva era acabará con el silencio y soledad del lugar, sustituirá en muchas casas techumbres de tejas a las de aneas; pondrá todo bonito, simétrico, renovado, pero el pueblo dejará de ser tan sencillo, campestre y rústico como hoy lo es, y, por lo tanto, no será ya tan poético para aquellas mentes que hallan la poesía y lo pintoresco campestre en lo natural, sencillo y rústico, y no en lo ataviado.» Aunque, a continuación, añade ingenuamente: «Que no se nos crea, por esta causa, enemigos de los caminos de hierro, como gratuitamente ha supuesto un crítico inglés. Somos grandemente partidarios de ellos, por creer esta manera de

---

ble que así sea realmente; pero es también posible, y hasta probable y casi seguro, que el baluarte del campo haya sido conquistado hace mucho tiempo ya por los ejércitos del vicio y del crimen, salidos de la ciudad, y que en él, igual que en ésta, bien y mal, luz y sombra, se siguen tan de cerca que se dan la mano. Es verdad que también *Fernán Caballero* ha visto algo de esto, y su generoso optimismo no le ha impedido describir y narrar cuadros y episodios tan poco patriarcales como los de la tragedia de *La familia de Alvareda*» (*Libros y autores modernos,* págs. 316-317).

8   A propósito de esto recordaremos el siguiente juicio de Manuel de la Revilla, que, refiriéndose a *Fernán,* decía: «Su inimitable talento descriptivo, su poético y delicado sentimiento, su admirable mezcla de idealismo y realismo, se estrellaron ante el reaccionario propósito que le guió en todas sus producciones. Admiradora entusiasta de los antiguos ideales, trató siempre de restaurar la sociedad pasada y de combatir la nueva, y su grito de constante protesta contra el espíritu del siglo no permitió que gozaran sus obras de aquella popularidad e influencia de que disfrutan las que saben hacerse eco de los ideales y aspiraciones de la sociedad en que se producen» (*Obras.* Madrid, 1888, página 110).

viajar más cómoda, rápida y segura, y su establecimiento el solo modo de evitar el martirio de los infelices caballos y mulos» [9]. Estas líneas, en las que se descubre una sobrevalorización de lo pintoresco, son producto de una óptica romántica aún.

Entre las narraciones esencialmente rurales de *Fernán* podemos citar las de la serie *Cuadros de costumbres* [10]: *Simón Verde, Dicha y suerte, Obrar bien... que Dios es Dios*. En algunos de estos cuentos campesinos puede observarse cómo Cecilia Böhl de Faber gustaba de exaltar el amor maternal: *El último consuelo, Más honor que honores, Lucas García* y *El dolor es una agonía sin muerte*.

Estas narraciones rurales adolecen de falta de unidad. Con objeto de dar a conocer el folklore andaluz, la autora no vacila en recurrir a interferencias de todo tipo, que podrían disculparse en una novela, pero no en una narración corta. (Bien es verdad que, según estudiamos, *Fernán* evita los términos *novela* y *cuento* para estos relatos.)

Cecilia intercala cantares y coplas, anécdotas, chascarrillos, romances, oraciones, tradiciones. Buen ejemplo de esta técnica lo tenemos en el cuadro *Dicha y suerte*. Comienza, como todos los de la autora, con una detalladísima descripción ambiental, en ocasiones rigurosamente topográfica. (Trueba, discípulo de *Fernán*, imitó también esta técnica.) Tras la pintura del escenario, la autora nos presenta a los personajes, sin permitir que ellos mismos, actuando y hablando, se den a conocer al lector. Rasgo éste muy característico de todos los novelistas de transición del Romanticismo al Naturalismo. En la novelística actual conocemos a los personajes no por la descripción o filiación que de ellos nos dé el autor, sino a través de sus conversaciones y reacciones. Las almas se desnudan hablando, y el lector siente el placer de ir conociéndolas por sí mismo, sin ayuda del novelista. *Fernán* —como Trueba o Alarcón— es una especie de *deus ex machina* y jamás permitirá al lector confundir un personaje bueno con uno malo.

Tras esta presentación de los personajes hay, en *Dicha y suerte*,

---

[9] *Deudas pagadas*. Madrid, 1911, pág. 70. Con referencia a este gusto de *Fernán* por lo pintoresco, conviene recordar lo que en una ocasión dijo doña Emilia Pardo Bazán a propósito de *Don Gonzalo González de la Gonzalera*, de Pereda: «Maldecir del arado, si su diente de hierro estropea las florecillas azules, es un *fernán-caballerismo* que no he de censurar en ningún artista, por más que nada prueba» (*Nuevo Teatro Crítico*, n. 3, marzo 1891, págs. 31-32).

[10] *Cuadros de costumbres*. Con un prólogo del Marqués de Molins. Librería de A. Rubiños. Madrid, 1917.

interferencias tan curiosas como una explicación de por qué las higueras dan dos cosechas, del canto de las ranas, cantarcillos, coplas de la guerra de la Independencia, romances, etc.; en tan gran número que la narración adquiere un aire convencional y zarzuelero.

Las narraciones rurales de *Fernán* son, pues, sentimentales y pintorescas, propias de una época de transición. Según A. González Blanco, esta escritora desempeñó en nuestras letras una papel semejante al de Balzac en las francesas, si bien con retraso [11].

En realidad, *Fernán* no está demasiado cerca del naturalismo francés, aun en sus formas más embrionarias. Basta observar la función y significado del paisaje en estos cuentos rurales o en las novelas mismas para apreciar que a la autora sólo le interesa por sus resonancias emotivas; todo lo contrario, por tanto, de lo que sucede en los escritores naturalistas, que aspiran a fotografiar la Naturaleza, pero sin concederle un alma. Doña Emilia Pardo Bazán, estudiando a Pereda, le consideraba discípulo de *Fernán,* pero advirtiendo una diferencia esencial: la novelista andaluza era sentimental y tierna, y el montañés, seco y áspero. Para probarlo hace la Pardo Bazán un fino comentario estilístico, comparando la sentimental descripción de un naranjo en *Fernán* —árbol de niños y de pájaros—, con la de una cajiga en Pereda; descripción ésta plástica, escultórica, sin resonancia afectiva alguna [12].

El paisaje de *Fernán* está humanizado e idealizado a la usanza romántica, pero sin las delicuescencias de aquel estilo. Es el suyo un romanticismo sobrio y burgués.

Precisamente esta sobriedad, ese huir de lo extravagante y buscar lo cotidiano, es lo que pudiera justificar lo que se viene diciendo del prenaturalismo de Cecilia Böhl de Faber, auténtico en descripciones como la siguiente:

«Acercándose en seguida al colchón, lo levantó por una punta. El infeliz ventero yacía boca arriba. En la lucha que debió preceder a su muerte, su camisa se había desgarrado, y así dejaba descubierta una enorme herida que atravesaba su vientre. Agotada la sangre que por ella se había vertido, veíanse los bordes de la herida, gruesos y blancos, desviarse uno del otro, como para dejar entrever las destrozadas entrañas de la víctima; la que con los ojos de par en par y des-

---

[11] «El realismo tímido y moderado, o el naturalismo que apuntaba ya en Balzac, tardó mucho más tiempo en penetrar y acreditarse entre todos. Cuando ya Balzac llevaba publicadas sus mejores obras, comenzaba a trabajar aquí la *Fernán Caballero* en novelas que eran realistas, pero en menor grado que las del maestro francés» (*Historia de la novela desde el Romanticismo*, pág. 202).

[12] Vid. *Nuevo Teatro Crítico,* n. 3, marzo 1891, pág. 38.

atentados, y la boca abierta, como lanzando el último grito para pedir socorro, yacía, ofreciendo el más espantoso cuadro que puedan formar la muerte violenta y el crimen misterioso» [13].

Hay cierto recargo sangriento y excesivo detallismo anatómico, que casi recuerdan algunas estampas de carnicería de un Blasco Ibáñez. Por otra parte, el final del pasaje tiene un énfasis romántico que un naturalista hubiera evitado.

De todas formas, creemos que trozos como el transcrito son excepcionales en *Fernán,* cuya nota dominante es lo que Menéndez Pelayo llamaba «realismo angelical».

Estas narraciones rurales, en resumen, ofrecen los síntomas más característicos de un romanticismo aún no caducado: pintoresquismo, interés por el folklore y campesinos sentimentales y bondadosos, opuesto todo ello a una civilización que amenazaba destruir con sus máquinas y su geometría urbanizadora el encanto de las viejas aldeas y el alma de sus pobladores.

* * *

ANTONIO DE TRUEBA está considerado como discípulo o continuador de *Fernán Caballero* y, a la vez, como precursor de Pereda. Pese a haber prologado el cuentista vascongado las *Escenas Montañesas* del santanderino, sus técnicas son tan distintas —y como consecuencia, sus calidades literarias—, que no creemos pueda establecerse esa relación sin restricciones.

Los tres escritores —*Fernán,* Trueba, Pereda— están en la misma línea ideológica. El campo andaluz, las Encartaciones vizcaínas o las aldeas castellanas, y la Montaña santanderina, son paisajes distintos, pero semejantes en servir de fondo a una vida honrada y cristiana, sencilla, modélica, muy distinta a la que se vive en la ciudad [14]. (Y por ciudad entiéndese Madrid, objeto de las fobias de Pereda y

---

[13]   *Relaciones,* págs. 276-277.
[14]   Dice César Barja: «Hizo Trueba del campo un verdadero Paraíso terrenal, todo él cubierto de césped y matizado de flores inocentes; transformó los campesinos en ángeles, y de los dos lados que toda vida tiene, tanto en el campo como en la ciudad, no quiso ver más que el lado bueno, que para él, igual que para *Fernán Caballero,* consiste en la práctica de la religión y virtudes cristianas, en el amor y santidad de la familia y en el cariño y exaltación de la Patria» (Ob. cit., págs. 324-325).

de Trueba, según puede verse en el cuento de este último *¡Desde Madrid, al cielo!*)

No obstante, Pereda —en seguida lo veremos— desentona de la tradición horaciana, pues si bien encaja en ella por su aversión a la ciudad, los campesinos que aparecen en sus obras no son ya seres angélicos e ideales, sino hombres con sus vicios y sus defectos.

Trueba, hogareño y burgués, continúa el tema del amor maternal en las aldeas, por el que tanta afición demostró *Fernán*. Integran la serie *Cuentos de madres e hijos* las siguientes narraciones: *El maestro Tellitú, Diabluras de Periquillo, El Molinerillo, Las cataratas, El hijo del pastor* y *El niño del establo*. Todas son de ambiente campesino vascongado, y a ellas puede agregarse *La Madrastra*, de la serie *Cuentos de color de rosa*.

No sólo en los temas coincide Trueba con *Fernán Caballero*, sino también en la familiaridad del estilo, más descuidado e ingenuo aún. El autor está presente, asimismo, en todas las narraciones, que, al igual que las de su predecesora, comienzan con la descripción del llamado *escenario* [15].

Aparte de las narraciones de madres e hijos, podrían estudiarse en un grupo aparte las de carácter trágico, entre ellas la más significativa, la titulada *¡Desde Madrid, al cielo!*, cuya versión primera, más reducida, se publicó con el título de *Nostalgia* [16].

Un niño en Madrid, lejos de su aldea vizcaína, muere de añoranza y de dolor. La visión de la ciudad, triste e inhóspita, debe ser resultado de la experiencia del propio autor, separado del hogar siendo muy joven por las circunstancias que cuenta en *Por qué hay un poeta más y un labrador menos* [17]. Este niño vascongado de *Nostalgia* piensa:

«¡Qué triste es vivir en Madrid!... De Madrid al cielo, suelen decir en mi tierra. ¡Bien se conoce que no han estado aquí los que lo dicen! Las calles y las

---

[15] En *El más listo que Cardona* dice el autor: «Comedia sin teatro para maldita la cosa vale. Antes de hacer la comedia hágase el teatro» (*Cuentos campesinos*. Madrid, 1924, pág. 136). Y en *La felicidad doméstica:*
«—Pero, ¡por los clavos de Cristo! —me grita el público—. Déjese usted de descripciones, que eso ya pasa de castaño obscuro.
—Perdone usted, que estoy en mi derecho, porque no es cosa de que los autores no se luzcan describiendo el *teatro de los sucesos*» (Id., pág. 96).
[16] *Cuentos de varios colores*. Madrid, 1866, pág. 103.—*Nostalgia* apareció en el *Semanario Pintoresco Español*, ns. 10 al 15 de 1856.
[17] *Cuentos de color de rosa*. Madrid, 1921, págs. 7 y ss.

plazas están convertidas en lodazales; las gentes tropiezan unas con otras; los carruajes y las caballerías atropellan y llenan de lodo al transeúnte; las canales empapan de agua al que transita por las aceras, y el aire, que viene de los puertos, hace brotar la sangre de las manos y la cara».

Recargada y a la vez ingenua es esta semblanza de Madrid, frente a la cual evoca el niño —el autor— las líricas delicias de su aldea.

De tono rural trágico son *El Judas de la casa*, publicada primeramente con el título de *Los indianos* [18], *Los borrachos* y *La novia de piedra* [19], bella leyenda de amor esta última, que por su tono fatalista sobresale entre todas las de Trueba.

De carácter festivo y humorístico: *La Necesidad* [20], *El más listo que Cardona, Los tomillareses, La capciosidad*, etc. [21].

Aparte de *El Judas de la casa*, pueden citarse otros cuentos de Trueba con figuras de indianos. Tales *Las cataratas* [22], *La resurrección del alma* y *Desde la Patria, al cielo* [23]. El más significativo es el segundo, por cuanto coincide con otros de la Pardo Bazán y de *Clarín*, en presentar al hombre enriquecido, pero desgraciado, que viene a buscar la felicidad a su aldea natal. Sin embargo, existe una gran diferencia entre los relatos naturalistas y el de Trueba.

El indiano protagonista de *La resurrección del alma* ha consumido su salud y su felicidad en orgías. Regresa con el alma muerta a su aldea, y allí, el paisaje, la caridad y el amor logran resucitársela.

Por el contrario, los indianos de los cuentos naturalistas no encuentran en su aldea la ansiada paz y felicidad, sino solamente envidias y ambiciones. *Clarín*, en *Boroña*, presenta un cuadro sumamente amargo y humano, al contrastar el ingenuo deseo del indiano enfermo, moribundo, que pide boroña —tortas de maíz—, con la ambición de sus parientes, atentos sólo a disputarse sus riquezas.

Los indianos de Trueba encuentran el calor de un hogar, de ese hogar que constituye otro de los tópicos más queridos del cuentista vascongado. Además de los *Cuentos de madres e hijos*, reflejan el encanto hogareño narraciones como *Desde la Patria, al cielo, Las siem-*

---

[18] Id., pág. 178. Con el título *Los indianos*, en *Semanario Pintoresco Español*, ns. 42 al 46 de 1853.

[19] Ambos pertenecientes a la serie *Cuentos campesinos*.

[20] *Cuentos de varios colores*, págs. 91 y ss.

[21] De la serie *Cuentos campesinos*.

[22] *Cuentos de madres e hijos*. Barcelona, 1894, págs. 179 y ss.

[23] De la serie *Cuentos de color de rosa*.

bras y las cosechas, La felicidad doméstica [24] y Juan Palomo [25], retrato de un cascarrabias obstinado en su soltería y precursor de El buey suelto..., de Pereda. Su egoísmo le lleva a morir desatendido por sus criados, y sólo acompañado de sus buenos convecinos. A su alrededor florece la felicidad, y las campanas, los ríos, los animales, el paisaje todo, parecen cantar las delicias del matrimonio, de la familia.

Fué muy aficionado Trueba a hacer que los animales y objetos hablasen en sus narraciones rurales. En La siembra y las cosechas, en medio de una serie de interferencias con coplas, oraciones, seguidillas, etcétera, los pájaros cantan, en verso también; y hablan onomatopéyicamente los gallos, los gatos, los perros, etc. Aun reconociendo lo pueril de tal recurso, no puede negarse cierto encanto y humor a estas voces de la Naturaleza y del reino animal, que acentúan la impresión familiar y campesina.

Y es que Trueba tendía a lo infantil, hasta tal punto de que sus más atractivos cuentos son los más apropiados para niños: El rey en busca de novia, El modo de descasarse, Gramática parda (versión moderna y rural del cuento del abad y el cocinero), Las aventuras de un sastre, etc.

En resumen: Trueba no introduce ninguna modificación notable en el cuento rural, comparado con Cecilia Böhl de Faber. Como ésta, gusta de las interferencias, del estilo familiar, de los temas hogareños y morales, presentando la aldea como modelo de vida honesta y poética.

De la intención de estos cuentos dan idea las siguientes líneas, tomadas de La felicidad doméstica:

«El autor de los Cuentos campesinos ha sentido, más de una vez, no ser aún de aldea para imponerse la noble tarea de reconciliar a los pobres moradores de los campos con la vida que Dios les ha deparado; demostrándoles cuán preferible es a esta vida febril e inquieta en que nos consumimos los moradores de las ciudades» [26].

Esta aversión a la ciudad y el amor a lo tradicional campesino hicieron pasar a Trueba —al igual que a Fernán— por retrógrado, y de tal acusación se defendió en la edición de 1862 de sus Cuentos de color de rosa.

---

[24] Pertenecen a la serie Cuentos campesinos.
[25] Cuentos de color de rosa, págs. 236 y ss.
[26] Cuentos campesinos, pág. 131.

Dice allí que el señor don Juan Mañé y Flaquer opinaba que sus cuentos pertenecían a la escuela literaria llamada neocatólica, cuyos principios, según él, eran los siguientes: «Todo lo antiguo es bueno, inmejorable; todo lo moderno es malo, detestable; lo que más se acerca a lo pasado es lo mejor; lo que más se acerca a lo presente es lo peor» [27].

Se defiende el autor de tal encuadramiento, aun cuando reconoce su gusto por lo tradicional.

Los cuentos rurales de Trueba están sujetos aún a las idealizaciones con resabios románticos de *Fernán* [28]. Esta exaltación de las virtudes campesinas va a desaparecer con los naturalistas, aun cuando no del todo, ya que Palacio Valdés cantará todavía el dolor de la paz campestre destruída por la civilización, en su *Aldea perdida,* o describirá al hombre de la ciudad captado por la blandura bucólica, en *Sinfonía Pastoral.*

* * *

El P. Coloma no es un cuentista propiamente rural, ya que gustó más de los temas sociales y de los ambientes urbanos, que le permitían ejercer mejor su tarea didáctica y moralizadora. *Pequeñeces,* su mejor obra y el más grande éxito de librería del pasado siglo, resume el estilo y preocupaciones de su autor, que prefería, como material novelístico, salones y saraos a campos y aldeas.

Si comparamos al P. Coloma con *Fernán Caballero* y Trueba, observamos en las narraciones del jesuíta un diálogo mejor manejado, ingenioso y vivo. No estamos, por lo tanto, conformes con la calificación de «reducción de *Fernán Caballero*» o «*Fernán Caballero* en viñeta» que a este autor aplica A. González Blanco [29], y sí, en cambio, con lo que decía la Pardo Bazán a propósito de *La Gorriona:* «Esto ya se aparta de Fernán. Aquí hay una fuerza, una amargura, una *sabrosa hiel,* que Cecilia nunca destiló» [30]. Coloma no es, efecti-

---

[27] *Cuentos de color de rosa,* pág. 368.

[28] Sin embargo, es preciso reconocer en *Fernán* más energía dramática que en Trueba. César Barja dice de los cuentos del vascongado: «Libres sus cuadros de costumbres de la fastidiosa predicación de los de *Fernán Caballero,* están igualmente libres de interés psicológico y dramático que, a veces, tienen los del costumbrista andaluz» (Ob. cit., pág. 325).

[29] *Historia de la novela desde el Romanticismo,* pág. 655.

[30] *Nuevo Teatro Crítico,* n. 4 de 1891, pág. 45.

vamente, un novelista inferior a *Fernán,* a quien llega a aventajar en vigor y en realismo, gracias sobre todo —repetimos— al exacto empleo del diálogo.

El ruralismo de Coloma es de color andaluz. Y el diálogo tiene también toda la cálida viveza del genio meridional, hasta tal punto de que a algún crítico le ha hecho pensar en los sainetes de los hermanos Quintero [31]. Semejanza discutible, ya que, pese a las *notas cómicas* intercaladas, las narraciones rurales de Coloma tienden más bien a lo trágico: *Juan Miseria, Ranoque, Mal-Alma* (rural-social), etcétera [32].

Buena aunque idealizada pintura del campesino andaluz, aparece en *La resignación perfecta* [33]. De ambiente rural son también *La primera Misa* y *Medio Juan y Juan Medio,* estudiadas en otros capítulos.

El naturalismo insinuado en las obras del P. Coloma adquiere completa corporeidad en las de José M.ª DE PEREDA. Sus narraciones rurales son, en parte, una prolongación de la tesis de *Fernán* y de Trueba.

Y decimos en parte, porque el escritor montañés es más realista; no elude las descripciones de las miserias y vicios del campesino, presenta la vida del pescador con toda su amargura y su pobreza, hace hablar a los personajes no como a seres casi angélicos de puro perfectos, sino como a hombres ignorantes, con pasiones y vicios [34].

Por cierto que esta actitud objetiva le valió al autor no pocos repro-

[31] A. González Blanco dice que Coloma en *Juan Miseria* «ahonda en el estudio del pueblo bajo de Andalucía, y da notas cómicas de suprema gracia, anticipando, en cierto modo, parte de la labor que han hecho después los Quintero en el teatro» *(Historia de la novela,* pág. 656).

[32] *Juan Miseria* es una novela corta. Bilbao. Cuarta edición, 1900. *Ranoque* está incluída en las *Lecturas Recreativas.* Bilbao, 1887, págs. 29 y ss. *Mal-Alma* pertenece a la serie *Del natural (Copias varias).* Bilbao, 1888, págs. 133 y ss.

[33] *Lecturas Recreativas,* págs. 247 y ss.

[34] César Barja observó bien esta característica del ruralismo perediano: «Que Pereda no ve el campo a través de la lente color de rosa de *Fernán Caballero* y de Trueba, dicho queda. No sólo lo bueno y virtuoso, sino también lo malo y vicioso sale a relucir en las páginas de sus novelas y cuadros de costumbres regionales. Las astucias campesinas son presentadas al descubierto en *Suum cuique (Escenas montañesas),* por ejemplo. Y los cuadros de alcoholismo, de intriga malsana y de crimen ocupan también lugar en la galería del pintor. El mismo lenguaje popular es oído en su desnuda realidad, sin otras correcciones que las impuestas por el decoro debido al lector» (Ob. cit., págs. 368-369).

Y J. A. Balseiro dice: «Trueba contemplaba su país vasco desbordando ter-

ches, de los que él se defendió en el prólogo de *Tipos y paisajes* (1871), del que transcribimos algunos fragmentos interesantes:

«El cargo que se me hace (y, por cierto, entre piropos que siento no merecer) es la friolera de haber *agraviado* a la Montaña, presentando a la faz del mundo muchos de sus achaques peculiares, y hasta en son de burla algunos; es decir, con delectación pecaminosa.

Confieso que no ha podido hacérseme una imputación más cruel, ni más injusta, ni que más me lastime. Cruel, porque lo fuera, aun siendo muy notoria la perversidad de alma de un hijo, acusarle de ser capaz de hallar deleite en burlarse de su propia madre; injusta, por lo que vamos a ver.

De dos maneras puede representarse a los hombres: como son o como deben ser. Para lo primero, basta el retratista; para lo segundo, se necesita el pintor de genio, de inspiración creadora. Concedo sin esfuerzo que el mérito de éste es superior en absoluto al de aquél; pero que tratándose de *dar a conocer* a un individuo, haya de representársele como debe ser y no *como es*, no lo concedo, aunque me aspen.

Retratista yo, aunque indigno, y esclavo de la verdad, al pintar las costumbres de la Montaña las copié *del natural;* y como éste no es perfecto, sus imperfecciones salieron en la copia.

A este modo de pintar es a lo que se ha llamado, por algunos montañeses, *delito de lesa patria.*»

A continuación se burla de la falsa literatura costumbrista, a lo *Fernán* y Trueba, aun cuando silencie sus nombres:

«Pues bien: supongamos ahora que yo hubiese tenido ingenio bastante para componer un libro de leyendas poéticas y edificantes, llenas de madres resabidas y sentimentales, de padres eruditos y elocuentes, y de hijos galanes, trovadores y sensibles como los pastores de *La Galatea...*»

Si esto hubiese hecho, dice donosamente que sus libros tendrían tanto de montañeses como él de turco. Se anticipa también al reproche que pudiera hacérsele de que si no podía hacer un «retrato de color de rosa» —inequívoca referencia a Trueba— de la Montaña, ¿para qué retratar sus costumbres? A lo que Pereda contesta diciendo que él lo ha hecho cediendo a una tentación más fuerte que su voluntad [35].

Pero, aun con todo esto, Pereda es un continuador del ruralismo sentido según los versos horacianos.

Su misma vida nos le ofrece bien afincado en su Montaña, en su *Casona,* despreciando la vida madrileña. Su desdén por la corte puede observarse en muchas de sus novelas y narraciones, como en la titulada

---

nura. Pereda dibujaba el suyo acentuando sombras» (*Libros y autores modernos,* pág. 57).

[35] Vid. este prólogo en *Tipos y paisajes,* 2.ª edic., 1897, págs. 5 y ss.

La mujer del César [36], y también en la burla que hace de los madrileños que veranean en Santander o en las aldeas montañesas, según puede observarse en *Nubes de estío* y, sobre todo, en los *Tipos trashumantes,* galería caricaturesca de diversos tipos madrileños. Pereda, en este aspecto, demuestra aún más fobia que el autor de *¡Desde Madrid al cielo!* [37].

Pero, repitámoslo, Pereda no cree ciegamente en las virtudes de la aldea, ofuscado por la aversión a la ciudad. Su novela corta *Suum cuique* [38] es bien significativa en este aspecto: el viejo hidalgo campesino residente en la capital no halla sino incomodidades cuando regresa a la vida aldeana.

Pereda es una especie de defensor del medio ambiental en que crece una vida. Sacarla de ese medio supone el descentramiento, la incomodidad física y espiritual. Con esto, aplicaba el autor su temperamento de furibundo montañés a sus novelas.

Buena prueba de su enraizamiento regional nos la ofrece no sólo su vida de académico que no aparecía por la Academia, localizada en Madrid, sino también sus obras. Cuando, para demostrar a la Pardo Bazán que sabía escribir algo más que novelas de ambiente montañés, compuso *Pedro Sánchez* y *La Montálvez,* Pereda no se encontró a sí mismo. La sinceridad que se respira en sus novelas de monte y mar, se apaga en las novelas cortesanas. Parece como si el narrador, envarado por la tiesura almidonada del frac ciudadano, no novelase a gusto, añorando la comodidad de su menos elegante y más práctico vestir provinciano.

En realidad la postura de Pereda, a través de *Suum cuique,* representa la máxima humanización del gastado tema horaciano. No es

---

[36] *Bocetos al temple.* págs. 135 y ss.

[37] Estudiando *Clarín La Montálvez,* decía: «Hay en Pereda una graciosa, y entendiéndola bien, muy simpática aversión a la capital ruidosa, donde la vida tiene que ser, a poco que nos dejemos dominar por el medio ambiente, precipitada, superficial, insignificante, teatral y artificiosa; y esa misma ojeriza se ve en el *Levine,* de Tolstoi, que, como Pereda, tiende a la paz del campo, no para entregarse a la poesía bucólica, a un lirismo ocioso, ni para vegetar pensando como Rousseau, sino para saborear los jugos de la vida aldeana en actividad útil y seria, también poética, pero sin remilgos de églogas ni filosofías panteísticas, sino con un amor casto, profundo, ruboroso, poco hablador, casi diría reconcentrado y huraño, pero muy fuerte, muy sincero, muy arraigado» *(Mezclilla,* 1889, página 120).

[38] Incluída en las *Escenas montañesas.* Sexta edición. Madrid, 1929, páginas 181 y ss.

mejor la aldea que la ciudad, sino que el nacido y crecido campesino debe conservarse fiel a la tierra si desea ser feliz. Esto no impide que Pereda, en el aspecto moral, crea superior —espiritual y vitalmente— la aldea montañesa a la corte madrileña. En su novela corta *La mujer del César,* aparece un personaje montañés viviendo con su hermano en Madrid. Naturalmente, el campesino simboliza la honradez y la moralidad en su ambiente frívolo y relajado.

Enumerar las narraciones peredianas de tema rural equivaldría a enumerar casi toda su obra. Sus *Escenas montañesas* —aunque sean artículos de costumbres y no cuentos estrictos— serían el mejor ejemplo de cómo trata el autor el tema.

En *La romería del Carmen,* cuadro perteneciente a la serie *Tipos y Paisajes,* Pereda, burla burlando, recoge y defiende las ideas antiprogresistas de *Fernán:*

«Yo deploro ese espíritu inquieto y ambicioso que viene, años hace, apoderándose del hombre; yo abomino ese monstruo de pulmones de hierro que, devorando distancias y taladrando el corazón de las montañas, ha arrojado de nuestros pacíficos solares las tradiciones risueñas y el inocente bienestar de los patriarcas.

Me apresuro a advertir que esto no lo digo yo. Quien lo dice, y mucho más, a todas las horas del día, es mi respetable amigo el señor don Anacleto Romanos.»

Pero aunque no lo dice él, se adivina la suave nostalgia de Pereda por tradiciones idas, como la de la romería del Carmen, a la que se iba en carretas de bueyes, y con la que acabó el ferrocarril.

En *Ir por lana...* [39] una muchacha compesina desea poder lucir atavíos ciudadanos y se marcha a servir a la capital. Movida por la ambición, es engañada y arrastrada a un vida licenciosa en la que muere. Semejante en todo a esta narración, excepto en el desenlace, es *Desventuras de Mari-Pepa,* de POLO Y PEYROLÓN [40]: Una aldeana abandona el molino donde trabaja, seducida por la ciudad, donde se coloca de sirvienta. Tras grandes desventuras, muere asesinada al tratar de defender su honra.

En *Las brujas* [41] combate Pereda la ignorancia campesina, que ocasiona la muerte de una pobre anciana tenida por hechicera. Un asun-

---

[39] *Tipos y paisajes,* págs. 353 y ss.
[40] *Seis novelas cortas.* Valencia, 1891, pág. 211.
[41] *Tipos y paisajes,* págs. 147 y ss.

to semejante lo trató Bécquer en la *Carta sexta* de las escritas desde su *celda*.

En *Al amor de los tizones* [42] compara el autor el encanto de una tertulia campesina —una *hila*— con las *soirées* y veladas de sociedad.

Curiosos y magníficamente trazados tipos aldeanos son *Patricio Rigüelta* [43], *Cutres* [44], etc.

Pereda también trató en sus obras la figura, tan frecuente en los cuentos rurales, del indiano adinerado que regresa a su aldea, o bien del muchacho esperanzado que parte para las Indias. Censura severamente el autor a los padres que, movidos de ambición, enviaban a sus hijos a América, exponiéndoles a mil calamidades y fatigas. Recuérdese la patética escena montañesa titulada *A las Indias*. El tema de las riquezas de los indianos le sirve a Pereda para combatir el materialismo reinante: *Oros son triunfos* [45].

En resumen, tal vez el ruralismo de Pereda haya perdido la fuerza ideológica, moralizadora, que inspiraba el de *Fernán Caballero* e incluso el de Trueba. Pero la pérdida es sólo aparente, ya que, aun naturalista, objetivamente, Pereda logra con sus bellas y exactas estampas despertar un mayor amor a la vida sana del campo, presentado sin deformaciones ni lirismos convencionales.

III.   RURALISMO NATURALISTA

Pese a su objetividad, a su técnica fotográfica, Pereda está todavía muy distante de la actitud que frente al tema van a tomar los escritores naturalistas como Emilia Pardo Bazán, *Clarín* y Blasco Ibáñez, los cuales representan la vertiente opuesta del ruralismo dulce e ingenuo, tal como lo hemos estudiado en las narraciones de *Fernán* y sus seguidores.

Una violenta, radical transformación tiene lugar en los cuentos de los escritores citados. El tema campesino va a modificarse decisivamente, hasta el punto de sobrevenir una inversión casi total de valores. Es curioso observar cómo dentro de un mismo siglo, y casi en los mismos años, se operan transformaciones tan rotundas como la

---

[42] *Tipos y paisajes,* págs. 395 y ss.
[43] *Pachín González* y otras narraciones. Madrid, 1906, págs. 121 y ss.
[44] Idem, pág. 183.
[45] *Bocetos al temple,* págs. 135 y ss.

que vamos a comentar. El siglo XIX llega a producir desconcierto en el investigador, tan grande es la variedad de sus temas, estilos y gustos.

Así, mientras Pereda, aunque naturalista en la forma, se mantiene ideológicamente fiel —con alguna restricción— a la tradición horaciana, los naturalistas presentan el tema rural bajo una nueva y cruda luz.

Estos escritores despojan al campesino de su secularmente idealizador disfraz, de su máscara de bondad, y muestran al desnudo sus pasiones y vicios, no sólo semejantes a los del hombre de la ciudad, sino peores aún, por cuanto son producto de la barbarie y de la ignorancia. El campesino se convierte en un ser instintivo y primario. Pero mientras que los instintos del salvaje romántico le aureolaban de congénita bondad, los de estos campesinos del naturalismo les abocan a la bestialidad, a la máxima depravación.

Una novela decisiva en esta transformación fué La Tierra, de Zola, aparecida en 1887. Esta obra rebasó los límites del naturalismo, provocando una violenta reacción contra la nueva escuela. Los campesinos de Zola son la más rotunda antítesis de los creados por el romanticismo, y de ellos decía la Pardo Bazán:

«No serán los labriegos modelos de pulcritud; mas, si juzgo por los que conozco —y son de un país menos adelantado—, ni hablan ni proceden como quiere Zola. Sin duda les domina la codicia del terruño; sin duda practican, acaso forzadamente, una economía sórdida; pero es gente que hasta por instinto de prudencia defensiva no suelta atrocidades; la plebe urbana es más desvergonzada en esto. Y lo que colmó la medida fué la escatología, personificada en un aldeano que lleva un mote divino; todo lo cual tenía que causar náuseas. Lo único que se vió en la larga novela fué una figura tan apestosa. Los que habíamos reclamado equidad para Zola, justicia para su talento, retrocedimos y echamos mano al pañuelo, rociado de colonia o más bien de mentol» [46].

Este pasaje de la PARDO BAZÁN interesa no sólo por la censura de la técnica zolesca, sino también por su visión de los labriegos de su tierra, de los campesinos gallegos.

Muy al contrario que Pereda, no se encierra la escritora gallega en el estrecho ambiente de su patria chica, y aunque el galleguismo sea rasgo muy característico de su obra, está sentido de manera casi opuesta al montañesismo de Pereda. Este, encastillado en su provincia, cree que todo es bueno allí —o, por lo menos, disculpa lo malo—, se lamenta de la desaparición de las viejas costumbres y se burla de

---

[46] La literatura francesa moderna. El Naturalismo, pág. 113.

los montañeses que imitan las modas y gustos de Madrid. La Pardo Bazán gusta de la ciudad, es aficionada a los viajes, a las tertulias literarias, a conocer países extranjeros y —nota humorística— se diferencia de Pereda hasta en su intenso anhelo, no satisfecho, de figurar en la Real Academia. Pereda en su *Casona,* lleno de fobia contra Madrid, rehuye el ruido y la tramoya literaria. La Pardo Bazán interviene en polémicas, da conferencias en el Ateneo, edita una revista, publica una biblioteca para la mujer...

Y, sin embargo, la Pardo Bazán siente amor por Galicia, tanto tal vez como Pereda puede sentir por la Montaña; pero no es el suyo amor ciego que todo lo disculpa, sino amor duro, pesimista, capaz de reconocer los más bajos defectos —no los graciosos, como Pereda— y delatarlos. En esto —como en el sentimiento patriótico— se anticipa la escritora a la generación del 98.

Los noventaiochistas aman a España con dolor y coraje; la aman por verla postrada, y a pesar de sus llagas y miserias. Lo mismo ocurre con el amor de la Pardo Bazán a su Galicia, bárbara y dulce a la vez.

El afán de objetividad —heredado de Zola y de Maupassant— lleva a la escritora a no silenciar defectos. La pintura que de su tierra natal hace, es descarnada y estremecedora. Galicia, a través de las páginas de la Pardo Bazán, es un paisaje espléndido, blando y violento, habitado por unos hombres que viven para el instinto, ignorantes y crueles. Esta Galicia, sentida ásperamente, es la que aparece, sensual y bruja, en Valle-Inclán, o en el humorismo agrio y pesimista de Fernández Flórez.

Precisamente el contraste de un paisaje dulcemente femenino como sustentáculo de unos seres duros y brutales, es el que da a las narraciones de la Pardo Bazán su innegable intensidad. En una de ellas dice su autora: «Los aldeanos no son blandos de corazón; al revés, suelen tenerlo tan duro y calloso como la palma de la mano» [47].

Es preciso reconocer que el naturalismo, con todas sus quiebras, enseñó a ver a los escritores. La revalorización de lo feo que el Romanticismo había iniciado —sentimentalmente— desde un punto de vista físico, se amplía ahora con la aparición de la fealdad psíquica y moral tratada literariamente.

Tal vez en este aprender a mirar, a escudriñar psicologías, hubo algo de *pose,* de amaneramiento. A partir de entonces el cuento rural

---

[47] *Un destripador de antaño,* pág. 10.

se ha convertido en narración cruda, de tintas fuertes, y con un contenido en el que no faltan crímenes pasionales, amores incestuosos, disputas sangrientas por la tierra, y otros tópicos que han momificado el que, en días, fué espléndido género literario.

Los *Cuentos de la tierra, Un destripador de antaño* (*Historias y cuentos de Galicia*), y la parte *El terruño* de *El fondo del alma,* son series de narraciones rurales de la Pardo Bazán. Otros cuentos de este tipo se encuentran dispersos en diversas colecciones y revistas.

El tono general de estas narraciones es duro, áspero. El ruralismo se presta a la truculencia, que evita la Pardo Bazán con buen sentido realista, con algún toque lírico y con su extraordinaria habilidad narrativa. Son narraciones breves, aguafuertes bárbaros y vigorosos. En casi todas ellas se advierte un clima de angustia muy peculiar en las obras de la autora y, pudiéramos ampliar, muy característico de la novelística finisecular. *Clarín,* pese o gracias a su humorismo, se sirve también de la angustia como de gran resorte psicológico.

Existe un personaje latente en estos cuentos que es la barbarie, encarnada en costumbres y tipos.

Aunque sea imposible resumir asuntos de estas vastas colecciones de cuentos, intentaremos señalar los temas principales.

La figura del indiano, que ya hemos estudiado, protagoniza algunas narraciones de la Pardo Bazán. Así, *La casa del sueño* [48] presenta la nostalgia del indiano que evoca su casa natal, a la que desea volver. La evocación es nítida y poética. Cuando regresa a su aldea busca en vano su antiguo hogar, que fué arrasado. Es ésta una narración finamente emotiva, de tono simbólico, ya que la casa del indiano es algo más que un determinado deseo, y significa esa lejana edad —infancia y adolescencia— imposible ya de rescatar.

En *Contra treta* [49] un campesino encuentra a un antiguo amigo suyo, convertido en rico indiano que regresa a su aldea, enfermo. Pide albergue a su amigo, ofreciéndole a cambio ayuda económica que le permitirá liquidar todas sus deudas. El indiano, en su enfermedad, es cuidado por la esposa del campesino, de la que se enamora. El marido lo sabe, pero finge no enterarse para no perder el auxilio económico. Cuando el indiano propone a la mujer que huya con él a América para cuidarle, el marido y ella atan al enfermo

---

[48] *Cuentos de la tierra,* págs. 60 y ss.
[49] Id., págs. 201 y ss.

a la cama y le amordazan. Huyen en el barco con todo el dinero, mientras el indiano muere, víctima de la fiebre.

El vidrio roto [50] es tan amargo como los anteriores. Un muchacho campesino vive en una sucia y sórdida casa. Se siente nacido para otra clase de vida, y lo que parece normal a sus padres, a él le desasosiega y horroriza, sobre todo un vidrio roto y sucio en la ventana del tabuco donde duerme. De polizón en un barco, huye a América, donde con gran trabajo hace una gran fortuna. Comienza a enviar dinero a sus padres para que reparen y embellezcan la casa, el vidrio roto en primer lugar. Un día, decide volver sin avisar a nadie, y, con gran horror, encuentra la casa tan sucia y miserable como antes, ya que el dinero ha sido invertido en tierras. Sólo el vidrio roto ha sido reparado, pero no causa buen efecto al indiano, que echa de menos el otro por donde entraba el fresco y el olor del campo. Manda quitarlo y, al fin, se marcha entristecido.

Estos campesinos sucios y egoístas, cuyo vivir físico es casi como el de cualquier animal, están ya muy lejos de aquellos otros que *Fernán Caballero* pintase, delicadamente humanos [51].

No hay, pues, optimismo alguno en estas narraciones de indianos, y sí desengaño y ambición. Otro buen ejemplo de seco positivismo lo tenemos en *Saletita* [52]. Es ésta una joven de la que se enamora Don Panfilo, un rico pero viejo indiano. La madre de Saletita, una viuda, ha realizado una maravillosa labor de atracción y únicamente teme que el anciano repugne a la muchacha. Cuando un día se lo insinúa, descubre que Saletita aspiraba ya a cazar al viejo, y temía que se le adelantara su propia madre. En *El Tetrarca de la aldea* [53] un indiano, cuando regresa a su pueblo, descubre que su mujer ha tenido un hijo, fruto de un amor adúltero.

Los indianos de *Fernán* y de Trueba encontraban felicidad, amor, salud, al regresar a sus aldeas, mientras que éstos de la Pardo Bazán sólo hallan hipocresía disfrazada de interesado afecto, decepciones o muerte.

---

[50] Id., págs. 220 y ss.
[51] Sobre la sordidez y miseria de la vida del campesino gallego, véase este pasaje de *Un destripador de antaño:* «Estaba echada Minia sobre un haz de paja, a poca distancia de sus tíos, en esa promiscuidad de las cabañas gallegas, donde irracionales y racionales, padres e hijos, yacen confundidos y mezclados» (página 18).
[52] *Un destripador de antaño*, págs. 287 y ss.
[53] Id., págs. 217 y ss

Aunque no rural, citaremos aquí por su semejanza con estos cuentos de indianos *Las caras* [54], finísima narración psicológica, inspirada tal vez en *Mr. Parent*, de Mauppassant: Un viajero regresa a su ciudad natal, tras largos años de ausencia. Quiere encontrar sitios y caras conocidas, y no lo logra. Las caras de su tiempo son viejas, marchitas, y tras ellas hay seres nuevos. El las ve pasar desde la mesa de un café. Y se ve él mismo en un espejo: «Tampoco su cara dejaba trasmanar el alma de antaño.» Se marcha en el tren, entristecido al no haber podido recuperar nada del tiempo que se fué.

El ambiente sórdido de *El vidrio roto* se repite en bastantes cuentos, reveladores de una Galicia bárbara, ignorante y cruel. En *Las medias rojas* [55] un padre golpea brutalmente el rostro de su hija, hasta desfigurárselo, dejándola tuerta, cuando descubre que en vez de ir descalza lleva medias. En ellas ve simbolizado, el campesino, el anhelo de la muchacha de huir de la aldea y triunfar con su belleza. Un tema semejante de crueldad es el de *Justiciero* [56], en el que un campesino viejo, al descubrir que su hijo, empleado como contable, robó para sus vicios, le mata fríamente.

Madrugueiro [57] —una de las más bárbaras historias rurales de la Pardo Bazán— presenta al famoso cohetero de la aldea y a su hija, lunática y medio bruja. Esta afirma ventear y descubrir los tesoros escondidos bajo tierra, y supone que en casa del párroco se encuentra uno, ocultado por un indiano que murió, hermano del cura. El padre se le adelanta, y ella, vengativa, prende fuego a la casa —atiborrada de pólvora para cohetes— pereciendo los dos. *Reconciliados* [58] es otro caso de ambición mezquina y cerril: Dos viejos campesinos se odian por un pedazo de tierra cuyo deslinde no está claro, matándose uno al otro, al fin, a golpes de azada. Son enterrados en el espacio de tierra disputada. Esta narración se asemeja algo a *Morrión y Boina*. (Vid. el capítulo de *Cuentos históricos y patrióticos*.)

Geórgicas, publicado en 1893 [59], es, según su autora, un cuento basado en hechos reales, que se asemeja en su asunto a otro de Tolstoy. En ello veía la Pardo Bazán una prueba más de las afinidades

---

[54] *El fondo del alma*, págs. 178 y ss.
[55] *Cuentos de la tierra*, págs. 11 y ss.
[56] *En tranvía*, págs. 45 y ss.
[57] Id., págs. 109 y ss.
[58] Id., págs. 148 y ss.
[59] *Nuevo Teatro Crítico*, n. 30 de 1893.

entre el campesino ruso y el gallego. El tío Raposo pide al tío Lebriña que le ayude en la faena de la *maja,* prometiendo devolverle la
ayuda. No lo hace y comienza el odio entre las dos familias. El hijo
de los Raposos trata de burlar a Aura Lebriña y, al no conseguirlo,
le desgarra con los dedos las comisuras de los labios. Andrés Lebriña
mata brutalmente al Raposo. Continúa la cadena de venganzas, asesinando los otros Raposos a Andrés, y prendiendo fuego Aura a la casa
de la familia enemiga. «Aquí tienen ustedes lo que aconteció en la
feligresía de San Martín de Tamoige, por no querer los Raposos ayudar a los Lebriñas en la faena de la maja.»

El *Xeste* [60] es un cuento realista e impresionante. Llámase *xeste*
el ramo de laurel con que los obreros coronan la obra hecha, y significa el banquete con que el amo les obsequia. (Una espléndida descripción de estos banquetes se encuentra en el último capítulo de
La Quimera.) El mendigo tísico Carracho queda fuera del convite,
bajo la lluvia, confiando en que le den las sobras. En tanto, un obrero
apuesta con otro a que es capaz de comerse triple ración de cada plato.
Muere de congestión, mientras Carracho, aprovechando la confusión,
come hasta hartarse.

Más trágico y brutal aún es *El Destino* [61]: Un consumero medio
moro y fatalista cuenta cómo, de niño, su tía Tecla le odiaba porque
iba a ser heredero del abuelo, despojando así a sus primos, es decir,
a los hijos de Tecla. En ocasión en que el narrador estaba en su
cama, viene a decirle uno de los hijos de Tecla que la perra ha parido,
incitándole a que coja un cachorro. Así lo hace. El otro niño se mete
en su cama para que no noten la ausencia. Cuando el protagonista
regresa con el cachorro, ve cómo la tía Tecla coge un caldero de
lejía hirviendo y lo arroja sobre el que cree ser su sobrino y es su
hijo. El desgraciado niño muere entre atroces sufrimientos.

En estas narraciones gallegas el amor suele ser presentado en su
forma más violenta, provocadora de venganzas y muertes. Así, en
Eterna ley [62] muere un mozo en una romería a manos de otro que
le disputa la misma mujer. En *La hoz* [63] el hijo de una viuda ha
abandonado su amor campesino por una forastera de conducta licenciosa. El cuento acaba cuando la aldeana despreciada coge la hoz de

---

[60] *El fondo del alma,* págs. 9 y ss.
[61] Id., págs. 228 y ss.
[62] *Cuentos de la tierra,* págs. 185 y ss.
[63] Id., págs. 231 y ss.

un cesto, con hierba segada, y entra en la casa, tras el joven y su amante, en un final sugerido, efectista e intenso.

Dios castiga [64] repite el tema de la rivalidad de dos mozos, uno
de los cuales cae con el corazón atravesado de un tiro. La justicia no
descubre nada, aun cuando la madre del muerto envía un anónimo de-
nunciando al mozo rival, que al fin se casa con la muchacha disputada. La madre del asesinado planea silenciosamente la venganza, y
cuando nadie se acordaba ya, y en el día de la boda, incendia la casa
de los esposos, que mueren en el lecho. Finalmente citaremos, sobre
este mismo tema de rivalidades campesinas, el cuento titulado *Sin
querer* [65].

En *Los padres del Santo* [66] el narrador charla con un médico
acerca de la herencia fisiológica. El médico le enseña a unos campesinos, hombre y mujer, borrachos y brutales, que son los padres de
un Santo, mártir jesuíta ya en los altares. Los viejos egoístas en nada
aprecian la santidad de su hijo, lo que hace comentar al Arcipreste
que el misionero debió convertir a los suyos, antes de marcharse al
Japón.

Pero ningún cuento rural de la Pardo Bazán tiene la fuerza trágica de *La ganadera* [67], en el que se relata una de las más increíble-
mente bárbaras costumbres de algún pueblo gallego, que aun debía
de existir en la época de la escritora: Los habitantes de Penalouca
encendían faroles en los arrecifes durante las noches de tempestad,
para que los barcos se estrellaran, asaltándolos entonces, asesinando a
los náufragos y repartiéndose el botín. Esto se conocía por *ir a la ganadera*. El pobre cura párroco —*el abad*— nada puede hacer para
acabar con tan horrible costumbre. El alcalde le explica que, a no ser
por la *ganadera,* Penalouca perecería de hambre, razón por la que ninguno de los abades anteriores se había opuesto. En los restantes días
del año, extinguidas las luchas por el reparto del botín, las gentes de
Penalouca se portaban bien y cristianamente.

Una noche de noviembre ocurre un naufragio, y todos los habitantes —incluso mujeres y niños— corren a cometer su crimen secular. El párroco, con un Crucifijo, trata de detener la terrible carni-

---

[64]   Id., págs. 266 y ss.
[65]   Id., págs. 21 y ss.
[66]   *Blanco y Negro*, n. 379, 6 agosto 1898. Recogido en *El fondo del alma*,
págs. 125 y ss.
[67]   *Cuentos de la tierra*, págs. 272 y ss.

cería, pero él mismo es asesinado por los aldeanos, convertidos en bestias feroces.

Tiempo de ánimas [68] trata un tema semejante.

En otros cuentos la barbarie está encarnada en los caciques rurales: *Las desnudadas* [69] y *Viernes Santo* [70]. Y muy especialmente deben citarse los relatos sobre el tema de las elecciones, tan bien captado en *Los pazos de Ulloa,* y repetido en *Ardid de guerra* y *El voto de Rosiña.* En el primer cuento [71] dos hermanos rivales en la lucha electoral se odian desde hace tiempo, con gran angustia de su madre. Uno de los hombres que preparan la elección trata de atemorizar a la señora, diciéndole que se marche del pueblo y no perjudique la elección de su hijo, amenazándola en su nombre. Pone una pequeña bomba en el Pazo, y la anciana muere no por la explosión, sino por el dolor de creer que aquello lo hace su hijo. En el segundo [72] una campesina salva a un joven de la celada mortal que le tenían preparada sus enemigos electorales.

La guerra y el bandolerismo informan, también, algunos de estos cuentos: *Armamento* [73], *Vitorio* [74], *La Capitana* [75], *La Mayorazga de Bouzas* [76] y *Madre Gallega* [77]; estas tres últimas, notables por las enérgicas figuras femeninas que aparecen como protagonistas.

En *Nieto del Cid* [78] un cura heroico y belicoso se defiende, hasta la muerte, de una gavilla de bandoleros que asalta su casa. Otra salvaje estampa de bandolerismo es la descrita en *Inútil* [79].

Ligado al tema de la barbarie e ignorancia está el de las supersticiones: *El aire cativo* [80], *La compaña* [81], *La Santa de Karnar* [82], *Curado* [83] —estos dos últimos sobre curanderos— y, sobre todo, el que en-

---

68   *Cuentos sacro-profanos,* págs. 219 y ss.
69   *En tranvía,* págs. 5 y ss.
70   *Un destripador de antaño,* págs. 199 y ss.
71   *El fondo del alma,* págs. 65 y ss.
72   *En tranvía,* págs. 167 y ss.
73   *El fondo del alma,* págs. 79 y ss.
74   *En tranvía,* págs. 23 y ss.
75   *El fondo del alma,* págs. 86 y ss.
76   *Un destripador de antaño,* págs. 111 y ss.
77   Id., págs. 127 y ss. *Blanco y Negro,* n. 263, 16 mayo 1896.
78   *Un destripador de antaño,* págs. 133 y ss.
79   *El fondo del alma,* págs. 72 y ss.
80   *Cuentos de la tierra,* págs. 260 y ss.
81   *En tranvía,* págs. 209 y ss.
82   *Un destripador de antaño,* págs. 257 y ss.
83   *El fondo del alma,* págs. 20 y ss.

cabeza una serie de cuentos: *Un destripador de antaño*, en que una muchacha es sacrificada por sus tíos, que tratan de vender *unto de moza* a un boticario con fama de brujo, el cual se había encargado de correr la especie de que curaba con tal sustancia.

Un más suave ambiente rural es el que la Pardo Bazán presenta en otros cuentos: *Lumbrarada* [84] y *Cuesta abajo* [85] son dos sencillas y bucólicas historias de amor. *El último baile* [86] es una emotiva narración en la que se habla del *repinico,* tradicional baile gallego casi olvidado ya, y que sólo sabían bailar unos viejos del lugar. Según el tiempo pasa y éstos van falleciendo, desaparece la tradicional danza. Uno de estos viejos muere bailando su último *repinico.* Aunque en otro tono, recuerda —traducido a lo rural— un cuento de Maupassant titulado *Minué.* En la narración francesa unos viejecillos enseñan el minué a un joven estudiante, en los jardines de Luxemburgo. El anciano había sido maestro de baile en la ópera, en tiempos de Luis XV. Hay en este cuento una delicadeza no corriente en la enérgica y cruda producción de Maupassant. Un mismo motivo, un baile anticuado y evocador, sirve a dos grandes cuentistas para meditar acerca de la vejez y de la muerte.

Planta montés [87] refiere el dolor biológico, animal, de un mozo gallego, al ser arrancado de su tierra para servir como criado. Lo mismo que el niño vascongado que Trueba presentara en *¡Desde Madrid al cielo!,* este jayán gallego muere de nostalgia.

Un aspecto humorístico, dentro de lo rural, lo ofrecen las narraciones *El molino, El pinar del tío Ambrosio, Ocho nueces,* etc. *Que vengan aquí* [88] contrapone la astucia de los gallegos a la de los gitanos, tema que aparece también, puesto en boca del señor de Candás, en *Morriña.*

Aun podríamos citar más cuentos rurales de la Pardo Bazán, pero queremos acabar, recordando la novela corta *Bucólica* [89], compuesta por las cartas que un joven madrileño escribe a un amigo, desde un pueblo gallego adonde ha ido a reponer su salud. La novela tiene

[84] *Cuentos de la tierra,* págs. 32 y ss.
[85] *El fondo del alma,* págs. 39 y ss.
[86] *Cuentos de la tierra,* págs. 96 y ss.
[87] *Un destripador de antaño,* págs. 153 y ss.
[88] Id., págs. 179 y ss.
[89] *Revista de España.* Ts. XCVIII-XCIV, 1884.—*Novelas Cortas.* Colección Diamante. 36. Barcelona (¿1885?), págs. 117 y ss.

un principio suave, idílico, semejante al tema de *Peñas arriba,* de Pereda, o al de *Sinfonía Pastoral,* de Palacio Valdés; pero luego se hace áspera y realista, con final escéptico y casi amargo: El madrileño llega a enamorarse de una de las criadas, y tiene un desliz con ella, que quiere reparar con el matrimonio. Grande es su desilusión al averiguar que no fué ei primero que poseyó a la muchacha, varias veces entregada a un bárbaro lugareno.

Juan Fernández Luján criticó duramente el crudo naturalismo de *Bucólica,* casi a la manera con que la propia Pardo Bazán censurara el realismo de *La tierra* zolesca.

«Dígame a mí dónde está su realismo. Porque la acción no se reduce a un hecho aislado, cosa que pudiera parecer disculpable, sino que, como el título mismo demuestra, entraña, en su generalidad, la manera de ser, portarse y existir de las gentes del campo. Yo no negaré que en él haya inmoralidades, costumbres licenciosas y depravadas, como en todas partes donde alientan seres humanos; ¡pero hasta ese punto..., hasta el punto de convertir la moralidad en un mito!...» [90].

No le faltaba razón a Fernández Luján. *Bucólica* —título que es una suprema burla— viene a ser la réplica naturalista a la tradición horaciana y romántica, ya que el hombre de la ciudad resulta ser un ingenuo, en contraste con la maliciosa moza campesina, animada por los más groseros instintos.

* * *

Aun con riesgo de prolijidad, hemos examinado los principales cuentos rurales de la Pardo Bazán, por creer que ellos explican mejor que ningunos otros las diferencias entre el tratamiento de un mismo tema por escritores del tipo *Fernán* o Trueba, y escritores naturalistas.

LEOPOLDO ALAS («CLARÍN») está en la misma línea realista de la Pardo Bazán, en sus escasas narraciones de tema campesino. Alas prefiere los cuentos de carácter psicológico, moral y satírico; y su asturianismo se percibe mejor en su humor, su ternura y hasta en su socarronería crítica, que en un pintoresquismo regional que él nunca cultivó. No fué un paisajista, ni mucho menos un colorista como la Pardo Bazán, sino que gustó de la narración intelectualizada. El paisaje, en *Clarín,* es más ideológico que plástico. De ahí que el *prao*

90 F. Luján: *Pardo Bazán, Valera y Pereda (Estudios críticos).)* Luis Tasso, editor. Barcelona, 1889, pág. 77.

Somonte que aparece en *¡Adiós, Cordera!* tenga un valor simbólico, como lo tienen el tren y los postes del telégrafo.

Esto no excluye que a la hora de pintar un paisaje, *Clarín* no supiera emplear un delicado colorismo, amasado con una suave emoción lírica, que dar un valor ejemplar a sus descripciones ambientales.

Fué precisamente en *¡Adiós, Cordera!* [91], el más popular de sus cuentos, donde *Clarín* rindió tributo a la clásica contraposición campo-ciudad. La bucólica paz que disfrutan los dos niños asturianos que juegan con su vaca, la *Cordera,* es turbada por la ciudad, por el progreso que se nutre de vidas humanas, que destroza todo lo sencillo y bello —*leitmotiv* fernancaballeresco—, desgarrando con su humo y su acero la verde ternura de los prados, sacrificando dulces animales familiares en el matadero, o arrastrando al mozo campesino a la guerra.

Sin embargo, Alas no se limita a entonar de nuevo el *Beatus ille...,* ni a reproducir, una vez más, el *cliché* romántico: Primitivismo-Civilización. *¡Adiós, Cordera!* tiene un marcado sabor prenoventaiochista, y sobre su contenido social y patriótico se superpone el antiintelectualismo exaltado, que creemos es una de las características dominantes en la obra clariniana.

La vaca *Cordera,* el prado y los niños, significan la vida desnuda, sentida biológicamente. El tren, el telégrafo, el matadero, el servicio militar, todo lo que acaba con la felicidad de esos idílicos seres, representa la vida deshumanizada, intelectualizada.

Estamos, por lo tanto, ante otro momento en la transformación de la pareja campo-ciudad. No se trata ya de la contraposición clásica ni de la romántica, sino de una nueva. La contraposición: Vida-No vida, Sensibilidad-Intelectualismo.

El antiintelectualismo de *Clarín* es observable en todas sus narraciones como consecuencia de una lucha angustiosa del autor, que sintió escindida su existencia. Ya que él, intelectual puro, exquisito, poseía al mismo tiempo una sensibilidad tan en carne viva, que le permitía fusionarse con la naturaleza y con sus más sencillos seres. *Cla-*

---

[91] *El Señor y lo demás son cuentos* Ed. Universal. Calpe. Madrid, 1919, págs. 34 y ss. Sobre las semejanzas de *Elección,* de la Pardo Bazán, y *La roxa,* de Larrubiera, con el cuento clariniano, hablamos en otro capítulo.

rín odia los productos de la inteligencia, y exalta los del amor y la naturaleza.

¡Adiós, Cordera! es un cuento lleno de bucolismo sincero, vital, y tiene el encanto de presentar un cuadro campesino que, enlazándose en parte con la tradición —*Fernán*, Trueba—, posee, sin embargo, un tono decididamente actual, exento de todo teatralismo o dulzarronería.

Otros cuentos de *Clarín* de ambiente asturiano rural son *El cura de Vericueto, La trampa* —estudiados en otros capítulos—, *Boroña* y *Manín de Pepa José*.

De *Boroña* [92] algo hemos dicho ya. Un indiano regresa a su aldea, rico pero enfermo. Su mayor deseo es volver a comer la típica *boroña*. Su hermana y su cuñado, egoístas y ambiciosos, esperan recoger lo que trae en sus baúles. De cómo siente *Clarín* el ambiente campesino, puede dar idea este sencillo pasaje:

«Cuando pudo, Pepe abandonó el lecho para conseguir, agarrándose a los muebles y a las paredes, bajar al *corral*, oler los *perfumes*, para él exquisitos, del establo, lleno de recuerdos de la niñez primera: le olía el lecho de las vacas al regazo de Pepa Francisca, su madre.»

¡Cuán distinto este ruralismo sincero del alquitarado y decorativo de los escritores *románticos*!

El indiano muere, mientras su cuñado y sobrinos se disputan el contenido de los baúles.

«—¡Madre, torta! ¡Leche y *boroña*, madre; dame *boroña*! —suspiraba el agonizante, sin que nadie le atendiese. Rita sollozaba a ratos, al pie del lecho; pero Llantero y los hijos revolvían, en la salucha contigua, el fondo de los baúles, y se disputaban los últimos despojos, injuriándose en voz baja para no despertar al muerto.»

El fracaso, la amarga desilusión que esperan a este indiano cuando regresa a la aldea, ansioso de paz y de sencilla felicidad, son los mismos que observamos en las narraciones de la Pardo Bazán, en contraste con las de *Fernán* y Trueba. Cosas tan insignificantes como *un vidrio roto* o un pedazo de *boroña* deciden el fracaso de estos indianos, a quienes sus familiares y convecinos reciben sin amor y sólo con interés ambicioso.

---

[92] *Cuentos morales*, págs. 61 y ss.

Manín de Pepa José [93] es, probablemente, el mejor cuento de ambiente rural de Alas: Manín es hijo de Pepa José, aldeana viuda, dueña de un gran caserío por el que vela tacañamente. Manín, holgazán y soñador, pierde el tiempo tocando dulcemente la gaita. Sólo a él le perdona la madre el delito de vivir sin trabajar. Esto da ocasión a *Clarín* para trazar un cuadro de perfecto bucolismo.

«¡Si el mundo fuera siempre cortejar, bailar la danza prima, disparar el cachorrillo para solemnizar la procesión, tocar la gaita *al alzar,* en la misa cantada, el día de la fiesta! ¡Y después, a la luz de la luna, por el *castañeo* arriba, acompañar a una rapaza, y echar la *presona* a la puerta de su casa hasta cerca del alba! ¡Y luego, a solas, en la llinda, o a la hora de la siesta, sentir la brisa llena de olores, queridos, familiares, reclinado el cuerpo sobre la rapada hierba, y soñar despierto, rumiando recuerdos dulces; como las vacas, sentadas a la sombra, rumiaban su alimento!»

Pepa envejece por el excesivo trabajo y piensa en casar a su hijo con una mujer tan tacaña y económica como ella misma, para que subsista el caserío. Así lo hace y Manín es desgraciado con su mujer, ya que, una vez muerta su madre, desaparecen todos los mimos y cuidados que le rodeaban. Manín busca sustituto del amor maternal y del amor galante de su mocedad, en la bebida, en los licores. Tiene una hija, y la madre, envejecida pronto por el trabajo, antes de morir, la casa con un campesino de su mismo tacaño estilo, Roque de Xuaca.

Muere la esposa de Manín y éste halla, ahora, cariño en su hija, alegre y soñadora como él. Roque, cruel y brutal, al no poder hacer trabajar a su suegro, le hace ir a la *llinda,* le quita la habitación que tenía, obligándole a vivir en una choza, peor que el último jornalero. Muere la joven, y su marido, sin sentirlo nada más que en el luto, prepara el típico banquete fúnebre.

Todo el pasaje en que se describe la pantagruélica comida, los chistes, la sensualidad campesina, es un magnífico trozo literario. La descripción de los excesos y groserías del banquete fúnebre contrasta vivamente con la que *Fernán Caballero* hace en una de sus narraciones. Mientras que *Clarín* presenta en toda su repugnante verdad esta costumbre aldeana, *Fernán* la defiende en *Más honor que honores,* donde dice:

«... se puso a cubrir la mesa con un rústico banquete, según lo requerían las circunstancias y establece la costumbre, en obsequio y señal de gratitud a las personas que acompañan y honran con su presencia a vivos y muertos» [94].

[93] *Doctor Sutilis*. Renacimiento. Madrid, 1916, págs. 237 y ss.
[94] *Cuadros de costumbres*. Madrid, 1917, pág. 25.

Doña Emilia Pardo Bazán, en *La salvación de Don Carmelo*, presenta al cura de Morais, bebedor pero bondadoso y humilde, que muere víctima de una congestión en otro brutal festín fúnebre [95].

En el descrito por Alas, Manín se exalta comiendo y bebiendo. Se emborracha, canta, narra chistes verdes, sin que su yerno haga nada por evitarlo, ya que le interesa ofrecer a todos la visión grotesca y lastimosa de su suegro. Así sucede. Roque es ya el único casero. Manín, despreciado por todos, se muere de miedo, de dolor, de hambre.

No cabe mejor ni más enérgica pintura del egoísmo y mezquindad de algunos campesinos asturianos. *Manín,* como tantas otras humildes criaturas clarinianas, es una pura voz de la naturaleza, un temperamento vital, alegre, poético, que muere aplastado —como *Cordera,* como *Pinín,* como *Doña Berta*— por el egoísmo, por la vida sujeta a cálculo y a razón.

Para *Clarín* el campo significa no lo bueno, lo tradicional, lo bello, sino simplemente lo vivo, lo opuesto al esterilizador intelectualismo. El amor de Alas por la sencilla vida que emanan prados, establos, animales, niños, se percibe en estas narraciones rurales, en las que una vaca, un pobre trozo de *boroña,* o el dulce sonar de una gaita, tanto parecen significar.

Ni ruralismo blando de cromo, ni ruralismo áspero y sangriento. *Clarín,* con estos cuentos, exalta el manantial mismo de la vida, limpia y sencillamente descubierto.

* * *

De los otros dos grandes cuentistas asturianos Armando Palacio Valdés y Juan Ochoa, nada podemos decir en este capítulo, pues ninguno de ellos cultivó el cuento intencionadamente rural. *El potro del señor cura* y *Ascetismo,* de Palacio Valdés, son de ambiente asturiano.

Los señores de Hermida es una deliciosa novela corta, de Juan Ochoa, de sabor perediano y ambiente marinero. En *Nube de paso* un mísero campesino, dueño de cuatro terrones, y su familia esperan la lluvia que les salvará del hambre. El horizonte se ennegrece. Pero

---

[95] *Cuentos de la tierra,* págs. 154 y ss.

sólo es una nube de paso, tras la que sigue brillando el implacable sol [96].

* * *

Con objeto de presentar de la forma más clara y posible la evolución y transformación del tema rural en los cuentos décimonónicos, hemos prescindido, hasta aquí, de los cuentistas menores, ocupándonos, tan sólo, de los maestros del género, sin respetar excesivamente el orden cronológico.

Por la misma razón y antes de dar noticia de otros cultivadores de cuentos campesinos, estudiaremos ahora los de VICENTE BLASCO IBÁÑEZ, que representan la máxima consecuencia del naturalismo aplicado a lo rural. La sujeción a los modelos de Zola se nota no sólo en la crudeza repugnante de algunos cuentos, sino también en la técnica, eminentemente objetiva e impasible [97].

Pese a esta técnica objetiva, preferimos el ruralismo áspero, pero humano, de la Pardo Bazán, a éste algo desorbitado de Blasco Ibáñez. Se observa en el cuentista valenciano cierta morbosa preferencia por las escenas sangrientas y carniceras, que en ningún caso rehuye.

En los *Cuentos valencianos* [98] se encuentran las más destacadas narraciones rurales: *Cosas de hombres* se asemeja a aquellas narraciones de la Pardo Bazán que, como *Dios castiga...*, *Eterna ley* y *Sin querer*, versaban sobre las rivalidades de los mozos enamorados, resueltas siempre sangrientamente. Este tema es muy del gusto de Blasco Ibáñez, por cuanto le da ocasión de describir, naturalistamente, riñas, navajazos y sangre: *Guapeza valenciana*. Y en *La Cencerrada* un viudo viejo y rico que se ha casado con una bella muchacha, recibe la broma de los mozos del pueblo que tocan los cencerros al pie de la

---

[96] Vid. estas dos narraciones en *Los señores de Hermida* (y otros cuentos). Col. Elzevir Ilustrada. Vol. XXI. Barcelona. Juan Gili, MCM.

[97] A. González Blanco dice de la impasibilidad de Blasco Ibáñez: «Así, es el único novelista español que nunca desliza *un nuestro héroe,* ni nos habla de *como dijimos en otro capítulo;* grave defecto, y no por fácil de curar menos lamentable, aunque otra cosa crean algunos, en el que incurrieron aun autores tan límpidamente entroncados con el naturalismo francés, como doña Emilia Pardo Bazán y Pérez Galdós (ya no hablemos de Palacio Valdés y Pereda, menos observantemente afiliados a la escuela de Médan), y cuya omisión es, por tanto, más de estimar en Blasco Ibáñez» *(Historia de la novela,* pág. 605).

[98] *Cuentos valencianos.* Ed. Prometeo. Valencia. Fueron publicados, también, con el título de *A la sombra de la higuera (Cuentos valencianos),* en la Col. Diamante, de Barcelona.

cámara nupcial, azuzados por un antiguo pretendiente de la novia. El viejo mata de un disparo al galán despechado. *En la boca del horno* [99] es tal vez, aunque no rural, uno de los más significativos y brutales cuentos sobre este tema. Narrado, no con belleza literaria, pero sí con enérgica plasticidad, pinta la atmósfera de infierno de un horno de pan, durante el estío valenciano. Surge la disputa entre dos panaderos, uno de los cuales arroja al rostro del otro, violentamente, un rollo de masa, mezclándose —detalle muy del gusto naturalista— la sangre con la harina. La reyerta final tiene lugar en una tartana alquilada, en la que se encierran los rivales diciendo al cochero que los lleve al hospital. Llegado allí el coche, al abrir la puerta, surge la sangre por todas partes.

Venganza moruna es, quizá, el más bárbaro cuento rural de todos los de Blasco Ibáñez. Por contraste, *La pared* es uno de los más suaves, sobre una rivalidad extinguida pacíficamente [100].

El tema de los bandidos y caciques que estudiamos en la Pardo Bazán, reaparece en alguna de estas narraciones valencianas como *Golpe doble* y *La paella del roder*.

Comparando el ruralismo de Blasco Ibáñez con el de la escritora gallega, observamos una mayor contención en las narraciones de ésta y, también, un indudable mejor gusto. Ambos tratan de narrar según la manera de Maupassant, capaz de relatar con objetividad increíble el más cruel o repelente de los asuntos. El acento violentamente social, demagógico, que Blasco Ibáñez pone en sus narraciones, va en detrimento de su objetividad y belleza literaria.

Finalmente advertiremos que en estos cuentos Blasco Ibáñez apenas maneja el diálogo y, cuando lo hace, emplea la lengua valenciana. Tal economía de diálogo conviene bien al vigor de los relatos. Las pocas palabras que los personajes emplean tienen valor de imprecaciones, de estallidos emocionales.

* * *

Examinados los cuentos rurales de los autores más significativos, completaremos este capítulo citando, aun cuando sea rápidamente, otros nombres y títulos.

MANUEL POLO Y PEYROLÓN, autor de la novela rural *Los Mayos*,

---

[99] *La condenada. Cuentos.* Valencia, 1919, págs. 173 y ss.
[100] Vid. en *La condenada,* págs. 207 y ss.; y 223 y ss.

pertenece en realidad a la escuela de *Fernán* y de Trueba. Sus cuentos fueron elogiados por Menéndez Pelayo, que alabó su «estrecha, severa y pudibunda moralidad» [101].

Aparte del ya citado *Desventuras de Mari-Pepa,* recordaremos aquí, únicamente, *¡Pedrejales de mi vida!* [102], narración interesante por ofrecer una curiosa variante de la valoración de la vida rural: Una mujer está enamorada de su miserable pueblo y muere en él, entre la frialdad de sus brutales vecinos. Pese al idealismo que Polo y Peyrolón vertió en sus obras, asoma en ésta un gesto amargamente escéptico: ¿La vida campesina es bella, o simplemente lo parece? La tesis de Pereda parece repetirse aquí, aunque más torpe y confusamente expresada: el pueblo natal siempre merecerá amor, pese a sus defectos y a los de sus habitantes.

El tío Marisanta [103] no es un cuento, sino la semblanza de un campesino alegre y ejemplar.

De EVARISTO VIGIL ESCALERA citaremos *Unas vacaciones* [104], que ofrece el interés de guardar gran semejanza con *Bucólica* de la Pardo Bazán, excepto en el desenlace. La forma narrativa es también epistolar: Un perezoso estudiante de Medicina escribe desde Lena a un amigo narrándole cómo conquistó y sedujo a una campesina. Cuando regresa a la corte, un día, ha de trabajar en el cadáver de una mujer, que resulta ser el de la campesina. Fué a la ciudad a buscar a su amante y murió de frío y de pobreza. Vigil Escalera defiende la vieja tesis de la corrupción del campo por la ciudad, mientras que la Pardo Bazán presenta casi como un ser ingenuo al joven madrileño, engañado por la falsa inocencia de la campesina.

También sobre el tema campo-ciudad, sentido y expresado a la manera horaciana, puede citarse *Adán y Eva* de EDUARDO BUSTILLO [105]: Don Feliciano, a su regreso de América, vive en la paz del campo, en un paraíso, donde educa a su hija Eva, la cual, al casarse, abandona la vida campesina para trasladarse a la ciudad. Allí son desgraciados marido y mujer, y regresan a la aldea, al Edén. Versión hu-

---

[101] *Estudios y discursos de crítica histórica y literaria.* Ed. Nacional de Obras completas. Tomo V, pág. 106.

[102] *Borrones ejemplares.* Miscelánea de artículos, cuentos, parábolas y sátiras. Valencia, 1883, págs. 233 y ss.

[103] Id., págs. 51 y ss.

[104] Constantino Suárez: *Cuentistas asturianos.* Madrid, 1936.

[105] *Cosas de la vida.* Madrid, 1899, págs. 23 y ss.

morística del mismo tema por el mismo autor, es *Gato escaldado, Cuento lastimoso* [106].

EMILIO SÁNCHEZ PASTOR, en *El tren que pasa* [107], cuenta cómo María la Rubia cuida las cabras en la llanura de la Mancha. Es huérfana y está al servicio del tío Rico, cuyo hijo Colás la codicia. El tren pasa todos los días a la misma hora ante María, que admira a aquella gente alegre y hermosa que viaja cómodamente. Un día, Colás la amenaza con la muerte, si no accede a sus deseos. Están junto a la vía, y ella pide auxilio al tren que pasa, sin obtenerlo. Cae, sin sentido, ante la fuerza del mozo.

El simbolismo de esta narración es evidente y apenas necesita comentarios, recordándonos el de *¡Adiós, Cordera!* En la narración clariniana el tren significaba también el progreso, la civilización sin alma, sin ternura. En el cuento de Sánchez Pastor el tren —la civilización— pasa alegre y despreocupadamente junto a la barbarie rural, sin detenerse a remediarla.

Del mismo autor es *La bella García* [108]: Una campesina abandona a su novio y marcha a servir a la ciudad. Llega a convertirse en una desvergonzada bailarina, rodeada de amantes. Cuando, ya rica, regresa al pueblo, su antiguo novio la desprecia tan profundamente, que ella se marcha para no volver jamás.

El tema —caída de la campesina en la ciudad, a donde va a servir— recuerda el de *Desventuras de Mari-Pepa,* de Polo y Peyrolón, y de *Ir por lana...,* de Pereda. Aun podríamos citar, dentro de esta clase de asuntos, *Tío Terrones,* de la Pardo Bazán [109], y *Elvira-Nicolasa,* de Jacinto Octavio Picón [110].

MANUEL AMOR MEILÁN, narrador gallego, publicó en 1893 una serie de *Cuentos y Novelas,* encabezada por *El último hijodalgo* [111], en la que se encuentran algunas narraciones y estampas rurales: *La fiada, Octavas y merendiñas, En la presa, La venganza de la hoz,* etc.

De ALFONSO PÉREZ NIEVA citaremos, en primer lugar, *El calor del*

106   *El libro azul*. Novelitas y bocetos de costumbres. *Ilustración Española y Americana*. Madrid, 1879, págs. 145 y ss.
107   *Blanco y Negro,* n. 417, 29 abril 1899.
108   Id., n. 427, 8 julio 1899.
109   Id. n. 356, 26 febrero 1898.
110   En *Novelitas*. Madrid, 1892.
111   Biblioteca gallega: *El último hijodalgo (cuentos y novelas)*. Andrés Martínez, editor. La Coruña, 1893.

frío [112], cuento a lo *Fernán,* en que se canta el hogar campesino: Una dama compara su hogar, cálido hasta la exageración en el frío invierno, pero sin calor cordial, con el desnudo y frío caserón de unos campesinos en el que hay, no obstante, calor de familia, de cariño.

A la serie de *Los Gurriatos* pertenecen algunas estampas bucólicas, como *De caracoles, La espigadera* y *A campo traviesa.* ¡En *La casa de las dehesas* presenta Pérez Nieva la tranquilidad de una familia campesina, rota por el odio a la ciudad que echó a perder a su hijo [113].

Sobre el tema del indiano citaremos ahora *Las ilusiones de Juan Salgueiro,* de MANUEL ALVAREZ MARRÓN [114]: Regresa el emigrado a su aldea, cargado de ilusiones, pero es tan débil su salud que no encuentra sino calamidades —resfriados, indigestiones, etc.—. Cuando reniega de su tierra, el narrador le hace ver que todas sus desgracias son producto de su edad. Se asemeja este cuento al titulado *Los anteojos de la edad,* de Eugenio Sellés, que estudiamos en el capítulo de *Cuentos de objetos pequeños.*

El tejado, de ALEJANDRO LARRUBIERA [115], relata el caso de un indiano rico que, al retornar a su aldea, en vez de aliviar las necesidades de sus vecinos, se hace construir una casa con las tejas de oro, que vigila celosamente. Cuando muere en una noche de tormenta, el agua cae dentro de la casa. Le han robado las tejas.

Un gran cuentista rural fué JOSÉ NOGALES Y NOGALES, cuya narración *Las tres cosas del tío Juan,* premiada por *El Liberal* en 1900, se ha hecho famosa y se incluye en todas las antologías. Su popularidad nos ahorra resumir su asunto y características. Nogales canta en ella las virtudes del trabajo campesino y, aunque un poco convencionalmente, crea un cuadro lleno de vida y de plasticidad, apresado en unas pocas páginas, cuyo sabor a apólogo nos permitiría entroncar este cuento con los más antiguos españoles, de los que parece afortunada prolongación y consecuencia [116].

Entre otras narraciones campesinas de Nogales citaremos *La Corza* —llena de pasión y de barbarie, narrada con un estilo tenso y duro [117]—,

[112] *Blanco y Negro,* n. 409, 4 marzo 1899.
[113] Id., n. 522, 4 mayo 1901.
[114] *Cuentistas asturianos,* pág. 149 y ss.
[115] *Hombres y mujeres (Cuentos).* Madrid, 1913, págs. 187 y ss.
[116] Este cuento alcanzó varias ediciones —la tercera en 1916— y ha sido publicado en muchas antologías, entre ellas la ya citada de *Los mejores cuentos...,* publicada en París en 1912, págs. 221 y ss.
[117] *Blanco y Negro,* n. 465, 31 marzo 1900.

Una noche en Vétero —terrorífico-humorística [118]—, *El puente de las ánimas* [119], *El ángel de nieve* [120], *Dafnis y Cloe* —delicioso idilio infantil campesino [121]—, *El tesoro de los espíritus* [122], etc.

De RAFAEL ALTAMIRA, el inteligente crítico de finales de siglo, recordamos las siguientes estampas rurales: *Afanes, El tío Prim, El tío Pepe Misas,* y, sobre todo, *La Romería,* cuento en que un joven madrileño hace su cura en una aldea asturiana —como en *Bucólica*—. Allí conoce a una muchacha enferma. Se compadecen uno del otro y descubren que se aman en una romería, antes de regresar él a la ciudad [123].

De JACINTO BENAVENTE sólo recordamos un cuento rural, bien es verdad que bárbaro y dramático, el titulado *La venganza del compadre* [124].

Los cuadros costumbristas de SALVADOR RUEDA, FRANCISCO RODRÍGUEZ MARÍN y ARTURO REYES no son exactamente cuentos, por lo que, pese a su valor, poesía y gracia, no nos detendremos en ellos.

Citaremos solamente los títulos de algunas colecciones de cuentos campesinos, como los *Aragoneses,* de EUSEBIO BLASCO, o los *Valencianos* —*De re rústica*— de ALVARO L. NÚÑEZ.

De RAFAEL TORROMÉ recordamos *Los dramas del campo* [125]: Por una rivalidad amorosa, un labrador levantino roba el riego a otro en tiempo de sequía. El robado mata al ladrón, ya que el agua es la vida.

El cuento rural alcanza su mayor cultivo y éxito a finales de siglo [126]. Los principales narradores estudiados pertenecen a estos últi-

---

[118]   Id., n. 496, 3 noviembre 1900.
[119]   Id., n. 508, 26 enero 1901.
[120]   Id., n. 521, 27 abril 1901.
[121]   Id. n. 537, 17 agosto 1901.
[122]   Id., n. 540, 7 septiembre 1901.
[123]   Todos estos cuentos pertenecen a la serie *Fantasías y recuerdos.* Alicante, 1910.
[124]   *Vilanos.* Madrid, 1905, págs. 127 y ss.
[125]   *Blanco y Negro,* n. 343, 27 noviembre 1897.
[126]   Sobre esto decía R. Altamira, estudiando la literatura europea finisecular: «Nótase, en primer lugar, que sigue acentuándose la preferencia, en las novelas, los cuentos y los dramas, por los cuadros de costumbres populares y por lo que se ha llamado entre nosotros literatura regional, que cuenta aquí con cultivadores tan ilustres como Pereda, Palacio Valdés, Emilia Pardo, Oller y Blasco Ibáñez. La corriente es doble: de un lado, busca el color local, el «sabor de la tierruca», que enciende la inspiración y le infunde un tono a la vez realista y

mos años de la centuria. Así, no deja de ser curioso y sintomático observar cómo en un certamen de cuentos y novelas cortas organizado por *Blanco y Negro* en 1901, casi todas las narraciones premiadas eran de corte rural: *Raza de héroes*, de FRANCISCO NAVARRO Y LEDESMA [127]; *El camino*, de FERNANDO SEGURA —el mozo corrompido por la ciudad vuelve, cargado de desengaño, a la paz y al amor campesinos— [128]; *La fragua de Vejo*, de DELFÍN FERNÁNDEZ Y GONZÁLEZ [129]; *La guitarra*, de HERMINIO MEDINAVEITIA —riña de mozos frente a la reja de la mujer disputada, que acaba con la muerte de uno de ellos— [130]; *La Golisa de Alizán*, de LUIS MALDONADO, también sobre rivalidades de mozos [131], etc.

De este último narrador debe recordarse, además, la bella colección de cuentos rurales que lleva el título *Del campo y de la ciudad* [131 bis].

Maldonado gusta de la narración breve, tendiendo en algunas ocasiones a la estampa delicadamente lírica —*Silvano y Gumisinda, Declaración, Idilio montuno*, deliciosos idilios campesinos del estilo de *Lumbrarada*, de la Pardo Bazán—, y en otras, al certero cuadro descriptivo y costumbrista: *El mondongo, Las últimas comuneras, Fiesta boyal*, etc.

El tema de *La Golisa de Alizán* reaparece en *Al remudo*. Recias figuras campesinas son *El tío Clamores* y *El tío Cavila*, rebosantes de verdad humana. En *La visita, Don Lionardo* y *El último recurso* exalta Maldonado la abnegación del médico rural.

El tema de las intrigas electorales aparece en *Los bandos de Villausende* y *El amor y la política*. El de las supersticiones, en *El saludador*, el mejor retrato de cuantos hemos encontrado de tan pintoresco oficio en la literatura narrativa decimonónica.

El ruralismo de Luis Maldonado es amable, exento de sombríos

semilírico; de otro lado, se escogen como sujetos no los de la aristocracia o de la clase media, sino los del pueblo, y, por lo general, los del pueblo del campo» (*Cosas del día*. Valencia, 1908, pág. 124).

[127] *Blanco y Negro*, ns. 515 y 516 de 1901.

[128] Id., n. 522, 4 mayo 1901.

[129] Id., n. 530, 29 junio 1901. Fernández y González escribió otros muchos cuentos y novelas regionales de ambiente montañés: *Cabuérniga, sones de mi valle*, 1895; *Pos veréis*, 1899; *Alternando, novelas y cuentos*. Valladolid, 1906.

[130] Id., ns. 585 y 586 de 1902.

[131] Id., n. 591, 30 agosto 1902.

[131 bis] *Del campo y de la ciudad*. 1.ª ed., 1903. 2.ª ed., 1932. Salamanca.

toques melodramáticos, y animado por un muy castellano sentido del humor. Su prosa se caracteriza por la clásica sobriedad y por el uso de expresiones dialectales salmantinas.

Finalmente recordaremos alguna intensa narración naturalista y rural de Joaquín Dicenta: *La gañanía* [132].

Y cerraremos el capítulo con los nombres de dos cuentistas catalanes: Narciso Oller —*Croquis del natural* (1879), *Figura y Paisatge* (1897), serie a la que pertenece una de las más brutales narraciones campesinas que conocemos, *Natura* [133], comparable a *El Diablo*, de Maupassant— y Catalina Albert (Víctor Catalá), cuyos cuentos representan ya la manera de tratar el tema rural en nuestro siglo.

---

[132] Puede leerse en la antología de Pedro Bohigas: *Los mejores cuentistas españoles*. Ed. Plus-Ultra. Madrid, 1946. Tomo II, págs. 137 y ss.

[133] *Figura y Paisatge*. Tip. L'avenc. Barcelona, págs. 147 y ss.

CAPITULO XI

CUENTOS SOCIALES

CAPITULO XI

CUENTOS SOCIALES

I. EL PROBLEMA SOCIAL EN EL SIGLO XIX

Es ya un lugar común decir que el llamado problema social es el más típico del siglo XIX, hasta el punto de considerarse producto de esa época. El malestar social era algo que venía gestándose oscura, sordamente. La Revolución francesa puso en primer plano sangriento un problema que los europeos llevaban dentro, pero en el que se resistían a creer.

La unidad europea, rota ya por la brecha del protestantismo, sufre nuevo quebranto con la aparición del problema social. Si el protestantismo engendró las nacionalidades reemplazadoras de la Europeidad —entendida ésta a lo Sacro Imperio Romano-Germánico—, la Revolución francesa y su secuela, el problema social, provocaron una nueva y trágica escisión. Ya no son solamente los países los que se sienten distintos y enemigos unos de otros. Ahora, dentro de un mismo país se convierten en enemigos hombres de una misma lengua y con una idéntica historia.

El romanticismo exaltador del yo, frente a una sociedad hostil, representa la máxima consecuencia de ese nuevo estado de cosas. Aun admitiendo dos modalidades de romanticismo: conservador y liberal, resulta que ambos tienden a lo mismo, aun cuando los procedimientos sean diversos. Unos románticos combaten a la sociedad de su época, desde las barricadas o desde la desesperación del suicidio. Otros se contentan con huir de esa misma sociedad, refugiándose en una Edad Media idealizada, o en unos países exóticos habitados por seres puros y sencillos. El odio al hombre civilizado —al europeo, concretamente— vibra tan poderosamente en el pistoletazo de Werther o de *Fígaro,* como en los cantos de los cosacos y piratas esproncedianos, o como en la más aparentemente ingenua historia de negros o indios sentimentales, tipo Bug-Jargal o Atala.

Sin embargo, los extremosos individualismos románticos actuaron como de maraña —todo énfasis y verborrea— tras la que no se percibían bien las exactas proporciones del fenómeno social. Cuando se apaga la brillante cohetería de la explosión romántica, las cosas comienzan a aparecer en sus dimensiones normales, en toda su trágica desnudez. Compárense, por ejemplo, las tan distintas maneras que de enfocar el problema social suponen las obras románticas de Víctor Hugo —donde no hay, realmente, problema social, sino una serie de difusas y confusas inquietudes, bañadas de sentimentalismo— con lo que luego significa una obra como·*Los Miserables,* concretadora de esas primitivas inquietudes.

Al estudiar los cuentos religiosos, observamos cómo lo literario y lo ideológico se agrupaban hasta el punto de que siendo general asociar a la idea de naturalismo la de impiedad, chocase a varones como Zola y *Clarín,* que una dama católica como era la Condesa de Pardo Bazán, cultivara y defendiera la técnica naturalista.

Típico de la mentalidad décimonónica fué este afán clasificatorio, por el que hombres y estilos, credos y partidos políticos, quedaban aislados en bloques impenetrables. Parecía difícil escapar a estas clasificaciones, y por eso, los casos de una Pardo Bazán o de un Pereda, naturalistas y católicos, causaban general extrañeza.

Algo parecido ocurre con lo social. El naturalismo está considerado como el fenómeno literario que dió expresión a los temas sociales [1] concretamente en las novelas, que no eran tales, sino *documen-*

---

[1]   Si el romanticismo no era más que el liberalismo en literatura, según decía Víctor Hugo, el naturalismo parece encarnación de una más rotunda libertad, menos sentimental y altisonante que la romántica, pero más inmediata y práctica.

Rafael Altamira decía: «El primer carácter y la primera voz que trajo a la lucha el naturalismo, fueron de libertad. Yo no sé si, fatalmente, las instituciones y los hombres que aparecen en la historia con un fin liberal, caen siempre, una vez victoriosos y constituídos en elemento director de la vida, bajo la condición

tos humanos, según pretendían sus autores. Nace la novela de tesis y con ella todas las disputas sobre la jerarquía estética de este nuevo género.

Merecería un estudio amplio acontecimiento literario tan notable como la aparición de estos géneros tendenciosos [1 bis]. Novela, drama e incluso poesía —recuérdese a Núñez de Arce— se convierten en algo más que simples objetos de fruición estética, utilizándose como armas con las que defender una determinada ideología.

Y cabe preguntarse: ¿en qué se diferencia la novela de tesis de la que no lo es? Porque resulta muy fácil hablar de novelas tendenciosas, prescindiendo de lo que puedan ser las no conceptuadas como tales. ¿No hay algo parecido a una tendencia en las *Ejemplares* de Cervantes o en muchas de las picarescas? ¿Se proponían sus autores hacer únicamente literatura, o escribían bajo el signo de una preocupación que se traspasó a su obra?

En nuestra opinión, lo que distingue a la novela pura de la novela de tesis es que en aquélla el autor puede haber dado expresión a una inquietud de la época, moral, religiosa, política, social, pero de una forma no totalmente intencionada, sino más bien inconscientemente, como si la novela fuera resultado natural de algo que estaba en la atmósfera y que había de teñirla inevitablemente. Incluso cabe admitir que el escritor se propusiera combatir algo con su novela, olvidándose luego de ello, arrastrado por el poder de su propia invención. Piénsese en el tan conocido caso del *Quijote,* del que se ha dicho que, originariamente, fué concebido como festiva sátira contra los libros de caballería, habiéndose transformado luego en obra de más alta intención, y no de manera inconsciente por parte del autor, según ha dicho Américo Castro.

---

de absolutos y reglamentarios, como aquellos contra quienes se alzaran. Lo que no dudo es que, después del romanticismo —voz de libertad enérgica, entre otras muchas cosas— hacía falta más libertad...» *(Mi primera campaña.* Lib. de José Jorro. Madrid, 1893, pág. 20).

Es preciso tener en cuenta que la palabra *libertad,* manejada por románticos y naturalistas, tiene dos vertientes: libertad ideológica, de pensamiento y acción; y libertad literaria, expresiva, antipreceptiva. Una suele engendrar la otra, o más bien, las dos suelen aparecer juntas, expresión de una rebeldía contra las formas tradicionales, ya sean políticas o artísticas.

1 bis Vid. Sherman H. Eoff: *The Spanish novel of «ideas»: critical opinion (1836-1880). Publications of the modern language association of America.* 1940-1941, LV, 2, págs. 531-538.

En cualquiera de esos casos, lo novelesco, lo artístico es lo que predomina, aun cuando en ello pueda ir injertado lo tendencioso en mayor o menor proporción y más o menos deliberadamente.

Pero en el siglo XIX, el naturalismo —nos referimos al doctrinal y no a la pura técnica literaria naturalista, que es otra cosa— traspone a un primer plano de importancia lo tendencioso, subordinando a ello todo lo demás. Hoy, superada esa técnica antiartística, nos parece monstruoso el procedimiento zolesco de escribir novelas sobre esquemas ideológicos prefijados. La novela así concebida es, en realidad, una sierva de un ideal extraliterario.

Lo que nos aleja algo, hoy, de Galdós, es su manía simbolista, su repetida técnica, consistente en encajar situaciones novelescas sobre esquemas ideológicos, casi siempre los mismos. Se trata de variantes sobre el mismo tema: reacción, oscurantismo, intolerancia, por un lado, y progresismo, liberalismo y transigencia, por otro. Las mejores novelas de Galdós son aquellas en que el autor, arrastrado por la humanidad de sus criaturas, se olvida algo del esquema mental prefijado, cuidando más lo narrativo que lo ideológico.

La novela de tesis no es rechazable, siempre que el autor haya sabido diluir sabiamente la preocupación o tendencia que la inspiró, hasta un punto tal que no se observen grumos en el cuerpo narrativo, transparente y limpio.

Esto es difícil y más en una época en que se caminaba con anteojeras ideológicas. Incluso los defensores del arte por el arte, como *Clarín*, resultan sobremanera tendenciosos [2].

Los novelistas naturalistas trataron de presentar las injusticias sociales —*leitmotiv* de sus obras— no a la manera quejumbrosa y patética de los románticos, tipo Sué, sino descarnada, objetivamente, con toda la fuerza del impasible *documento humano*.

El pueblo pasa a ser protagonista novelesco [3], desapareciendo el

---

[2] *Clarín* defendió en alguna ocasión la nueva orientación *tendenciosa* o filosófica —según la llamaba él— de la novela en España, por ser éste un país donde no hay filósofos (Vid. en *Galdós*, 1912, las páginas dedicadas al análisis de *Gloria*).

[3] En la misma obra sobre *Galdós*, dice *Clarín*, a propósito de esta aparición del pueblo en las novelas naturalistas: «El pueblo que se pinta en *La desheredada* no es aquel pueblo inverosímil, de guardarropía, de las novelas cursis, que tanto tiempo hicieron estragos en parte del público; es claro que eso no podía ser, pero tampoco es el pueblo idealizado de las novelas socialistas de Sué...» «... para Galdós, como para Zola, la mayor miseria del pueblo, de la plebe, para

divismo. En las novelas de Zola, de Galdós, de *Clarín* —*La Regenta*— o de la Pardo Bazán —*Los Pazos de Ulloa*— es difícil saber quién es el protagonista. Las antipatías o simpatías del autor no recaen sobre un personaje, sino que, refrenadas por la impasibilidad que es norma de la nueva técnica novelesca, se reparten entre todos los seres que participan en esa como orquestación narrativa, de cuyo conjunto sale un protagonista-grupo en el que se aglutinan, celulariamente, los sub-protagonistas de la obra: *L'asommoir* protagoniza una narración de Zola, como una ciudad —*Vetusta*— o un bárbaro ambiente rural —*Los Pazos* o la *Madre Naturaleza*— protagonizan otras de Alas y de la Pardo Bazán.

La aproximación al pueblo no se hace, pues, provocada por la sentimentalidad o afición a lo pintoresco que fueron propias del romanticismo. (*Fernán* y Trueba se acercan a las más bajas clases sociales, no atraídos por sus miserias, sino buscando en ellas la moral, resignación y virtudes que no encuentran en su sociedad.) El pueblo interesa no por su color, por sus costumbres, por su significación, sino por los problemas sociales en él entrañados.

Rafael Altamira comentaba así este fenómeno:

«Claro es que esa particular atención prestada por la literatura al sujeto popular no obedece (ni podía obedecer, dados los tiempos) a la simple aspiración artística de reflejar lo pintoresco y lo emocionante del vivir de tales gentes, o de buscar en ellas notas originales que remocen el campo de la invención, sino que va estrechamente unida con el más caluroso interés por los problemas sociales que aquel sujeto lleva consigo. De aquí que, si en alguna de las novelas o de los dramas a que aludo —aun los de escenario rural— la pasión amorosa u otra análoga constituyese un fondo del argumento, en la mayoría los temas sentimentales están sustituídos por los económicos y sus derivados» [4].

Este pueblo que aparece en las novelas naturalistas, no es siempre el pueblo campesino, sino el de la ciudad, el de la villa. Lo distintivo de la nueva escuela literaria es su pretensión de hacer novelas de todas las clases y ambientes sociales: la burguesía, el clero, el ejército, el hampa, etc.

Seres grises que el romanticismo hubiera considerado no-novelescos por su falta de color, por la sencillez de su vivir sin anécdota, ad-

---

que nos entendamos, es su podredumbre moral, y a lo primero que hay que atender es a salvar su espíritu» (ob. cit., págs. 100-101).

[4] R. Altamira: *Cosas del día*. Valencia (1908), págs. 124-125.

quieren ahora jerarquía protagonística, no como sujetos individuales, sino como componentes de un organismo social

«El realismo contemporáneo y el naturalismo —decía Altamira— han ensanchado los horizontes del arte; han incorporado, a la novela y a la poesía, esferas de la vida social, antes despreciadas. Con ellos, la burguesía y el pueblo han subido a la escena...» [5].

Interesa más el hombre que la naturaleza, considerada sólo como *medio* y como *fuerza*. Y lo que interesa del hombre no es su poderosa individualidad —a la usanza romántica—, sino su nota de color común con seres de su misma clase social, de su misma época, de su misma nación. El *yo* gesticulante, que lo era todo en las novelas románticas —confesionales, autobiográficas y egolátricas—, va siendo absorbido lentamente no por el paisaje —sustituído ahora por la naturaleza, sin alma pero con vida—, sino por la humanidad, por una humanidad reducida a la categoría de una clase social, de cuya conjugación con otras sale el más amplio conjunto.

Se trata, pues, de una técnica casi científica: para estudiar lo que es el hombre, no hay que acercarse al corazón aislado y dolorido del romántico; hay que tomar a un ser insignificante y observarle en sus relaciones sociales, inmerso él y los suyos en un medio ambiental, e instalado todo este conjunto en una localización geográfica y en una hora histórica.

II. CARACTERISTICAS DEL CUENTO SOCIAL

Pero, ¿y el cuento? ¿Cómo son tratados el pueblo, lo social, en las narraciones breves?

En primer lugar, es preciso advertir los relatos recogidos en este capítulo no siempre son sociales a la manera naturalista. Aquí, llamamos sociales a los cuentos sobre conflictos humanos que, rebasando la frontera de lo individual, afectan a una clase entera, ya sea ésta aristocrática —como en el caso de algunos relatos del P. Coloma y de Benavente—, campesina, obrera, etc.

No es menester decir que la técnica científica observada en las novelas naturalistas no sirve para el cuento, que requiere un procedimiento distinto del lento y trabajado de la narración extensa. En el cuento

---

[5] R. Altamira: *Mi primera campaña*, pág. 23.

no caben amplias descripciones del medio ambiental, ni multiplicidad de protagonistas.

En definitiva, lo dicho en el capítulo sobre novela y cuento, y técnica del último, podría repetirse aquí. Si el novelista social procede por acumulación de datos, ofreciendo un conjunto expresivo, el cuentista ha de proceder por condensación, escogiendo una nota, un personaje, un incidente significativos, que puedan sugerir, por sí solos, el mismo problema social que tantas páginas necesitó para encarnar en novela.

Un tan interesante asunto como las relaciones entre amos y criados, lo resuelve *Clarín* en las breves pero intensas páginas de su magnífico cuento *El Torso*. La angustia y trágicas consecuencias de las huelgas obreras, aparecen apresadas en la brevedad de *Argumento* y *Doradores,* cuentos de la Pardo Bazán sobre este tema. Y en alguna narración como *Cuatro socialistas,* de la escritora gallega, los personajes adquieren la misma categoría simbólica que en las novelas extensas. Es decir, donde el novelista describe clase —por acumulación de hombres de la misma—, el cuentista describe hombre significador de la clase. Tal vez la variedad de tipos humanos empleados por el novelista permita una mejor caracterización psicológica de ésta —de la clase—, ya que, según observamos en otro capítulo, lo que se recuerda de una novela es la fisonomía espiritual de algunos personajes, mientras que en el cuento lo esencial es la anécdota y no el tipo psicológico. Los protagonistas de estos cuentos sociales carecerán, por tanto, del contenido psicológico e individualizador de que gozan en las novelas, presentando en cambio la nota general, común a su clase, que los convierte en símbolo de ella.

En la novela naturalista la trama es sólo un pretexto para insertar en ella personajes, ambientes e ideas. En el cuento el asunto lo es todo y a él se subordinan los demás elementos. En *Angel Guerra,* de Galdós, llega a interesar más que la peripecia, la descripción y caracterización psicológica de los muchos personajes que en ella intervienen, y la pintura del ambiente toledano. En *¡Adiós, Cordera!* los personajes carecen de valor individual, no ofrecen particularidad física o psicológica alguna, son un niño y una niña que pueden ser cualquier niño o niña. Lo esencial es cómo el autor conjuga esos elementos y de ellos extrae un asunto que lo es todo, que es la sustancia misma del cuento.

Son, pues, dos medios completamente distintos de expresión. El novelista, para exponer una inquietud social, se sirve de un animado conjunto de seres, de un ambiente, de una circunstancia histórica, cuyo total engranaje da como resultado la expresión de esa inquietud. El novelista habla a través de los diálogos de los sujetos novelescos.

El cuentista plantea y comunica el problema social a través de un asunto, ya que no tiene tiempo ni espacio para permitir que sean los personajes los que lo expresen.

Se observa, por tanto, que la técnica del cuento social no es distinta a la de cualquier otro tipo de cuento, sino que está dentro de los medios expresivos característicos del género.

Es preciso admitir —repitámoslo una vez más— que junto a los diferentes medios expresivos que son el drama, la novela, la poesía, existe uno más, relacionado si se quiere con la novela, pero distinto, ya que, aun siendo un género narrativo como ella, lo es de otra categoría.

Y obsérvese que si en la novela, diálogo, asunto, descripciones, ambiente, son elementos principales; al quedar como categoría del cuento sólo el asunto, no supone esto una situación de subordinación respecto a la novela. Admitir tal subordinación sería tanto como decir —y se ha dicho— que el cuento es el esqueleto de la novela, el argumento despojado de todas las adherencias de diálogo, descripciones, etc. Si esto fuera así, el cuento carecería de valor artístico y equivaldría a esos resúmenes que aparecen en las críticas o historias literarias, de los argumentos de las novelas.

El cuento no es una novela en esquema, por la sencilla razón —ya expuesta en otro capítulo— de que su asunto no podrá ser nunca asunto de novela. Por lo tanto, al decir que el argumento es el medio expresivo de este género literario, debe añadirse que se trata de! argumento *sui generis,* cuentístico, intransformable en novelesco.

Como se ve, estamos ante un género independiente y con una vida propia. Los capítulos temáticos no hacen sino confirmar lo expuesto al estudiar la técnica del cuento.

El cuento social es, pues, esencialmente impresionista. En nuestro siglo *Víctor Catalá* —Catalina Albert— ha conseguido los más emotivos efectos, depurando esa técnica.

El conjunto de narraciones que ahora vamos a reseñar podrá parecer frío y apagado en relación con las novelas que plantean las mismas inquietudes.

Y, sin embargo, la narración breve, punzante como un editorial periodístico, recoge los matices de un problema que, junto con el religioso, dieron al siglo pasado un gesto de angustia, agudizado en el duro tiempo actual [6].

III.   CUENTOS SOCIALES ROMANTICOS Y PRE-NATURALISTAS

En el estudio de los cuentos sociales trataremos de seguir un orden cronológico que, como en otros capítulos, será más ideal que real, ya que los intervalos entre las producciones de un mismo autor no permiten un escalonamiento riguroso, sino una ordenación aproximada. Cuando la coincidencia temática lo permita, o la evolución estilística o ideológica lo requieran, ese orden será trastrocado, en atención a encuadrar con la mayor claridad posible algunos tipos de narraciones, de las integradas en este capítulo. En las publicaciones y revistas románticas que hemos·podido manejar, apenas hemos encontrado cuentos de auténtica intención social, ya que ésta se expresa, más bien, a través del artículo de costumbres.

En 1837 aparece en el *Semanario Pintoresco Español* una narración sin firma, titulada *La Negra del Delaware,* que es un ataque contra la esclavitud existente en Norteamérica. El narrador cuenta cómo huyó de Europa, esperando encontrar en América un mejor ambiente social. Su desengaño ante los horrores de la esclavitud es tan grande, que le hace regresar a su país [7].

En *El tío Tomás o los zapateros,* de José SOMOZA, publicado en el mismo semanario en 1838 [8], se describe el sentimiento que en esta clase social despierta la desgracia y muerte de la hija de un zapatero. Asoma, pues, aunque torpemente, el tema de la solidaridad social.

En 1844 el *Semanario* comenzó a publicar *El Esclavo,* narración

---

[6]   U. González Serrano decía en un artículo sobre *El nuevo siglo,* publicado en 1903: «Se entrevén días apocalípticos ante el problema de los problemas, el social, X indescifrable...» (*La literatura del día.* Barcelona, 1903, pág. 87).

Y Pérez Galdós: «El gran problema social, que, según todos los síntomas, va a ser la gran batalla del siglo próximo (XX), se anuncia en las postrimerías del actual con chispazos a cuya claridad se alcanza a ver la gravedad que entraña» (Ignoro de dónde procede este pasaje. Cito a través de Joaquín Casalduero: *Vida y obra de Galdós.* Ed. Losada. Buenos Aires, 1943, pág. 21).

[7]   *Semanario Pintoresco Español,* n. 58, 7 mayo 1837.

[8]   Id., n. 124, 12 agosto 1838.

sin firma que llevaba al frente una nota advirtiendo que era el comienzo de un ciclo de tres novelas: *El Esclavo, El Siervo* y *El aprendiz,* escritas con la intención de probar las ventajas del progreso social [9]. *Sin casa ni hogar,* cuento anónimo —traducción tal vez— publicado en 1846, relata cómo un millonario convida a todos los deshollinadores de París y les refiere una historia, que es la suya, sobre un huérfano pobre, deshollinador, que, gracias a la perseverancia y economía, llegó a millonario [10]. Se trata de un cuento moral, pero la confrontación del rico y de los obreros le da cierto matiz social.

De todas formas, en esta época el tema social suena a cosa romántica, truculenta. Y así, pudo decir José María de Andueza en 1851:

«Los novelistas extranjeros nos han regalado esa afición a desentrañar los misterios sociales más ocultos; bárbaro acceso de curiosidad que nos impele hacia todos los puntos en que hay crímenes que descubrir, manchas de sangre que borrar, condenas que oír y suplicios que padecer» [11].

Se ve en esas palabras una alusión a Sué y a sus imitadores, cuyas obras tratan lo social como un elemento folletinesco más.

Refuerza el texto de Andueza otro anterior de 1840 que encontramos en el *Semanario,* en una crítica sin firma sobre *La novela moderna* y a propósito de una narración de Miguel de los Santos Alvarez:

«Al leer una novela original que tenemos a la vista, descansa alegre la imaginación. *La protección de un sastre* es un cuento, si cuento puede llamarse, en que no hay crímenes, ni sistemas, ni contrastes, ni sofismas, ni revoluciones sociales, ni predicaciones políticas» [12].

Es curioso observar cómo en los dos pasajes citados la idea de lo social, en los géneros narrativos, va asociada a la de crímenes.

La protección de un sastre, de MIGUEL DE LOS SANTOS ALVAREZ, no es, efectivamente, un cuento con revoluciones sociales o crímenes, pero sí hay en él cierta preocupación social que nos autoriza a citarlo aquí.

Publicado en 1840, cuando tenía veinte años el autor, es un relato escrito en un lenguaje antigramatical y torpe, interesante, empero, por algunas observaciones que reflejan bien la época [13].

---

[9]   Id., n. 28, 22 septiembre 1844.
[10]   Id., n. 4 de 1846.
[11]   Id., n. 28, 13 julio 1851, pág. 221.
[12]   Id., n. 19, 1 mayo 1840, pág. 151.
[13]   *Tentativas literarias,* de Miguel de los Santos Alvarez. *Cuentos en prosa.* Madrid, 1864, págs. 13 y ss.

De innegable intención social son las *Agonías de la corte,* del mismo autor, escritas en 1841 y en las que se describen las miserias y corrupción de la vida madrileña [14].

Las narraciones de «FERNÁN CABALLERO» fueron concebidas desde un punto de vista de acción social, y por eso nos referiremos aquí a algunas de ellas. Cecilia Böhl de Faber es una novelista tendenciosa —olvidado el matiz peyorativo·y violento de este término—, ya que no concibe la literatura como un fin, sino como un medio. Las constantes protestas de la veracidad de sus asuntos —semejantes a las que un predicador u orador pudiera hacer sobre la autenticidad de los hechos que expone—, las interferencias moralizadoras en las que la autora comenta el desarrollo de la acción, la unidad ideológica que se advierte en la obra toda de *Fernán,* evidencian una intención didáctico-social.

Un discípulo suyo, el P. Coloma, se declara predicador en el prólogo de *Pequeñeces.* Cecilia Böhl de Faber, sin hacer tal declaración, tiene más de predicador que el propio jesuíta, más novelista que ella, es decir, más atento a evitar que se oiga su·voz, disolviendo la moraleja en la trama, en vez de concentrarla en digresiones extranovelescas.

Hemos estudiado ya cómo *Fernán* evitaba los términos de *novela* y *cuento* para sus narraciones, prefiriendo los de *estudios de costumbres, cuadros sociales, relaciones,* etc. Y esto no sólo por las razones explicadas, sino también porque teme que lo estrictamente novelesco resulte frívolo. Ella escribe no tanto para deleitar como para enseñar al lector. No creemos que se encuentre un solo relato de *Fernán* escrito al margen de una preocupación moralizadora, educativa.

Y es curioso observar cómo aquello en que más creía la autora —lo ideológico— ha envejecido antes que lo menos valorado —lo narrativo [15]—. Los graciosos exabruptos de Cecilia contra el tren, su fe

---

14 Id., págs. 171 y ss.
15 Decía Manuel de la Revilla, de *Fernán:*
«Su inimitable talento descriptivo, su poético y delicado sentimiento, su admirable mezcla de idealismo y realismo se estrellaron ante el reaccionario propósito que la guió en todas sus producciones. Admiradora entusiasta de los antiguos ideales, trató siempre de restaurar la sociedad pasada y de combatir la nueva, y su grito de constante protesta contra el espíritu del siglo no permitió que gozaran sus obras de aquella popularidad e influencia de·que disfrutan las que saben hacerse eco de los ideales y aspiraciones de la sociedad en que se producen. Saborearon los doctos las bellezas de aquellas obras; leyéronlas con deleite los que en ellas veían retratadas y enaltecidas sus aspiraciones; pero ni las

ilimitada en las virtudes campesinas y su aversión a la ciudad son, entre otros, motivos que han perdido fuerza y actualidad. Es el mismo caso —acudiendo a una ideología opuesta— de las obras galdosianas, más valorables actualmente por lo estrictamente narrativo, técnico, que por lo doctrinal.

Fernán Caballero no iba con su tiempo. Fué el suyo un heroico y simpático gesto de protesta contra el materialismo y la dureza de su época, de sus contemporáneos. Las armas que utilizó *Fernán* para defender sus ideales, amenazados por las nuevas corrientes sociales e ideológicas, eran tan bellas y nobles como anticuadas. Cuando Alarcón o Coloma tratan de defender los mismos ideales, combaten al enemigo con sus propias armas, logrando así una eficacia que *Fernán* jamás alcanzó.

Cecilia Böhl de Faber, tierna, exquisitamente femenina, apasionadamente española —con ese grado de pasión que parece dable solamente en quienes no han nacido en el país, pero se han enamorado irremisiblemente de él—, amante de la tradición, colectora de cuentos y canciones infantiles, hondamente cristiana, es una de las más simpáticas figuras de nuestro siglo xix. Culta, sensible, humanísima, no encontró eco en un tiempo excesivamente agitado ya para que fuera capaz de prestar atención al gesto delicadamente suplicante de Cecilia, ansiosa de conservar tantas frágiles y bellas cosas que preveía iban a desaparecer para siempre.

Los cuentos de *Fernán* deben estudiarse en los capítulos de narraciones morales, religiosas, etc. Aquí queremos advertir solamente que, aparte de la intencionalidad peculiar de cada uno de ellos, tienen todos una nota social, entendida a la manera que hemos intentado explicar.

Son sociales los relatos de *Fernán* porque han sido concebidos más

---

novelas de *Fernán Caballero* tuvieron eficaz influencia en el desarrollo del género, ni lograron hacerse populares» (*Obras*. Madrid, 1883, págs. 109-110).

Más acertado es, entre los juicios modernos, el de César Barja:

«No tuvo la predicación evangélica de *Fernán Caballero* extraordinaria trascendencia social, pero sí tuvo su obra literaria influencia bastante grande en las letras españolas de la segunda mitad del siglo xix. Varios fueron los novelistas que, más o menos inmediatamente, la sintieron, incluso Pereda, y por de pronto, y más fuertemente que ningún otro, el vascongado Antonio de Trueba» (*Libros y autores modernos*. New-York, 1924, pág. 324).

como prédica que como objeto de fruición artística. *Fernán* habla a los hombres de su tiempo y trata de dar solución a sus problemas.

En este aspecto, *Fernán* se diferencia bastante de un Alarcón, por ejemplo. Trataremos de explicar esta diferencia, teniendo en cuenta que en este capítulo no vamos a citar ninguna narración del nove lista guadijeño.

Entre las novelas extensas y los relatos breves de ALARCÓN, se advierte una diferencia esencial. Ya, al hablar de los cuentos religiosos, tuvimos que afirmar que casi no existían en la producción alarconiana, teniendo que acudir a las novelas para definir la actitud del autor ante el problema más grande de su época.

Lo mismo podríamos decir ahora, con relación a los cuentos sociales. Alarcón no está al margen de la inquietud social, que, ligada a la religiosa, palpita en sus novelas extensas. Buscar la causa de esta diferenciación en la cronología solamente, nos daría una solución incompleta. Cierto que existe gran desemejanza entre el Alarcón casi adolescente que escribía narraciones inverosímiles o cuentos amatorios, y el Alarcón maduro, autor de las tres novelas largas: *El escándalo, El niño de la bola* y *La pródiga.* Pero no es, únicamente, la razón cronológica la que separa cuentos y novelas de Alarcón. Existe otra de tipo literario.

Alarcón es tendencioso en sus novelas y no en los cuentos —ya sean éstos trágicos, alegres, históricos o fantásticos— porque en aquéllas ve algo más que el juego literario, mientras que en éstos sólo ve la expansión imaginativa, desligada de toda preocupación extra-artística. En los cuentos relativos a la guerra de la Independencia se observa —salvo alguna excepción— que a Alarcón le interesaba más el dramatismo, la plasticidad y la animación de los temas, que su posible intención aleccionadora y patriótica.

Alarcón, desde este punto de vista, acertó plenamente al comprender que el cuento no admite, en sus reducidas proporciones, las preocupaciones tendenciosas, tal como cabe exponerlas en la novela. *Fernán* no supo ver esto y aplicó la técnica de la novela larga a la *relación* breve, haciendo de ésta un extraño producto literario en el que, junto a lo narrativo, aparece el verso, la nota erudita, la digresión moralizadora, el chascarrillo popular o la oración infantil. *Fernán* careció en absoluto no sólo del sentido de la medida, sino también del sentido de los géneros literarios, o, diciéndolo mejor, *Fernán* se preocupó muy poco de los convencionalismos literarios, que le resultaban estrechos para verter toda su generosa sentimentalidad [16].

La primera de las obras publicadas por *Fernán* parece que es *Sola,* escrita en alemán hacia el año 1833. Los detalles de su publicación no están aún resueltos claramente y constituyen uno de los problemas en el estudio de la cronología bibliográfica de *Fernán* [17]. Se cree que en ese año 1833, Nicolás Böhl, padre de Cecilia, envió el cuento *Sola oder Wahrheit und Schein* a Hamburgo, donde quedó varios años, siendo publicado en 1840 por iniciativa de N. H. Julius. Los motivos de tal retraso son desconocidos (Heinermann propone en la obra ci-

---

[16] Los prologuistas de las obras de Cecilia Böhl de Fáber, y ella misma, aludieron varias veces al desprecio de la narradora por todo lo que a técnica y trucos novelísticos se pareciera. Manuel Cañete decía en el prólogo a *Deudas pagadas:*

«No creo que, a excepción de una sola vez (como ya he dicho), se haya empeñado en combinar situaciones, ni la he visto jamás complacerse en las mil astucias del oficio: esta sola palabra la horrorizaría. Sabe dónde va y lo que se propone conseguir; pero no creo que cuando toma la pluma se cure mucho de lo que luego han de decir o hacer sus personajes» (Ob. cit. Madrid, 1911, págs. XXVI-XXVII).

[17] El P. Coloma, en sus *Recuerdos de Fernán Caballero,* refiere con todo detalle —pero inexactamente, según Theodor Heinermann— la historia de *Sola,* que dice apareció en el número 15 de agosto de 1840 de la revista *Literarische und Kritische Blätter der Börsen Halle,* desde la página 737 a la 743, con el título *Sola!oder/wahrheit und Schein/Eine Spanische Erzaehlung/von einer in Deutschland erzogenen/ Spanierin/.* Sevilla, 1833. Dice Coloma que tras este título había una nota de la redacción, advirtiendo que no quiso corregir algunos solecismos para que no perdiera en frescor y vida lo que podría haber ganado en corrección. Coloma afirma que *Fernán* escribió primeramente su obra en castellano, basando su argumento «en un trágico suceso acaecido en Sevilla por aquel tiempo, y dióle un corte francés, folletinesco, muy del gusto de la época, pero diametralmente opuesto a la plácida naturalidad y al sencillo realismo que había de implantar ella misma en España». Según Coloma, fué la madre de Cecilia, doña Frasquita de Larrea, la que tradujo al alemán y envió a Hamburgo la novelita de su hija: «*Fernán Caballero* nunca reconoció la paternidad literaria de aquella *Sola* alemana, ni hablaba nunca de su publicación en Hamburgo, por no tener que descubrir ni verse obligada a protestar contra aquella imprudente oficiosidad de su madre. En cuanto a la *Sola* legítima y española, ocultóla siempre a los ojos de todos, y nunca consintió en que se publicase, por considerar su argumento harto escabroso» (*Recuerdos de Fernán Caballero. Obras completas del P. Coloma.* Madrid, 1943, págs. 1.569-1.570).

Un estudio bastante completo de esta complicada cuestión se encuentra en la obra: *Cecilia Böhl de Fáber (Fernán Caballero) y Juan Eugenio de Hartzenbusch. Una correspondencia inédita,* publicada por Theodor Heinermann. Espasa-Calpe. Madrid, 1944.

tada una ingeniosa hipótesis). Posteriormente Cecilia vertió la novelita al español —o tal vez su madre, según sugiere Heinermann un poco gratuitamente— y la ofreció a Hartzenbusch, que la hizo publicar en el *Semanario Pintoresco Español* en los números 43 y 44 de 1849.

Sola es un folletín amargo y duro, que en 1852 le parecía a la autora, junto con otros relatos publicados en el *Semanario,* «muy poca cosa (no en el pensamiento que son hermosos, y no míos, sino hechos reales, pero sí en la ejecución) y todos por desgracia basado[s] en *culpas feas* que repugno a tomar por asunto principal y menos el darle interés. Son Sola, la hija del sol, y los dos amigos» [18].

Sola, cuadro de costumbres sevillanas [19], pese a su pretendida crudeza, es una narración moralizadora, ya que presenta los peligros de una educación mundana: la protagonista, Sola, es la hija ilegítima de una madre distinguida que gusta de pasearla y exponerla. Sola se pierde y termina cayendo en la prostitución. El sensual ambiente sevillano sirve de fondo, crepitante de vida y de color, a tan desgarrada historia.

Fernán abandonó luego estos asuntos que, pese a ser gravemente moralizadores, debieron parecerle propios de un *enfant terrible.* No obstante, el tema de la seducción —que, en definitiva, es también el de *La Gaviota*— reaparece en *Con mal o con bien, a los tuyos te tén,* relación publicada en 1851 [20].

Justa y Rufina [21] es una folletinesca narración que sólo tiene el interés de contener una escena de trueque de niñas recién nacidas, llevado a cabo por la madre pobre que deja a su hija en la cuna de la rica, semejante a las que aparecen en dos dramáticos cuentos sociales de la Pardo Bazán, *Durante el entreacto* y *El trueque* [22].

Podríamos recordar aquí, también, *La viuda del cesante, Las mujeres cristianas (Cuadros sociales), Los dos memoriales (verídico episodio del viaje de la reina a Sevilla en 1862)* y *Un vestido* [23].

Antonio de Trueba recoge de *Fernán,* lo dulce, lo ingenuo, infan-

---

18 Epistolario citado, carta 23, págs. 145-146.
19 Puede leerse en la serie *Cuadros de costumbres.* Lib. de A. Rubiños. Madrid, 1917, págs. 439 y ss.
20 *Semanario Pintoresco Español,* ns. 9, 10, 11 y 12 de 1851.
21 *Relaciones.* Ed. Rubiños. Madrid, 1917, págs. 201 y ss.
22 Vid. más adelante, en este mismo capítulo.
23 *Vulgaridad y nobleza.* Rubiños. Madrid, 1917.

tilizando la ideología. Por lo tanto, es inútil buscar en sus obras ninguna página acre o de inquietud social. El tono moralizador, docente
y jovial tiñe todas estas narraciones, y sólo en algún caso —*Los borrachos, La resurrección del alma*— apunta algo parecido a una preocupación social.

En 1857 publica GASPAR NÚÑEZ DE ARCE *Historia de mi vecino* [24],
cuento que sin ser exactamente social, interesa por algunas referencias sobre la sociedad de la época: Pedro de Zúñiga, enamorado de
una humilde huérfana, la abandona por una fea jorobada que cree
rica heredera. Cuando le dicen que es pobre no hace caso, dándoselas de astuto. Ni el padre de la jorobada logra convencerle de su pobreza. Sólo se da cuenta de su equivocación, una vez casado. Núñez
de Arce comenta que, en su época, hay muchos Zúñigas que achacan
a la fatalidad —invento suyo— el resultado de sus torpezas. Han pasado los años románticos de sentimentalismo, lágrimas, amores contrariados e incomprensiones, y ha «empezado a penetrar en el corazón de
la sociedad el seco y analítico materialismo que hoy la corroe...» «Pero
en aquella época que blasonaba de escéptica, es cuando más despóticamente ha reinado en España la fe, que todo lo engrandece; entonces
corrían los hombres el campo de batalla encendidos en su ardor patriótico; entonces las causas se defendían; hoy se venden...» «Verdad es
que el tiempo a que me refiero, tenía sus manías ridículas.» «Entonces
se equivocaban los hombres por carta de más, ahora se equivocan por
cartas de menos. Entonces todo se achacaba al corazón, hoy se culpa de
todo a la cabeza; entonces la sociedad creía sentir sólo, hoy cree que
piensa sólo también. Exageración por exageración, prefiero la primera:
una generación que quiere parecer vieja, está muy cerca de serlo.»

Ha habido, pues, un cambio profundo en la mentalidad décimorónica, en la sociedad española, invadida ya de positivismo. Se esfuman los últimos deliquios románticos, y lo social —lo civilizado, lo
progresista— va sustituyendo a lo natural —lo salvaje, lo primitivo—.

Así, en 1858 pudo decir, antirromántica, antirrousonianamente,
Federico Díez de Tejada en un artículo de costumbres:

«El hombre, considerado en el primitivo estado natural, es horrible; a todos
nos estremece la presencia del salvaje» [25].

---

[24] *El Museo Universal*, n. 11, 15 junio 1857.
[25] Id., n. 15, 15 agosto 1857.

La sustitución de un romanticismo delirante por un frío positivismo no fué, empero, ni rápida ni rotunda. El positivismo es atacado por los que, sin ser románticos, tampoco desean prosaizar tan violentamente la vida. Recordemos las obras teatrales de Adelardo López de Ayala, a las que podrían sumarse comentarios como éste de Ventura Ruiz Aguilera, en su artículo satírico *Yo estoy por lo positivo* (1859):

«Entregado [el positivista] en cuerpo y alma a esa creencia, no concibe que haya goces fuera de los que pinta, en su imaginación, la brocha del materialismo, distinguido artista del siglo xix» [26].

De todas formas, pese a tan profundos cambios ideológicos, lo social aún no ha pasado a la literatura, y sólo se encuentran en esos años relatos truculentos de miseria, hambre y abandono. *¡Por lástima!...,* de PÍO GULLÓN [27]; *La Generosa,* de CONSTANTINO GIL [28]; *El pobre ciego,* de FERNANDO LEÓN Y CASTILLO [29], entre otros, tratan el tema de mendigos, pero sin ninguna preocupación social, y sólo con intención folletinesca.

Es —repitámoslo— en los artículos de costumbres y no en los cuentos, donde mejor puede encontrarse el clima social de esos años, o bien en algunos relatos, mezcla de artículo y de cuento, como los *Proverbios ejemplares,* de VENTURA RUIZ AGUILERA, en los que el autor, según Eduardo Bustillo, «con verdadera gracia y siempre con la dignidad de un escritor de conciencia, ridiculiza y condena vicios, debilidades y preocupaciones sociales, presentándonos con admirable verdad, cuadros que hemos visto fuera del libro, tipos con que hemos tropezado en el mundo, rasgos de carácter, cuya importancia de aplicación no era bastante conocida» [30].

De todas formas, la importancia que el tema social va adquiriendo se ve en cómo las revistas de la época dan cabida a artículos tan significativos como los que, en forma folletinesca, empezó a publicar en 1864,

---

[26] Id., n. 15, 1 agosto 1859.
[27] Id., n. 5, 29 enero 1860.
[28] Id., n. 49, 9 diciembre 1866.
[29] Id., n. 8, 21 febrero 1864.
[30] Vid. el comentario crítico de los *Proverbios* hecho por E. Bustillo en *El Museo Universal,* n. 38, 18 septiembre 1864. En el mismo *Museo* aparecieron varios de estos cuadros, entre ellos algunos tan interesantes, socialmente, como *Al freir será el reír* y *Mi marido es tamborilero, Dios me lo dió y así me lo quiero.*

en *El Museo Universal,* José Pastor de la Roca con el título de *Las huelgas de París.*

Avanzando en el tiempo, estudiaremos las narraciones de José María de Pereda, que no fué un cuentista social, pero sí tendencioso. Ideológicamente está en la línea *Fernán-Trueba-Coloma;* pero, más irónico y realista, supo dar expresión moderna y eficaz a unas doctrinas que parecían aplastadas por el positivismo ambiental. Pereda, siempre en la brecha, es un combatiente dispuesto a dar la réplica *(Gloria.—De tal palo tal astilla) (Las miserias de la vida conyugal.—El buey suelto....). Los hombres de pro, Blasones y talegas, La mujer del César, Oros son triunfos, Dos sistemas,* recogen en sus páginas la inquietud social de la época, interpretada por el temperamento e ideología de Pereda. Los tintes violentos y apasionados de *Fernán* o los suaves y candorosos de Trueba se han trocado ahora en esa socarronería que alienta en *Blasones y talegas,* parodia encantadora del viejo tópico romántico de los amores entre gentes de distinta clase social [31].

Es ésta la mejor narración breve de Pereda, de las clasificables en el presente capítulo. *Para ser buen arriero...* [32] relata cómo el cambio de posición social —un humilde matrimonio de campesinos, enriquecidos por la herencia de un indiano— puede acarrear la desgracia. Un tema muy parecido es el de *El zapatero remendón,* de Manuel Polo y Peyrolón: Un obispo da cien duros a un pobre zapatero, vecino suyo, y éste, pasados unos días, se los devuelve porque no sabe qué hacer con ellos, y el temor de que se los roben le quita la felicidad de que antes disfrutaba [33]. En realidad Polo y Peyrolón no coincide con Pereda, sino con un cuento popular —en el que indudablemente se inspiró—, del que tenemos una versión granadina, *El zapatero pobre,* en la colección de A. M. Espinosa [34].

---

[31] «Blasones y talegas —dice J. A. Balseiro— tiene, pues, el significado histórico y social de la fundición de las categorías civiles» *(Novelistas españoles modernos.* New-York, 1933, pág. 65). Esta narración puede leerse en *Tipos y paisajes.* 2.ª ed. Madrid, 1897, págs. 217 y ss.

[32] Ed. cit., págs. 49 y ss.

[33] *Borrones ejemplares.* Valencia, 1883, págs. 79 y ss.

[34] *Cuentos populares españoles.* Consejo Superior de Investigaciones Científicas. Madrid, 1947. Cuento n. 90. Vid. texto y las notas comparativas, en las cuales no aparecen citadas estas narraciones literarias de Pereda y de Polo y Peyrolón.

Las bellas teorías [35] viene a ser un cuento-artículo del estilo de algunos de *Clarín*. Comienza con la siguiente irónica invocación:

«¡Dichosa edad, dichoso siglo XIX! Tú, con tu ciencia, arrancaste a los pueblos de la barbarie de sus antecesores; tú, con la razón por bandera, redimiste a la Humanidad del pecado de la estúpida ignorancia de nuestros abuelos!»

El protagonista es un mozo modelado a la última, racional, espíritu fuerte, escéptico en materia de tejas arriba, *ilustrado* y pobre. Vive de teorías, no encuentra empleo, rechaza las influencias. Tras grandes fracasos y desengaños, muere en un hospital renegando de las bellas teorías, y diciendo que no hay más verdad que Dios.

Antes de pasar a otros narradores, citaremos negativamente a don JUAN VALERA, que no escribió ningún cuento que pueda calificarse como social. Valera es antitendencioso por virtud de su naturaleza refinada, por su depurado estetismo. Sus cuentos son elegantemente mundanos, satíricos, alegres, pero no sociales ni tendenciosos.

«FERNANFLOR», periodista, narrador rápido —era una de sus vanidades—, muy de circunstancias, fué uno de los hombres más de su época, ligero, frívolo si se quiere —«con algo de coquetismo mujeril», decía Cejador—, pero atento a ella y de ella vivo trasunto. Sus cuentos han envejecido, por tanto, y pocos conservan la suficiente vida como para interesar al lector actual. Y, sin embargo, no falta belleza en algunas narraciones de Isidoro Fernández Flórez, ya que su mismo tono entre elegante y cursi, su olor a viejo, sus colores ajados, ofrecen el encanto de retrotraernos a lo más efímero de su siglo, a lo más convencional y frágil.

Fernanflor trata, pues, lo social en sus cuentos, muy convencionalmente también, recurriendo incluso al tópico del niño huérfano en la Nochebuena con nieve y frente a palacios lujosos: *La Nochebuena de Periquín*. (Vid. el cap. de *Cuentos de niños,* donde también se estudia otro cuento social: *Los dos niños.*)

Citaremos aquí *La opinión,* relato en que lo social y lo moral se mezclan [36], *¡Misterios!* [37] y *Lo que es imposible* [38]. Esta narración lleva un subtítulo o aclaración que dice: *A propósito del regalo de un elefante por Menelik al presidente de la República francesa. Cuento elefan-*

---

[35] *Esbozos y rasguños.* 2.ª ed. Madrid, 1898, págs. 73 y ss.
[36] *Cuentos rápidos,* 1886, págs. 233 y ss.
[37] Id., págs. 29 y ss.
[38] *Cuentos,* con prólogo de Galdós. Madrid, 1904, págs. 165 y ss.

tino. Su tema es absurdo y tal vez simbólico-social: En la India unos esclavizados parias, no pudiendo vengarse del príncipe opresor, proponen matarse ellos mismos, arrancando así su imperio al príncipe.

Perseguir lo social en las narraciones del P. Coloma resulta más difícil que en las de *Fernán,* ya que el jesuíta es más hábilmente tendencioso que la autora de *La Gaviota,* y esconde sus predicaciones bajo la textura novelística, evitando la digresión y utilizando una técnica realista, muy distinta de las de sus predecesores. No obstante, en varios relatos se observa una clara intención social: *Polvos y lodos* refleja bien el ambiente de actrices y toreros, con quienes gustaban de alternar algunos jóvenes aristócratas y disolutos. La historia y muerte en la soledad de uno de éstos, constituye la trama del cuento [39]. De *Caín y Mal-Alma* —ambos sobre el tema de la revolución social— hemos hablado en otros capítulos. Aunque excesivamente extensa para su estudio aquí, es preciso citar, por tratarse de la narración más auténticamente social de Coloma, *Juan Miseria* [40], estudio de las más bajas clases sociales andaluzas en un ambiente revolucionario.

IV. CUENTOS SOCIALES, NATURALISTAS Y POST-NATURALISTAS

«Clarín» dijo en el prólogo a sus *Cuentos morales* (1896):

> «Yo soy, y espero ser mientras viva, partidario del arte por el arte, en el sentido de mantener como dogma seguro el de su sustantividad independiente. No hay moda literaria ni reacción que valga para sacarme de esta idea» [41].

Aparte de que esto lo decía en su madurez —muy evolucionada ya, por tanto, su visión de las cosas—, es preciso recordar lo que dijimos de la defensa que *Clarín* hizo de las novelas tendenciosas de Galdós. Y lo cierto es que él mismo, pese a su profesión de fe estética, fué sumamente tendencioso en sus narraciones, como no podía menos de suceder dado su temperamento satírico y el ambiente en que vivía. La

---

[39] *Lecturas Recreativas.* 4.ª ed. Bilbao, 1887, págs. 67 y ss. Doña Emilia Pardo Bazán decía de este cuento: «En *Polvos y lodos,* siempre con admirable donaire, se flagela a la juventud aristocrática, que sobre la gloriosa cimera del antepasado, que adornó la misma Isabel la Católica con corona condal, aplica una montera de torero» *(Nuevo Teatro Crítico,* n. 4, abril 1891, pág. 48).

[40] *Juan Miseria.* 4.ª ed. Bilbao, 1900.

[41] *Cuentos morales.* Madrid, 1896, pág. V.

Revolución de 1868 imprimió a la literatura inmediatamente anterior y posterior un sello de preocupación social [42].

Clarín, tan atento a todas las incidencias de su siglo, tan influído por el naturalismo francés, ¿no habría de recoger en sus obras la inquietud social, viva en el ambiente? [43].

En sus novelas extensas [44] y en sus cuentos, Alas nos da un trasunto de su época; pero, afortunadamente, llevado el autor de su poderosa intuición, de su desprecio por las que él juzgaba cominerías de su tiempo, supo convertir preocupaciones que eran producto de una urgencia temporal y efímera en creación artística perdurable. Al contemplar con ironía su siglo, *Clarín* lo desborda y hace una obra tan maravillosamente bella, que han sido las generaciones siguientes —desligadas de la circunstancialidad histórica— las que mejor la han comprendido.

El Torso es uno de los más bellos cuentos clarinianos, en el que un

---

[42] A este respecto dice *Andrenio:*

«En 1868 había sido destronada la Reina Doña Isabel II; se formó un Gobierno provisional; después se eligió Rey a un Príncipe italiano, Don Amadeo de Saboya, Duque de Aosta, hijo de Víctor Manuel I, y del cual han conservado grato recuerdo los españoles. A su abdicación siguió la proclamación de la República; más tarde, un golpe de Estado militar que restauró la Monarquía de la Casa de Borbón, en diciembre de 1874. Todos estos acontecimientos ocurrieron, pues, en un período de seis años. En esa época, agitada, intensamente constituyente, en esa especie de *interim* español, se inició el renacimiento novelesco.»

«¿Qué relación hay entre el ambiente social y político y el fenómeno literario? Se han examinado incluso por una gran escritora española [doña Emilia Pardo Bazán]... las relaciones entre la revolución y la novela en Rusia, abarcando en el concepto «revolución» todo el proceso secular que preparó el derrumbamiento del Imperio de los Zares. No hay paridad de volumen con el caso español, pues nuestra revolución fué una pequeña revolución transitoria. Pero en uno y otro caso hay cierto paralelismo entre las manifestaciones literarias y la fermentación política: La revolución rusa se palpa en las páginas de los novelistas, que son su mejor comentario histórico. Por lo que toca a España, la atmósfera política y social imprimió su colorido en la novela; la época moldeó a su imagen a la literatura» *(El renacimiento de la novela española en el siglo XIX,* págs. 51-53).

[43] Acerca de la interpretación social del arte y la literatura, véanse los artículos sobre *La familia de León Roch* y *El contenido social del arte,* en *Solos de Clarín.* Madrid (1886).

[44] Decía Rafael Altamira, a propósito de cómo la novela adquirió en las obras de Zola y de otros un carácter social de que antes carecía: «Tengo para mí que uno de los grandes méritos de *La Regenta,* de Alas, es esa nota social en que la vida provinciana resalta tan admirablemente» *(Mi primera campaña,* nota 1 de la pág. 27).

tema social —relaciones entre amos y criados—se aborda y resuelve de la forma más noble y emotiva [45]: El duque de Candelario, pese a tener por suya casi media provincia, es un ser campechano y cordial que vive en camaradería con sus servidores. Su hijo, educado en Eton y Oxford, no comulga con las ideas igualitarias de su padre, el cual trata, sobre todo, con gran confianza y cariño a Ramón, antiguo compañero de milicia y ahora jardinero de su palacio, al que llaman el Torso, pues habiendo perdido una pierna y un brazo, apenas le quedaba más que el tronco. Ramón respeta al amo joven: «Si con el amo *viejo* era confianzudo, era por cumplir una consigna; porque así se lo había ordenado implícitamente; por lo demás, él tenía el respeto a la sangre donde el señorito la nobleza, en el fondo de la conciencia.»

Cuando muere el viejo amo, todo cambia en la casa. Ramón, como jardinero que es, es expulsado de la casa, volviendo a su jardín, viviendo él solo en un pabellón, como desterrado. Una atmósfera de corrección y frialdad sustituye a la antigua cordialidad entre amos y criados. El Torso, sin hacer nada en su pabellón, sigue cobrando su sueldo como un jubilado. Un día le llegan rumores a su destierro de que el joven duque no es feliz. Y efectivamente, abandonado por su esposa, el duque queda solo en su señorial mansión, donde encuentra seca corrección en los criados, pero ningún afecto. En cierta ocasión, paseando solitario por el jardín, llega hasta la glorieta donde vive el Torso.

«El veterano había ido perdiendo terreno, pero no quería abandonar la casa de que había sido perro fiel; no quería morir. El *señorito* no le visitaba nunca. Pasaba el día sentado en un sofá de paja, haciendo solitarios con naipes viejos, sobre una mesa de mármol, con grandes esfuerzos de la mano única que movía apenas, para la cual cada naipe, sobado y lleno de dobleces, pesaba como una losa. La pierna de carne se había hecho de palo también, no se movía. Los ojos eran centellas, pero los oídos tapias: todo le sonaba a Ramón a ruido del bosque que tenía a la espalda. Como no oía, apenas quería hablar, para no decírselo él todo. Además, casi nunca tenía con quién.»

Le dominaba una idea: «¿Qué haría, cómo lo pasaría el señorito allá abajo?»

El duque, tras vacilar, entra en el pabellón del jardinero.

«*El Torso*, al ver al amo frente a sí, quiso incorporarse, pero no pudo. Levantó un poco la mano, que no llegó a la cabeza. Saludó con ponerse rojo de respeto y de dicha. ¡Qué santo orgullo el suyo! ¡El *señorito* venía a verle a su sepulcro!

---

[45]   *Cuentos morales*, págs. 155 y ss.

El duque le puso la mano sobre el hombro; se sentó a su lado en el sofá de paja.

—¿Qué solitario es ése? —preguntó por señas.

—El de los reyes.

—¿Te lo enseñó mi padre? —volvió a decir don Diego, también con gesto, señalando con la mano, que sacudió dos veces, allí hacia las nubes, hacia los cielos...

—Sí, el señor duque —contestó Ramón, moviendo el muñón del brazo perdido, también hacia arriba.

—El señor duque... que de Dios goza... —repitió el *Torso*, que no pudo contener dos lágrimas pobres, muy delgadas.

Y el amo tampoco pudo, ni tal vez quiso, reprimirse; y dejando caer la cabeza sobre el hombro de Ramón, abrazado al *Torso*, lloró en silencio, en abundancia, como idólatra que se reconcilia con su fetiche, y le cuenta al tronco inerte, dios de los lares, las penas íntimas que no le importan al mundo.»

No creemos que exista en nuestra literatura una narración semejante en la sobria ternura, en lo aleccionador de su tesis, en la profunda humanidad —sin odios, sin efectismos— con que desarrolla un problema social.

El abrazo del Torso y del Duque se prestaría al fácil simbolismo de una aproximación de las clases sociales, sospechosamente teatral. El cuento clariniano nace, no de esa concepción simbolista y demagógica del problema social, sino que es producto de la experiencia del autor sobre la radical soledad que a los humanos nos rodea, muralla de hielo sólo rompible por el amor, por la compasión. No es tanto el orgullo de casta como el creer —universitaria, intelectualmente— que se bastaba a sí mismo, lo que movió al joven Duque a desterrar al Torso. Y en éste nunca hay violencia ni odio contra la clase que le desterró, sino resignación, amoroso recuerdo para el que murió —esos solitarios aprendidos a su lado— y desvelo familiar por el que vive. El Torso es el hombre roto y condenado a soledad por el orgullo de los otros. El Duque es el hombre al que la vida le ha enseñado el amargor de la soledad que él mismo se creó, vanidosa, inconscientemente.

En el abrazo que cierra el cuento se funden las dos soledades, la soledad de todos los humanos, capaces de encontrarse a sí mismos y a sus prójimos en el dolor, que no es sino la misma entraña de la vida.

Un tema tan decimonónico como el de los pobres cesantes, inspiró un bello cuento de *Clarín*, el titulado *El rey Baltasar*.

La figura del cesante fué la preferida de los escritores costumbristas y de los humoristas de todo el siglo XIX. Aparece en los artículos de

Larra y Mesonero, en los de Pérez Zúñiga y Taboada, en las caricaturas de Cilla... Es un tipo social nuevo que entra en la literatura y que define a su época, como el pícaro pudo definir a la suya.

El oficinista que por un capricho ministerial se ve en la calle, sin sueldo y rodeado de familia, era un motivo más trágico que cómico, y, sin embargo, fué tipo predilecto de los humoristas, que encontraban en él el contraste de un hombre cuyas buenas maneras, cuya pulcritud espiritual tenían como réplica los típicos cabellos larguísimos, la barba sin afeitar, los pantalones desflecados, las facciones pálidas del hambriento... Es el viejo motivo español de los harapos encubriendo la esperanza señoril. Porque estos cesantes esperaban, esperaban siempre la caída de un ministro y la subida de otro que pudiera reponerles en sus cargos. Mecanismo social éste, definidor de una triste época de la política española, y que fué combatido satíricamente desde artículos y narraciones. *Miau,* de Galdós, es la novela del cesante, del hambre, de la muerte. El tipo preferido de los costumbristas se convierte luego, como dice Casalduero, en un «problema social, histórico y político». «El tema se hincha de contenido agobiante» [46].

El rey Baltasar [47] es una de las típicas narraciones —como *Avecilla*— reveladoras del amor que Alas sentía por los humildes, por los seres grises como este don Baltasar Miajas, oficinista sujeto a las vicisitudes de los cambios ministeriales, reflejadas en su sueldo cada vez más menguado. Hombre hogareño, vive en un piso abuhardillado, cerca del cielo, donde se siente feliz lejos de «la impureza del aire de abajo», al que achaca la corrupción de algunos hombres. Don Baltasar ocupa un cargo que, venalmente desempeñado, podía significar su enriquecimiento. Pero él se atiene siempre a la legalidad, aun cuando ésta represente la pobreza para los suyos.

Ocurre que en una noche de Reyes los ricos padrinos del hijo mayor y de la niña de don Baltasar las dejan magníficos regalos, donados por *Melchor* y *Gaspar*. El tercer hijo, el pequeño Marcelo, sólo encuentra un cartucho de dulces, lo único que le han podido comprar sus padres. Don Baltasar le consuela diciéndole que falta el regalo de un rey. Su hijo deseaba un fuerte con soldados, y el padre encarga en una juguetería de lujo uno precioso y carísimo. Luego piensa en buscar el dinero. En la oficina soplaba entonces un viento de amenaza contra to-

[46]   Casalduero: *Vida y obras de Galdós,* pág. 90.
[47]   *El gallo de Sócrates,* págs. 17 y ss.

das las irregularidades y cohechos. Todos se sentían feroces, catonianos. «Siempre pagaremos justos por pecadores» —decían muchos pecadores que todavía pasaban por justos.» En resumen, casi sin darse cuenta, don Baltasar acepta el dinero —el justo para el juguete— de un señor a quien favorece. Es descubierto y declarado cesante. Marcelo recibe el fuerte con una tarjeta del rey Baltasar.

Como se ve, *Clarín* combinó la diatriba social con un argumento sencillo y humano, encontrando así la fórmula expresiva más eficazmente emotiva.

Finalmente citaremos como el cuento más incisivamente social de Alas, el titulado *Un jornalero* [48]: Un erudito es asaltado en la Biblioteca pública, donde trabajaba por las noches, por unos anarquistas y revolucionarios que, llamándole burgués, se disponen a matarle, esgrimiendo razones tan brutales como ésta: «Matarlo a librazos... Eso es, arriba, a la Biblioteca, que muera a pedradas... de libros, de libros infames que han publicado el clero, la nobleza, los burgueses, para explotar al pobre, engañarle, reducirle a la esclavitud moral y material...»

El pobre erudito se defiende del salvaje acoso y habla a los revolucionarios de su vida sacrificada, humilde y llena de trabajos y de miserias que se extinguía oscuramente, pero de la que quedará un recuerdo en los rincones de los archivos, «entre el polvo, como un carbón fósil que acaso prenda y dé fuego algún día, al contacto de la chispa de un trabajador futuro... de otro pobre diablo erudito...».

En tanto llegan los soldados y prenden a los revolucionarios. Toman al erudito por su cabecilla y le fusilan.

El pájaro en la nieve, de A. PALACIO VALDÉS [49], aunque ligeramente sensiblón y cargado de tópicos, es un buen cuento en su género y estilo, y significa la estilización del tema romántico y lastimoso del mendigo ciego en la nieve.

Aunque no se trata de un cuento, por pertenecer a los *Aguafuertes* citaremos aquí *El hombre de los patíbulos* [50], diatriba contra las ejecuciones que nos recuerda otra de PEDRO ANTONIO DE ALARCÓN: *Lo que se ve por un anteojo,* artículo especialmente elogiado por *Azo-*

---

[48] *El Señor y lo demás son cuentos.* Ed. Calpe. Colec. Universal. Madrid, 1919, págs. 164 y ss.
[49] *Obras completas.* Ed. Aguilar. Tomo II, págs. 1.038 y ss.
[50] Id., pág. 1.050.

rín [51]. Por lo demás, el dramatismo de los últimos momentos de un condenado a muerte estaba ya en una conocida obra de Víctor Hugo, recordada en otro artículo de Palacio Valdés, el titulado *El sueño de un reo de muerte.*

No pocos de los *Papeles del Doctor Angélico* tienen una intención social-moralizadora, aunque no sean cuentos: *Una interviú con Prometeo, Las defensas naturales, El gobierno de las mujeres,* etc.

Doña EMILIA PARDO BAZÁN declaró en cierta ocasión que no le gustaba la literatura tendenciosa, reprochando a los escritores católicos su ardor polémico a raíz de la revolución. Entiéndase bien que lo que la escritora preconizaba no era una novelística fría y aséptica: «La tendencia debe ser a la obra de arte lo que el alma al cuerpo, que lo informa, pero invisible» [52].

Por otra parte, sobre considerar poco artístico lo excesivamente tendencioso, la Pardo Bazán se jactaba de no mostrar determinada preferencia por ninguna corriente ideológica o moda literaria: «Todo el que lea mis ensayos críticos —decía— comprenderá que no soy idealista, ni realista, ni naturalista, sino ecléctica» [53].

---

[51] Cito a través de J. A. Balseiro, reproduciendo además una nota de éste sobre el comentario de *Azorín:*

«¡Qué poder formidable de genio en *El amigo de la muerte,* en *La mujer alta,* en *Lo que se ve por un anteojo,* en *La Comendadora!* No hay en las literaturas europeas modernas nada que supere a las narraciones citadas... Nadie ha inspirado tan gran horror contra la pena de muerte como Alarcón en *Lo que se ve por un anteojo.»*

La cita de *Azorín* procede de *Andando y pensando,* págs. 216-217, y lleva la siguiente apostilla de Balseiro:

«Este juicio de *Azorín* parécenos justo, exacto. Turguenief, describiendo la ejecución del guillotinado Troppmann, no alcanza la altura de Alarcón. Porque éste presenta, no sólo la monstruosidad del crimen legalizado que es la pena de muerte, sino una inquietud metafísica de qué carece el cuento ruso, sintetizada en las últimas palabras —«Dios juzgará a su vez»— de ese magistral cuadrito de 1854, obra de los veintiún años, conservado en el libro *Cosas que fueron* (1871)» (J. A. Balseiro: *Novelistas españoles modernos,* páginas 142-143).

[52] Vid. *Nuevo Teatro Crítico,* n. 11 de noviembre de 1891, pág. 28. Entre otras muestras de la actitud antitendenciosa de la Pardo Bazán, puede citarse también su crítica del libro *Mi primera campaña,* de R. Altamira, en el que figuraba un capítulo sobre *La literatura y las ideas,* donde el autor proscribía todo lo que no fuera literatura *tendenciosa y trascendental.* La Pardo Bazán hacía constar en la crítica su rotunda discrepancia. *(Nuevo Teatro Crítico,* n. 27 de marzo 1893.)

[53] Vid. *Nuevo Teatro Crítico,* n. 4 de abril 1891, pág. 41.

Esto, unido al deseo de objetividad narrativa, puede explicar que los cuentos sociales de la escritora gallega carezcan de virulencia, por estar concebidos más artística que doctrinariamente.

Durante el entreacto y *El trueque,* recordados al citar *Justa y Rufina* de *Fernán Caballero,* vienen a ser dos variantes de un mismo tema, tratado urbana y ruralmente. El cambio del niño pobre por el rico es ya algo más que un recurso folletinesco, y tiene un interés dramáticamente social [54].

El tema de las huelgas fué tratado por la Pardo Bazán en algunas narraciones, condenadoras de los excesos y violencias que tales desórdenes solían originar. *Argumento* [55] relata cómo un excelente médico de pueblo, que igual atiende a los pobres que a los ricos, recibe un día a un obrero que lleva a su hijo para que le cure un tumor. El obrero está en huelga. Y el médico, para darle una lección, suspende la operación en su momento más delicado, declarándose en huelga. El obrero comprende entonces su error y ruega al cirujano que concluya su tarea, y así lo hace éste felizmente.

En *Doradores* [56] unos obreros de este gremio, declarados en huelga y empujados por un ambiente de violencia y exasperación, llegan a matar a golpes a un anciano trabajador que, para alimentar a su nieta, no quería abandonar el trabajo. *El montero* [57], con final sugerido dramáticamente, refiere cómo un obrero que trabaja en las canteras comunica a su esposa que se han declarado en huelga. Ella, pensando en la economía doméstica, le anima a no abandonar el trabajo. El montero sale por la mañana a su labor y regresa sudoroso y ensangrentado. Disputando ha matado a un hombre, y los huelguistas le persiguen, ansiosos de venganza.

El tema de ricos y pobres, contrastadas dramáticamente ambas clases sociales, aparece en varios cuentos: *En tranvía, Aventura, Juan Trigo* [58], *El mundo, El disfraz, Paria* [59], etc.

Humorísticamente social es el cuento *Restorán* [60]: Un expósito que

---

[54] *Cuentos trágicos,* págs. 71 y ss., y *Un destripador de antaño,* páginas 187 y ss.

[55] *Cuentos trágicos,* págs. 191 y ss.

[56] Id., págs. 223 y ss.

[57] *El fondo del alma. Cuentos,* págs. 93 y ss.

[58] Vid. estos cuentos en la serie *En tranvía.*

[59] De la serie *Sud-express.*

[60] *El fondo del alma,* págs. 139 y ss.

tiene demasiado orgullo para mendigar, ya que se cree de ascendencia noble, acepta el contrato con los empresarios de un circo de pulgas para alimentar a éstas con su sangre, por lo que le dan un duro diario. Cansado de las burlas que su oficio provoca, lo abandona y se dedica a robar para comer. La sangre azul se la bebieron las pulgas.

En *Cuatro socialistas* —título bien significativo—, un obrero, un patrono justo, un franciscano y una hermana de la caridad conversan acerca de problemas sociales, rumbo a Africa en un barco [61]. *Sobremesa* presenta una discusión sobre la teoría de Malthus, refiriendo uno de los comensales el caso de una mujer pobre, abandonada por el marido, con cinco hijos a los que, antes de verlos morir de hambre, prefirió matar mientras dormían, y tras un hartazgo conseguido con el último dinero [62].

El indulto es una sombría y trágica narración, cuyo tono recuerda el de algunas de Maupassant. Una lavandera y asistenta tiene a su marido en la cárcel, con condena de veinte años por haber robado y asesinado a su suegra. El marido prometió matar a su mujer por denunciarle, cuando saliera de la prisión. La humilde lavandera vive con su hijo, siempre temiendo el regreso del presidiario. El rey concede varios indultos que aumentan su terror. Cuando el asesino, indultado, regresa al hogar, pide cena y hace acostarse a su lado a la mujer, que muere tan sólo de terror [63].

Este cuento se asemeja a uno de VICENTE BLASCO IBÁÑEZ titulado *La Condenada* [64]: Un asesino lleva esperando en su celda, durante catorce meses, el cumplimiento de su sentencia de muerte. Su mujer —que se casó con él por miedo— ansía el momento de la ejecución para quedar libre y poder contraer nuevo matrimonio. Llega el indulto y ella queda condenada.

Del mismo escritor valenciano y con tema de presidio es *La corrección*, recargadísima diatriba contra cierta clase de condenas, como la que sufre un muchacho encarcelado por blasfemo, que aprende en la prisión los peores vicios, entre hambre y vergajazos [65]. El odio —ex-

---

[61] *Nuevo Teatro Crítico*, n. 29 de noviembre 1893, y *Cuentos nuevos*, págs. 157 y ss.
[62] *Nuevo Teatro Crítico*, n. 28, y *Cuentos nuevos*, págs. 117 y ss.
[63] *Cuentos de Marineda*, págs. 309 y ss.
[64] *La condenada*. Prometeo. Valencia, 1919, págs. 7 y ss.
[65] *Cuentos valencianos*, págs. 155 y ss.

presado melodramática y chillonamente— de Blasco Ibáñez contra las cárceles, procede indudablemente de su estancia en ellas.

Muy parecido a *La corrección* es el cuento de J. ORTEGA MUNILLA titulado *Catorce años de condena,* alegato social contra los penales de Ceuta y de Melilla. Un hombre sale de allí, y, rechazado por los suyos, se hace terrible y sanguinario bandido. «Juan Valjean no ha vivido sino en la mente de Víctor Hugo. De los periódicos no salen esos héroes. Quien sale todos los días es Candelas, el bandido incorregible» [66].

Y, volviendo a Blasco Ibáñez, citaremos otros cuentos sociales suyos. En *El parásito del tren* [67] refiere el narrador cómo en un viaje conoció a un pobre hombre que viajaba en los estribos para ir a ver, semanalmente, a su mujer, que servía en un pueblo. Es perseguido y sufre mil calamidades, hasta que un día muere arrollado por el tren. *La barca abandonada* es una historia de contrabandistas perseguidos por un cañonero y ayudados por el pueblo, explotado por el gobierno [68]. En *La paella del «roder»* ataca Blasco Ibáñez los cacicatos rurales: El *roder* Bolsón es una especie de bandolero que, gracias a sus crímenes, preparó la candidatura de un cacique. Este, conseguido el triunfo, hace prender y fusilar al bandolero [69].

El tema social adquiere extraordinaria dureza en la novela corta *El secreto de la baronesa.* En una ciudad pirenaica, levítica, regida por el obispo, vive la arcaizante baronesa —tipo Doña Perfecta— cuya hija es deshonrada por un criado, un joven que había sido recogido de niño y al que pensaban hacer seminarista, resultando de ideología liberal. El huye a América y la joven da a luz, asistida por la baronesa y una vieja criada que luego muere. La hija de la baronesa nunca sabe qué ha sido del ser que dió a luz, y confía en que algún día su madre se lo devolverá. Pero al morir la baronesa confiesa que mató al bastardo, arrojándolo al fuego [70]. En *El empleado del coche cama* describe Blasco Ibáñez cómo el dolor de haber perdido a sus hijos en la guerra iguala a la altiva duquesa y al pobre funcionario del tren [71].

Pretender resumir todos los cuentos sociales de Blasco Ibáñez sería tarea prolija, dada la tendenciosidad de su autor, uno de los escritores

[66] *Mis mejores cuentos.* Prensa Popular. Madrid (s. a.), págs. 33 y ss.
[67] *La condenada,* págs. 31 y ss.
[68] Id., págs. 131 y ss.
[69] Id., págs. 161 y ss.
[70] *Novelas de amor y de muerte.* Valencia, 1927, págs. 15 y ss.
[71] *El préstamo de la difunta. Novelas.* Valencia, 1921, págs. 241 y ss.

más agresivos de la literatura moderna española. Esta obsesión por hacer de sus creaciones literarias panfletos sociales, perjudicó grandemente a Blasco Ibáñez, que reunía condiciones de gran cuentista y que, depurado, hubiera sido no el Maupassant español —como creía González Blanco—, pero sí uno de nuestros mejores narradores. Cuando
Blasco Ibáñez prescinde de lo tendencioso y atiende sólo a lo dramático, sabe crear relatos tan espléndidos como *El préstamo de la difunta,*
su mejor novela corta en nuestra opinión.

JACINTO OCTAVIO PICÓN dijo en el prólogo a *Cuentos de mi tiempo,*
fechado en 1895:

> «Empezó *El Liberal* a publicar cuentos, y me honró pidiéndome algunos. A
> ser periódico exclusivamente artístico y literario, hubiera yo trabajado para él de
> otra suerte: mas imaginé que en un diario político debía escribir luchando, como
> soldado raso, contra las ideas venidas de lo pasado y a favor de las esperanzas de
> lo por venir, no triunfantes todavía» [72].

Tras esta declaración sobra decir que todas las narraciones recogidas en esta colección se caracterizan por su tendenciosidad combativa,
ya se aborden en ellas problemas morales, religiosos, sociales, etc.

En *La amenaza* un obrero pierde una mano en un accidente y tiene que abandonar la fábrica. Sólo recibe dos días de haber, y todos sus
compañeros quieren vengarle de distintas maneras, pero él se limita a
ponerse a mendigar con un letrero: «Inutilizado en la fábrica....» La
mano con que pide parece una amenaza. *La buhardilla* peca de artificiosa, y se limita a describir la gratitud de una lavandera por una duquesa que amamantó a su hijo cuando ella no podía, salvándola de las
iras populares en un motín. *El hijo del camino* es un cuento simbólico: Los presos que caminan hacia las galeras tienen hijos con las mujeres que conocen en el camino; Juan es uno de éstos, que pasa por toda
clase de trabajos. En una lujosa casa, donde trabaja de electricista, conoce a una bella mujer, y no pudiendo poseerla, destruye todo el edificio con sus habitantes, siendo ajusticiado a continuación. En *El nieto*
presenta Picón a un anciano general que desea educar a su nieto —hijo
de liberal— según los viejos principios. Pero, pese a su esfuerzo, y al
observar cómo el chiquillo regala parte de las figuras de su nacimiento
a los pobres hijos del portero, se da cuenta de que le ha salido un nieto
liberal.

---

[72] *Cuentos de mi tiempo.* Imp. de Fortanet. Madrid, MDCCCXCV, página XIV.

De ALFONSO PÉREZ NIEVA citamos en el capítulo de *Cuentos de niños* algunas de sus narraciones sobre el tema, tan del gusto decimonónico, de la mendicidad: *El regalo de Reyes, Llovida del cielo, El perro gimnasta, La vagabunda,* etc. Citaremos ahora alguno más: *El zapato de la guardilla* —sobre el viejo y sensiblero tema de la Noche de Reyes sin regalo para los pobres—, *El aniversario* [73], etc.

Entre las narraciones de tema social de ALEJANDRO LARRUBIERA recordaremos, en primer lugar, *La carroza de mis vecinos,* que repite el tema de *Blasones y talegas...,* si bien con solución distinta. En el primer capítulo del cuento conocemos a los arruinados marqueses de la Requejada, que conservan nobleza raída y una vieja carroza del tiempo de los Felipes. En el segundo, la hija se casa con un vicioso y grosero ricachón, hijo de tenderos, que ambiciona título. En el tercero, el marido anda con daifas y toreros, y el marqués, ante tan vil conducta, reclama a la justicia a su hija, y ésta regresa al hogar paterno en la noble y desvencijada carroza [74]. En *Las teorías del doctor Pelium* se adivina una intención política en forma de apólogo: El pueblo de Veluski, harto de sufrir la tiranía política de Bombolín VI, se alza en armas. El rey pide consejo, y el doctor Pelium, al que tienen por chiflado, se pone a calentar un puchero con agua, avivando el fuego con un soplillo. El agua es el pueblo; el Estado, el puchero; los impuestos, tropelías, la lumbre; el soplillo, los gobernantes, etc. [75]. Semejante por lo simbólico es *El cuerno del rey Zamur,* historia de un tirano cuya bella y bondadosa hija está enamorada de un joven herrero. Zamur toca un cuerno que se oye en toda la nación, para convocar a sus súbditos y exigirles impuestos o llevarles a la guerra. El herrero subleva al pueblo, que acaba con el tirano. Celébranse las bodas del libertador y la princesa, y surge una era feliz [76].

Más que cuentos sociales, deberían llamarse cuentos mundanos los de JACINTO BENAVENTE, prolongación en técnica y temas de sus comedias. Son narraciones generalmente dialogadas, finamente satíricas, que reflejan vicios y costumbres de la alta sociedad. Tales, casi todas las que aparecen en las series *Figulinas* (1904) y *Vilanos* (1905), publi-

[73] *Blanco y Negro,* n. 35, 3 enero 1892, y n. 456, 27 enero 1900.
[74] *Hombres y mujeres. Cuentos.* Sucesores de Rivadeneyra. Madrid, 1913, págs. 161 y ss.
[75] *El dulce enemigo. Historias y cuentos.* Madrid, 1904, págs. 125 y ss.
[76] Id., págs. 253 y ss.

cadas primeramente en revistas elegantes como *Blanco y Negro*. Citaremos entre ellas: *Maternidad, Fraternidad, Los fieles vivos, Confidencias, Vírgenes locas, Bodas reales,* etc.

Comentario aparte merecen otros cuentos más caracterizadamente sociales, como *La toma de la Bastilla* (Episodio del año 1879), en que se pinta la amistad de la condesita de Brabançon con un obrerillo de los que restauran su casa. Un día se oyen tiros. Ella se desmaya y él la besa. El pueblo asalta la Bastilla [77]. *El cantor de la miseria* es el poeta defensor de los humildes. Una princesa le toma a su servicio, y, desde entonces, los miserables no creen ya en ningún otro cantor de su triste vida [78]. Citaremos, finalmente, *El Paraíso prometido,* que lleva el significativo subtítulo *Páginas del Evangelio socialista* [79].

De RAFAEL TORROMÉ conocemos algunos cuentos sociales: *Tropezar con la verdad* —la romántica sobrina de un banquero se enamora de un humilde escribiente, pero se desengaña al comprobar la miseria en que éste vive y en la que nunca había pensado ella—; *Los dos extremos* —la madre rica mata al hijo a fuerza de cuidados y la pobre le deja morir por desidia—; *Los guardas no bastan* —un rico propietario se compadece del anciano y hambriento ladrón, dándose cuenta de que, además de los guardas, hace falta caridad cristiana—; *La ira de la virtud* —los niños de un hospital se mueren de hambre a causa de la desatención del gobernador y los ediles; la dulce Sor Marcela, con la ira de la virtud, increpa a los ediles en una procesión—; *Las manzanas podridas* —un gobernador intenta reformar a los golfos sin lograrlo; no hay remedio para las manzanas podridas y es necesario plantar de nuevo [80], etc.

De EMILIO SÁNCHEZ PASTOR citaremos: *La lógica del presidio* —un hombre preso por un crimen se asombra y protesta de que no encarcelen a los duelistas—; *Cría de anarquistas* —un pescador muere en un temporal al salvar a otro, y las anguilas por ellos pescadas parecen demasiado caras al señor que solía comprarlas. El hijo del muerto, con el tiempo, se hace anarquista—; *El primer contribuyente, Cuento económico* —un obrero ve rebajado su jornal y aumentada la contribu-

---

[77] *Vilanos.* Imp. de Fortanet. Madrid, 1905, págs. 7 y ss.
[78] Id., págs. 15 y ss.
[79] Id., págs. 29 y ss.
[80] *Blanco y Negro,* n. 270, 4 julio 1896; n. 291, 28 noviembre 1896; n. 403, 21 enero 1899; n. 430, 29 julio 1899, y n. 442, 21 octubre 1899.

ción. Muere de hambre, junto con su mujer—; *La caridad española* —un señor rico deja su fortuna para la fundación de un hospital, pero los cumplidores de esta disposición reparten el dinero y los cargos entre los amigos, sin atender a los asilados para los que nada queda: amamos al amigo y no a la patria, a la humanidad [81]—; etc.

EUSEBIO BLASCO, el festivo autor de los *Cuentos aragoneses* y fecundo comediógrafo, escribió algún cuento social: *La hermana pequeña* —apuros de la clase media—; *El respetable* —hipocresía entre las clases sociales—, etc. [82].

De JOSÉ ZAHONERO recordamos *Pedro el cochero* [83]; de LUIS BELLO, *En el arroyo* [84]; de EUGENIO SELLÉS, *Las cañas se vuelven lanzas* —hambre y cárcel— [85]; de JOSÉ ECHEGARAY, *Las dos montañas,* simbólico, y *Chinitas* [86]; de JOAQUÍN DICENTA —famoso por sus vigorosos dramas sociales—, *Rigoletto* [87], etc.

Vidas sombrías, de PÍO BAROJA, es una colección de cuentos publicados en 1900, los cuales contienen ya, en potencia, todas las características de la restante obra barojiana [88].

En *Bondad oculta* el gerente de unas minas de plomo vive con su querida, detestada por los trabajadores, hasta que, en ocasión de una epidemia de viruela, descubre su oculta piedad, dedicándose a curar a los niños. El gerente al principio se opone, hombre cruel y duro; pero ganado por la dulzura de su amante, se humaniza tan excesivamente, que los obreros, al sentir mejoradas sus condiciones de vida, abusan

---

81   Id., n. 327, 7 agosto 1897; n. 363, 16 abril 1898; n. 425, 24 junio 1899, y n. 599, 25 octubre 1902.

82   Id., n. 387, 4 octubre 1898, y n. 438, 23 septiembre de 1899.

83   Id., n. 262, 9 mayo 1898.

84   Id., n. 430, 29 julio 1899.

85   Id., n. 388, 8 octubre 1898.

86   Id., n. 424, 17 junio, y 441, 14 octubre 1899.

87   *Los mejores cuentos de los mejores autores españoles contemporáneos.* París, 1912, págs. 79 y ss.

88   H. Péseux-Richard ha dicho de esta obra: «La première œuvre d'un écrivain présente toujours un intérêt particulier: elle est, le plus souvent, spontanée et sincère; elle nous permet de formuler des conjectures vraisemblables sur la formation intellectuelle et sa filiation littéraire; les différentes faces de son esprit s'y présentent en pleine lumière; elle contient parfois en germe toute la lignée des œuvres futures. Ces verités banales s'appliquent à merveille au livre par lequel M. Baroja débuta comme écrivain...» (*Revue Hispanique,* XXIII, 1910, pág. 114).

de su jefe, despedido al fin por la compañía [89]. *Los panaderos* no es un cuento, sino una intensa estampa social en que Baroja describe el pobre entierro de un panadero, la merienda de sus amigos, sus rivalidades [90]. Nadie como el novelista vasco en saber crear narraciones sobre sucesos tan insignificantes.

Se advierte esta maravillosa cualidad en *Hogar triste,* narración sencillísima y acongojante: Una mudanza de muebles pobres. Un matrimonio se traslada a una casa más barata, ya que él está sin trabajo. No cenan y bajan por agua, porque en el nuevo piso no la hay. El niño duerme, y la mujer, en la cama, llora por el otro hijo que murió hace dos años [91].

Nihil es un apólogo sobre una fortaleza a cuyos pies padecen los hombres explotados, que, al final, se sublevan y acaban con los pobladores del castillo [92].

Inútil citar más ejemplos. El solo título de *Vidas sombrías* evoca ya un mundo habitado por seres humildes, desgarrados, frenéticos y tristes —que recuerda el de las novelas rusas—, transcrito sin énfasis y con toda su áspera verdad.

Cerraremos este capítulo citando los nombres de JUAN BAUTISTA AMORÓS (SILVERIO LANZA), que combatió en sus relatos el caciquismo y otros vicios sociales, y el de CATALINA ALBERT (VÍCTOR CATALÁ), que, pese a ser de nuestro tiempo y a haber escrito sus narraciones en lengua catalana, puede considerarse como la más intensa creadora de cuentos sociales tan dramáticos y acres como el titulado *La explosión* [93].

---

[89] *Vidas sombrías,* págs. 7 y ss.
[90] Id., págs. 27 y ss.
[91] Id., págs. 61 y ss.
[92] Id., págs. 98 y ss.
[93] *Dramas rurales.* Trad. de Rafael Marquina. Colec. Universal. Calpe. Madrid, 1921, págs. 65 y ss.

CAPITULO XII

CUENTOS HUMORISTICOS Y SATIRICOS

CAPITULO XII

CUENTOS HUMORÍSTICOS Y SATÍRICOS

I. EL HUMOR EN LA LITERATURA ESPAÑOLA

Aunque en el estudio vayan agrupados y aun mezclados, es preciso distinguir los cuentos satíricos de los simplemente humorísticos. A veces las dos modalidades se aúnan, y surge el cuento satírico-humorístico, más abundante en nuestras letras que el desnudamente humorístico.

Casi ha llegado a ser cuestión de orgullo nacional el sostener que aquí, en nuestra literatura, no existe el humor —el *humour* elegante y amargo—, cultivándose en cambio la sátira o el chiste sano, producto —este último— de una alegría biológica más que de un resentimiento.

Esto podrá ser verdad, con alguna restricción. Cuando se habla de humor, se piensa inevitablemente en el de estilo inglés, sutil, frío. Pero es que cada país tiene su especial sentido del humor y al nuestro no puede negársele uno, poco definido tal vez, limitado por la sátira y el chiste, de signo socarrón y de tendencia expresivista.

La sátira es tan inherente al carácter nacional, que su aparición coincide con la de nuestras primeras obras literarias. Es repetir un lugar común afirmar que nuestra literatura medieval se caracteriza por el predominio de lo satírico. Y junto a la sátira, el humor. Un humor mesurado, sorprendentemente sobrio, en una época en que las obras satíricas se caracterizaban por la violencia y la grosería. Recuérdese lo que Dámaso Alonso ha dicho de los motivos humorísticos en nuestro primer monumento literario, el *Cantar de Mío Cid*.

Recuérdese también el delicioso humor de D. Juan Manuel —tan grave, tan austero, por otra parte—, bien advertible en narraciones como la del mancebo que casó con la mujer brava, sobre todo en su originalísimo final.

Junto al trazo grueso y despiadado de la sátira —Coplas de ¡*Ay Panadera!*, del *Provincial,* etc.—, estos matices humorísticos de nuestra literatura medieval representan el buen gusto, la estilización.

Tal vez esta exquisitez, este furtivo sonreír, este gesto elegante, vayan a desaparecer como tantas otras deliciosas técnicas primitivas. La sátira cruda pero sana de arciprestes o cancilleres, se transformará en el soneto alambicado y conceptista que, tras su maraña de imágenes y la perfección de sus endecasílabos, esconde la burla más cruel. (Lope de Vega, Góngora, Quevedo, Villamediana, etc., son nombres que evocan una guerra literaria en la que todos los recursos eran lícitos.)

Y el humor también se convierte en el chiste que quiere provocar la carcajada, no importa con qué medios, o en la chocarrería de graciosos y pícaros. Dámaso Alonso, en su estudio *Estilo y creación en el poema del Cid,* ha analizado la transformación de un tema —el episodio del león— del cantar de gesta en el romance de Quevedo sobre la pavura de los infantes de Carrión, caricatura en donde todo se ha desorbitado ya.

De la gracia ingenua, torpe tal vez, de los pastores de Juan del Encina o de Gil Vicente, pásase a las truhanerías de los capigorrones y criados, duchos en latín y tercerías, de Lope o de Tirso. El humorismo grave aún, que alienta en el *Lazarillo,* se transforma en la mueca casi de esperpento del *Buscón.*

De todas formas, podrá hablarse de un humor transformado —degenerado, si se quiere—, pero no de una ausencia de humor. Mezclado con el chiste, con la sátira, se esconde a nuestras miradas; pero a veces resplandece limpio, como sucede en el *Quijote,* en no pocos entremeses y aun en las mismas obras de Quevedo —satírico, pero humorista también—. Será un humor barroco, macabro —recuérdense aquellas páginas del *Buscón,* en que el tío de éste le describe el ajusticiamiento de su padre—, pero muy español. No por repetido deja de ser curioso observar cómo los temas de la muerte y de las postrimerías alcanzan valor de motivos humorísticos y satíricos en la literatura española: *Danzas de la muerte; Barcas* gilvicentinas movidas por diablos atruhanados que definen bien el humor de toda una época; *Sueños* quevedescos con diablos hampones y ensabañonados, etc.

Pero no es ésta ocasión de divagar sobre el humorismo en la literatura española, tema, por otra parte, ya estudiado [1], y sí de atenernos a lo que los cuentos humorísticos y satíricos son y representan en el siglo XIX.

Por ser ésta época de imitación, de aclimatación de formas y temas extranjeros en nuestra patria, no debe extrañarnos que entre esas importaciones figure la del *humour* [2].

Los cuentos de los siglos XVI y XVII —que son, en realidad, los últimos que podemos comparar con los del XIX, salvado el bache narrativo del XVIII— difieren radicalmente, en lo relativo a comicidad, de los decimonónicos. En aquéllos se buscaba la risa a través del chiste —caso típico: Timoneda—; en éstos se persigue una nueva forma de humor, provocada no por la agudeza o el retruécano, sino por la configuración de los tipos, por la observación psicológica, por el ambiente.

El cuento humorístico —o, mejor dicho, el satírico— nace mezclado con el artículo costumbrista, confundiéndose con él. Remitimos al lector al capítulo en que hemos estudiado los puntos tangenciales

---

[1] Vid. *El humor en la literatura española,* tema del discurso de recepción en la R. A. E. de Wenceslao Fernández Flórez y del de constestación de D. Julio Casares. Madrid, 1945.

[2] Valera, en la introducción a los *Cuentos y chascarrillos andaluces* por él coleccionados, decía: «Hay, por último, cuentos de otra clase, que son los que nosotros nos hemos decidido a reunir, y cuyo principal carácter distintivo es el de ser cómicos, jocosos o chuscos. No hay nación que no posea rico caudal de tales cuentos, inspirados por el buen humor, o sea por lo que llaman los ingleses *humour,* poniendo de moda la palabra, así en las naciones donde la han importado, como en aquellas en cuyo idioma la palabra existía ya, casi con la misma significación y sentido. En castellano, sin duda, no hemos tenido que dar a la palabra humor el sentido que *humour* tiene en inglés. Creemos que desde antiguo, aun sin llevar el calificativo de *bueno,* humor equivalía entre nosotros a *humour* entre los ingleses. Hombre de humor era como decir hombre gracioso, chistoso, agudo y alegre. Los vocablos que nos faltaban eran los derivados de humor, que se han introducido recientemente en nuestra lengua. Son estos vocablos *humorismo* y *humorístico.*

Grande es la estimación que siempre y en todas partes se ha concedido a la literatura humorística. Hoy, que vivimos en una época triste, en una sociedad revuelta y algo desquiciada y con los espíritus llenos de melancolía, a causa, en gran parte, del aliento malsano que nos propinan los pensadores y filósofos pesimistas, lo jovial y alegre es más de desear que nunca para remedio de aquel mal» *(Obras completas.* XV, págs. 238-239).

y diferenciadores de estos dos géneros literarios, limitándonos ahora a observar cómo en los años románticos las narraciones humorísticas —por ejemplo, las de Clemente Díaz— tienen un valor costumbrista. La frontera que separa en esos años el simple artículo descriptivo de la narración con peripecia —el cuento—, es casi imperceptible. Habría, pues, que considerar la existencia de un género híbrido, semiartículo de costumbres y semicuento. (El estudio concreto de esta clase de narraciones aclarará mejor nuestra idea.)

Un segundo momento en la literatura humorística del xix está representado por las narraciones del llamado estilo Alfonso Karr, entre cuyos imitadores destacan Agustín Bonnat y Pedro Antonio de Alarcón en su primera época. Frivolidad, pirotecnia verbal, deshuesamiento de la oración en períodos breves, telegramáticos, aparición de la pregreguería ramoniana —sobre todo en algunos textos de Alarcón—, ausencia de todo realismo y predominio de lo imaginativo y fantástico, son, entre otras, las características más destacadas de esta modalidad literaria.

Y junto al humor afrancesado, burbujeante y dulceácido como el champán, el castizo humor español, popular, entre ingenuo y malicioso, encarnado en los relatos tradicionales que recogieron, entre otros, Juan de Ariza, *Fernán Caballero,* Trueba, Coloma, Valera, Narciso Campillo, etc. Humor trasañejo, más propio de ancianos campesinos y de niños que de los preocupados y *poseurs* varones del siglo xix. De esta clase de cuentos decía *Fernán* que eran «como el vino: mientras más viejos, más valen» [3]. Como el vino español, añadiremos —prolongando la comparación que hicimos con el francés champán—, espesado y vigorizado por la larga permanencia en las bodegas del ingenio, de la tradición popular.

Este humor se prolonga en las narraciones y chascarrillos andaluces recogidos por Valera, Rodríguez Marín, etc., o en algunos relatos literarios de éstos y de autores como Arturo Reyes, el Conde de las Navas, José de Velilla, etc.

Semidesgajado lo narrativo, lo cuentístico, de lo costumbrista, algunos autores, empero, continúan cultivando un humorismo que hemos definido como híbrido: Ventura Ruiz Aguilera con algunos de

---

[3] *Fernán Caballero: Cuentos y poesías populares andaluces.* Lib. de Rubiños. Madrid, 1916, pág. 96.

sus *Proverbios ejemplares;* José María de Pereda en sus *Tipos trashumantes,* etc.

La variedad de matices se complica tanto, según avanza el siglo, que resulta imposible dar un resumen. Acabaremos, pues, apuntando tendencias tan destacables en el campo del humor como la sátira entre ática y volteriana de Valera, la malicia picante y frívola de algunas narraciones de Luis Alfonso y de Jacinto Octavio Picón, la gracia chascarrillera y desbordante de Narciso Campillo, la fantasía de Ros de Olano y de Fernández Bremón, el tono mundano —entre grácil y cursi— de *Fernanflor* en sus cuentos humorísticos y satíricos, etc.

Párrafo aparte merece el humor dickensiano de Galdós o el también muy inglés, muy peculiar —por lo tierno y lo cáustico— de la que alguno ha llamado literatura asturiana: *Clarín,* Ochoa, Palacio Valdés.

De tan espléndido conjunto pretende dar una idea este capítulo, en el que hemos de prescindir de subclasificaciones, ateniéndonos a un orden cronológico —más ideal que exacto— apresador de la varia actividad satírica y humorística de los cuentistas españoles del pasado siglo.

II. HUMORISMO COSTUMBRISTA. — HUMORISMO AFRANCESADO: ALARCON

Decíamos que los más antiguos cuentos humorísticos que conocemos, dentro de la pasada centuria, equivalían a artículos de costumbres o de ellos eran secuela. Tal sucede con muchos de los relatos de Clemente Díaz, uno de los más afortunados y donairosos narradores que colaboraron en el *Semanario Pintoresco Español,* desde su aparición en 1836.

La gracia de sus narraciones reside, ante todo, en las descripciones y el lenguaje, propios de un articulista de costumbres. Véanse estos dos pasajes tomados de *Fragmentos de mis viajes* [4]. En el primero descríbese a una vieja campesina:

«Era esta Sibila una mujer que había juntado como sus tres duros de años: alta de cuerpo, enjuta de carnes, falta de dientes y sobrada de narices. Llevaba las

---

4 *Semanario Pintoresco Español,* n. 25, 18 septiembre 1836.

canas descubiertas y el pañuelo de la cabeza arrollado al cuello como corbata de mastín; una saya de lana de mil colores ajustada a la cintura, y unas medias de carne ahumada con zapatos de lo mismo.»

Y he aquí un interior:

«Una de éstas [habitaciones], la destinada a alojar mi persona, estaba adornada con un triunvirato de sillas pintadas de exquisito almazarrón; una mesa coja, que según lo mal parada que se veía debió de hallarse sin duda en las guerras de Flandes, y un arcón desvencijado y cubierto con un pedazo de saya de la madre de Rebeca. Engalanaban las paredes de este rico apartamiento varios pliegos de aleluyas y letanías de vírgenes iluminadas de azafrán, sujetos en parte con gruesos clavos de herradura y pegados a trechos con sucios plastones de obleas y pan mascado.»

Idéntico tono costumbrista tienen *El baile de ánimas; Costumbres de la Mancha: ¡Calabazas!; Costumbres provinciales: Un muerto; La procesión de un lugar; El novenario; El sexto y el séptimo o andaluces y manchegos* [5], etc.

Otras narraciones de Clemente Díaz se alejan de la estampa costumbrista descriptiva y tienden al cuento: *El matrimonio masculino* [6], subtitulado *cuento,* es una excelente narración humorística con ligera sátira antirromántica: Un joven enamorado de la hija de un indiano —de sus dotes y de su dote— recurre a un tercero, un aguador gallego. Al no lograr pasar éste las cartas a la señorita y deseando prolongar el negocio, contesta él mismo al enamorado, como si fuera ella. El padre descubre la correspondencia y hace llamar al joven, obligándole a casarse, ante notario, con quien contestaba a sus cartas. La proposición no puede menos de encantar al descubierto amante, y, cuando acepta la boda, le entregan al aguador.

Una más intensa sátira de los tópicos y de la psicosis romántica se encuentra en *Rasgo romántico* [7], cuyo protagonista es un joven que, envenenado de lecturas románticas, se cree un horrendo criminal por haberse comido un pavo cuya sombra le persigue. Es una declarada parodia de la antropofagia de *Han de Islandia.*

Muy ingenuas narraciones de Clemente Díaz son *Metamorfosis no conocida* —transformación de un analfabeto pertinaz en un alcorno-

[5] Id., n. 27, 2 octubre 1836; n. 17, 28 abril 1839; n. 35, 1 septiembre 1839; n. 37, 15 septiembre 1839; n. 23, 7 junio 1840; n. 25, 25 junio 1839.
[6] Id., n. 16, 17 julio 1836.
[7] Id., n. 21, 21 agosto 1836.

que— y *¡¡¡Pobre Don Melitón!!!* —desventuras de un marido escla-vizado por su esposa [8].

Otras narraciones de carácter satírico o cómico aparecieron en el *Semanario Pintoresco Español,* algunas sin firma, pero sólo citaremos las más significativas.

JUAN RICO Y AMAT relata en *Curar el amor con sanguijuelas* [9] la burla sufrida por un jovenzuelo romántico que cree amar a la mujer de un médico, el cual le receta sangrías y sanguijuelas. JOSÉ DE COMIN-GES presenta en *El día de mi Santo* [10] una ridícula tertulia que recuerda la de *El castellano viejo* de Larra. Más interés ofrece la *Biografía de una novela contemporánea* de José GODOY ALCÁNTARA [11], de tono satí-rico, en la cual el narrador encuentra a una novela que le refiere su biografía. Esta alude al gusto de los románticos por lo medieval, di-ciendo cómo un «macilento doncel» la encuadernó a la manera gótica.

Una más complicada forma de humorismo es la representada por los cuentos de AGUSTÍN BONNAT y Pedro Antonio de Alarcón, escritos a imitación de los de Alfonso Karr.

A juzgar por los testimonios y traducciones, fué grande la popula-ridad de este excéntrico autor francés en España, en el pasado siglo. Sus artículos y cuentos son traducidos, sus frases citadas y parafrasea-das [12], y aún en los años finiseculares seguían publicándose sus nove-las, vertidas al español [13].

---

[8]   Id., n. 28, 9 octubre 1836; n. 1, 3 enero 1841.

[9]   Id., n. 42, 16 octubre 1842.

[10]   Id., n. 21, 25 mayo 1845.

[11]   Id., n. 49, 7 diciembre 1846.

[12]   En la crónica de libros del n. 33 de 1846 del *Semanario Pintoresco Es-pañol* se da la noticia de que en Barcelona apareció una colección de novelas, *Flores del Siglo:* «En cuanto a las obras extranjeras que han de formar parte de las *Flores del Siglo,* sólo podemos decir que ha habido gusto en la elección, especialmente en las de Alfonso Karr, de ese famoso autor, cuya brillantez y poéticas producciones, que conocemos muy a fondo, y a las cuales hemos pagado un tributo de admiración, no podrán menos de ser devoradas con ansiedad, con sólo leer las primeras páginas, y producirán misteriosas emociones en todo el que sepa sentir» (pág. 264).

En *El Museo Universal* de 1860 hemos encontrado estas significativas citas:
Ricardo Puente y Brañas, en su artículo *La Opera,* dice: «Creo, como Alfon-so Karr, que los músicos son los hijos mimados del cielo...» (n. 4, 22 enero).

Y Eduardo Serrano Fatigati, divagando acerca de la belleza de *La última página:* «¡Bendita sea la última página de una novela de Alarcón o de Alfonso Karr!» (n. 35, 26 agosto).

[13]   En 1892 *La Buena Lectura* publicó *Bajo los tilos.* En 1893 aparecieron

Alarcón le imitó a través de Agustín Bonnat; es decir, cediendo a la amistad que por este escritor sentía, y que logró provocar en él idéntico entusiasmo por las obras de Karr [14].

No todas las narraciones de Bonnat son humorísticas —las hay trágicas—, y aquí sólo citaremos algunas, para pasar inmediatamente al estudio de Alarcón.

En *Yo, ella y nosotros, Historia de unos amores,* reconoce Bonnat bien claramente la imitación: «... y todas las frases que me había enseñado Alfonso Karr» [15]. Junto con ésta, hay otras muchas citas literarias típicamente románticas, en las que se barajan los nombres de Lamartine, Zorrilla, Vigny, Hoffmann, Goethe, Arolas, Murger, etc. En esta narración hay una divagación sobre los colores que integran el vestido de una mujer, que recuerda las de Alarcón en *Los siete velos.* Consta esta *Historia* de dos capítulos. Los dos primeros, *Yo* y *Ella,* ofrecen las semblanzas románticas de dos enamorados. El tercero —muy breve—, *Nosotros,* sirve de contraste ridículo y prosaico: el matrimonio «es la mejor quinina para la fiebre romántica».

La misma burla antirromántica —contraste de ilusión con realidad— es la que inspira otra *Historia de amores,* la titulada *Por no saber nadar* [16]. Unos novelescos amores se deshacen al no poder imitar el amante a Leandro, atravesando el río que le separa de su soñadora y delirante amada.

Parecido recurso —otro contraste y otro desengaño— es el utilizado en *¡Vuelvo!,* subtitulado también *Historia de unos amores:* Una cita amorosa y romántica ilusiona al protagonista, que encuentra, al fin, a una horrible vieja [17].

Imitó este asunto y el estilo de Bonnat Luis de Eguilaz, en su cuento titulado *A vista de pájaro, Historia de unos amores,* que dedicó al propio Bonnat [18]: Un estudiante, desde su buhardilla, se enamora de una duquesa que ve en su jardín. Fantasea a propósito de su loco amor,

---

las siguientes obras: *Fa sostenido* (novela), *Una hora más tarde, Las mujeres todavía* y *Genoveva.* En 1894, *Una historia inverosímil.* En 1899, la *Colección Diamante* publica *Buscar tres pies al gato.*

[14] Alarcón publicó en 1858 una *Necrología* de A. Bonnat en la que decía que su estilo era «cortado, bíblico, lapidario», a lo Girardin y Karr. Vid. *Obras completas* de Alarcón. Ed. Fax. Madrid, 1943, págs 1.875 y ss.

[15] *Semanario Pintoresco Español,* ns. 29 y 30 de 1853.

[16] Id., n. 47, 20 noviembre 1853.

[17] Id:, n. 41, 14 octubre 1855.

[18] Id., n. 1, 6 enero 1856.

que cree ha sido observado, cuando, al fin, recibe un día una carta femenina que contiene una apasionada declaración. Resulta ser de la tía
de la joven.

ALARCÓN —llamado por Cejador «el Alfonso Karr español» [19]—
nos refiere en la historia de sus libros la evolución de su estilo, que no
era sino consecuencia de sus lecturas predilectas. Hacia los diecisiete o
dieciocho años escribió en Guadix *El final de Norma,* primera novela
de una nunca escrita serie que llevaría el título general de *Los cuatro
puntos cardinales.* En 1855, al copiar en Segovia las primitivas cuartillas de la novela adolescente, intercaló unas digresiones humorísticas:

> «Había yo conocido ya al ingenioso y afrancesado escritor Agustín Bonnat,
> quien me trató desde luego fraternalmente (para morir tan pronto y dejarme
> sin su amenísima compañía), y contagio eran de sus graciosos escritos aquel
> humorístico [humorismo] aparente, aquel charloteo con el lector, y todas aque-
> llas excentricidades y chanzas con que salpimenté la primera edición de *El final
> de Norma* y otras varias publicaciones mías de la misma fecha.
>
> Más adelante renuncié a todo lo que había de postizo y artificial en semejan-
> tes bromas literarias, que trastornan las leyes de la perspectiva artística, privando
> al lector de la ilusión necesaria para tomar como cierto lo fingido, y restablecí
> en otras ediciones el primer texto de *El final de Norma,* despojándola de humo-
> rística añadiduras» [20].

No se trataba, pues, de un estilo congénito, ya que el primitivo
—el de la «primitiva manera», según su autor— nació bajo el signo
de Walter Scott, Víctor Hugo y Alejandro Dumas, en especial del
último.

Esta primera manera guadijeña, juvenil, sufre un profundo cambio al pasar Alarcón a Madrid, a un Madrid bohemio —calco del de
Murger— donde conoce a Bonnat:

> «Ya he referido más atrás lo que me aconteció recién llegado a Madrid, por
> haberme aficionado un querido amigo a sus rarezas literarias (aprendidas por
> cierto del entonces muy en candelero y siempre admirable Alfonso Karr, cuyas
> originalidades más chocantes y superfluas imitaba mi buen Agustín, y no lo ver-
> daderamente humorístico, sentimental y filosófico del afiligranado autor fran-
> cés). Consecuencia de aquella aberración de Bonnat y mía fué el que yo escri-
> biese diez o doce novelillas estrafalarias o bufonas, que muy mal hicieron en
> celebrarme tanto algunos periódicos, y que llevan por título *El abrazo de Ver-*

---

[19] *Historia de la lengua y la literatura castellana.* Tomo VIII. Madrid, 1918,
pág. 148.
[20] *Historia de mis libros.* Octava edición. Madrid, 1905, págs. 197-198.

gara, La belleza ideal, Los seis velos, ¿Por qué era rubia? Soy, tengo y quiero, etcétera» [21].

Quizás entonces fueran aplaudidas esas historietas, pero lo cierto es que la crítica posterior —y el mismo Alarcón— han preferido los cuentos de sabor realista y prosa más llana. Doña Emilia Pardo Bazán cree que algunas narraciones de la manera afrancesada merecen «las ascuas de la chimenea», aunque reconoce ingenio y *savoir faire* en el autor [22]. Otras opiniones semejantes pudieran recogerse [23], y también algunas, como la de Revilla, que en cambio celebran sin reservas tales narraciones [24].

Y tras todo esto cabe preguntarse: ¿Qué es lo que de nuevo y discutible había en el estilo Karr? Alarcón hablaba de «charloteo con el lector» y de «excentricidades y chanzas». La Pardo Bazán, de un «prurito de disparar paradojas inocentes, derrochar humorismo de café, convertir en pirotecnia las ideas» y de los «parrafitos desmenuzados», del «chisporroteo de la frase».

La gracia, pues, reside no sólo en el asunto, sino también en la expresión, amanerada, acrobática, y que, en ocasiones, según dijimos ya, llega a preludiar las greguerías de Ramón Gómez de la Serna. Posiblemente Alarcón fué, de todos los imitadores de Karr, el que con más habilidad e ingenio supo manejar esta técnica de pirotecnia verbal.

Aun cuando sean de dudoso gusto, transcribimos algunos pasajes arrancados de sus narraciones consideradas como más excéntricas y disparatadas:

---

[21]   Id., pág. 202.

[22]   Vid. *Nuevo Teatro Crítico*, n. 10, octubre 1891.

[23]   César Barja dice de estos cuentos que en todos ellos «falta tanto de arte como sobra de fantasía romántica y descabellada» (*Libros y autores modernos.* New-York, 1924, pág. 430).

[24]   «Introdujo además [Alarcón] entre nosotros el gusto por las novelas cortas, fantásticas unas, cómicas otras, sentimentales algunas, pero todas llenas de ingenio, de color, de interés y de gracia. Ligeros bocetos, trazados con cuatro valientes e inspirados rasgos, y en los cuales ora se diseñaba con enérgico colorido algún conmovedor episodio de nuestra epopeya de 1808 ó algún dramático suceso lleno de terror trágico; ya se pintaba un cómico cuadro de costumbres, o una tierna y sencilla historia de amor, o bien se trazaba un cuento fantástico y vaporoso, mezcla del idealismo alemán y de la soñadora fantasía de los meridionales. Tales eran aquellas producciones, llenas de originalidad (a pesar de estar evidentemente inspiradas en modelos extranjeros), que no menos que los artículos humorísticos contribuyeron a acrecentar la reputación del joven escritor» (D. Manuel de la Revilla: *Obras.* Publicadas por el Ateneo de Madrid, 1883, pág. 93).

De *El abrazo de Vergara:*

«Cuando cuatro ojos menores de veinticinco años se tutean, *es peligroso que sigan mirándose.*

Este axioma se compone de una frase mía, de una alocución de Alfonso Karr y de un verso de Lord Byron».

Y más adelante:

«Las calabazas son el placer de la cabeza.

No acabó de ocurrirle este axioma, cuando cogió de nuevo la mano de la desconocida.

La resistencia fué leve, hipócrita, rica de monadas.

La mano quedó presa.

Y no estaba bajo cero.

(La mano es el termómetro del amor, los ojos son el barómetro y el corazón el cronómetro)» [25].

De *Soy, tengo y quiero:*

«El alba se ríe de mí asomando su rubia cabeza por el ajimez oriental del palacio de la noche.

El reflejo del lucero matinal viene a poner más blanco el papel en que escribo.

La luz de mi lámpara empalidece como una virgen moribunda o como un disoluto arruinado.

Por el balcón de mi gabinete entra un aire frío y ligero como un beso de hipócrita.

Las estrellas desaparecen poco a poco, como esos jeroglíficos misteriosos que el tiempo borra de las pirámides egipcias.

La luna se ha ido a América: acaba de ponerse aquí y va a aparecer allí, como una actriz que terminada la función de la tarde se viste para la de la noche» [26].

Aunque Alarcón se libró del estilo Karr, le quedó sin embargo el gusto por el período breve, manejado no en la forma casi telegramática con que aparece en los textos transcritos, pero opuesto, desde luego, al período abundante, rico en coordinadas y subordinadas, que ha de caracterizar la oratoria de Castelar y —erróneamente— al siglo todo.

Junto con Bonnat y Alarcón, otros muchos escritores gustaron de ese deshuesamiento oracional que comunicaba a la prosa un tinte poético, como de versículo. En los años románticos publícanse baladas, narraciones y artículos —casi siempre tendentes hacia un lirismo rara vez conseguido—, compuestos según la fórmula de los «parrafitos desmenuzados» que censurase la Pardo Bazán. Eugenio María Hostos,

---

[25] *Cuentos amatorios.* Madrid. Ed. de 1921, págs. 220-221.
[26] *Narraciones inverosímiles.* Madrid, 1920, págs. 292-293.

Manuel Valcárcel, Eduardo Serrano Fatigati, Rafael María Baralt, Eduardo Gasset, Manuel Vázquez Taboada, Manuel Ossorio y Bernard, etcétera, cultivaron este estilo. De su aceptación y éxito dan idea algunas protestas coetáneas contra esa prosa cortada, que se tenía por extranjerizante. Ventura Ruiz Aguilera decía en 1859:

«La literatura misma se ha positivizado; y de árbol verde, frondoso y elegante, háse convertido en tronco arrugado y seco, por cuyos vasos apenas circula savia bastante para alimentar su raquítica existencia. El majestuoso, el elocuente, el abundante idioma de nuestros padres es un galimatías ridículo, inarmónico, embrollado; una jerigonza compuesta de retruécanos, antítesis, agudezas romas, sales insulsas, sentencias alambicadas o traídas por los cabezones, y juegos de palabras, en lo cual no se encuentra un pensamiento por un ojo de la cara, ni un chiste natural y de buena ley, por entrambos ojos. El novelista corta el vuelo a su imaginación y empobrece la frase, no siempre por ignorancia, sino por cálculo; así es que en lugar de períodos numerosos y de rumbo, como se usaba en nuestra tierra, en los que pueden lucirse y campear las galas de la lengua, nos da palabrillas con pujo de renglones, su poquito de guión a cada paso y su mucho de admiraciones y puntos suspensivos» [27].

Tan expresiva sátira de la literatura anémica parece casi enderezada al estilo alarconiano. Téngase en cuenta que los textos de Alarcón corresponden al año 1854 y el de Ruiz Aguilera al 1859.

No insistimos más en este curioso aspecto de las técnicas prosísticas, ya que, en realidad, nuestro propósito se reduce a estudiar las narraciones humorísticas de Alarcón, a las cuales —hecho este inciso sobre el estilo Karr— volvemos.

Posiblemente el mejor, el más tierno y fino cuento humorístico del escritor guadijeño sea *La última calaverada,* perteneciente a la serie *Cuentos amatorios.* La leve malicia, la frivolidad de buen tono, la intención moralizadora y hasta la campechanía burguesa, hacen de esta narración una de las más apreciadas y elogiadas de Alarcón.

El estilo afectado y digresivo no es tan desorbitado y piruetesco como en otras narraciones. Más afrancesado es el tema, y así lo reconocía el autor en el prólogo que puso a este cuento y a *Sin un cuarto,* al publicarlos en una revista en 1874 [28].

---

[27] *El Museo Universal,* n. 15, 14 agosto 1859. *Yo estoy por lo positivo,* de Ventura Ruiz Aguilera, págs. 118-119.

[28] Vid. *Revista Europea,* n. 31, 27 septiembre 1874. El prólogo es una carta a los editores, que dice así:

«Mis queridos amigos Medio y Navarro:

Al remitirles las dos adjuntas novelillas: *Sin un cuarto* y *La última calaverada,* ambas escritas *en mi antigua manera* (que diría un pintor), créome obli-

La última calaverada se desarrolla en Francia, junto a la playa y los bosques —deliciosa exaltación humorístico-pánica de este ambiente—, y su protagonista es un Marqués que cuenta cómo cierta noche salió de su casa, engañando a su mujer, para acudir a una cita adúltera. Monta en su caballo y corre hacia la casa de su amante. Hay una densa niebla; el caballo tropieza y cae. Monta el Marqués de nuevo y llega hasta la casa y hasta los mismos brazos de su amada, que le besa en la oscuridad y que resulta ser su esposa.

Los efectos cómicos están justamente graduados, consiguiendo un cuadro lleno de movimiento.

La belleza ideal, también incluída en los *Cuentos amatorios* [29], describe el viaje de un poeta provinciano a Madrid, dando ocasión a que el cuentista trate una vez más un tema tan del gusto de su época, como es el encuentro en tren o en diligencia con una *hermosa desconocida*. (Recuérdense *El clavo,* o *El abrazo de Vargara,* y los artículos de Mesonero Romanos, *El tren expreso* de Campoamor, etc.) Alarcón trata ahora, humorísticamente, este tema y nos descubre la realidad de una de esas bellezas ideales.

El abrazo de Vergara [30] parece continuación —no en asunto, sino en lo semejante del tema— de *La belleza ideal.* Ambas narraciones fueron escritas en 1854.

Sin un cuarto sigue a estas dos en la serie *Cuentos amatorios* [31], y, aunque fechado en 1874, relata recuerdos juveniles de 1854, cuando

---

gado a advertir a ustedes y al público que las compuse algunos meses antes que *El sombrero de tres picos.*

Hago esta declaración para que no se crea que he desoído los consejos que ya verbalmente, ya en letras de molde, me acaban de dar personas autorizadísimas a propósito de mi dicha última obreja; consejos encaminados a que siga por el nuevo sendero que parece he emprendido; esto es, a que procure *españolizar* cada vez más mis novelas, así en el fondo como en la forma, apartándome ya para siempre de aquel *afrancesamiento literario* que revelaron mis primeros ensayos en el género...» «Allá van, pues, las dos indicadas novelillas: *Sin un cuarto* y *La última calaverada,* discurridas, coordenadas y hasta casi redactadas en parisién, como parisienses son nuestras actuales costumbres (menos los toros), nuestro estilo hablado (y casi todo el impreso), nuestras modas, nuestros muebles, nuestra moral y nuestros vicios» (pág. 393).

La última calaverada, Novela alegre, pero moral, puede leerse también en *Cuentos amatorios,* págs. 165 y ss.

[29] *Cuentos amatorios,* págs. 187 y ss.

[30] Id., págs. 213 y ss.

[31] Id., pág. 227.

Alarcón y los miembros de la Cuerda granadina vivían la alegre bohemia de Madrid. Apenas ocurre nada en esta narración, y la gracia reside en el diálogo y en la pintura de tipos y costumbres.

Fechada en 1854, y también de ambiente bohemio, es *¿Por qué era rubia?* [32]: Seis amigos —Eguílaz, Manuel del Palacio, Bonnat, Ivón, Luis Mariano de Larra y Alarcón—, en una tarde fría y lluviosa, deciden pasar la velada escribiendo cada uno una novela con el pie forzado de *¿Por qué era rubia?* La de Alarcón (*Novela cipaya*) viene a ser una versión humorística e invertida del mismo tema que en 1883 desarrolló dramáticamente, con el título de *Los ojos negros*.

Tic... tac... Novela breve, pero compendiosa cierra la citada serie de narraciones amorosas [33], y en cuatro brevísimos capítulos refiere algo así como un chiste lleno de malicia.

Entre las *Historietas nacionales* cabe citar aquí por su tono festivo *El libro talonario* y, tal vez, *La buenaventura*.

El libro talonario [34], considerado por los críticos como uno de los mejores cuentos de Alarcón, con el que su autor probó —según la Pardo Bazán— «su capacidad para erigir una torrecilla de filigrana en la punta de un alfiler» [35], es una deliciosa historia rural, narrada con donaire y socarronería muy andaluces.

El tono humorístico de *La buenaventura* [36] viene dado por la figura del gitano Heredia, que predice la muerte al bandido Parrón, el cual efectivamente muere ahorcado. Este trágico final contrasta con las agudezas chispeantes de Heredia.

En resumen, el humor de Alarcón es suave, burgués, muy andaluz, y ya que no exquisito, sí lo bastante refinado como para proceder de un escritor más instintivo e intuitivo que culto [37].

---

[32] Id., págs. 261 y ss.
[33] Id., págs. 277 y ss.
[34] *Historietas nacionales*. Ed. de 1921, págs. 235 y ss.
[35] *Nuevo Teatro Crítico*, n. 10, pág. 48.
[36] *Historietas nacionales*. Ed. de 1921, págs. 103 y ss.
[37] A. González Blanco dice que «el humorismo de Alarcón es en el fondo la misma socarronería de Sancho, modificada por el espíritu de un hombre que, aun sin ser excesivamente culto, no es un patán y ha leído a Edgar Poe y Lamartine, y a Alfredo de Musset, y sabe lo que son los bulevares de París» (*Historia de la novela...*, pág. 232).

III. MIGUEL DE LOS SANTOS ALVAREZ, TRUEBA, PEREDA, PEREZ GALDOS Y OTROS CUENTISTAS

Otro escritor que debe recordarse aquí es MIGUEL DE LOS SANTOS ALVAREZ, a quien la Pardo Bazán comparaba con Alfonso Karr [38]. Tal vez su mejor narración sea la única destacadamente humorística: *Amor paternal* [39], que creemos —con la citada Pardo Bazán— muy superior a *La protección de un sastre*.

El narrador encuentra en un camino a un jinete que, tras conversar un rato, le da a leer unas cartas —de su hijo y de él mismo— en las que se contiene la terrible historia de cómo el hijo fué condenado a la horca, y el padre, verdugo de oficio, hizo un viaje para ajusticiarlo personalmente, ya que tenía mejor mano que el verdugo local. Desgarrada, macabramente humorístico es este cuento, siendo uno de sus grandes aciertos la sutilísima descripción de la rivalidad profesional, que hace decir al padre del reo:

«¿Sabes que el ejecutor de esa ciudad es aquel criado tan torpe, que por más que hice no pude amaestrarle? Pues ése es, hijo mío, y ya ves la desgracia que es caer en malas manos, que eso te lo dice tu padre, que sabe del oficio más que tú, bobillo. Pues por eso yo tengo pensado, en cuanto me digas de fijo tal día salgo, pedir licencia a estos señores, que sí me la darán, porque tengo entendido que me estiman, y pasar a ésa, donde yo me compondré con Perico, y si es necesario le daré algo encima de sus honorarios, para librarte de la mala muerte que te había de dar, porque yo soy otra cosa, y hasta ahora ningún infeliz ha tenido que arrepentirse de que yo siga mi profesión; con que para que veas si no pondré yo doble cuidado contigo, que te quiero como hijo de las entrañas.»

Y más adelante:

«Con que así, avísame con tiempo si no quieres morir como un perro, porque eso es otra cosa, pero es un escándalo que Perico esté condecorado con un oficio para el cual se necesita tanto. Si sucede esto, créeme y no te aflijas, que yo tengo mucha práctica en estos lances, y sé que como la mano sea buena, no es cosa de cuidado para el reo y hecha en un santiamén, y sin sentirse, que es lo que me consuela, si logro mis deseos de salvarte de ese bárbaro, que no le daría yo a ahorcar, no digo yo una cosa tan difícil como el hombre, pero ni gatos. Jorgillo Rango era todo un hombre: anda, pregúntale que si le fué mal conmigo, y verás lo que te dice. Desengáñate, Leoncio: no hay otro como tu padre; sólo tengo noticia que dicen que el de Barcelona, si no me iguala, poco le faltará.»

---

[38]   Vid. *Nuevo Teatro Crítico*, n. 23, noviembre 1892, pág. 79.
[39]   *Tentativas literarias. Cuentos en prosa.* S. H. G. Madrid, 1864.

Creo que este macabro humorismo procede —hasta en la forma epistolar— del capítulo VII del *Buscón,* en que el tío de éste —verdugo— le envía una carta contándole cómo ajustició a su propio hermano, es decir, al padre de Don Pablos.

La raíz quevedesca de esta narración de Santos Alvarez se nota hasta en el lenguaje, si no rico, por lo menos sí con regusto clásico y espléndidos momentos expresivos.

Citaremos aquí, aun trastrocando el orden cronológico, un cuento de Blasco Ibáñez, muy inferior desde luego a *Amor paternal,* pero al que se asemeja en el protagonista, que es también un verdugo: *Un funcionario* que se lamenta de las desdichas que su cargo le reporta [40]. La intención es, pues, muy distinta y sólo queda el elemento humorístico —en el cuentista valenciano, absurdo y grotesco— del verdugo como probo empleado, lleno de celo por el cumplimiento de su deber.

Sólo conocemos dos cuentos de Ildefonso Ovejas, publicados en 1845, pero ofrecen el suficiente interés como para detenernos un momento en su examen.

Los tres locos [41] es un extraño relato que comienza con una descripción de la meseta de Barahona, azotada por el viento y la borrasca. Entre la nieve caminan tres viajeros que llegan a un palacio hecho de luces y de sombras, donde les recibe un raro monarca. Los tres han huído de un manicomio de Zaragoza, y a ello se alude veladamente. Lo propiamente humorístico del cuento está en ciertos detalles de gracia muy de nuestro tiempo: Uno de los locos, siendo niño, comía una torta ante la envidia de un golfillo que clava los ojos en la torta. En el vientre del niño aparecen dos ojos clavados, brillantes como tizones. El golfillo, al ser interpelado, dijo que los dedos se le hacían huéspedes, y así sucede. No deja de ser curioso que uno de los más celebrados cuentos del gran narrador italiano Massimo Bontempelli —creador del *realismo mágico*—, el titulado *El buen viento,* se base en motivos semejantes a los de *Los tres locos.* El hecho supone en Ildefonso Ovejas una formidable capacidad de anticipación de los más modernos recursos humorísticos.

La Atanasia es un cuento extrañísimo en el que se exaltan el odio

40 *La condenada.* Prometeo. Valencia, 1919, págs. 101 y ss.
41 *Revista literaria de El Español,* n. 5, 29 junio 1845.

y lo diabólico, en medio de acerbos y desgarrados toques humorísticos [42].

En 1853 apareció un tomo de *Cuentos populares* de TRUEBA, y en 1859, otro de *Cuentos y poesías populares andaluces* de «FERNÁN CABALLERO». Estas narraciones habían sido publicadas ya en revistas y, como su título indica, son de carácter popular, recogidas de la tradición, por lo cual no corresponde estudiarlas aquí. Citaremos sólo las más destacadamente festivas: *Las tres reglas de la Gramática parda, Una paz hecha sin preliminares, sin conferencias y sin notas diplomáticas,* entre otros de *Fernán,* se caracterizan por la sencilla comicidad.

El Preste Juan de las Indias, El más listo que Cardona, Los tomillareses, La capciosidad, Querer es poder, De patas en el infierno son buenos ejemplos de la vena cómica —muy ingenua y elemental— de Trueba.

Un humor más refinado, más cáustico, es el del P. COLOMA. En sus obras más dramáticas —*Era un santo..., El primer baile, Por un piojo,* etcétera— no faltan notas de humorismo realista, muy andaluz, y provocado, sobre todo, por el diálogo y por algunos tipos como Don Recaredo, el viejo poeta que aparece en *La Gorriona;* Doña Rosita, la simpática y vieja beata de *Por un piojo...,* o las muy andaluzas figuras de Sancho Ortiz y de su suegra Doña Tecla en *Era un santo...,* uno de los cuentos mejor dialogados de Coloma.

A la serie *Cartas claras* pertenece la dirigida *A un Gran Señor titulado,* buen ejemplo de la gracia narrativa de Coloma, que, a propósito de una cuestión que el Gran Señor a quien escribe tiene con el alcalde de Alcobendas, le dice que no posee la razón en tal pleito, contándole una anécdota de Luis XIV y un apólogo del P. Calatayud, finamente satírico éste [43].

Como siempre, tras hablar de *Fernán,* Trueba y Coloma, procede hacerlo de Pereda, casi en la misma línea ideológica, ya que no estilística.

Descubrir ahora el humorismo del escritor montañés resultaría ridículo, ya que es bien conocido y apreciado.

El humor de Pereda procede de la más castiza tradición y casi parece secuela del humor cervantino, del de las novelas picarescas o de

---

[42] Id., n. 8, 12 julio 1845.
[43] *Obras completas.* Eds. *Razón y Fe* y *El Mensajero del Corazón de Jesús,* 1943, págs. 438 y ss.

los entremeses; humor realista, sano y socarrón; humor de signo noblemente campesino, sin contagios literarios extranjerizantes [44].

Por atractivo que sea el tema, hemos de limitarnos a citar, dentro de la producción narrativa menor de Pereda, los títulos más significativos. Se nos ocurre que, diferentemente dosificado, humor hay en todos o en casi todos los relatos breves de este autor —*Suum cuique, Blasones y talegas, La mujer del César, Para ser buen arriero, Dos sistemas,* etc.— por lo cual se impone aquí un criterio restrictivo, en virtud del cual sólo serán citados aquellos estricta y únicamente satíricos o humorísticos.

Prescindimos, por tanto, de cuadros costumbristas como *La robla, La noche de Navidad, Arroz y gallo muerto,* etc., que, pese a ser sabrosamente humorísticos, deben estudiarse en otro lugar.

La serie toda de *Tipos trashumantes* [45] es una galería de retratos satíricos que no llegan a ser cuentos. Se trata de veraneantes grotescos, procedentes de Madrid —el Madrid tan poco grato a Pereda— o de otros pueblos del interior: las elegantes de Cascajales, los paletos de Becerril, el barbero literato, el ridículo sabio krausista, los pillos y sablistas madrileños, el grotesco joven distinguido que desdeña a las provincianas, etc.

Tampoco son cuentos los deliciosos artículos que componen la serie *Esbozos y rasguños* [46], donde hay cuadros de tan fino humor como *Las visitas, ¡Cómo se miente!, Los buenos muchachos, El primer sombrero, Reminiscencias,* etc.

Siendo el humorismo perediano de tema esencialmente rural, en el capítulo destinado a los cuentos de esta clase tuvimos ocasión de citar otras obras que aquí silenciamos, para dejar paso a otros autores.

De SERAFÍN ESTÉBANEZ CALDERÓN deberíamos haber hablado antes que de Pereda, puesto que cronológicamente es anterior. Pero si cos-

---

[44] A. F. G. Bell dice: «It was in there scenes [las de *Fernán*], in the sketches of Mesonero Romanos, the *Escenas Andaluzas* of El Solitario and in the *Novelas Exemplares* of Cervantes that Pereda found his models» (*Contemporary Spanish literature,* pág. 40). «The names of Cervantes and Rembrandt care not amiss in dealing with the author of *La Leva...*» (íd., pág. 40). «His bocks were really always a series of *cuadros de costumbres* more or less closely strung together» (íd., pág. 41.)

[45] *Bocetos al temple* y *Tipos trashumantes.* Tomo VII de las *Obras completas.* Madrid, 1898.

[46] *Esbozos y rasguños.* Segunda edición. Madrid, 1898.

tumbrista es el montañés, aun lo es más el *Solitario,* cuyas *Escenas andaluzas* (1847), aunque rebosen humor, no cabe estudiar aquí. (El valor cuentístico de estas escenas ha sido analizado en otro capítulo.)

Respecto a sus cuentos, recordaremos *Catur y Alicak, o dos ministros como hay muchos,* y *Don Egas el escudero y la dueña Doña Aldonza* [47].

De Juan Eugenio Hartzenbusch citaremos aquí *Palos de Moguer, Cuento inmoral,* justificación humorística del nombre de este pueblo [48].

Manuel del Palacio fué discreto autor festivo —*Musa cómica o tesoro de los chistes* (1863), *Cabezas y calabazas* (1864), *Letra menuda* (1877), etc.—, pero siendo más notables sus artículos de costumbres que sus cuentos, no nos detendremos en ellos, citando sólo a título de curiosidad *¡Dios mejore sus horas!* [49], relato entre trágico y humorístico de las desdichas de un infeliz, tema también tratado por Narciso Campillo en *El rigor de las desdichas* [50].

Aunque no conocemos muchas narraciones de José Joaquín Soler de la Fuente, las que hemos leído nos permiten calificar a su autor de cuentista ágil, narrador gracioso y de estilo castizo, aunque algo amanerado. *Cuando enterraron a Zafra...* es la explicación popular de este dicho [51]. El humorismo de Soler de la Fuente no radica en los asuntos, sino en la expresión, abundante y artificiosa, un poco al estilo de Quevedo, por el que el narrador sentía gran admiración [52].

---

[47]   *Novelas, cuentos y artículos.* Rivadeneyra. Madrid, 1893, págs. 189 y ss.; y 213 y ss.

[48]   *Cuentos.* Col. Universal. Ed. Calpe, 1924, págs. 21 y ss.

[49]   *El Museo Universal,* n. 16, 15 abril 1860.

[50]   *Una docena de cuentos.* Madrid, 1878, págs. 145 y ss.

[51]   *El Museo Universal,* n. 10, 30 mayo 1857.

[52]   Vid. este pasaje descriptivo tomado del cuento *Jesús el pobre.*

«Allá por los años de no sé yo cuántos, que la fecha no importa un comino al asunto, vivía en mi lugar una familia que, aunque ya andaba algo de capa caída, gastaba tantos humos como Gerineldos y más fantasía que lacayo de ministro. Pedro Lilla era el nombre del padre, un señor muy estirado, con cuello de cigüeña, nariz de gavilán, ojos de tortuga, flaco como los espárragos de sus trigos y más largo que una noche buena sin colación; pero las gentes del pueblo dieron en corromper las letras de su nombre y le llamaban polilla, sin duda por alusión a la miseria de don Pedro, que tocante a liberalidades podía apostárselas con el mismo licenciado Cabra. Hallábanse todos en su casa siempre a la cuarta pregunta, y ni aun arañas se veían en ellas, que por no haber, ni sitio donde tejer sus telas encontraban.

¿Y qué diré de su mujer doña Damiana, con sus redondos antojos, peluca rubia, nariz neutra, entre Roma y Cartago; boca de guerra, fortificada con al-

Fecundo articulista de costumbres y fino narrador satírico fué Ventura Ruiz Aguilera. Es difícil diferenciar, entre sus narraciones, cuáles son simplemente costumbristas y cuáles se acercan al cuento, tan mezclados están los elementos de uno y otro género. Así, *Yo en compra,* aunque subtitulado *Cuento fantástico,* nada tiene de tal, siendo más bien una fantasía de estilo quevedesco [53].

Intención satírica tiene *Una realidad en un sueño* [54]: El narrador cuenta cómo se enamoró de una angelical criatura que resulta ser —por la mañana, en el lecho— una horrible vieja. Tema semejante al de *Vuelvo* de Bonnat y al de *A vista de pájaro* de Eguílaz, y muy parecido también al de la novelita de María de Zayas Sotomayor, *El castigo de la miseria,* que a su vez se parece bastante a *El casamiento engañoso* de Cervantes. Asimismo, José de Selgas en *Día aciago* [55] trató un asunto similar: Martín, volteriano, escéptico, sólo cree en el martes, día aciago. Un martes conoce a una bella mujer en la platea del teatro, y se enamora de ella. Cruce de billetes y flores. El hermano de ella le descubre y le exige que se case. Así lo hace en un martes. Ella resulta ser vieja y fea, siendo postizos sus encantos.

De intención satírico-moralizadora son los *Proverbios ejemplares* de Ruiz Aguilera, de los cuales citaremos sólo algunos en los que predomina el elemento humorístico. *Herir por los mismos filos* [56] es la historia de un mocito de pueblo que allí era tenido por elegante, y que hace el ridículo en el paseo madrileño del Prado. Como se ve, este *proverbio* es realmente un artículo de costumbres. Se asemeja a *Gato escaldado... Cuento lastimoso,* de Eduardo Bustillo [57].

En *Hasta los gatos quieren zapatos* [58] un muchacho fatuo y romántico cree estar enamorado de una mujer casada a la que asedia estúpidamente, hasta que en una ocasión queda en ridículo ante ella,

---

menas de dientes, y su cortés cuerpo de reverencia perpetua? Pues en lo avarienta y miserable no iba en zaga a su don Pedro, que un ojo de la cara hubiera perdido, ya que no dado, por haber nacido el día de Santo Tomás, en vez del de San Damián, y que la llamasen Tomasa y no Damiana, que ni aun en nombre podía sufrir el que la pidieran» (*El Museo Universal,* n. 14, 1 abril 1860).

[53] *El Museo Universal,* n. 24, 15 diciembre 1859.
[54] Id., n. 27, 1 julio 1860.
[55] José de Selgas: *Novelas.* III. Pérez Dubrull. Madrid, 1887, págs. 135 y ss.
[56] *El Museo Universal,* n. 19, 12 mayo 1861.
[57] *El libro azul.* Madrid, MDCCCLXXIX, págs. 145 y ss.
[58] *El Museo Universal,* n. 41, 12 octubre 1862.

escarmentando para siempre. En *Los dedos huéspedes* [59] un marido celoso encuentra en el cuarto de su mujer una colilla de cigarro y un pañuelo con las iniciales de su vecino. Cuando se dispone a matar a la presunta infiel, aparece la suegra, ser hombruno, propietaria del pañuelo y del cigarro. El afrancesamiento ambiental es satirizado en *De fuera vendrá quien de casa nos echará* [60].

Del tiempo de Ruiz Aguilera fué ENRIQUE FERNÁNDEZ ITURRALDE, buen narrador humorístico en *Tres valientes, El sexto acto de la Africana, Un caso de avaricia* [61], etc.

FLORENCIO MORENO GODINO no fué cuentista satírico ni festivo, ya que cultivó con preferencia el género sentimental —*Por un retrato*—, pero de él queda algún relato tan rico en humor y ternura como *El perdis de la media negra* [62]. Sin asunto, con sólo unos sencillos personajes trágicamente cómicos, esta narración parece casi precursora de algunas de *Clarín* y Juan Ochoa.

Siguiendo un orden cronológico, si no riguroso, aproximado, debemos citar ahora, por extraño que parezca, los cuentos humorísticos de BENITO PÉREZ GALDÓS.

Al hablar de la técnica del cuento, algo dijimos ya sobre la pretendida incapacidad de Galdós para este género literario. Pocas son las narraciones breves del autor de los *Episodios Nacionales* —antítesis del cuento—, pero no dejan de ofrecer interés, no sólo por ser de un tan famoso novelista, sino también por sí mismas.

Las características del humor galdosiano, muy semejante al inglés y especialmente al de Dickens [63], han sido comentadas muchas veces y constituyen casi un lugar común, por lo que no nos detendremos en tal aspecto, pasando directamente a la descripción de los cuentos.

La conjuración de las palabras, fechado en Madrid en abril de 1868,

---

[59] Id., n. 10, 8 marzo 1863.
[60] Id., n. 35, 27 agosto 1865.
[61] Id. ns. 2 y 3 de 1866; n. 21 de 1866; ns. 47 y 48 de 1865.
[62] Id. n. 44, 4 noviembre 1866.
[63] Según Manuel de la Revilla, Galdós se inspiró en la novela inglesa, recordando su detallismo el de las obras de Dickens, Collins y Bullwer (*Obras,* edición cit., págs. 109 y ss.). Ulpiano González Serrano señaló también la semejanza Galdós-Dickens (*La literatura del día.* Barcelona, 1901). A. F. G. Bell sostiene asimismo que Pérez Galdós «was influenced by Dickens» (*Contemporary Spanish Literature,* pág. 18).

relata cómo las palabras del Diccionario Académico entablan violenta y humorística disputa [64]. No es propiamente un cuento.

El artículo de fondo, escrito en 1872 en Madrid [65], es uno de los cuentos más rotunda y espléndidamente humorísticos que conocemos, no sólo dentro de la producción de Galdós, sino de toda la de su tiempo: Un periodista compone a trechos, a empujones, apurado por el linotipista, un artículo de fondo sobre política nacional, que es trasunto de sus propias vicisitudes amorosas y económicas. Las alternativas de gozo, desesperación y esperanza por que atraviesa el periodista se transmiten a los fragmentos del artículo, que se contradicen entre sí.

Un tribunal literario, fechado también en 1872 [66], tiene una intención satírica, reduciéndose su trama al caso de un novelista que lee su última novela ante un conjunto de estrambóticos seres que le dan los más absurdos consejos. El novelista los recoge y, guiándose de ellos, escribe un engendro que, finalmente, vende a un comerciante de ultramarinos como papel para envolver. La gracia del cuento reside en los bien trazados tipos que en él aparecen.

La novela en un tranvía [67] es un excelente relato humorístico en que el protagonista, llevado de su acalorada imaginación, identifica a unos seres que viajan en su tranvía con los protagonistas de un horroroso crimen cuya descripción va leyendo.

IV. CUENTOS ESTRAMBOTICOS Y FANTASTICOS DE ROS DE OLANO Y FERNANDEZ BREMON

Un género especial de humorismo es el representado por los cuentos estrambóticos de ANTONIO ROS DE OLANO y las narraciones fantásticas de José Fernández Bremón.

Como en otras ocasiones, estos cuentos podrían ser estudiados en este capítulo o en el dedicado a los cuentos fantásticos. Pero estimando que lo decisivo en ellos es el propósito humorístico y excéntrico, los analizaremos aquí, concediendo especial importancia a la extraña figura

---

[64] *Torquemada en la hoguera* (y otras narraciones). La Guirnalda. Madrid, 1888, págs 207 y ss.

[65] Id., págs. 115 y ss.

[66] Id., págs. 223 y ss.

[67] Biblioteca Moderna. Est. tip. de A. Pereira. Madrid, 1900 (88 págs. de texto, con ilustraciones de Marín. Tamaño de bolsillo).

de Ros de Olano, escritor que merecería una monografía, ya que el interés y el prodigioso estilo de sus narraciones así lo exigen.

Ya *Azorín* cuantas veces mencionó el nombre de Ros de Olano hizo notar la rareza y el interés de este autor, inclasificable según él. Su obra, reducida, debió de ser minoritaria en su tiempo, como ahora lo sería también, aun en el caso de ser más asequible y conocida.

No todas las narraciones de Ros de Olano son estrambóticas, y en este capítulo sólo estudiamos las que poseen bien definido ese carácter, que suele coincidir con la intención humorística.

Quede bien sentado desde un principio que desde el punto de vista puramente técnico ninguno de estos relatos es un cuento; pero aun así están dotados de un encanto y belleza especiales, provocados por la sugestión de un lenguaje desconcertante que el autor parece haber creado para él solo, tan a nuevo nos suena, tan irreales son sus imágenes y giros.

En nuestra opinión, Ros de Olano es uno de los más típicos casos de inadaptación a su época que conocemos. Cualquier lector que se enfrente con una narración como *Maese Cornelio Tácito,* se resistirá a creer que esas páginas pudieron ser escritas en 1868, año en que aún conservaba vigencia un romanticismo sentimental que se expresaba a través de una retórica afectada y gritona. Ros de Olano no escribe según la moda de su época, ni probablemente de ninguna otra. Si tratásemos de establecer alguna relación literaria, podría pensarse en los nombres de Quevedo, Ramón Gómez de la Serna, o en manifestaciones literarias casi surrealistas.

No nos sorprende, por tanto, que la crítica de su época se sintiera desconcertada ante aquella prosa tras la que nada parecía haber, porque todo estaba en ella misma [68]. Esa clase de lectores para quienes la prosa novelística es sólo escalón para llegar al meollo argumental, sin detenerse en ella, repudiará inevitablemente las narraciones de Ros de Olano, cuyo contenido es el mismo lenguaje, hasta tal punto que resulta poco menos que imposible resumir el asunto de cualquiera de sus cuentos estrambóticos. De ahí que éstos no sean cuentos —repetimos—, ya que al faltar el argumento, falta el ingrediente esencial de este género literario.

---

[68] En 1860 decía Alarcón que no eran entendidas las «lóbregas profundidades» de las obras en prosa de Ros de Olano (*Obras completas* de Alarcón, página 1.860).

Y sin embargo, ¡qué extraña belleza la de estas narraciones, nacidas no se sabe cómo ni por qué provocadas, expresadas en un lenguaje cuyo secreto o fórmula trataríamos inútilmente de descubrir! Porque en la prosa de Ros de Olano hay contenida una gran dosis de poesía, que no es la blanda y dulzona de la época, sino una muy pura, muy sobria, mezclada con la burla o la paradoja.

Comparar a Hoffmann con Ros de Olano, como hacía Cejador, es no comprender a ninguno de los dos escritores. Lo esencial en el cuentista alemán es lo fabuloso del asunto, la capacidad imaginativa y creadora, el vuelo fantástico y la atmósfera de mágica irrealidad. En Ros de Olano todo radica en la expresión. El afán de buscar un argumento —aun entendiendo por tal el *razonablemente* fantástico— desconcertó a cuantos críticos estudiaron sus obras, llevándoles a afirmaciones tan erróneas como la citada de Cejador, que, viendo sólo lo aparencial, creyó que la sensación de extrañeza e irrealidad de los relatos de Ros tenía un origen semejante al de los de Hoffmann.

El mismo Cejador comentaba:

«Se dió mucho a las letras [Ros de Olano], y del estilo *sui generis* de su prosa decía Alarcón en el prólogo de sus obras: «Todavía no se sabe si el autor quiere o no quiere que el lector las entienda. Lo que nosotros tenemos averiguado es que desprecia al que no las entiende y que se enoja con los que se dan por entendidos.» *Mistagogo* le llamó Menéndez Pelayo, y «precursor notorio de los enigmáticos escritores que ahora arman tanto ruido en Francia con el nombre de *decadentistas* y *simbolistas*». De hecho no sé quien haya del todo descifrado el logogrifo de *El doctor Lañuela* (1863) ni los cuentos de la *Historia verdadera o cuento estrambótico, que da lo mismo, de Maese Cornelio Tácito*» [69].

Los errores y confusionismos proceden de la equivocada actitud inicial de *querer comprender*. No sabemos lo que de verdad hay en esas frases de Alarcón sobre los desprecios y enojos de Ros de Olano, pero lo más seguro es que sus narraciones, concebidas con una finalidad —una no-finalidad, realmente— que él mismo ignoraba, y con una facilidad que en él debía de ser temperamental, no necesitaban de comprensión rigurosa, sino sólo de justificación estética.

Lo demás es tratar de buscar tres pies al gato, y en esta burla el que saldrá siempre ganando es el propio Ros de Olano. Si el lector aspira a comprender, quedará defraudado, no porque el texto sea ininteligible, sino porque lo que hay allí no se escribió para ser comprendido —buscando el sentido e interés de la peripecia—, sino para ser

---

[69] *Historia de la lengua y literatura castellana*. Tomo VIII, pág. 324.

leído con los solos ojos del gusto estético, literario, persiguiendo el simple deleite de una narración sin sentido aparente. Y decimos aparente, porque la falta de sentido racional —utilizamos el término *cum grano salis*— no supone la falta de sentido estético. No se crea, tampoco, que los relatos de Ros de Olano son delirios de esquizofrénico, sueltas las amarras de la razón. No; en ellos hay argumento, pero tan débil que tratar de desentrañar su significado resulta estéril. Buscar esoterismos en estas narraciones es falsear su sentido. El argumento sirve de pretexto, de sustentáculo mínimo para un conjunto expresivo, riquísimo en metáforas, coherente —eso sí—, y de una audacia de giros e imágenes como en pocos escritores puede encontrarse.

Semejantes acusaciones de nihilismo argumental se vienen haciendo a propósito de algunos poetas. Y no es que condenemos su licitud. Bien está que haya quienes desdeñen algunos poemas de Góngora o algunas obras de Miró, porque sus máximos valores residen en la expresión, careciendo, en cambio, de interés argumental, pasional. No censuramos tal actitud, pero creemos tener derecho a defender no la contraria, sino más bien la suplementaria, es decir, la de quienes no sólo buscan la belleza en la trama, sino que se conforman con hallarla en el lenguaje.

Además, no existen tales nihilismos absolutos, y cuando una expresión literaria es bella no suele serlo únicamente por sí sola —por la sola música de sus sonidos, de sus palabras: *flatus vocis*—, sino que tras ella suele alentar la luz de un pensamiento, de una emoción, de una sensibilidad humana, en suma. El hueco armazón de las palabras nada sería sin el alma que en ellas palpita y a su través se expresa.

Tras esta digresión con la que pretendíamos justificar la incomprensión que suelen suscitar los cuentos de Ros de Olano, pasamos al estudio de éstos.

El primero de los *Cuentos estrambóticos* lleva el extraño título de *Maese Cornelio Tácito, Origen del apellido de los Palominos de Pancorvo* [70]. Y aunque nada se consiga con extractar el asunto, diremos que Maese Cornelio es un sastre casado con una cruel e insoportable mujer a quien llaman la Sotanera. El licenciado Piñones dispara un tino contra un cuervo, y el sastre, compadecido del pobre animal, se lo compra. La mujer se burla de la adquisición, diciéndole que ha traído un pan a casa, y así —Pan— llama Cornelio al cuervo. En una

---

[70] *Revista de España.* Tomo III, n. 9, 1868, págs. 102 y ss.

ocasión la Sotanera, muy aficionada a la volatería, se come un palomino del que da pico y uñas al sastre. Y, al fin, obliga a éste a matar al cuervo, comiéndoselo luego en compañía del licenciado Piñones. Cornelio cuenta al narrador sus desventuras y soledad.

Sobreviene una nueva y rarísima peripecia: el narrador es llamado por su tío Gigante y marcha a la Pampa, donde llega a tiempo de ver morir a su pariente de un estallido, y, tras enterrarlo en dos barrancos, cobra la herencia. Cuando regresa, la Sotanera y el licenciado Piñones han muerto. El sastre, viejo, abraza al narrador.

Como se ve, el asunto así esquematizado parece algo incongruente y difuso. El sentido está, pues, en la expresión, en el magnífico lenguaje propio de algunos relatos de Gómez de la Serna, y que, por otra parte, recuerda el sutil conceptismo de Quevedo.

Una delicada vena de lirismo fluye a lo largo de las palabras de Maese Cornelio:

«Seamos buenos con todos y con todo, para que los árboles nos paguen con su sombra y las aves con su gratitud; nos dé su luz el sol, su tibia claridad la luna, la piedra nos preste su resistencia, su elasticidad el aire, la fuente su frescura, el fuego su calor, la hierba su molicie, las fieras su mansedumbre, y venzamos al hombre.»

«Creo que el amor es penetrativo hasta en el duro hierro, y que, por ejemplo, mis tijeras me sirven más y mejor porque bien las quiero, y que este árbol se goza cuando lo cuido, me aguarda cuando le dejo, y que me dice algo que percibe mi alma cuando le acompaño...»

Resumir las bellezas expresivas de esta narración equivaldría a transcribirla casi íntegra. Anotemos aún la intensidad de algunas imágenes como ésta:

«... y me recordó en efecto el mortuorio y beatífico lecho de mi padre, que cuando le arrancaron el cadáver se quedó vencido y envejeció de pronto.»

O los sorprendentes efectos de color: «clérigo de viento y humo».

O, finalmente, la gracia quevedesca de algún pasaje, como este en que el tío Gigante habla del tío Enano:

«Como aquel tu tíllo era de suyo tan escaso, hombre faldero por lo menudo, y sujeto en fin de poca raspa y de menos tercios, siempre pensé que no llevaría gran vida a la grupa, fundado en que no le cabría todo lo natural; y fué tan exacto mi juicio, que se le apeó el alma del cuerpezuelo escurrida por las ancas, y se le vió morir hecho una nada, según me dijo el fraile... ¡Téngalo Dios, si lo encontró, que sí creo!»

Los textos transcritos pueden dar idea de la sorprendente belleza de este relato, que si hemos incluído en este capítulo ha sido porque difícilmente encajaría en otro, pero no porque lo humorístico sea su elemento esencial.

La *Historia verdadera o cuento estrambótico que da lo mismo* lleva los siguientes extraños epígrafes: Noticias incidentales acerca de *Pesce Colá* (Pez Nicolás).—Apuntes hechos a la aguada; manera propia para tratar sucesos de un peje.—Su embajada de parte del Príncipe Pausasnó, y quién era éste.—Astucias de Miss Tintin, y quién era ésta.—Amor, traición, casamiento y muerte del héroe de esta veracísima historia, por donde se deduce claro, como el agua es clara, el origen de la frase con que solemos exclamar: «¡Vaya un peje!» [71].

Es un cuento fantástico basado en las leyendas acerca del hombrepez. Resumimos su asunto, aun creyendo como siempre que poco significa en sí mismo, y que todo el valor está en el lenguaje.

El Peje Nicolás es embajador del Príncipe Pausasnó de las Regiones Hiperbóreas, que desea casarse con la hechicera Miss Tintin. Es descrito una especie de cómico —y extraordinariamente bello— aquelarre de brujas, gnomos, fuegos fatuos, focas, etc. El Peje se prenda de Miss Tintin y ocupa el tálamo. Vuelve a su acuático elemento al fin, y ella se disuelve en lágrimas, en las que nada el Peje. Pausasnó sale a buscarle y llega al Polo, donde se queda llorando.

Donde el estilo alcanza su más alta calidad es en la descripción de la reunión de brujas, duendes y animales hiperbóreos; especie de grotesca Walpurgis que recuerda las fantasías de Goya:

«Las brujas, luego de parar en firme, permanecieron en sus escobas, cabalgadas a la jineta, bien escuadronadas y tan arropadas de sus propios pellejos, con tan buen partido de pliegues, que aunque no vestían paños mostraban faldas de arrugas y tocas de lo mismo, muy luengas, apuestas y aparentes.»

Y he aquí un trozo de verdadera audacia expresiva y que nos hace pensar en el fantástico humor de los cuadros del Bosco:

«La danza prima fué ejecutada por los amantes al son de cierta bruja gallega, tocada por un zángano paisano suyo.

Estaba éste muy diestro en inflarla por un solo lado, para deshincharla por varios otros al sobrazo.

Tenía, pues, el tañedor terciada la bruja como gaita, y embutía vientos en ella a revienta-carrillos, para con tiento írselos luego sacando al por menor por los registros.

La bruja soltaba el aire en todos los tonos del diapasón; y a pesar de que

---

[71] Id. Tomo VI, n. 24, 1869, págs. 481 y ss.

el zángano le pedía mucho, siempre estuvo llena como odre del dios Eolo, y nunca pareció ser bruja, sino hinchazón de cosa.

Concluída la danza, soltó el músico la cosa hinchada, y quedóse la tal cosa en el suelo, expeliendo gemidos lastimeros, que enflaquecían a medida que iba perdiendo volumen y recobraba formas conocidas.

Por largo rato la bruja gaita no bullía pie ni mano; dijérase al verla que se desesperezaba tras un letargo; y era que se estaba vertiendo hasta quedar vacía. Después púsose en pie y se mostró en menor escala, tal como era, aunque de cuerpo entero.

Y sabiendo que había sido mujer, nadie pensará que le cupiera tanto; porque era esmirriada, bruja entre brujas, cuartago de diablos, cabalgadura sin fondo y de poca subida, aunque muy escabrosa...»

No cabe sacar más partido del lenguaje, exprimido y manejado con arte y gracia increíbles. Pero no sólo fué maestro Ros de Olano en las descripciones grotescas, sino que supo crear también imágenes poéticas muy personales:

«Sonrió la prometida esposa con regalada brisa por todos los horizontes de sus mimosos labios.» «La noche nupcial se adelgazaba en aquel crepúsculo...» «Ojos de luz quebrada en lágrimas.»

Pero ha sido excesivo el espacio concedido a Ros de Olano, y, quedando aún bastante materia por examinar dentro de este capítulo, nos limitaremos a dar los títulos de otras dos narraciones humorísticas del mismo autor: *Al tiro de Benito* y *Carambola de perros* [72].

* * *

Fantástico-humorísticos son los cuentos de José FERNÁNDEZ BREMÓN, uno de los más originales narradores en este género, de la centuria pasada.

Un crimen científico [73] es un relato extravagante sobre un misterioso oculista que desea dar la vista a su hija ciega, para lo cual hace experimentos con animales, dejándolos tuertos e incrustando sus ojos en seres vivos, sus criados, antes ciegos. Para su hija desea no un ojo de gallina, de cerdo o de mono, sino un ojo bello. Un campesino arruinado en el juego le vende los suyos. En el pueblo sospechan que este

---

[72] Id. Tomo LVI, n. 221, 1877, págs. 5 y ss; y tomo LXXI, n. 284, 1879, págs. 456 y ss.

[73] Este cuento fué publicado en *El Globo,* junio de 1875, y recogido en la edición de *Cuentos* de *La Ilustración Española y Americana.* Madrid, MDCCCLXXIX, págs. 1 y ss.

mozo ha sido asesinado e identifican unos huesos que corresponden, realmente, a un mono, con los suyos.

El cuento abunda en humoradas extravagantes, como la de la escena en que, al recobrar la muchacha la vista, cree que un orangután —lo primero que ve— es su padre. El cuento concluye con el siguiente festivo anuncio puesto por el oculista:

«Hay en el establecimiento ojos de águila para generales en campaña, ojos de tigre para deudores acosados y ojos de gacela propios para damas.

También hay otros ojos más comunes y baratos para nodrizas y soldados. Se ponen gratis a los pobres, ojos de besugo.»

En *Gestas, o el idioma de los monos* [74] relata Fernández Bremón la historia de un mono que aprende a hablar en una escuela de sordomudos, convirtiéndose en un hombre ilustrado que valsa, se bate, galantea y llega a ser rey de los monos en un rincón de la selva africana. Pero cuando sus civilizados súbditos leen la historia de la Revolución francesa, imitan tal suceso histórico y guillotinan a Gestas su rey.

Se asemeja a este cuento uno de CARLOS COELLO, titulado *Hombres y animales* [75], bastante ingenioso y con algunas hábiles paradojas: Sir James Lowe, en un discurso, prueba la superioridad de los animales sobre los hombres. A continuación figuran fragmentos de su diario por los que nos enteramos de sus esfuerzos por aprender el lenguaje de los animales y de su fracaso. Entonces arbitra criar a un niño como un perro y viceversa. Cuando la perra pare, coge un cachorrillo y lo da a criar a una nodriza, mientras que coloca entre los perrillos recién nacidos a un niño, también recién nacido. El perro-hombre llega a ser un talento, y el hombre perro, un simple perro. El primero permite a Mr. Lowe conversar con los animales, que le dan a conocer, por su intermedio, sus opiniones sobre los hombres. Se celebra un Gran Congreso Animal, en cuya descripción emplea Coello una sátira burda. El manuscrito resulta ser de un loco.

Verdaderamente ingenioso y ameno es el cuento de Fernández Bremón titulado *Mr. Dansant, médico areópata* [76], uno de los más disparatadamente fantásticos del autor.

---

[74] Publicado en el *Diario del Pueblo*, julio y agosto de 1872, y recogido en la ed. cit., págs. 127 y ss.

[75] Vid. esta narración en *Cuentos inverosímiles* de Carlos Coello. Biblioteca Perojo. Madrid, 1878, págs. 209 y ss.

[76] Publicado en *La Ilustración* y recogido en la ed. cit., págs. 85 y ss.

Siete historias en una [77] se compone de diversos extraños relatos de locos.

Una fuga de diablos [78] es una divertidísima narración sobre unos monjes que se embriagan y cometen mil excesos, creyéndose que en la tinaja de que bebieron estaban escondidos unos diablos, según cuenta un lego. Un tío de éste pintó en otro tiempo un cuadro de las tentaciones de San Antonio en el que figuraban unos inquietantes diablos. El pintor desapareció misteriosamente y también los diablos del cuadro. Creyóse entonces que éstos se habían metido en la tinaja, y de ahí los efectos del vino. Pero al fin se descubre la verdad: el pintor, conversando una vez con un fraile, pintor también y rival suyo, cayó en la tinaja y el otro dejó que se disolviera allí, borrando luego los diablos del cuadro. Lo legendario y lo humorístico se mezclan extrañamente. Al final, el lego aparece bebiendo de la tinaja y, sorprendido por el Abad, dice que reza sobre la tumba de su tío.

El cordón de seda (Cuento chino) [79] es otra deliciosa narración humorística: Chao-Si es desgraciado porque su hijo ha rehusado abrirse el abdomen. Los parientes le aconsejan que se estrangule para salvar su reputación. Pero Chao-Si entrega el cordón de seda a su mujer para que se estrangule ella, alegando que él tiene credencial de larga vida, dada por el Emperador. Tian, la esposa, seduce a Kin el cocinero y le manda ahorcarse. Kin sorprende a Te-Kui, hijo de Chao-Si, robando a su padre y le invita a suicidarse. Cuando cree que lo ha hecho, aparece un mono ahorcado en su lugar. Todos certifican que se trata del hijo de Chao-Si, y cuando este último muere —pese a la credencial—, se presenta Te-Kai a por la herencia. Pero como le han dado por muerto, le dicen que o se ahorca o es un mono. Te-Kai, al declararse mono, es entregado a unos saltimbanquis.

Otros cuentos humorísticos de Fernández Bremón podrían ser citados aquí, pero preferimos decir algo más de CARLOS COELLO, autor de unos *Cuentos inverosímiles,* de uno de los cuales, *Hombres y animales,* ya hemos dicho algo.

El otro mundo es una narración satírica en que un escritor promete

---

[77] Publicado en *La Moda Elegante Ilustrada* y recogido en la ed. cit., páginas 163 y ss.

[78] Publicado en *La Ilustración* en 1873 y recogido en la ed. cit., págs. 223 y siguientes.

[79] Publicado en el *Almanaque de la Ilustración de Madrid,* 1872, y recogido en la ed. cit., págs. 263 y ss.

enviar a sus amigos una crónica de su viaje al otro mundo, y cuando se suicida así lo hace. La sátira peca de ingenua: en el infierno hay cigarros infernales procedentes de las fábricas de Madrid, el Limbo es el símbolo del vivir nacional, etc.

Amargamente satírico es *El café,* diatriba contra esta clase de establecimientos en donde los españoles consumen su tiempo y su dinero. Un holgazán cambia de vida al ver reflejado en los espejos del café lo que ocurre en los hogares de los que allí acuden diariamente: la mujer, abandonada siempre por su marido, acaba engañándole; el hogar saqueado por los criados, etc. Y él mismo se ve viejo, perdidos los mejores años en la rutina del café [80]. Este final nos recuerda el asunto de una de las más impresionantes narraciones de Maupassant: *Mr. Parent.*

V. NARCISO CAMPILLO.—JUAN VALERA

En 1872 publicó Peregrín García Cadena una graciosa y agradable narración titulada *Batalla de sabios* [81]: Dos sabios que resultan ser dos locos huídos de la casa de Toledo, se disputan con mil graciosas astucias la posesión del manuscrito del *Quijote,* que creen está escondido en una casa, pretendiendo comprarla y riñendo incluso por casarse con la feísima propietaria.

Narciso Campillo, «cuentista chispeante y hasta descarado», según Cejador, cultivó la narración-chiste, tomada muchas veces de la tradición y aderezada ingeniosamente. Don Juan Valera, prologuista de una de sus colecciones de cuentos, decía de ellos que constituían

«Un modelo de lenguaje castizo, natural y llano, y su estilo no puede ser más propio para la narración.

La malicia candorosa, la no rebuscada mezcla de inocencia y socarronería que hay en las reflexiones a que los cuentos dan lugar, no pueden menos de prestarles cierto hechizo, y hace que la lección moral, o la regla de conducta, o la doctrina literaria o filosófica que del cuento se induce, se acepte y reciba con docilidad y hasta con deleite» [82].

El puente [83] es un ejemplo característico de chiste alargado con

---

[80]   Vid. estos cuentos en la ya citada ed. de *Cuentos inverosímiles,* págs. 7 y siguientes, y 137 y ss.

[81]   *Revista de España.* Quinto año. Tomo XXIV, n. 93, 1872, págs. 580 y ss.

[82]   Prólogo a *Una docena de cuentos de Narciso Campillo.* 1878.

[83]   *Una docena de cuentos,* págs. 1 y ss.

gracia y convertido en ameno cuento. Semejante, en cuanto a la técnica, es *Por amor de Dios y por amor del dinero* [84], en el cual se describe la figura de un barbero pícaro cuya ejecutoria recuerda bastante en el detalle de la geografía picaresca, la del ventero del *Quijote*:

«Era el barbero un pez de Cádiz, nacido en la Mirandilla, criado en la Viña y cursado y curtido en las muy ventiladas y no menos famosas universidades del Muelle, el Campo del Sur y La Caleta, de donde tantos gloriosos varones han salido para las academias y liceos de Ceuta y Melilla.»

Cuento-chascarrillo, también, y tal vez el más gracioso de Campillo es *La constancia* [85]: Don Facundo, cura de Toledo, se dedica con gran celo a los menesteres propios de su hábito, siendo su única distracción un muy amado loro que sabe rezar devotas oraciones y jaculatorias. Un caballero de ojos azules y rubias patillas se prenda del animalito, parándose ante el balcón donde vivía con tal insistencia que el cura retira el loro al interior. Un día, el caballero sube a visitarle, proponiendo comprar el loro por lo que su dueño pida. El cura se niega rotundamente y, apremiado, permite que el caballero pueda seguir visitando al loro. Así lo hace el *lorófilo*, convirtiéndose en una pesadilla para el pobre sacerdote que, al fin, para librarse del pesadísimo visitante le regala el loro.

En el segundo capítulo vemos cómo, un día, se acerca al confesonario de don Facundo una joven que confiesa haber quebrantado el sexto mandamiento. Horrorízase el sacerdote, pero cuando la jovencita le explica cómo un caballero la persiguió, enviándole recados por las criadas y sitiándola con tal constancia que llegó a soñar con sus «ojos azules y rubias patillas», se da cuenta don Facundo de que se trata del mismo del loro, y se asombra de que la joven pudiera haber resistido más de seis meses tan tremendo asedio.

Los dos médicos [86] tiene una intención satírica: Don Bodoque, el médico ignorante, explica a D. Salomón, el médico inteligente sin clientela, que debe su éxito al hecho de que abunden más los necios que los listos.

Los cuentos hasta aquí enumerados bastan quizás para dar una idea de la modalidad humorística que cultivó Campillo, del que cita-

[84] Id., págs. 25 y ss.
[85] Id., págs. 35 y ss.
[86] Id., págs. 55 y ss.

remos además *La plegaria, Una excursión veraniega, El hombre-injerto, El centinela, Vino y frailes, Soñar despierto,* etc.

* * *

Mucho se ha dicho y escrito sobre el fino humor y aticismo de D. JUAN VALERA para que podamos añadir ahora algo nuevo.

Sí nos interesa advertir que tal humor aparece disuelto en sus narraciones, pero sin concretar en un franco cuento humorístico. Valera tiende más a la sátira: *Parsondes.*

En *El pájaro verde, El bermejino prehistórico, La buena fama,* etcétera, hay matices, frases, incidentes verdaderamente humorísticos, pero ninguno de esos cuentos lo es plenamente. Y así, por paradójico que parezca, apenas podríamos clasificar aquí otra narración que la satírica, ya citada, *Parsondes* [87].

De todas formas, quede constancia aquí de sus valores satírico-humorísticos, provocados las más de las veces por el tono mundano y frívolo que Valera da a sus narraciones, mezclando donosamente la alusión a la moda o gusto actual con el motivo legendario o arcaico. Así, en *El bermejino prehistórico* [88] son abundantes los pasajes en que el autor ironiza con citas y frases de actualidad, deliberadamente anacrónicas:

«Paseando un día por el muelle vió Adherbal a Echeloría, y al verla juró por Melcart y por Astoret, como si dijéramos por Hércules y por Venus, que jamás había visto criatura más linda y salada.»

«Ella seguía con la casa de comercio de su marido, bajo la razón social de la *viuda Chemed.*»

«Preocupado con estos pensamientos de venganza, y como hombre que va a su negocio y no viaja a lo *touriste,* Mutileder no quiso visitar las curiosidades de Jerusalén.»

«... se convirtió en seductor desaforado, en el D. Juan Tenorio o Lovelace de aquel siglo.»

Tal vez este cuento sea el más decididamente humorístico —pese

---

[87]   Sobre la fuente de este cuento, vid.: María Rosa Lida: *El «Parsondes» de Juan Valera y la Historia Universal de Nicolao de Damasco* en *Revista de Filología Hispánica.* IV, 1942, págs. 274-281.

[88]   Juan Valera: *Cuentos. Obras completas.* Tomo XIV. Imp. Alemana. Madrid, MCMVII, págs. 77 y ss.

a su aderezo fastuosamente arqueológico— de Valera, y así parece indicarlo su final:

«Todo ha sido lo que allá en los tiempos venideros, dentro de cerca de tres mil años, llamarán los sabios y pulidos un *mito,* y los ignorantes y rudos un *camelo* o una *filfa.*»

Otra cosa son los graciosos *Cuentos y chascarrillos andaluces* recogidos por Valera de la tradición, y que nada tienen que ver con nuestro actual estudio.

VI. LA LITERATURA HUMORISTICA ASTURIANA

Entraremos ahora en el estudio de la modalidad humorística más importante del siglo XIX, la representada por la llamada escuela asturiana, que integran, fundamentalmente, *Clarín,* Armando Palacio Valdés y Juan Ochoa [88 bis].

Andrés González Blanco supo destacar la importancia de este grupo literario, que consideraba como el más significativo y casi único representante del humor español en las letras contemporáneas [89].

[88 bis]   Sobre esta modalidad narrativa asturiana, vid. nuestro estudio *La literatura narrativa asturiana en el siglo XIX,* publicado en la *Revista de la Universidad de Oviedo, Facultad de Filosofía y Letras.* Enero-abril 1948, ns. XLIX y L, págs. 81 y ss.

[89]   Vid. el cap. VII, *La novela humorística,* de *Historia de la novela...,* donde dice A. G. Blanco:

«Absolutamente nueva, y conquista indiscutible del siglo XIX, es aquella fase del humorismo que no se trasluce en chocarrerías cómicas, ni siquiera en sátira mordaz, sino en un sentido de la realidad que se resuelve en doloroso sarcasmo, doliéndose de la impotencia de no mejorarla, y expresando la amargura que esto produce en los espíritus selectos por medio de una especie de alegría triste o de risa mezclada de llanto...» (pág. 495).

Este humorismo, representado en Alemania por Ritcher y Heine, en Inglaterra por Dickens y Thackeray, en Portugal por Eça de Queiroz, es el que en España encarna en las obras de *Clarín* y Palacio Valdés.

Más adelante dice G. Blanco que no se trata de un «*escuela asturiana* en el sentido de dirección seguida por las letras españolas en un período determinado. Más propio sería decir *modalidad asturiana;* influencia ejercida sobre cierta parte de la literatura española a fines del siglo XIX por un núcleo de literatos distinguidos, todos ellos de aventajado talento y fácil pluma. Estos literatos se llamaron Leopoldo Alas, Juan Ochoa, Palacio Valdés, Tomás Tuero, etc.» (pág. 508).

«Cuando uno avanza hacia el Norte, decía Stendhal, tiene derecho a una nueva novela como a un nuevo paisaje. Este es el sentido único que puede darse

Estudiando en otro capítulo ¡*Adiós, Cordera!*, observamos cómo su nota más distintiva era la ternura. Y ésta es la aportación fundamental de las letras asturianas: ternura escondida, velada varonilmente, disfrazada de humorismo.

El hecho de que a *Clarín* se le negasen el pan y la sal en el campo de la creación narrativa, reconociéndole únicamente valores críticos; o el de que Palacio Valdés fuera en su época más leído fuera de España que dentro; o el de que Juan Ochoa siga siendo casi desconocido, revelan que esta modalidad literaria asturiana constituye algo aislado y excepcional, que no parece encajar dentro de las formas y gustos dominantes en España a finales del siglo XIX.

En ese siglo suele confundirse la ternura con la sensiblería, y por eso el gesto elegante de estos cuentistas que tratan de evitar la efusión sentimental, cultivando en cambio el delicado matiz, no fué comprendido sino por una minoría.

En compensación, si hoy tuviéramos que seleccionar de entre los cuentistas decimonónicos aquellos que nos resulten más actuales, más adecuados a la sensibilidad de nuestro tiempo, escogeríamos a estos escritores asturianos, especialmente a *Clarín* y Ochoa, ya que Palacio Valdés, aun siendo un excelente narrador, creador de cuentos tan de antología como ¡*Solo!* y *Los puritanos*, nos parece más comercial, más de galería, menos exigente para consigo mismo y más despilfarrador

---

a la influencia del clima sobre la literatura, tan decantada por algunos críticos demasiado fisiólogos.

La lluvia de Asturias se infiltra en el espíritu de modo que forma una segunda capa en la que aparecen las estratificaciones del humorismo y de la sentimentalidad. La lluvia, que es aquí lenta, tenaz y cansada, crea una modalidad de espíritu soñoliento y sentimental. El humorismo espiritualista, mezclado con un lirismo elegíaco que pugna por salir a la superficie y se contiene, es la distintiva del pueblo asturiano. Este espíritu asturiano es más ondulante, más complejo, más incoherente, si queréis, que el espíritu de Castilla, todo de una pieza, donde los hombres son graves, sobrios y firmes, y las mujeres serenas y castas. Hasta en los saludos se nota una marcada diferencia entre la seriedad castellana y el humorismo asturiano. Dijo no sé quién que los asturianos somos «los andaluces del Norte». Si eliminamos la parte de colorismo y de abigarramiento, de policromía chillona, que hay en el alma andaluza, quizá me quede conforme con las restantes cualidades, sobre todo con esa amargura velada de alegría que resplandece por igual en una y otra.

La escuela asturiana ha dado como fruto una literatura que es la parte de la literatura española más semejante a la inglesa. Tiene de ésta la espiritualidad contenida, el instinto soñador y, al mismo tiempo, las efusiones de humorismo» (págs. 508 y ss.).

de una ternura que hay que adivinar en *Clarín* y Ochoa; pero que, una vez percibida, es tan limpia, tan sincera, que nos hiere el alma con una fuerza de la que carecen las más pretenciosamente patéticas narraciones de otros escritores que gozan fama de emotivos.

Nunca como ahora lamentamos que la clasificación adoptada para estudiar más fácilmente el denso conjunto de la cuentística decimonónica, nos obligue a seccionar la obra de estos tres escritores, Alas, Palacio Valdés y Ochoa, forzándonos a estudiar aquí las narraciones simplemente humorísticas y satíricas; cuando, para apreciar el alto valor de su producción literaria, sería necesario estudiarla completa y no en grupos temáticos. Tan mezclado y diluído va el humor con la ternura, que —sobre todo en Ochoa— a veces resulta difícil señalar un cuento estrictamente humorístico. Pecará, pues, nuestro estudio de forzado y convencional, y su única justificación es el propósito que anima este trabajo de evitar lo monográfico y aislado, tendiendo, en cambio, a dar visiones de conjunto.

* * *

El humorismo clariniano es producto de la confluencia —y lucha— de dos vertientes distintas: intelectualismo y vitalismo. El *yo* profesoral combate constantemente con el *yo* sentimental. Especulación científica y entrañable ternura se disputan la vida de Alas, quemada así rápidamente, de tan intensa y vibrante.

Alguna vez hemos comparado el caso de «CLARÍN» con el de Unamuno, ya que en los dos se observa el mismo frenético dualismo.

Alas, cuentista delicado, humanísimo, parece querer reconstruir lo que la crítica certera del implacable *Clarín* ha derribado. Un profundo clamor de justicia alienta en las mejores narraciones de este autor, en las que se exalta al hombre sencillo, primitivo, al ser débil e ingenuo —*Doña Berta, Pipá, Manín de Pepa José, El Torso, El rey Baltasar*, etc.—, y en las que se ataca al sabio egoísta, al hombre intelectualizado.

Clarín está en pie de guerra contra su siglo, contra su tiempo, y lucha con dos armas que a veces se funden en una sola: la crítica satírica y la exaltación de los valores humanos. Lo acerbo y lo tierno se mezclan en muchas ocasiones eficazmente, como sucede en los casos de *Avecilla, El rey Baltasar, La mosca sabia*, etc.

No deja de ser aleccionadora paradoja observar cómo Alas, pode--

roso intelectual, combate el cerebralismo aniquilador de lo más puramente vital. Aquí nos corresponde estudiar solamente aquella parte de su producción narrativa de tipo satírico, reservando para otros capítulos los cuentos —muy superiores, para nuestro gusto— en que *Clarín* se sirve de la ternura en lugar de la causticidad. De todas formas, unos y otros cuentos se complementan, ya que en ellos se advierte la misma obsesión: vitalismo antiintelectualista.

Alas sintió muy en espíritu vivo ese problema y de él se hace eco su obra toda. El cuento sentimental —*¡Adiós, Cordera!, Un grabado, El Torso, Doña Berta*— aspira a lo mismo que el más refinadamente satírico —*La mosca sabia, Bustamante, Zurita, El gallo de Sócrates*—. En unos y otros se advierte el mismo temor a intelectualizar la vida, ya que según dice *El gallo de Sócrates:* «El que demuestra toda la vida, la deja hueca.»

Y concretando ya, pasaremos al estudio de los cuentos humorísticosatíricos de Alas, estudiando en primer lugar los de sátira antiintelectualista.

Tal vez el más significativo y logrado sea *La mosca sabia* [90], inteligentísima narración en que el humorismo clariniano sirve a un tema de exaltación vitalista casi en un tono pánico.

El narrador cuenta cómo fué a la biblioteca de Don Eufrasio Macrocéfalo en ausencia de éste, pero con su permiso, para evacuar una cita. Allí encuentra a una mosca que le recita el comienzo de *La Mosquea*. Entablan conversación y el insecto le cuenta su vida, cómo nació allí y cómo, cuando sus compañeras volaron en «la amable primavera de las moscas», ella quedó allí con otras, apresadas por Don Eufrasio para unos experimentos que le fallaron. Entonces quiso el sabio matarla, pero no encontrando fundamento filosófico para ello y mientras lo hallaba, la dejó vivir en aquel erudito ambiente. De todas formas, la mosca envidia la suerte de las que fuera mueren de frío, y comenta:

«Medir la vida por el tiempo, ¡qué necedad! La vida no tiene otra medida que el placer, la pasión desenfrenada, los accidentes infinitos que vienen sin que se sepa cómo ni para qué, la incertidumbre de todas las horas, el peligro de cada momento, la variedad de las impresiones siempre intensas. ¡Esa es la vida verdadera!»

El sabio enseñó a leer a la mosca, que conoce ya todos los libros de la biblioteca. En cierta ocasión salió de paseo con Don Eufrasio y

---

[90]   *Doctor Sutilis.* Madrid, 1916, págs. 23 y ss.

contempló con envidia los vuelos amorosos de las moscas. Pero él —es una mosca macho— es tan débil que a nada se atreve. Una bellísima mosca verde se le acerca y le invita al amor, pero él no puede seguirla. Regresa a la biblioteca, donde un día encuentra un nuevo libro de Entomología traído por el sabio, en el que ve una lámina de la mosca verdedorada, descubriendo con horror que corresponde a la especie *Musca vomitoria,* de muladar, de estercolero.

Interrumpe la conversación la llegada de Don Eufrasio, derrotado en la Academia, medio borracho y con un retrato de su amante Friné. La mosca se burla del sabio y con sus patitas escribe, al pie del retrato de Friné, *Musca vomitoria.* Don Eufrasio la aplasta sobre su cabeza, que ella muerde al morir.

«Sobre la tersa y reluciente calva quedó una gota de sangre, que caló la piel del cráneo, y filtrándose por el hueso llegó a ser una estalactita en la conciencia de mi sabio amigo. Al fin había sido capaz de matar una mosca.»

Doctor Angelicus [91] se asemeja a *Doctor Pértinax,* estudiado en el capítulo de *Cuentos religiosos,* y a *Doctor Sutilis,* del que en seguida hablaremos. Se trata del caso de un sabio antivital —que nunca tuvo infancia—, casado con Eufemia, a la que conoció en un parque leyendo a Kant. Un primo de Eufemia, alférez de ingenieros, se propone seducirla. Pánfilo, el sabio, está seguro del amor de su mujer, a la que supone muy espiritual, éter puro. El alférez seduce a Eufemia y Pánfilo lo descubre al acabar su inmortal obra: «Eufemia. Investigaciones acerca de la dignidad y finalidad humana. Endemonología aplicada, basada en una arquitectura racional de la biología psíquica, especialmente la prosológica».

Zurita [92] tiene el interés de ser trasunto de una experiencia de *Clarín,* apasionado del krausismo algunos años y luego mordaz crítico de este sistema filosófico.

Aquiles Zurita, concienzudo estudiante que tiene la licenciatura de Letras en Valencia, pasa luego a Madrid para hacer el doctorado. Los catedráticos, que él creía dioses, le hacen objeto de sus burlas. (Episodio éste, según Bonafoux, que Alas plagió de unas páginas de *Madame Bovary* de Flaubert [93].) En la pensión conoce a un filósofo que

[91] Id., págs. 103 y ss.
[92] *Pipá.* F. Fe. Madrid, cuarta edición, 1886, págs. 103 y ss.
[93] Sobre el pretendido plagio y la réplica de *Clarín,* consúltense el folleto de Alas, *Mis plagios.* F. Fe. Madrid, 1888, y el de Luis Bonafoux, titulado *Yo y el plagiario «Clarín».* Madrid, 1888.

le inicia en el krausismo, en tanto que la patrona trata de seducirle. Lo mismo le ocurre con la madre de un niño a quien enseña Humanidades. El siempre huye castamente. Grande es su desengaño cuando ve a su maestro krausista casado y convertido en un burgués. La doctrina de los hechos sustituye a las metáforas y al krausismo. Finalmente Zurita consigue una cátedra de Filosofía en el instituto de Lugarucos, pueblo de pesca, en el que también la patrona de la pensión trata de seducirle dándole excelentes platos de marisco. Escapa de ella, pero le queda la afición por el marisco, materia en la que llega a ser un erudito.

Obsérvese cómo en estas narraciones triunfa siempre la vida, lo sencillo —en este caso, la afición al marisco—, sobre la especulación abstracta y la erudición pretenciosa.

El número uno [94] contiene la historia de Primitivo Protocolo, que, pese a haber sido siempre el número uno en todos los colegios, no triunfa en la vida. Cuando, al morir, llega a las puertas del Cielo, comprueba que de nada le sirve haber sido abajo el indiscutible número uno y que ha de esperar a que pasen los pobres, los santos, los sencillos... Y todavía está esperando.

Para vicios [95] no es propiamente un cuento, sino un alegato en pro de la caridad sentimental y en contra de la intelectualizada.

Don Urbano [96] toma su nombre de un ridículo personaje que cree en el orden, la geometría, la cuadrícula. Quiere llevar su método a la escuela, a la arquitectura, y al fin acaba extasiándose con los peluqueros que saben cortar el pelo sin dejar *escaleras*.

El gallo de Sócrates [97] viene a ser un diálogo satírico, casi de inspiración o imitación lucianesca: Critón asiste a la muerte de su maestro Sócrates, cuyas últimas palabras son: «Critón, debemos un gallo a Esculapio; no te olvides de pagar esta deuda.» El discípulo no cree que Sócrates pueda haber hablado irónicamente y considera sagrada aquella advertencia. Busca un gallo, y cuando lo encuentra lo persigue encarnizadamente. El gallo se sube a la cabeza de la estatua de Atenea y desde allí dialoga con Critón:

«¡Silencio, gallo! En nombre de la Idea de tu género, la naturaleza te manda que calles.

---

[94] *Cuentos morales.* La España Editorial. Madrid, 1896, págs. 85 y ss.
[95] Id., págs. 97 y ss.
[96] Id., págs. 181 y ss.
[97] *El gallo de Sócrates.* Ed. Maucci. Barcelona, 1901, págs. 7 y ss.

—Yo hablo, y tú cacareas la Idea.»

«Gorgias es tan loco, si bien más ameno, como tú. No se puede vivir junto a semejante hombre. Todo lo prueba; y eso aturde, cansa. El que demuestra toda la vida, la deja hueca.»

El gallo trata de convencer a Critón de que Sócrates habló irónicamente, pero el filósofo derriba de una pedrada al gallo, cuya sangre resbala «por la frente de jaspe de Palas Atenea».

Por su intención satírica y escéptica este cuento se asemeja a los de Valera.

Don Ermeguncio o la vocación [98] es otra graciosísima sátira contra la filosofía krausista.

«Por aquella época todo se dividía en parte general, especial y orgánica. Don Ermeguncio había escrito una *Memoria sobre el arte de extirpar los caracoles en las huertas,* y una Sociedad de *Antropología general* le dió un *accésit* por su trabajo, que se dividía, no faltaba más, en parte general, especial y orgánica.»

Don Ermeguncio es, sucesivamente, juez de oposiciones, periodista, cesante y corresponsal de *El Faro de Alfaro,* enviando unas crónicas desde Madrid en las que sólo habla de filosofía.

«Los suscriptores no querían un periódico que no sabía más noticias de Madrid, sino que todo lo real es racional, y viceversa, según Hegel.»

El final —idéntico al de *El Café* de Moratín— nos presenta a don Ermeguncio autor de una obra de filosofía que lleva a un editor. Este, admirado de la caligrafía, le da una plaza de escribiente.

Nuevo contrato [99] reproduce un diálogo entre Fausto y Mefistófeles. El primero siente inquietud por las cuestiones filosóficas de su tiempo: Kant, Spencer. El diablo le propone un nuevo contrato en el que no se vende el alma, ya que Fausto no sabe si la tiene, sino el corazón, a cambio de la sabiduría total. Fausto acepta y adquiere el saber total, descubriendo que el secreto de la realidad, el primer móvil, es el amor. Pero él ya no puede amar, porque el corazón se le ha convertido en una piedra.

Con este simbólico y significativo cuento cerramos la descripción de las narraciones antiintelectualistas de *Clarín,* pasando a las que podemos calificar de sátira literaria.

El señor Isla [100] es un breve relato sobre un autor teatral que ini-

---

[98] *Doctor Sutilis*, págs. 127 y ss.
[99] Id., págs. 219 y ss.
[100] *Cuentos morales*, págs. 313 y ss.

cia su carrera con obras contra la sociedad. Va siendo olvidado y escribe alta comedia, llena de amarga ironía. Se cree incomprendido y se aparta de la sociedad, empeñándose «en ser *isla* para tomarse, a solas, por continente».

González Bribón [101], semblanza de un crítico resentido, parece sátira de algún tipo real que *Clarín* conoció.

El hombre de los estrenos [102] presenta la figura de un provinciano en Madrid, aficionado maniático a los estrenos teatrales, en los que discute con todos, reprime toses y sale exhausto del teatro. Acaba escribiendo una obra en medio de una locura cada vez más exacerbada.

Bustamante [103] es el nombre de otro personaje de *figurón:* Un provinciano aficionadísimo a las charadas marcha a Madrid con objeto de colaborar en los periódicos. Conoce a unos jóvenes estudiantes que editan *El Bisturí,* revista satírica. La pintura de los tipos que componen esta tertulia literaria es espléndida. Uno de ellos escribe artículos de costumbres, llenos de muletillas tales como «pues señor», «decididamente».

«A estas y otras tonterías del satírico, que debía vender dátiles, las llamaban sus admiradores «sencillez, naturalidad, facilidad».

—¡Qué fácil es el estilo de Merengueda! —decían.

Y sí era fácil. ¡Como que así puede escribir cualquiera! Las ideas del redactor en jefe (pero sin subordinados) de *El Bisturí* corrían parejas con su estilo. Pensaba a la moda, y con la misma desfachatez y superficialidad con que escribía. Era materialista, o mejor positivista... Que no se le hablase a él de metafísica; la metafísica *había hecho su tiempo,* decía con horroroso galicismo.»

El crítico de la revista es un ser resentido y envidioso.

«Si el caso era criticar un cuadro, recurría al tecnicismo de la música, y hablaba de la escala de los colores, del tono, de una *especie* de *melodía* de los matices, de las desafinaciones, de las fugas de color; pero si se trataba de música, entonces recurría a los términos de la pintura, y decía que en la ópera o lo que fuese, no había claro-oscuro; que la voz del tenor era blanca, azul o violeta; que las frases no estaban bien matizadas; que la voz no tenía buen dibujo, etc., etcétera. Todo lo decía al revés. También era positivista.»

El poeta-buho [104] es un apunte satírico sobre un fúnebre poeta que molesta al autor leyéndole poesías sepulcrales.

Más interesante, aunque con idéntico tema, es la fantasía titulada

---

101 Id., págs. 393 y ss.
102 *Pipá,* págs. 227 y ss.
103 Id., págs. 317 y ss.
104 *Doctor Sutilis,* págs. 121 y ss.

Versos de un loco [105]: el narrador es molestado esta vez por un demente que le deja un cuaderno con sus versos, titulados *Estambres y Pistilos*. No quisiéramos pecar de imaginativos, pero en este caso parece como si *Clarín* hubiera tratado de burlarse de sí mismo, es decir, de sus aficiones poéticas. Y tal vez no sea sino un pretexto para una expansión lírica del autor, que, irónicamente, pone sus versos en labios de un poeta loco y hambriento [106].

---

[105]   Id., págs. 211 y ss.
[106]   Que existió un *Clarín* poeta, es cosa segura, asfixiado voluntariamente por el *Clarín* crítico. Pero quizá no del todo asfixiado, ya que en algunas de estas poesías del loco hay belleza y sinceridad. No todo es incongruencia en ellas. Véanse algunos fragmentos:

> «Era en lo oscuro; sobre mi pecho
> sentí una mano;
> en las tristezas del pobre lecho
> me visitaba Dios Soberano.

> Era la mano de luz; caricia
> de lo Infinito, callado premio,
> misterio —madre—.
> Lloro en espíritu por la delicia
> que al miserable dulce bohemio
> le otorga el Padre.

> Y desde entonces, siempre en lo oscuro,
> siento la mano sobre mi pecho;
> mas su contacto va siendo duro,
> peso terrible me hunde en el lecho.

> Pero la mano, que ya es de plomo,
> entre dolores, sin saber cómo,
> siempre acaricia. La pasión fuerte
> que tanto oprime, siempre es delicia.
> Ya en torno mío nombran la muerte
> los cuchicheos de la estulticia...,
> mientras *me arranca* del cuerpo inerte
> mano con alas de la Justicia.

La versificación dura y torpe no basta a esconder la belleza de algunas expresiones e imágenes, y menos la idea fundamental, que nos revela, además, la inquietud religiosa de *Clarín* expresada poéticamente.

Y he aquí, ahora, dos sorprendentes composiciones que, aparte de contener

De *Feminismo* [107] sólo se conserva el primer capítulo, que no tiene nada que ver con el título: Un poeta pueblerino publica en Valladolid un libro de poesía.

«En Valladolid hay gente así. Como Zorrilla era de la provincia, en cuanto ven por allí un poeta, sea o no de la tierra, se dicen algunos: ¡Otra que te pego! ¡Otro don José! Y le protegen.»

---

versos aislados de gran belleza, resultan doblemente interesantes por tratarse de dos irónicas semblanzas de dos poetas contemporáneos:

CAMPOAMOR

Escribe versos en la *ceniza;*
saca del polvo, de los gusanos
y de la nada, que se desliza,
viento sin aire, por bosques vanos
de tallos huecos, veta cañiza,
saca la idea de sus cantares;
médula amarga de tristes huesos;
sin corazones, suspiros; besos
sin labios; saca los cañizares
del esqueleto; la catadura
de desnudeces de sepultura;
saca del fondo de noble rima
sarcasmos místicos que causan grima...
Pasión perenne firma en la arena
cuando a las dunas va la mar llena,
y con los rayos tenues de luna
rubrica pactos de la fortuna;
ve del cerebro las telarañas
y le enternecen las musarañas,
que ve la lógica de lo Infinito
en palimpsestos de lo no escrito...

NÚÑEZ DE ARCE

Como Dios sacó el mundo de la nada,
de allí saca también la poesía...
Escribe con perfecta simetría;
Y así, tiene por plectro la plomada.
Todo a la ley de gravedad lo fía.

Indudablemente, hay algo más que extravagancias de loco en estos versos que *Clarín*, no atreviéndose a publicar como suyos, incrustó en una narración satírica, guardándose así de burlas y de censuras, ya que él era el primero en no tomarlos en serio.

[107] *Doctor Sutilis*, págs. 229 y ss.

Marcha el poeta a Madrid y entra de meritorio en un periódico, haciendo la reseña crítica del Senado.

«Al día siguiente aquel poeta llamaba animal al respetable presidente de la Cámara Alta; dudaba, con ironía, de la honradez de tres generales victoriosos, y dirigía alusiones pornográficas a lo más augusto.»

El director del periódico se limita a *quitar las ocurrencias* al corregir las pruebas, hecho histórico, según dice *Clarín* en nota, y que aparece también citado en un pasaje de *Bustamante* [108].

* * *

Sátira más amplia, de tipo moral y político, contienen *Doctor Sutilis, De la Comisión..., Novela realista, El filósofo y la Vengadora, Un candidato* [109], *El Cristo de la Vega... de Ribadeo, El pecado original, La fantasía de un Delegado de Hacienda* [110], *El Centauro, La yernocracia* [111], etc.

De tipo social o mundano son: *De burguesa a cortesana, Los señores de Casabierta, Medalla de perro chico, Album-abanico* [112], *Snob* [113]. *La perfecta casada* y *La imperfecta casada* [114] son dos curiosos cuentos humorísticos de carácter psicológico-moral.

De tono vodevilesco y malicioso son *Amor'é furbo*, cuento con ritmo y color de frívolo ballet [115], y *La tara* [116], chiste-cuento con el clásico trío: marido, mujer y amante.

Mi entierro, Discurso de un loco [117] es un extraño cuento humorístico cuyo personaje central es un maniático del ajedrez que, al regresar a su casa, se encuentra con que ha muerto y contempla cómo su

---

[108] «Escribía unas crónicas del Senado llamando animales a todos los senadores, desde el Marqués de la Habana para abajo, y, es claro, el director del periódico le quitaba de las crónicas los insultos, que él llamaba *ocurrencias...*» (*Pipá*, pág. 320).

[109] Pertenecientes todos a la serie *Doctor Sutilis*.

[110] De la serie *El gallo de Sócrates*.

[111] De la serie *El Señor y lo demás son cuentos*.

[112] De la serie *Doctor Sutilis*.

[113] De la serie *Cuentos morales*.

[114] El primero pertenece a la serie *Doctor Sutilis*, y el segundo a los *Cuentos morales*.

[115] *Pipá*, págs. 77 y ss.

[116] *Cuentos morales*, págs. 385 y ss.

[117] *Pipá*, págs. 111 y ss.

viuda le engaña con un amigo. En el entierro comprueba cómo a nadie le importa su muerte. Un jefe del partido político del difunto interviene con un discurso lleno de lugares comunes y de mentiras. Acaba la narración convirtiéndose el loco en un peón blanco.

El cuento alcanza casi un tono surrealista, según se advierte en observaciones como éstas:

«... al amanecer el frío de los pies se hizo más intenso. Soñé que uno de ellos era el Mississippí y el otro un río muy grande que hay en el norte de Asia y que yo no recordaba cómo se llamaba.»

«Resistí cuanto pude, defendiéndome con un fémur; pero venció el número; me cogieron, me vistieron con un traje de peón blanco, me pusieron en una casilla negra, y aquí estoy, sin que nadie me mueva, amenazado por un caballo que no acaba de comerme y no hace más que darme coces en la cabeza. Y los pies encharcados, como si yo fuera arroz.»

* * *

Finalmente, para no alargar con exceso el espacio concedido a *Clarín*, cabe hacer la observación de que muchos de estos cuentos tienden al artículo de costumbres. Se trata de narraciones elaboradas con la técnica y estilo del crítico, protagonizadas casi siempre por un tipo grotesco del que se sirve el autor para satirizar una clase social, un vicio, una costumbre. Son, pues, personajes menos humanos, por lo que de símbolos tienen, que los de otros cuentos de *Clarín*.

Recuérdense los ya citados: *El número uno, Don Urbano, El señor Isla, El hombre de los estrenos, Bustamante, Zurita, González Bribón, De la comisión, Doctor Sutilis, Doctor Angelicus, Don Ermeguncio,* etcétera, a los que ahora añadiremos la más espléndida narración satírica de Alas: *Cuervo* [118], que podría ser el mejor ejemplo de la gracia y finura —casi a lo Huxley— del autor en esta clase de narraciones.

Un cuento así concebido es en realidad un artículo de costumbres o, como dice Ramón Pérez de Ayala:

«Un estudio de ciertos tipos psicológicos estereotipados, que en la historia de los géneros literarios antecede a la novela propiamente dicha. Un carácter de este tipo, su carácter estereotipado, es un hombre artificial, un hombre deshumanizado y mecánico, que obra siempre de la misma manera y no responde sino ante un solo estímulo» [119].

Estas narraciones son algo así como ciertos artículos periodísticos

---

[118] *Doña Berta.—Cuervo.—Superchería.* Ed. Emecé. Buenos Aires, 1943.
[119] Ed. cit., prólogo, págs. 23-24.

de nuestro tiempo, con su regusto de clave; galería de caricaturas tratadas con arte, pero muy distantes ya de lo que ha de ser un cuento.

Obras intermedias entre crítica y cuento, o más bien, crítica social, literaria, política, convertida en materia narrativa a través de unos personajes —en ocasiones guiñolescos— con nombres intencionada e ingenuamente simbólicos: un comerciante en tejidos se llama *Pantaleón de los Pantalones;* un sabio, *Eufrasio Macrocéfalo;* un sastre, *Pespunte;* un escribano, *Litispendencia;* un buscador de votos, *Zalamero,* etc.

Buena prueba de que tales narraciones se acercan más a la crítica satírica que al cuento, la tenemos en el hecho de que *Clarín* publicara algunas de ellas entremezcladas con sus *solos* y *paliques.*

En *Palique,* edición de 1899, se incluye *Un candidato.* En los *Solos de Clarín* aparecen *La mosca sabia, Doctor Pértinax, De la Comisión* y otras. En *Sermón perdido, Los señores de Casabierta, El poeta-buho* y *Don Ermeguncio o la vocación.*

* * *

Nada nuevo descubrimos al decir que el humorismo es la nota distintiva de ARMANDO PALACIO VALDÉS. Humorismo muy norteño, muy asturiano, tal vez el más semejante al inglés dentro de nuestra literatura [120], más aún que el de *Clarín,* según advertía A. González Blanco [121].

---

[120] A este respecto dice A. F. G. Bell: «his asturian humour is English rather than French» (*Contemporary Spanish Literature,* pág. 70).
Y *Andrenio:* «Tiene además Palacio Valdés una cualidad no frecuente en los autores españoles: el humorismo. En el mapa espiritual de España, parece que habría que situar el humorismo en Asturias. Palacio Valdés, *Clarín* y Ramón Pérez de Ayala, asturianos de nacimiento o de adopción, son, entre los novelistas, los que mejor han tocado esta cuerda» (*El renacimiento de la novela española en el siglo XIX.* Ed. Mundo Latino. Madrid, 1924, pág. 82).
[121] «El humorismo de Palacio Valdés es más trascendental, más grave, más imponente; el de Alas, más risueño, más jovial, más franco, más arlequinesco... Este parece un humorismo en Carnaval; aquél, en miércoles de Ceniza. Palacio Valdés dice sus burlerías con tan refinado tono de encopetada seriedad dogmática, que a veces llega a parecer que habla en serio... En cambio a *Clarín,* hasta cuando su humor se pone más fúnebre, siempre se le escapa la risa retozona. Por la ley del contraste, a fuerza de seriedad humorística llega a perturbarnos más Palacio Valdés, nos deja más honda huella. La sátira de *Clarín,* en ocasio-

No es grande el número de cuentos del autor de *La Fe*, pero su calidad compensa sobradamente su escasez.

En la serie *Aguafuertes* —«colección de cuentos y novelitas cortas en que el autor demuestra que tiende más bien a ser un Dickens que un Maupassant» [122]— encontramos dos narraciones humorísticas: *El crimen de la calle de la Perseguida* y *El potro del señor cura* [123]. En la primera el autor recoge la narración de un amigo que confiesa un asesinato. Al regresar a su casa, de noche, fué sorprendido por unos individuos que le encasquetaron el sombrero, impidiéndole reconocerlos. El blande su bastón de hierro y descarga un golpe. Huyen los asaltantes, enciende un fósforo y encuentra un hombre muerto a sus pies. Horrorizado por su crimen huye. Pero al día siguiente, y tras pasar horas terribles de angustia, descubre en el periódico que sus asaltantes fueron unos locos que habían robado un cadáver.

Según A. M. Espinosa, este cuento está relacionado con uno popular que él titula *Los dos compadres* [124].

En *El potro del señor cura* refiere Palacio Valdés el cariño del cura de Abín por su viejo caballo, el «Pichón». Tanto le embroman a costa de su rocín, que se decide a venderlo por un precio mísero. Pero luego se da cuenta de que no puede pasar sin caballo y compra otro en la feria, que resulta ser el mismo «Pichón» pintado por el chalán que se lo vendió.

Seducción [125] es uno de los más esplendidos y finos cuentos humorísticos de Palacio Valdés. Refiere el autor cómo el editor de una revista literaria le pidió un cuento, y, apremiado, salió un día a pasear en busca de un posible argumento. Tras unas digresiones llenas de gracia, cuenta cómo en un banco de un parque público oye la

nes, sólo roza el espíritu. Aquél es más sajón y éste más latino...» *(Historia de la novela...*, pág. 512).

Alguna restricción habría que hacer a los demasiados tajantes juicios de González Blanco. *Clarín* —en la línea amargamente humorística de Larra— pone más pasión en sus sátiras que Palacio Valdés, más burguésmente blando. No cabe, por tanto, afirmar que el humor de *Clarín* «sólo roza el espíritu». Por el contrario, juzgamos a Palacio Valdés más de galería, más efectista y sensiblero que Alas.

[122]   A. G. Blanco: Ob. cit., pág. 519.

[123]   *Obras completas.* Ed. Aguilar. Tomo II, págs. 1.100 y ss., y 1.103 y ss.

[124]   A. M. Espinosa: *Cuentos populares españoles.* Consejo Superior de Investigaciones Científicas. Madrid, 1947. El estudio comparativo del cuento citado se halla en el tomo III, pág. 177.

[125]   *Obras completas* de Palacio Valdés. Ed. cit., pág. 1.131 y ss.

conversación de un joven matrimonio. Ella, guapa, mientras charla con su marido, coquetea descaradamente con el narrador, que se entusiasma ante las miradas femeninas y empieza a acariciar planes de seducción. Hablan los casados de los novios y de si alguna vez se enamoró el marido de una mujer casada. Confiesa éste que, cierta vez, en el teatro se prendó de una hermosísima casada que estaba en una butaca próxima con su marido. Ella le alentó con expresivas miradas, rozó su brazo al salir. Les siguió él y en una calleja oscura vió cómo ella volvía la cabeza hacia el seguidor, besando luego sonoramente a su marido. La joven casada aplaude el final de la narración y besa a su marido, tras mirar al cuentista, que se aleja defraudado, pero con el tema de su próximo relato en la cabeza.

Prescindiendo de algunos de los cuentos que componen la serie *Tiempos felices,* desbordantes de humor y de ternura, citaremos solamente dos narraciones de los *Papeles del Doctor Angélico.*

Ascetismo [126] refiere cómo un aldeano asturiano envidia la regalada vida de los canónigos de Oviedo, a uno de los cuales paga él el tributo de la tierra. Una noche tiene que quedarse a dormir en casa del canónigo y, estando ausente éste, el ama de llaves le ofrece el lecho del amo. El campesino se echa en él, sobre la colcha de percal cuyo uso ignora, y al no poder dormir a causa del frío, compadece la vida ascética de los antes envidiados canónigos.

Muy parecido es *Vida de canónigos* [127]: Un solterón vive con sus hermanas, también solteronas, que le tratan muy mal. Un primo canónigo anuncia su visita a la casa y las mujeres le preparan mullido lecho y buena comida. Pero el primo no llega y es el hermano el que disfruta de aquella vida de canónigo, aunque sólo por un día.

La intención satírica de estas dos narraciones es suave y nada ofensiva.

* * *

El caso de JUAN OCHOA en la literatura del siglo XIX es, probablemente, tan excepcional como el de Ros de Olano, pese a tratarse de dos narradores temperamentalmente opuestos. Poco conocidos ambos, minoritarios, piden un estudio monográfico que los sitúe en el puesto que por justicia merecen.

---

[126] *Papeles del Doctor Angélico. Obras completas.* Lib. de Victoriano Suárez. Tomo XVI. Madrid, 1921, págs. 153 y ss.

[127] Id., págs. 177 y ss.

Se dice que Juan Ochoa es el escritor malogrado —murió a los treinta y cinco años—, pero ello sólo es verdad en parte, ya que así expresado el hecho, parece como si lo que nos dejó el escritor al morir fuera sólo primicia, balbuceo de lo que pudo hacer. Y lo cierto es que la breve obra literaria de Ochoa es espléndida, delicada, impar en su tiempo. No hace falta pensar en lo que, de no morir tan joven, pudo escribir Ochoa. Lo que dejó basta para valorarle cumplidamente, aun cuando seamos los primeros en lamentar su pronta muerte, que nos privó de unas obras que con ser no superiores, sino iguales a las conservadas, habrían enriquecido nuestra literatura finisecular, ahondando y acreciendo esa dimensión casi extraña en ella: la ternura.

Ochoa es indudablemente el más tierno y delicado de nuestros narradores, y en él ha desaparecido toda virulencia satírica.

Cejador le tenía por muy asturiano: «De la cepa de los novelistas de su tierra, sin la amargura de su maestro *Clarín,* aunque con algo de su picante humorismo; con realismo templado y sentimentalismo fresco, publicó novelas cortas primorosas, sinceras, sobrias, agradables de leer» [128].

La veta humorística se ha hecho más delgada, adensándose en cambio la de la ternura, poderosa y cálida en Ochoa, que debió de ser tímido, afectuoso, incapaz de desear mal a nadie y muy pegado a las cosas de su tierra, amante del campo, de los niños, de los animales. Espíritu delicado, religioso; sensibilidad exquisita. Tal era Ochoa, cuya desaparición lamentó *Clarín* en un sentido prólogo a la edición póstuma de *Los señores de Hermida:*

«Hasta su sátira era una absolución. Hablando y escribiendo era maestro en lo cómico, en el dibujo de lo ridículo; pero jamás había una gota de hiel en su lengua ni en su pluma. En las flaquezas humanas veía la sugestión para el arte; en las que no sirven para eso, él no pensaba como satírico, sino como hombre bueno. Esta clase de delicadeza, mezcla de buen gusto y de buen corazón, la tienen pocos» [129].

Y Rafael Altamira, su biógrafo, decía que poseía

«Originalidad en la visión de las cosas (y especialmente de los hombres) y el sentimiento delicado, la íntima y dulce poesía con que suavizaba su tenden-

---

[128] *Historia de la lengua y literatura castellana.* Tomo XI. Madrid, 1919, página 30.
[129] J. Ochoa: *Los señores de Hermida.* Col. Elzevir ilustrada. Vol. XXI. Juan Gili. Barcelona, MCM.

cia natural a la sátira, mejor dicho, a notar y realzar el lado cómico o ridículo de la vida» [180].

Cree que su ironía se parece a la de Alas y Palacio Valdés, de los que se distingue, en cambio, en la «piadosa compasión».

También A. F. G. Bell opina que el humorismo de Ochoa pertenece a la modalidad asturiana, más próximo al de Palacio Valdés que al de Alas:

«The death at the early age of thirty-five of Juan Ochoa was a loss to literature, for he had time to show his talent for the novel and the short story in *Su amado discípulo* and *Alma de Dios* in which his asturian humour appears more nearly akin to tat of Palacio Valdés than to of the satirical Alas» [181].

Y al igual que en Palacio Valdés, el humorismo de Ochoa está disuelto en todas sus narraciones, mezclado a la ternura, por lo cual no resulta fácil separar de entre ellas las escuetamente satíricas o humorísticas.

Citaremos aquí *Un genio* [182], sobre un tema muy del gusto de Ochoa, cantor de las más humildes y oscuras existencias: Un hombre raído se sienta siempre en la misma mesa del café, se guarda los terrones y escribe. Nunca paga y el mozo le tiene por un *talento natural*. No es cesante, nunca fué empleado ni trabajó en parte alguna. Muere debiendo 500 cafés. El narrador contempla la mesa en cuyo mármol aun se vislumbran los números mal borrados con que especulaba el *genio*.

Rodríguez Chanchullo (Don Próspero) [183] es un cuento satírico contra los ministros venales.

En *Ramírez, poeta lírico...* [184] un pobre y cursi poeta pueblerino —sempiterno vago— queda en la miseria cuando su madre muere. Odia entonces la tierra, la indiferente naturaleza, y se va a Madrid, donde vive miserablemente, recogiendo colillas y durmiendo en los bancos. Un día, unos estudiantes de su pueblo le convidan a comer y beber. Vuelve a sentirse poeta y, borracho, cae al suelo llorando y perdonando a la Naturaleza.

En otros capítulos estudiamos las restantes narraciones de este delicado e intenso cuentista.

---

[180]   Id., pág. 16.
[181]   *Contemporary Spanish Literature*, pág. 105.
[182]   *Los señores de Hermida*, págs. 197 y ss.
[183]   Id., págs. 201 y ss.
[184]   Id., págs. 207 y ss.

VII. OTROS CUENTISTAS

Concluído el estudio de la modalidad asturiana, reseñaremos, lo más brevemente posible, los cuentos de otros narradores.

Luis Alfonso, narrador galante y hasta licencioso —aunque sin trasponer los límites del buen gusto—, es autor de algún cuento humorístico incluído en sus *Historias cortesanas*.

La mujer del Tenorio [135] es una narración efectista, levemente afrancesada, y con un tema de adulterio: En un baile de máscaras, en la casa de la señora de Solaces, Antoñita, mujer de Paco Correntón, va vestida de mojigata y todos la compadecen por infeliz y por ser la mujer de un tenorio, aunque algunos creen que no tay tal ingenuidad y que se trata de una mujer-diablo. Aparece Correntón, que viene de visitar a Lolilla, una artista, y cuenta cómo se rieron a costa de Ruperto, un tímido pasante suyo. Paco ve en el baile a una casada que le gusta, y para seducirla pide a Ruperto su disfraz. Con él puesto ya, se decide a gastar una broma a su mujer, y ésta, confundiéndole con Ruperto, le devuelve la petaca que se dejó olvidada en su cuarto, revelándole así que era su amante. Al final, un último capítulo de cuatro líneas dice: «Hay quien sostiene —pero no debemos dar crédito a tan refinada malicia— que Antoñita sabía que el máscara del ropón era su marido...»

Dos Noches Buenas [136] es una estampa satírica en la que el autor compara una Nochebuena en 1854 y otra en 1884.

A manera de contraste citaremos ahora dos narraciones festivas de Manuel Polo y Peyrolón, ingenuas y llenas de bonachonería: *La señora de Verrugo* [137], caricaturesca semblanza —casi artículo de costumbres— de una nueva rica, ex verdulera, y *Aventuras de un triciclista* [138], de una comicidad casi infantil.

* * *

Parecerá extraño que, al contrario de lo que sucede en otros capítulos, aún no hayamos citado en éste el nombre de la Pardo Bazán.

---

[135] *Historias cortesanas*. F. Fe. Madrid, 1887, págs. 69 y ss.
[136] Id., págs. 117 y ss.
[137] *Seis novelas cortas*. Valencia, 1891, págs. 229 y ss.
[138] Id., págs. 265 y ss.

Y si bien en su obra pueden encontrarse logradas páginas humorísticas, sus más abundantes cuentos no son los humorísticos, sino aquellos en que domina lo trágico, lo dramático o lo psicológico.

No obstante, es tan extenso el repertorio de cuentos de la Pardo Bazán, que podríamos citar un buen número de narraciones humorísticas y satíricas.

Las hay de tipo rural, sobre la malicia campesina. Tales *El pinar del tío Ambrosio* —el campesino quiere defender su pinar de talas furtivas y finge que en él hay un fantasma, el cual llega a aparecérsele a él mismo, chasqueado por los ladrones [139]—, *Que vengan aquí...* —la malicia de los campesinos gallegos supera a la de los gitanos [140]—, *Un pajarraco* [141], etc.

Un poco de ciencia [142] es una divertida anécdota que la escritora dice haber oído a un sabio, amigo suyo: El Director del Museo del Louvre, con motivo de la visita de Champollion, hace copiar a un pintor un precioso papiro con jeroglíficos. El pintor, durante su trabajo, derrama la tinta sobre el papiro y no se le ocurre otra cosa que inventar uno nuevo, remedo del antiguo y con signos arbitrarios, que Champollion lee ante su gran asombro.

Barbastro [143] refiere cómo un maniático, deseoso de poseer un bello terreno, propiedad de una feísima mujer, llegó a casarse con ella al no encontrar otro medio de adquirirlo. *Santos Bueno* [144] es el nombre de un infeliz que no se atreve a reclamar una suma que le deben, ante el temor de herir la susceptibilidad del deudor, cuya presencia llega a evitar para impedirle violencias. En *John* [145] cuenta la escritora gallega el caso de un hombre convertido en esclavo de su impecable criado inglés. *Jactancia* [146] es una divertida sátira del crimen refinado. *Navidad* [147] tiene como tema la cómica descripción de los apuros de una familia de la clase media. *El mausoleo* [148] es una sátira

---

[139] *Blanco y Negro*, n. 290, 21 noviembre 1896. Publicado luego en *Un destripador de antaño (Historias y cuentos de Galicia)*, págs. 147 y ss.

[140] Id., págs. 179 y ss.

[141] *Cuentos trágicos*, págs. 147 y ss.

[142] *Cuentos de la tierra*, págs. 15 y ss.

[143] *Un destripador de antaño*, págs. 231 y ss.

[144] *En tranvía*, págs. 197 y ss.

[145] *Sud exprés*, págs. 25 y ss.

[146] Id., págs. 45 y ss.

[147] Id., págs. 94 y ss.

[148] Id., págs. 182 y ss.

contra la vanidad, encarnada aquí en don Probo, hombre que cifra toda su ilusión en ser enterrado en un panteón lujosísimo. Muere, y al ser enterrado en un nicho, los sepultureros confunden su féretro con el de un odiado usurero. Un hermano millonario de don Probo decide edificarle un mausoleo, y a él trasladan solemnemente el cuerpo del usurero. *Implacable Kronos* [149] ofrece el interés de proceder de un cuento de Juan Timoneda. La narración de la Pardo Bazán refiere cómo un viejo y enriquecido solterón desea casarse, y se declara a una bella y joven viuda, vecina suya. Esta le rechaza, pretextando que es ya muy viejo. El solterón, entonces, intenta rejuvenecerse, haciéndose colocar dentadura postiza, tiñéndose las canas, colocándose un corsé que aplasta su abdomen, etc., Así compuesto, va nuevamente a la casa de la viuda, la cual, con ingenua picardía, le dice que no puede complacerle en lo que pide, porque no hace mucho estuvo allí el padre del solicitante, al que dió calabazas, pareciéndole poco prudente dar el *sí* al hijo.

El cuento de Timoneda es el LXXV del *Libro segundo* del *Portacuentos* y dice así:

«Pidiendo vn honrado cauallero, que le empeçauan a salir canas, a vn rey cierto cargo, o dignidad, no le fue concedido. Dandose a entender que por tener canas se lo negaua, y que si fuera mas moço el rey se lo otorgara, diose pebradas, y viendose remoçado torno a pedir al rey lo que antes pedido hauia. El rey, conosciendo su codicia, le respondio: Essa misma merced ya me la pidio vuestro padre; anda con Dios, que no se puede dar» [150].

Primaveral moderna [151] es una intencionada sátira contra la poesía decadente. *Feminista* y *Los huevos arrefalfados* versan sobre dos graciosos incidentes matrimoniales, caracterizándose el primero por su suave emotividad [152].

En *Un sistema* se relata cómo llegó a canónigo don Olimpio, a quien tenían por tonto, y que, a fuerza de molestar con sus visitas a un ministro, logró que éste, para quitárselo de encima, le nombrase canónigo de una lejana ciudad [153]. Este cuento se asemeja grande-

---

149 Id., págs. 235 y ss.
150 *Revue Hispanique*. XXIV. 1911, n. 1. Ed. de Rudolph Schevill, pág. 243.
151 *Sud exprés*, págs. 240 y ss.
152 Id., págs. 260 y ss.; *Nuevo Teatro Crítico*, n. 18, junio 1892.
153 *Sud exprés*, págs. 122 y ss.

mente a *Querer es poder,* de Trueba, y, sobre todo, a *El terror de los ministros,* de Pedro de Novo y Colson [154].

ISIDORO FERNÁNDEZ FLÓREZ («FERNANFLOR») fué fecundo y ágil cuentista, muy aficionado a los temas mundanos. Citaremos algunos de sus cuentos humorísticos o satíricos.

Don Ruperto es un señor burgués y provinciano que, al llegar a Madrid, es engañado por una señorita de apariencia honesta y humilde que es, en realidad, una timadora. En el mismo restaurante donde él fué robado, ve entrar don Ruperto a la timadora con el juez. En *Mesalina* se cuenta irónicamente el caso de un hombre que cree descubrir a una estrella, la cual, haciendo honor a su nombre de guerra, le *sablea* despiadadamente. *En el tren, La familia, La dama del tranvía, La mujer en tranvía,* etc., son otros cuentos aquí clasificables [155].

De JUAN TOMÁS SALVANY recordaremos aquí *Trece,* estampa satírica contra las supersticiones, y *Un banquete original,* ingeniosa narración en que el protagonista asiste a un extraño banquete en que los invitados se comportan de la manera más extravagante, averiguando luego que se trataba de los locos de un manicomio [155 bis].

En 1899 publicó LUIS GRANDE BANDESSON *Meridionales* —con un prólogo de Salvador Rueda— y *Granos de arena* —con una carta-prólogo de Juan Guillén Sotelo. De ambas colecciones entresacamos aquí algunos cuentos humorísticos: *Tiro a tiro* —cómica rivalidad de cazadores—, *Un día aciago, Una gitanada* —tema idéntico al de *El potro del señor cura,* de Palacio Valdés—, *La cucaña,* pertenecen todos a la colección primeramente citada. *Hechos, no palabras, El destino,* y *Misterios de las faldas,* a la segunda. Este último cuento presenta a un terrible anarquista, sorprendido en su hogar sosteniendo la madeja de lana de su mujer. El mismo asunto se encuentra en *El tirano de Morboso,* de FEDERICO URRECHA [156].

Uno de los más fecundos narradores finiseculares, ALFONSO PÉREZ NIEVA, cultivó también el cuento de humor. A la serie *Los Gurriatos,*

---

[154] El cuento de Trueba fué publicado en *El Museo Universal,* ns. 21 al 24 de 1865. El de Novo y Colson puede leerse en la antología *Los mejores cuentos de los mejores autores españoles contemporáneos.* París, 1912, págs. 119 y ss.

[155] Todas estas narraciones pertenecen a la serie *Cuentos rápidos.* Barcelona, 1886.

[155 bis] *De tarde en tarde.* Madrid, 1884, págs. 197 y ss., y 253 y ss.

[156] *El tirano de Morboso* puede leerse en la col. *La estatua, Cuentos del lunes,* de Federico Urrecha. La España Editorial. Madrid (s. a.).

historias de chiquillos [157], pertenecen las siguientes narraciones: *La polca del limón* —torturas de unos músicos callejeros ante el pilluelo que chupa un limón—; *Central* —chiste-cuento en que un pillete, al utilizar la oreja de un burro como teléfono, recibe un puntapié del amo y comenta lo rápidamente que funciona el servicio—; *La calavera de papel* —bromas escolares—; *Los pendones del pueblo* —otro chiste a propósito de unas viejas que van en la procesión, de las que se burlan unos chiquillos—; *Los zapatos de Frasquita, El velocípedo, El puesto del café,* etc., todos de gracia muy ingenua y que, realmente, no podrían ser calificados de humorísticos.

Cultivó Pérez Nieva una modalidad de cuento que él tituló *Novela relámpago,* consistente en un relato dialogado. Citaremos algunos de carácter humorístico o festivo: *Un amor chispa* —monólogo íntimo del narrador que, en un tranvía y en cinco minutos, pasa por todas las fases de un amor instantáneo ante una mujer que no conoce [158]—; *Por la Patrona* [159]; *El primer papel* [160]; *La cena de los sargentos* [161]; *La campana satírica* —un sacristán abandonado por su novia que se casa con un viejo rico, toca las campanas a duelo el día de la boda [162]—; *El señor «¿eh?»* [163]; *Las represalias* [164], etc.

No humorísticos, sino punzantemente satíricos son algunos cuentos de Jacinto Octavio Picón. Tales *El agua turbia* y *Todos dichosos* [165]. En *Los favores de Fortuna* [166] Tizona —el guerrero—, Infolio —el sabio— y Lepe —el listo— se dirigen por distintos caminos al palacio de la cortesana Fortuna, y, cuando llegan, ven salir de la alcoba a Perico Mediano que subió por la puerta de servicio.

José Cánovas y Vallejo mostró buenas dotes de humorista en algunos de sus cuentos, como *Literatura fin de siècle,* narración construída casi toda con anuncios: descríbese al protagonista y al ha-

157 *Los Gurriatos.* Gran Centro Editorial. Madrid [1890].
158 *Blanco y Negro,* n. 5, 7 junio 1891.
159 Id., n. 82, 27 noviembre 1892.
160 Id., n. 90, 21 enero 1893.
161 Id., n. 98, 18 marzo 1893.
162 Id., n. 143, 27 enero 1894.
163 Id., n. 157, 5 mayo 1894.
164 Id., n. 185, 17 noviembre 1894.
165 *Novelitas.* La España Editorial. Madrid, 1892.
166 *Cuentos de mi tiempo.* Imp. Fortanet. Madrid MDCCCXCV, págs. 131 y siguientes.

blar de su traje aparece un anuncio (Benito Moreno. Espoz y Mina, 7).
E incluso cuando exclama «¡Paciencia y barajar!», hay una nota que
advierte: «Para barajas pídanse naipes de Heraclio Fournier. Cartu-
lina de primera. Vitoria.»

En ¡Así va el mundo! un Ministro manda a los gobernadores que
hagan unas memorias sobre el pauperismo en sus provincias. El gobernador de A. se la encarga a su secretario, éste a un oficial, éste a
otro, hasta llegar a un mísero escribiente que la redacta inventándola,
y que luego ha de copiarla, según se la dicta el gobernador como
si fuera suya. La memoria es muy comentada y elogiada [167].

De ORTEGA MUNILLA recordaremos aquí Orgía de hambre [168],
cuento muy digresivo en que el posible efecto humorístico queda anulado por una serie de interferencias que destruyen toda posible unidad,
dando a la narración un ritmo cansado.

Los cuentos humorísticos de BLASCO IBÁÑEZ son relativamente modernos. El rey de las praderas es la estúpida historia de una millonaria
norteamericana que se enamora de un famoso cowboy cinematográ-
fico, con el que llega a casarse. El vigoroso rey de las praderas resulta
débil en la vida real y es, incluso, maltratado por su mujer. Mejor es
La loca de la casa, narración entre humorística y dramática: El poeta
Simoulin y el comandante Pierrefonds son dos amigos que viven en
una ciudad del Flandes francés. Sobrevienen la guerra y la invasión,
y ellos se quedan en el pueblo. Apresados y conducidos a Alemania,
Pierrefonds grita: «¡Abajo Guillermo! ¡Mueran los verdugos!» Simoulin, aterrado, le suplica que se calle si no quiere que los fusilen a
todos. Pero luego, acabada la guerra, la imaginación de Simoulin le
hace compartir la hazaña con Pierrefonds. Conviértese en héroe nacional y, en un banquete-homenaje, llega a achacar a Pierrefonds sus
cobardes palabras. El comandante se marcha del pueblo.

La sublevación de Martínez se desarrolla en Méjico. El general
Martínez ha hecho toda la campaña revolucionaria con su esposa, la
soldadera Guadalupe, que le siguió siempre, llevando todo su hogar en
un coche. Cuando el general se enamora de una maestra norteamerica-

---

[167]   Ambos cuentos pertenecen a la col. Cuentos de éste, de José Cánovas y
Vallejo. Madrid, 1893.
[168]   José Ortega Munilla: Mis mejores cuentos. Seleccionados por el propio
autor. Editado por Prensa Popular. Madrid (s. a.), págs. 143 y ss

na y promueve una sublevación para raptarla, la mujer pide que se le dé el mando de un batallón para combatir a su marido [169].

ALEJANDRO LARRUBIERA no creó cuentos de gran valor literario, pero sí, en algún caso, de verdadera gracia. *La tribulación de Ben-Al-Ker* relata cómo este rico sultán —dueño de un hermoso palacio y un nutrido harén—, sumamente atribulado, va a contar sus cuitas a un morabito. Le dice haber tenido varias visiones por las que sabe que en el paraíso se le concederán siete huríes rubias, deseándolas morenas como todo musulmán. El morabito se horroriza también, y le aconseja. A los pocos días Ben-Al-Ker comienza a pecar, comiendo cerdo, bebiendo, y acompañando a los europeos en sus orgías, para así librarse del paraíso y de las huríes rubias.

El jamón del cónsul es un cuento puesto en boca de una vieja: San Pedro recorre el mundo predicando la Buena Nueva. En una posada encuentra a Curcio, criado de un cónsul, con un jamón. Curcio pregunta al ventero si después de casarse no le ha parecido alguna mujer más hermosa que la suya. «¡Muchas!», responde. El criado ha recibido orden de su amo, de regalar aquel jamón al marido que no haya sentido admiración por otra mujer que no sea la suya. Curcio, convertido al Cristianismo, prosigue su camino con San Pedro, sufriendo martirio. Al llegar a este punto de la narración, una de las nietas de la vieja pregunta por el jamón, y la anciana contesta que aún debe conservarlo en la portería del Cielo el bueno de Curcio [170].

Mi tío Don Juan es la historia de un solterón, libertino y simpático, que al llegar a su vejez se casa con una vieja y horrible ama de llaves, para empezar a hacer penitencia por sus pecados. Satírico-político es el cuento titulado *Las teorías del doctor Pelium* [171].

De sátira social, elegante y aguda, son algunos cuentos de JACINTO BENAVENTE: *La elección de traje, El elefante blanco, Leyes suntuarias* [172], etc.

Finalmente, y para no alargar aún más este capítulo, citaremos los nombres de algunos autores que cultivaron cuentos humorísticos y satíri-

---

[169] Estas tres narraciones fueron publicadas en la serie encabezada por *El préstamo de la difunta*. Prometeo. Valencia, 1921.

[170] Véanse estos cuentos en la serie *Hombres y mujeres*. Rivadeneyra. Madrid, 1913.

[171] Pertenecientes a la serie *El dulce enemigo*. Rivadeneyra. Madrid, 1904.

[172] Pertenecientes a las series *Figulinas*, segunda edición, Fortanet, Barcelona, 1904, y *Vilanos*. Fortanet. Barcelona, 1905.

cos, y algunos de éstos: EDUARDO SÁNCHEZ DEL CASTILLO: *Besos y palos,
El tío Pobreza* [173]; JOSÉ MARÍA ESCÁMEZ: *Algebra pura* [174]; JOSÉ RA-
MÓN MÉLIDA: *Amor canino* [175]; A. SÁNCHEZ PÉREZ: *Beneficio... de in-
ventario, La odisea de Fabio* [176]; CARLOS FRONTAURA, fecundo articu-
lista de costumbres madrileñas y autor de algunos cuentos festivos:
*Un marido mártir, Don Silvestre, Don Blas Truchimán, Diputado
electo* [177]; RAFAEL TORROMÉ: *El amor y la tinta* [178]; ENRIQUE GASPAR:
La lucha por la vida y *Capas a duro,* graciosas historias de dos timos [179];
ALVARO L. NÚÑEZ: *Un buen vigilante de consumos* [180]; EDUARDO DE
PALACIO: *Los zapatos de Perico* [181]; EMILIO SÁNCHEZ PASTOR: *La trampa más ingeniosa* [182]; FERNANDO CABELLO Y LAPIEDRA: *El tío Mañi-
cas* [183]; EUGENIO SELLÉS: *El demonio padre, El timo de la tarjeta* [184];
MIGUEL RAMOS CARRIÓN: *El heredero universal, División de plaza, Las
de Guagua* [185]; JOSÉ ECHEGARAY: *La experiencia* [186]; ANTONIO CORTÓN:
Los habladores, El enamorado [187]; ERNESTO GARCÍA LADEVESE: *Pescador de caña* [188]; R. MAINAR LAHUERTA: *La patente 1.300* [189], etc.

Por tratarse de una intencionada sátira antinaturalista, citaremos
aparte *Un apólogo crítico,* de JOSÉ ZAHONERO [190], que el autor dice haber oído a Manuel Fernández y González discutiendo, cierta vez, sobre Zola y el naturalismo: Un burro desea obsequiar a sus amigos, el
gallo y el perro, e imitando a su amo quiere hacerlo con miel. Ob-

---

[173]   *Blanco y Negro,* n. 1, 10 mayo, y n. 3, 24 mayo 1891.
[174]   Id., n. 18, 6 septiembre 1891.
[175]   Id., n. 25, 20 septiembre 1891.
[176]   Id., n. 23, 11 octubre 1891; n. 531, 23 noviembre 1901.
[177]   Id., n. 49, 10 abril 1892; n. 60, 26 junio 1892; n. 96, 4 marzo 1893;
n. 97, 11 marzo 1893.
[178]   Id. n. 112, 24 junio 1893.
[179]   Id., n. 156, 28 abril 1894, y n. 189, 15 diciembre 1894.
[180]   Id., n. 194, 19 enero 1895.
[181]   Id., n. 217, 29 junio 1895.
[182]   Id., n. 360, 26 marzo 1898.
[183]   Id., n. 402, 14 enero 1899.
[184]   Id., ns. 431 y 432 de 1899; n. 503, 22 diciembre 1900.
[185]   Id., n. 493, 13 octubre 1900; n. 500, 1 diciembre, y n. 502, 15 diciembre 1900.
[186]   *Cuentos* (de varios autores). Biblioteca Fénix. Vol. 2. Madrid, 1912.
[187]   *Los mejores cuentos de los mejores autores españoles contemporáneos.*
París, 1912, págs. 57 y ss.
[188]   Id., págs. 147 y ss.
[189]   Id., págs. 205 y ss.
[190]   *Blanco y Negro,* n. 124, 16 septiembre 1893.

serva cómo las abejas liban en determinadas plantas para hacer su miel, y él se alimenta con esas mismas plantas. Luego, confiadamente, busca al perro y al gato, alza la cola y sale solamente estiércol.

De José Alcalá Galiano recordaremos algunas narraciones festivas como *La Osa Mayor (Cuento astro-cómico)*, *La tijera (Cuento cortante)* —una dama de la más alta sociedad, terrible por su lengua, calumnia a su honradísima modista, y ésta, en reciprocidad, destroza a tijeretazos el nuevo traje de la señora—; *Cuestión de forma (Cuento blanquinegro); Un mantón de la China... na* —de tono graciosamente sainetesco—; *El puerco espín (Cuento puntiagudo); Mandolinata; El mandarín mandarinado (Cuentecillo chinográfico)*; etc. [191].

Intencionadamente hemos dejado para el final la literatura específicamente humorística que cultivaron escritores tan ingeniosos y populares como Juan Pérez Zúñiga, Sinesio Delgado, Luis Taboada, Luis Gabaldón, José de Velilla, etc. Sus narraciones se acercan más bien al artículo de costumbres o al disparate cómico, por lo cual no las hemos incluído aquí.

Los relatos populares y chascarrillos de Eusebio Blasco —autor de los graciosos *Cuentos aragoneses*—, el Conde de las Navas —uno de los más donosos narradores de anécdotas y chistes—, Francisco Rodríguez Marín, etc., tampoco han sido estudiados, porque, aunque con forma literaria, no son cuentos propiamente creacionales y su análisis o comentario hubiera alargado aún más este ya excesivamente extenso capítulo.

[191] Pertenecen todos a la serie *Las diez y una noches (Cuentos occidentales)*. F. Sempere y Cía., editores. Valencia-Madrid (1911).

CAPITULO XIII

CUENTOS DE OBJETOS Y SERES PEQUEÑOS

CAPITULO · XIII

CUENTOS DE OBJETOS Y SERES PEQUEÑOS

I. VALORACION DE LO PEQUEÑO

Vamos a estudiar una clase de cuentos que, por sus características y nitidez, no ofrece dificultad de encuadramiento, aunque creemos que hasta ahora no ha merecido ningún comentario, pese a su excepcional interés. Pues si los cuentos religiosos, sociales, rurales, amorosos, etc., nos sirven para observar las preferencias temáticas de todo un siglo, estas narraciones montadas sobre un objeto o ser pequeño indican algo más, que afecta no sólo a los gustos de una época, sino también a la misma entraña del cuento como género literario. Ya que si existe un repertorio de temas susceptibles de ser narrados con la concisión e intensidad que exige el cuento, ninguno entre esos temas tan idóneo como este que nos disponemos a estudiar.

Pensemos en que los temas incluídos en nuestra clasificación no son exclusivos de cuentos, sino aptos también para la novela y el teatro. Junto al cuento rural existen la novela y el drama rural. Las inquietudes religiosas y sociales hallan cauce en todos los géneros literarios. Y lo mismo podríamos decir respecto a las narraciones de temas amorosos, históricos, trágicos, etc. Por el contrario, una novela cuya acción gire alrededor de un objeto pequeño, sería un caso excepcional: *La piel de zapa,* de Balzac, simbólica y fantástica, nos serviría de ejemplo. O también esas narraciones largas en las que el protagonista es algún objeto —moneda, vagón de ferrocarril— que describe sus memorias; procedimiento éste muy distante de la técnica del cuento, ya que en éste el objeto tiene un valor protagonístico, mientras que en las novelas del tipo citado el objeto es más espectador que actor, desfilando ante él unos seres humanos en los que reside el verdadero interés de la narración.

En el teatro, género que por su relativa brevedad se acerca al cuento, es más dable esta modalidad. Recuérdense, como ejemplos significativos, las comedias de Eusebio Blasco *La rosa amarilla* y, sobre todo, la que fué su mayor éxito, *El pañuelo blanco,* en la que este modesto objeto está a punto de destruir la felicidad de un matrimonio. (Recurso éste nada nuevo y que tiene sus antecedentes en el *Otelo* de Shakespeare.)

De todas formas, en ningún género literario puede alcanzar esta técnica los sorprendentes efectos que en el cuento, según veremos a través de las narraciones del siglo xix. No se crea que es éste un género exclusivo de aquel tiempo, puesto que aún sigue cultivándose. Pero sí podemos pensar en cómo el ambiente de la pasada centuria era el más apropiado para todas las manifestaciones artísticas que tratan de minucias.

Aparte de las razones estrictamente literarias que puedan justificar la aparición de esta clase de cuentos, no hay que olvidar el gusto por los detalles tan de aquella época, cuya escenografía romántica o neorromántica —hoy vuelta a poner de moda— abarca un frágil y delicado mundo de abanicos, dijes, tarjeteros, carnets de baile, sombrillas; toda una colección de objetos encantadoramente breves. Hay una complacencia en lo diminuto que lleva a poblar los hogares de miniaturas y esmaltes. En vitrinas o sobre los pianos brillan figurillas de marfil o porcelana. Espejos, luces, cortinajes y muebles se acumulan barroca, exageradamente, en las estancias, hasta convertirlas en cornucopias desbordantes de terciopelo, oros, encajes y sedas. Recuérdense esas fotografías intensamente táctiles que de los escritores y sus despachos publicaban las revistas decimonónicas. Dan la sensación del hombre perdido en un bosque de cachivaches, en tan gran número éstos, que cuajan paredes y techos sin perdonar rincón alguno.

Y no sólo se contentaron nuestros abuelos con recargar la decoración de sus hogares, sino que llevaron estos gustos a sus atavíos. Su época fué la de los camafeos, encajes y plumas adornando los trajes femeninos. Los caballeros llevaban bastón y sujetaban su corbata con un alfiler rematado en perla o pedrería.

Todo esto podrá parecer superficial y grotesco, y si nos hemos detenido en evocar un mundo en que imperaba el detalle de lo minúsculo, ha sido para comprender su repercusión y valoración en la literatura.

Por otra parte, los hombres del xix empiezan a comprender que no son los grandes acontecimientos los que mueven la historia, sino que ésta rueda sobre minucias en apariencia intrascendentes [1]. Precisamente la crítica y la erudición —dos conquistas fundamentales del xix— trabajan sobre menudencias, elevadas luego a tesis o categoría —como en la fórmula d'orsiana— por virtud del conjunto, es decir, de la perspectiva general.

Ocupándose Doña Emilia Pardo Bazán de la crítica de Taine, dice:

«En la Historia —tal cual la comprende Taine— pasa a segundo término la investigación según antes se practicaba, y descuella lo que puede llamarse, sin perífrasis, «la curiosidad». Taine la recomienda expresamente; cualquiera comprende de qué género de curiosidad se trata. Trátase de la indagación de menudencias y hasta de anécdotas, y aun de la chismografía, siempre que sea todo ello expresivo, chispa de luz, tejido visto al microscopio, donde se descubre lo íntimo de los organismos. Si el hecho recogido es baladí, su sentido no lo es. En la vida diaria todos procedemos como Taine, y de las pequeñeces deducimos cosas serias» [2].

Este juicio de la escritora gallega revela cómo ha ido afinándose la sensibilidad, hecho que literariamente se traduce en el naturalismo novelesco que, refinado también, desemboca en el psicologismo a lo Bourget. El espejo stendhaliano que los naturalistas utilizaran para reflejar caminos —con bastante fango y raída vegetación—, pasa a reflejar almas y psicologías. Proust, novelista que se alimenta incestuosamente de su propio ser y de su vida más íntima, representa esta trayectoria llevada a su punto máximo.

---

[1] Decía *Clarín:* «Un escritor francés acaba de decir que nuestro siglo tal vez se llamará el siglo de los microbios; el pesimismo tiene, en efecto, su argumentación última y acaso más elocuente en este imperio de lo infinitamente pequeño, que todo lo disuelve en una vida microscópica, que produce náuseas; en un atomismo movedizo que convierte el cerebro en un hormiguero de ideas independientes; todo lo grande se deshace; todo es variedad; todo fluye, como dijo Heráclito, y el fondo de todo es el ser microscópico con sus pretensiones anatómicas» *(Nueva campaña.* F. Fe. Madrid, 1887, pág. 16).

[2] E. Pardo Bazán: *Obras completas.* XLI. *La literatura francesa moderna. El Naturalismo,* pág. 387.

Volviendo a la crítica cicatera del XIX, observamos que es precisamente la valoración de lo insignificante la que lleva a escritores como *Clarín* a estudiar las obras literarias mediocres y aun pésimas, junto a las de mérito, por estimar que el conjunto de todas ellas podrá ser de utilidad en el futuro [3].

Precisamente una de las causas que podríamos alegar para explicar el éxito del cuento, es ese gusto por lo pequeño, por lo aparentemente sin trascendencia. Se escriben cuentos, artículos de costumbres, ensayos sobre naderías, y así se satisface una de las preferencias universales de la época.

Y si la gran historia universal es movida por acontecimientos de apariencia insignificante, la pequeña historia de los hombres gira también sobre objetos ridículos y mezquinos. Gran descubrimiento éste de la técnica naturalista —casi postnaturalista—, que a fuerza de aplicar el microscopio a la vida, logró captar uno de sus secretos y transformarlo en arte.

De todo esto se deduce que si el cuento como tal pudiera ser resultado de una nueva estimativa de lo pequeño, el cuento que versa sobre una menudencia es —valga la expresión— el cuento más cuento, el cuento por antonomasia.

Hay como una delicada y exacta correspondencia entre brevedad narrativa y pequeñez del objeto que suscita la narración. Este perfecto ajuste origina los cuentos más emotivos e intensos, aunque no los más fáciles. El lector, ante una de esas narraciones, sentirá la emoción de presenciar cómo una cosa pequeña, de traza inofensiva, provoca oleadas de pasión, crímenes, tragedias. Nuestras vidas están a merced de esos invisibles, olvidados resortes que en un momento dado pueden cambiar los destinos humanos. El halcón de Calixto, en su vuelo al huerto de Melibea, llevó consigo, en el batir azaroso de sus alas, la pasión y la sangre de dos enamorados.

Y no sólo los pequeños animales transforman el vivir del hombre, sino que las cosas, tan muertas, tan carentes de voluntad, se cruzan en su camino, abocándole a trágicos destinos, como aquella pistola de don Alvaro que ocasionara su fatalidad.

El escritor del XIX sabe ya de la trascendencia de las cosas, de los seres débiles, y por eso sus cuentos, sus novelas o sus dramas no son

---

[3] Véanse los prólogos de Alas a sus *Solos de Clarín*. Madrid, 1881, y a *Palique*. Madrid, 1893.

escapadas a mundos fantásticos e irreales, sino trasunto de esa vida cotidiana y sencillamente trágica.

Los cuentos protagonizados por niños y animales —estudiados en otros capítulos— recuerdan también ese gusto por lo débil y lo pequeño. Y es que en la más reducida dimensión puede latir la máxima cantidad de vida.

Hay, además, en todos esos seres menudos —niños, animales y seres inanimados— unas como fuerzas oscuras o inconscientes, fluyendo de la misma Naturaleza, contra las que no cabe lucha, sino sumisión.

Los cuentos que ahora vamos a estudiar nos dan la imagen de un hombre rodeado de objetos insignificantes, que le acechan escondiendo tras su gesto inexpresivo la felicidad o la desgracia. Imagen ésta que es la cristalización de un fenómeno generacional: el hombre, de dueño de la creación ha pasado a ser trágico muñeco, sometido a las cosas inanimadas. La vida no es creación personal, hacedera día a día, voluntaria, unipersonalmente, sino que se nos hace desde fuera y está a merced de los seres más débiles y despreciables.

II. CUENTOS CON OBJETOS COMO PROTAGONISTAS

Son numerosos los cuentos sobre objetos y seres insignificantes, y, tal vez, los de mayor calidad entre todos los de su siglo, precisamente por esa armonía, ese equilibrio entre las dimensiones narrativas y las del objeto, de que antes hablábamos.

La abundancia de narraciones de este tipo nos obliga a una selección en su estudio, distinguiendo aquellas en que el objeto tiene valor protagonístico o, a lo menos, suscitador de la acción, de aquellas otras en las que sólo sirve de resorte evocador. A veces se funden los dos tipos en uno, y encontramos cuentos en los que la contemplación de un objeto lleva a uno de los protagonistas a recordar un episodio de su vida en el que desempeñó papel activo el objeto contemplado. La evocación sirve de paso a la acción. Y aún podríamos considerar un tercer tipo: la narración en la que el objeto tiene un valor simbólico. Nuestra clasificación se comprenderá mejor al examinar directamente el contenido de los cuentos más significativos.

PEDRO ANTONIO DE ALARCÓN dejó excelentes ejemplos de las dos clases de narraciones. *La corneta de llaves* y *Novela natural* pertene-

cen más bien a las del objeto evocador. *El clavo* [4] representa el tipo
intermedio. Tan conocido es este cuento, que sobra todo comentario [5].
Unicamente recordaré la extraordinaria habilidad con que Alarcón
narra, dosificando gradualmente los efectos emocionales. *El clavo* es
una de esas narraciones que una gacetilla literaria clasificaría como de
las que se leen de un tirón. Los primeros capítulos son una preparación para el estallido del VI, y a través de su lectura se presiente que
todos los sucesos referidos van a enlazarse, como si el clavo de este
VI capítulo los atravesara trágicamente. Jamás un objeto tan pequeño
ha sido capaz de sugerir tanta emoción como en este cuento alarconiano, cuyo interés dramático le hace precursor, con *El doble crimen*

---

[4] *Novelas cortas* de P. A. de Alarcón. Primera serie. *Cuentos amatorios.*
Madrid, 1921, págs. 103 y ss.

[5] De esta narración dijo su autor: «*El clavo* es, por lo tocante al fondo del
asunto, una verdadera *causa célebre* que me refirió cierto magistrado granadino
cuando yo era muy muchacho. Como algunas otras novelillas mías, primero la
escribí y publiqué muy sucintamente, y la desarrollé después en ediciones sucesivas. Ha sido traducida a muchas lenguas, y aun me consta que en Austria
sirvió de argumento a un drama, que no sé si se representó. El autor austríaco
me escribió hablándome de su manuscrito en diciembre de 1868, y después no
he vuelto a tener noticias suyas ni de su obra» (*Historia de mis libros.* Octava
edición. Madrid, 1905, pág. 210).
Conocemos una versión reducida publicada en el *Semanario Pintoresco Español,* ns. 3 al 9 de 1856.
La Pardo Bazán dice de este cuento: «Y más siento aún no recordar en qué
Museo o *Semanario* vi, hace bastantes años, una redacción de *El clavo,* traducida del original francés de Hipólito Lucas (si la memoria no me vende por
completo, lo cual no me extrañaría, pues la tengo traidora.). Era la historia
más corta que la de Alarcón, y parecía, por consiguiente, más dramática. Esto
no es acusar de plagio a Alarcón, pues, aparte de lo incierto de la noticia, el
mismo Alarcón declara que no es amigo de inventar historias, y escribe termi-
nantemente: «*El clavo* es, por lo tocante al fondo del asunto, una verdadera
causa célebre que me refirió cierto magistrado granadino cuando yo era muy
muchacho». Una causa célebre es del dominio general, y bien pudo el autor francés aprovecharla sin que lo supiese Alarcón cuando la aprovechó a su turno. Mi
indicación no tiene más objeto que estimular al curioso que logre descubrir la
historieta francesa y compararla con la española» (*Nuevo Teatro Crítico,* n. 10
de 1891, pág. 43).
No conocemos ni hemos encontrado la versión francesa de *El clavo* que
doña Emilia dice haber leído en un *Museo* o *Semanario,* tal vez sufriendo un
error —ocasionado por su *traidora* memoria—, confundiéndola con *El clavo,* reducido, que Alarcón publicó en 1856, en el *Semanario Pintoresco Español.* Obsérvese que la Pardo Bazán habla de *Museo* —Alarcón colaboraba en *El Museo
Universal*— o *Semanario,* por lo que bien pudiera explicarse su confusión como
provocada por el recuerdo de la versión breve del cuento de Alarcón.

de la calle Morgue de Pöe, de género tan actual como es la novela policíaca.

Otra muestra de la afición alarconiana por los objetos pequeños la
tenemos en algún artículo como *El pañuelo* [6], delicioso elogio del pequeño lienzo cuya utilidad y trascendencia glosa el autor con su peculiar ingenio:

> «El se dobla en forma de cabestrillo y sostiene vuestro brazo. El se hace tiras
> para servirnos de vendaje. El se deshace completamente para convertirse en hilas.
> El se transforma en tacos cuando vais de caza. Con él se presenta, al pie del
> cadalso, el mensajero del perdón. Con él os limpiais el polvo de las botas. El
> hace el principal papel en el *Otelo*, de Shakespeare, etc.»

(Recuérdese, a propósito de esta cita, lo que dijimos de *El pañuelo
blanco* de Eusebio Blasco.)

> «¡Dulce es jugar a la gallina ciega con muchachas de quince a veinte!
> ¡Dulce es entrar vendado por una dueña en la torre de Nestle, donde nos
> aguarda alguna Margarita de Borgoña!
> ¡Dulce es a los diez y ocho años teñir un pañuelo con sangre de las encías
> y creerse *traviato!*
> ¡Dulce es, sobre todo, cuando se encuentra uno solo en el campo, cansado
> de perseguir mariposas, en el mes de julio, a la hora de la siesta, tenderse sobre
> un haz de espigas y sentir que un pañuelo pasa por nuestra frente y nos enjuga
> el sudor, etc.»

Este artículo, entre humorístico y lírico, define una época en la que
se creía ingenuamente en el lenguaje mudo de abanicos, pañuelos y
flores. A través de todos los cuentos que vamos a estudiar descúbrese
todo un mundo decimonónico, cuyos hombres y mujeres están muy
atentos al gesto de los objetos menudos.

Además de las citadas narraciones de Alarcón puede recordarse,
entre las más antiguas de este tipo, una anónima, publicada en 1843
en el *Semanario Pintoresco Español*, titulada *Lo que encierra una gota
de aceite* [7]: Un joven poeta tiene una cita amorosa con una dama aristocrática, la cual le sorprende limpiándose una mancha de aceite en el
traje, estropeándose todo.

En la misma revista JUAN DE ARIZA publicó *Dos flores y dos historias* y *El manguito, el abanico y el quitasol* [8]; y AGUSTÍN BONNAT,

---

[6] *El pañuelo, Cuadro de batista* (leído en la reunión literaria del Sr. Cru-
zada Villamil la noche del primero de mayo de 1857). *El Museo Universal*,
n. 13, 15 julio 1857.

[7] *Semanario Pintoresco Español*, n. 44, 29 octubre 1843.

[8] Id., ns. 1 y 2 de 1848, y 2 a 6 de 1849.

Una punta de cigarro, cuento con pie forzado, según se deduce de la dedicatoria a Ricardo Ribera: «Has querido que escribiera un cuento en media hora con el título que va al frente y que tú me has dado» [9]. Bonnat narra cómo una mujer se convence del cariño de su amante al no encontrar colillas —puntas de cigarro— en su cuarto, pues sólo fumaba cuando era feliz y no lo fué durante la separación sentimental.

Entre las narraciones del P. COLOMA recordaremos su novela corta *Por un piojo...* [10], cuyo solo título es bien significativo ya. Se trata de una versión muy decimonónica de la Cenicienta, ágilmente narrada, en la que el novelista contrapone dos figuras femeninas: Pepita Ordóñez, coqueta, presuntuosa, frívola, y Teresa, su prima, modelo de sencillez, piedad y belleza. No es únicamente el piojo del título el que origina todos los lances de la novela, sino que otras menudencias intervienen también en la acción. Pepita, enamorada de un joven conde, espera conquistarle en un baile, y mientras se prepara para él, una criada quema un rizo de su cabellera. El llanto de Pepita, al contemplar tal desastre, hace que le salga un orzuelo.

Perdonésenos todo este ridículo detallismo, que resumimos para demostrar cómo el novelista engrana una serie de hechos pequeños que van a decidir el curso de unas vidas. Cuando, al día siguiente de la fiesta, el conde visita a Pepita, sorprende a ésta hecha un adefesio. Conoce luego a Teresa, que no había asistido al baile para poder comulgar mañaneramente en compañía de unas ancianitas pobres. En su mantilla aparece un piojo de una de las ancianas que, desmayada, apoyó su cabeza en el regazo de la joven. El conde coge y guarda cuidadosamente el piojo. Al final —feliz, rosáceo y moralizador— vuelve a aparecer el piojo en un lujoso estuche que el conde regala a su esposa Teresa.

Un animalillo repugnante —con valor simbólico— origina toda esta amable historia del P. Coloma.

Recordemos —aunque en otro tono y con muy diversa intención— *El bicho de Belhomme* (sobre una pulga), que es uno de los más donairosos cuentos de Maupassant, desbordante de humor *gaulois* y de socarronería [11].

---

[9] Id., n. 37, 16 septiembre 1855.

[10] *Por un piojo... Cuadro de costumbres.* Octava edición. El Mensajero del Corazón de Jesús. Bilbao (s. a.).

[11] G. de Maupassant: *Cuentos escogidos.* Versión castellana de Carlos Batlle. Librería Paul Ollendorf. París (s. a.), págs. 193 y ss.

La mosca verde [12], de la PARDO BAZÁN, es la historia trágica de un joven lleno de esperanzas y de voluntad, que muere a consecuencia del carbunclo que le transmite una mosca.

Aún podemos citar otro cuento —éste magnífico, altamente poético— sobre un insecto, el titulado *La última mosca,* de JUAN OCHOA, escritor asturiano del grupo de *Clarín,* de la llamada escuela asturiana. Este delicado narrador fué un especialista en el cuento brevísimo, de una o dos páginas, rebosante de ternura y de humor. El que ahora estudiamos ocupa página y media [13]: El narrador lee en la cama. Entra el invierno; una mosca débil y de alas rotas lucha aún por vivir. Se calienta junto a la llama de la vela, a cuya luz lee el autor. Cuando éste siente deseos de dormir, contempla a la mosca aferrada a la vela que se va consumiendo. Piensa en la muerte, en la suya, inevitable también, y no se decide a apagar la vela. Por la mañana aparece totalmente consumida, y sobre ella, chamuscado y patas arriba, el cadáver de la mosca.

Ochoa capta en poquísimas líneas la emoción de una tan frágil existencia como es la de una mosca, recordándonos su cuento uno de la gran escritora inglesa Katherine Mansfield, titulado simplemente *La mosca,* que, en otro plano y con diversa intención, se sirve también de la insignificancia vital del insecto para componer una narración profundamente humana.

Y para apurar ya a título de curiosidad el tema de los cuentos sobre insectos, citaremos aún *La mosca de oro,* cuento simbólico de LUIS BELLO [14], y *El grillo tardío,* de ALFONSO PÉREZ NIEVA [15].

Aunque el procedimiento peque de artificial, recordaremos otro cuento en el que un pequeño animal sirve de eje de acción: *En el mar,* de BLASCO IBÁÑEZ [16], narra la tragedia de un humilde pescador que por atrapar un atún pierde a su hijo, un niño, en el mar. El cuento es un pretexto para que el autor contraste, con su característica acritud,

---

12   *Cuentos trágicos,* págs. 13 y ss.

13   En la edición *Cuentistas asturianos* (Antología y semblanzas), de Constantino Suárez *(Españolito).* Madrid, 1930, págs. 163 y ss. El cuento fué publicado junto con *Los señores de Hermida* y otras narraciones de Ochoa en un volumen que apareció, después de la muerte del autor, en 1900, editado por Juan Gili en Barcelona, en la *Colección Elzevir.*

14   *Blanco y Negro,* n. 377, 13 julio 1898.

15   *Los Gurriatos.* Madrid [1890], págs. 109 y ss.

16   *La condenada* (Cuentos). Prometeo. Valencia, 1919, págs. 53 y ss.

la miseria del pescador con el lujo de un casino. De todas formas, el trueque del atún pescado por el hijo perdido conviene bien al tono general de esta clase de cuentos.

Doña EMILIA PARDO BAZÁN, la más fecunda autora de cuentos del XIX, dejó muchos protagonizados por objetos pequeños, que constituyen, tal vez, el más interesante aspecto de su producción narrativa menor.

Citaremos los más significativos.

A la serie *Cuentos de la tierra* pertenecen *Las medias rojas,* del que hemos hablado ya, *El pañuelo* y *La guija* [17]. El segundo describe la ilusión de una muchachita huérfana por un pañuelo para la cabeza. Se gana la vida asistiendo en el pueblo y vendiendo los mariscos que coge en las peñas. Pensando siempre en obtener el dinero suficiente para comprarse el pañuelo, escala un peñón inaccesible y abundante en marisco, donde muere arrebatada por el mar.

En los *Cuentos de amor* encontramos tres narraciones típicas: *La perla rosa, La caja de oro* y *El encaje roto* [18]. En la primera un marido descubre la infidelidad de su esposa, al hallar una perla de ésta en casa de un amigo. La segunda presenta el caso de un hombre que enamora a una mujer para descubrir el secreto de una caja de oro que ella siempre tiene cerca. La narración tiene casi un valor simbólico, ya que cuando ella accede a abrir la cajita, donde hay unas píldoras mágicas cuya virtud desaparece al ser enseñadas, el hombre pierde todo interés, causando con su mal disfrazada indiferencia la muerte de la mujer.

En estas dos narraciones unos objetos insignificantes juegan decisivo papel. Pero aún es más notable *El encaje roto:* Una boda se deshace cuando la novia, al rasgar inadvertidamente el encaje del velo que le regaló su futuro marido, contempla la cara de éste contraída por la ira y el insulto en los ojos. Si *La perla rosa* con su mudo lenguaje reveló un adulterio, este sencillo encaje descubrió a una mujer la psicología de un hombre al que nunca conoció hasta ese momento.

A los *Cuentos sacro-profanos* pertenecen *Las cerezas, El Talismán* y *Los huevos pasados* [19]. El primero de estos cuentos comienza con la técnica de los que hemos llamado de objetos evocadores, ya que la presencia de unas cerezas recuerda a un párroco un episodio de su vida

---

[17] *Cuentos de la tierra,* págs. 11 y ss.; 79 y ss., y 257 y ss., respectivamente.
[18] *Cuentos de amor,* págs. 65 y ss.; 86 y ss., y 233 y ss., respectivamente.
[19] *Cuentos sacro-profanos,* págs. 171 y ss.; 187 y ss., y 251 y ss.

que le hizo sentir repugnancia para siempre hacia tal fruta. Sin embargo, las cerezas tienen un papel entre activo y simbólico, ya que representan la cobardía vencida. *El Talismán* es una historia trágica y fantástica alrededor de un extraño amuleto. Por el contrario, *Los huevos pasados* rebosan humor, levemente amargo pero hondamente humano. Un burgués padre de familia, tenido por muy piadoso, desayunábase todos los días con un par de huevos pasados. En ocasión de haber sido despedida la cocinera, se los van a preparar sus hijas bajo su dirección. El tiempo justo que los huevos han de estar al fuego es el invertido en rezar tres credos, y cuando el padre comienza con el primero se atasta a las pocas palabras, ya que no recuerda la oración. Su hija mayor palidece, pero las pequeñas se ríen mientras avisan a su madre. También aquí, como en *El encaje roto,* unos sencillos huevos pasados denunciaron la oculta pero auténtica personalidad de un hombre, desgarrando su disfraz [20].

Otros dos buenos ejemplos de esta elocuencia muda pero intensa de las cosas pequeñas, los encontramos en la serie *Cuentos trágicos.* *El aljófar* relata el robo sacrílego del manto y joyas de la Virgen Patrona de un pueblo: Un mozo incita a los aldeanos contra unos pobres titiriteros, a los que acusa del robo. Entáblase una lucha durante la cual el enfurecido populacho mata al jefe de la *troupe.* El sargento de la guardia civil prende, al fin, al mozo instigador como autor del robo, ya que en su revuelto cabello brilla el aljófar del manto de la Virgen. *La cana* trata de otro crimen, descubierto también por un procedimiento parecido. Es éste uno de los cuentos de la Pardo Bazán que ha alcanzado más merecida fama por su intensidad dramática, semejante a la de *El clavo* alarconiano: El protagonista relata cómo fué a Estella a visitar a su tía Eladia. Llega al anochecer, y para no molestar a la anciana se dirige a una posada. Encuentra a un antiguo compañero de estudios en angustiosa situación, que es quien le informa de las riquezas de su tía. Después marcha a casa de una amante, donde pasa la noche. Cuando vuelve a encontrar a su amigo, en un botón de su traje brilla una cana que le impresiona vivamente. Su tía, en tanto, ha sido asesinada y las sospechas recaen sobre él, que no puede

---

[20] Por tratarse de otra narración humorística, y por su semejanza en cuanto al objeto, citaremos aquí *Los huevos arrefalfados,* de la Pardo Bazán, publicada en *El Imparcial* y luego recogida en el *Nuevo Teatro Crítico,* n. 18, junio de 1892.

utilizar coartada alguna, ya que la mujer con quien pasó la noche es casada. Al fin recuerda la cana, y ésta denuncia al verdadero asesino [21].

Se asemeja también a estos dos cuentos *La gota de sangre*, novela corta policíaca, cuya intriga arranca desde la minúscula gota de sangre que el protagonista ve brillar en la pechera de un hombre, en el teatro [22].

Cuatro espléndidos cuentos sobre objetos aparecen en la serie *En tranvía*.

En el primero, *Suerte macabra* [23], don Donato tiene la obsesión de la lotería. Observando que durante mucho tiempo el gordo de Navidad no había correspondido a una determinada ciudad, encarga un billete a un amigo que vivía allí. Este cumple el encargo, y, guardando el billete para jugarlo en común, comunica el número a don Donato en una carta. Recae el gordo en dicho número, y don Donato emprende el viaje hacia la ciudad de su amigo. Al llegar allí se encuentra con que éste ha muerto y su viuda nada sabe del billete. Tras buscar por todas partes, ella cree que debió quedar en la levita que usara unos días antes de morir, y con la que fué enterrado. Van al cementerio, desentierran el féretro y encuentran desnudo el cadáver, robadas sus ropas por unos ladrones.

Esta narración ofrece, además, el interés de haber sido plagiada rotundamente por el cuentista contemporáneo José M.ª Sánchez Silva, en su narración *Un traje negro a rayas* [24].

Otra narración con fondo de lotería tiene la Pardo Bazán en esta misma serie, con la curiosidad de que también ha inspirado a un autor contemporáneo. Se trata de *El décimo* [25], cuyo tema ha servido a Serrano Anguita para su comedia *Todo Madrid...* En el cuento decimonónico un señorito madrileño compra un décimo a una muchacha, al salir de un café. Ella le asegura que se lleva la suerte y que, de tener ella dinero, se quedaría con el billete. El joven, presumiendo de rumboso, da sus señas a la muchacha para que pase a cobrar la mitad si el

---

[21] *Cuentos trágicos,* págs. 21 y ss., y 31 y ss.

[22] Puede leerse en la edición de *Novelas y cuentos,* de la Pardo Bazán, publicada por la Ed. Aguilar, págs. 1.164 y ss.

[23] *En tranvía,* págs. 111 y ss.

[24] Puede leerse en la serie de cuentos de José María Sánchez Silva que lleva por título *No es tan fácil,* o en la *Antología de cuentistas españoles contemporáneos* publicada por Josefina Romo.

[25] *En tranvía,* págs. 179 y ss.

premio le toca. Así sucede, y cuando ella, ilusionada, va a recoger su parte, el décimo no aparece por ningún lado. Todo acaba en boda.

El arranque de la comedia de Serrano Anguita es reproducción exacta del cuento, aun cuando luego el asunto tome otros derroteros.

El guardapelo y *El camafeo* —dos adornos esencialmente decimonónicos— son los protagonistas de otras dos narraciones de esta misma serie [26]. *La dentadura* [27] narra la historia de una muchacha pueblerina enamorada de un estudiante forastero, que un día elogia su belleza exceptuando la dentadura. Ella marcha a la capital y se hace arrancar la dentadura defectuosa —en una operación dolorosísima—, poniéndose una nueva. El estudiante confiesa a un amigo que a nadie puede entusiasmar una muchacha con los dientes postizos. Hay en los objetos pequeños una crueldad implacable, como la de esos dientes que malogran la felicidad de una muchacha. Este cuento ofrece, además, la curiosidad de estar inspirado en un episodio de la vida sentimental de Campoamor, según confesó la propia autora [28].

En *Un destripador de antaño* encontramos dos narraciones casi humorísticas: *Ocho nueces* y *Las setas* [29]. Refleja la primera la ambición y la avaricia de un lugareño que por sólo ocho nueces que cree le robó un amigo, riñe con todos los que componen su tertulia. *Las setas* es una narración irónica y vodevilesca.

Aunque no verse sobre un objeto pequeño, cabe incluir dentro de este grupo el cuento de la serie *Sud-express* titulado *La niebla* [30], que comienza con este tan significativo pasaje:

«Es un error —díjome mi tío, el viejo y achacoso solterón, cruzándose la bata, porque sus canillas reumáticas pedían el acolchado abrigo con mucha necesidad— eso de creer que lo más influyente en nuestra vida son los sucesos aparatosos y grandes. No; lo que realmente nos hace y nos deshace son las menudencias.

—El tejido de las mínimas circunstancias diarias querrá usted decir, tío Juan Antonio. Verdad, verdad de a puño... Nuestro humor, nuestra salud, nuestra dicha o desdicha momentánea penden de esas fruslerías: de la ventana que cierra mal, de la puerta que nos coge los dedos, del plato soso o salado, del zapato que aprieta y de la llave que se ha perdido...»

---

[26] Id., págs. 119 y ss., y 273 y ss.
[27] Id., págs. 215 y ss.
[28] Vid. prólogo de C. Rivas Cherif a su edición de *Poemas de Campoamor.* en Clásicos Castellanos. Ediciones de *La Lectura.* Madrid, 1921, pág. 18.
[29] *Un destripador de antaño,* págs. 239 y ss., y 281 y ss.
[30] *Sud-express,* págs. 64 y ss.

A continuación, este viejo solterón narra el porqué de no haberse casado. Enamorado de una muchacha, tenía el resquemor de un rival que la asediaba continuamente. En una jira se le presenta ocasión de arrancarle el sí. Juegan en el bosque, adénsase la niebla, y buscando a su amada, la encuentra en los brazos del rival. Huye y no vuelve a verla, aunque después averigua que ella había caído en los brazos del otro creyendo que se trataba de los suyos.

Esta narración se asemeja algo a una novela corta de A. S. Puchkin titulada *La Nevasca,* en la que también las circunstancias atmosféricas originan una curiosa confusión amorosa [31].

En la misma serie *Sud-express* encontramos uno de los más finos cuentos psicológicos de la Pardo Bazán: *El abanico* [32]. El narrador cuenta cómo, deseando escrutar el corazón y la delicadeza de sentimientos de su novia, la lleva a una corrida de toros, espectáculo que ella no conoce. El supone que tan bárbara y sangrienta fiesta afectará violentamente la supuesta sensibilidad de la joven. Al llegar la faena de los caballos, interroga ávidamente el rostro femenino. Sobreviene la repugnante escena en que el pobre jaco es destripado. La joven protege su rostro con el abanico, pero no siente compasión alguna. El novio se convence de que aquel servirse del abanico como protección contra las cosas feas es el sistema predilecto de una mujer sin corazón, y rompe para siempre con ella.

El abanico tiene, pues, un sentido simbólico y —como en tantos otros cuentos— exterioriza la fina crueldad, la ausencia de sensibilidad de una mujer. Esta logradísima narración de la Pardo Bazán se asemeja a otra de Jacinto Octavio Picón titulada *Desilusión* [33], en la que una nieta cuenta a su abuelo cómo rompió con su novio. Este venía a buscarla diariamente, montado en un hermoso caballo. La joven se entera, por un criado, de que cuando el caballo cayó enfermo, su amo lo vendió a la plaza de toros e incluso fué a ver la corrida.

En realidad, es la fiesta taurina la que en ambas narraciones sirve de piedra de toque para calibrar la sensibilidad, aunque en la de la Pardo Bazán actúa a través del delicado encaje de un abanico.

[31] Por cierto que esta narración de Puchkin fué traducida —suponemos que no del original, sino del francés— en 1863 y publicada, sin citar el nombre del autor, en *El Museo Universal* (ns. 22 y 23 de 1863), con el título de *El torbellino de nieve, Cuento ruso.* El traductor firma F.

[32] *Sud-express,* págs. 75 y ss.

[33] *Blanco y Negro,* n. 300, 30 enero 1897.

En *El niño de cera* [34], narración navideña algo sensiblera pero humana, femenina, una viuda joven, deseando casarse, quiere apartar a su hija, metiéndola pasajeramente en un convento con una tía monja. La niña es un ser débil y pálido, céreo, cuyas facciones recuerdan las del padre muerto. En el convento las madres le regalan un feo Niño Jesús de cera, al que la niña dice parecerse, tomándolo por hijo y deseando dormir con él, ya que, en su sentir, los niños deben estar siempre con sus madres. Esta frase revela a su madre la crueldad con que iba a proceder.

Siempre los objetos con sus voces suaves, musitadas, enseñando a los humanos a conocerse mejor.

El gemelo [35] es uno de los más típicos cuentos de esta clase, de la Pardo Bazán: La condesa de Noroña, viuda, recibe una invitación para la boda de su ahijada y decide romper el luto. Llama a Lucía, la doncella, para que la ayude a vestirse sus galas. Lucía acude, disculpando su retraso debido a haber estado ayudando a buscar un gemelo al señorito, al hijo único de la condesa. La muchacha busca los encajes. La condesa abre el armario para buscar sus joyas y no encuentra sino chucherías sin valor. Han sido forzadas las cerraduras y robado el valioso contenido.

La condesa sospecha de la doncella y envía recado a la policía. En tanto, la muchacha aparece con los encajes, y al ver el armario abierto, su mirada encuentra, con asombro alegre, el gemelo perdido del señorito. La condesa comprende y cae desmayada.

En *El revólver* [36] una enferma del corazón narra cómo llegó a adquirir tal padecimiento. Su marido era muy celoso, y cierta vez dijo que en vez de prohibirle toda expansión la dejaría en libertad, pero enseñándole un revólver la amenazó con matarla mientras dormía, si descubría alguna infidelidad. El revólver se convierte, entonces, en una obsesión para la mujer, que en sueños cree percibir el frío del metal aplicado a su sien. Cuando su marido muere, descubre que el revólver estuvo siempre descargado. Aun así, sin bala, la hirió en medio del corazón.

Citaremos finalmente *La flor seca* [37]: Un conde, revolviendo el

---

34 Id., n. 436, 9 septiembre 1897.
35 *El fondo del alma* (Cuentos), págs. 206 y ss.
36 Id., págs. 200 y ss.
37 *Nuevo Teatro Crítico*, n. 30, págs. 203 y ss.

secreter de su mujer, difunta ya, encuentra una bolsita de raso con una fecha y una flor. Lleno de celos intenta averiguar lo que aquello significa, y pregunta a sus criados lo que hizo la condesa en aquella fecha. Uno le recuerda lo que hizo él: una escapada erótica. El conde cesa en sus averiguaciones.

LEOPOLDO ALAS («CLARÍN») en sus narraciones de objetos pequeños tiende más a la evocación, y así, *Boroña* [38], en la que este sencillo alimento es el *leit-motiv* de la tragedia, tiene un valor nostálgico, el del indiano anheloso de volver a comer el casero pan de maíz.

Las restantes narraciones de *Clarín* sobre objetos tienen un valor simbólico o evocador, por lo cual las estudiaremos más adelante.

En PEREDA no hemos encontrado ningún cuento de este tipo, a no querer incluir como tal *El primer sombrero* [39], que en realidad es la evocación llena de humor del tiempo en que el autor, adolescente, usó sombrero por primera vez, entre las burlas de toda la pillería santanderina.

Descendiendo ya a autores de menos importancia, citaremos a MANUEL DEL PALACIO, del que conocemos una narración, *Dieu protege la France (Historia de un napoleón)* [40], en la que la felicidad llega a un hombre a través de una moneda. José ECHEGARAY es autor de otra narración, *Chinitas* [41], en la que también una moneda —esta vez falsa— decide el destino de un hombre.

Aun podemos citar *La mejor moneda,* de RAFAEL TORROMÉ [42], de tono simbólico, y cuya figura principal es la de un viejo numismático que vacila entre el amor que tiene a sus monedas y el de su sobrino, al que desearía redimir de ir a Cuba vendiendo su colección. El muchacho se alista como voluntario, y con la soldada compra para su tío una valiosa moneda de los Omeyas. El anciano, pasada la primera ilusión, piensa en que ha entregado su mejor moneda a los mambises.

Conocemos dos narraciones de EUGENIO SELLÉS aquí clasificables: *La caja de cedro, narración para los confiados,* y *Los anteojos de la edad* [43], de carácter simbólico en realidad, y cuya tesis recuerda bastan-

---

[38]   *Cuentos morales.* Madrid, 1896, págs. 61 y ss.

[39]   *Esbozos y rasguños.* Segunda edición. Madrid, 1898, págs. 111 y ss.

[40]   *El Museo Universal,* ns. 22 y 23, 27 mayo y 3 junio 1860.

[41]   *Blanco y Negro,* n. 441, 14 octubre 1899.

[42]   Id., n. 378, 30 julio 1898.

[43]   *Narraciones.* F. Fe. Madrid, 1893, págs. 205 y ss., y 51 y ss.

te la de *Las ilusiones de Juan Salgado,* de Manuel Alvarez Marrón [44].

· Sobre anteojos cabe citar también el cuento fantástico-simbólico de D. José ECHEGARAY *Los anteojos de color* [45], a cuyo través se ve la realidad, la verdad de los seres. Esta idea —que tiene un antecedente en *Los antojos de mejor vista,* de Rodrigo Fernández de Ribera, y *La hora de todos* y *La fortuna con seso,* de Quevedo, fantasías morales en las que los seres humanos aparecen en toda su repugnante autenticidad, caídos los disfraces— sirvió también para otro cuento de anteojos, el titulado *Maravillosa historia de unos anteojos,* de ALEJANDRO LARRUBIERA [46]. *Los hilos,* de la PARDO BAZÁN [47], repite un asunto parecido: la alucinación de un hombre que creía ver a los humanos enlazados por hilos que unían a los adúlteros, a los lujuriosos, a los asesinos y a sus víctimas; hilos negros, de odio; oscuros, de envidias, etc. JOSÉ FERNÁNDEZ BREMÓN, en su *Exposición de cabezas* [48], trata humorísticamente un tema semejante: Don Caralampio, ochentón, se emborracha con el café, líquido que le hace vivir y le infunde claridad mental o doble vista, haciéndole ver las cabezas de las personas convertidas en plantas o animales. Así, el ladrón conducido por la policía es la gallina entre los zorros. (Quevedo, en la obra antes citada, presentaba a los ladrones conduciendo a los alguaciles en la hora de la verdad.)

ALFONSO PÉREZ NIEVA escribió bastantes cuentos sobre minucias. A la serie *Los Gurriatos* pertenecen: *La polca del limón, La calavera de papel, Los zapatos de Frasquita* —todos ellos de carácter festivo—, el ya citado *El grillo tardío* y *Tontas y pitos* [49]. Este último es el más notable y su acción transcurre con la romería de San Isidro como fondo: Una niña mendiga desearía ilusionadamente poder comprar un pito —flor y cristal—, pero sólo recibe rosquillas tontas como limosna. Ve a un pillete, amigo suyo, que lleva un pito, y le ofrece las rosquillas si le permite pitar. El pillete se come las rosquillas mientras la niña llora al descubrir que el pito está roto y no suena. Hay en esta narración un profundo acento de verdad. Pérez Nieva gustó de extraer poe-

---

[44] Vid. el cap. de *Cuentos rurales,* pág. 386.

[45] Puede leerse en la antología *Cuentistas españoles del siglo XIX,* publicada en la colección *Crisol* de Ed. Aguilar, págs. 233 y ss.

[46] *El dulce enemigo (Historietas y cuentos).* Madrid, 1904, págs. 31 y ss.

[47] *Cuentos sacro-profanos,* págs. 97 y ss.

[48] Puede leerse en *Los mejores cuentos de los mejores autores españoles contemporáneos.* París, 1912, págs. 153 y ss.

[49] *Los Gurriatos.* Madrid [1890].

sía de lo sencillo, de lo humilde, y si no siempre lo logró, en *Tontas y pitos* acertó plenamente.

Del mismo autor son *El laurel sagrado, El primer billete, El buche de aguardiente* y *Los fusiles* [50], en cuyos asuntos no vamos a detenernos. Más interés ofrecen *Dos rosas* y *La rosa aplaudida* [51], también de Pérez Nieva, por utilizar un mismo delicado material. El primer cuento toma el título de las flores que se cruzan entre la muchacha de un pensionado y un oficial que hace la instrucción allí cerca, y que al fin marcha. El segundo, de intenso sabor decimonónico, es la historia de un pobre estudiante de Derecho que diariamente espía la entrada de una bella joven en la ópera, para arrojar a su coche una rosa que compra privándose hasta de fumar. Un amigo le proporciona una entrada de *claque* para el espectáculo. El ambiente del teatro —cliché literario repetido hasta la saciedad por románticos y neorrománticos— está bien visto, y la descripción de la muchacha en la platea tiene el encanto de la valoración sentimental que el estudiante da a todos los pequeños objetos que rodean y acarician a su amada.

«Qué envidia a los gemelos, a los guantes, al abanico, al antepecho, al sillón, a cuantos objetos iban a ser suyos durante unas horas.»

Esta enumeración nos da otra clave del gusto decimonónico por los menudos adornos femeninos, que al ser como prolongación de un ser, retenían su fragancia y su encanto.

El estudiante, desde la localidad de paraíso, mira tan insistentemente a la platea con los gemelos, que ella se da cuenta de aquel espionaje, entablándose una de esas *«luchas de lentes»* tan del gusto de nuestros abuelos. ¡Si ella supiera que él es el de las rosas! Y al fin se decide, y con la rosa del día deja una tarjeta declarando su amor y diciendo que si algo late en ella por él se coloque en el pecho el capullo. Firma *«El de los gemelos»*.

Con la natural impaciencia escruta la platea. Cuando ella se quita la capa, en su pecho aparece la flor. Los gemelos femeninos sonríen hacia el paraíso. Y él rompe a aplaudir frenéticamente, interrumpiendo la representación y siendo expulsado por los guardias, mientras protesta diciendo que aplaudía a la rosa.

---

[50] *Blanco y Negro,* n. 267, 13 junio 1896; n. 308, 27 marzo 1897; n. 377, 23 julio 1898; n. 346, 18 diciembre 1897.
[51] Id., n. 275, 8 agosto 1896, y n. 289, 13 noviembre 1896.

También sobre flores, y del mismo Pérez Nieva, es la *Novela relámpago, ¡Mueran las rosas!* [52]: Una confusión en la entrega de un ramo descubre a una mujer los amoríos de su marido. Aunque todo se arregla, el marido grita siempre en voz baja junto al kiosko de flores: ¡Mueran las rosas!, pensando en que por ellas pudo perder la felicidad.

En *El ramo de rosas* [53] —otra *Novela relámpago*— un joven pide a su novia un ramillete que lleva en el pecho, y como ella no se lo da, se siente despechado y celoso. Luego ve cómo en la procesión arroja la joven el ramo al paso del Santísimo, y él lo recoge, reconciliándose con ella.

Las manos de la felicidad [54], una de las más agradables y graciosas narraciones de Pérez Nieva, narra cómo un joven encuentra en el tranvía a su antigua novia, con la que regañó por el fútil motivo de que ella se fué a tomar callos a las Ventas con un primo. Se reconcilian y deciden ir a rescatar su amor con otros callos. La felicidad no tiene dedos de rosa —replica el protagonista a un amigo poeta—, sino manos de cerdo.

En *Las mariposas* [55] refiere Pérez Nieva cómo un naturalista regala unas mariposas a su novia. Ella las luce como original adorno en un baile de disfraces, mientras confiesa su amor a otro hombre y se burla del naturalista, que la reconoce por las mariposas, pruebas de amor muerto.

JOSÉ DE ROURE, fecundo cuentista de finales de siglo, es el autor de *La cajita de conchas,* narración dialogada perteneciente a la serie que él llamaba *Teatro de la vida* [56]: Unos niños se disputan una cajita de conchas perteneciente a su hermanito agonizante. Muere éste, lloran los padres, y un amigo de la familia aplaca la disputa de los niños, inconscientemente crueles y en los que alienta ya la más violenta ambición.

Al mismo *Teatro de la vida* pertenece *La gratitud o los pájaros fritos* [57]: Un rico señor salva a un obrero de suicidarse, llevándole luego a una taberna donde le hace hartarse de pájaros fritos, su plato pre-

---

[52] Id., n. 9, 5 julio 1891.
[53] Id., n. 118, 5 agosto 1893.
[54] Id., n. 25, 25 octubre 1891.
[55] Id., n. 200, 2 marzo 1895.
[56] Id., n. 353, 6 febrero 1898.
[57] Id., n. 396, 3 diciembre 1898

dilecto. El caballero salvador, deseando ayudarle, le pone una taberna con la cual logra vivir prósperamente el ex-suicida. Pasan los años, y un día el caballero aparece en el establecimiento de su protegido. Ha intentado suicidarse también y viene a buscar consuelo. Pide pájaros fritos, y el dueño le dice que ya se han acabado. Cuando su antiguo salvador se va, el tabernero manda cerrar y se dispone a comer una docena de pájaros fritos que tenía apartados.

La cartera, también del *Teatro de la vida* [58], es un episodio de infidelidad matrimonial descubierta por un retrato que aparece en la cartera de un ministro.

Obsérvese que el procedimiento es siempre el mismo: una caja de conchas revela ambición; una perla o una cartera, adulterio; una cana, crimen; los pájaros fritos, ingratitud. Es una misma técnica, que, bien manejada por el autor, rinde efectos seguros.

De PÉREZ GALDÓS recordaremos aquí *La mula y el buey, Cuento de Navidad* [59]: Muere una niña, y las figuras de Nacimiento con las que ella había jugado llenan de dolor a los padres, con un eco del virgiliano *Sunt lacrimae rerum.*

«Estaban las rotas esculturas impregnadas, digámoslo así, del alma de Celinina, o vestidas, si se quiere, de una singular claridad muy triste, que era la claridad de ella. La pobre madre, al mirarlas, temblaba toda, sintiéndose herida en lo más delicado y sensible de su íntimo ser. ¡Cómo lloraban aquellos pedazos de barro! ¡Llenos parecían de una aflicción intensa, y tan doloridos, que su vista sola producía tanta amargura como el espectáculo de la misma criatura moribunda...»

Celinina ha muerto en Nochebuena, deseando una mula y un buey para su portal de Belén. Su padre siente el remordimiento de no haber satisfecho a tiempo el deseo de la niña. Esta, hecha un ángel, escapa del féretro y, volando, llega a un lujoso Nacimiento, del que se lleva las figurillas ansiadas. Camino del Cielo, otros niños le dicen que allí hay juguetes preciosos, y le aconsejan que devuelva las figuras. Celinina baja a la tierra. Y en las manos del cadáver de la niña aparecen la mula y el buey.

Las plumas del caburé es uno de los mejores cuentos de BLASCO

---

[58] Id., n. 411, 18 marzo 1899.
[59] *Torquemada en la hoguera* (y otras narraciones). La Guirnalda. Madrid, 1889, págs. 145 y ss.

Ibáñez [60]. Pertenece al grupo de los ambientados en América, y sus protagonistas son Jaramillo y Morales, dos indios guaraníes revolucionarios, que sufren persecución. Viven obsesionados por la superstición de conseguir plumas de caburé, que proporcionan la invulnerabilidad. Al fin, Jaramillo arranca unas plumas al caburé —pájaro exótico—, aun cuando pierde un dedo en la empresa de resultas de un picotazo. No da ninguna de las plumas a Morales, al que convierte en una especie de esclavo. Bañándose, le devora un cocodrilo. Se había dejado el talismán con las ropas. Morales lo recoge y, creyéndose invulnerable, arriesga su vida innumerables veces y nunca es herido. En una disputa con un *gringo* escocés, éste no cree en el mito de su invulnerabilidad. Morales le ordena que tire contra su pecho. Aun cuando el escocés se niega en un principio, exasperado por los insultos del indio, dispara al fin. Morales cae con el pecho destrozado y el gesto orgulloso.

En *El origen* [61], de Alejandro Larrubiera, un joven escribe a su riquísimo tío pidiéndole dinero para poder casarse. El tío recibe la carta mientras come unos macarrones quemados, y el momentáneo disgusto le hace contestar negativamente. La novia de su sobrino llegó a casarse con otro que tenía dinero.

Indudablemente, es ésta una de las narraciones más significativas que hemos encontrado en cuanto a la trascendencia que en un objeto aparentemente inofensivo se esconde. Larrubiera ha captado bien cómo algunos cambios decisivos en la vida del hombre tienen su origen en sucesos a primera vista insignificantes.

La enumeración de narraciones de este tipo sería prolija e impertinente.

Citaremos aún *El primer racimo*, de José Zahonero [62]. En *La del impermeable*, de Emilio Sánchez Pastor, la mujer del juez del pueblo gusta de hablar mal de todos, y por la confusión de un impermeable, la calumnia se vuelve contra su propia hija [63].

De «Fernanflor» citaremos *La maceta, La diadema, La carta* y, sobre todo, *La escalera* [64], que, aunque efectista, es tal vez uno de los

[60] *El préstamo de la difunta* (Novelas). Prometeo. Valencia, 1921, páginas 95 y ss.

[61] *Blanco y Negro*, n. 201, 9 marzo 1895.

[62] Id., n. 478, 1 julio 1900.

[63] Id., n. 254, 14 marzo 1896.

[64] Pertenecientes todos a la serie *Cuentos rápidos*. Barcelona, 1886.

mejores ejemplos de cómo un objeto ocasiona todo un drama. Un suicida que iba a arrojarse por el viaducto se arrepiente, y deja allí, abandonada, la escalera con que iba a salvar el alto pretil; escalera que sirve para luego permitir suicidarse a la mujer que él amaba.

III. CUENTOS CON OBJETO EVOCADOR

La técnica de éstos es, en esquema, la siguiente: La contemplación de un determinado objeto suscita la historia, o bien surge ésta cuando el dueño del objeto explica el porqué de su conservación o, en otros casos, el de su repugnancia hacia él.

Recuérdese la narración de la Pardo Bazán *Las cerezas,* que participaba de este carácter evocador. Es, pues, elemento imprescindible en esta clase de cuentos la explicación justificadora, puesta unas veces en boca del protagonista o narrada objetivamente.

Ya hemos hablado de *El clavo,* de ALARCÓN, cuyo procedimiento de reconstrucción del crimen se asemeja a la técnica de estos cuentos evocadores.

La corneta de llaves, del mismo autor, nos servirá de excelente ejemplo [65]: Unos muchachos piden a un anciano que toque la corneta de llaves, negándose éste, ya que aquel instrumento encierra para él todo un trágico significado cuya historia pasa a narrar. En la guerra carlista el anciano narrador peleaba en las filas de Isabel. Cae prisionero de los carlistas, y cuando va a ser fusilado, un amigo que tenía en aquel bando pide su perdón, diciendo que se trata de un músico —única clase militar que respetaban los carlistas para nutrir sus bandas militares— tocador de la corneta de llaves. Para salvarse de la muerte y librar de ella también a su amigo, el prisionero, aunque nada sabía de música, aprende, en quince días con quince noches, a tocar la corneta hasta casi enloquecer.

Fallece el amigo y, recobrado el juicio, se encuentra con que ya no sabe tocar la corneta.

Pero tal vez la más notable narración alarconiana de esta clase sea *Novela natural* [66]. Al titular así esta historia no pensaría el autor en

---

[65] *Novelas cortas.* Segunda serie. *Historietas nacionales.* Madrid, 1921, páginas 123 y ss. Publicada en el *Semanario Pintoresco Español,* ns. 48 y 49 de 1856.

[66] *Novelas cortas.* Primera serie. *Cuentos amatorios.* Madrid, 1921, págs. 75 y siguientes.

el naturalismo ni mucho menos, sino que, probablemente, creyendo que otras narraciones suyas podrían parecer más artificiosas, quiso distinguirlas de ésta, que viene a ser *un documento humano,* romántico aún, sin el *marchamo zolesco* [67]. Parece que nada ocurre en este cuento y sin embargo hay en él una intensa vibración de vida: Una joven encuentra en la plaza de Santa Ana, caído en el suelo, un cuaderno de notas, y según las va leyendo, ya en su casa, recrea con cálida imaginación la figura del hombre que las escribió y que acabó suicidándose. Las notas son casi todas secas, agendarias, pero la emocionada lectora va rellenándolas de vida. Toda una vida juvenil —amor, juego, deudas— descúbrese a través de unas nerviosas apuntaciones y de una imaginación femenina; la vida de uno de esos seres tan frecuentes en la obra alarconiana, llenos de pasión y zarandeados por un fatalismo de signo andaluz. Esta *Novela natural* es un *Wherter* concentrado en notas de agenda, ya que no en cartas o memorias.

Un artificio semejante a éste de Alarcón es el empleado por JOSÉ J. SOLER DE LA FUENTE en su *Historia de un sombrero verde* [68]. El narrador cuenta cómo en el escaparate de una ropavejería ve un sombrero verde encasquetado sobre una imagen de San Antonio, que ejerce sobre él una atracción misteriosa. Lo compra y en el forro encuentra unas páginas manuscritas que le revelan toda una historia de miseria y de dolor de una joven que perdió a su esposo y a su padre. Cuando el protagonista se lanza a buscar a esa mujer, averigua que murió víctima de la tisis.

El gabán verde [69], de PEDRO ESCAMILLA, es otra historia parecida, en la que un joven arruinado decide suicidarse entre pensamientos nostálgicos. Y, macabramente, se viste para el suicidio con un gabán verde de su padre que —como el sombrero del otro cuento— le atrae poderosamente. Entre la tela y el forro encuentra un billete de lotería premiado y compartido con una dama que no es sino una amada desconocida y fantástica.

---

[67] De ella dice el autor: «*La novela... natural* ofrece el solo mérito de no ser *natural* aunque lo parece. No contiene más *realidad* que la que mi imaginación le haya prestado al hacer esta especie de ensayo de *naturalismo* decoroso. Aun así, me desagrada el género fotográfico en las novelas» (*Historia de mis libros,* pág. 209).

[68] *El Museo Universal,* ns. 7 y 8 de 1860.

[69] Id., n. 48, 25 noviembre 1860.

MARIANO BAQUERO GOYANES

Semejante a éstos es *El gorro,* de GASPAR NÚÑEZ DE ARCE [70], narración humorística en la que el autor finge recibir una carta con un gorro griego, cuya historia se relata.

En 1854 publicó MANUEL P. DURÁN *La corona de siemprevivas* [71]: Una bella dama casada lleva *en su día de luto* una corona de siemprevivas a la tumba de un pintor enamorado platónicamente de ella, que antes de morir escribió al marido confesándole el puro amor que sentía por su esposa.

De T. DE ROJAS Y ROJAS es *La caja de las reliquias,* publicada en 1862 [72], sobre un joven que antes de casarse contempla nostálgicamente los recuerdos amorosos encerrados en una cajita.

Entre los relatos de esta clase, de JOSÉ DE CASTRO Y SERRANO, citaremos *El frac azul* [73]: Doña Justa y don Severo son un feliz y anciano matrimonio. Ella, repentinamente, empieza a sentir celos de la juventud de su marido, en especial de un viaje que hizo a Marsella, y del que regresó con un frac azul. En un bolsillo de éste encuentra una tarjeta con el nombre de una dama. Crecen sus celos, y va al Consulado francés donde, fingiendo que desea enviar a un hijo suyo a Francia, se entera de lo que pueden significar el frac y aquella tarjeta. Sobreviene luego una violenta escena entre los dos cónyuges, hasta que al fin un amigo de la casa hace ver a doña Justa que el episodio carece de importancia, y los dos ancianos se reconcilian.

El guante, de LUIS ALFONSO [74], es una fina y licenciosa novelita *cortesana* en la que el objeto que figura en el título evoca un episodio galante y juvenil.

Entre los cuentos de la PARDO BAZÁN que participan de este carácter evocador, citaremos *Santi boniti* [75], en el que una rica y joven viuda, con la vida vacía ya, evoca su niñez en casa de su padre, escultor, cuando un italiano pasa por la calle vendiendo figuras de yeso. *Champagne* [76] es la historia de una mujer de la vida que, ante la espumosa bebida, recuerda cómo por culpa de ella se desbarató su matrimonio. *El rompecabezas* [77] refleja el dolor y la ira de un niño que,

---

[70] Id., n. 17, 15 septiembre 1857.
[71] *Semanario Pintoresco Español,* ns. 32 y 33 de 1854.
[72] *El Museo Universal,* n. 33, 17 agosto 1862.
[73] *Historias vulgares.* II. Madrid, 1887, págs. 365 y ss.
[74] *Historias cortesanas. El guante.* Librería F. Fe. Madrid, 1886.
[75] *Cuentos de la tierra,* págs. 208 y ss.
[76] *Cuentos de amor,* págs. 136 y ss.
[77] *Cuentos de Navidad y Reyes,* págs. 125 y ss.

el día de los Reyes Magos, recibe un rompecabezas geográfico en el que no figura Cuba. Falta mucha España, falta la tierra donde murió su padre. El niño rechaza el regalo de los Reyes. *El mechón blanco* [78] sirve a un narrador para relatar la tragedia que hizo encanecer el pelo de una dama.

Tres magníficas narraciones de «CLARÍN» pueden clasificarse en este apartado. *Benedictino* [79], cruel, amargamente humorística, es la historia de un solterón que delinque con la hija, soltera también, de un fallecido amigo suyo. Ella, para aturdirse, bebe benedictino del que su padre tenía reservado para el día de su boda.

Album-abanico [80] evoca la vida frívola de una mujer, luego convertida en respetable señora, cuya bella hija usa también un abanico en el que recoge firmas de poetas. Pero tal vez el más logrado, intenso cuento de esta clase sea *El entierro de la sardina* [81]: Transcurre la acción en una ciudad levítica, triste, sin teatros ni fiestas, excepto en antruejo. El entierro de la sardina es siempre un acontecimiento. Celso Arteaga, juez y director de un colegio, hombre de seriedad acrisolada, pronuncia durante tal ceremonia el discurso fúnebre, y es premiado con la sardina metálica, que él ofrece a Cecilia Pla, joven honestísima. Era costumbre que el premiado regalara el trofeo a la mujer más de su gusto, y Celso lo hace recitando una declaración amorosa. Pero la ciudad recobra su pulso normal, y Celso y Cecilia no vuelven a hablarse. Al año siguiente, Celso hace lo mismo. Luego se distancian; él se casa y abandona la ciudad. Cuando vuelve a ella, ya viejo, va a una casa de huéspedes de la que es dueña la solterona doña Cecilia, muy avejentada y delgada como una sardina. Es precisamente esta asociación la que permite a Celso recordarla, junto con la emoción de descubrir en una alacena la sardina metálica, que le hace comprender cómo ella no le olvidó nunca. Pasa el tiempo y, un día de lluvia, Celso ha de descubrirse cuando pasa un entierro, el de Cecilia: el entierro de la sardina. Aquí el objeto desempeña un papel poco importante, pero delicada e irónicamente evocador.

Los puritanos es el título de una espléndida narración de PALACIO VALDÉS [82], que, aunque no verse sobre un objeto, se sirve de un aria

---

[78] *Cuentos de Marineda,* págs. 281 y ss.
[79] *El Señor y lo demás son cuentos.* Col. Universal. Ed. Calpe, págs. 177 y ss.
[80] *Doctor Sutilis.* Renacimiento. Madrid, 1916, págs. 257 y ss.
[81] *El gallo de Sócrates.* Maucci. Barcelona, 1901, págs. 183 y ss.
[82] *Obras completas.* Ed. Aguilar. Tomo II, págs. 1.109 y ss.

de ópera para evocar una deliciosa historia de amor. Podría considerarse como un cuento de evocación *Las burbujas,* incluído en los *Papeles del Doctor Angélico* [88]: Un criado asesina a su amo en despoblado, para robarle. Es un día de lluvia, y el amo, antes de morir, dice a su asesino que las burbujas le delatarán. El criado ladrón se casa, y un día, habiendo pasado ya bastante tiempo, ante la visión de la lluvia y casi inconscientemente, confiesa a su mujer su crimen, burlándose de la predicción del amo y de las burbujas. Su esposa, horrorizada, le denuncia.

Se asemeja a esta narración la titulada *Los ojos del gato,* de José NOGALES [88 bis].

De BLASCO IBÁÑEZ podemos citar *La caperuza* [84], sobre un fiscal implacablemente justiciero, pero tierno e ingenuo cuando juega con su niño. Uno de los juegos consiste en ponerle una caperuza de papel. Muere el niño ante el dolor y la impotencia del padre, que le recuerda siempre al hallar la caperuza. *El maniquí* [85] evoca la vida frívola de una mujer que abandonó a su marido para lanzarse al lujo, pagado por sus amantes, y que a la hora de la muerte llama a su esposo. Cuando éste entra en el dormitorio, lo primero que ve es el maniquí donde eran probados los trajes de ella.

JOSÉ DE ROURE —de quien hemos citado ya *La gratitud o los pájaros fritos*— es el autor de *El derribo* [86], narración en que una casa derruída evoca una historia de amor vivida entre aquellas paredes. De ALEJANDRO LARRUBIERA recordaremos *El himno de Riego* [87] y, especialmente, *El retrato del Zar* [88], donde el narrador cuenta cómo un amigo suyo, ruso residente en Madrid, deposita en el féretro de su esposa un retrato

---

[88] *Papeles del Doctor Angélico.* Victoriano Suárez. Madrid, 1921, págs. 59 y siguientes.

[88 bis] *Blanco y Negro,* n. 548 de 1901.

[84] *Cuentos valencianos.* Ed Prometeo. Valencia, págs. 99 y ss.

[85] *La condenada.* Prometeo. Valencia, 1919, págs. 147 y ss.

[86] *Blanco y Negro,* n. 252, 29 febrero 1896. Posteriormente apareció modificado y con el título *Derribos de Madrid,* en la colección *Cuentos madrileños.* Madrid, 1902, págs. 5 y ss. La narración tiene aquí un valor simbólico: El estudiante que regresa a Madrid ve derruída la casa en donde estaba su pensión. Las ruinosas paredes le recuerdan su noviazgo vivido en la pensión. En un teatro frívolo y pornográfico ve actuar a su antigua amada. Sólo ruinas y suciedad quedan de su antiguo amor.

[87] *Hombres y mujeres.* Madrid, 1913, págs. 5 y ss.

[88] *El dulce enemigo.* Madrid, 1909, págs. 77 y ss.

del Zar, explicando luego el porqué de este acto. El fué un anarquista redimido por el amor de aquella mujer, que le enseñó a amar al Zar. El retrato fué regalado por el propio Emperador a la difunta y, por tanto, a ella pertenecía.

Tal vez el mejor cuento de esta clase sea —por su dramatismo y brevedad— el titulado *Una flauta*, de JUAN OCHOA [89], autor del que ya hemos dicho algo al hablar de otra narración suya, breve e intensa también. En esta de ahora un probo y sencillo empleado muere, y los amigos procuran que la mujer no vea una flauta de su propiedad. Ochoa narra —en evocación rapidísima— la tierna historia de aquel amor: El empleado vivía enfrente del balcón de la muchacha. Cuando ella tocaba el piano, él la acompañaba con su flauta. Amor y matrimonio burgués. El cuento —brevísimo, uno de los más cortos que hemos leído— acaba: «Doña Manuela, hecha una vieja, lloraba, y una amiga nos decía a todos: Cuidado, cuidado, que no vea la flauta...»

De SALVADOR RUEDA es *La copa de champagne* [90]: Una mujer cuenta cómo adoraba a un escritor, al que conoció en un banquete, y con el que bebió en una misma copa de champagne. Ella compró la copa conservándola con gran cariño, ya que en su cristal dormían dos besos.

Historia de un alfilerito, de JOSÉ ZAHONERO [91], es un cuento típico de objeto evocador, y comienza así:

«Quise prenderme del frac una escarapelilla conquistada en el cotillón, y me dirigí a un precioso acerico, colgante, que había en el gabinete de la duquesa. En aquel acerico no había más que un diminuto alfiler.

—¡No, no; ése, no! —exclamó con extremosa vehemencia la duquesa, causándome extrañeza aquella súplica, que tuve por efecto de una superstición.

¿Por qué me impide tomar ese alfilerillo? ¿Qué habría en ello de extraordinario?

¡Es triste que las cosas no puedan contarnos su historia! Mas resulta que yo no sé si fué un sueño mío, o si, por arte mágico, se produjo la realidad de lo que voy a contaros; lo cierto es que, verdadera o imaginada, tengo la idea de que el alfilerito, por darme una lección, y para que otra vez no condenase al desprecio cosa alguna, por pequeña que ella pareciese, me refirió sus aventuras.»

El alfiler habla de su nacimiento, de los diversos seres que le poseyeron y de cómo la duquesa pinchó con él a un seductor. De ahí el cariño al alfilerito, blasón de gloria.

---

89   *Barcelona Cómica*. Año X, n. 13. págs. 320-321, 27 marzo 1897.
90   *Sinfonía callejera, Cuentos y cuadros*. Madrid, 1893.
91   *Blanco y Negro*, n. 122, 2 septiembre 1893.

De «Fernanflor» recordamos dos excelentes narraciones de este tipo: ¡Mientras haya rosas!... y La salsa de caracoles [92]. La primera es de tono poético: El narrador acude a ver a su amada, a la que han separado de él llevándola a vivir a una lejana finca. El va siempre a visitarla a caballo y ella le recibe arrojándole una rosa. Muere la joven. El marcha fuera de España, y cuando regresa, después de veinte años, ve repetirse la escena en otros jóvenes. Las rosas tienen un valor entre evocador y simbólico.

Otro tanto sucede con La salsa de los caracoles: El narrador vuelve a tomar ese popular plato en un merendero donde acostumbraba ir con una bella muchacha. Juntos, entre bromas y picardías, tomaron muchas veces caracoles en salsa. Entonces le parecían exquisitos, y ahora no. El mozo que le sirve comenta que la salsa es la juventud y el amor.

Citaremos aún El espejo, de D.ª Blanca de los Ríos [93], cuyo protagonista es un veterano coronel, viudo y viviendo casi en la miseria, que se resiste a empeñar un valioso espejo, explicando, al fin, que su lámina de cristal recogió el último aliento de su esposa.

IV. CUENTOS DE OBJETOS CON VALOR SIMBOLICO

El solo enunciado indica ya las características de esta clase de narraciones. Una de las más bellas es, tal vez, la titulada Las tijeras, de D.ª Emilia Pardo Bazán [94], de la que se mostraba orgullosa la autora, y que llegó a servir de premio en las escuelas católicas extranjeras: Un sacerdote elogia la institución del matrimonio, con un ejemplo de abnegación de marido y mujer que se estuvieron engañando hasta el final de sus días, para esconder el uno al otro la muerte en pendencia de su hijo, hecho que ambos conocían. El matrimonio es como unas tijeras con sus dos partes iguales, sujetas por un eje pequeño pero esencial. Valor simbólico tienen —entre otras narraciones de la misma autora— Los zapatos viejos, La lima [95], La flor de la salud [96] y,

---

[92]   Pertenecientes ambas a la serie Cuentos rápidos.
[93]   Puede leerse en la antología Los mejores cuentistas españoles. Compilación de Pedro Bohigas. Plus-Ultra. Madrid, 1946. Tomo II, págs. 97 y ss.
[94]   Cuentos sacro-profanos, págs. 41 y ss.
[95]   Blanco y Negro, ns. 411 y 436 de 1899.
[96]   Nuevo Teatro Crítico, n. 30, pág. 196. Cuentos nuevos, págs. 225 y ss.

sobre todo, *La argolla* y *Las vistas* [97]. Esta última es una finísima narración psicológica. Las vistas son el riquísimo *trousseau* de una novia, ante el cual el novio, que pensaba romper el enlace —convencido de que no quiere a su novia—, no puede decir nada y se siente cogido.

El sombrero del señor cura, uno de los más celebrados cuentos de «CLARÍN», tiene un alto valor simbólico, y en él veía *Azorín* la clave del estilo y del pensar de su autor [99]. El asunto se reduce a cómo Morales, cacique de pueblo —personaje típicamente clarinesco—, se burla del sombrero del cura párroco ante sus amigos; pero éstos quedan sorprendidos al comprobar que el tan anticuado sombrero no sólo no resulta inactual, sino que responde a la moda de su tiempo. El cura les explica que el sombrero que tres o cuatro años antes había llamado la atención, resulta normal ahora, ya que al comprarlo eligió uno cuyas dimensiones no fueran exageradas en ningún aspecto. El cuento tiene, pues, una intención didáctica finamente psicológica, ya que lo dicho del sombrero —en medio de tantas vicisitudes— lo aplica el cura al cristianismo: «Cuando me aferré a mis ideas, a mi fe y a mis amores cristianos..., no estaban de moda, no, la religión, la fe, ni el cristianismo. Ahora parece que entre la gente de más aristocrático pensamiento soplan aires místicos, o que así se llaman; yo algo he leído de eso, y no todo me olió a farsa, aunque sí mucho.»

A. PALACIO VALDÉS, en su autobiografía *La novela de un novelista* relata un episodio de su vida de colegial que equivale a un cuento con objeto simbólico: *La Vara de Falaris* [100].

Del otro gran narrador asturiano JUAN OCHOA, recordaremos aquí *El vino de la boda* [101].

Intención simbólica tiene *La mariposa blanca* de JOSÉ DE SELGAS [102]. *El naufragio de la Gaviota,* de FEDERICO URRECHA [108], relata el amor de

---

[97]   *El fondo del alma (Cuentos),* págs. 223 y ss., y 171 y ss. Este último fué publicado en el n. 559, 14 diciembre de 1901, de *Blanco y Negro.*

[98]   *El gallo de Sócrates,* págs. 107 y ss.

[99]   Vid. prólogo de *Azorín* a la edición de *Superchería.* Colección Fémina. Biblioteca Estella (dirigida por G. Martínez Sierra). Madrid, 1918; prólogo recogido luego en *Clásicos y Modernos.*

[100]   *Obras completas.* Ed. Aguilar. Tomo II.

[101]   Publicado entre las narraciones que acompañan a *Los señores de Hermida.* Col. Elzevir. Barcelona, 1900, págs. 217 y ss.

[102]   *Novelas.* III. Madrid, 1887, págs. 1 y ss.

[108]   *La estatua y Cuentos del lunes.* Madrid (s. a.).

un marino por la hija de otro, *la Gaviota,* a la que regala una goleta en miniatura, construída por él. Ella le desdeña y llega a escaparse de su casa, seducida por un señorito. Cuando el joven marinero pregunta al padre lo que con ella haría, el anciano coge la goleta y la estrella simbólicamente contra el suelo.

De ALFONSO PÉREZ NIEVA citaremos *La manta cordobesa* —el jinete, al descubrir que su novia le engaña, hace que su jaca pisotee la manta jerezana bordada por ella— [104]; *¡Pobres violetas!* —muy semejante al anterior, relata cómo una joven arroja por el balcón las violetas regaladas por el novio, que ella conservaba como reliquias, y a las que odia cuando descubre que él es infiel— [105]; *El viento y las rosas* [106]; *El grillo* [107]; *El morrión solemne* [108]; etc.

De EDUARDO DE PALACIO recordamos *La cazuela del perro* [109]. De SALVADOR RUEDA, *La maceta de pensamientos* [110]; de JOSÉ ECHEGARAY, *Para lo que sirve un reloj, Capricho cronométrico* [111]; de JOSÉ NOGALES, *Flores de almendro* —símbolo de la brevedad de la vida, de las ilusiones— [112]; etc.

Conocemos un cuento de J. SÁNCHEZ GUERRA, titulado *Marrón-glacé* [113], de indudable valor simbólico. Unos jóvenes estudiantes, atraídos por el elevado precio del *marrón-glacé,* compran medio kilo sin saber lo que es. No les gusta, y al morderlo por primera vez dan también un mordisco a la experiencia.

El collar de la princesa, El jamón del cónsul —cuento chiste— y *El cuerno del rey Zamur,* de ALEJANDRO LARRUBIERA [114], son todos ellos cuentos simbólicos.

Más interés que todos éstos ofrece, por su valor altamente poético, *El muro,* de JOSÉ DE ROURE [115], cuya idea central se asemeja a la de

---

104 *Blanco y Negro,* n. 89, 14 enero 1893.
105 Id., n. 96, 4 marzo 1893.
106 Id., n. 212, 25 mayo 1895.
107 Id., n. 70, 4 septiembre 1892.
108 Id., n. 604, 29 noviembre 1891.
109 Id., n. 30, 29 noviembre 1891.
110 Id., n. 457, 3 febrero 1900.
111 Id., n. 475, 9 junio 1900.
112 Id., n. 601, 8 noviembre 1902.
113 Id., n. 314, 8 mayo 1897.
114 Los dos primeros se encuentran en *Hombres y mujeres,* y el último en *El dulce enemigo.*
115 *Blanco y Negro,* n. 431, 5 agosto 1899.

H. G. Wells en su narración *La puerta del muro* [116]. En ésta, un hombre busca ansiosamente, durante toda su vida, una puerta que vió en el muro de una extraña calle, y que atravesó, siendo niño, para entrar en un maravilloso país donde jamás pudo penetrar luego, ya que cuantas veces volvió a ver la puerta y el muro, las circunstancias de su vida le impidieron detenerse. Acaba el cuento con la muerte de este hombre en unas construcciones de ferrocarril, al caer en una zanja a la que daba acceso una puerta falsa. El relato de Roure se asemeja en esa obsesión de la muerte que nos espera —país maravilloso y nostálgico— tras el muro. El narrador cuenta en lenguaje lírico cómo tras la tapia de un jardín, en una ciudad desconocida, oyó la dulce voz de una mujer, cuyo solo sonido le enamoró para siempre. Siete años después vuelve a aquella misma extraña ciudad y busca el muro otra vez, resuelto a atravesarlo. Lo encuentra, guiado por un niño, y se encuentra ante las paredes de un cementerio.

Tiene también un hondo valor simbólico *El último tranvía,* del mismo autor [117]: Una mujer que huye de su hogar, manchado por el adulterio de su marido, regresa llorando en el último tranvía a la casa de su madre. Hay una dramática equivalencia entre el tranvía de las dos de la madrugada, que realiza el último viaje, y el fin de un amor.

---

[116] Puede leerse en *Los mejores cuentistas de lengua inglesa.* Compilación y traducción de M. Oliver. Ed. Plus-Ultra. Madrid, 1946. Tomo II, págs. 245 y ss.

[117] *Los mejores cuentos de los mejores autores españoles.* París, 1912, páginas 177 y ss.

CAPITULO XIV

CUENTOS DE NIÑOS

CAPITULO XIV

CUENTOS DE NIÑOS

I. SIGNIFICADO DEL CUENTO DE NIÑOS

Es preciso distinguir las narraciones infantiles —las escritas para niños— de aquellas otras cuyos protagonistas son niños, las cuales no siempre son lecturas infantiles.

Podrá parecer arbitrario el estudio de esta última clase de narraciones, y hasta disonante y desproporcionado en una clasificación temática de trazos amplios y en la que trata de evitarse el detallismo. En realidad, estos cuentos podrían haber sido distribuídos entre los diferentes capítulos de narraciones dramáticas, psicológicas, rurales, humorísticas, etc. Si hemos preferido agruparlos en un bloque temático, no ha sido porque nos lo permita su abundancia, sino porque constituyen una modalidad bien definida, y, por tanto, perfectamente separable de los otros encuadramientos temáticos.

Si difícil resulta el cuento psicológico, más lo es éste en que intervienen figuras infantiles cuyas almas trata de escrutar el narrador, bien por observación, o extrayendo de sí mismo los recuerdos de su infancia.

Entre los temas predilectos de la novelística actual destacan los de la infancia y adolescencia, reflejo del anhelo de una más pura, sencilla forma de vida. Así lo explica Wladimir Weidle al estudiar las novelas de niños o adolescentes del tipo de *El gran Meaulnes,* de Alain Fournier; *Huracán en Jamaica,* de Richard Hughes, y de tantas obras de Katherine Mansfield, Rosamond Lhemann, Jean Cocteau, etc. El retorno a la infancia va unido al retorno hacia la tierra, según Weidle, es decir, hacia lo primitivo, lo espontáneo.

No es éste el exacto significado que la presencia del niño tiene en los cuentos decimonónicos, en los que actúa como un infalible recurso emotivo, llamada a la fácil ternura. Pero hay también en ese acercarse al mundo infantil una nostalgia no tan encendida y angustiosa como la actual, y un deseo de pureza, de sencillez. Así, los cuentos de niños de *Clarín* —*Pipá, ¡Adiós, Cordera!*— están en la misma línea ideológica que los que tienen como protagonistas a seres humildes —*El Rana, La reina Margarita, El rey Baltasar, Avecilla,* etc.— y, aunque parezca grotesco, en la misma línea intencional de los cuentos de animales tratados sentimentalmente: *El Quin, La trampa.* Todos ellos pueden agruparse bajo un mismo significado: exaltación de lo vital, de lo sencillo, de lo opuesto al seco intelectualismo. Un mismo grito de humanidad se oye en todas esas narraciones, y en algunas como *¡Adiós, Cordera!* niños y animales adquieren el mismo valor de humanidad desvalida, inocente, rodeada por los peligros de la civilización —ferrocarril, palos del telégrafo— que se clavan en la antes pura tierra: el *prao Somonte.*

Tierra, niños y pacíficos animales son elementos de una misma atmósfera emocional que *Clarín* crea, extrayéndola de su propio dolor de hombre escindido por la lucha entre un yo intelectual y otro afectivo.

En los cuentos de otros autores el niño significa la malicia, lo anticonvencional, y en algún caso —*La cajita de conchas* de José de Roure, o algunos relatos de Benavente— significa también el hombre en potencia, lleno de ambición y egoísmo.

Pero entrar en detalles sería tanto como repetir, a modo de innecesaria introducción, lo que se estudia seguidamente.

Si el cuento es género literario que se caracteriza por la ternura, por la intensidad emotiva y por la gracia argumental, pocas veces se dan tan perfectamente esas condiciones como en estos relatos del delicado y complejo mundo infantil [1].

---

[1] Rafael Altamira consideraba que la aparición del tema de niños en la literatura de su época era consecuencia de la incorporación a la novela y a la poesía de esferas de la vida social, antes despreciadas. Burgueses y pueblo entran en escena, «y la mujer y el niño se convierten en protagonistas» (Biblioteca andaluza. *Mi primera campaña.* Tercera serie. Tomo VI. Vol. 26. Lib. de José Jorro. Madrid, 1893, pág. 21).

II. CUENTOS DE NIÑOS

La plena aparición de figuras infantiles en los cuentos es casi un fenómeno de tipo naturalista, o, por lo menos, puede asociarse cronológicamente a la liquidación del romanticismo y la introducción de una nueva técnica narrativa y también de un cambio de mentalidad.

El naturalismo enseñó a los hombres a fijarse en las insignificantes cosas de su alrededor, destruyendo el engaño romántico del exclusivismo artístico, por el que sólo determinados ambientes o temas eran susceptibles de ser transformados en materia novelable.

Las novelas naturalistas reflejan el vivir de seres que antes no se consideraban novelescos: sencillos curas de aldea, comerciantes, oficinistas, burgueses; todo un enjambre de personajes grises, arrancados de cualquier ciudad, de cualquier aldea, familiares a todos, con sus existencias opacas, sin apenas peripecia. Y entre ellos los niños también, que dejan de ser los inevitables ángeles redichos románticos o los golfillos sentimentales de algún neorromanticismo, para ir cobrando autenticidad, lograda en la novela postnaturalista, psicológica.

De todas formas, a la literatura naturalista se deben algunas de las mejores figuras infantiles de nuestra novelística: las que aparecen en *Los Pazos de Ulloa* de la Pardo Bazán; *Miau* de Pérez Galdós, o *Sotileza* de Pereda.

Todo ello disculpará el que apenas nos detengamos en las narraciones de «FERNÁN CABALLERO» y de TRUEBA con protagonistas infantiles, ya que éstos, de puro ingenuos, graciosos y tiernos, son seres irreales que poco tienen que ver con la auténtica infancia.

El vendedor de tagarninas [2], de Cecilia Böhl de Faber, es la historia de un pobre niño huérfano que, cogiendo tagarninas en el campo para venderlas y ayudar a su madre, muere de frío.

En *Lucas García,* de la misma autora, se describen los juegos, cantares y cuentos de los niños, al igual que en *Obrar bien... que Dios es Dios* [3]. También de *Fernán* es *Las mujeres cristianas,* cuento o cuadro

---

[2] *Deudas pagadas.* Lib. Antonino Romero. Madrid, 1911, págs. 139 y ss.
[3] *Cuadros de costumbres.* Rubiños. Madrid, 1917, págs. 317 y ss., y 401 y siguientes.

social, según lo llama su autora, bien significativo respecto a la manera de describir la mentalidad y lenguaje de los niños en su época [4].

A ANTONIO DE TRUEBA se le cita hoy como cuentista infantil, y es porque sus narraciones suelen tener como protagonistas a niños, campesinos casi siempre, tratados con ternura y con más realismo del observable en *Fernán.*

Trueba comprende bien a los niños y gusta de escribir cuentos sobre ellos, acaso porque él es también un poco niño, porque conserva la ingenuidad de la infancia. Las más afortunadas narraciones del escritor vasco son éstas, tal vez sensibleras y dulzonas para el gusto moderno, pero a las que no cabe negar sinceridad.

Naturalmente, el mayor número de relatos de esta clase se encuentra en la serie *Cuentos de madres e hijos* [5].

Y entre ellos el mejor trazado es tal vez *El maestro Tellitu,* estampa realista, entre humorística y dramática, de un tiempo en el que se creía que la letra con sangre entraba. *El molinerillo* es una novela corta llena de interferencias y digresiones. *Diabluras de Periquillo* presenta el desgraciado fin de un joven al que de niño se le consintió todo.

La madrastra, perteneciente a la serie *Cuentos de color de rosa* [6], es uno de los más tiernos y graciosos cuentos que Trueba escribió. El ingenio de unas niñas para escapar a los castigos de su madrastra constituye el tema sencillo y grato de esta narración, dialogada ágil y realistamente. Otra muestra de ingenio infantil es el ofrecido en *La Necesidad* [7].

No todos los cuentos de niños son tan alegres y atractivos como estos últimos, ya que en alguno abusa su autor del patetismo y cae en excesivas ingenuidades: *¡Desde Madrid al cielo!* [8].

* * *

Sólo podríamos citar aquí un vigoroso cuento de ALARCÓN, el titulado *La Comendadora.* Según su autor, pertenece esta narración a su

---

4   *Vulgaridad y nobleza.* Rubiños. Madrid, 1917, págs. 243 y ss.

5   *Cuentos de madres e hijos.* Lib. de Antonio J. Bastinos. Barcelona, 1894.

6   *Cuentos de color de rosa.* Nueva edición. Lib. Rubiños. Madrid, 1921, págs. 78 y ss.

7   *Cuentos de varios colores.* Salas Helguero Gaztambide. Madrid, 1866, páginas 91 y ss.

8   Id., págs. 103 y ss. Es versión corregida del cuento *Nostalgia,* publicado en el *Semanario Pintoresco Español,* ns. 10 al 15 de 1856.

tercera manera narrativa, es decir, a aquella en que sus nuevos ídolos literarios eran Cervantes, Goethe, Manzoni, Quevedo, Scott, Balzac, Dickens y Shakespeare; manera caracterizada por la armonización de la «realidad y el espiritualismo» y por un decir más español. «*La Comendadora* —advierte Alarcón— es totalmente histórica. Sólo he cambiado nombres y fechas, y algún que otro pormenor inenarrable del empeño del niño... El caso ocurrió efectivamente en Granada» [9].

Ha sido ésta la narración breve de Alarcón que más elogios ha merecido [10], suscitando incluso la imitación de Edmundo de Goncourt.

Observaba bien D.ª Emilia Pardo Bazán que en *La Comendadora* no se cumplían las condiciones de los *Cuentos amatorios,* que, según Alarcón, eran alegres y aun picantes, aunque dentro de los límites en que supieron contenerse Cervantes, Quevedo y Tirso. En *La Comendadora* hay «una melancolía interior que se pega al alma. Allí no hay *verdor gozoso,* sino *negra austeridad*» [11].

Sobradamente conocido es el asunto de este cuento, duro, intenso. Alarcón, maestro en la creación de climas, ambienta su narración en Granada, en una Granada sensual y luminosa, densa de primavera, descrita morosamente, con lentitud de siesta andaluza. Tras esa inicial pintura ambiental todo se precipita, adquiriendo la narración una tensión dramática casi insoportable.

Está fechado el cuento en Granada en el año 1868, es decir, después del viaje que a través de Italia hizo Alarcón, y que comunicó a su estilo una obsesión por la plasticidad, por las comparaciones pictóricas y estatuarias.

El niño protagonista de *La Comendadora* —ser freudianamente perverso— «era endeble, pálido, rubio y enfermo, como los hijos de Felipe IV pintados por Velázquez. En su abultada cabeza se marcaban con vigor la red de sus cárdenas venas y unos grandes ojos azules, muy protuberantes» [12].

---

9   *Historia de mis libros,* pág. 209.

10   A. F. G. Bell dice: «He [Alarcón] shows himself capable of great sugestive power in *La comendadora*» (*Contemporary Spanish Literature,* pág. 49).
Y *Azorín:* «Nadie ha sabido condensar en quince páginas toda la historia psicológica de España como Alarcón en *La comendadora*» (*Andando y pensando,* pág. 217).

11   E. Pardo Bazán: *Nuevo Teatro Crítico,* n. 10, octubre 1891, pág. 40.

12   Vid. esta narración en *Cuentos amatorios.* Madrid, 1921, págs. 7 y ss.

Esta descripción suscita ya un aire de angustia, avivado por el contraste que ofrece la pintura de la hermosa Comendadora, verdadero trasunto de los mármoles italianos:

«... era alta, recia, esbelta y armónica como aquella nobilísima cariátide que se admira a la entrada de las galerías de Escultura del Vaticano. El ropaje de lana, pegado a su cuerpo, revelaba, más que cubría, la traza clásica y el correcto primor de sus espléndidas proporciones.

Sus manos, de blancura mate, afiladas, hoyosas, transparentes, se destacaban de un modo hechicero sobre la basquiña negra, recordando a aquellas manos de mármol antiguo, labradas por un cincel griego, que se han encontrado en Pompeya antes o después que las estatuas a que pertenecían.

Para completar esta soberana figura, imaginaos un rostro moreno algo descarnado (o más bien afinado por el buril del sentimiento), de forma oval, como el de la Magdalena de Ticiano...»

Tras estos capítulos iniciales, lentamente descriptivos, la acción se hace intensa, desaparece todo toque colorista, y en un *crescendo* final se produce el estallido. El capítulo último es breve como un telegrama, pero la vibración emotiva ha alcanzado su más hiriente agudeza.

Aunque de intención completamente distinta, el tema del niño y de la monja no puede por menos de recordarnos un motivo de *El obispo leproso* de Gabriel Miró.

* * *

Magnífico creador de figuras infantiles fué JOSÉ MARÍA DE PEREDA, y las descritas en *Sotileza* bastarían para señalarle como uno de los más afortunados novelistas en ese aspecto.

Entre sus narraciones breves citaremos *El raquero*, semblanza del golfillo santanderino, y *La noche de Navidad*, estampa costumbrista en la que aparecen unos niños asombrosamente auténticos [13]. Otro cuadro descriptivo es el titulado *Los chicos de la calle*, palpitante también de verdad [14]. En *El primer sombrero* narra el autor un episodio de su vida lleno de gracia: el estreno de su primer sombrero a los catorce años, y las burlas de que fué objeto por los golfillos santanderinos [15]. Aunque tampoco sean propiamente cuentos, acabaremos citando

---

[13] *Escenas montañesas*. Sexta edición. Victoriano Suárez. Madrid, 1924, págs. 29 y ss., y 115 y ss.

[14] *Tipos y paisajes*. Segunda edición. Viuda e hijos de Manuel Tello. Madrid, 1897, págs. 199 y ss.

[15] *Esbozos y rasguños*. Segunda edición. Viuda e hijos de Manuel Tello. Madrid, 1898, págs. 137 y ss.

Reminiscencias y *Más reminiscencias* [16], en que el propio Pereda evoca sus años infantiles, sus juegos, su entrada en el Instituto y las terribles clases de un profesor, monstruo sangriento que se parece bastante al *Tellitu* de Trueba y a otro maestro que conoció y retrató Palacio Valdés en *La vara de Falaris*.

En *La tercera infancia* [17] compara Pereda los juegos de los niños en un parque público, con los amoríos de unos pollos o gomosos y con la ingenuidad de unos viejos que intervienen en las diversiones de los niños, representando a la tercera infancia.

Los niños pintados por Pereda no hablan correctamente, no piensan como personas mayores, no son ángeles —ni monstruos como el de *La Comendadora*—; son sucios, traviesos, descarados y poéticos, con todo el encanto y la verdad de la infancia. No tienen par en la literatura española, ya que si otros autores han buscado el matiz psicológico, ninguno ha sabido poner en la expresión un tan limpio acento de autenticidad como el escritor montañés lo consiguió en sus narraciones de niños.

* * *

De las de «CLARÍN» algo hemos dicho ya, al comienzo de este capítulo.

De la casta de *El raquero* y *Los chicos de la calle* es *Pipá,* golfillo ovetense que da nombre a la más bella novela corta del autor de *La Regenta*. Si Alas hubiera escrito solamente esta narración, bastaría para, en nuestro juicio, considerarle como el más intenso cuentista del siglo XIX. Hay en *Pipá* un lirismo agrio, delgado, profundamente humano, surgido de un ambiente asombrosamente bello: un Carnaval sucio, solanesco, desgarrado y trágico como un esperpento de Valle-Inclán o un aguafuerte de Goya. Sobre un fondo de miseria, muerte y personajes duros —como Celedonio, que escupe sobre el cadáver carbonizado de *Pipá*— late una ternura cálida y poderosa, enmascarada también de harapos y miseria.

La calidad poética de *Pipá* es de un signo nuevo en la literatura de su siglo, en la cual el tema de pilletes entre la nieve solía adquirir siempre un aire sensiblero y truculento. Y éste es el gran mérito de *Clarín:* haber sabido convertir un tema de folletín en un relato perso-

---

16   Id., págs. 243 y ss.
17   Id., págs. 297 y ss.

nalísimo, revelador de esa dimensión nueva que Alas trae a la literatura española: la ternura.

Resumimos el asunto de *Pipá* no por creer que de tal resumen pueda deducirse la belleza de la obra, sino para estudiar inmediatamente una acusación de plagio que contra Alas lanzó Luis Bonafoux a propósito de este cuento.

Pipá es un pillete callejero que en una noche carnavalesca de frío y nieve decide disfrazarse, robando para ello prendas tan dispares como las enaguas que una lavandera tenía puestas a secar, una calavera arrancada de un libro de anatomía y una especie de mortaja robada entre los ex votos que figuraban en el altar del Cristo Negro. Para obtener ésta, *Pipá* ha tenido que luchar y burlar al monaguillo Celedonio.

Ya disfrazado y tocando pausadamente una campanilla, *Pipá* camina por las nevadas calles hasta llegar al palacio de la marquesa de Híjar. Esta habla con su hija de cuatro años, Irene, sobre el fantástico carnaval de la luna y las estrellas —fino lirismo decimonónico—. La niña desea ver máscaras. Y en ese momento aparece *Pipá* con su disfraz, tocando impresionantemente la campanilla al saberse observado por la *mona del Palacio.* La niña, fascinada, hace entrar a *Pipá*, desarrollándose una escena deliciosa de fina observación y llena de toques de humor y de ternura. *Pipá*, pese a estar iniciado en todas las maldades, es un niño, y como tal se comporta junto a Irene, de cuya mano entra en el baile infantil de máscaras del palacio, causando general sensación.

Cuando acaba la fiesta, *Pipá* ayuda a dormir a la niña mientras la marquesa cuenta una narración de la que son protagonistas el golfillo y su hija. Cuando Irene se duerme, el *yo* infantil de *Pipá* pide que continúe el cuento. Es lo que más envidia del palacio. La marquesa, enternecida, le besa y prosigue su narración, en la que *Pipá* llega a casarse con Irene. Pero el chiquillo dice que él quiere ser mozo de la *tralla*.

A media noche se escapa y acude a la taberna donde canta Pistañina, la nieta de un ciego. Allí se celebra una inmunda orgía en la que perece *Pipá* al arder vivo en un barril de petróleo [18].

El asunto así expuesto parece vulgar y melodramático, y, según Bonafoux, era plagio de *La Nochebuena de Periquín,* cuento de «FER-

---

[18]   *Pipá.* Cuarta edición. Lib. F. Fe. Madrid, 1886.

NANFLOR», aparecido en *El Imparcial* el 24 de diciembre de 1875 [19]. *Pipá* está fechado en Oviedo en 1879. La confrontación de Bonafoux resulta bastante convincente, pero basada en un error fundamental: considerar el cuento de *Fernanflor* una maravilla y despreciar completamente el de *Clarín* [20].

---

[19]   Recogido en la col. *Cuentos.* Madrid, 1904, págs. 1 y ss.

[20]   Transcribimos la comparación hecha por Bonafoux:

«Lector, ¿conoce usted a *Periquín? Periquín* es un granujilla con ojos de cielo y corazón de oro que se escapó corriendo del espíritu de *Fernanflor*.

Periquín vivía con Roque, un ciego, borracho además, que le propinaba todas las noches un tremendo palizón. Muere repentinamente el ciego, y repentinamente se encuentra en la calle el lazarillo.

Aterido de frío en el quicio del portal de la condesa de Berrocal, hermosa rubia de treinta y cinco años, viendo sombras y nieve, fué recogido de orden de la condesa por un lacayo de la casa. Porque aquella noche era Nochebuena.

—¿Cómo te llamas? —le preguntó Isabelita, preciosa niña de cinco o seis años, hija de la Condesa.

—¡*Periquín!*...

Periquín se queda con tamaña boca contemplando los lujos del palacio.

Está invitado a cenar; pero tiene un hambre que no ve, no puede esperar y empieza a engullir dulces.

Isabelita se enamora del pobre y se niega a entrar en el salón si no lleva de galán a *Periquín.* La Condesa vacila, pero concluye por ceder; Isabelita y *Periquín*, la aristócrata y el mendigo, la seda y el harapo, entran en el salón seguidos de la institutriz, Mme. Courtois, que la llama *ma petite*.

Periquín se hace cruces. No entiende francés.

«*Periquín* comió y bebió —dice *Fernanflor*— como si no hubiera comido nunca, o como si no hubiera de volver a comer y a beber en toda su vida.»

Estaba en sus glorias. Ya se hablaba de casarle con Isabelita (pura broma); y sería Conde, y tendría caballos, carrozas, ríos de oro.

Pero... las pasiones sobre todo. *Periquín,* algo *chispo,* riñe por su dama. Confusión en la escena. *Periquín* quiere fugarse y logra esconderse, pero le atrapa Mme. Courtois, y de un puntapié le pone en la calle.

Por *chispo* se llevan luego al pobre niño a un puesto de borrachos.

He ahí la síntesis del cuento, que tiene descripciones de mucho color, filigranas de ingenio, pensamientos hondos, corte elegante..., invadido todo por una sombra de melancolía, sombra «triste, sola, desamparada» como *Periquín*, que constituye el fondo de los cuadros del pintor de ¡*Mientras haya rosas!*...

Lector, ¿conoce usted a *Pipá? Pipá* es un pillastrón descarado, que se escapó corriendo del espíritu de don Leopoldo, después de haber pasado por el espíritu de *Fernanflor,* desbalijando (sic) al pobre *Periquín. Pipá* es un rata de doce años.

Vivía con su padre (más o menos putativo), un borracho, que le propinaba tremendas palizas, por lo cual prefería el chico vivir en el arroyo.

Contemplando su cama de nieve, resuelve una noche vestirse de máscara; y dicho y hecho. Aterido de frío y ganoso de aventuras, pasa por los alrededores del palacio de la Marquesa de Híjar, hermosa mujer de treinta años, y

La acusación de plagiario —no sólo de *Fernanflor*, sino también de Flaubert y de Zola— hirió profundamente a *Clarín*, que contestó a Bonafoux en el folleto *Mis plagios* [21].

En él Alas, tras burlarse donosamente de Bonafoux —que en sus ataques demostró malicia, si bien es verdad que acompañada de una grosería inadmisible—, se defendía de sus acusaciones:

«¿Quién es Periquín? Juro por lo más sagrado que no conozco a ese Periquín, y que lo de plagiar a *Fernanflor* es una broma llevada al extremo.»

Y más adelante:

«Yo no conozco a ese *Periquín*, pero según me dicen se trata de un niño pobre que en Nochebuena se ve abandonado en la calle, entre la nieve, y después es recogido por unas damas y entra en un sarao, o no sé en dónde, etc., etc. La acusación de que yo imité, plagié o copié a D. Isidoro Fernández Flórez

---

es recogido de orden de la Marquesa por un lacayo de la casa. Porque si aquella noche está de nieve, como la Nochebuena de *Periquín*, es también noche de solemnidad. Se celebra el Carnaval.

—¿Cómo te llamas? —le pregunta Irene, preciosa niña de cuatro años, hija de la Marquesa.

—¡Moo! —contesta *Pipá* (No hubiera estado bien que contestara: ¡*Periquín disfrazado!*).

Pipá se queda con tamaña boca contemplando los lujos del palacio. El *pillastre* está invitado a cenar; pero tiene un hambre que no ve, no puede esperar y empieza a engullir dulces.

Como la Condesa de Berrocal, la Marquesa de Híjar da un baile. Irene se enamora de *Pipá*, y quiere que sea su galán en el baile. Quiere también que la vea vestir; pero esto parece *improper* a la institutriz. *Pipá* se hace cruces. No entiende inglés.

Y seguidos de Julia, entraron en el salón de baile Irene y *Pipá*, la aristócrata y el mendigo, la seda y el harapo.

Y en seguida...

Había terminado la fiesta. ¿Por qué la termina sin describirla el autor? Por no seguir plagiando, supongo yo.

Sin embargo, sigue la danza.

Pipá tragó cuanto pudo. Hizo provisiones *allá para el invierno*, dice *Clarín*.

Estaba en sus glorias. Ya se hablaba de casarle con Irene (pura broma), y sería un poderoso caballero, un rey...

Pero... las pasiones sobre todo. *Pipá*, algo *chispo*, se fuga también, sólo que sabe ganar la puerta de la calle, y va a dar con su cuerpo a un puesto de borrachos.

He ahí la síntesis del cuento *Pipá*, que es un *Periquín* echado a perder, un *Periquín* de máscara: cuento plagado de filosofías impertinentes, hecho sin ingenio, sin chiste, sin estilo y *reventando de forte*, con un finchamiento asturiano que dejaría pequeñito a un portugués» (Luis Bonafoux: *Yo y el plagiario «Clarín»*. Madrid, 1888).

[21] *Folletos literarios*. IV. F. Fe. Madrid, 1888.

será absurda, desde luego, a los ojos de los que estén en ciertas interioridades psicológicas y sepan la opinión que tengo de las facultades literarias y artísticas del Sr. F. Flórez, facultades que no niego más que son de índole tan distinta de las que yo para mí quisiera; pero como el público en general no está en autos, estos argumentos recónditos no me sirven.

Yo no he leído a *Periquín*. Esto no puede probarse. ¿Cómo he de probar que no lo he leído? Por aquí tampoco hay argumento de probanza. Y, sin embargo, ¡bien sabe Dios que no lo he leído!

Pero es el caso que Pipá está tomado del natural; vivió y murió en Oviedo; fué tal como yo le pinto, aparte las necesarias alteraciones a que el arte obliga; el que me lo confunda con uno de tantos muchachos como han figurado en esos cuentos de Navidad en que hay nieve, antítesis de niños ricos y bien comidos, etcétera, no me ha hecho el honor de enterarse de lo que es mi *Pipá*. ¡Cuántos pilluelos en las condiciones gemelas de Pipá y de Periquín andarán por esas literaturas romántico-cristianas! ¡Cuántos tipos, modelos de esta clase, podríamos encontrar sólo en Dickens! ¡Algunos tiene Ouide; uno tiene Dostoiewski en un cuento, que se parece mucho más a ese Periquín, por lo visto, que mi Pipá; y no creerá nadie que el autor de *Crimen y castigo* copió a *Fernanflor;* ni tampoco dira nadie que está sacado de *Periquín, El pájaro en la nieve,* precioso boceto de Armando Palacio (otro mozo incapaz de imitar a *Fernanflor,* así lo tonsuren). De *Pipá* sabe todo Oviedo; el *medio ambiente* que le rodea es de Oviedo en parte, y en parte de Guadalajara... Y sobre todo, ¡cáscaras!, que yo no he leído el *Periquín* de *Fernanflor»*.

La defensa de *Clarín* no era convincente, y Bonafoux supo deshacerla burlonamente. Citar a Dostoyewsky y, sobre todo, a Palacio Valdés con su *Pájaro en la nieve,* era tratar de aturdir al lector, buscando algo con que encubrir la falta de argumentos destinados a probar la falsedad de la acusación.

Alas hizo hincapié en el tema general de la Nochebuena de niños entre la nieve, para así eludir el justificar las indiscutibles semejanzas que su *Pipá* ofrecía con *Periquín.*

Pero aun así, ya suponiendo —como parece probable— que *Clarín* se inspirase en el cuento de *Fernanflor,* o ya dándole crédito y considerando la semejanza como una coincidencia involuntaria, lo cierto es que se trata de dos cuentos completamente distintos en estilo e intención, y muy superior, desde luego, el de Alas.

Bonafoux hizo, maliciosamente, un recuento de semejanzas, pero no se fijó —o no quiso fijarse— en las radicales diferencias.

En primer lugar está el ambiente. Del escenario de una Nochebuena con nieve y niños huérfanos al desgarrado Carnaval de *Pipá,* hay ya un abismo diferenciador. *Periquín* es un relato lleno de absurdas digresiones. En *Pipá* todo es justo, medido. No sobra ni un personaje ni un incidente. Isabelita, la niña del cuento de *Fernanflor,* es un ser convencional y cursi que recita un largo y pretencioso discurso —compuesto por un poeta para el caso— ante el Belén instalado en su casa. Hay una representación de un Auto Sacramental, interferencias de los criados y otras peripecias que, sobre no añadir nada esencial al cuento, revelan cierta torpeza en la técnica narrativa.

El cuento de *Fernanflor* es sensiblero y vulgar. El de *Clarín* es una obra maestra, cuya altísima calidad no ha sido menoscabada por la acusación de plagio, de la que ningún crítico parece acordarse a la hora de juzgar esta narración, ya que sólo se trata de un episodio anecdótico sin repercusión en el valor intrínseco de la obra.

Lo que más diferencia el cuento de *Clarín* del de *Fernanflor* es el estilo, verdaderamente excepcional en el primer caso. Hay descripciones en él dignas de Valle Inclán, de cuyos esperpentos parece anticipación el ambiente carnavalesco —sucio y desgarrado, a lo Solana— de *Pipá*.

Por afectar más directamente a otros capítulos, no haremos aquí sino citar otros cuentos clarinianos en que los niños juegan importante papel: *Un grabado, ¡Adiós, Cordera!* —con unos niños que son como puras voces de la naturaleza—, *El rey Baltasar* —exaltación de la ternura paternal—, *Superchería* —con uno de los más conmovedores seres creados por Alas, el niño Tomasuccio— y, tal vez, *La yernocracia,* delicioso cuadro humorístico [22].

* * *

La fama de buen cuentista de A. PALACIO VALDÉS proviene, sobre todo, de su narración *¡Solo!,* una de las más emotivas de la literatura española. Suele incluirse en todas las antologías y podría servir de ejemplo del género, ya que es imposible apresar en menos páginas un tan intenso motivo dramático, auténtico, no efectista.

En su autobiografía *La novela de un novelista* cuenta Palacio Valdés cómo, siendo niño y viviendo aún en Entralgo, iba con su padre y Cayetano, el casero, a un pozo donde este último buscaba truchas. A veces tardaba, y el niño sufría gran angustia. Estos recuerdos

---

[22] *El Señor y lo demás son cuentos.* Col. Universal. Ed. Calpe. Madrid, 1919, págs. 108 y ss.

originaron el cuento *¡Solo!* [23], cuya trama se reduce a la tragedia del niño que espera inútilmente a su padre, ahogado en el pozo mientras buscaba truchas.

Palacio Valdés acertó a dar a un tema tan universal y humano la expresión adecuada, logrando un relato que viene emocionando a diversas generaciones y que, en medio de tanta sensiblería y literatura llorona como produjo el siglo pasado, puede seguirse considerando como la muestra más depurada del cuento emocional, género en el que ningún escritor llegó a superar al autor de *La Fe*.

A la serie *Aguafuertes* pertenece *La confesión de un crimen*, que podría ser uno de los mejores cuentos de niños del siglo XIX, si los diálogos infantiles no resultasen amanerados y falsos. El narrador dice haber presenciado la escena en los jardines del Prado: Asunción es una niña que no se atreve a saludar en el paseo a su amiga Lolita. Al fin, le confiesa su crimen. A Lolita se le ha muerto su hermano Luisito, y Asunción se declara culpable de su muerte. Los médicos dictaminaron que el niño murió de una enfermedad provocada por una intensa mojadura. Asunción cuenta cómo siendo Luisito su novio, se mojó un día de lluvia, al esperarla a la salida del colegio y no ofrecerle ella su paraguas, ya que iba delante con la criada. La primera reacción de Lolita es de odio hacia la otra niña, pero al fin acaban besándose y llorando.

Lo convencional del cuento, lo amanerado del diálogo, han estropeado un motivo bello inicialmente, y sobre todo psicológicamente infantil.

Polifemo [24] es el apodo de un coronel que perdió un ojo en la guerra de Africa. Su genio irascible causa temor a los niños que juegan con el cariñoso Muley, perro de Polifemo. Un niño hospiciano es el preferido de Muley, que algunas noches se marcha con él a dormir en la Inclusa. Cuando Polifemo lo averigua, desfoga su furor con grandes voces, aterrorizando a los niños; pero cuando se entera de que el culpable es un hospiciano, le permite llevarse el perro cuantas veces quiera.

Una deliciosa estampa infantil es la ofrecida en *Sociedad primiti-*

---

[23] Vid. *La novela de un novelista. Obras completas.* Ed. Aguilar. Madrid, 1945. Tomo II, pág. 698. El cuento *¡Sólo!*, en la misma edición, ocupa las págs. 1.137-1.143.

[24] Id., págs. 1.106 y ss.

va, título bien significativo de uno de los *Papeles del Doctor Angéli-co* [25]: Juegos de niños en un jardín público. Unos chiquillos que tratan de elevar un globo se divierten luego besando a una niña, asustadísi-ma. Todos participan en el burlón ataque, excepto el más aparentemen-te fiero de ellos, su caudillo, que luego se ve recompensado por la niña con un beso incapaz de alterar su impasibilidad. Pertenece este cuento, como algunos de Benavente o de Roure, a los de una bien clara ten-dencia: la de demostrar cómo en el mundo infantil se dan las mismas pasiones, vicios y virtudes que en el de los adultos; bien transforma-das, embellecidas, como ocurre en este caso; o bien, más crueles y des-piadadas aún, por lo que de contraste tienen, como ocurre en *La cajita de conchas*. El primitivismo implícito en la vida infantil es, pues, una de las causas que justifican la existencia y cultivo de esta clase de cuen-tos, especialmente a partir del psicologismo post-naturalista.

En *Bienaventuranzas* Palacio Valdés, o el Doctor Angélico, evoca los años infantiles en que soñaba con la gloria militar con otro amigo suyo, tocando el tambor en un oscuro almacén [26].

JUAN OCHOA fué también un maravilloso creador de personajes in-fantiles que Rafael Altamira juzgaba expresión de su exquisita sensi-bilidad [27].

En *Los señores de Hermida* —con el simpático *Nolo*—, en *Su amado discípulo*, en *Historia de un cojo*, aparecen deliciosas figuras in-fantiles.

* * *

En 1876 escribió D. BENITO PÉREZ GALDÓS uno de los más bellos cuentos de niños de nuestra literatura del pasado siglo. Nos referimos a *La muela y el buey, Cuento de Navidad*, del que nos hemos ocupado en el capítulo de *Cuentos de objetos pequeños*. Una narración como ésta casi nos hace dudar de todo lo que se ha dicho de la incapacidad de Pérez Galdós para el cuento.

* * *

Pudiera creerse que D.ª EMILIA PARDO BAZÁN, mujer, gustó de tratar el tema infantil en sus obras literarias. Y aunque, efectivamente,

---

[25] *Obras completas*. Tomo XVI. Lib. general de Victoriano Suárez. Ma-drid, 1921, págs. 25 y ss.
[26] Id., págs. 73 y ss.
[27] Vid. biografía de Juan Ochoa escrita por Rafael Altamira y publicada al frente de *Los señores de Hermida*. Barcelona, MCM.

en sus novelas y cuentos aparezcan tiernas figuras de niños, no son éstas demasiadas, contra lo que pudiera esperarse. Y es que hay en la Pardo Bazán un deseo de no mostrar las flaquezas femeninas, de esconder y cercenar todo lo que pudiera parecer expansión sensiblera. El puro relato de niños es escaso entre los de la autora, aunque abunden —como no puede menos de suceder, dado el gran número de cuentos que escribió— aquellos en que los niños intervienen más o menos incidentalmente, pero pocas veces en un primer plano protagonístico.

Aparte de *Jesusa, El rompecabezas, El pañuelo, La salvación de Don Carmelo, El niño de cera* y otros cuentos con niños estudiados en otros capítulos, citaremos ahora algunos más.

Como la luz [28] es una sensiblera narración sobre un niño campesino que sirve de botones en la casa de unos ricos señores, con cuyo hijo intima grandemente. Al llegar la fiesta de Reyes el niño rico traslada sus juguetes al cuarto de su amigo, y cuando los padres tratan de corregirlo, él les da una lección de caridad. Tema, como se ve, muy del estilo del *Corazón* de Amicis.

Un logradísimo cuento de niños es *Responsable* [29]: Un chiquillo de once años queda solo en la casa cuidando a sus hermanos, de los que es responsable en ausencia de su madre. El se sabe hijo de un señor y espera ver algún día a su padre con un brillante uniforme. (El padre fué, en realidad, un vulgar señorito seductor que deshonró a su madre, campesina.) Cuando los hermanitos se duermen, él se aleja hasta el castañar, donde empieza a soñar con la vida que hará junto a su padre. Se despierta aturdido por el humo que sale de la casa. Aun sabiendo que va hacia la muerte, se siente responsable y se lanza entre las llamas para salvar a sus hermanos o morir con ellos. La Pardo Bazán utiliza un recurso tan eficaz como es el de dejar cortada la acción, sugiriendo tan sólo el trágico final.

El baile del Querubín es un delicioso relato en que el narrador evoca sus años infantiles y adolescentes, cuando empezó a bailar con sus primas y amigas. El Padre Vicario le reprendió un día por organizar tales bailes en su casa, consiguiendo que su familia los prohibiera. Como sustitutivo, el P. Vicario trata de enseñarles el muy ingenuo baile del Querubín en medio de la general hilaridad. Con tan es-

---

[28] *Cuentos de la tierra.* Tomo 43 de las O. C. Ed. Atlántida. Madrid, 1922, páginas 90 y ss.
[29] Id., págs. 215 y ss.

casa anécdota la Pardo Bazán compone una evocación llena de humor y de simpatía [30].

Carbón es la triste historia de un niño negro bautizado, y que, ausente de su país, siente siempre frío. Desdeñado por los niños blancos de su edad, piensa en ser santo para ir al Cielo, donde cree que todos son blancos. Muere pronto de una pleuresía, y el obispo que le bautizó comenta que ya será blanco [31].

En *Primer amor* —tal vez el más conseguido cuento de niños de la escritora gallega— el narrador cuenta cómo se enamoró a los trece años de la bellísima efigie de una mujer, reproducida en una delicada miniatura que encontró en el cuarto de su tía. Esta es una vieja y fea señora que produce gran repugnancia al muchacho. Llevado de su amor acaba por robar la miniatura, que tiene siempre consigo y que crea en él un estado enfermizo observado por sus padres, que al fin descubren la causa, al hallarle un día desmayado y abrazado a la miniatura. Cuando el muchacho se entera de que aquel retrato es el de su tía, se cura para siempre [32].

Otro precoz caso de amor es el relatado en *Temprano y con sol* [33].

* * *

«FERNANFLOR», el autor de *La Nochebuena de Periquín* —cuento del que nadie se hubiera acordado a no ser por Bonafoux—, escribió algunos otros cuentos de niños.

De intención social es el titulado *Los dos niños* [34]. Muy ingenuo y gracioso es *El Padre Eterno (Cuento de niños)*: Dos hermanitos —niño y niña—, paseando, encuentran a un anciano al que por sus barbas y aspecto venerable toman por el Padre Eterno. El les pregunta si desean ir al Cielo, y la niña quiere saber si irán sus padres, su hermanito, sus muñecos y su perro. A esto último el anciano dice que no. Entonces la niña dice que no desea ir porque se aburriría [35].

* * *

Cuentista que demostró gran afición por el tema infantil fué AL-FONSO PÉREZ NIEVA, uno de los más fecundos y fáciles autores de na-

---

[30] *Nuevo Teatro Crítico*, n. 2, febrero 1891.
[31] *Blanco y Negro*, n. 271, 11 julio 1896.
[32] *Cuentos de amor*. Tomo 16 de las O. C. Madrid, 1911, págs. 118 y ss.
[33] *Nuevo Teatro Crítico*, n. 26, págs. 188 y ss.
[34] *Cuentos rápidos*. Barcelona, 1886, págs. 311 y ss.
[35] *Cuentos*, con pról. de Pérez Galdós. Madrid, 1904, págs. 131 y ss.

rraciones breves de principios de siglo, que, si bien literariamente no son de gran valor, contienen la suficiente simpatía como para contentar a un lector no demasiado exigente. Pérez Nieva es sencillo, cursi en ocasiones, muy humano siempre, ágil prosista, buen dialogador, y su figura literaria resulta una de las más atractivas entre los escritores menores del pasado siglo.

Bastaría el hecho de haber escrito un libro compuesto todo él por narraciones de chicos —*Los Gurriatos*—, para justificar la simpatía de un amplio sector de lectores por Alfonso Pérez Nieva.

Exactamente *Los Gurriatos* son, como el autor explica en la dedicatoria del libro, los pilluelos tan sólo amparados por Dios [36]. Cualquiera creería, ante tal título y justificación, que el libro es uno más de los muchos que sobre golfillos se escribieron en el siglo pasado, en estilo quejumbroso y con recursos melodramáticos del peor gusto.

En *Los Gurriatos* predomina, por el contrario, el cuento alegre, y la vida de los golfillos está descrita con cariño, sin patetismos efectistas. *La polca del limón, Central, El chico de los periódicos, La banda de Artillería, El burro de la trapera, El puesto del café, Toma puntapiés, La traición del Chato,* son episodios callejeros, animados y graciosos, reflejo de una vida desgarrada e ingenua a la vez, sin sordideces. Los golfillos de estos cuentos no son ladrones en potencia como algún niño pobre de *Fernanflor,* ni borrachos precoces como *Pipá* o *Pequín;* son simplemente niños, y en la descripción de sus travesuras se complace el autor.

Sin embargo, en la misma colección publicó Pérez Nieva otros cuentos más emotivos y dramáticos. En *El perro gimnasta* refiere cómo un niño se gana la vida gracias a su fiel amigo canino. Cuando éste muere envenenado por la pastilla municipal, el niño ha de pedir limosna. En *El regalo de Reyes* se relata la historia de una niña, una criadita, que pone sus zapatos en el balcón esperando el regalo de los Reyes. Al levantarse por la noche ve que en los zapatos de la hija del amo hay una hermosa muñeca, mientras los suyos siguen vacíos. Coge la muñeca y huye a la calle. Nieva, y el amanecer la sorprende muerta de frío —como a *La fosforerilla* de Andersen— y abrazada a la muñeca. En *Llovida del cielo* la hija de una mendiga, hambrienta, llora

---

[36] *Los Gurriatos*. Novelas cortas. Gran Centro Editorial. Madrid [1890]. Contiene 25 narraciones.

y pide pan. Nada le han dado en todo el día. Una muñeca vieja y rota que cae desde un balcón aplaca el llanto de la niña.

No todos los cuentos son de golfillos o de mendigos, sino que los hay también de niños campesinos, como *El músico mayor,* deliciosa historia de un muchacho de aldea que trabaja en una vaquería de Madrid, y que obtiene una entrada de favor para el teatro de la Zarzuela. Allí se emociona tanto con la música de su tierra y el decorado campesino, que prorrumpe en gritos de entusiasmo y es llevado a la Prevención. *De caracoles, Los pendones del pueblo, A campo traviesa,* etcétera, se desarrollan en el campo o en la aldea.

Aparte de los cuentos incluídos en *Los Gurriatos,* pueden citarse otros de Pérez Nieva también sobre temas infantiles: *Sin nacimiento* [37] presenta al niño rico que regala algunas de las figuras de su Nacimiento al lacayito pobre que no tiene ninguna (tema casi idéntico al de *Como la luz* de la Pardo Bazán); *La vagabunda* —un guardia sorprende a una niña mendiga durmiendo en la Plaza de Oriente y la lleva al cálido diván de gutapercha de la Prevención— [38]; *Los fusiles* —en un hospicio se forma un batallón infantil y al más despreciado de los hospicianos, pese a su ilusión y grandes deseos, no le dan fusil a la hora de repartirlos— [39]; *Los ojos del cielo* [40]; *El ómnibus de las azules* [41], etc.

* * *

De Blasco Ibáñez recordaremos aquí *El «femater»* y *Primavera triste.*

En el primer cuento relata el autor la historia de un chiquillo dedicado a «femater», que iba desde la huerta a Valencia a recoger estiércol. Encuentra en la ciudad a una niña que fué compañera de juegos en la barraca. Se tienen gran cariño hasta que ella crece, se hace mujer y se enamora de un barbilindo, despreciando al «femater», que nunca más vuelve a Valencia, abandonando el oficio [42].

Primavera triste es la recargada y sombría historia de una niña inclusera, fea y enferma, que, recogida por un hortelano, trabaja dura-

---

[37] *Blanco y Negro,* n. 86, 25 diciembre 1892.
[38] Id., n. 287, 31 octubre 1896.
[39] Id., n. 346, 18 diciembre 1897.
[40] Id., n. 402, 14 enero 1899.
[41] Id., n. 411, 18 marzo 1899.
[42] *Cuentos valencianos.* Ed. Prometeo. Valencia, págs. 193 y ss.

mente. Muere antes de que llegue el invierno, tras el que florece la ansiada y no gozada primavera [43].

* * *

José de Roure es autor de varias narraciones de niños, entre las que destaca *La cajita de conchas,* cuento dialogado de la serie *Teatro de la vida* [44]. Su asunto queda resumido en el capítulo de *Cuentos de objetos pequeños.*

Al *Teatro de la vida* pertenece también *El heredero* [45]: El anciano Presidente del Consejo de Ministros reflexiona —en monólogo— sobre los males de su patria, sobre su lejana juventud y sus amores. Sólo quiere un heredero: su nietecillo, que viene a visitarle a su despacho y que, jugando, llega a firmar sus decretos.

El sobre color de rosa, Escena infantil —dos hermanos, niño y niña, hablan de sus novias y novios— y *El sueño de Niní, Pasillo infantil... representado a menudo por hombres,* son otras dos graciosas e intencionadas narraciones de Roure [46].

No sabemos si clasificar aquí un último cuento de José de Roure, tal vez el más delicado entre todos los que escribió, por la gracia y ternura encerradas en su brevedad. Nos referimos a *De la tierra al cielo* [47]: Una solterona —madre frustrada— se dirige, al morir, al Cielo y entra en el Limbo por confusión. Allí se ve rodeada de niños pequeños que la llaman *mamá,* y ella es tan feliz, que cuando vienen a llevarla al verdadero Cielo, no desea salir del que para ella lo es ya.

* * *

Citaremos aquí no por su interés, sino por ser imitación —muy floja— de *¡Adiós, Cordera!,* el cuento de Alejandro Larrubiera titulado *La Roxa* [48]. De ambiente idílico —de un asturianismo muy convencional—, recuerda indudablemente el relato de *Clarín.* En este de

---

[43] *La condenada.* Ed. Prometeo. Valencia, 1919, págs. 19 y ss.
[44] *Blanco y Negro,* n. 353, 6 febrero 1898.
[45] Id., n. 393, 12 noviembre 1898.
[46] Id., n. 506, 12 enero 1901; y n. 557, 4 enero 1902.
[47] Id., n. 392, 5 noviembre 1898.
[48] Id., n. 187, 1 diciembre 1894. Recogido en *El dulce enemigo.* Madrid, 1904, págs. 19 y ss.

Larrubiera, Xuanina cuida en el valle de su amada vaca la *Roxa*. Su amigo Xuanín, hijo del guardabarrera, juega con la niña. Se olvidan de la vaca, y cuando el tren aparece ven con terror que está en la vía y corre riesgo de perecer. Entonces la niña coge la bandera roja y consigue que el tren se detenga, hasta que la vaca es puesta a salvo. La trama nada tiene que ver con *¡Adiós, Cordera!*, pero la combinación —sobre ambiente asturiano— de unos niños y del animal doméstico procede indudablemente del famoso cuento de Alas.

* * *

De JACINTO BENAVENTE citaremos *Juegos de niños* y *En la playa*. En el primer cuento unas niñas juegan a las bodas, y fingen su admiración ante el *trousseau,* etc. Cuando una de ellas pregunta por el novio, otra contesta que el novio no importa: «Vamos a jugar con formalidad, como si fuéramos mujeres.» El segundo es de tipo social, ya que presenta a un niño a quien su madre prohibe jugar con otro, por ser este último hijo de una mujer poco decente [49].

* * *

A LUIS MALDONADO se deben algunos cuentos de niños tan deliciosos como *El Misterio de la Santísima* —rebosante de verdad y de gracia—, *El dómine Lupus, El Esgarra* —una de las mejores narraciones de este cuentista—, *El sueño de un niño,* etc. [49 bis].

* * *

Finalmente recordaremos *Idilio y tragedia,* el mejor cuento de SALVADOR RUEDA[50] y tres narraciones de JOSÉ ZAHONERO: «*Jujui*» *cautivo* —el golfillo enamorado de una bella señorita—, *El guaja* y *Por la se-*

---

[49] *Figulinas*. Segunda edición. Barcelona, 1904, págs. 101 y ss.; y 177 y siguientes. El segundo fué publicado en *Blanco y Negro,* n. 330, 28 agosto 1897; y el primero, en el n. 557, 4 enero 1902, de la misma revista.

[49 bis] Todos estos cuentos pertenecen a la serie *Del campo y de la ciudad.*

[50] Puede leerse en la antología *Los mejores cuentos de los mejores autores españoles contemporáneos.* París, 1912, págs. 137 y ss.

[51] *Blanco y Negro,* n. 168, 21 julio 1894; n. 121, 26 agosto 1893; y n. 565, 1 marzo 1902.

ñal [51]. Este último relata cómo la niña del propietario consigue, sin darse cuenta, con sus juegos y su ternura, que un obrero resentido abandone sus propósitos de venganza. Después de comer, y cuando el obrero se dispone a echar su siesta, la niña le hace persignarse, librándole de los malos pensamientos. Esta narración se asemeja algo a *El beso* de EUSEBIO BLASCO: El *Lobo* es un violento y temido presidiario que lleva treinta años en la cárcel. La niña del Director, no obstante, siente simpatía y compasión por él, y un día le da un beso. En ocasión de una revuelta el *Lobo* defiende la vida del Director a costa de la suya. Agonizante, pide otro beso a la niña [52].

El número 557 de *Blanco y Negro*, primero del año 1902, fué un extraordinario dedicado a los niños. En él se encuentran —además de los ya citados *El sueño de Niní* de Roure, y *Juegos de niños* de Benavente— *Cómo se vive se muere*, de J. FRANCOS RODRÍGUEZ —el muchachito y el burro siempre juntos, mueren juntos también—; *La estatua del maestro*, de JOSÉ NOGALES; *Las hormigas*, de MIGUEL RAMOS CARRIÓN, y *Preguntones*, de los hermanos QUINTERO.

---

[52]   *Cuentos* (de varios autores). Biblioteca Fénix. Madrid, 1912.

CAPITULO XV

CUENTOS DE ANIMALES

CAPITULO XV

CUENTOS DE ANIMALES

I. SIGNIFICADO DE LOS CUENTOS DE ANIMALES

No será éste un capítulo muy extenso pero sí interesante, ya que los cuentos que en él se estudian representan una de las más curiosas y significativas conquistas temáticas de los narradores del siglo XIX.

Piénsese que estamos, nada menos, ante el momento en que el novelista, el narrador, se da cuenta de que los animales no tienen sólo un valor simbólico, sino también una vida que por sí sola, sin necesidad de figuraciones o artificios de fábula esópica, puede resultar atractiva y dramática, ya que en ella se dan, aun cuando sea en un plano irracional, los mismos motivos que integran el vivir del hombre: el amor, el odio, la amistad... Nos referimos, claro es, a los animales próximos, que con él viven y en cuyas existencias puede verse algo así como el esquema de las humanas, quitado todo convencionalismo, suprimida la máscara de lo social.

Creemos que la aparición de los cuentos de animales no es sino una variante o faceta de ese acercamiento a lo primitivo, a lo espontáneo, que caracteriza la mentalidad finisecular.

El hombre romántico buscó evasión de una sociedad hostil, cruel y estupidizada, creando paraísos artificiales, saltando en el tiempo hacia una Edad Media idealizada o, en el espacio, hacia tierras exóticas pobladas por salvajes ingenuos no envenenados aún de civilización. Se trataba de una huída irreal y que a la postre sólo desengaños produjo.

Escapar de un mundo violentamente real, inmediato e inesquivable, refugiándose en mundos imaginativos, pudo ser una fórmula bella pero ineficaz y, en resumen, amanerada.

Puede que, sin embargo, fuera ésta la única solución en los comienzos de un siglo que trataba de librarse del lastre racionalista dieciochesco lanzándose a la fabulosa aventura de la suelta imaginación. Pero lo imaginativo no dió la felicidad, y el hombre volvió a lo concreto, a lo fisiológico, a lo *positivo*.

No obstante, el odio romántico contra la civilización, contra lo social, quedó inoculado, y de él es consecuencia ese retorno hacia un primitivismo que ya no es el ingenuo e idealizado de antes, sino el más real y sinceramente entendido de los novelistas finiseculares.

En el capítulo de *Cuentos rurales* hemos estudiado la transformación de un tema. Del horacianismo exaltador del campo —edén sin mancha— y denostador de la ciudad —sede de toda corrupción— pásase a presentar al campesino no como ser arcádico e ingenuo, sino como bestia primitiva animada por los más brutales instintos.

La pureza de acciones, de actitudes, que no se encuentra en el campesino, se busca en otro mundo, el de los niños [1], según explicamos en el capítulo anterior. El retorno a la infancia es consecuencia de ese nunca dormido deseo de buscar lo más limpiamente primitivo, lo no alterado no ya sólo por lo social y la civilización según el módulo romántico, sino lo no alterado tampoco por el fermento del pecado original que crece con el hombre y le destierra del paraíso de la infancia. Pero el resultado no siempre es feliz. Hay en los niños ingenuidad, limpieza de alma, pero también se insinúan ya las pasiones de los hombres —recuérdense *La cajita de conchas* de Roure, *Los dos niños* de Fernanflor, etc.—, resultando amargo y cruel el contraste de ver encarnados en seres ingenuos los más despreciables vicios de los adultos.

Tal vez la atención —débil aún, pero significativa— que se co-

---

[1] Sobre la relación del tema de niños con el de animales —exaltadores ambos de lo espontáneo y natural—, véase el siguiente pasaje de Américo Castro: «Decía antes que la segunda dirección en que aparecía en el siglo XVI el anhelo de perfección natural iba derechamente hacia el presente, para buscar en la vida visible lo que más se acercara a la noción de pura naturaleza: el niño, el salvaje, el rústico, el animal incluso: en una palabra, en las manifestaciones de mayor espontaneidad vital» *(El pensamiento de Cervantes.* Anejo II de la R. F. E. Madrid, 1925, págs. 182-183).

mienza a prestar a la vida de los animales, provenga de un deseo de buscar en ella la sencillez, la ausencia de malicia, que no parecen encontrarse entre los humanos. No es ésta tendencia apreciable en todos los cuentos, que tratan el tema menos compleja e intencionalmente. Pero en algunos —*Ley natural* de la Pardo Bazán, *El Quin* de Alas, *La pantomima de los leones* de Roure— se observa ese deseo de contraponer la sencillez, la lealtad de algunos animales, a la malicia e ingratitud de los hombres.

En general, lo que mueve a los cuentistas a tratar el tema de animales es una sentimentalidad compasiva. Pero incluso en esta actitud hay implícito un reproche para el hombre, ser cruel, carente de sensibilidad, martirizador de los pobres y leales animales. Así concebidos, estos cuentos vendrían a ser una variante del explotado tema de los niños abandonados, huérfanos, mendigos, etc. La sensiblería decimonónica halla aquí amplio cauce en que verterse y encuentra resortes de gran efecto.

De cualquier forma, lo cierto es que estamos frente a un número reducido pero notable de cuentos de animales que representan *algo nuevo* en la literatura española.

El animal sólo era concebido hasta ese momento como sujeto de fábula, como ser simbólico personificador de vicios y virtudes humanas. Ahora, por primera vez, se trata de describir la vida misma de los animales en cuanto seres irracionales, pero estudiados a la luz de la psicología humana. Es ésta tendencia muy difusa y poco lograda aún en el siglo XIX, y que ha de cuajar plenamente en nuestro siglo.

Los novelistas modernos se han acercado sin vacilaciones al mundo de los animales, consiguiendo obras maestras llenas de emoción y de poesía. Recuérdense las narraciones de Kipling y algunas novelas de Tomás Mann, Virginia Woolf, Félix Salten, etc. Y en nuestras letras, el delicado poema en prosa *Platero y yo,* de Juan Ramón Jiménez.

Las narraciones que integran este capítulo no hacen sino iniciar ese acercamiento. Pero sólo este movimiento —instintivo, inconsciente— de aproximación basta para dotarlas de interés dentro de la amplia temática del cuento decimonónico.

II. CUENTOS DE ANIMALES

El primer cuento que citaremos corresponde al año 1839 y se titula *Sultán y Celinda, Episodio de la Historia de los Canes,* siendo su autor CLEMENTE DÍAZ [2]. Se trata simplemente de un cuadro humorístico-sentimental sobre la persecución y matanza de los perros en las calles de Madrid.

En 1862 publicó JOSÉ GARAY DE SARTI su relato *El perro de Juan Martín,* cuyo protagonista es el perro de un guarda asesinado por un cazador furtivo. Al cabo del tiempo el animal encuentra y reconoce al asesino, matándole [3].

En el mismo año apareció *El perro negro, Cuento popular* de ANTONIO DE TRUEBA: Miguel vive en una cabaña junto a la que pasa diariamente Agustina, una panadera a la que sigue su perrillo negro. Un día unos caldereros franceses asaltan a la muchacha. Ella llama a Miguel y el perro corre junto al mozo para pedirle auxilio. Pero él, cobardemente, se contenta con huir y llamar a la justicia. En tanto, Agustina es robada y asesinada. El perro negro se le aparece en todas partes a Miguel, hasta que un día cree oír en el mar la voz de Agustina pidiéndole socorro, y se arroja a las aguas, salvando a una muchacha de ahogarse. El perro negro no vuelve a aparecérsele [4].

En 1865 aparece en *El Museo Universal* un relato humorístico, *Memorias de un pavo,* firmado por GUSTAVO ADOLFO D. BÉCQUER. Se trata de un artículo de circunstancias —la fecha de la revista es 24 de diciembre— que no tiene otro interés que el de ser del gran poeta romántico, que en ese año aún firmaba D. Bécquer.

El loro de mi vecina (1866), de FEDERICO DE LA VEGA, es un cuento humorístico sin trascendencia alguna [5]. *Memorias de un canario* es el engañoso título de una narración de ENRIQUE FERNÁNDEZ ITURRALDE, publicada en 1867, sobre las metamorfosis metempsíquicas por que atraviesa el narrador, transformado sucesivamente en canario, flor y piedra preciosa de una bella mujer [6].

---

[2] *Semanario Pintoresco Español,* n. 5, 3 febrero 1839.
[3] *El Museo Universal,* ns. 26 y 27 de 1862.
[4] Id., n. 34, 24 agosto 1862.
[5] Id., ns. 46 y 47 de 1866.
[6] Id., n. 46, 16 noviembre 1867.

De *Hombres y animales* de Carlos Coello, y de *Gestas, o el idioma de los monos* de J. Fernández Bremón, ya hemos hablado.

Tampoco procede estudiar aquí *¡Adiós, Cordera!, El gallo de Sócrates* y *La mosca sabia,* cuentos de «Clarín» reseñados en otros capítulos.

Sí estudiaremos, en cambio, dos espléndidas narraciones: *El Quin* y *La trampa,* tal vez los dos más bellos cuentos de animales de la pasada centuria.

Creemos que el primero es el más significativo que pudiéramos citar en este capítulo. Su solo comienzo es ya interesantísimo, por la declaración que de su estética hace el autor:

> «Lo siento por los que en materia de gusto no tienen más criterio que la moda, y no han de encontrar de su agrado esta verídica historia, porque en ella se trata de estudiar *el estado de alma* de un perro; y ya se sabe que el arte psicológico, que estuvo muy en boga hace muchos años, y volvió a estarlo hace unos diez, ahora les parece pueril, arbitrario y soso a los *modistos* de las letras parisienses, que son los tiranos de la *última novedad.*
>
> Los griegos, los clásicos, no tenían palabras para el concepto que hoy expresamos con esta de la moda; allí la belleza, por lo visto, según Eggir, no dependía de estos vaivenes del capricho y del tedio. ¡Ah!; los griegos hubieran podido comprender a mi héroe, cuya historia viene al mundo un poco retrasada, cuando ya los muchachos de París, y hasta los de Guatemala, que escriben revistas efímeras, se burlan de Stendhal y del mismísimo Paul Bourget» [7].

Se equivocaba *Clarín* al decir que su cuento llegaba retrasado. Muy al contrario, su intento de estudiar el *estado de alma* de un perro constituía un formidable anticipo —como otros tantos suyos— de una tendencia literaria observable en nuestros días.

Prueba de que el cuento de Alas constituía un tanteo y no una obra epigonal, está en ciertas imperfecciones propias de lo nuevo del tema. Alas idealiza excesivamente las reacciones del perro. Actualmente, autores como Virginia Woolf en su delicioso *Flush* han conseguido dar una sensación de autenticidad a la descripción y justificación de las reacciones de un animal.

El *Quin* es un perro que huye de la rica casa en que nace, por no seguir haciendo payasadas con que divertir a los amos. Va a un cuartel, donde es bien tratado, del que escapa para seguir a un pobre pretendiente cuya madre —la de la pensión solicitada— muere. Ante el desamparo del joven, el *Quin,* que se ha encariñado con él, le sigue

---

7   *Cuentos morales.* La España Editorial. Madrid, 1896, págs. 211 y ss.

a todas partes, trasladándose a la aldea, al campo, donde se siente feliz. Allí le deja su amo, que retorna a la ciudad. Intenta él seguirle sin lograrlo. Entonces «... empezó a perder la memoria de la vida pasada, y con ella su ideal: el cariño al amo. No fué que dejara de quererle; dejó de acordarse de él, de verle, de sentir lo que le quería; velo sobre velo, en su cerebro fueron cayendo cendales de olvido; pero olvidaba... las imágenes, las ideas; desapareció la figura de Sindulfo, el concepto de *amo,* el de *ciudad,* el de *aquellos tiempos.* Perro al fin, el *Quin* no era ajeno a nada de lo canino, y su cerebro no tenía fuerza para mantener en actividad constante las imágenes y las ideas. Pero le quedó el dolor de su desencanto; de lo que había perdido. Siguió padeciendo sin saber por qué. Le faltaba algo, y no sabía que era su amo; sentía una decepción inmensa, radical, que entristecía el mundo, y no sabía que era la de una ingratitud».

Un día vuelve su amo con otro perro, que ataca, celoso, al *Quin.* Regresa a la ciudad el amo, y el *Quin* queda triste y solo para siempre.

Existe un cuento de tema parecido de la PARDO BAZÁN, el titulado *Infidelidad* [8]: Una dama cuenta a una amiga cómo despreció al primer perro que tuvo, un terranova noble y cariñoso, por un grifón ridículo. El perro olvidado se retira a la cuadra, donde, entre gente estúpida y grosera, enferma de rabia mansa. Anuncian a la dueña la necesidad de pegarle un tiro, y ella, arrepentida, baja a la cuadra. El perro la reconoce y exterioriza su júbilo. Deshecha en llanto es arrancada de su lado. Poco después oye dos disparos.

El mismo motivo de la ingratitud para con un perro fiel —ingratitud la más dura, ya que el animal no sabrá nunca explicársela, según advertía *Clarín*— se encuentra en *Bribón,* cuento de Leónidas Andreiev, y en las narraciones *Lealtad,* de José Francés, y *El perro de la obra,* uno de los más emotivos relatos de Tomás Borrás.

Volviendo a Alas, resumiremos el asunto de *La trampa* [9], cuento de ambiente asturiano, exacto en tipos y psicologías: Manín de Chinta se opone a que el camino se convierta en carretera. Cuando esto sucede, pese a sus protestas, piensa en comprar un carrito ligero.

«... vió Manín que sus convecinos iban abandonando, para sus viajes a la villa, la muy pesada carreta del país, de mortal rechino, carreta que debía de

---

[8] *En tranvía (Cuentos dramáticos).* Tomo XXII de las O. C., págs. 133 y siguientes.
[9] *Cuentos morales,* págs. 277 y ss.

ser todavía como las que usaron los Hunnos y los Argipeos. Iban adoptando ligeros carricoches; de dos ruedas, saltarinas y pintadas de colores tan vivos, tan chillones, que al rodar veloces por el camino parecía que hacían casi tanto ruido con el verde y rojo y azul de su madera como con las llantas que iban brincando sobre la grava.»

Obsérvese la gracia descriptiva de *Clarín* y el detalle final casi impresionista, repetido más adelante al decir, cuando Manín compra ya un carricoche, que éste «estaba pidiendo a gritos (a gritos rojos)» un animal para engancharlo a sus varas. Falo, hijo de Manín, es designado para hacer la compra —por haber servido en caballería— y adquiere una yegua que le vende un vecino del mismo concejo. La yegua revoluciona el orden de la familia, que la trata rencorosamente, como a una advenediza. Pronto empieza el animal a adelgazar y a llenarse de bultos y tumores. Sólo Falo la cuida con gran cariño. El día en que prueban a enganchar la yegua al carro, se resiste a subir una cuesta y se hiere en las débiles piernas. Tan desgraciado aspecto ofrece el enfermo y viejo animal, que toda la familia protesta ante el vendedor. Falo sigue cuidando fervorosamente a la yegua medio muerta. Manín intriga para deshacer el trato, buscando la ayuda de un cacique.

Durante esta guerra *pseudo-jurídica,* la familia de Chinta va interesándose por el animal, que al vivir va haciéndose familiar, *un animal de Dios,* dicen ellos. Cuando con gran alegría de todos mejora, el antiguo propietario, vencido en el pleito, viene blasfemando a recoger la yegua. Se dispone a llevársela y la trata tan mal, que la familia de Manín —encariñada ya rotundamente con el animal— le devuelve el dinero y se queda con la *trampa.* El vendedor, jactancioso, les hace pagar las costas del litigio. Y la pobre yegua —la *Chula*— se queda con la familia como un ser más de ella, al que todos tratan con consideración y paciencia.

Cuando arrastrando el carro subía una cuesta dura, «se paraba la *Chula* en la Grandota; se sentaba la Chinta sobre un montón de grava y, con toda calma, fumaba un cigarrillo que en vez de papel tenía media hoja seca de maíz. Y Falo esperaba, silbando, pasando la mano por el lomo a la yegua torda, que se parecía al caballo que él había dejado muerto en un campo de batalla».

Este cuento no desmerece al lado de *¡Adiós, Cordera!,* al que iguala en la descripción de esa ternura, simpática por honda y sincera, de los campesinos por sus animales .

Antes de pasar a otros autores, recordaremos finalmente el gato que aparece en *Doña Berta*, símbolo de la vida idílica de Susacasa, y que muere en Madrid de hambre y desesperación.

* * *

Aparte del ya citado *Infidelidad*, reseñaremos otros cuentos de animales de EMILIA PARDO BAZÁN.

Uno de los más emotivos es el titulado *La Navidad del Peludo* [10], historia de un pobre borriquillo que muere de frío y de hambre en la noche de Navidad mientras su brutal dueño se embriaga en una taberna. El borriquillo se duerme soñando con celestes praderas donde retoza gozosamente, y a las que ha sido llevado por un asno de luciente pelo que dice ser el que calentó con su aliento a Jesús en el establo.

Hay belleza en la pintura del *Peludo* y en la descripción de los muy idealizados sueños puestos en su imaginación —casi infantil— de paciente y apaleado trabajador.

Drago [11] no es propiamente un cuento de animales y sí psicológico: Todas las tardes acude al circo una bella y distinguida joven para ver únicamente el número de un domador extranjero y de su león *Drago*, transcurrido el cual se marcha. Todos suponen que está enamorada del domador, excepto un espectador que supone que a quien admira es al león. Y éste es el que acierta, ya que una noche, cuando el león enfurecido despedaza al domador, ella no puede contenerse y aplaude al vencedor.

Solución [12] es un cuento humorístico: *Mosquito*, el muy mimado perro de una solterona, se extravía en cierta ocasión con gran dolor de su propietaria, que lo encuentra en poder de un antiguo amigo suyo también solterón. El dice haberlo comprado y le llama *Togo*. Surge la discusión, y al fin es ella quien se queda con el perro, si bien concede permiso al solterón para que vaya a visitarles y obsequie al animal. Todo acaba en boda, pero el esposo sigue llamando *Togo* al perro, y *Mosquito*, la esposa.

También humorístico es *Ley natural*, si bien más intencionadamente satírico [13].

---

[10] *Blanco y Negro*, n. 399, 24 diciembre 1898. Publicado en *Cuentos de Navidad y Reyes*. Tomo XXV de las O. C., págs. 21 y ss.

[11] *Cuentos trágicos*. Ed. Renacimiento. Madrid (s. a.), págs. 57 y ss.

[12] *Sud-exprés*. Tomo XXXVI de las O. C., págs. 103 y ss.

[13] *En tranvía*. Tomo XXII de las O. C., págs. 153 y ss.

La Sirena, perteneciente a los *Cuentos de amor,* tiene el valor de un apólogo: la bella gata blanca juega y coquetea con el ratoncillo para atraerlo y devorarlo [14].

Linda [15] es la historia de la perrita de un escritor bohemio y romántico. Es invitado a comer por un amigo que se compadece de su desastrosa situación, pero al llevar a *Linda* a la casa de su protector comete la perra tales desmanes, que el dueño sugiere a su amigo que no la lleve más. El poeta, ofendido, no vuelve más por allí. Cuando muere de un cáncer en el estómago, el amigo rico recoge a *Linda.*

Piña es la historia de una monita que muere de frío en la húmeda tierra gallega [16].

* * *

ARMANDO PALACIO VALDÉS, autor de *El potro del señor cura,* relato humorístico —que se asemeja algo a *La trampa* de *Clarín*— estudiado en otro capítulo, publicó entre los *Papeles del Doctor Angélico* uno de los más intensos cuentos de animales de nuestra literatura: *Un testigo de cargo* [17]. Cuenta el narrador cómo, paseando por los arrabales, se le acercó un perro sucio y vagabundo mendigando cariño. El se compadece del pobre y abandonado animal y le permite que le siga. Pero reflexionando en los inconvenientes que su compañía le acarreará, decide librarse de él saltando a un tranvía en marcha. La dolorida mirada del perro es tan amargamente humana, que jamás se borra de su recuerdo. Y piensa el narrador que a la hora del Juicio Final aparecerá un testigo de cargo de su dureza y maldad: el esquelético perro vagabundo.

No creemos que ningún autor español de la época de Palacio Valdés haya sabido pintar tan convincentemente como él las reacciones de humilde esperanza del perro al seguir alegremente a su posible amo, y la intensa tristeza reflejada en sus ojos al verse abandonado por un ser que le parecía noble y cariñoso. En la línea intencional de *El Quin, Infidelidad, Bribón, El perro de la obra,* etc., *Un testigo de cargo* supera

---

[14] *Cuentos de amor.* Tomo XVI de las O. C. Ed. Prieto y C.ª Madrid, 1911, páginas 91 y ss.

[15] *Nuevo Teatro Crítico,* n. 30. Recogido en *Cuentos nuevos.* Tomo X de las O. C. Ed. Prieto. Madrid, 1910, págs. 248 y ss.

[16] *Nuevo Teatro Crítico,* n. 28. *Cuentos nuevos,* págs. 138 y ss.

[17] *Papeles del Doctor Angélico.* Obras completas. Tomo XVI. V. Suárez. Madrid, 1921, págs. 31 y ss.

a todos por lo escueto y sencillamente emotivo de su trama. Este cuento, junto con *¡Solo!* y *Los puritanos,* bastaría para consagrar a su autor como maestro en el difícil arte de conseguir la máxima ilusión de vida en las menos páginas posibles.

* * *

Del cariño de JUAN OCHOA —otro exquisito cuentista asturiano— por el tema de animales, dan idea estas líneas de *Clarín:*

«Como San Francisco llevaba su bondad hasta la vida oscura de los irracionales. Si no los llamaba *hermanos,* como el santo, los estudiaba profundamente, con gran cariño; y así varios animales-personajes de las novelas y cuentos de Ochoa me recuerdan aquellos pájaros y aquellos cuadrúmanos tan simpáticos, tan nobles, del *Ramayana.* Sin ser muy bueno, y además muy artista, no se pueden pintar con la maestría de Ochoa ciertos perros y gatos que encontramos en sus libros» [18].

Aparte de *La última mosca,* que estudiamos en el capítulo de *Cuentos de seres pequeños,* hay que citar como la más lograda narración de animales de Ochoa la titulada *Historia de un cojo* [19].

Sin apenas asunto, es éste un relato conmovedor y poético, sin la menor sensiblería: Un gato familiar, cojo por haberle tirado un criado a un patio, muere abandonado, viejo, herido por las ratas. Los criados lo arrojan, medio muerto, a la basura. La ruinosa silla en la que él dormía su cansancio senil, aparece vacía una mañana.

«—¿Y el cojo? —preguntó por la mañana un chiquillo.
—Allí.
Miró. Se veía una mancha blanca entre el verdor del huerto. El sol bañaba ya la silla del cojo, aquella silla cóncava...»

Lo prodigioso es que Ochoa sabe narrar este tema sin efectismo alguno, con una tan impresionante economía expresiva que casi nos hace pensar en la actual cuentística norteamericana, que busca la ternura y la emoción a través de la máxima sencillez: William Saroyan.

Su amado discípulo [20] es una encantadora novela corta sobre la vida de un titiritero, tragasables y artista ambulante, que para librarse de

---

[18] Prólogo de *Clarín* a *Los señores de Hermida,* de J. Ochoa. Col. Elzevir. Juan Gili. Barcelona, MCM.

[19] Ed. cit., págs. 191 y ss.

[20] *Novelas.* Es una edición que contiene *Su amado discípulo,* de Ochoa, y otras dos novelas de Rafael Altamira y Tomás Carreter. Ricardo Fe, 1894, páginas 133 y ss.

la miseria vende su amado perro sabio a un rico señor cuyo niño se ha encaprichado con el animal. Cuando un empresario ofrece un contrato al artista con su perro, consigue deshacer la venta, recuperando a su amado discípulo. Como se ve, el asunto es poco menos que nada, pero el humor suavísimo, la simpatía de los personajes —él es un pobre diablo como *Un alma de Dios, Ramírez* y otras criaturas de Ochoa— le dan un tono de excepción dentro de las narraciones de tema análogo.

Menos interés ofrece *Libertad* [21], estampa de unos jilguerillos enjaulados a los que sus propios padres envenenan antes de verlos vivir prisioneros.

* * *

El perro gimnasta es un relato de ALFONSO PÉREZ NIEVA semejante a *Su amado discípulo,* aunque resuelto dramáticamente [22]. Del mismo autor es *Por el alma de la mula* [23]: Unos niños van al mercado en un carro tirado por una mula. Esta enferma en el camino, y arrojando sangre por la boca, muere. Los niños se asustan y lloran. Uno de ellos, recordando lo que su madre le dijo cuando murió su primo, se pone a rezar un Padrenuestro por el alma de la mula. Se trata, pues, de un relato ingenuamente emotivo, en el que vuelve a utilizarse como resorte sentimental la combinación del tema de niños con el de animales (*¡Adiós, Cordera!, La Roxa,* etc.).

Entre las *Novelas relámpagos* de Pérez Nieva citaremos aquí *Tragedia en las ramas, El tiesto de los pájaros* y *La muchacha de las migas,* cuentos de pájaros [24].

En *El burro fiel* relata el autor cómo una muchacha campesina que se escapó del hogar para huir con un hombre, no reconoce, en Madrid, a su padre. En cambio, el burro que tuvo que vender el pobre hombre para pagar su hospedaje en la capital, reconoce cariñosamente a su antiguo amo [25].

En *De vuelta del molino* [26] un carretero es sorprendido por la tem-

---

[21] *Los señores de Hermida,* págs. 175 y ss.
[22] *Los Gurriatos.* Gran Centro Editorial. Madrid [1890].
[23] Id., págs. 201 y ss.
[24] *Blanco y Negro,* n. 17, 30 agosto 1891; n. 42, 21 febrero 1892; y n. 150, 17 marzo 1894.
[25] Id., n. 152, 19 mayo 1894.
[26] Id., n. 297, 15 agosto 1895.

pestad. Atado al carro, del que tira una yegua, va un potrillo hijo de ésta, que se asusta con la tormenta y se tuerce una pata. La yegua se niega a seguir caminando hasta que el carretero sube el potranco al carro.

*   *   *

De José ALCALÁ GALIANO citaremos aquí ¡*Arre, borrico!*: Un arrie- ro brutal mata a golpes a su pobre jumento, y en venganza es matado a golpes también por otros arrieros que le roban el trigo [27].

*   *   *

De José ECHEGARAY recordaremos dos cuentos de animales, más bien dos apólogos, ya que tienen valor simbólico y didáctico.

La Esperanza, Símbolo, relación o cuento, refiere cómo en un bal- neario hace su cura D. Angel, llamado el *Sabio triste* por huir de la sociedad y ser amigo sólo de los niños y los animales. Un día los vera- neantes le ven perseguir y apalear frenéticamente a un burro. Más tarde D. Angel explica a un amigo el porqué de su extraña conducta: vió a un mulo sacar agua con una noria, engañado por un haz de hier- bas que giraba con ella. Un burro que andaba por el prado se acerca a la noria, y en un descanso del mulo coge la hierba. Don Angel ve simbolizada en la noria su vida. Trabajó para ofrecer sus éxitos a una mujer que amaba y ésta se casó con un viejo rico. Don Angel logró rescatar la hierba y, destrozada y marchita ya, se la ofreció al mulo, sin ser aceptada. También él supo rechazar a la mujer que amó, viuda e insinuante [28].

Los consejos de un padre [29] es una fábula en que el viejo león aconseja a su hijo que se guarde del hombre. Muere el anciano león y el joven sale a buscar al hombre, lleno de curiosidad y jactancia. En- cuentra sucesivamente al borrico, a la serpiente, al zorro, al mono y al águila. El primero le dice que el hombre es tan burro como él; la se- gunda, que se arrastra como ella; el zorro dice poseer su astucia; el mono se jacta de parecerse a él, y el águila dice que el pensamiento

---

[27] *Las diez y una noches (Cuentos occidentales).* F. Sempere y Cía., edito- res. Valencia, 1911, págs. 151 y ss.

[28] *Los mejores cuentos de los mejores autores españoles contemporáneos.* Lib. de la Vda. de Ch. Bouret. París, 1912, págs. 23 y ss.

[29] Id., págs. 33 y ss.

humano vuela más alto que ella. El hombre caza al león con una trampa y lo mata.

Esta narración se asemeja a una francesa de Fréderic Fevre, titulada *El hombre* [30]: Muerto el león padre, la leona enseña al cachorro a temer al hombre. Pero éste, desobedeciéndola, se lanza al mundo y tiene, como en el cuento de Echegaray, varios encuentros. Pregunta a un buey si él es el hombre, y el animal le contesta que el que busca es su dueño. Un caballo y un elefante son también esclavos del hombre. Y éste resulta ser un miserable leñador cuya pequeñez y debilidad asombran al león. Pero el leñador vence al fiero animal con astucia, haciéndole meter su pata en la hendidura de un árbol de la que retira el hacha, aprisionándolo así. Con lágrimas de dolor reconoce el león el poder del hombre.

Aun cuando la traducción de este cuento francés es de 1897 y el cuento de Echegaray está fechado en 1901, no puede asegurarse que haya habido un plagio, teniendo presente que se trata de un cuento popular del que existen versiones en toda Europa, en Africa, Asia, etcétera [31].

* * *

José Zahonero relata en *Vencedor* [32] cómo una joven se casa con el director de una casa de fieras ambulante. El es hombre celoso y de mal talante. Ella, al principio, teme a las fieras, sobre todo a *Vencedor,* el león, pero luego llega a familiarizarse con él, dándole de comer. Un día el marido la maltrata dentro de la jaula y el león mata a su rival.

El borriquito de Mingorría [33], de Zahonero, tiene una intención simbólica.

La invención del pate foie gras, del mismo autor, es un relato humorístico [34].

* * *

Aguafuerte es un vigoroso cuento de Salvador Rueda [35]: El narrador recuerda sus años infantiles y la figura amable del borriquillo

---

30 Vid. la traducción en *Blanco y Negro,* n. 322, 2 julio 1897.
31 Vid. su estudio en *Cuentos populares españoles,* de A. M. Espinosa, números 261, *El león y el hombre,* y 262, *El oso y el hombre.*
32 *Blanco y Negro,* n. 319, 12 junio 1897.
33 Id., n. 382, 27 agosto 1898.
34 Id., n. 115, 15 julio 1893.
35 *Sinfonía callejera.* Cuentos y cuadros. Madrid, 1893, págs. 97 y ss.

Careto. Ya mayor, en su primera salida al mundo ve cómo unos arrieros matan a golpes y entre burlas a un pobre asnillo inútil. El defiende al animal, que al caer moribundo al suelo lame sus pies con la lengua ensangrentada. Era el pobre *Careto.*

* * *

De José de Roure, uno de los mejores cuentistas finiseculares, citaremos *Vidas paralelas* [36]: En una tertulia se comenta la decadencia del ballet. Un doctor evoca la figura de la Corsini, finísima bailarina, y otro contertulio muy aficionado a lo hípico, la de *Dantzar,* caballo árabe bailarín. Un día el doctor encuentra en su consulta a la Corsini, vieja y gorda, que padece del corazón. Y en la calle, un viejo caballo que tira de un simón baila al oír un organillo: es *Dantzar.* Ella muere oscuramente en un hospital, y su antes bello cuerpo es destrozado en una terrible autopsia. *Dantzar* acaba sus días destripado en una plaza de toros.

Este final del cuento de Roure nos hace recordar algunas narraciones sobre el tema taurino, o más concretamente, sobre la barbarie que el lance de picar entrañaba. En otro capítulo hemos citado *El abanico* de la Pardo Bazán, y *Desilusión* de J. O. Picón. Citaremos ahora *Fiesta nacional,* de Pedro Balgañón [37], aguafuerte recargadísimo sobre el mismo tema.

Del mismo José de Roure es *La pantomima de los leones* [38], narración vulgar sobre el clown abandonado por su mujer al que los leones, entre los que busca la muerte, le lamen las manos.

* * *

•

De ambiente rural salmantino, y con un tema —preocupación y desvelos de unos campesinos por el animal enfermo— semejante, en cierto modo, al de *La trampa* de *Clarín,* es *El güe malo* de Luis Maldonado [39].

---

[36]   *Cuentos madrileños.* Madrid, 1902, págs. 155 y ss.
[37]   *Blanco y Negro,* n. 269, 27 junio 1896.
[38]   Id., n. 527, 8 junio 1901.
[39]   *Del campo y de la ciudad,* págs. 79 y ss.

CAPITULO XVI

CUENTOS POPULARES

CAPITULO XVI

CUENTOS POPULARES

I. VALORACION DEL CUENTO POPULAR EN EL SIGLO XIX

El estudio de los cuentos populares pertenece a un campo de investigación —el del folklore— que nada tiene que ver con nuestro actual trabajo. Por lo tanto, en este capítulo nos limitaremos a examinar brevemente algunas versiones literarias decimonónicas de cuentos populares, prescindiendo de toda consideración sobre el origen y características de tal modalidad narrativa. Por otra parte, los cuentos populares españoles han sido ya estudiados en obras especializadas como la última de A. M. Espinosa [1].

Pero antes de estudiar las versiones más o menos literarias que de cuentos populares hicieron nuestros escritores del siglo XIX, nos interesa fijar la opinión que los mismos tenían de esta clase de relatos.

El cuento popular no es sino una manifestación más del acercamiento al pueblo y del desdén por lo minoritario y aristocrático que el Romanticismo entraña, como réplica a la actitud imperante en el siglo XVIII. La exacerbación de los nacionalismos provocada por las in-

---

[1] Aurelio M. Espinosa: *Cuentos populares, recogidos de la tradición oral*. Consejo Superior de Investigaciones Científicas. Instituto «Antonio de Nebrija» de Filología. Madrid, 1947.—A propósito de este libro hemos publicado un breve comentario sobre *El cuento popular español*, en *Arbor*, n. 27, marzo de 1948, págs. 471 y ss.

vasiones napoleónicas [2] favoreció esa aproximación a lo popular, a lo regional, a lo distintivo y propio de cada país; aun cuando luego resulte, como en el caso de los cuentos tradicionales, que lo que se creía específico de un pueblo está también en el folklore de otros, incluso de los más separados geográfica y espiritualmente.

Al hablar de los cuentos legendarios tuvimos ocasión de examinar cómo fué la circunstancia romántica la que permitió y alentó el retorno a las viejas tradiciones de cada país. Naturalmente, en el inicial impulso que llevó a algunos escritores a coleccionar los relatos que andaban en boca del pueblo, no había una intención estrictamente científica como la que hoy anima a los actuales investigadores folklorísticos. El impulso tenía un origen puramente estético, consecuencia de un nuevo modo de ver y de estimar las cosas, de una óptica romántica que valoraba lo popular y lo desnudo de artificio, por contraste con el gusto dominante en el siglo anterior, sometido a regla y razón.

Los hermanos Grimm son los primeros colectores de cuentos, y, tras ellos, otros muchos escritores europeos recogen los relatos de sus respectivos países. Hubo un movimiento de sorpresa al comprobar que las tradiciones que se creían más consustanciales al país en que se recogían, se encontraban también en otras naciones con las que no se creía tener nada de común. Desde entonces los investigadores comenzaron a estudiar el origen de estos relatos, remontándose a la antigüedad mitológica y yéndolo a buscar en civilizaciones primitivas y exóticas.

El auge de los géneros narrativos —novela y cuento— justifica también esta europea obsesión por el cuento popular. En él se pretende encontrar el germen de la moderna y triunfante novelística; argumento éste que se esgrime en algún pleito con la poesía, como el que

---

2   Don Juan Valera, ocupándose cierta vez del interés que por los hechos del hombre advertía en su siglo, comentaba: «A estas razones que movieron a coleccionar y a publicar en casi todos los países los cuentos vulgares, como los de Alemania, por los hermanos Grimm, los polacos por Woysick, los de los montañeses de Escocia, por Gran Stewart, los del Sur de Irlanda por Crofton Croke, por Souvestre los bretones y así otros muchos, vienen a unirse, cooperando al estudio de la poesía popular de cada pueblo, el patriotismo que se despertó por las guerras invasoras de Napoleón I y el deseo que muestran desde entonces, todas las naciones, de hacer patentes los títulos de su independencia y de reivindicar lo que ahora se llama su autonomía» (*Estudios críticos sobre literatura, política y costumbres de nuestros días*. Madrid, 1864. Tomo II, páginas 284-285).

Clarín sostuvo con Núñez de Arce a raíz de un discurso de este último en el Ateneo. Decía Alas:

«Bien sabe el Sr. Núñez de Arce que hay toda una literatura compuesta de esta clase de obras en que civilizaciones muy diferentes se han ido heredando, unas a otras, estos preciosos legados de la fantasía, divino consuelo en las fatigas del mundo; ¿y quién se atreverá a decir que han pasado de moda, que han brillado como relámpagos y desaparecido, *la puerca Cenicienta,* de probable origen mitológico; los cuentos del *pacto con el diablo,* origen de obras inmortales; los que se fundan en la historia del tonto, los del gigante, los del enano, los de la niña perseguida y los animales agradecidos (derivación de éste la Gitanilla, de Cervantes; la Esmeralda, de Víctor Hugo, de origen oriental también) y tantas y tantas obras, entre ellas la novela de Psiqué?

Esta forma del arte mítico-popular, que ha rebotado, por decirlo así, de literatura en literatura; que en España ha tenido tal importancia por haber sido nuestras letras uno de los puentes por donde se comunicaron Oriente y Occidente, ha vivido con más eficacia e influencia en el corazón y en la fantasía de los pueblos que los poemas épicos y las odas y los dramas más célebres y perfectos; y sin embargo, este género de la narración popular, del cuento mítico tradicional, está dentro de la novela, en su germen, puede decirse» [3].

Pero no hace falta acudir a *Clarín* para comprobar la devoción que por el cuento popular —germen de la novela— se tenía en su siglo. Podríamos encontrar testimonios más antiguos. En un semanario español de 1848 se halla este comentario típicamente romántico en intención y lenguaje:

«En todas épocas y naciones han sido los cuentos acogidos con placer, y los ha habido de todas clases, mitológicos o religiosos, profanos, morales, históricos, políticos, fantásticos y de otras varias especies. Son los mejores, sin contradicción, aquellos cuyo origen es desconocido; los que de tiempo inmemorial giran por el mundo, desde el Norte al Mediodía, y desde Levante a Poniente, produciendo en todas partes emociones de horror, de compasión, de curiosidad y de placer. Los de este género agradan a todos, porque son obra de todos, porque son el producto de la imaginación de todas las edades y de todas las condiciones» [4].

Estas narraciones populares son para los románticos cifra y compendio de la riqueza espiritual y poética del pueblo. Así, Manuel Murguía, en 1858, decía líricamente de ellas:

«El pueblo tiene el hermoso privilegio de poetizar todo aquello en que la sencilla palabra de su narración cae como gota de rocío sobre las plantas.

Su imaginación crédula y encantadora da formas extrañas a todas las concepciones, y les presta un perfume desconocido, una luz suave y de misterio con

---

[3] *Un discurso de Núñez de Arce. Folletos literarios.* F. Fe. Madrid, 1888, págs. 89 y ss.

[4] *Semanario Pintoresco Español,* n. 29 de 1848, pág. 226.

que las envuelve. Así nos seducen, así nos hacen sentir, así logran conmover las fibras de nuestro corazón, gastadas ya por las grandes obras de arte» [5].

Testimonio éste bien elocuente de lo que antes decíamos sobre cómo los románticos gustaban del relato popular, por ver en él un producto de la Naturaleza exento de todo artificio y falsedad. Claro es que Murguía al escribir esas líneas debía de pensar en un género concreto dentro de las narraciones populares, el legendario, al que convienen esas cualidades de poesía y misterio. Pero lo cierto es que existe una gran variedad temática en los cuentos populares, y si en algunos cabe reconocer poesía y espiritualidad, otros se caracterizan por su gracia desvergonzada y hasta procaz.

De todas formas, según tendremos ocasión de ver al estudiar los relatos populares de *Fernán* y de *Trueba*, los colectores románticos españoles buscaban el cuento moral, el que contenía en su trama ingenua y graciosa las virtudes tradicionales del pueblo español. Cecilia Böhl de Faber recoge cuentos populares andaluces, no tanto por afición folklórica como tal vez llevada de su deseo de luchar por que no se perdiesen las viejas cosas, las seculares virtudes españolas, que ella oponía al materialismo ambiental y avasallante.

He aquí, pues, un conjunto de circunstancias que bastarían para explicar, quizás simplistamente, el éxito del cuento popular en el siglo XIX. Por un lado, el romanticismo actúa reaccionariamente contra las formas dieciochescas y, desdeñando lo minoritario y aristocrático, va a buscar inspiración en lo popular. Las guerras nacionalistas contra Napoleón favorecen esa aproximación a lo regional y popular. Se vuelve a narrar consejas, leyendas; resucitan baladas y romances; renacen literariamente lenguas abandonadas, como el provenzal y el gallego; y surgen los cuentos populares, coleccionados por primera vez, en Alemania, por los hermanos Grimm.

Estos cuentos reunían la doble condición de ser gustosamente nacionales y, a la vez, mágicamente universales. Mientras hablaban, por un lado, a lo que de más terruñero y regional había en el pueblo de donde procedían y para el que se transcribían, poseían, además, la maravillosa condición de poder saltar las fronteras, ya que hallaban eco en todos los países en los que se encontraban tradiciones semejantes, como hijas todas de una civilización antiquísima y común.

---

[5] *El Museo Universal,* n. 30 de octubre de 1858, pág. 158.

El cuento popular es para los románticos un símbolo nacional y, a la vez, un lenguaje universal capaz de hablar a toda la humanidad —esa Humanidad, con mayúscula, en la que creían enfáticamente los hombres de principios del xix—. Y al mismo tiempo, el cuento popular es un producto puro, espontáneo, de la Naturaleza, a la cual se retorna frenéticamente, aunque sea sustituyendo aldeas horacianas por islas exóticas, y labriegos por salvajes ingenuos. Los relatos tradicionales representan algo así como la voz misma del pueblo, no empañada ni deformada por la malicia o la civilización: por la literatura artificiosa.

Esto explica también el que el cuento popular tenga para los románticos, por lo menos para los españoles, un valor moral. Cuando las doctrinas progresistas comienzan a atacar los fundamentos de la tradición, escritores como Trueba y *Fernán* cultivan el relato popular, en el que ven la más fiel expresión de la manera de ser española, cristiana, hogareña y tradicional.

Pero a la vez los críticos y los investigadores descubren que estas viejas narraciones son el más primitivo equivalente de la novela [6], con

---

6   Al pasaje de *Clarín* arriba transcrito pueden agregarse otros muchos. Abdón de Paz, en 1869, y en un artículo titulado pretenciosamente *La novela española, Estudio histórico-filosófico desde su nacimiento a nuestros días,* decía: «Remontémonos a los primitivos días del hombre; fijémonos en su cuna, en las regiones del Oriente, y con los ojos del espíritu veremos cómo el asirio, el persa, el indio, el árabe, iluminados por la sonrisa de la luna de una tranquila noche de estío, tendidos sobre pieles a las puertas de sus cabañas y rodeados de los objetos de su corazón, de sus mujeres y sus hijos, refieren una fábula, un cuento, una parábola, un apólogo, o los acaecimientos de una leyenda, cuyo recuerdo, superior en interés a los de las *Mil y una noches,* legó la tradición a la historia y la historia nos ha, más o menos, fielmente transmitido» *(Revista de España.* Tomo X, n. 37, 1869, pág. 98).

Con no menos énfasis y retórica se expresaba don Cándido Nocedal al hablar de la novela en su discurso de ingreso en la Real Academia Española:

«Pero volved los ojos, señores, a vuestra infancia; evocad los recuerdos de vuestros primeros años, nunca más agradables que al entrar, como hemos entrado ya, en el otoño de la vida, y hallaréis argumentos en favor de la novela. ¿Os acordáis de aquellos cuentos que una tierna y adorada madre os narraba, y que vosotros escuchabais sin pestañear, llena de ansiedad el alma y de inocencia el corazón? Pues aquellos cuentos, no hay [que] dudarlo, eran una especie de novelas.

¿No visteis en las aldeas una anciana refiriendo junto al hogar portentosas narraciones de la comarca, mientras los gañanes componen sus aperos y las mozas preparan el hato y los chicuelos solazan? Pues esas tradiciones son novelas» *(Discursos leídos en las recepciones públicas que se han celebrado desde 1847 en la R. A. E.* Madrid, 1860. Tomo II, pág. 380).

lo cual aseguran el éxito de un género antes despreciado y que en el siglo xix ingresa en la historia de la cultura como un valor del que ya no podrá prescindirse.

En España tardó en prender y en difundirse el entusiasmo por los cuentos populares, y de ello se quejaron *Fernán* y Valera sobre todo, que en su tiempo —con alguno más, excesivamente literario, como Coloma— fueron casi los únicos que prestaron atención a las narraciones tradicionales, recogiendo algunas de ellas de labios de campesinos andaluces.

En el prólogo a sus *Cuentos y poesías populares andaluces,* decía Cecilia Böhl de Faber:

«En todos los países cultos se han apreciado y conservado cuidadosamente no sólo los cantos, consejas, leyendas y tradiciones populares e infantiles, en todos, menos en el nuestro» [7].

Y D. Juan Valera se quejó en repetidas ocasiones de lo mismo:

«Cuentos andaluces son los que aun no se han coleccionado como debieran —y en verdad que los hay, tantos y tan buenos, que bien pudiera formarse con ellos un libro tan divertido y extenso como las *Mil y una noches;* o al menos una colección tan amena y curiosa como la que hicieron los hermanos Grimm, de los cuentos alemanes. De esperar es que algún escritor, desenfadado e inteligente, llene, al cabo, este vacío» [8].

En 1878 repetía Valera la misma lamentación en el prólogo a *Una docena de cuentos* de Narciso Campillo, en el que se encuentran interesantes apreciaciones sobre los cuentos populares:

«Estos llevan en sí un interés grandísimo de varias clases y para personas de diversa condición. Son como fragmentos de antiguas epopeyas, tal vez no escritas nunca, y que perdieron mucha parte de su valor y alto significado, quedando algo solamente en la memoria y en la imaginación del vulgo. Son como ruinas de mitologías, de religiones y de creencias que ya pasaron. Son historias desfiguradas de héroes, semidioses, reyes, princesas y sabios de remotos siglos.

El erudito se complace hoy en seguir las huellas de estos cuentos, remontando hacia su origen incógnito a través de naciones, lenguas y tribus, por donde el cuento ha ido peregrinando. Tal vez el mismo cuento que, con leves variantes, se relata en San Petersburgo y en Sevilla, ha venido de la India, por distintos caminos, a una ciudad y a otra ciudad de Europa. Allí quizá le llevaron los tártaros por medio de Persia y de Siberia. Aquí le trajeron los árabes por el Africa.

Claro está que estos cuentos importan tanto al filólogo, al etnógrafo, al his-

---

[7] *Cuentos y poesías populares andaluces.* Lib. de A. Rubiños. Madrid, 1911, pág. 13.

[8] *Estudios críticos.* Tomo I, pág. 217.

toriador y hasta al filósofo, como los idiomas mismos y como los cantos populares, ya meramente líricos, ya lírico-épicos, según son nuestros romances. De aquí que, si bien algunos autores han bordado sobre el fondo tradicional de los cuentos, como Perrault, Musäus, Andersen, y las célebres señoras d'Aulnoys y Prince de Beaumont, otros han hecho gala de escrupulosos y fieles, no añadiendo ni quitando un solo tilde y limitándose a transcribir el cuento de la boca misma de la vieja o del hombre del pueblo a quien se le oyeron referir. Así, por ejemplo, han procedido los hermanos Grimm, en Alemania.»

«Nuestro país es riquísimo en ellos [en relatos populares]; pero mientras que en casi todos los demás países se recogen todos los cuentos con el más cuidadoso esmero y hasta con veneración religiosa, aquí, por desdicha, dejamos que se pierdan o que se olviden.

Apenas hay ya nación o casta de hombres de que no exista colección de cuentos vulgares, escritos o impresos. Los hay alemanes, bretones, árabes, turcos, persas, noruegos, dinamarqueses, ingleses y rusos, y hasta de pueblos salvajes, de América y Oceanía. Pero de cuentos vulgares españoles, recogidos de los labios del pueblo, no se puede afirmar que tengamos aún, no ya una colección rica, sino ni siquiera un mediano florilegio que sirva de muestra y como de indicio de la abundantísima cosecha que se pudiera recoger y conservar, para gusto del público y mayor gloria del ingenio español, o, en general, de la espontánea inventiva del vulgo» [9].

En 1894, en la introducción a *La buena fama,* volvía Valera a lamentarse de la falta de colectores de relatos populares:

«A veces lamentaba yo que escritores extranjeros se nos hubiesen adelantado en coleccionar y poner por escrito, con primoroso adorno, los cuentos que corren en boca del vulgo. Los mejores, a mi ver, eran los mismos, con raras variantes, en Alemania y Francia, que en España, de suerte que nos habían robado lo más hermoso y rico de aquella materia épica difusa, sin que pudiésemos ya darle forma original en nuestra lengua castellana» [10].

Y al fin, en 1896 el propio D. Juan Valera publicó una colección de *Cuentos y chascarrillos andaluces,* intentando ser el «escritor desenfadado e inteligente» que había de llenar tal vacío.

En la introducción a dichos *Cuentos* insiste Valera en las quejas que tantas veces expuso anteriormente. Reconociendo que la afición al folklore cunde por todas partes y que en España se han coleccionado romances, refranes, etc., advierte:

«En lo tocante a cuentos vulgares ha habido, no obstante, descuido. En España nada tenemos, en nuestro siglo, que equivalga a las colecciones de los hermanos Grimm y de Musaeus, en Alemania; de Andersen, en Dinamarca; de Perrault y de la Sra. d'Aulnoys, en Francia, y de muchos otros literatos en las mismas u otras naciones» [11].

[9] Del prólogo a *Una docena de cuentos* de Narciso Campillo. Madrid, 1878.
[10] *Obras completas.* XLV. Madrid, MCMVIII, pág. 218.
[11] Id. XV, pág. 236.

A continuación ensaya Valera un intento de clasificación de cuentos populares, y acaba refiriéndose a que los suyos son solamente cómicos y humorísticos: *chascarrillos*.

No era el autor de *Doña Luz* —y él lo reconocía— el primer colector de relatos populares, pues ya *Fernán* y Trueba, entre otros de menor importancia, habían hecho antes algo parecido.

Tal es, en resumen y a través de unas pocas pero reveladoras citas, el estado del cuento popular en nuestro siglo xix. Continuadores de los intentos de *Fernán* y de Valera fueron Rodríguez Marín, Antonio Machado *(Demófilo)* y Torner, entre otros. A. M. Espinosa ha publicado hoy la más completa colección de *Cuentos populares españoles,* desbordando lo puramente regional y ofreciendo un extenso y erudito estudio comparativo de las versiones por él recogidas en distintas provincias españolas. Estos cuentos están transcritos tal como el colector los tomó de los campesinos españoles.

Los que ahora vamos a estudiar, del pasado siglo, suelen ser cuentos populares literaturizados, y en ellos probaron su ingenio algunos de nuestros más destacados narradores.

II. ARIZA, «FERNAN CABALLERO» Y TRUEBA

Las más antiguas versiones literarias de cuentos populares que conocemos en el siglo xix las hemos encontrado en el *Semanario Pintoresco Español,* y reciben muchas veces el nombre de *cuentos de viejas* [12].

JUAN DE ARIZA publicó varios de éstos desde 1848. El primero iba precedido de una introducción en la que el autor explicaba lo que era esta clase de narraciones, y se titulaba *Perico sin miedo* [13]. Aunque literario y con ligeras variantes, coincide con las versiones números 136, 137 y 138 de *Juan sin miedo,* de la citada edición de *Cuentos populares españoles,* de Espinosa, aun cuando éste no cita la versión de

---

[12]   J. M. de Andueza decía, refiriéndose a un relato suyo sobre la Marquesa de Encinar, publicado en 1851: «Mientras tanto tenemos que reducirnos, respecto a la Marquesa del Encinar, a algunas aventuras aisladas, incoherentes, sin ilación verdadera o probable, a algunos *cuentos de viejas,* como suele decirse, a tradiciones, que sin duda han llegado hasta nosotros desfiguradas después de haber pasado por muchas bocas» *(Semanario Pintoresco Español,* n. 28, 13 julio 1851, págs. 221-222).

[13]   *Semanario Pintoresco Español,* n. 9 de 1848.

Ariza en su bibliografía. También Coloma trató este tema en su *Periquillo sin miedo,* que más adelante estudiaremos.

El caballo de los siete colores es otro *Cuento de vieja* de Ariza, cuya trama esencial refiere cómo un joven obtiene unos donativos mágicos, entre ellos un gorro que, según se ponga por el lado azul o el encarnado, le convierte en un ser sucio y miserable —el *Tiñoso*— o en un apuesto joven. Con apariencia de *Tiñoso* entra al servicio del rey y enamora a la princesa, cuya mano obtiene tras varias aventuras [14]. Se trata, pues, de una versión literaria más, no reseñada por Espinosa, del cuento que él titula de *El tonto y la princesa,* y cuya variante popular más parecida al de Ariza es la de *El conde Abel y la princesa,* número 179 de la colección, recogido en Santa Catalina, Astorga (León). Otras versiones literarias muy conocidas son las de *El porquerizo* de Andersen, y la de Gil Vicente, *Don Duardos,* imitada por Vélez de Guevara en *El príncipe viñador,* y por Mateo Alemán en el episodio de *Ozmín y Daraja* del *Guzmán de Alfarache. Fernán Caballero* trató también este tema.

En *La princesa del bien podrá ser* [15] recogió Ariza una tradición popular o, más bien, una mezcla de varias: Una princesa sólo sabe decir: *bien podrá ser.* Un joven, ayudado por un ingenioso muchacho muy embustero, consigue que diga algo más, y así logra casarse con ella. El muchacho que ayuda al joven se burla en un principio de él con las originales expresiones de que tiene a su madre amasando el pan comido en la semana pasada, a su hermana llorando los gozos del año pasado, etc., tal como se encuentran en la versión de Espinosa, *El obispo y el tonto* (núm. 15 de la col. Vid. el estudio de este cuento). Ariza agregó a este relato el de *La princesa que nunca se reía* (núms. 177 y 178 de la col. de Espinosa) o cualquiera de sus numerosas variantes.

Otro *cuento de vieja* de Ariza es el titulado *El caballito discreto* [16], en que este animal salva a una princesa caprichosa de un príncipe de ojos verdes que resulta ser Lucifer. No hemos encontrado en la colección de Espinosa ningún cuento que se asemeje a este de Ariza, de indudable origen popular. Tal vez esté relacionado con las versiones de *La hija del diablo.*

En el *Semanario* se encuentran otros relatos de origen popular,

---

[14]   Id., ns. 31 a 35 de 1848.
[15]   Id., n. 42, 21 octubre 1849.
[16]   Id., n. 15, 14 abril 1849.

sin firma, como el titulado *El príncipe por un día* [17], que es una versión occidental y modernizada del famoso relato del durmiente de *Las mil y una noches*. El tan popular apólogo de *La camisa del hombre feliz* —que también fué recogido por Coloma— apareció, anónimo, en 1849 [18].

José GODOY ALCÁNTARA publicó en 1849 una versión literaria —*Un abad como hubo muchos y un cocinero como no hay ninguno*— [19] del cuento cuya versión peninsular más conocida es la de Timoneda.

De la afición de «FERNÁN CABALLERO» por los cuentos populares tenemos numerosos testimonios que hacen de Cecilia Böhl de Faber la más entusiasta cultivadora de este género en el siglo XIX.

En 1851 escribía a Hartzenbusch diciéndole que:

«Tenía varios cuentos y chascarrillos preparados [para el *Semanario Pintoresco Español*] de aquellos q.e a V. hacían tanta gracia, pero aunque con mucha finura y atención me ha escrito [Don Angel de los Ríos, director de la revista] que prefiere otra cosa; no todos (o por mejor decir, muy pocos) conocen o aprecian el mérito de esas cosas populares —¡paciencia!—. Lo popular no dará aquí popularidad, no» [20].

De todas formas, en 1849 ya había aparecido en las páginas del *Semanario La suegra del diablo, Cuento popular trasladado de la tradición por Fernán Caballero* [21]. Se trata de un gracioso relato en el que la tía Holofernes, mujer de endiablado genio, maldice un día a su coqueta hija, deseando que se case con el demonio. Así sucede, y sospechando la personalidad del novio, manda la tía Holofernes a su hija que le azote con olivo bendito. Trata de huir el diablo, y encontrándolo todo cerrado escapa por el ojo de la cerradura, yendo a parar a una redoma donde lo encierra su suegra. (El tema del diablo encerrado en una redoma o botella es tradicional y ha dado lugar a relatos tan dispares como el de Vélez de Guevara y el de Stevenson.) Lo lleva luego a un altísimo monte y durante diez años no hay pecados en el

---

[17]   Id., ns. 47 a 50 de 1844.
[18]   Id., n. 2, 14 enero 1849.
[19]   Id., n. 30, 29 julio 1849.
[20]   *Cecilia Böhl de Fáber (Fernán Caballero) y Juan Eugenio Hartzenbusch. Una correspondencia inédita,* publicada por Theodor Heinermann. Espasa-Calpe, S. A. Madrid, 1944, carta n. 14, pág. 124.
[21]   *Semanario Pintoresco Español,* n. 47, 25 noviembre 1849. Fué publicado luego en *Novedades,* n. 1.897, de 10 de marzo de 1855, y recogido en la colección *Cuentos y poesías populares andaluces.* Rubiños. Madrid, 1916, páginas 155 y ss. (La primera edición es de 1859. Sevilla).

mundo. Al fin liberta al diablo un soldado, pero con ciertas condiciones. El diablo le promete su ayuda, haciéndole pasar por desendemoniador. Pero cuando se resiste a salir del cuerpo de la princesa de Nápoles, el soldado hace tocar campanas y promueve gran estruendo, anunciando al diablo que ha llegado su suegra, con lo que le hace huir inmediatamente.

Y en 1850 el *Semanario* insertaba otro *Cuento popular,* refundido por *Fernán: Los caballeros del pez* [22], que comienza con unos rasgos humorísticos muy propios del espíritu conservador de Cecilia:

«Erase una tierra en que hicieron tantos caminos de hierro, tantos canales y barcos de vapor, tantos globos aerostáticos, que las gentes llegaron a no andar nunca a pie, de lo que resultó una bancarrota general de todos los zapateros y remendones.»

Los caballeros del pez son dos hijos, habidos mágicamente, de un pescador, y tan parecidos entre sí, que se confunden. Uno de ellos mata al dragón que asolaba Madrid, cásase con la princesa y, espoleado por la curiosidad, va a un castillo encantado de donde le saca su hermano aprovechando la confusión que su parecido engendra.

El cuento está narrado con gracia y soltura, y en él abundan rasgos humorísticos como el que hemos transcrito y aun satíricas alusiones políticas. En la colección de Espinosa se encuentran versiones parecidas del mismo con el título general de *La princesa encantada.* La más semejante es la número 139, *El castillo de irás y no volverás,* recogida en Zamora.

En 1851 el *Semanario* publica *Doña Fortuna y Don Dinero* [23]. Discutiendo los dos personajes que dan título al relato, marido y mujer, sobre su preeminencia, se deciden a ayudar a un pobre diablo. Los duros que Don Dinero le da, se le pierden, resultan falsos o le son robados. En cambio, al intervenir la esposa, recobra su dinero y todo le va prósperamente.

En 1852 vuelve a quejarse *Fernán* en una carta a Hartzenbusch del poco aprecio que se hace de sus cuentos populares:

«Suplico a V. cuando me avise el recibo de la novela, que me diga si lee y le gustan los cuentos andaluces que mandé al Semanario. —Estoy tan fatigada viendo que Don Angel me envía el Semanario, la Ilustración y la biblioteca uni-

22 Id., n. 31, 4 agosto 1840. Publicado luego en la colección *Cuentos, oraciones, adivinas y refranes populares e infantiles.* Madrid, 1877, págs. 27 y ss.
23 Id., n. 42, 19 octubre 1851. Recogido en *Cuentos y poesías populares andaluces,* págs. 125 y ss.

versal, que no sé como pagarle sino enviandole cosas —pero nunca puedo averiguar aunq.^e se lo pregunto que cosas son las que gustan y el prefiere. —Proverbios, noticias sobre autores, cartas de viage, novelas, chascarrillos, cuentos, de todo he enviado. —Dice que prefiere novelas —pero novelas no es tan facil el que salgan como Minerva dándose un golpe en la cabeza. —Los cuentos como no los compongo y no hago sino anotar y bordarlos, me es más facil —pero creo que a Rios no le gustan. —¡Buen gusto tiene! Como si no valiese mas, y no tubiese más mérito literario un cuento popular genuino, que no una novelillo moderna! —Pero aquí no se está aun a la altura de otros países, en los que tanto se aprecia, recoge y estudia el númen popular» [24].

En el mismo año de 1852 aparecieron en el *Semanario* varios cuentos de *Fernán*. En *Juan Soldado* [25], el protagonista solamente ha sacado, tras veinticuatro años de servicios al rey, una libra de pan y seis maravedís, que sucesivamente reparte con Jesucristo y San Pedro vestidos de mendigos. En recompensa de su caridad le dan un morral en el que podrá meter todo lo que desee. Salva luego valerosamente a un ánima, que le recompensa con una tinaja de oro. El diablo, para vengarse, envía contra Juan Soldado a Satanasillo, al que mete Juan en el morral, vapuleándole. Lo mismo le ocurre a Lucifer, que ordena cerrar el Infierno para el soldado. Cuando éste muere, se encamina al Cielo, y como San Pedro le discuta la entrada, le mete en el morral, teniendo que acceder el celestial portero a que pase el soldado. (Los cuentos núms. 168, 169 y 170 de la col. de Espinosa son ejemplos populares de este tema.) Una versión semejante es la que, traducida del italiano, publicó EDUARDO S. DE CASTILLA en 1891 en *Blanco y Negro* con el título de *El tío Pobreza, cuento de dos mil demonios* [26]: El tío Pobreza arregla las herraduras del caballo de San Pedro, el cual le ofrece el Paraíso. Pobreza sólo pide una silla y una higuera de la que no puedan soltarse los que en ellas se sienten o suban. Y cuando los diablos vienen a buscarle, quedan allí pegados y son apaleados por el tío Pobreza. Y así, al no entrar éste ni en el Paraíso ni en el Infierno, sigue habiendo pobreza en el mundo.

La oreja de Lucifer [27], puesto en boca del tío Romance, que dialoga con *Fernán,* es un relato lleno de gracia: Un joven sale a correr

---

[24] Heinerman: Ob. cit., pág. 134.
[25] *Semanario Pintoresco Español,* n. 7, 15 febrero 1852. *Cuentos y poesías populares andaluces,* págs. 131 y ss.
[26] *Blanco y Negro,* ns. 3 y 4 de 1891.
[27] *Semanario Pintoresco Español,* n. 21, 23 mayo 1852. *Cuentos y poesías populares andaluces,* págs. 95 y ss.

mundo y encuentra en el camino a varios curiosos seres: el que carga con todo, el que sopla como un huracán y el que oye lo imperceptible. Le ayudan en sus empresas, y rescata del poder de Lucifer a la princesa de Nápoles, casándose con ella. En el combate cortó una oreja a Lucifer, la cual le devuelve tras varias condiciones, la última que se lleve a la princesa su esposa, la cual ha resultado ser de la misma casta del diablo. (Espinosa recoge y estudia tres versiones peninsulares de este cuento con el título de *Juan el Oso,* núms. 133, 134 y 135.)

También en 1852 publicó el *Semanario La buena y la mala fortuna* de *Fernán Caballero* [28]: El tío Romance cuenta a *Fernán* cómo José el *Colmado* manda a Juan *Miseria* que vaya a ver a la Fortuna y le diga que le sobran ya las riquezas. Juan pide dinero por el recado, y José le ofrece solamente un duro. Cuando Juan *Miseria* encuentra a la Fortuna de José y le pide ayuda, ella le envía a su Fortuna, vieja que vive entre escombros, la cual al dormirse permitió a Juan ganar un duro.

Fernán pensó en recoger todos estos cuentos, publicados en el *Semanario,* para completar el segundo tomo de la novela *Clemencia,* y así, decía en una carta de 28 de junio de 1852 a Hartzenbusch:

«Nada tengo en contra de que se complete el último tomo con los cuentos populares, aunque [no] son más que seis y poco pueden abultar —pero en fin, con las ojas (sic) en blanco y títulos puede que llenen el objeto—. No he enviado más por la completa indiferencia con que han sido recibidos, —son estos seis:
La suegra del diablo.
Doña Fortuna y Don Dinero.
Juan Soldado.
Juan Holgado y la muerte.
La oreja de Lucifer
y Los caballeros del Pez.
Si a V. le parece, pueden suprimirse las cosillas burlescas y satíricas de actualidad que contienen; eso me es igual» [29].

Como se ve, *Fernán* no transcribía los cuentos populares tal como los oía narrar a los campesinos andaluces, sino que los aderezaba y se servía de ellos para hacer sátira política y para dar lecciones morales, según advertimos ya.

Los seis cuentos que *Fernán* pensaba publicar como complemento a *Clemencia,* salieron por separado en Sevilla en el mismo año de 1852.

---

[28] Id., n. 36, 5 septiembre 1852. *Cuentos y poesías populares andaluces,* págs. 107 y ss.
[29] Heinerman: pág. 145.

En 1853 aparece en el *Semanario* otro cuento andaluz: *Las ánimas* [30]. Esta vez no es el tío Romance el que narra el cuento, sino la tía Sebastiana: Un indiano riquísimo desea casarse con una joven, probando antes si sabe bordar, coser, etc. Las ánimas ayudan a la elegida con la promesa de que las convide a la boda. Así sucede, y se presentan en forma de viejas horribles, con los ojos y brazos deformados por la rueca y el mucho coser, diciéndoselo así al aterrado novio, que prohibe a su mujer tales actividades.

La colección de Espinosa no recoge ninguna versión de este cuento, aunque el tema de la ayuda sobrenatural de ánimas y difuntos sea muy corriente en esta clase de narraciones.

En 1865 publica el *Semanario Tribulaciones de un remendero* [31], que no es propiamente un cuento, y en el que Cecilia pinta a un zapatero gruñón de quien todos se burlan con cantares y seguidillas. La misma autora reconoce que la gracia está en como se canten las tonadas que componen el relato.

En una carta a Hartzenbusch, tal vez de 1858, decía *Fernán.*

«No escribo casi nada, en lo que poco se pierde. Fermín [de la Puente] quiere que arregle un tomo de poesías, cuentos, etc., populares andaluces; tengo los materiales; pero sólo de mirarlos se asusta mi pereza, pues es preciso organizarlos en religiosos-amorosos-jocosos-burlescos, y desmayo, porque en España no existe aún el gusto por las cosas populares, como en Francia, Inglaterra y sobre todo en Alemania» [32].

Y en 1862, agradeciendo a Hartzenbusch el envío de sus *Cuentos y fábulas,* vuelve a insistir en que ella no es literata, sino sólo recolectora de cuentos populares:

«Dice V. que es una ridiculez enviar cuentos a Fernán Caballero.—Si otro que V. mismo me los enviase, no estaría escrito al frente que era enviar hierro a Bizcaya, es decir a las minas de que sale —lo que estaría escrito con buen tino y razón, sería la palabra *aprende,* aprende historia, aprende estilo, aprende lenguaje, aprende lógica, aprende todo, cotorra campesina, q.ᵉ no sabes sino ensartar bien que mal los cuentos, dichos, comparaciones, coplas, etc., q.ᵉ oyes. No señor, no me engríe ni la bondad y la finura de V. ni de nadie. Ahora q.ᵉ V. como literatos de su altura alemanes gusten y celebren los esparraguitos y flores que cojo en el campo y traigo al mercado, eso sí—y me recompensa ampliamente mis trabajos, que aunque no lo parece me cuestan muchos regalos, tiempo, aplicación y plumas» [33].

[30] *Semanario Pintoresco Español,* n. 50, 11 diciembre 1853. *Cuentos y poesías populares andaluces,* págs. 115 y ss.

[31] Id., n. 3, 21 enero 1855. *Cuentos y poesías populares andaluces,* páginas 169 y ss.

[32] Heinermann: pág. 182.

[33] Id., pág. 216.

Esta carta demuestra la profunda afición de *Fernán* por el folklore andaluz y su cuidado por clasificar el material recogido. En 1863 escribía a Hartzenbusch, comunicándole que había ordenado el material de su segundo tomo de *Cuentos y poesías populares:*

«Puede V. hacerse cargo de los millares de coplas y cuentos q.ᵉ oiré y buscaré, para poder reunir lo que sea digno de imprimirse: el ciento de versiones del mismo cuento para poder elegir la mejor» [34].

Este segundo tomo no llegó a publicarse, y puede que el material reunido por Cecilia se encuentre en la edición de *Cuentos, oraciones, adivinas y refranes populares e infantiles* que apareció en Madrid en 1877, y que es la última de sus producciones literarias. El editor, en un epílogo fechado en 9 de abril de 1877, da cuenta de la defunción de Cecilia Böhl de Faber.

En el prólogo de esta colección decía *Fernán:*

«Al comenzar la serie de cuentos infantiles, lo hacemos con el más conocido, generalizado y popular, que saben todos los niños, desde el Príncipe hasta el pordiosero. Nada probará más este aserto, como referir el que un periódico burlesco, queriendo ponernos en ridículo a causa de un cuento popular que habíamos referido, en otro, concluía su diatriba diciendo: *«Fernán Caballero* acabará por contarnos el *Cuento de la hormiguita»* [35].

Y es efectivamente este popularísimo cuento el que abre el libro, en cuyas narraciones no vamos a detenernos, dado su gran número. Casi todas ellas se encuentran en las versiones recogidas por Espinosa. *Fernán* clasificó estos cuentos en dos grandes grupos: *Cuentos de encantamiento* y *Cuentos infantiles religiosos.* Al primero pertenecen relatos de humanos y de animales, tan conocidos como *La niña de tres maridos, Bella flor, El lirio azul;* dos versiones de *El carlanco, El zurrón que cantaba,* etc. Al segundo, *El pan, La tentación, La Virgen costurera, ¡Señor, aquí está Juan!,* etc. Sería interesante detenernos en algunos de estos cuentos y compararlos con los recogidos por Espinosa, ya que a veces se mezclan varios relatos populares en formas muy curiosas.

También recogió *Fernán chascarrillos, agudezas, poesías populares, oraciones, adivinanzas,* etc., de las que no corresponde tratar aquí.

Concluiremos citando otro cuento popular de *Fernán,* que se en-

---

[34] Id., pág. 221.
[35] *Cuentos, oraciones, adivinas y refranes populares e infantiles,* recogidos por *Fernán Caballero,* Imprenta de Fortanet. Madrid, 1877, págs. 5 y 6.

cuentra también en Coloma y en Trueba: *Tío Curro el de la Porra* [36]. Se trata de un relato puesto en boca del tío Romance: El protagonista, a punto de ahorcarse, es auxiliado por un duendecillo que le regala una bolsa de oro siempre llena. Se la roba un ventero, así como un mantel siempre cubierto de comida, también donación del duende, el cual finalmente regala al tío Curro una porra. Con ella hace tales estragos, que el rey, para alejarlo, le envía a Cuba, dándole un Estado donde la porra hizo tantas muertes, que se llamó Matanzas.

En Coloma el cuento es simbólico-moralizador Se titula *¡Porrita, componte!* [37], y comienza con la pintura que el autor hace del pueblo de Puerto Real, donde antaño se disfrutaba idílica paz, religiosidad, costumbres tradicionales... Juegan los niños y cantan romancillos tradicionales. Hablan los vecinos, y uno de ellos, para contentar y consolar a un chiquillo, refiere un cuento: Un matrimonio muy pobre planta una col que crece prodigiosamente. La mujer sube por ella y pide a San Pedro que le dé algo de comer. El Santo le da una mesa que al decir «*¡Mesita, componte!*», les proporcionará comida. Pero luego la ambiciosa mujer no se contenta con eso y pidiendo nuevos dones llega a desear que la iglesia repique las campanas cuando ellos vayan, tal como ocurre cuando va el obispo. San Pedro le da entonces una porrita que al decir las palabras mágicas se vuelve contra ella, castigando su ambición. Acaba el cuento doliéndose el autor de que la revolución y el afán de progreso del siglo de las luces hayan acabado con todas estas hermosas costumbres y tradiciones, y pide una porrita, la de la justicia de Dios.

El cuento está relacionado con el de MANUEL OSSORIO Y BERNARD, publicado en 1862 en *El Museo Universal,* titulado *Un cuento de viejas* [38]: Un pescador perdona la vida a un barbo que resulta ser un príncipe encantado, el cual le concede todo lo que pida su mujer. Esta, muy ambiciosa, desea riquezas y honores, y pide ser sucesivamente condesa, reina, papisa, hasta querer ser Dios. Entonces es castigada, volviendo a su primitivo estado de miserable pescadora.

En *Juan Holgado y la Muerte* [39], trató *Fernán* un tema semejante al de *El amigo de la Muerte* de Alarcón: Juan Holgado, sin conocerla

[36] *Cuentos y poesías populares andaluces,* págs. 87 y ss.
[37] *Obras completas del P. Coloma.* Madrid, 1943, págs. 491 y ss.
[38] *El Museo Universal,* n. 4, 26 enero 1862.
[39] *Cuentos y poesías populares andaluces,* págs. 145 y ss.

y creyéndola una mendiga, da de su comida a la Muerte. Esta le promete ayuda, diciéndole que se haga médico y que cuando la vea a la cabecera de un enfermo, es señal de su muerte segura. Juan alcanza así fama y riquezas.

Traga-aldabas, de TRUEBA [40], repite la misma historia. No es éste el único cuento popular del narrador vascongado, que cultivó el género con verdadera gracia y donaire. Los más estimables relatos de Trueba son precisamente, para nuestro gusto, los de signo y estilo populares.

En la colección *Cuentos de varios colores* se encuentran algunos con esas características. Trueba, en el prólogo, manifiesta su sorpresa al hallar en Alemania y en otros países cuentos semejantes a los de España:

«Hace más de treinta años que me contó mi madre, casi como yo lo he contado, el cuento que titulo *El madero de la horca,* y a mi madre probablemente se lo habría contado la suya, en el último tercio del siglo XVIII. El que lleva el título de *Las aventuras de un sastre* me lo contó, hace dos años, una niña vizcaína, diciéndome que lo había aprendido de su abuela, y preguntando yo a ésta quién le había enseñado aquel cuento, me contestó que lo había oído siendo niña. Pues estos dos cuentos están entre los recogidos en Alemania por los hermanos Grimm, si bien los dos, y particularmente el primero, siendo casi idénticos a los españoles en la idea capital, difieren muchísimo en la forma y en los pormenores» [41].

A continuación explica Trueba que él no sigue el procedimiento .de transcribir los cuentos tal como los dice el pueblo —que era el método de los Grimm—, sino que aprovecha la idea y la utiliza y adereza a su modo.

El mismo moralizador propósito que guiaba a *Fernán,* impulsa a Trueba a recoger relatos populares, y así dice en la introducción a *El Preste Juan de las Indias* (un poco humorísticamente, dado el carácter de la narración):

«No basta que los cuentos populares deleiten; es necesario que a la par que deleiten, enseñen. El que voy a contar no sé si llenará la primera condición; pero sí llenará la segunda.»

A la intención moralizadora añade Trueba la gracia del asunto y de la expresión. Este último aspecto era muy querido del autor, por estar relacionado con lo creacional, es decir, con lo que él añadía al re-

---

40   *El Museo Universal,* ns. 41 y 42 de 1867.
41   *Cuentos de varios colores.* Madrid, 1866, pág. VI.

lato, aun cuando fuera a base de digresiones e interferencias. Así, en *La novia de piedra* dice Trueba por boca de una narradora campesina:

«Señor, no sea usted vivo de genio, que todo se andará. ¿No ha oído usted contar el cuento de aquel soldado que llevaba en la mochila un par de guijarros y se los mandaba guisar a las patronas para comerse la ración de pan de munición mojada en la salsa de los guijarros? Los cuentos que andan rodando por el campo son guijarros que de nada sirven si no se los aderezza con una buena salsilla» [42].

Este *aderezo,* esta *salsilla* no siempre significan un entorpecimiento digresivo de la acción, ya que, según reconocía el propio Trueba, «... en los cuentos populares todo ha de ser ligerito como las mariposas de mayo y claro como las mañanitas de junio» [43].

De todas formas, lo que resulta indudable es que Trueba procedía de modo opuesto a los Grimm, retocando y alargando el cuento popular. Los editores de *El Museo Universal,* donde el vascongado publicó en 1865 *El tío Miserias,* advertían en una nota:

«Este cuento, popular en España, lo es también en Alemania, pues se encuentra sustancialmente en la colección de los hermanos Grimm, que recogieron y dieron a luz los de aquel país, si bien siguiendo distinto método que el señor Trueba, pues éste sólo toma el pensamiento capital de los cuentos populares y los hermanos Grimm los cuentan casi como se los contaron» [44].

Fernán aún intentaba remedar ligeramente el estilo narrativo popular. Trueba, por el contrario, intenta alejarse lo más posible de la versión popular, si bien empleando un lenguaje cuya gracia reside en el tono vulgar e iliterario precisamente. Al igual que *Fernán,* Trueba hace sátira política en algunos de sus relatos populares, según puede observarse en *El Preste Juan de las Indias,* lleno de alusiones maliciosas y satíricas —muy ingenuas, por otra parte— contra la política colonial inglesa [45].

Pero, repetimos, el gran resorte humorístico de Trueba —como

---

[42] *Cuentos campesinos.* Nueva edición. Ed. Rubiños. Madrid, 1924, página 300.

[43] *El Museo Universal,* n. 40, 1 octubre 1865. El pasaje citado pertenece al relato *El tío Miserias.*

[44] Id., n. 39, 24 septiembre 1865.

[45] Cuando el Papa envía a las Indias al Preste Juan para que cristianice a los indígenas, comenta Trueba: «Afortunadamente los ingleses no eran entonces tan filántropos como ahora, que de serlo no hubieran dejado de armarle alguna tranquilla, creyendo que para civilizar a los cipayos son más elocuentes sus cañones cargados de metralla, que el hisopo de los misioneros católicos, car-

también, con otra intención, lo fué de Valera— es el empleo de locuciones tomadas del habla vulgar, conversacional, puestas en boca de personajes que por su dignidad o por la época y ambiente en que se mueven, resultan de efecto cómico; así, en *El Preste Juan de las Indias* el rey indígena habla de esta forma:

«Os aseguro que la muerte me importa tres cominos, porque para morir hemos nacido todos, y, qué demonio, lo mismo da morir hoy que mañana; pero no me haría gracia el que la chica se casase mañana u otro día, por razón de estado, con un príncipe que no le entrase por el ojo derecho. —Señor, le contestó uno de los hombres políticos más importantes del reino, hace muy mal V. M. en darse malos ratos pensando en eso. Cuando la princesa se halle en edad de tomar estado, se casará con el que más le pete, y si hay en el reino quien se atreva a oponerse a la libérrima voluntad de S. A., verá V. M. cómo le ponemos las peras a cuarto al atrevido» [46].

Cuando el rey muere, sobreviene la disputa acerca de la regencia: «Se armó una de linternazos que se hundía la tierra.» Al no decidirse a elegir novio la princesa, le dice el presidente del Consejo:

«En fin, no es puñalada de pícaro; deje V. M. que unos y otros hagan el oso unos cuantos meses, y después podrá V. M. escoger con verdadero conocimiento de causa, porque para las chicas la elección de marido es operación que tiene tres bemoles» [47].

De *El madero de la horca,* pese a ser popular, hemos hablado en otro capítulo. *Las aventuras de un sastre* [48] es un auténtico cuento infantil con brujos, gigantes, etc.

El tío Miserias, publicado, según hemos dicho ya, en 1865 en *El Museo Universal* [49], relata cómo un avaro ha dado dinero para reconstruir la ermita del Angel de la Guarda. Este intercede por él ante el Señor, que promete salvarle si hace alguna buena obra. Miserias arroja un pan a la cabeza de un mendigo. El Señor le concede un sueño en el que le dice que su alma permanecerá en el cuerpo dos días y dos noches, después de morir, y si en ese tiempo no consigue echarle mano el diablo, se salvará.

---

gado de agua bendita» (*Cuentos de varios colores,* pág. 15). Y más adelante, refiriéndose a la conversión y bautismo de los indios: «... y un par de añitos después habían recibido también el bautismo todos aquellos millones de millones de indios a quienes en nuestros días se lo han roto a cañonazos los ingleses» (id., pág. 32).

[46] Id., págs. 4 y 5.
[47] Id., pág. 13.
[48] Id., págs. 175 y ss.
[49] *Semanario Pintoresco Español*, ns. 39 a 42 de 1865.

Presenta luego el autor al soldado Perico Valiente, que regresa al pueblo de Miserias, donde nadie le da posada. Entonces salta la tapia del camposanto. Tres días antes de la llegada de Perico, Miserias había prometido socorrer al pobre Juan Bragazas si éste no se apartaba de él durante dos días después de morir. Así sucede.

La mujer de Bragazas, aconsejada por el diablo, trata de apartarle de la sepultura del avaro. Perico Valiente entra en el cementerio, y al principio Bragazas le confunde con el diablo, pero luego le reconoce y le da de comer. A las doce llega un caballero al cementerio y pide permiso para pasar la noche con ellos. Perico descubre en él al diablo —por unos detalles graciosísimos—, y le dice que le dejará la sepultura si le llena de oro una de sus botas. El diablo accede. El soldado no cesa de echar oro en ella; jamás se llena. Amanece y el diablo huye, salvándose el alma del tío Miserias.

Espinosa —que no cita el cuento de Trueba— incluye una versión popular del mismo, recogida en Villanueva del Campillo (Avila), con el título de *El rico avariento*.

La portería del cielo es uno de los más deliciosos relatos de Trueba [50]: El tío Paciencia es un zapatero que vive en la misma casa de un bondadoso marqués. Ambos, junto con el tío Mamerto —aficionadísimo a los toros— y el tío Macario —dado a casarse de nuevo, cada vez de mal en peor— componen un cuarteto de inseparables amigos. Mueren todos casi al mismo tiempo, y Paciencia piensa que serán felices en el cielo, donde hay igualdad. San Pedro envía al infierno a Mamerto por su afición taurina y a Macario al limbo por tonto. Paciencia espera a la puerta del cielo y ve que reciben al Marqués con grandes festejos. El entra luego y nadie le aplaude ni regala, de lo que se queja. Y entonces le recuerdan la expresión relativa al rico, al camello y al ojo de la aguja, y se explica el regocijo.

III. COLOMA Y OTROS CUENTISTAS

Los cuentos populares de COLOMA son en realidad relatos para niños, y como tales aparecen publicados en el tomo VI de sus *Lecturas recreativas*.

---

[50] *El Museo Universal*, n. 7, 12 febrero 1865.

Del apólogo contenido en la carta *A un gran señor titulado,* ya hemos dicho algo en otro capítulo. *La camisa del hombre feliz* es un cuento popular dedicado *a un colegial,* y está narrado con muchas interferencias humorísticas, la más graciosa la de los diferentes tratamientos que los médicos de diversas nacionalidades recomiendan al rey enfermo [51].

Historia de un cuento está dedicado *A un crítico de diez años que encuentra mis cuentos «muy vomitos»* [52]. El relato lleva una graciosa introducción en la que el autor evoca humorísticamente las travesuras de su niñez. Luego pasa a transcribir su cuento, que de niño oyó a su ama de llaves, advirtiendo en una nota:

«Este cuento es verdaderamente popular; y lo transcribimos tal como nos fué referido, conservando las graciosas inverosimilitudes y el característico sello propio de este género de literatura, con tanto afán coleccionada y analizada en varios países, sobre todo en Alemania, por los eruditos aficionados a ella. A éstos dejamos el cuidado de explicar las extrañas analogías que existen entre los cuentos populares de todos los países: el que referimos las tiene muy notables con uno, cuyo título no recordamos, comprendido en la colección sueca de Andersen» [53].

Efectivamente, Coloma trata de remedar en algún giro el estilo narrativo popular: «Pues señor, que era vez y vez, y el bien que viniere para mí se quede y el mal para quien le fuere a buscar...»

El cuento anderseniano al que alude Coloma, es el que en las traducciones españolas se conoce con el título de *Nicolás el grande y el pequeño Nicolás,* o *Nicolasón y Nicolasillo.*

En la narración de Coloma, Juan Botijo el Rico es engañado varias veces por Juanete el Pobre, llegando incluso a arrojarse al río, donde cree que va a encontrar un rebaño. El cuento ha sido estudiado por Espinosa a propósito de las dos versiones por él recogidas —172 y 173 de la colección—, y que titula *Los dos compadres,* idénticas en casi todo al cuento de Coloma.

Periquillo sin miedo [54] es una versión más del cuento popular que también inspiró a Juan de Ariza. El relato de Coloma se diferencia en el final moralizador: Periquillo sin miedo lleva dos alforjas; en la de atrás van los vicios propios; en la de delante, los ajenos, los únicos

---

51 *Obras completas,* págs. 475 y ss.
52 Id., págs. 478 y ss.
53 Id., pág. 479.
54 Id., pág. 486 y ss.

que él ve. Corre diversas aventuras sin asustarse nunca, hasta que en una ocasión le es cortada la cabeza. Se la pegan con un líquido mágico, pero del revés. Al ver los vicios propios, siente miedo por primera vez.

De ¡Porrita, componte! ya hemos hablado. Ratón Pérez [55], aunque protagonizado por tan popular personaje, no es un relato tradicional. Pelusa [56] es un fantástico y humorístico cuento infantil que tampoco parece popular. Ajajú ha sido estudiado ya como una versión más del relato popular que VALERA trató en La muñequita y La buena fama, que hemos estudiado como cuentos estrictamente literarios, tan grande es la transformación que el motivo popular experimentó en manos del autor de Doña Luz.

De los Cuentos y chascarrillos andaluces de este mismo, nada diremos, ya que son en realidad chistes muy breves. Más extensos —cuentos auténticos—, aunque chistes hinchados en su mayor parte, son los relatos que componen Una docena de cuentos de NARCISO CAMPILLO. De origen popular, como el mismo autor reconocía [57], han sido estudiados en el capítulo de Cuentos humorísticos y satíricos por la misma razón que los de Valera, es decir, por su profunda transformación literaria.

También J. E. HARTZENBUSCH gustó del cuento popular, y algunas narraciones suyas como Palos de Moguer, La novia de oro, etc., parecen de origen tradicional.

De M. POLO Y PEYROLÓN recordaremos El zapatero remendón, semejante en la moraleja a Para ser buen arriero..., de Pereda, y procedentes ambos de un relato popular del que ofrece una versión Espinosa en el número 162 de su colección, El zapatero pobre.

Y en realidad, examinada la producción de Fernán, Trueba y Coloma, podríamos cerrar ya este capítulo. Los cuentos populares tratados literariamente son poco frecuentes después, y a finales de siglo resulta ya difícil encontrar muestras de esta modalidad narrativa. Los dos géneros se han diferenciado notablemente, y el relato popular sólo ofrece

---

[55] Id., págs. 504 y ss.
[56] Id., pág. 510.
[57] En una Carta al lector que va al final de la colección, dice Campillo: «Sepan ustedes, señores, que este género literario, tan estimado y floreciente en todos los pueblos de Europa, yace aquí en lamentable abandono; y, por consiguiente, al cultivarlo y excitar a otros para que lo cultiven, hago un servicio a nuestra literatura» (págs. 333-334).

interés a los folkloristas, que lo tratan ya de manera muy distinta a la que empleaban *Fernán* y Trueba. El cuento literario es un producto refinado, exquisito, creacional, y sus fronteras se perfilan muy nítidamente en relación con el cuento popular, que ahora interesa presentar sin aderezo alguno, transcrito tal como sale de la boca del pueblo. El folklorista se acerca al cuento popular no para hallar en él un trasunto de la bondad y sanas costumbres del campesino español, tal como hacían los colectores románticos.

No obstante, aún podríamos citar algunos ejemplos de narraciones literarias inspiradas en relatos tradicionales, de la PARDO BAZÁN, BLASCO IBÁÑEZ, ECHEGARAY, etc.

Agravante [58] es una narración de la escritora gallega que fué publicada por primera vez en agosto de 1892 en *El Liberal,* y en la que la crítica —concretamente, *La Unión Católica*— vió un plagio de Voltaire. Doña Emilia, en una carta fechada en 22 de octubre de 1892 —publicada luego en el *Nuevo Teatro Crítico* junto con el cuento—, se dirigió al director de *El Liberal* y a todos sus lectores, explicando que su cuento no era sino una versión más de la tradición conocida bajo el título de *La matrona de Efeso,* que alcanzó la mayor universalidad [59].

---

[58] *Nuevo Teatro Crítico,* n. 27. Madrid, 1893.

[59] La carta de doña Emilia dice exactamente: «Mi distinguido amigo: Al llegar a esta corte y registrar la pirámide de papeles y libros que me esperaban, encuentro un número de *La Unión Católica* donde se dice que mi cuento *Agravante,* que *El Liberal* insertó el 31 de agosto próximo pasado, no es mío, sino de Voltaire. Me ha caído en gracia el que un periódico se tome la molestia de investigar la procedencia del cuento, cuando yo la declaraba en el cuento mismo, diciendo expresamente que lo había encontrado en las propias hojas de papel de arroz donde se conserva la historia de la dama del abanico blanco, igualmente publicada por *El Liberal,* bajo la firma del distinguido escritor Anatolio France.

Lo que me pareció excusado añadir —porque lo saben hasta los gatos— es que esas hojas de papel de arroz, de donde tomó Anatolio France su historieta y yo la mía, son las de los auténticos y conocidísimos *Cuentos chinos* que recogieron los misioneros y coleccionó Abel de Remusat en lengua francesa.

En esa colección, la historia de la dama del abanico blanco y la de la viuda inconsolable y consolada, forman un solo cuento.

Pero no es allí únicamente donde existe la tal historia, pues con solo abrir (¡recóndita erudición!) el *Gran Diccionario Universal de Larousse,* que forma parte íntegra del mobiliario de las redacciones, hubiese visto *La Unión Católica* que esa historieta es conocida en todas las literaturas bajo el título de *La matrona de Efeso,* y que, igualmente, se encuentra en la India, en la China, en la antigüedad clásica y en la inmensa mayoría de los modernos cuentistas; que, dramática y sentenciosa entre los chinos, ha tomado en otras naciones, en boca

En el cuento de la Pardo Bazán una viuda china abanica la tierra
en que su marido ha sido enterrado, para que se seque pronto y poder
casarse de nuevo. Pasa un filósofo con su mujer y ésta increpa a la
viuda. El filósofo decide probar a su esposa. Finge morir y la viuda
se deshace en lágrimas. Un apuesto discípulo del muerto intenta seducir —obligado por el filósofo— a la viuda y logra casarse con ella. Ya
en la cámara nupcial, el joven se queja de un mal que sólo puede cu-
rarse con sesos de difunto. La mujer baja al jardín, donde ha sido enterrado su marido, para obtener la medicina. Y entonces el falso difunto la mata por su hipocresía y su maldad. En la colección de Espinosa se encuentra una versión popular de este cuento con el título de
La esposa falsa (núm. 93). El colector no cita la versión literaria de
la Pardo Bazán.

Algunos cuentos de BLASCO IBÁÑEZ tienen apariencia de populares: *La apuesta del esparrelló* —puesto en boca de un viejo marinero
valenciano— [60]; *El dragón del patriarca* [61]; *En la puerta del cielo* —grosero e irreverente chiste traducido del valenciano y narrado por un
campesino— [62], y el no menos irreverente *Los cuatro hijos de Eva*.
Blasco Ibáñez escribió dos versiones de este cuento, dándolo como valenciano en una, bajo el título de *El establo de Eva*, y presentándolo
como argentino en otra, con el título de *Los cuatro hijos de Eva* [63].

___

de narradores de *fabliaux,* y en Apuleyo, Boccaccio, La Fontaine y Voltaire, sesgo
festivo y burlón; y añade el socorrido *Diccionario:* «Esta ingeniosa sátira de la
inconstancia femenina parece tan natural y verdadera, que se diría que brotó
espontáneamente en la imaginación de todo cuentista, y no hay que recurrir a
la imitación para explicar tan singular coincidencia» (*Nuevo Teatro Crítico*, páginas 36-37).

[60]   *Cuentos valencianos*, págs. 83 y ss.
[61]   Id., págs. 243 y ss.
[62]   Id., págs. 223 y ss.
[63]   Como valenciano fué publicado en *Blanco y Negro*, n. 484 de 1900; y
como argentino en *El préstamo de la difunta*. Valencia, 1921, pág. 251.

CAPITULO XVII

CUENTOS DE AMOR

CAPITULO XVII

CUENTOS DE AMOR

I. EVOLUCION DEL TEMA AMOROSO EN EL SIGLO XIX

En realidad, cuentos de tema amoroso los encontramos dispersos a través de los restantes capítulos de nuestra clasificación temática, si bien en ellos el motivo amoroso no es el dominante, sino el humorístico, rural, social, etc. En cambio en este capítulo agrupamos un conjunto de narraciones cuya característica distintiva viene dada por el asunto, esencialmente amoroso, y que tendría incluso su justificación en los títulos que algunos cuentistas como Alarcón y la Pardo Bazán dieron a determinadas colecciones de relatos: *Cuentos amatorios* y *Cuentos de amor*.

Habiendo, pues, escogido como nota dominante lo amoroso, deberíamos intentar a modo de introducción dar una visión general de la evolución de este tema a través de los cuentos decimonónicos; evolución que, es fácil comprenderlo, va unida a la del tratamiento del mismo tema en los restantes géneros literarios y muy especialmente en la novela. Pero ésta sería tarea excesivamente desproporcionada para lo que aquí pretendemos, y, por otra parte, el examen de los cuentos equivaldría a describir tal evolución.

El cuento de amor no es sino un matiz especial y concreto del cuento psicológico, y el presente capítulo podría considerarse en última instancia como un desglose o aspecto parcial del que dedicamos a las narraciones de este tipo.

Con sólo considerar lo que hay tras las palabras Romanticismo y Naturalismo, se comprenderá la profunda transformación que el tema del amor sufriría tratado por los escritores de uno y otro período. Sin salir de nuestra literatura, piénsese en la concepción del amor observable en la obra literaria de un Bécquer y en la contenida en alguna novela naturalista de la Pardo Bazán, concretamente en *Insolación*. A la espiritualidad, sentimentalismo y ensoñamiento románticos ha sucedido una concepción materialista, biológica, del amor; explicado en *Insolación* como consecuencia de la presión de un ambiente en la fisiología humana. De la idealización de la mujer —impalpabilidad del «rayo de luna», del «vano fantasma de niebla y luz»— se pasa no a la grosera valoración carnal —nada más discreto que el fino análisis que la Pardo Bazán hace de la sensualidad femenina en *Insolación*—, pero sí a una nueva estimativa que no cierra los ojos a lo primariamente físico. Y esto no significa una ausencia de sensualidad en la literatura romántica, pero sí una diferente manera de tratarla.

La Pardo Bazán en la obra citada, o *Clarín* al describir el proceso erótico de Fermín de Pas en *La Regenta,* no pretenden idealizar la atracción sensual, que es lo que solían hacer los románticos, velándola de literatura; pero tampoco la presentan aislada, como motivo puramente físico, sino que la engranan y complican sobre un proceso de tipo psicológico que es el que da humanidad e interés a la pasión. En la citada novela de la Pardo Bazán es el ambiente denso y asfixiante de la romería de San Isidro el que inicia el juego amoroso; pero luego éste, aun siguiendo ligado a lo fisiológico, se refina y perfecciona merced a una serie de motivos psicológicos. Por el contrario, en la obra de *Clarín* la atracción de Fermín de Pas por la Regenta evoluciona casi desde lo psicológico a lo carnal. Lo que nuestros novelistas no acostumbraron a hacer fué presentar un solo plano del desarrollo de la pasión —salvo, tal vez, Blasco Ibáñez—, combinando los dos, y en alguna ocasión —*La Quimera*— prescindiendo casi de lo físico para atender sólo a lo complejamente psicológico. Lo que resulta evidente es que la literatura finisecular trató el tema amoroso de muy distinta forma a como lo habían tratado los románticos. Precisamente es *La Quimera,* de la Pardo Bazán, una de las novelas más ambiciosas de ese período post-naturalista que pretende captar los más sutiles aspectos de la pasión, encarnados aquí en las figuras de Silvio Lago, Clara Ayamonte y Espina Porcel.

Es preciso tener en cuenta también que si el naturalismo —y el psicologismo subsiguiente, a lo Bourget— representa una profunda transformación en el tratamiento del tema amoroso respecto al Romanticismo, éste la representa asimismo —y más violentamente aún— respecto a la literatura precedente.

Georg Brandes, estudiando *La Nouvelle Heloise,* de Rousseau, observaba cómo este libro inauguraba una nueva concepción del amor, y comparaba el análisis de la pasión tratada por el ginebrino con la que era típica del siglo neoclásico, y que tendría su mejor exponente en Marivaux:

«Lo nuevo en este libro consiste, en primer lugar, en que pone fin a la galantería y al concepto fundamental de los sentimientos en el precedente período franco-clásico. Según este concepto, todos los sentimientos tiernos y nobles, sobre todo el amor, eran producto de la civilización.»

Y más adelante, tras hablar de Marivaux:

«Sin embargo, para Rousseau, esta galantería es ridícula, porque no es natural. De igual modo que en todo, también en lo erótico, prefiere el estado natural, y amor en estado natural es para él una pasión irresistible y violenta» [1].

Los románticos añadirán a esta concepción natural del amor nuevos elementos de complicación, como la desigualdad social —que va a convertirse en uno de los más fecundos tópicos del xix— u otras clases de desigualdad: la racial, la religiosa (Chateaubriand), etc.

Estas conquistas románticas sabrá aprovecharlas el naturalismo, y así, el tema de la desigualdad social —aunque tratado de distinta manera: compárese *La novela de un joven pobre* con *La desheredada,* de Galdós— y el de las diferencias religiosas —*Gloria, La familia de León Roch, De tal palo, tal astilla...*— reaparecerán tratados por los naturalistas. E incluso una variante de la desigualdad social, la social-moral, representada por el sensiblero tema de la cortesana redimida por el amor, no se pierde con el naturalismo, aun cuando la técnica empleada deforma la primitiva sentimental intención: *La dama de las camelias, La pródiga, Naná.*

De todo esto se deduce que la transformación fundamental en cuanto al tratamiento del tema amoroso fué la provocada por el Romanticismo, cuyos temas-tópicos se repiten, si bien deformados y tratados de manera distinta, con el Naturalismo: diferencia social, religiosa, mo-

---

1 *Las grandes corrientes de la literatura en el siglo XIX.* Tomo I, pág. 33.

ral, y también diferencia de edad (*Juanita La Larga,* de Valera, es un ejemplo interesante del tratamiento de este último motivo).

E incluso temas tan sentimental y revolucionariamente románticos como el de *Manon Lescaut,* son recogidos por los escritores finiseculares: *Pepita Jiménez* y —en un plano más dramático y violento— *Doña Luz, La Fe, La Regenta.*

En la evolución del tema amoroso se advierte una sucesiva complicación, un ir añadiendo matices, conjugando lo sensual con lo psicológico. Creemos de gran importancia en el desarrollo de este tema el momento aquel en que Julián Sorel, protagonista de la más conocida obra de Stendhal, decide coger la mano de Madame Renal para probar la fuerza de su voluntad. Stendhal ha superpuesto ya los dos planos: el sensual y el psicológico. Para Sorel la mano de la mujer en la suya no le proporciona más placer que el psicológico de saberse él —un oscuro preceptor— dueño y señor de voluntades humanas. Para la mujer hay placer en esa parcial entrega silenciosa, precursora de la total, que luego vendrá, y en la que tampoco Sorel buscará el placer, sino el logro de su ambición. Beyle ha transformado un motivo romántico —la efusión de unas manos furtivamente enlazadas— en algo nuevo, insólito en su época. Ha nacido un nuevo tipo de novela y una nueva concepción del amor.

Detallar todos estos matices sería tarea laboriosa, sobre difícil. Los ejemplos citados sólo aspiran a dar una idea de las profundas transformaciones por las que atravesó el tema amoroso en el siglo XIX.

Doña Emilia Pardo Bazán decía estudiando las obras de *Jorge Sand:*

«Haciendo el Conde León Tolstoi un examen crítico de las obras de Guy de Maupassant, observa que los novelistas franceses de este siglo parece que no ven más objeto para la vida que el amor. La observación es exacta; de cien novelas francesas modernas, noventa y cinco dan vueltas al mismo asunto que *Jorge Sand* declaraba el único poético e interesante» [2].

Lo observado por Tolstoy en la novelística francesa, puede ampliarse a la europea en general. El conjunto de cuentos amorosos que en este capítulo pretendemos examinar y resumir, demuestra bien claramente el éxito del tema en la literatura española del siglo XIX.

---

[2] *La literatura francesa.* I, pág. 249.

II. CUENTISTAS ROMANTICOS Y DE TRANSICION

Como hemos hecho en otros capítulos, acudiremos a las revistas literarias románticas para buscar en ellas los más antiguos cuentos amorosos del siglo XIX.

El tema sentimental vive muy frecuentemente mezclado al legendario. La narración estrictamente. amorosa suele ser en esos años románticos folletinesca, carente de dimensión psicológica. Predomina el elemento trágico o dramático en el tratamiento del tema amoroso, y abundan los lances de libertinaje, seducción, desengaño, etc. Alguna vez aparece una narración satírica que trata de presentar y describir la faz normal del amor, burlándose de todos los lugares comunes al uso.

En 1854, Ferriz Villeda daba esta estampa de lo que por amor se entendía en su época:

«¿Sabéis lo que se llama amor en el siglo XIX? Pues bien, vamos a explicarlo. Suponed un joven barbiraso, fatuo en grado heroico y eminente, y vestido según el último figurín venido de la ciudad que baña el Támesis o el Sena; nuestro héroe asiste a un baile, dado por la Condesa de M... o la baronesa de H..., ve a una de esas niñas que tanto abundan en la sociedad madrileña, que a los quince años han escuchado cincuenta declaraciones, y que, a los veinte...; pero detengamos nuestra pluma, que marchamos por un terreno asaz resbaladizo. Bailan juntos una redowa la candorosa doncella y el emprendedor mancebo; bien pronto se entabla una de esas conversaciones que, por antonomasia, se llaman interesantes; el uno habla por pasar el tiempo; la otra escucha por especulación, coquetismo u otras cosas que callamos. Estas relaciones duran una semana, un mes, acaso más; después, unas veces sin causa, otras el más leve disgusto, viene a marchitar y dar muerte a las tempranas flores que comenzaban a brotar en el pensil de los amores» [3].

Contrasta esta semblanza del amor romántico, burguesamente concebido, con las descripciones que del mismo se hacen en las muy sentimentales y truculentas narraciones de la época, algunas de las cuales pasamos a citar.

En 1841 publica FRANCISCO NAVARRO VILLOSLADA *El remedio del amor,* trágica historia en que una mujer hace creer a su amiga que es engañada amorosamente, causándole la muerte [4]. En 1842 aparece en las páginas del *Semanario Pintoresco Español, El español y la vene-*

---

[3] *Semanario Pintoresco Español,* n. 16, 16 abril 1854, pág. 123.
[4] Id., ns. 2 al 4 de 1841.

ciana, Novela original de José Manuel Tenorio, pésima narración de amor, celos, libertinaje, cortesanas, jóvenes ingenuas y demás latiguillos románticos [5]. Del mismo autor es *Emilia Girón* [6]. En *Los dos estudiantes,* de J. Guillén Buzaran, se discute lo que aman las mujeres de los hombres, y un narrador cuenta el caso de dos estudiantes: Uno, libertino, abandonó a la mujer engañada, la cual se hizo monja. Otro, digno pero pobre —tipo éste, según ya advertimos, muy del gusto decimonónico—, desea casarse con una joven a la que ama, pero ésta le abandona por un hombre rico [7].

En 1844, L. Villanueva publica *Amalia,* folletinesca narración amorosa [8]. En 1845 inserta el *Semanario, Crónicas fantásticas o Semblanzas de los enamorados, Novela semi-historia o historia semi-novela* firmada por D. R. de Valladares [9]. De 1846 es *El trovador y la infanta,* de Miguel López Martínez [10].

Teodoro Guerrero publica en 1846 una narración satírica con el título de *Amor a la dernière* [11], sobre la retórica apasionada del amor y la fría realidad. Del mismo autor es *Memorias de una bella, Novela sui generis* [12].

Gregorio Romero Larrañaga es autor de un romántico relato titulado *La Virgen del Valle,* con una muchacha engañada por un seductor y demás tópicos al uso en tema y lenguaje [13].

El suspiro de un ángel, Cuento de Jacinto de Salas y Quiroga publicado en 1848 [14], es la absurda y disparatada historia de una joven que muere al comprobar que el hombre de quien se había enamorado era su amiga, vestida con el traje de marino de su hermano. En el mismo año publica el *Semanario* una más ambiciosa novelita de amor titulada *Fenómenos psicológicos,* de la que es autor Ramón de Navarrete [15], y cuyo asunto versa sobre los cambios sentimentales de un joven que en un principio amaba a una mujer que no le correspondía,

---

5   Id., ns. 38 al 41 de 1842.
6   Id., ns. 16 al 37 de 1843.
7   Id., ns. 48 y 49 de 1843.
8   Id., ns. 19 al 31 de 1844.
9   Id,. n. 38, 21 septiembre 1845.
10   Id., ns. 10 al 16 de 1846.
11   Id. n. 52, 27 diciembre 1846.
12   Id., n. 28 de 1847.
13   Id., ns. 2 al 5 de 1847.
14   Id., n. 39 de 1848.
15   Id., ns. 41 al 44 de 1848.

despreciando el amor de otra muchacha a la que luego se dirige, desoyéndole ella mientras la inicialmente desdeñosa le ama. Tales vicisitudes conducen al protagonista al suicidio. Pese a lo endeble de la trama y al convencional y romántico desenlace, en esta narración se advierte ya un esfuerzo por tratar el amor desde un punto de vista psicológico, según lo indica el pretencioso título.

En 1852, J. Heriberto García de Quevedo publica una narración sentimental, *Sin nombre (Recuerdos de viaje)* [16]. En 1853, Florencio Moreno Godino trata el tema de la seducción y deshonra de una muchacha humilde que muere al fin de dolor, en la novela corta, en dos partes, *Rosalía* [17]. Del mismo año es *Angelo*, de Aureliano Valdés [18], romántica historia de las desventuras, ideas y amores de un joven italiano. También en 1853 publica Luis Eguílaz su narración *Mi amigo Pepe* [19], que viene a ser un *Don Gil de las Calzas Verdes* modernizado.

De Agustín Bonnat recordaremos aquí *Nunca, Historia de unos amores; Un nido de tórtolas* y *Un nido vacío* [20]. También Juan de Ariza dió el subtítulo *Historia de unos amores* a su narración *Amor de ángeles* [21]. En *La locura por amor (Episodio histórico)*, de José Pastor de la Roca, una hija mata a su padre y le arranca el corazón (¡!), enloquecida por haber destrozado sus amores [22]. De 1856 es un capítulo de *Las memorias de Julia*, episodio amoroso en un baile de Carnaval, de Josefa San Román [23]. También de 1856, y publicadas en el *Semanario*, son las narraciones *Un capricho*, de Ramón de Espínola, y *¡¡Dos amores!!*, de Francisco de Espínola [24].

De los que Alarcón llamó *Cuentos amatorios*, pocos podemos citar aquí, ya que *El clavo, Novela natural, La comendadora*, etc., han quedado estudiados en otros capítulos por estimar que no es lo amoroso lo más característico de ellos. Otro tanto puede decirse de las narraciones de la misma serie de tono frívolo o festivo: *La última calavera-*

---

[16] Id., ns. 28 y 29 de 1852.
[17] Id., primera parte: ns. 5 al 8; segunda parte: ns. 22 y 23 de 1853.
[18] Id., ns. 27 al 30 de 1853.
[19] Id., ns. 48 al 50 de 1853.
[20] Id., ns. 22 y 24 de 1854; ns. 50 y 51 de 1854, y n. 33, 19 agosto 1855.
[21] Id., n. 16, 20 abril 1856.
[22] Id. n. 19, 11 mayo 1856.
[23] Id., n. 21, 25 mayo 1856.
[24] Id., n. 22, 1 junio 1856, y ns. 34 al 37 de 1856.

da, La belleza ideal, El abrazo de Vergara, etc. A éstos se refería el autor al decir en el prólogo de la colección:

«Cuentos amatorios se titula esta serie de novelillas; y amatoria es, efectivamente, hasta rayar en alegre y aun en picante, la forma exterior o vestidura de casi todas ellas. Pero, en buena hora lo diga, ni por la forma, ni por la esencia, son amatorios al modo de ciertos libros de la literatura francesa contemporánea, en que el amor sensual se sobrepone a toda ley divina y humana, secando las fuentes de las verdaderas virtudes, talando el imperio del alma, arrancando de ella las raíces de la fe y de la esperanza, y destruyendo los respetos innatos que sirven de base a la familia y a la sociedad» [25].

Pero, como observaba bien la Pardo Bazán, no todos los cuentos de esta serie son alegres. Por el contrario, *El clavo, Novela natural, La comendadora* y *El coro de ángeles* son trágicos y dramáticos.

De esta última narración, fechada en 1853 en Madrid, decía su autor:

«*El coro de ángeles* tiene también fundamento real, aunque está mucho más disfrazado.—Ya había yo escrito antes una autopsia titulada *La Fea,* que figura en mi tomo de *Cosas que fueron,* donde genéricamente se ve a Casimira de cuerpo entero.—Alejandro y Elisa andan por el mundo.—La Baronesa debe de haber fallecido... o capitulado» [26].

El artículo a que se refiere Alarcón está fechado en Guadix en 1853, y es efectivamente un esquema de lo que más adelante había de desarrollar narrativa y dramáticamente en *El coro de ángeles;* cuyo protagonista, Alejandro —*un alma a la moda*—, es un joven de los tan frecuentes en la literatura alarconiana, conquistador, libertino y desenvuelto a lo Fabián Conde.

Este donjuanesco personaje se propone conquistar a una fea —curiosa actitud psicológica—, deseando hallar una mujer que pueda amarle antes de que él ame. En el capítulo tercero de la narración —*El campo de batalla*— describe el autor un salón de baile en el que Alejandro conoce a Casimira, muchacha fea y sentimental, a la cual conquista, haciéndola desmayarse bailando, en un éxtasis de placer. *El coro de ángeles* es el conjunto de jovencitas que asiste al baile y que se burlan cruelmente de la pobre fea, la cual llega a morir más adelante de desengaño y de dolor.

Alarcón parece complacerse en los motivos cursis y sentimentales de este cuento, que es como una miniatura en la que estuviese refle-

---

[25] *Cuentos amatorios.* Madrid. Ed. de 1921, pág. XLVII.
[26] *Historia de mis libros,* pág. 209.

jada toda una época: valses, polcas, jóvenes libertinos, marquesas de gabinete galante, jovencitas bellas y crueles y una fea apasionada y tierna.

La narración ofrece el interés de contener algunos comentarios de Alarcón acerca de la fealdad artística, apreciación ésta típicamente romántica, que hemos estudiado en otra parte [27].

Aunque no pertenece a la serie de *Cuentos amatorios,* sino a la de *Historietas nacionales,* pudiéramos incluir aquí la narración *¡Buena pesca!* —Guadix, 1853—, de carácter trágico y amoroso, sobre un tema de adulterio [28].

En 1857 publica E. Fernández Vaamonde sus *Cuentos amorosos.* De 1861 es *El nido de amor,* de José Requena Espinosa [29], narración epistolar sobre el desvío y reconciliación de un matrimonio. En el mismo año Eduardo Bordíu publicó en *El Museo Universal* su *Idilio, El amor sin alas* [30], fantasía poética acerca del origen de la coquetería. Y también en 1861 aparece *Una cita en el desierto* de Evaristo Escalera, novela corta de agradable estilo sobre el desdichado fin de dos amantes árabes [31].

José María Cuenca publica en 1862 *Un capricho,* narración plácida y rosácea [32], y Benigno de Rezusta, *Recuerdos de un viaje* [33], cuento muy romántico en el que el narrador refiere cómo en la isla de Wight conoció a una señora y a su bella sobrina, la cual le confundió con un antiguo novio que había muerto sin saberlo ella. El narrador se presta a mantener la ilusión, hasta que, enamorado de la joven, se lo descubre todo. Ella cae desmayada, él huye arrepentido de su crueldad, y cuando regresa la encuentra muerta.

De 1863 es *La independencia,* de Pedro Yago [34], narración más interesante que las normales en su época por dar cabida ya a matices psicológicos y a un mejor desarrollo y exposición de la pasión amorosa.

Por el contrario, en *La hija del loco,* de Manuel Ossorio y Ber-

---

[27] Vid. nuestra nota: *Unas citas de Alarcón sobre la fealdad artística,* publicada en el *Boletín de la Biblioteca Menéndez Pelayo.* XXII, 1946, págs. 373 y ss.

[28] *Historietas nacionales.* Madrid, 1921, págs. 159 y ss.

[29] *El Museo Universal,* ns. 20 y 21 de 1861.

[30] Id., n. 25, 23 junio 1861.

[31] Id., ns. 45 al 48 de 1861.

[32] Id., ns. 22 y 23 de 1862.

[33] Id., n. 42, 19 octubre 1862.

[34] Id., ns. 28 al 30 de 1863.

NARD [35], reaparecen todos los tópicos románticos: rapto, seducción, duelo, etc. *Los tipos,* de RICARDO MOLINA, publicado en 1864 [36], es un relato intrascendente en el que dos amigos enamorados de las que creían ser sus ideales físicos —rubia y morena—, cambian luego sus respectivas parejas.

En 1865, M. Ivo ALFARO publicó *La Virgen de la pradera* [37], novela corta muy romántica de ambiente rural. En 1866 aparece en *El Museo Universal* un *Proverbio ejemplar* de VENTURA RUIZ AGUILERA titulado *En arca abierta, el justo peca* [38], que viene a ser algo así como una anticipada y agradable miniatura de *Pepita Jiménez:* Un joven que decide estudiar para sacerdote, va a Madrid y se hospeda en casa de unos amigos de su padre. La señora de la casa, madre de varias hijas, prepara a la más atractiva para él, y consigue que se case con ella, tales son las hábiles insinuaciones de la muchacha.

De ENRIQUE FERNÁNDEZ ITURRALDE recordamos *Celia Mazo y Un recuerdo de amor* [39]. Las dos narraciones se caracterizan por lo suave, humorístico y burgués del tono amoroso. En 1867 publica CECILIO NAVARRO *El abrazo,* y JOSÉ PASTOR DE LA ROCA, *La prueba del amor* [40].

De «FERNÁN CABALLERO» apenas podemos citar aquí algún relato estrictamente amoroso. *La flor de las ruinas* [41] relata cómo una bella y desgraciada joven que vive en Lisboa, entre las ruinas del terremoto de 1755, es utilizada por sus hermanos, que se sirven de su hermosura como anzuelo con que atraer a los hombres. Estos siguen a la muchacha hasta las ruinas y allí son asesinados y robados. Se enamora ella de un joven de grandes cualidades y él corresponde a su amor. Jamás ella le ha dicho nada de su origen y le ha impedido seguirla a las ruinas. Pero un día no puede evitarlo, y muere asesinada por sus propios hermanos para salvar al hombre amado.

También podrían clasificarse como narraciones amorosas las tituladas *La corruptora y la buena maestra, Leonor,* etc. [42].

Imitadora de Cecilia Böhl de Faber fué MARÍA DEL PILAR SINUES,

---

35 Id., ns. 5 al 10 de 1864.
36 Id., ns. 10 y 11 de 1864.
37 Id., ns. 2 al 20 de 1865.
38 Id., ns. 1 al 4 de 1866.
39 Id., ns. 26 al 31 de 1866, y n. 15, 14 abril 1867.
40 Id., ns. 28 y 29 de 1867, y ns. 48 al 51 de 1867.
41 *Relaciones.* Ed. Rubiños. Madrid, 1917, págs. 119 y ss.
42 Pertenecientes a la serie *Vulgaridad y Nobleza.*

autora de cuentos y novelas cortas: *Amor y llanto, leyendas* (1857), *Narraciones del hogar* (1862), *A la luz de la lámpara, cuentos* (1862), etcétera.

De JUAN EUGENIO HARTZENBUSCH cabría citar aquí *Doña Mariquita la Pelona* [43], ingenua pero agradable narración amorosa, compuesta con el mismo pie forzado que *La reina sin nombre, Mariquita la Pelona* y *Miriam la Trasquilada*.

JOSÉ DE SELGAS cultivó el cuento sentimental y amoroso, al que dió finura, ya que no profundidad: *El corazón y la cabeza, Un rostro y un alma, Dos para dos, El pacto secreto* [44].

De JUAN VALERA citaremos *Garuda o la cigüeña blanca,* una de sus mejores narraciones por lo perfecto, exquisito del ambiente y lo ideal del asunto, no empañado apenas por la solución irónica. Poldy, condesa de Liebenstein, ansía un amor ideal que no encuentra en parte alguna. Es huérfana y vive con su hermano, joven entregado al estudio y la erudición. En cierta ocasión, Poldy encuentra en el jardín una cigüeña que lleva atados al cuello unos versos escritos en sánscrito. Cuando su hermano se los traduce, Poldy descubre que contienen la expresión de los anhelos amorosos —tan vagos e ideales como los suyos propios— del que ella supone un príncipe indio. Le contesta, utilizando como correo la cigüeña, y declara su amor al poeta oriental, enviándole su foto. La cigüeña trae a Poldy la respuesta y la foto del príncipe indio. Este resulta ser un amigo de su hermano, que, enamorado de la joven y soñadora condesa, recurrió a todos aquellos trucos y tramoya para captar así su atención.

Valera juega como siempre con lo fantástico, lo poético y lo real-humorístico. El cuento, ambientado en los bosques vieneses, es elegante en forma e intención y en él luce el autor sus conocimientos e ingenio.

Un muy definido carácter dentro de las narraciones amorosas ofrecen las *Historias cortesanas* de LUIS ALFONSO. Su solo título nos hace pensar ya en las que reciben igual nombre en el Renacimiento. Y, efectivamente, el tono entre frívolo y licencioso de algunos de estos relatos justifica el que su autor emplee tal denominación.

Luis Alfonso es un buen narrador, aun cuando guste excesivamente de los trucos y finales efectistas. Así, en *Dos cartas* —fechada en Madrid en 1886— Rafael escribe a Leonardo explicándole cómo co-

---

43 *Cuentos*. Col. Universal. Ed. Calpe. Madrid, 1924, págs. 193 y ss.
44 Vid. *Novelas*. III y IV.

noció a Teresa y la hizo su amante. Una noche, el padre de la joven entra en la alcoba y Rafael huye por el balcón. El padre cree que se trata de un novio que Teresa había tenido, y la joven, por no echar sobre sí una nueva deshonra, no se decide a sacarle de su error. Rafael pide consejo a Leonardo.

La segunda carta que compone la narración sólo consta de tres líneas: «Sólo puedo contestarte, con la afrenta en el rostro y el odio y la desesperación en el alma, que casé, hace dos meses, con Teresa...— Leonardo» [45].

Igualmente efectista es *La confesión* [46]: Una bella dama enlutada entra en una iglesia y se dirige a un confesionario.

Allí narra cómo de niña se enamoró en la aldea de un muchacho llamado Juan, sobrino del cura. En cierta ocasión Juan la besó, y, al asustarse ella, no volvió más a su casa.

El confesor nada dice y deja a la dama continuar su relato. Ella marchó a la corte, se casó, pero siguió amando a Juan. Cuando murió su marido, casi se alegró para poder así buscar a Juan y casarse. Pide consejo al sacerdote y éste trata de disuadirla, juzgando *imposible* la nueva boda. Y al fin la manda volver dentro de dos o tres semanas. Cuando la dama regresa no encuentra al sacerdote, y por los informes del sacristán comprende que su confesor era Juan, el sobrino del cura.

Puede observarse a través de estos últimos ejemplos la transformación que el tema amoroso va experimentando a medida que el siglo avanza. Lo simplemente sentimental es desplazado por lo psicológico. Deja ya de interesar la pasión, presentada siempre con las mismas características y sin complicación alguna. Para los románticos, el mero espectáculo del amor entre hombre y mujer ofrecía el suficiente interés y contenía la necesaria emoción para ser tratado literariamente. El repertorio de complicaciones capaces de entorpecer ese amor y, por lo tanto, de tensar aún más el interés, era relativamente limitado en los años románticos y necesitó de aumento y perfección en el transcurrir del siglo.

Las *Historias vulgares* de JOSÉ DE CASTRO Y SERRANO representan un avance decisivo en ese camino hacia el naturalismo, ya que —según su título indica— aspiran a reflejar existencias grises, sencillas, en

---

[45] *Historias cortesanas*. F. Fe. Madrid, 1887, págs. 5 y ss.
[46] Id., págs. 89 y ss.

las cuales el amor es un suceso más, carente, por tanto, del énfasis observable en los relatos románticos.

Lorenzo Gómez [47] narra la historia de un estudiante de medicina, huésped en una pensión, que se enamora, estando enfermo, de una mujer cuya voz oye a través de un tabique.

El brigadier Fernández [48] es una espléndida narración, quizás la mejor para nuestro gusto entre todas las de Castro, por su extraordinario sentido del humor y de la ternura.

Luisa [49] es un delicioso relato sobre el primer baile de máscaras de una muchachita recién salida del colegio, galanteada por dos desconocidos, uno de los cuales manifiesta deseos de casarse con ella. Al día siguiente, la madre de Luisa le presenta a su padre y a su hermano como a los dos enmascarados caballeros del baile. Hay humor y simpatía en esta sencillísima narración, que podría servir de ejemplo de la técnica y temas preferidos por Castro.

III. NATURALISTAS Y POSTNATURALISTAS

Los cuentos amorosos de «CLARÍN» se caracterizan por la finura psicológica, en ciertos casos tan sutil que nos obliga a encuadrar algunos —*Un documento, Rivales*— no en este capítulo, sino en el dedicado a los cuentos psicológicos.

La exquisita sensibilidad de Alas, conjugada con su capacidad crítica, dan a estas narraciones un valor excepcional. El cuento amoroso de *Clarín* responde a las mismas características de la mayor parte de sus narraciones: exaltación de la vida, de los seres débiles y humildes; combinación del humor y de la ternura.

Y en algún caso, auténtico lirismo narrativo, poesía hecha cuento: *El dúo de la tos* [50].

En esta narración *Clarín* aborda un tan dramático y literario tema como es el de la tuberculosis, que en nuestros días ha provocado obras que están en el recuerdo de todos.

En *El dúo de la tos* la enfermedad aparece tratada de la más poética forma posible; sin descripción de los protagonistas, que carecen de

---

[47] *Historias vulgares*. I. Madrid, 1887, págs. 165 y ss.
[48] Id., págs. 269 y ss.
[49] Id. II, págs. 187 y ss.
[50] *Cuentos morales*. Madrid, 1896, págs. 105 y ss.

nombre; sin diálogo, con la sola doliente palpitación de las toses enfermas en la noche.

En un lujoso hotel, frío e inhóspito, un hombre —*un bulto*— en una ventana piensa que se encuentra allí más solo que en un desierto. Dos balcones más a la derecha otro bulto, una mujer, observa el titilar del cigarrillo masculino.

«Si me sintiera muy mal de repente; si diera una voz para no morirme sola, ese que fuma ahí me oiría —sigue pensando la mujer, que aprieta contra un busto delicado, quebradizo, un chal de invierno tupido, bien oliente.» El hombre del cuarto 36 se retira del balcón, y la mujer del 32 supone que se ha ido a acostar.

El 36, ya en la cama, empieza a toser ronca, dolorosamente, con la desesperación de la soledad de un hombre de treinta años, sin familia, con la muerte «pegada al pecho».

«Y tosía, tosía en el silencio lúgubre de la fonda, dormida indiferentemente como el desierto. De pronto creyó oír como un eco lejano y tenue de su tos... Un eco... en tono menor. Era la del 32. En el 34 no había huésped aquella noche. Era un nicho vacío.
La del 32 tosía, en efecto, pero su tos era... ¿cómo se diría? más poética, más dulce, más resignada. La tos del 36 protestaba, a veces rugía. La del 32 casi parecía un estribillo de una oración, un miserere: era una queja tímida, discreta; una tos que no quería despertar a nadie. El 36, en rigor, todavía no había aprendido a toser, como la mayor parte de los hombres sufren y mueren sin aprender a sufrir y a morir. El 32 tosía con arte, con ese arte del dolor antiguo, sufrido, sabio, que suele refugiarse en la mujer.»

La tos del 32 acompaña al 36 como una música; se apoyan una en la otra, la femenina en la varonil, abrazándose en la noche. Al día siguiente el 36 abandona el hotel para morir poco después. La mujer vivió dos o tres años más.

Parece como si *Clarín* con este cuento hubiera vuelto a la época romántica de la abstracción, de los amores ideales e inasibles. Y, sin embargo, el tono sorprendentemente actualísimo de *El dúo de la tos* no se parece en nada a las fantasmagorías germánicas que circularon con éxito hasta casi la mitad del siglo XIX.

En *El dúo de la tos* Alas poeta venció totalmente a Alas crítico, consiguiendo uno de los más bellos y originales cuentos de la pasada centuria.

«*Flirtation*» *legítima* [51] es una deliciosa narración cuya primera

---

[51] Id., págs. 331 y ss.

parte contiene la caricaturesca semblanza de un ridículo empleado que se tenía por orador y que en el Congreso disertaba pesadísimamente. (Tipo éste trazado y presentado con la misma técnica clariniana que se observa en *Doctor Pértinax, Don Urbano, Cuervo* o cualquiera de las narraciones de esta clase.) Un ingenioso periodista destruye la felicidad del orador ridiculizándole y satirizándole.

Luego el cuento toma un sesgo finamente sentimental muy distinto del anterior. El periodista en su veraneo se enamora de una muchacha que resulta ser la hija del satirizado. El cree advertir en ella correspondencia a sus miradas, y abandona entonces la sátira, proporcionando así descanso y satisfacción al «ilustre prócer». Cuando el periodista se atreve a declarar su amor a la muchacha, ésta le confiesa que sólo ha «flirteado» con él para mantenerle alejado de las burlas contra su padre. El escritor acepta las calabazas y no vuelve a ridiculizar al padre de la joven.

El caballero de la mesa redonda [52], aunque excesivamente largo y con bastantes digresiones e interferencias, es, sin embargo, un cuento significativo respecto a lo que antes decíamos de la complacencia de Alas por describir las vidas de los seres más humildes y grises.

El protagonista de esta narración es don Mamerto Anchoriz, solterón, viejo verde muy mimado y querido por sus gracias, que alegraba la temporada otoñal de un famoso balneario. Mamerto no cree en religión, patria ni familia, y no habiendo sufrido enfermedad alguna —lo que él atribuye a no haber leído nunca nada—, espera ser eterno. En el balneario todos le reciben bien excepto un matrimonio, fiscal y fiscala, que acaban reconociendo sus méritos. La fiscala llega incluso a tener gran intimidad con él.

Cae enfermo el solterón, y en un principio no recibe junto a su lecho, sino a través del gabinete, para que nadie pueda ver los estragos de su vejez. Al fin entran hasta su propia cama, y la fiscala le cuida con gran cariño, especialmente cuando todos le van abandonando y el balneario —invadido ya de invierno— queda desierto.

Muere Mamerto sin que nadie se dé cuenta, excepto la vieja mujer del fiscal, que le ayuda en ese trance.

«... acaso, acaso lo que pasó entre la vieja y el libertino, entre la honrada fiscala y el viejo verde, fué la aventura de faldas más interesante con que hubie-

---

[52] Id., págs. 343 y ss.

ra podido entretener a los *comensales* de la *mesa redonda* el solterón empe-
dernido... si hubiera podido contarla.»

No hay amor —entendido éste ligera o carnalmente— entre el solterón y la fiscala; hay algo más hondo, como nacido del dolor y de la
muerte.

Obsérvese que en los tres cuentos hasta ahora citados de *Clarín,* el
amor nada tiene que ver con lo que en otras narraciones se entiende
por tal. En *El dúo de la tos* el hombre y la mujer enfermos, sin verse,
sin hablarse, se aman y compadecen a través de su dolor y de su soledad en la noche. Mueren sin conocerse, cada uno en un sitio distinto.

Sombra de amor hay en «*Flirtation» legítima,* cuento de los más
suaves y piadosos de *Clarín.*

Otro sencillo, burgués idilio, es el descrito en *La reina Margarita* [53]. La protagonista es una pobre cantante de una compañía de ópera
que sólo sabe interpretar con cierto éxito el papel que da título al cuento. En una de las ciudades donde actúan les falla el tenor y recurren
a uno de la capilla catedralicia. Buen cantante pero hombre vulgar y
mal actor, hace reír al público interpretando *Fausto. La reina Margarita* se compadece de él, haciéndose grandes amigos por la semejanza de
sus suertes. Al fin piensan en apartarse del teatro, casarse y dedicarse
al comercio en el pueblo del tenor. Así lo hacen, y en cierta ocasión
actúan en una función de aficionados con sus trajes de reina Margarita
y de Fausto, siendo aplaudidos entusiásticamente por un público inculto pero cariñoso.

Otra historia de amor y actores humildes es la contenida en *La
Ronca* [54].

De *Un viejo verde* ya hemos hablado en otro capítulo, al estudiar el
empleo del diálogo en el cuento.

Mención especial merece la logradísima novela corta titulada *Superchería* [55], cuyo mayor encanto radica tal vez en la novedad del ambiente: hipnotismo, sugestión y un amor imposible, refinadamente psicológico.

Superchería pertenece a esa etapa de la obra clariniana, transida
de auténtico idealismo, que, punzado por la más suave ironía, produce
narraciones tan delicadas como ésta, en que lo aparentemente fantás-

[53] Id., págs. 401 y ss.
[54] *El Señor y lo demás son cuentos.* Ed. Calpe. Madrid, 1919, págs. 194 y ss.
[55] *Doña Berta, Cuervo, Superchería.* Ed. Emecé. Buenos Aires, 1943.

tico y lo sencillamente humano se entrecruzan de la más poética manera. El protagonista es un filósofo incrédulo, escéptico pero —¿como *Clarín*?— dotado de una veta de ternura, de amor, que se manifiesta en la atracción que le inspira un niño italiano, Tomasuccio, el hijo de Catalina Porena.

Antes de conocer a la madre —esposa de un hipnotizador— el filósofo la ha adivinado en las facciones del niño, sutil hallazgo psicológico que *Clarín* perfecciona y refina en la escena en que el protagonista conoce a Catalina Porena, teniendo ella los ojos cerrados y fingiendo estar hipnotizada. Cuando ella abre los ojos, ve el filósofo en su mirada lo que la distingue del niño, lo que en éste echaba de menos y adivinaba.

La trama de la narración es interesante e ingeniosa, aunque algo efectista, y lo mejor de ella está en el análisis del amor —al niño y a la madre— que brota en el filósofo. Amor nacido de una *Superchería* que cobra su máxima autenticidad cuando el niño muere, y el hombre ha de renunciar para siempre al ideal amor de la mujer casada.

Superchería es un relato típicamente clariniano por la perfecta proporción en que en él entran el humor, la crítica y la ternura.

De tema amoroso son en cierto modo *El Señor, Doña Berta* y *El entierro de la sardina,* estudiados en otros capítulos.

El mayor número de cuentos clasificables en este capítulo pertenece como siempre a D.ª EMILIA PARDO BAZÁN, que dió el título de *Cuentos de amor* a una serie de narraciones. Aparte de éstos, hay que tener en cuenta los dispersos en otras colecciones y revistas, de tema amoroso.

Algunos de estos *Cuentos de amor* han sido estudiados en otros capítulos por estimar que, pese a su trama amorosa, existían en ellos notas más características: *La perla rosa, Champagne, El encaje roto, La religión de Gonzalo,* etc.

Trataremos de establecer una subclasificación que nos permita examinar más fácil y rápidamente estas narraciones pardobazanianas.

Muchas de ellas tienen un tono simbólico. Tales *El amor asesinado* —Eva al asesinar al Amor se mata a sí misma, ya que le tenía dentro—; *El viajero* —fugacidad y dolor de la pasión—; *El corazón perdido* —una joven muere por recoger un corazón extraviado en la calle, que otras mujeres habían despreciado—; *La última ilusión de Don Juan* —desengaño amoroso del seductor, engañado por una joven a quien suponía y trataba como a un ser ideal—; todos ellos pertenecientes a la serie *Cuentos de amor*.

De la misma, y de tono simbólico-fantástico, es *La aventura del Ángel:* Por una falta un ángel es condenado a pena de destierro temporal en el mundo, donde se encuentra solo y triste en su nueva forma humana. En un periódico encuentra una poesía dedicada *A un ángel,* y por el contexto deduce que aquel ser vive en la tierra y en una casa de la ciudad, cuyas señas da minuciosamente el poeta. Pensando que se trata de un hermano desterrado como él, marcha a buscarle. En una calle muy solitaria y tras los hierros de una reja oliente a jazmines, encuentra a un ser bellísimo que él toma por el ángel desterrado. Se trata —aunque él no lo sepa— de una mujer que desea salir al mundo y liberarse del cautiverio en que vive. Una noche se escapa con el ángel y se burla de él y de su ingenuidad, llegando a abofetearle. El desterrado se da cuenta, con dolor, de que el poeta mentía, y es entonces cuando nuevamente se le abren las puertas del cielo por haber vencido la mayor tentación: la mujer. Cuando el ángel sube no puede menos de volver la cabeza atrás y mirar a hurtadillas la tierra, donde se le quedaba un sueño y el olor a jazmín de una reja.

La bella idea de este cuento no es original y se encuentra en otras obras literarias. En 1855 apareció en el *Semanario Pintoresco Español* un relato firmado por A. F. titulado *El error de un ángel* [56], cuyo asunto se reduce a narrar cómo Rafael baja a la tierra, se enamora de Rebeca y, desengañado, vuelve al cielo. Se observa, pues, que en este relato existen los mismos elementos que aparecen en el de la Pardo Bazán: el ángel, la mujer, el desengaño y el regreso al cielo.

Tal vez el tema tenga algo que ver con la leyenda que Menéndez y Pelayo estudió al hablar de *La caída de un ángel* de Lamartine. La leyenda de los amores de ángeles con las hijas de los hombres —cuyos orígenes han de buscarse en el libro apócrifo de Heroch— la han tratado Byron en su misterio dramático *Heaven and Earth;* Thomas Moore en su brillante fantasmagoría *The Loves of the angels;* y Alfredo de Vigny en su delicado poema *Éloa* [57].

Un cuento de Gabriel Miró, el titulado *El ángel,* se asemeja algo también al de la Pardo Bazán: Un ángel desconocedor de todo lo terrestre es enviado por un querubín a la tierra con oficio de custodio

---

56   *Semanario Pintoresco Español,* n. 5, 4 julio 1855.
57   Vid. *Historia de las ideas estéticas.* Ed. Nacional. Tomo V, pág. 376.

de hombres. Primeramente no consigue salvar almas, pero luego empieza a enviar al cielo a sus protegidos. El querubín se extraña de lo mucho que tarda en regresar al cielo el ángel, y al fin se traslada a la tierra para buscarle, encontrándole en un pueblo donde es conocido por don Angel. Sus alas se han secado y sólo le quedan los bordes, por lo cual la gente le cree algo corcovado. Está viejo y enflaquecido.

El querubín le pide perdón por haberle hecho sufrir en la tierra. Y don Angel le dice que en efecto ha sufrido mucho y ha sido engañado muchas veces. Pero cuando el querubín quiere regresar con él al cielo, don Angel le habla de las bellezas del mundo y de cómo algunas veces los hombres son felices y él es dichoso contemplándolos. Se queda en la tierra mientras el querubín retorna al cielo sollozando [58].

El tema de Miró tiene ya una intención muy distinta del cuento de la Pardo Bazán, aun cuando en el final de éste se transparente un cierto dolor del ángel al abandonar la tierra, a la que ya ama tanto el protagonista de la narración mironiana que no es capaz de regresar al cielo.

En todo caso los elementos —ángel humanizado, mujeres, desengaños— subsisten más o menos deformados, si bien los desenlaces difieren.

La mayor parte de los cuentos amorosos de la Pardo Bazán son de carácter psicológico, y entre ellos no pocos tienen como motivo argumental diferentes casos de adulterio.

En *Mi suicidio* el narrador ha perdido a su mujer y está decidido a suicidarse frente a un retrato de ella. Pero antes de suicidarse le sobreviene el capricho de examinar el «secreter» de su esposa, y en él halla unas cartas que le revelan cómo ella lo engañó y traicionó. Dispara entonces, pero no contra su sien, sino contra el retrato de su mujer [59]. *Así y todo..* relata la trágica historia de un joven, amante de una mujer casada, al que ella arrastra fríamente al asesinato de su marido. En *¿Justicia?* un marido, al averiguar que ha sido engañado, se venga de su mujer haciéndola pasar por ladrona.

De tono bárbaro es *Los buenos tiempos:* El conde de Lobeiro na-

[58] Gabriel Miró: *Obras completas.* Biblioteca Nueva. Madrid, 1943, páginas 657 y ss.

[59] Este cuento, como todos los siguientes mientras no se advierta lo contrario, pertenece también a la serie *Cuentos de amor.*

rra cómo su bisabuela, D.ª Magdalena Varela, al saber que su esposo la engañaba con la hija de un casero casi siervo suyo, hizo que este mismo la degollase.

Sara y Agar es, como indica su título, una modernización del episodio bíblico. En *Sangre del brazo* un marido adúltero, destruído por sus vicios, no puede ofrecer su sangre para una transfusión a su esposa. La venganza de un comerciante que hace arder vivos a la esposa infiel y al seductor, es el tema de *A secreto agravio*... En *La mirada* el narrador cuenta cómo sedujo a una dama casada tenida por inexpugnable, haciéndose pasar por vendedor de joyas y ofreciéndole éstas a cambio de su amor [60].

Prescindiendo ya de los cuentos sobre adulterios, citaremos otros de temas amorosos más generales. *Desquite* es una fina narración psicológica sobre un hombre deforme y raquítico que, sintiéndose humillado por su fealdad, decide conquistar espiritualmente a una bella muchacha de la que es profesor de piano. Para ello le envía unas misivas sin firma en las que espiritual y poéticamente declara su amor. La joven, aunque no sabe de quién se trata, se enamora del hombre a través de sus cartas y le responde, al fin, concediéndole una cita. De noche y en un carruaje, espera el profesor a su alumna, y ésta, sin conocerle, le confiesa su amor tímida y llorosa. Es entonces cuando el seductor se arrepiente de su conducta y huye, dejando a la joven frente a su casa. También psicológico es *Un parecido*.

Delincuente honrado, aunque incluído en los *Cuentos de amor*, es propiamente un relato moral por el problema en él planteado: un padre mata a su hija ante el temor de verla deshonrada. *La inspiración* relata cómo un poeta encuentra tema para su más notable obra en el suicidio de dos amantes. En *La novia fiel* aborda atrevidamente la Pardo Bazán un tema tan escabroso como el de la joven que, observando cómo su novio dilata durante años el momento de su boda, comprende un día el porqué de su no apasionamiento y entonces rompe con él, declarando a su confesor que ella no se consideraba fuerte y que hubiera acabado por imitar al hombre.

Afra es una trágica historia de celos femeninos. *La Bicha* tiene una intención satírico-social. En *Consuelo* un hombre renuncia en supremo sacrificio a casarse con su novia al haber perdido una pierna

---

[60] Esta última narración pertenece a la serie *Sud-exprés*. Tomo XXXVI de las *Obras completas*, págs. 82 y ss.

en la guerra. Ella contrae matrimonio con un ser contrahecho y ridículo.

También psicológicos son *Martina, Apólogo, Remordimiento*, pertenecientes a la serie *Cuentos de amor*. Y sobre todo el titulado *Sí, señor*, al que nos hemos referido en otro capítulo [60 bis].

La señorita Aglae es la historia de un joven melancólico al que un amigo cura con un procedimiento ingeniosísimo, demostrándole que lo que necesita es enamorarse [61]. En *La Vergüenza* el narrador relata cómo en un pueblo conoció a una timidísima joven a la que diariamente ofrecía el agua bendita al salir de la iglesia. Pero la misma vergüenza femenina le hace desistir de todo intento de burla o seducción [62].

Y por no alargar más aún el espacio concedido a la Pardo Bazán, acabaremos citando algunas de sus novelas breves aquí clasificables: *La dama joven, Cada uno..., Finafrol* y, tal vez, *Por el arte*. Esta última se caracteriza por su tono suave y frívolamente humorístico.

ARMANDO PALACIO VALDÉS es uno de los más delicados autores de narraciones amorosas. En otro capítulo aludimos ya a *Los puritanos*, relato lleno de gracia y de ternura, fino análisis del amor de una adolescente.

En *Los amores de Clotilde* [63] un anciano amigo de la admirada actriz cuenta cómo un autor novel logró enamorar a Clotilde y hacer que una muy deficiente obra suya fuera estrenada. En los ensayos se condujo como un tirano. Clotilde actuó nerviosamente en el estreno y el escritor la abandonó acusándola de haber echado a perder su obra, a la cual, según el anciano narrador, le faltaba corazón como a su creador. Se interrumpen los comentarios al entrar la actriz en el camerino.

Los contrastes electivos viene a ser una graciosa réplica a *Las afinidades electivas* de Goethe [64]: Una alegre andaluza va a casarse con un andaluz de sus mismas condiciones. Su mejor amiga es una vasca dulce y sosa que va a contraer matrimonio también con un vasco de carácter semejante. Conócense unos y otros, el vasco se enamora de la andaluza y el andaluz de la vasca, y se celebran las bodas de las desiguales parejas.

[60 bis] Vid. pág. 127.
[61] *Cuentos de la tierra*, págs. 72 y ss.
[62] *Sud-exprés*, págs. 70 y ss.
[63] *Aguafuertes. Obras completas.* Ed. Aguilar, págs. 1.080 y ss.
[64] Id., págs. 1.145 y ss.

Toda una serie de relatos de Palacio Valdés es de carácter amoroso. Nos referimos a la titulada *Tiempos felices,* en la que el autor, a sus ochenta años, evoca las historias de cómo llegaron a casarse sus amigos [65].

En *Cómo se casó Pedraja,* a propósito de la teoría de la vuelta eterna de Nietzsche, Pedraja narra cómo su abuelo siendo joven se enamoró de una muchacha llamada Juanita, que vivía en Madrid, en la calle de Leganitos. Fué un amor suave, en una época de costumbres patriarcales. Pero el abuelo se ausentó de Madrid y no llegó a casarse con Juanita. Cuando el nieto va a Madrid, conoce en la misma calle a otra Juanita, y, tras atravesar por vicisitudes semejantes a las de su abuelo, logra casarse con ella.

En *Cómo se casó Brañanova* un gallego es despreciado por una madrileña precisamente por su oriundez. El se marcha entonces a estudiar a Andalucía, y cuando regresa a Madrid enamora a la misma mujer fingiéndose andaluz.

Cómo se casó Tejero es otra rosácea y placentera narración en la que un viudo de cuarenta y cinco años protege y lleva a su casa a la huérfana de un amigo, muchacha aún más joven que sus propias hijas. Llega a enamorarse de la pupila, y, al casarse, conviértese ella en una inteligente y autoritaria madre para sus hijas y hace vivir a Tejero sometido a una dulce dictadura.

Cómo se casó Izaguirre carece ya del tono jovial de las anteriores: Un joven llega a casarse con la que fué su institutriz en la niñez, doce años más vieja que él. Cuando muere su esposa, su dolor es intenso. El amor del niño por su profesora y la transformación de este sentimiento constituyen la trama de esta sencilla narración.

Cómo se casó Montejo carece de unidad y no es propiamente un cuento, aun cuando los tipos y las incidencias están llenos de gracia.

Cómo se casó Taulet fué publicada antes con el título de *El Saladero:* Taulet es llevado a la cárcel por confusión, y en el camino conoce a una joven que se compadece de él. Más tarde, aclarada la equivocación, encuentra a la muchacha y con ella llega a casarse.

Cómo se casó Laplana es un relato bastante extenso, novela corta más que cuento, sobre el amor y boda de un joven aristócrata con una criada a la que conoció niña en una pensión.

---

[65]   Id. La serie *Tiempos felices* comprende las págs. 909 a 1.027.

Menos interés ofrece la digresiva narración que cierra la serie, *Cómo se casó el Marqués de Guadaira*.

A cara o cruz [66] es una novela corta cuya trama se reduce en resumen a la historia de un hombre casado con una joven que tiene una hermana gemela. El amaba igualmente a las dos y decidió la elección a cara o cruz. Cuando muere su esposa, se casa con la otra hermana, y su vida matrimonial es una prolongación de la anterior. Como se ve, esta trama es casi idéntica en intención y apacibilidad a los relatos que integran la serie *Tiempos felices*.

El amor en las narraciones de Palacio Valdés —comparadas éstas con las de la Pardo Bazán— pierde profundidad psicológica, pero gana en ternura y en humor. El tono rosáceo, burgués, de los cuentos del escritor asturiano, explica su actual popularidad, sin complejos, sin adulterios, sin tragedia.

De Vicente Blasco Ibáñez citaremos aquí la muy ingenua y truculenta narración titulada *Un idilio nihilista* [67], que, en un ambiente convencional, describe el amor de un joven ruso, nihilista, por la hija de otro nihilista químico. Preparan un artefacto mortal cuando son descubiertos y deportados a Siberia.

El vals de Strauss, de Juan Tomás Salvany, es una trágica historia de amor, de corte naturalista [67 bis].

De Manuel Polo y Peyrolón recordamos *La novela de un colegial* [68], sobre los deliquios románticos de un joven seminarista que se enamora hasta enfermar de una joven. Cuando ésta se casa con un rico y grosero labrador, el colegial se cura y escarmienta.

El diablo azul, Cuento de color de fuego, es una absurda narración de Eduardo Bustillo en la que Pura, jovencita soñadora, se marcha de una función teatral por no poder soportar a Mefistófeles y es seducida por el Diablo azul bajo figura del Angel de la Guarda [69]. En *Novelesca, Narración verídica,* del mismo autor, Micaela es una muchacha cubana dotada de una tan ardiente imaginación amorosa que ocasiona su muerte.

---

66 Id., pág. 887.
67 *El adiós de Schubert* (y otras novelas). Valencia, 1888, págs. 343 y ss.
67 bis *De tarde en tarde.* Madrid, 1884, págs. 157 y ss.
68 *Seis novelas cortas.* Valencia, 1891, págs. 243 y ss.
69 *Cosas de la vida.* Madrid, 1899, págs. 1 y ss.

Fidela, La novela de los celos, Del verbo amar, La pata quebrada, etcétera, son otros relatos amorosos de Bustillo [70].

De «FERNANFLOR» sólo citaremos aquí *El beso* [71]: La última murmuración de la sociedad refiere cómo Carlos, romántico joven, vino de Toledo a Madrid a arreglar algunas valiosas joyas y, de paso, a enseñárselas a la viuda de Martínez Rivero. Esta deslumbra al joven, que la besa y huye dejando las joyas en el suelo.

Dos cumpleaños y *Aventura electoral* son dos cuentos sentimentales de José CÁNOVAS Y VALLEJO encuadrables en este capítulo [72].

Aun cuando el tema dominante en las narraciones de JACINTO OCTAVIO PICÓN sea el erótico, es sin embargo más decisivo en ellas, a efectos de clasificación, lo psicológico.

Tres mujeres es el título que Picón dió a un volumen que apareció en 1896 conteniendo tres novelas cortas de tema amoroso, y que se caracterizan por ser más edificantes y ejemplares que las de época posterior [73].

La recompensa [74] describe la amistad de Susana y Valeria en un colegio de monjas. El origen de Valeria es misterioso, y cuando van a echarla del colegio, Susana intercede ante su tutor para que costee la educación de su amiga. Al salir del colegio, Susana se lleva a su casa a Valeria. Ambas se casan; sus maridos mueren en la guerra, en tanto que ellas han dado a luz dos niños. Susana muere y pide a Valeria que recoja a su hijo. Esta, por agradecimiento a su amiga, decide alejarse de los niños para que surja la confusión y no pueda distinguirse cuál es su hijo y cuál el de Susana. Pasan los años, y cuando Valeria decide probar a sus dos hijos, ya hombres, se encuentra recompensada en su doble maternidad al comprobar que ambos la quieren igualmente.

En *La prueba de un alma* el médico Ruiloz asiste en Saludes a la esposa de Javier Molínez. La suegra de éste llega con su sobrina Julia,

[70] Se encuentran todos en *Cosas de la vida.* A la serie *El libro azul* —Madrid, MDCCCLXXIX— pertenece *Troncos y ramas,* que repite el moratiniano tema del triunfo del amor juvenil sobre la vejez.

[71] *Cuentos.* Madrid, 1904, págs. 141 y ss.

[72] *Cuentos de éste.* Madrid, 1893, págs. 15 y ss., y 53 y ss.

[73] H. Peseux-Richard dice de estas narraciones: «On pourrait recommander aux jeunes filles sensibles la lecture de ces trois nouvelles dignes de figurer dans un recueil de morale en action» *(Un romancier espagnol: Jacinto Octavio Picon. Revue Hispanique.* XXX, 1914, pág. 592).

[74] *Tres mujeres.* Colección Klong. F. Fe. Madrid, MDCCCXCVI, pág. 17.

prima de la enferma. Se trata de una muchacha triste de la que se enamora Ruiloz, y cuya historia le cuenta un criado. Molínez fué novio de Julia hasta que un verano conoció a su prima, la cual logró casarse con él. Ruiloz teme que Julia siga enamorada de Javier y odie a su prima, y para probarla, en una noche de vela le da un frasquito de agua coloreada diciendo que se trata de un medicamento de gran violencia, y que el exceso de dosificación podría ser mortal para la enferma. Julia resiste la tentación de la venganza. Al día siguiente Ruiloz le confiesa su amor.

No menos moral y edificante es *Amores románticos,* la tercera de estas narraciones: Felisa dilata el casarse con Manuel porque teme que le ocurra lo que a su madre, casada con un hombre que la explotó, vendiéndola a diversos amantes, de uno de los cuales nació ella. Cuando Manuel regresa de un largo viaje por América, una amiga de Felisa le escribe diciéndole que su novia padeció la viruela, quedando horrorosamente desfigurada. Se trata de una mentira de Felisa, que desea probar si Manuel la ama sólo carnalmente. Pero a la vez el novio inventa el haberse quedado ciego. Se descubre la doble y romántica mentira y se celebra el matrimonio.

Los tres relatos son ejemplares y en ellos exalta Picón el sacrificio y la abnegación. A éstos pudiera agregarse el titulado *Sacrificio* [75].

Pero no es éste el tono normal de los cuentos de Picón, en los que domina la sátira, el escepticismo, incluso la franca licenciosidad: *Confesiones.*

Peseaux-Richard, estudiando los relatos de tema erótico de este narrador, distingue diferentes tendencias:

«Un motif affectionné par M. Picon et dont on comprendra facilement l'importance quand nous parlerons de ses aspirations vers un élargissement des moeurs, est celui de l'homme ou de la femme renunçant au mariage pour cause d'indignité du futur conjoint: *Boda deshecha, La Prudente, Contigo pan... y pesetas* ou se debattant dans les liens d'une union mal assortie: *El retrato, Divorcio moral, El deber, Lo imprevisto, El pobre tío,* etc., et sourtout ses romans: *La honrada* et *Sacramento.* Mais si les ames savent se garder contre les unions inconsiderées ou en supporter héroiquement les consequences ou se revolter contre elles, d'autre tirent sans vergogne tous les profits assurés par la securité et la solidité du sacrement, les ménages fin de *siècle,* comme on les eût appelés du temps où l'auteur les décrivait s'étilent complaisemment dans: *Eva, El agua turbia, El milagro, Sacramento, Dramas de familia, Una venganza, Un crimen, El socio, Candidato, Modus vivendi.*

Autant sont méprisables ceux qui, sous le manteau des justes lois et sous la

_____

[75]   *Blanco y Negro,* n. 43, 27 enero 1894.

sauvegarde des formalités officielles, se livrent aus pires fredaires, autant notre indulgence doit aller vers ceux qu'une passion sincère a irrésistiblement unis en dehors de tout bien consacré ou qui obéissent a une conviction profonde. La tolerance nous semble la vertu la plus prisée de M. Picon. Son œuvre en est toute débordante et on ne sauvait guère, a ce sujet, faire de citations. Notons cependant: *Los triunfos del amor, Caso de conciencia, Hidroterapia y amor, Aventura, La última confesión, Almas distintas*, etc.» [76].

También observa Peseux-Richard que «*La Vistosa* et surtout *El peor consejero* nous aprennent que *le pire conseiller* c'est l'amour prope, ennemi de l'amour» [77].

En los relatos amorosos de Jacinto Octavio Picón ha desaparecido ya toda concesión al fácil sentimentalismo y sólo queda lo psicológico, tan aguzado en algún caso, que la narración pasa del plano de la realidad al del simbolismo: *Rivales* [78].

Del tan fecundo autor de cuentos ALFONSO PÉREZ NIEVA podríamos citar numerosos cuentos de amor, pero nos limitaremos a los más significativos.

Pérez Nieva no busca reconditeces psicológicas, y pocas veces llega al drama o a la tragedia, manteniéndose en un plano de suave y sencilla amenidad.

Entre sus *Novelas relámpagos* se encuentran no pocas de temas amorosos. *Un amor chispa* [79] es de tono humorístico: El narrador monologa interiormente acerca de la evolución y alternativas de un rapidísimo amor —cinco minutos— en el interior de un tranvía. En *¡Bendita sea la luna!* [80] sólo la luna es fiel a la amada que espera inútilmente en el balcón. En *Las bodas de oro* [81] descríbese la alegría y amor de un viejo matrimonio.

Una novia abandonada ve a su novio casarse con una rica condesa en *¡Siempre Don Juan!* [82]. *Estrellas y mariposas* [83] refleja la volubilidad amorosa de los militares. En *Cartas de un girasol* [84] la flor describe cómo la primavera llega para el almendro y para una muchacha enamorada, y cómo todo concluye prontamente.

---

[76] *Revue Hispanique*. XXX, pág. 533.
[77] Id., pág. 534.
[78] *El Cuento Semanal*, n. 72, 15 mayo 1908.
[79] *Blanco y Negro*, n. 5, 7 junio 1891.
[80] Id., n. 8, 28 junio 1891.
[81] Id., n. 18, 6 septiembre 1891.
[82] Id., n. 30, 29 noviembre 1891.
[83] Id., n. 43, 28 febrero 1892.
[84] Id., n. 46, 20 marzo 1892.

Para poder dejar una cantidad decorosa en *La mesa de petitorio* [85] en que está su novia, un estudiante empeña sus libros. En *Idilio moderno* [86] un estudiante contempla el amor de dos vecinos en los balcones de enfrente. En el examen contesta al catedrático, también vecino de la misma casa, sobre el idilio, y tras hablar de los de Meléndez, Moratín y Jovellanos, alude al de los jóvenes del balcón. *El terror de los infieles* [87] presenta a una joven que, al descubrir que su novio le es infiel, echa su retrato en el cepillo del Apóstol Santiago pidiendo que lo degüelle sin piedad. *Política europea* [88] es un cuento humorístico de circunstancias: Una muchacha enamorada de un portugués es estorbada por su aya inglesa. Al fin Inglaterra es vencida y la Unión Ibérica realizada en política internacional, asunto que conoce muy bien la joven. En *El caballo ruso* [89] un caballero hace que su jockey corra con un caballo ruso, ya que está enamorado de una princesa del mismo país, la cual con el triunfo de la carrera accede a una entrevista. De tono amargo es *El de todas las noches* [90]: Un pobre estudiante espía todas las noches la salida del coche de una dama de la que está enamorado. Cuando se decide a declararse por una carta, la dama manda a su aya que dé una limosna al pobre de todas las noches.

De todas formas los relatos de desenlace no feliz son excepcionales en Pérez Nieva, que, como puede verse por los ejemplos citados, gusta más de lo gracioso e intrascendente. Sus cuentos son ligeros, amables, y casi podrían ser comparados —con menos gracia y soltura narrativa— con algunos de Palacio Valdés.

También suaves y burguesas suelen ser las narraciones de ALEJANDRO LARRUBIERA, *El himno de Riego* y *El último idilio* son dos buenos ejemplos [91].

En *¡Sin corazón!*, de EDUARDO SÁNCHEZ DEL CASTILLO, una joven escribe a una amiga desengañada negando que los hombres carezcan de corazón. Pero al ser abandonada ha de dar la razón a su amiga [92].

---

[85] Id., n. 50, 17 abril 1892.
[86] Id., n. 60, 26 junio 1892.
[87] Id., n. 65, 31 julio 1892.
[88] Id., n. 101, 8 abril 1893.
[89] Id., n. 106, 13 mayo 1893.
[90] Id., n. 111, 17 junio 1893.
[91] El primero pertenece a la serie *Hombres y mujeres*. Madrid, 1913, páginas 5 y ss. El segundo fué publicado en *Blanco y Negro*, n. 13, 2 agosto 1891.
[92] *Blanco y Negro*, n. 71, 11 septiembre 1892.

El idilio de la pólvora [98], de FEDERICO URRECHA, describe cómo una muchacha y un muchacho contemplan el cañoneo desde la ciudad sitiada. Ella, miedosa, se aprieta contra él, y se desvela el secreto del amor.

MANUEL MARÍA GUERRA en *La viudita* [94] presenta a un niño, hijo de una viuda joven, charlando con un amigo de ésta y descubriéndole que su madre le quiere.

La rival de sí misma es una narración psicológica de LUIS RUBIO AMOEDO [95] en la que un pintor se enamora del retrato que ha hecho a su novia, olvidando a la mujer, la cual odia la pintura que le ha robado su amor.

De JOSÉ DE ROURE recordaremos *El portal del fotógrafo* [96] y dos suaves y humorísticamente melancólicas narraciones sobre la fugacidad del amor tituladas *Las abejas o cuando caen las hojas* y *El guarda*. En la primera [97] presenta Roure a un joven matrimonio. El se marcha al club. Ella no quiere quedarse sola, y para retener al marido se queja, en el jardín, de una picadura de abeja. El, encolerizado, mata a la abeja y se queda en casa cuidando mimosamente a su mujer. Pero al día siguiente él se va a su club, y la mujer ve caer las hojas de los árboles anunciando el invierno y la soledad. En la segunda [98] unos novios dialogan amarteladamente en el Retiro. El coge flores para ella sin temer al guarda. Tras esta estampa Roure ofrece el contraste de actitudes de esos mismos jóvenes ya casados.

ERNESTO GARCÍA LADEVESE presenta en *La hora nona* [99] el caso de un matrimonio separado. En una ocasión en que el marido se hace reconocer por un médico amigo, éste le dice que morirá a la hora nona de aquel mismo día. Entonces el emplazado quiere despedirse de su mujer, y cuando reconciliados se abrazan, el médico les descubre su mentira.

En *Fruta prohibida,* de RICARDO J. CATARINEU [100], un hombre se ena-

---

[98] *La estatua. Cuentos del lunes.* Madrid (1890).
[94] *Blanco y Negro,* n. 106, 13 mayo 1893.
[95] Id., n. 107, 20 mayo 1893.
[96] Id., n. 183, 3 noviembre 1894.
[97] Id., n. 390, 22 octubre 1898.
[98] Id., n. 442, 21 octubre 1899.
[99] Id., n. 428, 15 julio 1899.
[100] Id., n. 397, 10 diciembre 1898.

mora de la novia de un amigo, pero lo oculta noblemente. Se casa ella y muere. El marido nunca supo que había otro hombre que llorara tanto o más que él aquella muerte.

Rafael Altamira logró un sencillo pero bien narrado cuento amoroso en *Confesión de un vencido* [101]. Por el contrario, *Amores* es un relato falso y engoladamente poético sobre cuatro mujeres que se reúnen en torno a la tumba de un hombre al que amaron de diferentes maneras [102].

Pío Baroja en *Agueda* [103] describe la amargura de una muchacha soltera de la clase media que nada disfruta de la vida y que cuando cree a un hombre enamorado de ella, le ve casarse con su hermana. Y su vida continúa opaca, con la angustia de esperar en vano.

En *Triunfos del amor*, de Jacinto Benavente [104], un moribundo, a pesar de la oposición de su familia, se casa *in articulo mortis* con la mujer que ama.

Luis de Terán obtuvo un premio en un certamen de novelas cortas de *Blanco y Negro* en 1901 por su agradable narración epistolar *Corazones femeninos* [105].

De José Echegaray es *La fuente del beso* [106]: evocación del amor, desde la vejez, y nacimiento de un nuevo idilio infantil.

Las estatuas de José Nogales [107] es de tono poético: Las figuras de piedra de un jardín se duelen de su condición y envidian a dos humanos, dos enamorados. Pero se horrorizan del amor cuando ven al amante matar a su amada en un arrebato.

Pero la enumeración resulta ya fatigosa, y los ejemplos recogidos bastan probablemente para ilustrar la evolución del cuento amoroso en el siglo xix. Del patetismo romántico —con su cortejo de libertinos, seducciones, duelos, etc.— pásase a la crudeza naturalista y de ésta a un psicologismo amargo y con pretensiones de trascendente en algunos relatos de Picón, y amable y fácil en narradores como Palacio Valdés.

---

[101] *Mi primera campaña*. Madrid, 1893, págs. 173 y ss.
[102] *Fantasías y recuerdos*. Valencia, 1910, págs. 133 y ss.
[103] *Vidas sombrías,* págs. 55 y ss.
[104] *Vilanos*. Madrid, 1905, págs. 67 y ss.
[105] *Blanco y Negro,* ns. 521 y 522 de 1901.
[106] Id., n. 470, 5 mayo 1900.
[107] Id., n. 542, 21 septiembre 1901.

En los años finiseculares el conjunto de narraciones amorosas ofrece las más variadas tendencias.

Lo que nos interesaba destacar más vivamente era la transformación sufrida por el tema al pasar de las plumas románticas a las llamémoslas naturalistas y postnaturalistas; y también el enriquecimiento psicológico del mismo. Fenómeno éste no exclusivo del cuento, claro es, y paralelo al experimentado en la novela.

CAPITULO XVIII

CUENTOS PSICOLOGICOS Y MORALES

CAPITULO XVIII

CUENTOS PSICOLOGICOS Y MORALES

I. SUS CARACTERISTICAS Y EVOLUCION

En este capítulo ofrecemos algunos ejemplos de narraciones morales y psicológicas, agrupadas en un solo casillero temático por su semejanza intencional y formal. Unas y otras se caracterizan por tratar temas relacionados con la vida del espíritu, y a veces es difícil precisar cuándo una narración es estrictamente psicológica y cuándo moral. Pues bueno será advertir desde un principio que aquí utilizamos la palabra *moral* aplicada a un relato no solamente en su sentido positivo —es el mismo caso de los cuentos religiosos—, sino también en el que *Clarín* empleaba para sus *Cuentos morales,* de los que decía:

«No digo *Cuentos morales* en el sentido de querer, con ellos, que el lector se edifique, como se dice; mejore sus costumbres...» «Los llamo así, porque en ellos predomina la atención del autor a los fenómenos de la conducta libre, a la psicología de las acciones intencionadas. No es lo principal, en la mayor parte de estas invenciones mías, la descripción del mundo exterior ni la narración interesante de vicisitudes históricas, sociales, sino el hombre interior, su pensamiento, su sentir, su voluntad» [1].

Como se ve, cuento moral es —para *Clarín* y otros narradores de su época— tanto como cuento psicológico, independientemente de toda tesis o intención doctrinaria y aleccionadora.

De todas formas hay que hacer algún distingo. El puro cuento

---

[1] *Cuentos morales.* La España Editorial. Madrid, 1896, págs. V-VI.

psicológico sólo se da a finales del siglo XIX, y es en cierto modo consecuencia y prolongación del cuento positivo moral que antes había sido cultivado.

Algo hemos dicho ya acerca de la moraleja en los cuentos medievales y en los modernos al comparar unos y otros. Insistiremos aquí en esta cuestión, que estimamos fundamental para justificar la confusión del llamado cuento *moral* con el *psicológico;* confusión bien visible e intencionada en el caso de *Clarín.*

Decíamos que la moraleja, factor típico e indispensable del cuento medieval, no llegaba a desaparecer totalmente en el decimonónico, si bien era susceptible de deformación, empañadura o total cubrimiento. Y considerábamos que la más profunda transformación en el escamoteamiento —aparente— de la moraleja se debía a la escuela naturalista, que, anhelosa de objetividad, concebía la novela como una narración cuyo asunto estaba más allá del bien y del mal, por cuanto se limitaba a fotografiar la vida fríamente, sin el menor énfasis emotivo por parte del artista, del novelista.

Y, sin embargo, esta pretendida objetividad no era sino un truco, un engaño con el que seducir la atención del lector, hastiado de predicaciones y alegatos en forma de novelas, y presentarle una tesis bajo apariencia de frío y desapasionado *documento.* ¿Hay acaso objetividad en las novelas naturalistas de Zola, Galdós, Blasco Ibáñez? La hay —y no siempre— formal, encubridora de un ardiente afán polemístico: preocupaciones políticas, sociales, religiosas, etc.

Es curioso comprobar cómo con el Naturalismo nace la novela tendenciosa, servida por una técnica narrativa objetiva, *documental.* El novelista evita hacer oír su voz a lo largo de la novela, y en ningún momento se encara con el lector tal como lo hacían Trueba, *Fernán,* Alarcón y el mismo Valera, en nuestras letras. Se abstiene de comentar favorable o desfavorablemente las acciones de sus personajes, y prefiere que sea el lector quien las juzgue. Pero —repetimos— todo esto no es más que un artificio, ya que el creador sólo aparentemente está fuera de la acción. Ahora ya no se permite soliloquiar o dialogar con el lector, pero en cambio se disfraza de criatura novelística y por su boca expresa sus sentimientos. Esto explica que en muchos casos sea fácil captar la personalidad del autor y su ideología a través de unos cuantos personajes significativos de sus obras. (Casalduero ha estudiado así la figura de Galdós. Algo parecido cabría hacer con la de

Clarín, cuya poderosa personalidad es claramente perceptible en su obra, cargada de pasión y de elementos autobiográficos —espiritualmente se entiende—, según hemos tratado de hacer ver a propósito de algunos de sus cuentos: *Cambio de luz, Viaje de vuelta, El frío del Papa,* etc.).

Tendenciosidad y objetividad van, pues, ligadas —fondo y forma— en la novela naturalista. Y por eso, si bien —según quería A. González Blanco— Blasco Ibáñez es el más objetivo de nuestros novelistas [2], es también el más tendencioso.

La moraleja —no entendida positivamente, si esto es posible— no desaparece en la literatura narrativa naturalista, sino que se disuelve en el cuerpo de la acción hasta conseguir la sensación de que en ella no hay nada subjetivo, de que el autor no quiere imponernos ninguna tesis o doctrina. Actitud opuesta a la de los novelistas románticos y aun de transición, los cuales se esforzaban por hacer explícita la moraleja desprendible de sus obras.

Hay quien estima que el cuento es precisamente el género literario que se caracteriza por la inevitable intención didáctica. Esto sólo podría afirmarse rotundamente del cuento primitivo, del medieval. En el siglo XIX cambian bastante las cosas y surge un apasionado estetismo —el arte por el arte, al que se refería *Clarín* en el prólogo de sus *Cuentos morales,* y que informó la obra toda de Valera— por el que se estimaba como extraartístico y poco elegante pretender dar lecciones de moral a través de la obra literaria.

De todas formas, tal estetismo tuvo mucho de ideal, de utópico, y buena prueba de ello es que los cuentos de *Clarín,* pese a todos los distingos del autor, tienen una raíz que llamaríamos didáctica si este adjetivo no tuviera un sentido estrictamente positivo, y que preferimos llamar tendenciosa. *¡Adiós, Cordera!,* el más popular cuento de Alas y tal vez el más conocido y estimado de todo nuestro siglo XIX, es el más típico ejemplo de esa tendenciosidad clariniana.

---

[2] «Así es el único novelista español que nunca desliza un *nuestro héroe* ni nos habla de *como dijimos en otro capítulo;* grave defecto, y no por fácil de curar menos lamentable, aunque otra cosa crean algunos, en el que incurren aun autores tan límpidamente entroncados con el naturalismo francés como doña Emilia Pardo Bazán y Pérez Galdós (ya no hablemos de Palacio Valdés y Pereda, menos observantemente afiliados a la escuela de Médan) y cuya omisión es, por lo tanto, más de estimar en Blasco Ibáñez» *(Historia de la novela...,* pág. 605).

Piénsese también en los cuentos psicológicos de Jacinto Octavio
Picón, y se verá cómo lo tendencioso no está ausente en ellos, sino,
muy al contrario, es el factor decisivo, según lo reconocía el propio
autor al confesar en el prólogo a los *Cuentos de mi tiempo* que él no
hacía sino combatir en defensa de unos ideales, sirviéndose de esas narraciones.

Muchas veces hemos hecho alusión a lo largo de estas páginas al
ardor polémico de los hombres del siglo xix, a la lucha de contrapues-
tas doctrinas políticas y literarias, a la pasión puesta en el plantea-
miento de los problemas religioso, social, etc. Era difícil en tal ambiente mantenerse en un plano puramente estético, desinteresándose de
todo lo que alrededor ocurría y no permitiendo que la literatura reco-
giese el eco de las luchas y discusiones. La misma literatura se hace
objeto de discusión, y —aún más— determinadas técnicas o escuelas
literarias son puestas en relación con determinadas actitudes ideológicas.

Y si el teatro y la novela —e incluso la poesía— se ponían al servicio de las ideas políticas, sociales, religiosas, fácil es comprender que
el cuento resultaba el género más idóneo, dada su conexión con el periodismo, según hemos estudiado ya.

La clasificación temática que venimos utilizando para estudiar los
cuentos decimonónicos, revela ya con bastante elocuencia el índice de
preocupaciones que dominaron en el siglo xix.

Con todo esto no pretendemos sino advertir que la intención doctrinaria específica del cuento primitivo, subsiste generalmente en el decimonónico, si bien muy evolucionada y transformada. El parentesco
del cuento y del artículo de costumbres —disfrazado este último tantas veces de cuento humorístico o satírico— favoreció indudablemente
la continuidad de ese elemento didáctico.

El cuento psicológico coincide con el moral, según hemos dicho,
en tratar temas relacionados con la vida del espíritu, pero con una diferencia: en el cuento moral interesa el resultado final, la consecuencia de esas acciones espirituales, la moraleja. En el cuento psicológico
—gran conquista literaria de los años finiseculares— sólo interesa el
puro mecanismo espiritual, la evolución y descripción de una serie de
fenómenos relativos a la vida interior de los seres, con entera independencia del resultado final.

Claro es que esta distinción es solamente ideal, ya que en la realidad lo moral y lo psicológico se entrecruzan fuertemente. *Cristales,* de *Clarín,* es una narración característicamente psicológica y, sin embargo, entraña una consecuencia moral. *El fondo del alma* —título bien expresivo— de la Pardo Bazán es un relato que plantea un caso moral, pero cuyo tratamiento es el propio de un refinado cuento psicológico.

En este capítulo estudiamos, por lo tanto, los cuentos morales y psicológicos sin hacer distinción especial. La evolución cronológica es casi la mejor distinción: en las épocas románticas y de transición predomina el cuento moral. Según el siglo va avanzando, y especialmente en sus últimos años, el cuento psicológico ocupa el puesto del moral, o bien alterna con él.

Finalmente, hemos de advertir que muchos cuentos morales y psicológicos quedan estudiados en otros capítulos, por lo cual el número de los que aquí presentamos tal vez pueda ser considerado como reducido. Es preciso tener presente que, habiendo atendido en nuestra clasificación a las notas dominantes, hemos analizado cuentos psicológicos y morales como religiosos, de amor, sociales, de objetos pequeños, etc. Aquí ofrecemos algunos ejemplos de relatos que, siendo psicológicos o morales, no presentaban posibilidades de ser encuadrados en otros capítulos a no ser en el de *Cuentos trágicos y dramáticos,* que hemos reservado para aquellos en que predomina la acción exterior sobre la interior, a diferencia de los que ahora vamos a estudiar.

II. CUENTISTAS ROMANTICOS Y DE TRANSICION

Es como siempre en las revistas literarias románticas donde encontramos las más antiguas narraciones morales del siglo XIX. Estos viejos semanarios, concebidos para recreo de las familias españolas, buscaban a través de sus páginas esa alianza de lo ameno y de lo aleccionador e instructivo, en la que entonces se creía de buena fe.

En 1837, y a propósito de una narración tomada de una publicación inglesa, los editores del *Semanario Pintoresco Español* ponían al frente de ella esta curiosa y significativa advertencia:

«Deseosa la redacción del *S. P.* de conservar en este periódico la tendencia moral, que debe ser el principal objeto de toda clase de publicaciones, y con especialidad de aquellas cuya misión importante es el instruir al pueblo y morigerar sus costumbres, no con áridos preceptos, sino por medio de cuadros animados en que se retraten fielmente las consecuencias de la humana delibilidad o la belleza de la virtud, cuadros que a la par instruyen y deleitan; y convencidos de que para este fin ofrece la historia de la sociedad acontecimientos y hechos de suyo tan interesantes como las ficciones más ingeniosas de la imaginación, con la doble ventaja del prestigio que en sí lleva un hecho verdadero; dará siempre cabida en las columnas del S. a los relatos históricos que por su naturaleza satisfagan a aquellas condiciones, con preferencia a las meras producciones de la fantasía, especialmente aquellas que perteneciendo a un género difícil de manejar, por cuanto estriba en las conmociones violentas del ánimo, no siempre corresponden a las severas exigencias del decoro y a los dictados de la sana moral» [3].

De acuerdo con este programa, el *Semanario Pintoresco Español* publicó algunos cuentos que llevaban el subtítulo de *morales,* como uno, anónimo —tal vez traducción—, de 1838, titulado *Ventajas de la adversidad* [4].

Mariano, Novela de costumbres de J. M. DE ANDUEZA, es un relato publicado en 1840, sobre el hijo de un contrabandista que llega a cometer crímenes por amor y es ahorcado tras confesarse. El autor dice:

«El religioso citado apuntó las principales incidencias de esta historia, y su cartera me ha inspirado la idea de extractar un cuento que publico, no como interesante, sino como provechoso para la juventud» [5].

Un relato sin firma, *La caja de ahorros, Cuento moral,* apareció en 1842 [6].

N. R. DE LOSADA publicó en 1846 *Dos almonedas en una* [7], relato moral que participa del artículo de costumbres y de la severa censura social. En 1848, J. E. HARTZENBUSCH da a conocer su bella narración *Una mártir desconocida o la hermosura por castigo,* que lleva el subtítulo de *Cuento moral* [8]. Del relato *Fenómenos psicológicos* de RAMÓN DE NAVARRETE —1848— hablamos en el capítulo de *Cuentos de amor.*

En 1849, «FERNÁN CABALLERO» publica en el *Semanario Los dos amigos* [9], relato moral basado —como *Sola* y *La hija del Sol*— en *culpas feas,* según decía la autora [10].

---

[3] *Semanario Pintoresco Español,* n. 70, 30 julio 1837, pág. 233.
[4] Id., ns. 84 y 85 de 1837.
[5] Id., n. 33, 16 agosto 1840.
[6] Id., n. 3, 16 enero 1842.
[7] Id., ns. 30 al 33 de 1846.
[8] Id., n. 2 de 1848.
[9] Id., n. 29, 22 julio 1849. Publicado en *Relaciones.* Rubiños. Madrid, 1917, págs. 151 y ss.
[10] Carta a Hartzenbusch de 28 de junio de 1852. Vid. Heinermann: Ob. citada en otros capítulos, pág. 146.

En realidad todas las narraciones de *Fernán* podrían ser clasifica-
das en este capítulo, e incluso cabría decir de ellas que son las más típica y característicamente morales de todo el siglo XIX.

Callar en vida y perdonar en muerte [11] relata el dolor y el sacrificio de una cristiana mujer que, aun sabiendo que su marido asesinó
a su suegra para robarle, calla durante toda la vida, perdonándole al
morir. En *No transige la conciencia* [12] una joven casada con un viejo
general adopta a un niño inclusero sin que su marido lo sepa. Más
adelante tiene dos hijos, y a la hora de la muerte confiesa al general
que uno de los tres no es suyo, hallándose su nombre en un pliego
cerrado. El viejo general nunca abre ese pliego y muere amando igualmente a todos sus hijos.

El final de esta narración se asemeja al cuento *Inútil belleza* de
Maupassant —si bien en éste el conflicto dramático es absolutamente
inmoral— y al de EUSEBIO BLASCO titulado *Alma grande:* Una mujer
en el momento de morir revela al marido que uno de los hijos no es
suyo. El médico le da las pruebas en un sobre. Pero ante los dos ama-
dos hijos el padre vacila y, al fin, quema el sobre [13].

En *Simón Verde* [14] pinta *Fernán* una especie de Job que, perseguido por la codicia del alcalde del pueblo, sufre mil desdichas. *Dicha y
suerte* [15] repite casi el mismo motivo: aceptación de los sufrimientos y
glorificación final. *Vulgaridad y Nobleza, La corruptora y la buena
maestra, La viuda del cesante, Maldición paterna, Lucas García, Con
mal o con bien, a los tuyos te ten,* etc., son, entre otros muchos, ejemplos de cuentos morales fernancaballerescos [16].

Se caracterizan por la falta de unidad, el abuso de digresiones
—cantares, coplas, romances, oraciones, anécdotas—, las descripciones
ambientales y la lealtad a una misma línea temática: exaltación de las
virtudes campesinas, del hogar, de la abnegación y del sacrificio. Palacio Valdés las consideraba *novelas para colegialas.*

Al cuento moral de Cecilia Böhl de Faber le falta hondura y com-

---

[11] *Relaciones.* Ed. citada, págs. 19 y ss.
[12] Id., págs. 63 y ss.
[13] *Blanco y Negro,* n. 450, 16 diciembre 1899.
[14] *Cuadros de costumbres.* Rubiños. Madrid, 1917, págs. 21 y ss.
[15] Id., págs. 167 y ss.
[16] Por el título, este último relato pudiera emparentarse con los que *Fer-
ná.* llamaba *refranes dialogados,* y Ruiz Aguilera, *Proverbios ejemplares,* a imitación de los que en Francia escribían autores como Leclerc y Scribe.

plejidad para poder ser llamado asimismo psicológico, pero la viveza del diálogo, el realismo —barajado con ingenuas predicaciones y recursos líricos casi zarzueleros— y la nobleza de los principios defendidos por la autora, dan a estos relatos un valor decisivo en la evolución y desarrollo de la literatura narrativa menor del siglo XIX.

Fernán utiliza la forma narrativa breve no sólo para las tradiciones populares, sino también para reflejar episodios de la vida común y vulgar, emancipándose así de los prejuicios románticos por los que sólo eran novelables, asuntos fantásticos y extraordinarios, por lo menos en las dimensiones de un cuento.

Fernán tuvo bastantes imitadores, entre ellos LUIS MIQUEL Y ROCA, autor de alguna tan pésima narración como *Miseria y virtud* [17], MARÍA DEL PILAR SINUÉS y ANTONIO DE TRUEBA.

A la segunda se deben abundantes narraciones moralizadoras recogidas en los volúmenes que llevan los títulos de *Amor y llanto* (1857), *Narraciones del hogar* (1862), *A la luz de la lámpara* (1862), *Veladas de invierno* (1866), etc.

A esta escritora aludía burlonamente *Clarín* en un artículo al decir:

«En el número anterior de *Gil Blas* me pedía mi amigo Blasco que le ayudase en la penosa tarea de desmoralizar a nuestro público, entendiendo por desmoralizar, como quien dice, *despilarsinuesdesnarcotizar*» [18].

Esta sátira de Alas es reveladora del éxito que las obras de Pilar Sinués tenían. En *La novela de un novelista,* refiriéndose a sus *Primeras lecturas,* dice Armando Palacio Valdés que en su niñez y adolescencia no leyó a ninguno de los grandes clásicos:

«En cambio, ¡oh terrible humillación!, me entusiasmaban las novelas de un señor Pérez Escrich (que Dios perdone) y de una doña María Pilar Sinués (a quien Dios perdone también)» [19].

De ANTONIO DE TRUEBA poco podemos decir, ya que sus cuentos, aun siendo todos ellos de intención moralizadora, han sido estudiados en anteriores capítulos. Los motivos temáticos del vizcaíno son muy semejantes a los de *Fernán,* pero tratados con más alegría, si bien con menos arte y finura psicológica.

En *Por qué hay un poeta más y un labrador menos* [20], consigue

---

[17] *Semanario Pintoresco Español,* n. 13, 30 marzo 1851.
[18] *Sermón perdido,* pág. 200.
[19] *Obras completas.* Aguilar. II. Madrid, 1945, pág. 745.
[20] *Cuentos de color de rosa.* Rubiños. Madrid, 1921, págs. 7 y ss.

Trueba una dramática estampa de la guerra carlista sobre un fondo moral de concordia y amor. *Las siembras y las cosechas* [21] viene a ser una glosa de la fábula de la cigarra y de la hormiga. La técnica narrativa es semejante en todo a la de *Fernán:* muchas interferencias, coplas, oraciones en verso, cantos onomatopéyicos de los animales, etc. [22].

La felicidad doméstica cae por su extensión y por su dispersión fuera de los límites del cuento, y es una exaltación de la vida hogareña [23]. *La vida del hombre malo* es una folletinesca diatriba contra la calumnia [24].

De MIGUEL DE LOS SANTOS ALVAREZ y de sus narraciones moral-sociales *La protección de un sastre* y *Agonías de la corte* hemos hablado en otro capítulo. Aquí nos resta señalar cómo este escritor se aleja ya de lo ahincadamente moral en busca de lo más objetivamente psicológico, aun cuando el resultado no siempre sea feliz, en parte por lo descuidado y pobre del estilo, interesando sus narraciones más como cuadros de costumbres sociales que por sus valores novelescos.

Ochenta y tres escalones, de DIEGO LUQUE [25], es un cuento de tono folletinesco. Su título alude a los peldaños que separan el piso de un joven calavera de la buhardilla de un pobre estudiante. El primero es un seductor, que muere rico y viejo, odiado por todos. El segundo acaba sus días rodeado de cariño.

LUIS VIDART dedicó su novela corta *Amor sin fe* [26] a *Fernán Caballero.* Se trata de una trágica historia de amor llena de quejas contra la inmoral literatura francesa y tan cargada de digresiones como todas las de la autora de *La Gaviota.*

«PABLO GÁMBARA» (seudónimo de CARLOS RUBIO) publicó en 1854 una novelita titulada *María* [27], en cuya introducción alude elogiosamente a *Fernán,* a quien confiesa no poder imitar, aun cuando la acción del relato se desarolle en Sevilla y tenga alcance moralizador: seducción, deshonra y arrepentimiento.

Antes —y en otros capítulos— aludimos a los *Proverbios ejempla-*

---

[21]   *Cuentos campesinos.* Rubiños. Madrid, 1924, págs. 10 y ss.

[22]   Las digresiones son tantas, que el autor llega a decir: «Pido un *bill de indemnidad,* como dicen los parlamentarios a la inglesa, por las anteriores inútiles divagaciones, y vuelvo a Pepa y sus chiquillos...» (Ed. cit., pág. 24).

[23]   Id., págs. 40 y ss.

[24]   *El Museo Universal,* ns. 30 a 34 de 1861.

[25]   *Semanario Pintoresco Español,* ns. 1 y 2 de 1852.

[26]   Id., n. 23, 4 junio 1854.

[27]   Id., ns. 34 y 35 de 1854.

res de VENTURA RUIZ AGUILERA. Se trata de narraciones hechas sobre el pie forzado de un proverbio, del que vienen a ser novelesca glosa. En ocasiones domina el tono dramático y moralizador, en otras el satírico.

Escupir al cielo, Al freír será el reír; A moro muerto, gran lanzada; Mi marido es tamborilero, Dios me lo dió así y así me lo quiero; etcétera [28], son ejemplos de proverbios moralizadores. *Herir por los mismos filos; Hasta los gatos quieren zapatos; Los dedos huéspedes;* etcétera [29], se caracterizan por el tono burlón y satírico.

Moral-psicológico es el relato de JACINTO LABAILA titulado *Los dos prismas:* un hombre adora a una mujer creyéndola rica y la desdeña al saber que es pobre [30].

Pretenciosamente psicológico es *Un hombre por dentro* de FERNANDO MARTÍNEZ PEDROSA [31], sobre las angustias de un cesante que, siendo poeta, desea escribir para el teatro. De sus sucesivos desengaños va dando noticias en cartas a su mujer, que quedó en la ciudad provinciana. La tesis o consecuencia del relato es que, según decía Lamartine, lo más bello no puede ser expresado nunca, sino que queda dentro.

De carácter moralizador es *El Sol de Perico* de EDUARDO BUSTILLO [32], historia de un holgazán que sólo aspiraba a gozar del sol y que acaba mendigando a la muerte de sus padres. Moral-psicológica es *La novela de los celos* del mismo autor [33]. En *Lo vivo y lo pintado* [34] describió Bustillo el desengaño de un pintor enamorado de una mujer a la que llegó a idealizar, hasta que en un baile descubrió la vulgaridad de su alma.

De los cuentos del P. COLOMA cabría decir lo mismo que de los de *Fernán*. Todos poseen una intención moralizadora, si bien los hemos estudiado temáticamente atendiendo a sus rasgos más distintivos: carácter religioso, social, popular, etc. También hemos aludido ya a la diferente técnica narrativa empleada por el jesuíta, en contraste con la de Cecilia Böhl de Faber. Tomando al naturalismo sus propias ar-

---

[28] *El Museo Universal*, ns. 25 y 34 de 1861; 12 al 21 de 1863; 25 al 27 de 1863, y 14 al 17 de 1865.

[29] Id., n.16, 12 mayo 1861; ns. 40 y 41 de 1862; n. 10 de 1863.

[30] Id. n. 34, 24 agosto 1862.

[31] Id., ns. 31 a 39 de 1863.

[32] Con el subtítulo de *Cuento que no lo parece* fué publicado en *El Museo Universal*, ns. 23 a 32 de 1865. Recogido en la colección *El libro azul*. Madrid, MDCCCLXXIX, págs. 17 y ss.

[33] *Cosas de la vida*. Madrid, 1899, págs. 139 y ss.

[34] *El libro azul*, págs. 277 y ss.

mas, Coloma narra con la objetividad suficiente como para que la moraleja no se perciba antiartísticamente abultada. ¡*Era un Santo!*..., *Por un piojo* y, sobre todo, *La Gorriona* interesan ya más por sus calidades psicológicas y por su espléndida construcción narrativa, que por las mismas tesis morales en ellas implícitas.

José de Selgas suele ser estudiado como novelista de transición de las formas románticas a las naturalistas. En sus narraciones puede advertirse una intensa preocupación moralizadora, aunque menos positiva y explícita que la de *Fernán* y Pereda. Selgas es un creador de novelas y cuentos psicológicos carentes de hondura pero gratos y amenos.

En *El corazón y la cabeza* [35] contrapone el autor dos tipos masculinos: Esteban, el cerebral, y Rafael, el impetuoso. Lo propiamente psicológico de la narración está en estas dos figuras, ya que, por lo demás, la trama es bastante endeble y folletinesca.

Más interesantes son las novelas cortas *Un rostro y un alma, Dos para dos* y *El pacto secreto* [36].

Don Juan Valera, que con *Pepita Jiménez* creó un nuevo tipo de novela psicológica española, contra todos los naturalismos y neorromanticismos, no tuvo tanta fortuna en el cuento. En uno escrito en 1897 encontramos la misma forma narrativa epistolar de su más famosa novela, pero aplicada a un relato pobremente psicológico y de trama un tanto deshilvanada. Nos referimos a *El doble sacrificio* [37], en el que lo mejor es su irónico final.

Más flojo aún y confuso es *El maestro Raimundico* [38], abundante en personajes y acciones secundarias. La falta de unidad y de intención fué reconocida por el propio autor, que dice al final del relato:

«No acierto a decidir qué lección moral pueda sacarse ni qué tesis pueda probarse en vista de los sucesos que he referido. Diré, pues, sencillamente que cada cual saque la lección moral o pruebe la tesis que se le antoje...»

III. NATURALISTAS Y POSTNATURALISTAS

Son muchos los cuentos psicológicos y morales de la Pardo Bazán, y en los capítulos anteriores pueden encontrarse expresivos ejemplos. Así, la mayor parte de los que nosotros hemos llamado *cuentos*

---

35 *Novelas*. III. Imp. de Pérez Dubrull. Madrid, 1887, págs. 273 y ss.
36 *Novelas*. IV. Madrid, 1888.
37 *Obras completas*. XV. Madrid, MCMVIII, págs. 23 y ss.
38 Id., págs. 137 y ss.

de objetos pequeños no son, en definitiva, más que relatos psicológicos. Otro tanto puede decirse de muchos de los estudiados como religiosos, sociales, etc.

La escritora gallega poseía, como ningún otro escritor en nuestras letras, el arte de condensar la más fuerte vibración emocional en el más reducido número de páginas. Sus magníficas condiciones de narradora brillaron sobre todo en este género, a cuyo cultivo se dedicó durante toda su vida, escribiendo un tan gran número de cuentos como posiblemente no podría presentar ningún otro escritor mundial.

Y lo más sorprendente y admirable es que la cantidad nunca supuso menoscabo de la calidad. El cuento era la forma narrativa más natural y apropiada al temperamento de la Pardo Bazán, y así, a lo largo de nuestro estudio temático hemos tenido ocasión de ver cómo esta escritora fué sensible a todas las preocupaciones y temas de su época, encarnándolos en maravillosos cuentos.

Y entre los mejores están, sin duda, algunos de los que ahora vamos a examinar, clasificados como morales y psicológicos.

Uno de los más impresionantes es el titulado *El fondo del alma* [39]: En una excursión por el río, Cesáreo y su novia Candela causan la envidia de las demás muchachas por lo apasionado de su idilio. Al regreso de la merienda campestre, zozobra la barca de los excursionistas en el punto más peligroso del río. Cesáreo intenta salvar a Candela, pero ésta en la desesperación se agarra tan fuertemente a él que, imposibilitando sus acciones, le arrastra al fondo. El instinto hace que Cesáreo rechace violentamente a Candela, la cual se ahoga ante el dolor de él, que ya en tierra no comprende aún lo que ha sucedido.

Semejante en la tesis —el hombre, ser primario, en los momentos decisivos actúa movido por el instinto animal de conservación— es *Prueba al canto* [40]: El narrador cuenta cómo en una tertulia oyó a uno de los asistentes relatar un trágico episodio ocurrido en un naufragio. A punto de hundirse uno de los botes, cargado de mujeres y de niños, el hombre que lo sostenía por medio de un cable no puede resistir el quemante dolor que éste produce desgarrando sus manos, y lo suelta, dejando perecer a los náufragos. El narrador sospecha que el protago-

---

[39] *El fondo del alma (Cuentos)*. Tomo XXXI de las *Obras completas*, páginas 5 y ss.

[40] *Arco iris*. Ed. Antonio López. Barcelona (s. a.), págs. 105 y ss.

nista del hecho sea el mismo que lo ha referido y, con la mirada, busca en sus manos la señal de la llaga.

De carácter simbólico-moral son *Arena* y *La pasarela* [41]. En la primera narración se compara el carácter voluble de algunas mujeres con las arenas movedizas en las que perdían la vida cuantos las atravesaban. La segunda presenta a unos jóvenes de una ciudad provinciana esperando en el muelle el desembarco de una compañía de operetas, a cuya primera actriz admiran por su belleza y donaire. Y cuando ésta atraviesa la insegura pasarela que une el barco con el muelle, cae al agua y perece ahogada al no atreverse nadie a salvarla.

Gonzalo de Acosta, el protagonista de *Vivo retrato* [42], quiere tan fanáticamente a su madre, que sólo por consejo suyo se casa sin estar verdaderamente enamorado de su mujer. Surge la ruptura, y nace una niña a los seis meses de la separación. Muere la madre de Gonzalo, y éste echa de menos la presencia de su esposa y, sobre todo, de su hija. Un día en el teatro ve a una joven que es el vivo retrato de su mujer cuando joven. Es su hija, y cuando Gonzalo pide a su mujer que le permita vivir cerca de ella, obtiene una respuesta negativa basada en los mismos motivos de amor filial con los que él hizo desgraciada a su esposa.

Sustitución [43] es uno de los más logrados cuentos psicológico-morales de la Pardo Bazán. Refiere el narrador cómo le fué encomendado el encargo de dar noticia del fallecimiento de la viuda de Lasmarcas a su hermano D. Ambrosio. Lleno de dolor, ya que él quería profundamente a la fallecida señora, se dirige a la finca de D. Ambrosio pensando en cómo darle la triste nueva. Y grande es su sorpresa y su exasperación cuando comprueba que al anciano apenas le afecta la noticia, preocupado como está por las faenas de la siega en su propiedad, y sólo ofrece dinero para los gastos del entierro y funeral, actos a los que se excusa de no poder asistir. El narrador piensa que el verdadero hermano de la muerta es él.

En *El ahogado* [44] un hombre, al no encontrar sabor a la vida y cansado de todo, decide suicidarse arrojándose al mar. Al ir a hacerlo, observa cómo el mar arroja a tierra el cuerpo de un ahogado. Hay en

---

[41]   Pertenecientes a la serie *Cuentos trágicos.*
[42]   *En tranvía (Cuentos dramáticos).* Tomo XXII de las *Obras completas,* págs. 173 y ss.
[43]   Id., págs. 201 y ss.
[44]   Id., págs. 233 y ss.

él un soplo de vida, y gracias a sus esfuerzos logra salvarlo haciéndole la respiración artificial. Ese doble contacto con la muerte y con la vida disuade al protagonista de sus propósitos de suicidio.

A esta narración se asemejan *El suicidio de Juan* de «FERNANFLOR» y *Viruela loca* de JOSÉ DE ROURE. En la primera [45] Juan, por desgracias amorosas, está decidido a suicidarse. Cuando va a disparar contra su sien, le asaltan unos ladrones, arrojándole al agua. Al ser salvado, aprende a valorar la vida. En la segunda [46] un joven, antes de suicidarse, pasea melancólicamente en un coche de punto. Por una conversación con el cochero averigua que allí viajó un enfermo de viruela negra. Horrorizado se desinfecta y somete a curación. Sólo padece una viruela loca que le enseña a estimar la vida.

Otro cuento de la Pardo Bazán titulado *Madre,* se asemeja también a uno de *Fernanflor, El problema.* En el de la escritora gallega [47] una hermosa viuda no vacila en sacrificar su rostro con unas quemaduras para evitar los celos de su hija, poco agraciada y casada con un antiguo pretendiente de su madre. También en el cuento de *Fernanflor* [48] una bellísima viuda sacrifica la belleza de su rostro desfigurándolo con un ácido no para evitar celos, sino en cumplimiento de una promesa que hizo a Dios si salvaba de la muerte a su hija.

La Pardo Bazán dió el título general de *Interiores* a una de sus series de cuentos [49], por versar sobre problemas psicológicos y morales. Casi todos han sido estudiados en otros capítulos —por ejemplo, en el de *objetos pequeños: El revólver, El gemelo, Las vistas,* etc.—, pero aun así recordaremos aquí los más característicamente psicológicos. Y entre ellos destaca el titulado *Las caras,* semejante a *Mr. Parent* de Maupassant, y que nosotros hemos relacionado con el tema de indianos defraudados al regresar a su país.

Por dentro es una dramática narración de esta serie en la que una joven recién salida del colegio admira a su tía, con fama de santa, martirizada con cilicios y favorecedora de pobres y enfermos. Al morir ésta, la muchacha desea seguir sus pasos y quiere una reliquia suya. Por la noche entra en el cuarto donde yace el cadáver, dispuesta a cor-

---

[45]   *Cuentos rápidos.* Ed. Ramón Molins. Barcelona, 1886, págs. 297 y ss.

[46]   *Blanco y Negro,* n. 426, 1 julio 1899.

[47]   *Nuevo Teatro Crítico,* n. 30, págs. 162 y ss. *Cuentos nuevos,* págs. 190 y siguientes.

[48]   *Cuentos rápidos,* págs. 205 y ss.

[49]   Vid. *El fondo del alma.* Tomo XXXI de las *Obras completas.*

tar un escapulario. En el pecho de la muerta encuentra una miniatura con el retrato de su padre y unos cabellos negros. Su madre —hermana de la muerta— tiene otro igual pero sin cabellos. Adivina la joven entonces, y siente como si todo se derrumbara dentro de ella.

Bromita, Eximente, La enfermera, El quinto, Vocación, La Bronceada, etc., son los títulos de otros cuentos de esta serie, una de las más reducidas pero más interesantes de cuantas escribiera la Pardo Bazán.

En *La risa* [50] es un médico psiquiatra el que narra la historia de la marquesa de Roa, la cual es víctima de una extraña locura con terribles accesos de risa. Muy enamorada de su marido, nada sabía de las continuas infidelidades de éste, hasta que en una ocasión en que él le había mentido diciéndole que iba a una excursión fluvial, le llega la noticia del naufragio del vapor y de la muerte de casi todos los excursionistas. Y cuando el esposo llega sano y sonriente, ella le pregunta por la excursión. El, ignorante de la catástrofe, afirma haberse divertido mucho. Y desde entonces la marquesa enloqueció, riendo convulsivamente.

A la serie *Cuentos de Marineda* pertenecen *¿Cobardía?, La clave* y *La boda,* entre otros cuentos psicológicos y morales. En *Otro añito* [51] pinta la Pardo Bazán a unos jóvenes que, pese a sus declaraciones de cambiar de vida en el año nuevo, no saben abandonar sus costumbres. Y el que se jactaba de renunciar a los afectos y a la compasión, en la misma noche de año viejo recoge a una niña abandonada en la calle.

Sic transit... [52] no es en realidad un cuento, sino una consideración de la fugacidad de la gloria a través de la figura desastrosa de un antes famoso cantante reducido a la miseria y al olvido. *El premio gordo* [53] pretende demostrar cómo a veces no siempre es recompensada la caridad: Un señor reparte a sus criados participaciones en un billete de la lotería, y al obtener el premio gordo, todos le abandonan excepto un viejo pastor que no había aceptado ninguna participación.

Aún podrían citarse otros muchos cuentos morales y psicológicos de la Pardo Bazán, ya que en este caso la caracterización temática no resulta tan precisa y limitada como la de otros capítulos.

Pero por no alargar excesivamente éste, preferimos pasar a otros autores, ocupándonos seguidamente de LEOPOLDO ALAS.

---

50 *Sud-exprés,* págs. 19 y ss.
51 Id., págs. 52 y ss.
52 *Arco iris,* págs. 64 y ss.
53 Id., págs. 95 y ss.

Ya hemos citado el pasaje en que *Clarín* habla de lo que él entendía por *cuentos morales*. Sin embargo, no debe creerse que esta declaración del autor sobre sus ansias de puro esteticismo, sitúe sus cuentos más allá del bien y del mal. *Clarín* vive la vida como lucha no sólo contra los demás, sino —y esto es lo importante— contra sí mismo también. Su extraordinaria sensibilidad y su talento artístico debieron hacerle difícil su existencia, que él veía escindida, espectador de sus propias acciones. El dualismo clariniano —como el unamunesco— es el que da toda su angustiosa grandeza a esas narraciones, en las que el despiadado criticismo irónico forcejea con la más honda y cálida ternura.

Nadie piense, pues, que tras el programa del arte por el arte enarbolado por *Clarín*, hay unas narraciones frías, pulidas y serenamente objetivas. Por el contrario, es el tono pasional, entreverado de humor, de crítica y de ternura, el que da a los relatos clarinianos su excepcional valor y el que nos permitiría presentar tales narraciones como representativas del cuento literario español.

Uno de los más sutiles cuentos psicológicos de *Clarín* es el titulado *Cristales* [54]: Cristóbal es un escritor que estrena una obra dramática de las que rompen moldes y que, en medio del general fracaso, es sólo apreciada por una selecta minoría. Su mejor amigo, Fernando, trata de consolarle. Se van juntos a un café y es entonces cuando Cristóbal, narrador de la acción, descubre la escondida e inconsciente alegría que su fracaso ha producido a Fernando; alegría perceptible en el cristal de su mirada.

«Al entrar allí me fijé, por primera vez en aquella noche, en el rostro de mi amigo, que vi reflejado en un espejo. Sentí un escalofrío. Me atreví a mirarle a él cara a cara. Y, en efecto, estaba como su imagen. Aún había en el amigo no sé qué de pasión que no había en el espejo. Estaba radiante. En sus ojos brillaba la dicha suprema con rayos que sólo son de dicha, que no cabe confundir con otros.»

«¡Qué hermano tenía en él! ¡Se hubiera batido, puedo jurarlo, por mi fama! ¡Y el infeliz sin sospechar siquiera que estaba gozando una dicha de salvaje civilizado, de carnívoro espiritual, y que esa dicha se alimentaba con sangre de mi alma, con el meollo de mis huesos duros de vanidoso incurable, de escritor de oficio!»

Este espectáculo, en un principio irritante y cruel para Cristóbal, se trueca luego en voluptuoso, por cuanto su vanidad herida se rehace

_____

[54] *Cuentos morales*. Madrid, 1896, págs 171 y ss.

con el placer de analizar aquella miseria ajena. En tal estado de ánimo llega a su casa.

«Mi espíritu nadaba en la felicidad *austera* de la conciencia satisfecha, de la superioridad racional, mística, del alma resignada y humilde... ¡Qué importaba el drama, qué importaba la vanidad, qué importaba todo lo mundano..., qué importaba la feroz envidia satisfecha del que se creía amigo!... Lo serio, lo importante, lo noble, lo grande, lo *eterno,* era la satisfacción propia, estar contento de sí mismo, elevarse sobre el vulgo, sobre las tristes pasiones de Fernando... Antes de apagar la luz del lavabo me vi en el espejo. ¡Vi mis ojos! ¡Oh, mis ojos! ¡Qué expresión la suya! ¡Qué *cristales!* ¡Qué orgullo infinito! ¡Qué dicha satánica! Yo estaba pálido, pero ¡qué ojos! ¡Qué hoguera de vanidad, de egoísmo! Allí dentro ardía Fernando reducido a polvo vil...»

En realidad la trama es leve, como asunto de cuento, pero el preciso análisis psicológico hace de esta narración una de las más interesantes de *Clarín.*

No menos penetrante y lograda es la descripción de una pasión amorosa en *Un documento* [55]: La duquesa del Triunfo, bellísima y famosa por el número de sus amantes, sufre una crisis mística provocada por unas cuantas lecturas de San Juan y Schleiermacher, y piensa en un amor espiritual, concretándolo en un novelista al que conoce en los viernes de moda del Circo Price. (La descripción de este ambiente da lugar a algunas de las mejores páginas del relato.) El lento proceso sentimental que comenzó espiritualmente, concluye con la total entrega de la Duquesa al novelista, el cual seguidamente la abandona diciéndole que va a escribir su novela, la historia de ella: un documento humano. Cuando se lo envía a la Duquesa, ella le acusa de plebeyo.

También es aquí encuadrable el cuento titulado *Dos sabios* [56]: En un balneario se fragua un odio oscuro entre dos huéspedes, sabios uno y otro aunque no se conocen, y que se distinguen de los restantes viajeros, vulgares todos. Es precisamente esa sensación de superioridad la que redobla su odio y les hace disputarse lo mejor del balneario. Un día, leyendo uno enfrente de otro su correspondencia, descubren sorprendidos que ambos mantenían —epistolarmente— científicas y amistosas relaciones. No se conocían, y en una carta decidieron enviarse sus respectivas fotografías, descubriendo así su identidad. Son maes-

[55] *Pipá.* Cuarta edición. F. Fe. Madrid, 1886, págs. 131 y ss.
[56] *El gallo de Sócrates.* Ed. Maucci. Barcelona, 1901, págs. 123 y ss.

tro y discípulo, pero pese a todo no logran llevarse bien y abandonan
el balneario.

«El personaje *ideal,* pero de carne y hueso, que ambos se habían forjado
cuando se odiaban y despreciaban sin conocerse, era el que subsistía; el amigo
real, pero invisible, de la correspondencia y de la *teoría común,* quedaba des-
vanecido...»

Y surge la disidencia científica.

Las dos cajas [57] es una emotiva narración sobre la vida de un vio-
linista que, fiel a sus ideales de buscar una música sincera, sin efectismos, no alcanza la gloria y acaba tocando en un café de provincias.
Allí el público es rudo y grosero, y sólo halla admiración en un sub-
teniente que acaba enamorándose de su mujer, lo que él descubre en
las miradas de ambos. Se le rompe el violín. Su hijo pequeño —tan
débil y menudo que el violín podría servirle de féretro— muere. Su
padre acude al cementerio para enterrar junto a él el roto violín.

Sin que pueda decirse taxativamente que *Avecilla* [58] sea un cuento
moral, lo amargo de su intención y su cruel humorismo, la exacta pintura psicológica de sus pobres protagonistas, casi nos permitirían in-
cluirlo aquí.

Carácter moral-psicológico tienen algunas otras narraciones clari-
ninanas: *La imperfecta casada, El filósofo y la «Vengadora», El pecado original, El viejo y la niña,* etc.

ARMANDO PALACIO VALDÉS logró crear algunos brevísimos relatos
psicológicos en los *Papeles del Doctor Angélico.* En *Opacidad y trans-
parencia* un doctor que hace experimentos en su laboratorio con los colores del espectro, sostiene que también los humanos son opacos o
transparentes a determinados rayos. Hace leer un mismo pasaje de un
libro —una novela— a sus hijos, y comprueba y analiza las distintas
reacciones.

La muerte de un vertebrado es de carácter moral y describe los re-
mordimientos de un coronel materialista que no olvida la mirada de
un hombre al que mató en la guerra.

Moral es asimismo el extraño relato *Las leyes inmutables:* Un loco
tiene en su casa un universo de insectos encerrados en distintas bolas
de cristal —sol, planeta y estrellas—, que al fin destruye creyéndose
dios creador de todo aquello.

---

[57] *Pipá,* págs. 261 y ss.
[58] Id., págs. 171 y ss.

En *Inteligencia y amor* plantea Palacio Valdés un caso psicológico: el de un exquisito poeta casado con una mujer vulgar a la que ama profundamente.

Lleno de gracia y de delicadeza está el relato *Merci, monsieur:* El narrador, en la Exposición de París, se aburre hasta que en un café flirtea visualmente con una francesita. Cuando ella abandona el local, él retira su silla para dejarle paso. Al darle la joven las gracias, se siente reconciliado con la vida.

En *La unidad de conciencia* se aborda el problema moral del hombre vil que muere como un santo. En *Pragmatismo*, de carácter simbólico, unos exploradores perdidos en un desierto ven, ya a punto de morir, un oasis. Y mientras un sabio les explica que se trata de un espejismo, un joven les exhorta a la confianza.

También psicológico-moral es el cuento titulado *Las defensas naturales:* El estafador estafado logra burlar nuevamente a sus explotados, precisamente a costa de su pésima reputación.

El mayor mérito de todas estas narraciones estriba no tanto en su penetración psicológica como en su extraordinaria brevedad.

Un conjunto de *Narraciones* publicadas por Eugenio Sellés en 1893 tiene carácter moral, a lo menos aparente, según se deduce de los subtítulos que las acompañan: *Para los celosos, Para los viejos, Para los idealistas, Para los holgazanes, Para las soñadoras, Para los confiados,* etcétera [59].

Espejismos, Narración para los celosos, es un cuento trágico algo artificioso pero bien narrado: Un capitán es feliz con su esposa hasta que es destinado al Norte, escenario de la guerra carlista. Marta, su mujer, le acompaña, pero él es enviado a una avanzada. Como no puede pasar sin ver a su esposa, se escapa una noche. Descubierto por una indiscreción de su fiel asistente Santiago, que vive sirviendo a Marta, es amonestado por el coronel. El capitán decide que Santiago no se entere de sus visitas nocturnas, y, vestido de paisano, continúa haciéndolas. El asistente sorprende algunas de ellas, y sospecha que sea un amante de Marta, transmitiendo sus temores al capitán, el cual llega también a autosugestionarse, cayendo en el espejismo de los celos. Marta entristece al comprobar el despego de su esposo, y la tristeza femenina afinca a éste en sus sospechas. Al fin, enloquecido por los celos, decide vengarse ayudado por Santiago. Una noche entra en su casa

---

[59] *Narraciones.* F. Fe. Madrid, 1893.

buscando al pretendido amante de su mujer, y la oscuridad del pasillo le hace confundir su reflejo en un espejo con la figura del amante. Mata a su esposa, ciego de ira, y luego dispara contra su propia imagen. Cuando se da cuenta de su trágico error se suicida.

Los sueños de la Epifanía, Narración para las soñadoras, es una novela corta cuyas dimensiones permiten al autor un fino análisis de las psicologías de los protagonistas, en especial de Esperanza, tipo de soñadora bien caracterizada. La descripción de las pasiones revela una técnica narrativa de tono muy moderno. Unicamente cabría reprochar algún efectismo como el enlace del final con el comienzo.

Las recetas de Maese Antón, Placidez, Cómo argumentan las madres, se destacan por su intención moralizadora. *Una broma de Carnaval* y *Traidor, inconfeso y mártir* son dos cuentos trágicos estudiados en el siguiente capítulo.

Del mismo Sellés y de carácter moral es *Los tres poderes* [60]: Un rey antes de morir promete dar a sus hijos lo que deseen. El mayor pide la corona; el segundo, la hacienda; y el tercero, la biblioteca. Más adelante el pueblo derroca la monarquía y han de huir los tres. El único que podrá vivir en tierra extranjera es el más joven, gracias a los conocimientos adquiridos en la biblioteca.

En 1895 publicó JUAN GUILLÉN SOTELO una serie de *Narraciones vulgares,* y en 1899, otra de *Novelas cortas.* Este olvidado escritor supo narrar agradablemente, y a él se deben una serie de relatos breves ambientados casi siempre en Andalucía. Prosa fácil y asuntos sencillos, sin complejidades ni truculencias, son las características de Guillén Sotelo, del que citaremos aquí algunas novelas cortas de tono mundano y cierta intención psicológica, como *Luis Villavieja* y *Macandito* [61], cuyo principal interés reside en la acabada pintura de los protagonistas.

De JOSÉ CÁNOVAS Y VALLEJO recordaremos aquí *Segunda boda* —reflexiones de una viuda en su segunda noche nupcial—, *La desdichada curiosa* —absurda historia de una mujer que con su curiosidad hace desgraciados a los que ama— y, sobre todo, *El paraíso perdido,* bella narración sobre una mujer que abandonó a su marido por un amante, aunque desde su vida adúltera siguió queriendo a sus hijos. Cuando el marido muere, ella vuelve al hogar con sus hijos y descubre por algu-

---

[60]   *Blanco y Negro,* n. 559, 18 enero 1902.
[61]   *Novelas cortas.* Madrid, 1899, págs. 7 y ss, y 119 y ss.

nos indicios —su retrato, unas flores secas— cómo la quería y esperaba su marido y lo feliz que con él hubiera podido ser. Muere de tristeza y loca de amor por su marido [62].

«FERNANFLOR» cultivó con desigual fortuna el cuento psicológico.
No le faltaron facilidad y gracia narrativas, pecando en cambio de cierta complacencia en motivos que, por lo menos hoy, nos parecen cursis
y melodramáticos.

En *Final de acto* [63] unos ricos señores suelen dar funciones en su
teatro particular, en las que trabaja como magnífica primera actriz la
dueña de la casa. El marido desea poner en escena un drama en el que
ella ha de hacer el papel de dama seducida. Y en una ocasión sorprende al joven actor que hace el papel de amante tratando de abrazarla, y
a ella rechazándole como en una escena de la obra.

Sorelita [64] es un hombre jorobado y deforme que ama a Teresa, y
que desea suicidarse al ser desdeñado. Una bella mujer, Angela, amiga
de Sorelita, ofrece ayudarle y empieza a ir con él a todas partes fingiendo una pasión que hiere a Teresa, la cual comienza a solicitar a
Sorelita. Este, enamorado de Angela, sufre un desengaño cuando ella le
dice que todo ha sido una farsa, concluída la cual puede suicidarse si
lo desea.

El pobre Jacinto Pérez [65] es la historia de un joven que, habiendo
anunciado que se suicidaría, lo hace, aun no deseándolo, por temor al
ridículo y por no soportar las chanzas de sus amigos.

Pero la mejor narración de esta clase es, sin duda, *El lance* [66]: El
señor Los Santos es un ser honrado, pacífico, burgués, que un día ve en
la calle cómo un joven pedante golpea brutalmente a un pobre niño
que se había acercado a pedirle limosna, mientras charlaba con una
dama. Los Santos llama canalla al agresor, y sobreviene el duelo. El
ofendido es un duelista consumado y decide añadir a su lista de éxitos
una muerte. Acomete cruelmente a Los Santos, y éste, que sólo esperaba un duelo a primera sangre, ve en los ojos de su antagonista escrita su sentencia de muerte. Y así sucede, correctamente.

---

[62] Todas estas narraciones pertenecen a la serie *Cuentos de éste*. Madrid, 1893.
[63] *Cuentos rápidos*. Barcelona, 1886, págs. 93 y ss.
[64] Id., págs. 149 y ss.
[65] Id., págs. 225 y ss.
[66] Id., págs. 271 y ss.

En *La opinión* [67] se mezclan lo social y lo moral: El nuevo confesor de una dama le ordena separarse de su amante, que es un hombre casado. Mientras en una tertulia censuran el que hayan sido amantes, en otra reprueban la separación después de tanto tiempo. El confesor abandona a su penitenta considerando con melancolía que en la sociedad vicio y delito son igualmente calumniados.

ALFONSO PÉREZ NIEVA fué cuentista muy fecundo y de él recordaremos aquí algunas narraciones. En *Del abismo a la cumbre* [68] presenta el autor un caso de intento de suicidio —tema, como se ve, muy frecuente en esta clase de cuentos— que no llega a realizarse, cuando un amigo comunica al hombre agobiado por la miseria y a punto de quitarse la vida que le ha sido concedido un buen empleo.

Sueños y casas [69] es una narración moral en que Pérez Nieva censura la ambición femenina: una muchacha rechaza al joven pobre y soñador, aceptando al viejo rico que le dará lujosas casas.

En *El papel del drama* [70] un actor al final de la obra ha de matar a la mujer infiel. Cuando el drama alcanza ya varias representaciones, el protagonista se niega a continuar haciendo el papel, ya que en la vida hizo él uno semejante, pero sabiendo perdonar.

El noble orgullo español es exaltado en *La princesa morganática* [71], relato en que una altiva dama española, antes de casarse con un rico yanqui que mata en duelo a su rival y arruina su debut en el teatro, se suicida. En *La sentencia* [72] el juez severo piensa en el perdón y en la vida al encontrarse con unas niñas que acaban de hacer su Primera Comunión.

Ante una dicha es uno de los más bellos cuentos de Pérez Nieva [73]: Una joven viuda que lleva vida de cortesana, halla entre sus viejos papeles una declaración de amor de un estudiante de farmacia. Ella se encuentra en un grave apuro económico, y, confiando en su belleza, decide pedir ayuda a su antiguo enamorado. Cuando llega a la farmacia que éste posee actualmente, ve desde el exterior la rebotica y en ella al farmacéutico con su familia. El feliz ambiente hogareño —del que ella

---

[67] Id., págs. 233 y ss.
[68] *Blanco y Negro*, n. 4, 31 mayo 1891.
[69] Id., n. 69, 28 agosto 1892.
[70] Id., n. 393, 12 noviembre 1896.
[71] Id., n. 464, 24 marzo 1900.
[72] Id., n. 475, 9 junio 1900.
[73] Id., n. 401, 7 enero 1899.

podría gozar ahora a no haberse escapado con un aristócrata envilecido— le impide perturbar tal dicha con su aparición, y se va sin ser advertida.

Este cuento se asemeja algo al ya citado *El paraíso perdido* de Cánovas y Vallejo.

José ALCALÁ GALIANO cultivó el cuento festivo y humorístico, pero también dejó algunas narraciones de carácter moral. En *Los amigos de Benito* [74] un hombre escarmentado por la ingratitud, se ha convertido en un apacible misántropo. No obstante, afirma tener amigos e invita a unos vecinos a verlos. En una sala, multitud de espejos multiplican su figura: ésos son sus amigos junto con los libros.

Finalmente pueden citarse de este mismo autor y de carácter moral los cuentos titulados *Ida y vuelta* y *La madrastra* [75].

ALEJANDRO LARRUBIERA, fácil narrador, ha dejado algún buen ejemplo de cuento psicológico. *El pobre García* [76] es la historia del portero de un ministerio que, jubilado por su edad, no sabe qué hacer de su vida. Aburrido, va a visitar a sus sucesores en la portería, hasta que nota que allí no es bien recibido. Este tipo, humano y sencillo, está bien visto y dibujado por Larrubiera, que ha sabido captar en una breve narración la soledad y el vacío de un hombre arrancado de un quehacer cotidiano que era ya su misma razón de existencia.

El alma del público [77] es otra agradable narración: En una tertulia de señores ancianos se discute acerca de la psicología de las multitudes, y un magistrado refiere un episodio de su juventud. En aquel entonces era aficionado al canto y creía tener buena voz. Enamorado de una cantante de revista, iba todas las noches al teatro. En una de ellas ocurre que el cantante de la compañía no puede salir a escena, por recibir en aquel momento un telegrama notificándole la muerte de su hija. El aficionado lo hace en su lugar, siendo deplorable su actuación, que es abucheada. Pero cuando dirigiéndose al público explica lo sucedido, recibe una enorme ovación.

En *El ángel se duerme* [78] el escudero Martín trae al viejo conde Falcón nuevas de su hija Violante, que, pese a amar y a ser amada

---

[74] *Las diez y una noches*. Valencia, 1911, págs. 95 y ss.
[75] Id., págs. 189 y ss., y 205 y ss.
[76] *Hombres y mujeres*. Sucesores de Rivadeneyra. Madrid, 1913, págs. 47 y siguientes.
[77] Id., págs. 71 y ss.
[78] Id., págs. 179 y ss.

por su esposo, no es feliz. El capellán le dice al conde que eso ocurre porque el ángel se ha dormido. Todos los matrimonios tienen un ángel al que hay que retener, pero sin demasiadas dulzuras, porque el excesivo arrullo le hace dormir.

De BLASCO IBÁÑEZ sólo citaremos aquí *Un silbido* y *Un beso*. En el primer cuento [79], durante una representación en que actúa una gran cantante española, al aparecer en escena su marido, un cantante italiano, se oye un estridente silbido. Ha sido un viejecito que mientras ella cantaba había llorado. Se justifica diciendo que es el padre de la cantante, enfermo y abandonado por su hija, seducida por el italiano.

Un beso [80] es una narración de la guerra europea: París sirve de asilo a los que huyen de la invasión, acampados en las calles. No hay un banco libre en los paseos públicos. En uno el narrador está al lado de una muchacha *ácida,* mal hablada y violenta. Aparecen dos viejecillos. Han huído de su pueblo abandonando su tienda, y buscan a unos sobrinos en París. Pero están cansados y han de ir al final del bulevar. No se encuentra un coche. Entonces la muchacha, con riesgo de ser atropellada, detiene el coche de un artillero y, a cambio de un beso, logra que lleve a los viejos.

JACINTO OCTAVIO PICÓN es tal vez el más prototípico creador de cuentos psicológicos, hasta tal punto que todas sus narraciones podrían ser encuadradas aquí sin excesiva violencia. Los relatos de Picón rara vez suelen versar sobre acciones exteriores, describiendo generalmente las que tienen lugar almas adentro, aunque no siempre pueda hablarse de una intención moral. Picón está, en cierto modo, dentro de la línea esteticista de Valera.

No obstante, la falta de preocupación moralizadora —como excepción recuérdense las narraciones que componen la serie *Tres mujeres*— no excluye en Picón cierta tendenciosidad, bien visible en los *Cuentos de mi tiempo*.

Estamos ante un narrador característicamente finisecular. Picón se ha encontrado con un género muy perfeccionado y muy distante ya del que, con las mismas dimensiones, cultivaron los románticos. Sin ser el autor de *La vistosa* un narrador de la misma talla de *Clarín* o de la Pardo Bazán, es indudable que se trata de un cuentista decisivamente

---

[79] *La condenada*. Valencia, 1919, págs. 81 y ss.
[80] *El préstamo de la difunta*. Valencia, 1921, págs. 183 y ss.

moderno. (Obsérvese la significativa ausencia de cuentos legendarios en su producción.)

Habiéndonos ocupado en otros capítulos de algunas narraciones de Picón, advertiremos aquí que la mayor parte de ellas —*El agua turbia, Rivales, Caso de conciencia, El peor consejero,* etc.— son de carácter psicológico y moral, algunas tan nítidamente como *Divorcio moral* [81]: una mujer se separa de su marido al comprobar que es un avaro y un estafador.

También rotundamente moralizadora —casi a lo *Fernán*— es *La verdadera* [82]. Las nietas de doña Teresa siempre piden algo a la abuela cuando ésta registra su *rastro,* habitación llena de riquezas y recuerdos. Un día ven una hermosa cadena de oro y perlas que doña Teresa ofrece regalar a la que haga la mejor obra de caridad. Pilar da todo su dinero a una ex-doncella sin recursos. Estéfana cura las llagas purulentas y repulsivas de un pobre. Para Pilar es la cadena, y para Estéfana, las llaves de todas las riquezas de doña Teresa, aun cuando la más grande satisfacción sea la de la propia conciencia.

En *La prudente* [83] una bella muchacha que desea ser siempre soltera relata al narrador cómo, cuando iba a casarse, descubrió que su novio tenía un hijo con otra mujer, decidiendo desde entonces permanecer en soltería. Su actitud cautelosa y su rectitud moral le hacen recordar al narrador el cuento árabe del ángel entre los leprosos. Otro caso de indoblegable conducta moral es el descrito en *Virtudes premiadas* [84]: Un viejo carlista que todo lo dió por la causa sin recibir nada a cambio, muere en la miseria abandonado de todos, incluso de sus hijos, y rechazando un empleo liberal.

En *Los dos sistemas* [85] un matrimonio educa a un hijo en el hogar, y a otro, fuera. El primero sacrifica su gloria por el dinero para una operación costosa que ha de salvar la vida a su madre, mientras que el segundo sólo piensa egoístamente en su porvenir y triunfos. No obstante, Picón plantea el interrogante de si el deber de los padres es hacer felices a sus hijos o no.

*   *   *

---

[81]   *La Vistosa.* Madrid, 1901, págs. 59 y ss.
[82]   *Blanco y Negro,* n. 418, 6 mayo 1899.
[83]   *Novelitas.* Madrid, 1892, págs. 5 y ss.
[84]   Id., págs. 159 y ss.
[85]   *Blanco y Negro,* n. 19, 3 abril 1901.

Para concluir, citaremos rápidamente algunas otras narraciones y autores.

Sensiblería es un cuento de V. LASTRA Y JADO [86] en que una delicada joven salva a una mariposa de ahogarse para clavarla luego en su sombrero. En *Aquí paz y después gloria,* de JOSÉ ZAHONERO [87], un viejo librero viudo lleva una vida ejemplar con su hija, la cual es víctima de un seductor que deja sus recados amorosos en los libros. Cuando él desaparece, la joven enferma y muere. Al cabo del tiempo el librero descubre su deshonra en los libros que servían de intermediarios a los amantes. Del mismo autor son *Lágrimas quebrantan peñas* —el llanto de una joven conmueve la avaricia de su padre, que se negaba a dotarla para casarse [88]— y *El hijo del capitán* [89], de tono moral.

En *La gratitud* [90], de EMILIO SÁNCHEZ PASTOR, un pescador salva a la hija de un barón de morir ahogada cuando nadie se atrevía a hacerlo. El padre había ofrecido toda su fortuna a quien la salvara, pero él se limita a pedir una renta de una peseta diaria y otras ayudas económicas extraordinarias. Cuando el barón muere y la hija, casada, se separa de su marido, el ex-pescador, ya en la pobreza, no recibe nada. Del mismo autor son *La fruta ajena, La ley económica* y *Lo dicen todos.* En el primer relato [91] —que recuerda algo el tema de *La prueba de las promesas*— una casada sufre el asedio de un amigo de su marido que le resulta simpático y al que cree enamorado de ella. Pero con motivo de una equivocación por la que parece haber muerto el esposo en un accidente ferroviario, la madre de la joven se sirve del engaño para incitar al seductor a casarse con la viuda, retrayéndose él. Ella, que ha oído la cobarde conversación, le desprecia para siempre. En *La ley económica* [92] un ejemplar sacerdote trata de convencer al usurero del pueblo para que abandone tan detestable profesión. El habla de la ley económica de la oferta y la demanda, base de su lícito negocio. Cuando cae enfermo de la viruela nadie se atreve a cuidarle. El cura le ofrece los servicios de su sobrino y le cobra el vaso de agua a 10.000 pesetas, utilizando los mismos argumentos del avaro, al que

---

86   Id., n. 12, 26 julio 1891.
87   Id., n. 345, 11 diciembre 1897.
88   Id., n. 156, 28 abril 1894.
89   *Cuentos.* Biblioteca Fénix. Madrid, 1912. *Blanco y Negro,* n. 549, 9 noviembre 1901.
90   *Blanco y Negro,* n. 433, 19 agosto 1899.
91   Id., n. 465, 31 marzo 1900.
92   Id., n. 473, 19 mayo 1900.

luego devuelve todo el dinero. En el tercer relato citado [93] el alcalde de un pueblo echa de su casa a su mujer dando crédito a una calumnia. Al ser él, más adelante, injustamente acusado de cohecho, acude al cura, que le recuerda la facilidad con que él creyó el *todos lo dicen* que acusaba a su mujer. Se descubre la falsedad de la denuncia, y el alcalde, arrepentido, se reconcilia con su mujer.

De EUSEBIO BLASCO recordaremos *El respetable* [94]: Un padre repudia a su hijo por haberse casado con una mujer honrada pero artista de teatro. Buscando piso los novios, encuentran uno en donde residió con su amante, de joven, el padre «respetable», según se deduce de una fotografía dedicada. *Alegría,* de MIGUEL RAMOS CARRIÓN [95], recoge la vida alegre de un solterón que murió en la más completa soledad. Su entierro pasa entre el bullicio de un día de Carnaval.

Una aguda lección moral es la contenida en *Un día de plazo* de JOSÉ ECHEGARAY [96] —semejante en cierto modo a *La hora nona* de Ernesto García Ladevese, estudiada en el capítulo de *Cuentos de amor*—: Un médico comunica a un joven que, padeciendo una enfermedad mortal, sólo le queda un día de vida. Y en él todo se le aparece al condenado bajo un nuevo aspecto. Quien realmente muere es el médico, que estaba loco, y a él dedica el joven la corona fúnebre que para sí mismo había encargado. Del mismo autor es la narración simbólico-moral *Dormido y despierto* [97].

En *Un crimen sin castigo,* de GABRIEL MAURA [98], charlan un espejo y un reloj. El primero refiere cómo una bella dama se miraba en él antes de ir a la ópera. El segundo narra cómo murió el niño de esa señora mientras ella se divertía. A ALEJANDRO SAWA se deben algunas buenas narraciones psicológicas como la titulada *Seres dobles* [99]. De JOAQUÍN DICENTA recordaremos *Un divorcio* [100]: Todo el mundo comenta la deliciosa pareja que hacen un pintor y una bella joven que se casaron muy enamorados. Pero todo acaba entre ellos cuando un día, al

---

93   Id., n. 531, 6 julio 1901.
94   Id., n. 438, 23 septiembre 1899.
95   Id., n. 461, 3 marzo 1900.
96   Id., n. 463, 17 marzo 1900.
97   Id., n. 593, 13 septiembre 1902.
98   Id., n. 464, 24 marzo 1900.
99   Id., n. 588, 9 agosto 1902.
100   *Los mejores cuentos de los mejores autores españoles contemporáneos.* París, 1912, págs. 87 y ss.

hablar el artista a su mujer de la gloria, descubre que ella sólo piensa en el dinero.

En *Las pompas humanas,* de RAFAEL TORROMÉ [101], dos viejos y harapientos mendigos, ex-actores, llegan a pegarse discutiendo sobre sus pasadas glorias. Un fino estudio psicológico en un tema semejante es el de MAURICIO LÓPEZ ROBERTS en *La Isidora,* narración sobre la muerte de una famosa ex-actriz [102].

En *Vanidad,* de MANUEL BUENO [103], un pintor cuenta cómo un excelente sacerdote quería dar todo su dinero y bienes por un buen retrato, su única vanidad. Un buen relato psicológico del mismo autor es *Poder del arte* [104]. De JACINTO BENAVENTE recordamos *Los réditos* [105]: La antigua criada de un mercader, desengañada de los hombres, se convierte en una cruel usurera. Su hija muere cuando la madre —como el Torquemada galdosiano— quiere practicar la caridad para salvarla.

Concluiremos citando dos narraciones de PÍO BAROJA: *Lo desconocido* y *Conciencias cansadas* [106], de carácter psicológico la primera, y entrañando un problema moral —resuelto acre e irónicamente— la segunda.

---

101 *Blanco y Negro,* n. 605, 6 diciembre 1902.
102 Id., n. 595, 27 septiembre 1902.
103 Id., n. 499, 24 noviembre 1900.
104 Id., n. 479, 8 julio 1900.
105 *Vilanos.* Madrid, 1905, págs. 179 y ss.
106 Pertenecientes ambas a la serie *Vidas sombrías.*

CAPITULO XIX

CUENTOS TRAGICOS Y DRAMATICOS

CAPITULO XIX

CUENTOS TRAGICOS Y DRAMATICOS

I. CUENTISTAS ROMANTICOS Y DE TRANSICION

No caben en este capítulo consideraciones introductivas del tipo de las que hemos intentado hacer en los anteriores, señalando la evolución y características de determinados temas a través de la literatura del siglo xix y especialmente de la cuentística. En realidad lo trágico y lo dramático no constituyen una modalidad temática que sirva de elemento diferenciador, tal como lo son, por ejemplo, los temas social, religioso, rural, etc. En los capítulos dedicados a estudiar cada uno de esos temas y su tratamiento por los cuentistas decimonónicos, quedaron reseñados muchos cuentos calificables de trágicos y dramáticos. Por lo tanto, los que ahora vamos a examinar son aquellos que, ofreciendo poca facilidad de encuadramiento en alguno de los apartados precedentes, parecían requerir un capítulo que los englobara, aunque este procedimiento peque de artificial por lo que tiene de cajón de sastre.

Podría usarse para estos cuentos la fácil denominación de *novelescos,* pero hemos preferido la de trágicos y dramáticos, por contar en su abono los títulos que la Pardo Bazán dió a dos series de sus narraciones: *Cuentos trágicos* y *En tranvía (Cuentos dramáticos).* El adjetivo *novelescos* es fundamentalmente erróneo y no quiere decir nada en última instancia, aun cuando nos sirva a todos en el lenguaje corriente.

Por lo demás —y desde un punto de vista de estricta técnica literaria— el cuento trágico o dramático conserva la misma independencia respecto a la novela que los cuentos de cualquier otro tipo, si bien, como ya hemos estudiado, hay ciertas modalidades temáticas más adecuadas a la narración breve que a la extensa: es el caso de los que hemos llamado *Cuentos de objetos y seres pequeños*.

Para evitar repeticiones, remitimos al lector al capítulo en que contrastamos los dos géneros, cuento y novela, y a las consideraciones allí hechas sobre la distinta calidad de los argumentos apropiados para uno y otro género; y sobre cómo el cuentista puede captar en el más reducido espacio un momento vital henchido de dramatismo, condición ésta recordable aquí.

En el cuento trágico logran sus mayores éxitos narradores como la Pardo Bazán, inclinada al relato vigoroso, desgarrado; y, por contraste, no demasiado aficionada a la narración festiva y alegre. En cuanto a *Clarín,* basta con recordar su maravillosa novela corta *Doña Berta.* Al desaparecer toda finalidad tendenciosa y quedar como único motivo el drama humano, la narración suele ganar en fuerza emotiva, en pureza estética. Es el caso de esa narración clariniana en la cual ya no hay ningún resabio tendencioso, como no sea el que tantas veces hemos señalado de un vitalismo antiintelectual que aquí no es grito ya ni protesta. El drama de Doña Berta —tan suave, tan carente de énfasis— está al margen de toda preocupación social, filosófica, política. Es únicamente humano, y de ahí su imperecedera belleza.

Otro significativo ejemplo de cómo la carencia de elementos tendenciosos puede ocasionar un magnífico relato, lo tenemos en Blasco Ibáñez, cuyas condiciones para la narración breve eran espléndidas, si bien menoscabadas casi siempre por un insoportable lastre ideológico. Sin embargo, cuando el narrador valenciano prescinde de lo tendencioso y se atiene a lo desnudamente dramático, es capaz de crear un relato de tan alta calidad y emoción como *El préstamo de la difunta,* narración breve que puede compararse con las más logradas de la literatura universal dentro de esta modalidad —llamémosla así— del cuento trágico o dramático.

Inútil sería detenernos en señalar las diferencias que entre los cuentistas románticos y los naturalistas hay en el tratamiento de estos temas, ya que equivaldría a repetir lo dicho en tantos otros capítulos. El estudio directo de algunas narraciones representativas nos ahorrará todo comentario.

Unicamente destacaremos la tendencia hacia lo truculento observable en las narraciones románticas. Agustín Pérez Zaragoza Godínez publicó en 1831 una *Galería fúnebre de espectros y sombras ensangrentadas o sea el historiador trágico de las catástrofes del linaje humano.*

En una crítica literaria publicada en 1846 en el *Semanario Pintoresco Español,* se comprueba igualmente el éxito de la literatura truculenta y de crímenes:

«Sorprendente es la altura a que la novela se ha elevado en estos últimos años. El romanticismo hizo de ella la primera revolución dándola un giro nuevo, calcándola sobre antiguas leyendas, evocando los recuerdos de la Edad Media y presentándolos revestidos de formas terribles y exageradas; vuelto el público de la primera sorpresa que no pudo menos de causarle aquella inundación de crónicas patibularias, comenzó a conocer lo ridículo de tal escuela...» [1].

En la misma revista, y en 1851, decía José María de Andueza:

«Muy poco tiempo hace que nuestra juventud ha dado en la manía de volverse loca por la narración de lúgubres dramas, cuya exposición se verifica regularmente en los caminos reales o en los montes, y no pocas veces en el hogar doméstico, para proseguir el nudo de la acción y sus peripecias ante los tribunales, y acabar con un desenlace definitivo y fatal en los presidios del reino o en el cadalso.

Los novelistas extranjeros nos han regalado esa afición a desentrañar los misterios sociales más ocultos; bárbaro acceso de curiosidad que nos impele hacia todos los puntos en que hay crímenes que descubrir, manchas de sangre que borrar, condenas que oír y suplicios que padecer» [2].

En realidad estas críticas aluden a las novelas y folletines de la época. Las narraciones breves suelen versar sobre asuntos legendarios, escaseando las de tema social y mundano, que suelen ser artículos de costumbres con una leve ficción narrativa.

No obstante, también existen cuentos folletinescos pródigos en lances de honor y en desventuras amorosas. Ya hemos aludido a ellos en otros capítulos, por lo cual, pese a su carácter trágico, no son estudiados aquí.

A NICOMEDES PASTOR DÍAZ se debe una deshilvanadísima narración romántica, en estilo confuso y entrecortado, que él tituló *Una cita, Anécdota* [3], verdaderamente inclasificable —aunque el prologuis-

---

[1] *Semanario Pintoresco Español,* n. 36, 6 septiembre 1848, pág. 285.
[2] Id., n. 28, 13 julio 1851, pág. 221.
[3] *Obras* de D. Nicomedes Pastor Díaz. Tomo III. Imp. de Manuel Tello. Madrid, 1867.

ta Antonio Ferrer del Río la llame *pintura fantástica*— y que carece
por completo de interés. Si la hemos citado en este capítulo ha sido por
su tono trágico y no por sus calidades narrativas.

En *No hay buen fin por mal camino*, de EUGENIO DE OCHOA [4], un
médico recibe unos anónimos diciendo que vigile a su mujer porque
le engaña. El teme que sea con su hermano Lorenzo, ya que obser-
vándolos ve ciertos signos de inteligencia entre ellos. Una noche le llaman para ir a un prostíbulo donde asiste a una enferma cuyas facciones le recuerdan las de su esposa, a la cual cree ver al salir de aquella
casa. Finge ausentarse de la ciudad y vigila la casa de citas, en la que
ve entrar a su esposa y a su hermano Lorenzo. Cae desmayado, ignorando que su mujer iba a visitar a Clara, la enferma, hermana suya
seducida por Lorenzo. El autor de los anónimos era el confesor de Isabel, el cual, horrorizado por el daño que ha hecho, escribe al médico
aclarándoselo todo y pidiéndole perdón. Pero éste ha huído de su casa,
marchando a Nueva York. Al fin se reconcilia por carta con su mujer.

Del mismo autor es *Una buena especulación* [5]. Si el tono de la anterior narración era simplemente dramático, el de ésta es rotundamente
trágico: Un librero promete dinero a un poeta si escribe una buena
sátira. La esposa del poeta vive en una buhardilla y yace en la cama
muy enferma. Carecen de dinero para la medicina, y el poeta pide un
anticipo al librero, el cual se niega a dárselo. Al día siguiente, cuando
va a recoger la sátira a la casa del escritor, encuentra muerta a la esposa
de éste, que resulta ser su hija. El poeta enloquece y el librero hace un
buen negocio con la sátira.

MIGUEL DE LOS SANTOS ALVAREZ escribió en 1841 un relato tan des-
hilvanado como casi todos los suyos, titulado *Principio de una historia que hubiera tenido fin si el que la contó la hubiera contado toda* [6],
en el que las mujeres causan la desgracia de un hombre, el cual se mata
al arrojarse desde el tejado de la cárcel.

Estudiaremos aquí un tipo de narraciones bastante frecuente en
la época romántica, que eran las protagonizadas por bandidos y contrabandistas. *El Morrillo*, de J. M. DE ANDUEZA [7], refiere la historia de

---

4 *Miscelánea de literatura, viajes y novelas,* por D. Eugenio de Ochoa. Madrid, 1867, págs. 159 y ss.
5 *Semanario Pintoresco Español,* n. 3, 17 abril 1836.
6 *Tentativas literarias, Cuentos en prosa.* S. H. G. Madrid, 1864, págs. 243
y siguientes.
7 *Semanario Pintoresco Español,* n. 28, 11 julio 1841.

un guerrillero que luchó contra Napoleón, quedando luego en la miseria. El Morrillo se hace contrabandista y acaba en la cárcel. Del mismo autor es *Mariano, Novela de costumbres* [8] sobre el hijo de un contrabandista que llega a cometer crímenes por amor y es ahorcado.

La venganza de un bandido es el tema de *El resentimiento de un contrabandista* de JUAN MANUEL AZARA [9].

BENITO VICETTO Y PÉREZ es autor de *La loca de Roupar* [10], trágica historia de un hombre que apuñala al novio de su hija, la cual enloquece. J. HERIBERTO GARCÍA DE QUEVEDO publicó en 1848 *Un amor de estudiante* [11], narración ambientada en el *Quartier Latine* de París, rica en tópicos románticos: estudiantes bohemios, grisetas y duelos.

En *La mascarada,* de JOSÉ DE CASTRO Y SERRANO, publicada en 1853 [12], un anciano teniente coronel, al descubrir que su esposa le engaña con un joven capitán, encadena a éste a su coche y lleva en él a su mujer vestida de novia. El capitán, al ser arrastrado, muere víctima de las heridas.

Otras muchas narraciones trágicas y dramáticas podrían citarse de este buen narrador, entre ellas *Juan de Sidonia* [13], historia de un mozo andaluz educado en la taberna, que por defender a su esposa Ana de una injuria mata a un hombre y es condenado a presidio. Enferma en la cárcel y es llevado a un hospital. Su vecino de cama muere en la noche sin que nadie se dé cuenta, y entonces Juan cambia su personalidad por la del difunto. Pero éste resulta ser un desertor, y Juan ha de marchar a Cuba. En tanto Ana se ha casado con su protector y antiguo pretendiente Miguel. En la noche de difuntos —recurso efectista y romántico, a despecho de los deseos de sencillez y naturalidad del autor— Juan regresa, propietario de la herencia del hombre cuya vida usurpó, y se la deja a su esposa e hijos, desapareciendo luego.

Antonio Sánchez es otra *historia vulgar* [14] cuyo máximo interés reside en la pintura del ambiente teatral madrileño. Breve y poco logra-

---

[8] Id., n. 33, 16 agosto 1840.

[9] Id., n. 15 de 1848.

[10] Id., n. 29, 21 julio 1844.

[11] Id., ns. 35 y 36 de 1848.

[12] Id., ns. 15 a 17 de 1853.

[13] *Historias vulgares.* Imp. de Fortanet. Tomo I. Madrid, 1887, págs. 19 y siguientes.

[14] Id., págs. 101 y ss.

da es *Las estanqueras de San Fernando,* aunque no exenta de dramatismo [15].

Una historia de bandolerismo es la relatada en *El tesoro morisco* [16]. El tema de la locura por amor aparece en *Dolores* [17]. Delicadamente dramática es la trama de *Historia de un alma* [18]: Una señora llega a pensar que el joven muerto a los veintiún años que yace al lado de la tumba de su hija, pudo ser, de haber vivido, el novio de ésta.

Un tema en cierto modo semejante es el del emotivo cuento de LUIS GABALDÓN titulado *Mi nuevo amigo* [19]: El narrador ve pasar un entierro en un día plomizo y triste. Nadie va tras el coche, y entonces él lo acompaña al cementerio. El cochero, creyéndole de la familia del difunto, le da las llaves del féretro. Al abrirlo ve a un joven de tan atrayente fisonomía, que piensa pudo ser su amigo de haberse conocido. Averigua su nombre: Rafael Martín, y deja en el ataúd su tarjeta a manera de presentación.

JOSÉ DE SELGAS publicó en 1855 una narración dramática titulada *La vuelta de Juan Pérez* [20], sobre el regreso al hogar de un soldado que se encuentra con la vida rota y sin sentido al hallar a su novia casada y con hijos. Aun cuando ella queda luego viuda, él vuelve al ejército. El tema, como se ve, se asemeja algo al de *Juan de Sidonia.*

Citaremos alguna otra trágica narración del mismo autor, como *Dos muertos vivos* [21], en la que tras varias digresiones iniciales se refiere la historia de Rosalía, una bella y rica viuda que intima amorosamente con Mr. Germán, un pintor francés de paso en el pueblo. Cuando Rosalía aparece un día asesinada, las culpas recaen sobre el pintor, que se supone ha huído con parte del dinero de la muerta. El primo de ésta, Raimundo, hereda toda su fortuna y se va a Madrid, donde inicia una vida de constante placer. En cierta ocasión, en una tertulia con sus amigos, habla uno de éstos de cómo los asesinados se aparecen a sus asesinos. Y es lo que le ocurre a Raimundo, que al fin confiesa que mató al francés arrojándole en una profunda sima, y a Rosalía, apu-

---

[15]   Id., págs. 371 y ss.
[16]   Id. Tomo II. Madrid, 1887, págs. 145 y ss.
[17]   Id., págs. 309 y ss.
[18]   Id., págs. 351 y ss.
[19]   *Blanco y Negro,* n. 391, 29 octubre 1898.
[20]   *Semanario Pintoresco Español,* ns. 28 a 31 de 1855.
[21]   *Novelas* de D. José Selgas. Tomo II. Imp de A. Pérez Dubrull. Madrid. 1885, págs. 227 y ss.

ñalándola. No menos trágicos son *Mal de ojo* y *La mariposa blanca* [22].

FERNANDO MARTÍNEZ PEDROSA publicó en 1862 una novela corta, *Misterios de una sombra* [23], en la que el tono dramático está conseguido con recursos de folletín dramático. Por el contrario, la narración de FERNANDO FULGOSIO *Alonso de Moar,* publicada en 1864 [24], se caracteriza por la ausencia de efectismos y la autenticidad humana de su personaje central.

De circunstancias son algunos relatos dramáticos como *Rusia en Polonia* de CECILIO NAVARRO, publicado en 1864 [25], y que constituye un alegato —en pésimo estilo— contra los crímenes y tiranía de Rusia, opresora de Polonia. *La inundación de Alcira,* de JUAN ANTONIO ALMELA, es una narración, aparecida también en 1864 [26], en la cual la catástrofe sirve de fondo a una trágica historia de amor. En 1891, JOSÉ RAMÓN MÉLIDA publicó un cuento a propósito de la inundación del río Amarguillo en Consuegra y Almería, titulado *Juan el Arriero* [27].

En 1886, ROSALÍA DE CASTRO publicó su bella narración *Ruinas* [28], cuyos tres personajes centrales presentó la autora como auténticos. Son una vieja solterona que vive con su gato —recordando algo a *Doña Berta*— y que desprecia las modas actuales; un comerciante arruinado por hacer bien a los pobres; y un joven y mísero hidalgo que enloquece al ver sufrir a su madre y al ser despreciado por la mujer que amaba. Aun cuando el relato es largo y digresivo, hay gracia y emoción en la pintura de estas ruinas humanas, tratadas con ternura muy femenina.

Nada diremos aquí de «FERNÁN CABALLERO» y ANTONIO DE TRUEBA, pues aunque muchas de sus narraciones tengan carácter trágico o dramático, han quedado estudiadas en otros capítulos. Tales, *El vendedor de tagarninas, Una madre, Callar en vida y perdonar en muerte, La flor de las ruinas, Los dos amigos* y tantas otras de la Böhl de Faber; y *El Judas de la casa, La novia de piedra* y *¡Desde Madrid al cielo!,* entre otras de Trueba. Otro tanto cabe decir de *Ranoque, ¡Caín!, La primera Misa, Mal-Alma,* etc., del P. COLOMA.

FLORENCIO MORENO GODINO publicó en 1868 una narración dra-

---

22 Id., págs. 355 y ss.; y *Novelas.* III, 1887, págs. 1 y ss.
23 *El Museo Universal,* ns. 40 a 48 de 1862.
24 Id., ns. 19 y 20 de 1864.
25 Id., ns. 27 a 34 de 1864.
26 Id., ns. 49 a 52 de 1864.
27 *Blanco y Negro,* n. 22, 4 octubre 1891.
28 *El Museo Universal,* ns. 5 al 16 de 1866.

mática y sentimental titulada *Por un retrato* [29]: Juan Cárdenas —prototipo romántico de hombre pálido y apasionado— nunca se ha enamorado, hasta que en Sevilla se prenda de una joven a la que ve sólo una vez. La narración adquiere seguidamente forma epistolar, asistiendo, a través de las cartas de la dulce e ingenua Angela a su amiga Fernanda, al enamoramiento de la primera por Cárdenas, con quien llega a casarse. Pero al descubrir él, por un retrato, que Fernanda era la mujer que amó siempre, sobreviene la tragedia. Marcha a Madrid, engañando a su esposa, en busca de Fernanda. Al final —un poco grotesco— Juan muere cayendo desde una ventana al ver juntas en la casa de Fernanda a ésta y a Angela.

El último sueño —1872— de MANUEL PRIETO Y PRIETO [30] es un relato truculento en el que, al morir un hombre, su hija secreta acude con un antifaz a llorar junto al cadáver.

En 1873 apareció el extraño relato de ANTONIO ROS DE OLANO titulado *A quien leyere, Jornadas de retorno escritas por un aparecido* [31]. Su extrañeza no proviene, como en los ya estudiados *Cuentos estrambóticos,* de lo absurdo o fantástico del asunto, sino más bien de la rarísima construcción narrativa de que el autor se sirvió para ésta trágica narración, cuya trama se reduce a la venganza que un maltratado borriquillo tomó de su cruel amo comiéndole la cabeza mientras dormía. El burro es matado a tiros. Estas sangrientas escenas están narradas con un extraordinario sentido del realismo descriptivo, aun cuando prefiramos aquellas otras, introductivas, en las que el autor habla consigo mismo y evoca los años de su infancia en la finca de su abuelo, lugar donde ocurrió el sangriento suceso.

Esta parte primera del relato es de gran calidad por la finura de las observaciones psicológicas y la belleza del estilo. El tono nostálgico y evocador parece preludiar la técnica proustiana en *A la recherche du temps perdu.* Los recuerdos rondan al autor como sombras fantasmales:

«Al principio el ruido de los carruajes hizo que me retrajera al interior; y después, y ahora, y para siempre, recuerdos movidos por objetos materiales que allí están colgados, y sobre todo sombras que animadas al calor de mi alma por aquellos ámbitos históricos y huecos desocupados asoman, me asaltan, me hablan y me hieren dolorosísimamente, me han ahuyentado, y vivo en un cuarto

---

[29] *Revista de España.* Primer año. Tomo IV, n. 13 de 1868.
[30] Id. XXV, n. 108, págs. 536 y ss.
[31] Id. Sexto año. XXX. 1873.

estrecho que da vista a un jardín y al melancólico tejado de la iglesia parroquial.»

El mecanismo asociativo que constituye la urdimbre narrativa de la obra de Proust, es utilizado también por Ros de Olano al evocar su infancia y adolescencia:

«... quiero ahora entretener mis ocios registrando en los años de mi adolescencia.

De aquellos años en que, por ejemplo, cuando al terminarse el verano me daban la chaqueta del invierno, yo rebuscaba escrupulosamente en los bolsillos de la que fué y volvía a ser mi abrigo; y de las puntas de lápiz, de la pluma de un pájaro, de los pedacillos de papel, de los cachos de cáscara de fruta seca, de las medias aleluyas, etc., despertábanseme reminiscencias; y allí a mis solas con estas baratijas a la vista, enhebraba historias tiernas entre comentarios tristes.»

«... y me horrorizaba el recuerdo del colegio, como si sintiera que para trasladarme desde el hogar de mis padres, en América, al de mis abuelos, allí cercano, hubiese tenido que pasar forzosamente arrastrado por una cueva muy larga, muy oscura y poblada de gentes ceñudas a quienes no latía el corazón y que no habían tenido hijos.»

En realidad nada tiene de cuento el relato de Ros de Olano, y si las digresiones son el pecado capital en este género, hemos de confesar que aquí Ros pecó gravísimamente, ya que todo es digresión, siendo lo menos importante el levísimo motivo argumental. Pura autobiografía, interesa y atrae por lo espléndido de las descripciones y la sutileza psicológica de que el autor hace gala.

Repetimos que, aun cuando en otro plano, la técnica narrativa de Ros en estas páginas parece precursora de la de Proust, cuyas obras interesan más por la riqueza de observaciones psicológicas que por su escasa peripecia argumental, diluída entre digresiones.

Luis Grande Bandesson —al que Salvador Rueda elogiaba por su descriptivismo colorista— escribió algunos cuentos dramáticos, entre ellos *La última apuesta* [32]: Chuchi, el hijo del sepulturero, reta al bravucón Juanillo el Campanero a que en la noche de difuntos vaya a recoger su sombrero en el nicho de los Angeles. Juan acepta la apuesta, y al entrar en el cementerio oye un ruido extraño y ve un esqueleto con blanco sudario. Muere del susto, mientras que Chuchi es castigado por su padre, que le sorprendió saliendo del cementerio vestido de fan-

---

[32] *Meridionales*. Madrid, 1899, págs. 43 y ss.

tasma. La sencillez con que este dramático episodio está relatado, es su cualidad más sobresaliente.

En *Toñín* [33] un mozo corpulento y brutal se ensaña en el mendigo jorobado *Toñín*. Un día le obliga a subir a la cúpula de la iglesia, y desde allí el siempre paciente Toñín se venga de su verdugo empujándole y haciéndole morir.

La mayor sorpresa, significativamente subtitulado *Cuento rocambolista* [34], narra cómo un vizconde ha contratado a un famoso ilusionista para sorprender a sus invitados. El artista presenta un lúgubre espectáculo con unos esqueletos, y se dispone a reconstruir un crimen que tuvo lugar en París años atrás. El vizconde suspende el espectáculo y al día siguiente se suicida, ya que él había sido el autor del crimen evocado.

Vulgarmente dramáticos y truculentos son *Rosa la cortijera* [35], *La rosa de pasión* y *Cartas íntimas* [36].

Un excelente narrador fué JUAN GUILLÉN SOTELO, del que recordaremos dos narraciones sobre el tan fecundo tema del bandolerismo andaluz. Ambas se caracterizan por el realismo de buen gusto y lo espléndido del diálogo y del ambiente. Guillén Sotelo no glorifica excesivamente al bandido andaluz, y sabe presentarlo en sus más humanas y verosímiles reacciones.

En *Los jabalíes,* cuatro hermanos bandoleros deciden rescatar a la hija de un señor a quien estaban agradecidos, y que había sido raptada por otro bandido. Dos *jabalíes* mueren al rescatarla.

En *Flor-de-granao* trata Guillén Sotelo un tema semejante [37]: El bandolero Zamarra, perseguido por la guardia civil, se salva gracias a la protección de *Flor-de-granao* y del médico Chacón. Más adelante, a este último le es raptado un hijo, creyéndose que haya sido Zamarra el autor. *Flor-de-granao* sale en su busca. Los raptores han sido unos subordinados de Zamarra, a uno de los cuales da muerte *Flor-de-granao*, apoderándose del niño y siendo herido al huir. Zamarra envía la cabeza del raptor al médico diciendo que si aún no cree en su inocencia, se

[33] Id., págs. 85 y ss.
[34] Id. págs. 133 y ss.
[35] Id. págs. 173 y ss.
[36] Estas dos últimas pertenecen a la serie *Granos de arena*. Madrid, 1899, págs. 19 y ss., y 121 y ss.
[37] Ambas narraciones pertenecen a la serie *Novelas cortas*. Madrid, 1899.

matará. *Flor-de-granao* muere, más tarde, entre las caricias de los hijos de Chacón.

El tema de contrabandistas y bandoleros, tan del gusto de los románticos, adquiere en manos de Guillén Sotelo dignidad y belleza, despojado de truculencias y sin el pie forzado ya de la inevitable moraleja final.

II. NATURALISTAS Y POSTNATURALISTAS

Varias veces, a lo largo de nuestro estudio temático, hemos señalado la especial predisposición de la PARDO BAZÁN hacia los asuntos trágicos o dramáticos y la escasez de temas humorísticos o festivos entre sus cuentos.

Indudablemente la escritora gallega tenía más desarrollado el sentido de lo trágico que el del humor, poco frecuente en su sexo. Los mayores y más abundantes aciertos emotivos en la historia del cuento decimonónico español, se deben a la Pardo Bazán, cuya total colección de relatos breves pudiera ilustrar como ninguna otra todo lo que sobre teoría del cuento hemos dicho.

Una de sus series de cuentos lleva el título de *Cuentos trágicos,* y otra —*En tranvía*—, el subtítulo de *Cuentos dramáticos*. En realidad, cualquiera de sus restantes colecciones de relatos podría ir así subtitulada también, resultando difícil, por el contrario, una que mereciera ser calificada de *humorística* o *satírica*.

De esos *Cuentos trágicos* algunos han sido estudiados ya en otros capítulos —v. gr., *La mosca verde, El aljófar, La cana,* etc.—, por lo cual nos limitaremos aquí a citar los restantes, haciendo resaltar que, pese al título general, no se diferencian demasiado estas narraciones de las que componen las otras series pardobazanianas, habiendo incluso algunas, como *El pajarraco,* que podrían ser calificadas de humorísticas. El tono general de los cuentos de la Pardo Bazán es dramático y angustioso, y estos que ahora estudiamos representan la exacerbación de ese tono.

De entre los *Cuentos trágicos* se destacan por su intensa fuerza emocional los titulados *La resucitada* y *Dioses*. En el primero, Dorotea de Guevara, yacente en el féretro, vuelve a la vida y sale de la cripta de la iglesia para regresar a su casa, donde su marido y sus hijos se horrorizan al ver a la que creían muerta. Pese a sus esfuerzos no logra bo-

MARIANO BAQUERO GOYANES

rrar de la mirada de su esposo e hijos el horror que su presencia —con ecos de muerte— les inspira, como si exhalase aún el vaho húmedo del panteón; y entonces la resucitada, loca de dolor ante tal desvío, se encierra en la cripta de donde salió, para dejarse morir definitivamente.

En *Dioses,* dos jóvenes esclavos y esposos, Tayasal e Ichel, han sido elegidos para ser sacrificados al dios Colibrí, al que adoran los tecos. En el día fatal ascenderán a dioses y todo el pueblo les reverenciará mientras bailan vestidos de oro, para luego caer en la fosa en la que serán enterrados vivos. El, Tayasal, incita a la esposa a huir para librarse de la muerte, pero ella prefiere no perder la ocasión de ser dioses. Y así sucede. Bailan la frenética danza acompañada del místico vocerío de los fieles, y al fin caen en la fosa, sobre la cual, cegada ya, sigue bailando el pueblo hasta el amanecer.

El tono exótico está maravillosamente conseguido, así como el desenlace trágico, narrado con una belleza y sencillez impresionantes.

La cita y *Nube de paso* versan sobre dos misteriosos y sombríos crímenes. Otro crimen sobre fondo bárbaramente rural es descrito en *Santiago el mudo. Idilio* y *Por otro* tienen como fondo la sangrienta Revolución francesa, así como el cuento *De vieja raza,* perteneciente a la serie *En tranvía,* publicado también con el título de *Vendeana* [38].

«*Dura lex*» no es propiamente un cuento, sino un cuadro descriptivo en que la Pardo Bazán recoge la bárbara costumbre existente entre los esquimales de abandonar a los ancianos enfermos en una cabaña, en la que mueren sin protestar.

De la serie *En tranvía (Cuentos dramáticos)* citaremos en primer lugar *El vino del mar* y *Fuego a bordo,* dos tragedias de mar cuyo realismo violento y duro recuerda el de Maupassant en cuentos de este tipo.

De un naturalismo zolesco es *Semilla heroica,* sangrienta descripción de la muerte de un muchacho aspirante a picador. Truculento y sensiblero es el relato *La «chucha».* *La puñalada* es una historia de celos con un desenlace de crimen pasional. En *Benito de Palermo* el marqués de Bahía narra a un amigo el porqué de su cariño a un feísi-

---

[38] Todos los cuentos que hemos citado pertenecen a la serie *Cuentos trágicos.* El último fué publicado con el título de *Vendeana* en *Blanco y Negro,* número 509, 2 febrero 1901, y con el de *De vieja raza* en la serie *En tranvía,* págs. 139 y ss.

mo criado negro que siempre lleva consigo: Enamorado el marqués de una coqueta joven, en cierta ocasión, en Grecia, decidió asistir a una excursión por la llanura de Maratón, a la que ella iría. Pero el criado, borracho, se olvidó de despertarle a la hora fijada, no pudiendo asistir a la excursión, con lo que salvó su vida, pues los viajeros fueron atacados y asesinados por unos bandidos.

El comadrón, En el Santo, El oficio de difuntos, etc., son otros dramáticos cuentos de esta serie, además de los citados en anteriores capítulos: *Justiciero, Elección, La paz, El voto de Rosiña, Suerte macabra, El décimo,* etc.

Fuera ya de estas dos series de cuentos *trágicos* y *dramáticos,* aún pueden encontrarse otros muchos cuentos de la Pardo Bazán así clasificables.

En *Las tapias del Campo Santo* y *En el nombre del Padre...* [39] se describen dos casos de seducción y deshonra, sangrientamente vengada en la segunda narración.

Más interés ofrece *Salvamento* [40]: Un minero engañado por su mujer y otro compañero de trabajo, arriesga, no obstante, su vida por salvar en un hundimiento a su enemigo ante el dolor de su madre. Lo humano del tema y de las reacciones del minero ofendido, hacen de este cuento una de esas logradísimas narraciones en que la Pardo Bazán supo aliar a un naturalismo exacto un grado de emotividad sólo dable en relatos de tan escasas dimensiones.

Deber es un extraño pero exquisitamente narrado —un poco a lo Rubén Darío— cuento de ambiente exótico, sobre la agonía de un guerrero japonés frente a los rusos, a uno de los cuales, que le había recogido para salvarle, mata fríamente de un tiro [41]. En *Sin esperanza* [42] un jefe de estación recibe un telegrama con las palabras que dan título al cuento, refiriéndose a la enfermedad de su hija. Enloquecido, no acude al servicio, y es responsable de un inminente choque. Cae víctima de una congestión fulminante. *Aire* [43], basado según la autora en un sucedido real, recoge la extraña locura de una mujer a la que su novio acusaba de ser más fría que el aire y de tal acaba creyéndose, llegando a arrojarse desde una azotea.

---

39   *Cuentos de Marineda,* págs. 217 y ss., y 259 y ss.
40   *Sud-exprés,* págs. 39 y ss.
41   Id., págs. 88 y ss.
42   Id., págs. 115 y ss.
43   Id., págs. 128 y ss.

El crimen cometido sin apenas darse cuenta, como reacción contra la brutalidad y la injusticia, es el tema de *Sin pasión* y de *Casi artista* [44].

En *No lo invento (Sucedido)* [45] se excedió naturalísticamente la Pardo Bazán, narrando un hecho verdaderamente repugnante que nunca debió adquirir forma literaria. Arrastrada por el fetichismo del documento humano y por su afán de denunciar toda manifestación de barbarie rural, la escritora gallega se equivocó rotundamente al convertir en cuento este increíble *sucedido*.

En *Confidencia* [46] un hombre amargado por una pena oculta cuenta al narrador su trágica historia. Desobedeciendo de joven a su madre, se embriagaba sólo para mortificarla. En una disputa él, borracho, hace caer un quinqué, y una cortina ardiendo se enrosca al cuerpo de su madre, que muere poco después perdonando al hijo. Este perdón, que él cree horrorosa venganza, le persigue sin dejarle descansar durante toda su vida hasta llevarle al suicidio.

Los trágicos efectos de una broma constituyen el argumento de *El milagro del hermanuco* [47]. *Consuelos* [48] es un sencillo y emotivo cuadro sin asunto apenas: Una costurera ha perdido a su hijo y no bastan a consolarla las cariñosas frases de las mujeres que la rodean, cuya retórica popular sobre el angelito muerto está muy bien captada por la Pardo Bazán.

Ejemplo de naturalismo eficaz y sobrio es *Accidente* [49]: Un rapaz canijo y débil está ganando su primer jornal con el duro trabajo de socavar una tierra. Desplómase ésta, aplastándolo. Tan insignificante drama está narrado sin énfasis alguno, consiguiendo así el máximo efecto emotivo.

En *Eximente* [50] el suicidio de un joven se explica por unas páginas de su diario en las que dice haber sentido horrible miedo de un invisible *alguien* que por las noches entraba en su habitación. (Este cuento se asemeja algo a uno verdaderamente emocionante de Maupassant titulado *El Horla*, historia de una alucinación que el autor fran-

[44] Id., págs. 215 y ss., y 247 y ss.
[45] *Nuevo Teatro Crítico*. Año I, n. 1, marzo de 1891.
[46] Id., n. 28, págs. 174 y ss.
[47] Id., n. 29, noviembre de 1893.
[48] *El fondo del alma*, págs. 26 y ss.
[49] Id., págs. 58 y ss.
[50] Id., págs. 165 y ss.

cés debió experimentar personalmente, e indicio tal vez de la locura
que le condujo a la muerte.)

La enfermera [51] es uno de los más dramáticos cuentos de la Pardo
Bazán: Una esposa, al averiguar que ha sido engañada por el marido
moribundo, le da las pociones que más daño pueden causarle. Un asunto semejante lo trató Catalina Albert *(Víctor Catalá)* en *Agonía,* de la
serie *Dramas rurales.*

En *Un duro falso* [52] un muchacho aprendiz de zapatero es objeto
de las burlas y golpes del dueño del taller, que sólo le utiliza para recados y para cobrar las facturas. En un cobro le dan un duro falso, y el
maestro le castiga brutalmente acusándole de ladrón. Cuando el chico
recobra el sentido, coge bruscamente un cuchillo de cortar suela y se
lo clava en el cuello al maestro.

En todos estos cuentos el realismo áspero y duro recuerda el de los
mejores relatos de Maupassant, autor al que imitó, consciente o inconscientemente, la escritora gallega.

* * *

Tanto hemos hablado de «CLARÍN» en anteriores capítulos, que
ahora sólo nos resta decir algo de una sola narración suya que hemos
decidido encuadrar aquí: *Doña Berta.* Todos sus restantes relatos han
sido reseñados y estudiados, y sólo queda ya esta maravillosa novela
corta, a la que también nos hemos referido muchas veces en el transcurso de nuestro trabajo, sobre todo al tratar de explicar lo que Alas
entendía por novela poética, y el lugar del cuento —o de la novela
corta concebida como cuento largo— entre la poesía y la novela.

Doña Berta es, indudablemente, la narración más poética de todo
el siglo XIX, y resulta hoy lo más actual de cuanto se escribió en España
durante la pasada centuria. Fué la obra que más apreciaba su autor, y
aún no ha perdido ni perderá su fragancia de cosa recién hecha, su
temblor de vida. No hay estridencia alguna en la narración: los sucesos más dramáticos —la caída moral de D.ª Berta bajo el laurel o
su muerte en las calles de Madrid— están narrados sin énfasis, con el
mismo tono suave con que transcurre todo el relato, pálido en el color,
tan tiernamente ajado como la misma D.ª Berta y el ambiente —el

[51] Id. págs. 189 y ss.
[52] Id., págs. 245 y ss.

rincón de Susacasa, a donde no llegaron romanos ni moros—, denso de siglos y de silencios. El gran encanto de *Doña Berta* parece residir en que su autor concentró en ella lo mejor de su siglo: lo más delicado y musical del romanticismo, y lo más humano y sobrio del naturalismo.

Hay una leve intención estilizadora que hace de *Doña Berta* daguerrotipo difuminado por el vaho del tiempo, como si *Clarín* supiese que su siglo era ya tremendamente viejo, y que sólo servía para la evocación en que las cosas se cuentan en voz baja, medio sonriendo y medio llorando.

Doña Berta puede ser interpretada como un ejemplo más del clariniano amor a lo vital —a lo más sencillamente vital—, de su antiintelectualismo.

La anciana solterona, sorda, encerrada en su ternura y en sus recuerdos, parece un ser extraído de la misma dulce, silenciosa y vieja tierra en que vive; como Pinín, Rosa y la *Cordera* semejaban emanación del *prao* Somonte, tan unidos estaban a la tierra de que vivían. El paisaje asturiano es en ambas narraciones no un fácil y brillante decorado bucólico, sino un sustentáculo ideológico y poético. El hombre es bueno y sencillo unido a la tierra en la que ha nacido y de la que vive, surgiendo el drama al ser arrancado de ella. D.ª Berta al abandonar el rincón de Susacasa y marchar a Madrid, sospecha ya que va hacia algo oscuro y terrible; sabe que no regresará nunca a su verde escondite. Por eso Sabelona, la vieja criada, pese a su devoción por el ama, no la acompaña a la capital. Su vida está incrustada en el paisaje que la rodea y arrancarse de él es tanto como dejarse morir. (La muerte del gato de D.ª Berta en la buhardilla de la casa madrileña, sirve de refuerzo al tema principal de la novela.)

Doña Berta es un ser movido sólo por el amor. Por él cayó bajo el laurel, enamorada del capitán liberal. Por él va a Madrid a buscar el retrato de su hijo muerto. A su alrededor se mueve un mundo confuso y ruidoso que *Clarín* —¡qué exquisito gusto!— no describe y sólo sugiere. Unicamente las iglesias madrileñas le traen a D.ª Berta el aroma y el recuerdo de la paz de su tierra. Pero fuera están el frío, la nieve, los terribles carruajes, la ambición, el dinero, la intriga... Doña Berta sólo obtiene la fácil compasión que despierta una vieja señora a la que creen chiflada. Muere aplastada por un tranvía, cuando ya su cuerpo había muerto —arrancado de Susacasa— aunque alentaba en él un alma encendida por el amor, por la esperanza de adquirir el retrato de *su* capitán.

La belleza de esta narración no queda empañada por ciertos aparentes motivos de folletín que a un lector descuidado podrían hacerle creer que se trataba de un relato más de seducción, deshonra y demás circunstancias románticas. *Clarín* aprovechó unos motivos románticos —guerra carlista, capitán liberal recogido por una familia enemiga, amor entre el herido y la joven carlista, nacimiento de un hijo y ocultación de éste a la madre, etc.— que, en manos de otro narrador, quizás hubieran dado como fruto un relato sensiblero y melodramático.

Alas transforma una anécdota que podía haber resultado vulgar, en una novela corta de extraordinaria calidad poética, impar en la literatura de su tiempo. *Doña Berta* no es ya el siglo xix. Es el siglo visto desde la evocación, sin apenas ironía —¡es tan fina la que lleva a *Clarín* a asustarse de los tranvías y veloces vehículos madrileños!—, con una gran ternura. Todo un mundo bello y delicado parece liquidarse con la muerte de una viejecita, vestida siempre de color tabaco, en las calles de Madrid. En ninguna otra criatura literaria puso *Clarín* tanto cariño como en ésta, de la que no nos atreveríamos a burlarnos ni aun en sus momentos ridículos.

En lo que llamamos *cursi* hay una profunda veta de humanidad. Y ése es el gran mérito de *Clarín:* haber sabido extraer de unos motivos aparencialmente cursis una gran lección de humanidad y de belleza.

Doña Berta puede ser considerada hoy como el máximo exponente de la perfección a que la narración breve llegó en nuestras letras, en los últimos años del siglo xix.

* * *

De Palacio Valdés citaremos *El drama de las bambalinas* [53]: Un traspunte de teatro tiene unos amores adúlteros con la esposa de un tramoyista y sospecha que pueden haber sido descubiertos. Un día muere al *caerse* de una escalera en plena función.

«*Crótalus horridus*» [54] es una extraña historia de un marino que se enamora, en la pensión donde vive, de una muchacha que se ex-

---

[53] *Obras completas.* Ed. Aguilar. Tomo II, págs. 1.032 y ss.
[54] Id. págs. 1.117 y ss.

presa poética y misteriosamente. Llega de América un tío rico y ella habla de su predilección por la astuta serpiente de cascabel, contando a propósito de esto la historia de un negro que tras recoger y cuidar a una, fué mordido por ella ingratamente. Cuando el marinero tiene que partir, ella se deshace en llanto y caricias para impedirlo. Una vez en el barco, él se arrepiente, vuelve en un bote y encuentra en la casa al tío rico asesinado. Posteriormente en un periódico se comenta la ejecución de dos mujeres asesinas que se hacían pasar por madre e hija.

La narración carece de la unidad propia del cuento o de la novela corta, y resulta poco lograda aun cuando intensamente trágica.

Otro sombrío crimen es el sugerido en *La matanza de los zánganos* [55]: El hermano de unas huérfanas consume la fortuna de éstas en orgías y mujeres. Ellas cuidan de una finca, y en cierta ocasión reciben la visita del doctor Angélico, que, ante las colmenas, les habla de cómo las abejas matan a los zánganos. Cuando en otra ocasión vuelve a verlas, el hermano inútil y despilfarrador ha muerto.

* * *

VICENTE BLASCO IBÁÑEZ poseía magníficas condiciones para el relato vigorosamente dramático, realista, a la manera de Maupassant; condiciones casi siempre malogradas por su excesiva tendenciosidad y cierta falta de buen gusto que le hacía recaer en truculencias y efectismos propios de un folletinista inhábil.

No obstante, alguna narración suya podría ser calificada de modélicamente trágica o dramática, como la titulada *El préstamo de la difunta,* una de las mejores y más impresionantes novelas cortas de nuestra literatura [56].

De ambiente chileno, se caracteriza por su sobrio realismo y lo apasionante de su trama: Rosalindo Ovejero, que vive en un vallecito de los Andes, baja a Salta a la procesión del Cristo del Milagro. Concluído el acto religioso, Rosalindo se emborracha, y en una taberna, disputando, mata a un hombre. Huye entonces a Chile, y, al atravesar la montaña, encuentra la tumba de la difunta Correa. Esta mujer murió

---

[55] *Papeles del doctor Angélico.* Victoriano Suárez. Madrid, 1921, págs. 7 y siguientes.

[56] *El préstamo de la difunta (Novelas).* Prometeo. Valencia, 1921, páginas 7 y ss.

con su hijo al atravesar aquellos fríos y desiertos lugares. Fué enterrada por unos viajeros, y, desde entonces, todos los que pasaban por allí dejaban una limosna para misas por su alma. Rosalindo no tiene apenas dinero y, pensando que lo ha de necesitar para vivir en Chile, se atreve a cogerlo en préstamo del de las limosnas de la difunta, dejando un papel firmado en el que promete devolverlo antes de un año.

En las salitrerías de Chile hace dinero, y enterado de que un amigo va a Salta, le da una crecida cantidad para pagar la deuda sobradamente. Pero el recadero es asesinado, no pudiendo llevar el dinero a la tumba, por lo que la difunta y su hijo comienzan a aparecérsele a Ovejero. Da dinero a otro amigo, pagándole el viaje, pero éste se escapa con todo. Decide ir él mismo, viejo ya, atormentado por las apariciones de la vieja del farol —símbolo de muerte próxima— y de la difunta. El año ha pasado ya hace mucho tiempo. Y cuando llega a las montañas, la parálisis le impide moverse y cae entre la nieve, mientras un puma que custodia la tumba se apodera de él.

Los viajes de Blasco Ibáñez por América y su conocimiento de ambientes y figuras, cristalizaron no sólo en *El préstamo de la difunta*, sino en otras narraciones como la ya citada *Las plumas del caburé*, y alguna tan repugnante como *El automóvil del general* [57], ambientada en Méjico.

En *La familia del doctor Pedraza* [58] un rico estanciero argentino hipoteca su hacienda y se arruina por sostener el lujoso tren de vida de su mujer e hijas. De ambiente argentino y con un tema muy semejante es *El rey Lear, impresor* [59], sobre el suicidio de un impresor arruinado por su familia.

La guerra europea del 14 dejó honda huella en la producción literaria del escritor valenciano. *El monstruo* [60] es un cuento protagonizado por un matrimonio francés. El marido queda desfigurado en la guerra, sin brazos ni piernas, y su mujer huye de él horrorizada. Sólo su madre le abraza sin repugnancia. En *Las vírgenes locas* [61] se relata la transformación de dos frívolas muchachas francesas, convertidas durante la contienda en abnegadas enfermeras. Pero el más emotivo

---

[57] Id., págs. 157 y ss.
[58] *Novelas de la costa azul*. Prometeo. Valencia, 1924, págs. 41 y ss.
[59] *Novelas de amor y de muerte*. Prometeo. Valencia, 1927, págs. 109 y ss.
[60] *El préstamo de la difunta*, págs. 51 y ss.
[61] Id., págs. 119 y ss.

—aunque algo desorbitado— relato con este fondo es *La vieja del ci-nema* [62]: En un cine francés una anciana promueve un escándalo al ver en una película de guerra una escena, tomada de la realidad, en la que aparece su nieto, muerto en combate. Va todas las tardes al mismo cine, al que no consigue arrastrar a su nieta, rica dama que no se acuer-da del muerto. Quitan la película del local, y la anciana, sin dinero, débil, se encamina a otro cine lejano donde la volverán a poner.

El tema de la fugacidad de la vida, de la gloria y de la amargura de la vejez, lo trató Blasco Ibáñez en varias narraciones: *Puesta de sol, El Sol de los muertos* y *El viejo del Paseo de los Ingleses* [63].

De ambiente valenciano son «*Dimóni*» —dolor de un dulzainero borrachín y poético al morir la mujeruca con la que vivía amanceba-do—, *Cosas de hombres* —cuadro realista sobre una sangrienta reyerta amorosa— [64] y *Venganza moruna*, uno de los más bárbaros cuentos rurales de Blasco Ibáñez [65].

* * *

De José ORTEGA MUNILLA citaremos tres narraciones calificables de dramáticas. En *El mundo marcha* [66] un hercúleo montañés, viudo, va a Madrid con su hija a ganarse la vida. Tras diferentes azares llega a ser faquín de la estación del Norte. La hija es llevada a un colegio de monjas, pero, por incompatibilidad con aquella educación austera y sa-crificada, pasa a un colegio francés, donde aún se exalta más su ima-ginación, amante del lujo y de las riquezas. Un día huye ante la deses-peración de su padre, que posteriormente la encuentra en la estación convertida en una elegante dama al lado del seductor, al que él mata de un terrible puñetazo en la cabeza.

Los caracteres no bien dibujados y la acción constantemente inter-ferenciada, quitan fuerza dramática a la narración. Otro tanto ocurre con *Panza-al-trote* [67], narración larga y con unidad sólo dada por el pro-tagonista, un vagabundo que tras pasar por toda clase de oficios y vici-situdes —narradas naturalísticamente—, muere de una úlcera en el es-tómago.

---

[62] Id., págs. 129 y ss.
[63] Pertenecientes a la serie *Novelas de la costa azul.*
[64] De la serie *Cuentos valencianos.*
[65] *La condenada,* págs. 207 y ss.
[66] *Mis mejores cuentos.* Prensa Popular. Madrid (s. a.), págs. 41 y ss.
[67] Id., págs. 81 y ss.

Más interesante, aunque narrado con un lenguaje recargadamente artístico, es *Tremielga* [68], historia de la locura de un pintor.

Las *Narraciones* que en 1893 publicó EUGENIO SELLÉS han sido estudiadas casi todas, excepto dos de tono trágico que ahora citaremos: *Una broma de Carnaval* y *Traidor, inconfeso y mártir* [69].

En la primera —*narración para los divertidos*— el narrador cuenta cómo en una visita a un manicomio ve a una mujer totalmente cubierta con tocas y con impermeable con capucha. Ella se justifica diciendo que tiene lunares y no quiere que le suceda lo que a su amiga Concha, ya que los hombres tienen la mirada líquida.

Concha se casó muy joven e hizo del matrimonio una religión. En un baile de Carnaval un individuo disfrazado de diablo se burla de ella al verla bailar con su marido, y les dice en voz baja dónde tiene ella dos lunares. Surgen los celos en el esposo, y ella, horrorizada, no sabe explicárselo, tan austera es la castidad que ha guardado siempre. Cuando se descubre que quien dijo aquello era el propio padre de Concha, queriendo gastar una broma, ella ha enloquecido ya.

Concha y la mujer velada son una misma persona, según le declara al narrador el director del manicomio.

Traidor, inconfeso y mártir, Narración para los juzgadores es un cuento excesivamente trágico, de tono y problemas muy decimonónicos, y que, pese al título, no tiene nada que ver con el drama de Zorrilla. Más se parece al episodio del padre de Fabián Conde en *El escándalo,* en lo que tiene de trágica mezcla de honor militar, honra personal y traición.

Los cuentos trágicos y dramáticos de «FERNANFLOR» pecan a veces de truculentos. En *La dicha ajena* [70] el narrador en el Retiro envidia la felicidad de una pareja de novios. Suenan dos disparos, y aparecen muertos los amantes que parecían tan felices. *El número 6* [71] es la historia macabra y cruel del tío Bruno, que con su carro recoge los cadáveres de los muertos por el cólera. Su hija, la Pingajosilla, pide limosna, y una noche el Ganchoso le roba lo obtenido, emborrachándose y muriendo seguidamente. El tío Bruno recoge su cadáver con vengativa alegría.

---

[68] Puede leerse en la *Antología de cuentistas del siglo XIX* de la colección *Crisol.* Ed. Aguilar. Madrid, 1945, págs. 497 y ss.

[69] *Narraciones.* F. Fe. Madrid, 1893, págs. 263 y ss. y 281 y ss.

[70] *Cuentos rápidos.* Barcelona, 1886, págs. 43 y ss.

[71] Id., págs. 139 y ss

En alta mar [72] es una dramática estampa en que se describe la triste ceremonia de arrojar al mar el cadáver de una mujer. Su marido se suicida tirándose tras ella. En *Funerales extraños* [73] el narrador desde su balcón contempla los raros seres que velan un cadáver enfrente de su casa. Se trata de un payaso cuya cómica expresión hace reír aun después de muerto.

En 1893 publicó MANUEL AMOR MEILÁN una serie de *Cuentos y novelas* [74] bien narrados en general. *El último hijodalgo* es un dramático cuadro en que el autor describe la muerte por hambre de un mísero hidalgo venido a menos. En *Tragedia* un deudor mata y arroja al fuego a la usurera que le reclamaba los réditos. *La canción del pinar* es otra trágica historia sobre un pastor que muere en una noche sombría arrastrado por el ganado, al que el murmullo del pinar había enloquecido. *El voto* no es un cuento, sino una estampa en que una mujer camina de rodillas hasta caer inerte, en una procesión de Semana Santa. En *Un incidente* se describe un motín durante el cual los amotinados del pueblo insultan a los soldados por haber asesinado a un hombre. Un soldado al oír el nombre del muerto pregunta si es su padre, cortándole una bala la palabra.

De FEDERICO URRECHA recordaremos alguna tan emotiva y sencilla narración como *Traqueotomía:* El niño de un médico se ahoga y sólo la operación que da título al cuento ofrece alguna posibilidad de salvación. El padre la hace, pero el niño muere entre sus manos. En *Fiesta en la sombra* —espléndida narración sin apenas trama y sobriamente lírica— se describe la Nochebuena de una niña ciega frente al Nacimiento.

Otras dramáticas narraciones de este autor son *La Catralilla, Hijo de viuda,* etc. [75].

En 1891, VENTURA MAYORGA publicó *Contraste* [76] doble estampa dramática de un baile y del viático a un moribundo. Del mismo año es *Se hielan los pájaros* [77] de BENITO MÁS Y PRAT, en que una joven en-

---

[72] *Cuentos*. Madrid, 1904, págs. 147 y ss.
[73] Id., págs. 153 y ss.
[74] *El último hijodalgo (Cuentos y novelas)*. Ed. Andrés Martínez. La Coruña, 1893.
[75] Las narraciones citadas pertenecen todas a la serie *Cuentos del lunes*, publicados junto con *La estatua*.
[76] *Blanco y Negro*, n. 23, 11 octubre 1891.
[77] Id., n. 33, 20 diciembre 1892.

ferma muere de una corriente de aire por abrir la ventana a un pájaro que se helaba de frío en la calle.

De ALFONSO PÉREZ NIEVA citaremos algunos de sus cuentos y *Novelas relámpagos* —relatos breves dialogados—, como *El muerto solo* [78], tragedia de un soldado que al regresar de Cuba vuelve a su oficio de cochero, y un día conduce al cementerio a su propia hija de la que nada sabía. *El invierno perpetuo* [79] es la soledad en que vive una anciana. *La red nueva* [80] repite el tan manido tema de la mujer e hijos que esperan inútilmente al pescador perdido. En *El primer billete* [81] un aguador asturiano, tras grandes esfuerzos, logra reunir cien pesetas, de las que ha de desprenderse para enviar a su hijo a su tierra a curar una incipiente tuberculosis. El dolor de un viejo carpintero al ver desguazar un barco suyo, es el tema de *El navío* [82]. En *La asistenta nueva* [83] una mujer viuda y humilde entra de asistenta en un hospital de unas monjas, para así poder estar al lado de su hija allí recogida. En *El primer registro* [84] un hombre en la miseria y sin trabajo encuentra al fin un empleo en el juzgado. El primer registro que hace es el de la defunción de su propio hijo.

El tema de la fiesta de toros era ya trágico de por sí, y no necesitaba de complicación argumental. (Recuérdense *Semilla heroica* de la Pardo Bazán y *Fiesta nacional* de Pedro Balgañón.) En *El último par* [85] consiguió ENRIQUE SEPÚLVEDA una estampa dramática al describir el hogar de un torero muerto. JOSÉ GARCÍA RUFINO pintó en *El coche de los toreros* [86] el dolor de la mujer que ve regresar vacío el coche en que fué a la plaza su novio, torero novel.

La ley del más fuerte, de JOSÉ DE ROURE [87], es un cuento dramático que envuelve una intención moral: Un carretero llega a una venta donde charla con un cura y una moza, alardeando de bruto. Amenaza a la moza diciéndole que si hace cara a otros hombres, los barrerá igual que a hormigas. Y con el dedo ensalivado destroza a las que su-

---

[78] Id., n. 57, 5 junio 1892.
[79] Id., n. 84, 11 diciembre 1892.
[80] Id., n. 167, 14 julio 1894.
[81] Id., n. 308, 27 marzo 1897.
[82] Id., n. 364, 23 abril 1898.
[83] Id., n. 426, 1 julio 1899.
[84] Id., n. 124, 16 septiembre 1893.
[85] Id., n. 64, 24 julio 1892.
[86] Id., n. 160, 26 mayo 1894.
[87] *Cuentos madrileños*. Madrid, 1902, págs. 133 y ss.

bían por un pozo, excepto a una que se le cuela por una manga. Al burlarse de la fragilidad de las hormigas, el sacerdote le recuerda que el hombre es frágil también, de lo que el carretero se ríe. Marcha luego, y un tren lo atropella con su reata al atascarse una rueda en la vía. Del cadáver destrozado del carretero sale viva la hormiga. *La gran batalla* [88] tiene una intención simbólica, aludiendo su título a la cruel e incesante lucha de la vida. Una tragedia en el mar de la que sólo se salva un pajarillo al que abre la jaula un marinero, es el tema de *Lo que se salva* [89]. En *Un cobarde* [90] un joven al que le ha correspondido ir a Cuba, es retenido por su novia, que le pide deserte o se suicide con ella. Pero él carece de temperamento pasional, aun cuando en la despedida, y con el enardecimiento amoroso, promete suicidarse antes de separarse de ella. La joven entonces saca una pistola y se mata, pero él no se atreve y huye, metiéndose, en su terror, entre las vías del tren y siendo arrollado y muerto. Finamente dramáticos son *Vida nueva* y *Monólogo de año nuevo* [91].

De ALVARO J. NÚÑEZ citaremos aquí *¿Volverá?* —miseria y muerte de un campesino que abandonó su hogar para vivir como músico ambulante, mientras su mujer espera siempre su regreso [92]— y *El entierro* [93].

Un drama en la pradera, de JOSÉ ZAHONERO [94], es una narración de circunstancias sobre los excesos cometidos en la pradera de San Isidro con ocasión de la fiesta del Santo. Un vigoroso cuadro es el descrito por EDUARDO DEL PALACIO en *El mayoral* [95], en que un andaluz al llegar a la Argentina ha de disputar a machetazos una plaza de mayoral, matando al negro que la desempeñaba.

De ALEJANDRO LARRUBIERA recordaremos en este capítulo *El gato negro* [96], *A cadena perpetua* —fracaso de las ilusiones juveniles y rutina de una vida mísera—, *Un noviazgo* [97], *El cuento de la hormiga* —el animalillo narra cómo vió a unos novios, y tiempo después, a ella sola

---

[88] *Blanco y Negro,* n. 164, 23 junio 1894.
[89] Id., n. 260, 25 abril 1896.
[90] *Cuentos madrileños,* págs. 75 y ss.
[91] Id., págs. 127 y ss., y 147 y ss.
[92] *Blanco y Negro,* n. 142, 20 enero 1894.
[93] Id., n. 186, 24 noviembre 1894.
[94] Id., n. 159, 19 mayo 1894.
[95] Id., n. 197, 9 febrero 1895.
[96] Id., n. 226, 6 junio 1896.
[97] *Hombres y mujeres.* Madrid, 1913, págs. 139 y ss., y 205 y ss.

con un niño al pie del mismo árbol, monologando sobre las infamias de los hombres— [98], etc.

Algo se asemeja a esta última narración —presentación objetiva de la desgracia de una joven deshonrada— *Los tres servicios (Memorias de un cochero de punto)* de E. SÁNCHEZ PASTOR: Los tres servicios constituyen los tres brevísimos capítulos del cuento: I. El cochero presencia el rapto voluntario de una joven. II. Esta misma va en el coche al juzgado con su hijo, abandonada por el seductor. III. El coche acompaña el solitario entierro de la joven [99].

En *Las cataratas,* de RAFAEL TORROMÉ [100], un oculista que no tiene clientela encuentra a un viejo mendigo ciego de cataratas y le cura, hecho que propaga aparatosamente haciendo decir al anciano que ningún oculista del mundo había podido curarle. La clientela crece con la fama del falsario. El ex-ciego no encuentra ya compasión, y, no obteniendo trabajo por su edad, reclama al médico sus cataratas.

LUIS VALERA, hijo del autor de *Pepita Jiménez,* cultivó con fortuna el cuento exótico y legendario, pero también dejó algunas logradas narraciones trágicas y dramáticas como las tituladas *Yoshi-san la musmé* y *El hijo del banián* [101]. En la primera el autor contrapone la delicadeza y bondad de unas *musmés* chinas que se prestan a complacer a unos blancos —judíos y americanos—, con la codicia de éstos, que las maltratan para robarlas. Yoshi-san huye horrorizada de uno de ellos que la quiere matar, y en la huída se ahoga en un río. El escueto asunto está dura y dramáticamente narrado.

El hijo del banián es un cuadro trágico y colorista: El *Karikad* navega por el golfo de la India (Valera describe espléndidamente el ambiente del barco, denso, cálido). El hijo recién nacido de un banián —buhonero indio— está agonizando; sólo una dama francesa se atreve a socorrerlo, bajando a la infecta sentina. Muere el niño y es arrojado al agua, arrebatado a viva fuerza al padre. La dama, al llegar a Bombay, quiere socorrer al banián, pero éste se pierde entre la multitud.

FRANCISCO FLORES GARCÍA narró en *El drama de un loco* [102] la his-

---

[98]   *El dulce enemigo.* Madrid, 1904, págs. 181 y ss.
[99]   *Blanco y Negro,* n. 380, 13 agosto 1898.
[100] Id., n. 295, 26 diciembre 1896.
[101] *Visto y soñado.* Madrid, 1903, págs. 33 y ss., y 129 y ss.
[102] *Blanco y Negro,* n. 477, 23 junio 1900.

toria de un hombre al que hizo enloquecer el odio de su hermano; y en *Lupita* [103] presentó el emotivo encuentro del poeta envejecido con la más envejecida bailarina a la que dedicó sus primeros versos. (Recuérdense las ya citadas narraciones de Blasco Ibáñez sobre un tema semejante.)

De BLANCA DE LOS RÍOS recordaremos dos dramáticos relatos: *Nieta de Reyes* y *La dogaresa* [104].

Una narración delicadamente emotiva es *La niña cursi* de LUIS GONZÁLEZ GIL [105]: La pobre muchacha que lleva una vida miserable y oscura en Madrid, veranea en un sucio lugarón de la sierra, donde es tenida por una reina de la elegancia que habla de la aristocracia de Madrid, del lujo, de sus pretendientes... Y una gran amargura invade a la pobre muchacha al regresar a la vida estrecha y difícil de Madrid. Tan sencilla trama tiene un profundo acento de humanidad.

De JOSÉ MARÍA MATHEU recordaremos *La hermanita Comino* [106], agradable narración sobre una joven así llamada, la menor de tres hermanas que viven con la madre viuda. Angel tutelar de la casa, favorece las bodas de sus dos hermanas, resignándose ella a una eterna soltería. En *La Visión de lo Infinito* [107] un profesor al que se creía muerto sale del letargo lentamente. Vive aún, y ayudado por los médicos se salva. Pero el recuerdo de lo Infinito que vió durante su ausencia de la vida, le hace enloquecer.

Y para cerrar ya este capítulo, citaremos algunas narraciones de cuentistas finiseculares, que en realidad pertenecen al siglo siguiente. En *La aventura* —logradísima narración de ENRIQUE DE MESA— una mujer casada y su amante, disfrazados de chulos, corren una aventura nocturna. En un figón el hermano de ella blasfema y alborota. El amanecer les sorprende cansados. El marcha solo y triste. En un solar canta un gallo, y sopla un viento frío. La sensación de mal sabor de boca, cenizoso y amargo, provocado por la *aventura* sucia e innoble, está

---

[103] Id., n. 491, 29 septiembre 1900.
[104] Id., n. 527, 8 junio, y n. 535, 3 agosto 1901.
[105] Id., n. 594, 20 septiembre 1902.
[106] *La hermanita Comino, Novelas cortas.* Biblioteca Argensola. Zaragoza (s. a.), págs. 5 y ss.
[107] Id., págs. 121 y ss.

magníficamente conseguida en este relato de tono y lenguaje completamente modernos [108].

De las *Vidas sombrías* de Pío Baroja, publicadas en 1900, recordaremos aquí *Marichu, Errantes, Noche de médico,* etc. En realidad toda la colección se caracteriza por su tono trágico, pero algunas narraciones se destacan. Tales *La sima* y *Las coles del cementerio,* verdaderamente impresionantes, en especial la primera, cuyo protagonista es un zagal que por coger el macho cabrío de una vieja tenida por bruja, cae en una sima de donde nadie se atreve a sacarlo. Sus lamentos se oyen durante varios días y, al fin, se apagan por completo.

Catalina Albert («Víctor Catalá») es una narradora de comienzos de siglo que representa la máxima depuración de la cuentística decimonónica a través de sus vigorosos y dramáticos cuentos, clasificables casi todos en este capítulo y caracterizados por la autenticidad de su tono rural.

---

[108] Puede leerse en la antología *Cuentos* (de varios autores). Biblioteca Fénix. Madrid, 1912.

INDICES

INDICE DE AUTORES

Encina, Juan del.—430.
Englekirk, John E.—235.
Escalante, Juan Antonio,—63, 213.
Escalera, Evaristo.—184, 599.
Escámez, José María.—486.
Escamilla, Pedro. — Vid. Castellanos y
Velasco, Julián.
Escolano, Salvador.—194.
Escosura, P. de la.—264.
Españolito.—Vid. Suárez, Constantino.
Espina, Concha.—179, 198.
Espinel, Vicente.—212.
Espínola, Félix.—182, 240.
Espínola, Francisco de.—183, 597.
Espínola, Ramón de.—71, 183, 597.
Espinosa, A. M.—410, 475, 561, 565,
572, 573, 575, 576, 577, 578, 579,
584, 585, 586, 588.
Espronceda, José.—26, 27, 28, 154, 264.
Esteban y Navarro, Casta.—188.
Estébanez Calderón, S. — 62, 63, 97,
110, 180, 182, 191, 223, 269, 446.
Estremera, José.—190, 193.

Fabra, Nilo María.—193, 258.
Fabre, F.—337.
Faguet, E.—309.
Farigoule, Luis.—123.
Faulkner, William.—53, 86.
Fernán Caballero.—Vid. Böhl de Faber,
Cecilia.
Fernández Arias.—A.—196.
Fernández Bremón, J.—67, 160, 162,
186, 187, 224, 253, 346, 433, 456
y s. s., 507, 553.
Fernández Flórez, I.—67, 72, 103, 122,
160, 161, 162, 186, 189, 197, 273,
345, 411, 433, 482, 511, 518, 533 y si-
guientes, 540, 541, 550, 614, 636, 643,
673.
Fernández Flórez, W.—369, 431.
Fernández y González, Delfín. — 195,
198, 388.
Fernández y González, M. — 183, 267,
486.
Fernández Guerra, A.—267, 270.
Fernández Iturralde, E.—67, 160, 185,
186, 238, 254, 449, 552, 600.
Fernández Luján, J.—49, 50, 377.
Fernández de Miranda, Ricardo. — 189.
Fernández de Ribera, Rodrigo.—507.

Fernández Santiago, G.—63.
Fernández Troncoso, Gonzalo.—42.
Fernández Vaamonde, E.—66, 183, 193,
196, 599.
Fernanflor.—Vid. Fernández Flórez, 1.
Ferrán, Augusto.—184, 217.
Ferrari, Emilio.—30, 92.
Ferreira y Peralta, José.—184.
Ferrer y Lalana, M.—275 .
Ferrer del Río, Antonio.—656.
Ferrer y Saldaña, Victorina.—185.
Ferriz Villeda.—182, 595.
Fevre, Fréderic.—561.
Fichter, William L.—272.
Figueroa, J. R.—104.
Flammarion, C.—245.
Flaubert, Gustave.—54, 105, 131, 229,
296, 466, 534.
Flores Arenas, Francisco.—182.
Flores García, Francisco.—187, 677.
Font de Fondeviela, Enrique.—191.
Forteza, Guillermo.—184.
Fournier, Alain.—525.
France, Anatole. — Vid. Thibaud, Ana-
tole.
Francés, José.—168, 179, 554.
Francos Rodríguez, José María. — 194,
198, 545.
Franquelo y Romero, R.—64.
Fray Candil.—Vid. Bobadilla, Emilio.
Freud, S.—129.
Freytag, G.—120.
Frontaura, Carlos.—138, 160, 184, 185,
191, 486.
Frutos Baeza, José.—194.
Fulgosio, Fernando. — 160, 184, 185,
217, 659.

Gabaldón, Luis.—191, 487, 658.
Gabriel y Galán, J. M.—107, 197.
Gaitán de Vozmediano, J.—40.
Galsworthy, J.—123.
Gallaher, Clark.—235.
Garay de Sartí, José.—184, 552.
García Alemán, E.—190, 194.
García Cadena, Peregrín. — 186, 188,
459.
García Doncel, Carlos.—70, 181, 212.
García Escobar, Ventura.—183, 266.
García Ladevese, E. — 185, 486, 618,
649.

INDICE GENERAL

ERRATAS Y CORRECCIONES

	DICE	DEBE DECIR
Pág. 43, línea 16............	Berganza	Cipión
Pág. 46, línea 9.............	Berganza	Cipión
Pág. 67, línea 32............	Fernanflor	*Fernanflor*
Pág. 84, líneas 18-19......	sin hilo	sin un hilo
Pág. 85, línea 15............	parodójico	paradójico
Pág. 85, línea 30............	recogiéndolos	recogiéndolas
Pág. 89, línea 25............	Stäel	Staël
Pág. 104, línea 7............	*Vicetto*	Vicetto
Pág. 117, línea 7............	qusqu'a	jusqu'a
Pág. 117, línea 21...........	pretendían, algunos	pretendían algunos
Pág. 120, línea 35...........	y cuentos;	y cuentos,
Pág. 127, línea 1............	en que	en el que
Pág. 179, línea 20...........	noventiochista	noventaiochista
Pág. 321, línea 35...........	presentaban	prestaban
Pág. 350, líneas 30-31......	Rojas, Zorrilla	Rojas Zorrilla
Pág. 366, línea 26...........	composina	campesina
Pág. 372, línea 3............	Mauppassant	Maupassant
Pág. 395, línea 5............	como la	como es la
Pág. 416, línea 30...........	las	les
Pág. 676, línea 17...........	J. Núñez	L. Núñez